Giovanni Paolo Pannini,
Galerie de vues de la Rome antique (1758)
tableau légué en 1944 par la princesse Edmond de Polignac

Les donateurs du Louvre

Ministère de la Culture,
de la Communication,
des Grands Travaux et du Bicentenaire

Editions de la
Réunion des musées
nationaux

Couverture :
anamorphose du tableau de Pannini,
Galerie de vues de la Rome antique,
reproduit page 1

ISBN 2-7118-2254-0

Sommaire

Georges de La Tour,
Saint Thomas,
acquis en 1988 grâce à une souscription publique
et au legs de Mme Granday-Prestel

Théodore Gericault,
Portrait de Mustapha,
aquarelle donnée en 1975 anonymement

Les donateurs du Louvre

Près de 2 700 noms, le chiffre des donateurs du Louvre est considérable ; encore ne prend-il pas en compte les donateurs qui ont souhaité garder l'anonymat[1] ni, individuellement, tous ceux qui ont participé à des souscriptions publiques. La dernière, celle à qui le Musée doit le *Saint Thomas* de Georges de La Tour, n'a-t'elle pas soulevé l'enthousiasme de plusieurs milliers de personnes et de sociétés ?

C'est à la générosité de tous ces donateurs, modestes ou munificents, que ce livre et l'exposition qui l'accompagne rendent hommage.

Avec l'ouverture de nouveaux espaces sous la Pyramide et bientôt dans l'Aile Richelieu, amorçant un développement et une modernisation complète du Musée, voulus et soutenus par les pouvoirs publics à leur plus haut niveau, le Louvre entre dans une nouvelle phase de sa longue histoire. Il nous a paru souhaitable et légitime d'associer à l'événement tous ceux qui, par leur désintéressement, leur esprit civique et parfois par amour de notre pays, ont contribué à faire des collections du Louvre ce qu'elles sont aujourd'hui.

On sait que ces collections doivent leur originalité et leur encyclopédique diversité à leur double origine, dont aucun autre grand musée n'a pu bénéficier aussi complètement : un fonds princier riche en chefs-d'œuvre « classiques », peu à peu augmenté depuis bientôt deux siècles grâce à des acquisitions illustrant les reconquêtes successives de l'histoire de l'art et de la curiosité. Cette constante mise à jour n'a jamais exclu, cela va sans dire, l'accueil et la recherche d'œuvres déjà consacrées d'artistes ou d'écoles toujours appréciés. Peut-on avoir trop de Rembrandt ou de Houdon ? La quête s'appuie à la fois sur la politique d'achat du musée et sur l'action, dans certains cas déterminante, des collectionneurs, des amateurs qui, à point nommé, offrent l'un sa collection entière, l'autre un trésor familial ou encore une pièce insigne choisie entre toutes, complétant peu à peu le puzzle à jamais inachevé.

(1) Si, pour respecter la volonté de discrétion de certains donateurs, nous n'avons pu les citer dans le *Répertoire des donateurs,* leurs dons méritent cependant d'être mentionnés. Citons quelques exemples parmi les plus importants :
– au Département des Objets d'art : en 1951 la bulle de l'impératrice Maria, en or et sardoine, découverte dans sa tombe en 1544 ; la bague de Jean sans Peur, en or émaillé et pierres précieuses (début XVe siècle) ; en 1969 le nécessaire en argent doré offert par Napoléon au tsar Alexandre Ier, exécuté par M. G. Biennais ; en 1972 un bénitier en argent doré, attribué à Nicolas de Launay, orfèvre de Louis XIV ; en 1978 une tabatière en or par Daniel Govaers, offerte à Cornelis Hop, ambassadeur de Hollande, par Louis XV ;
– au Département des Peintures : en 1979 *le Portrait de Marcantonio Doria* par S. Vouet ; en 1980 *Un moine brun à genoux* de C. Corot ; en 1981 *La Trinité des Monts et la villa Médicis* de F. Granet ;
– au Cabinet des Arts graphiques : en 1965 *Le Portrait de Mustapha,* aquarelle de Th. Gericault ; en 1966 *Le Christ à la colonne* de J.-F. Millet ;
– enfin à la Section Islamique en 1987, vingt miniatures iraniennes des XVIIIe et XIXe siècles.

Le premier nom inscrit sur la plaque des grands donateurs du Louvre est celui d'un jeune officier, Clauzel, et c'est justice. Ayant reçu en cadeau de Charles Emmanuel IV de Sardaigne, reconnaissant ses bons offices dans la difficile négociation qui conduisit à son abdication, la fameuse *Femme hydropique* de Gérard Dou, il y renonça pour en faire don au Directoire pour le Muséum central des Arts (1798). Lorsque le Premier Consul reçoit d'un diplomate espagnol féru d'archéologie, Azara, le buste d'*Alexandre le Grand* (1803), il dépose l'effigie exemplaire du conquérant au Louvre, devenu *Musée Napoléon*.

Le geste d'Azara s'inscrit dans la tradition des offrandes diplomatiques aux souverains, tandis que le legs (1808)[2] par les héritiers de Bouchardon (Girard) du fonds de dessins du sculpteur suit en cela l'exemple des premiers peintres du roi sous l'ancien régime. Ces gestes sont isolés. Vivant Denon compose le Musée Napoléon à partir du fonds royal, enrichi des saisies révolutionnaires et des conquêtes européennes, avec de nouveaux envois d'Italie mais aussi d'importants achats.

Après 1815 et la restitution aux alliés de la plus grande partie des œuvres prélevées à travers l'Europe, le Louvre se recompose grâce au transfert de certaines collections de Versailles ou du Musée des Monuments Français, et à des achats spectaculaires de collections entières qui permettent notamment la création du Musée Egyptien et enrichissent considérablement les sections qui deviendront plus tard les départements des Antiquités grecques et romaines, des Objets d'art et des Sculptures.

Durant toute cette période, la Restauration et la Monarchie de Juillet, les donations sont peu nombreuses mais significatives. Lorsque le comte de Beaumont offre à Louis XVIII une série de portraits de la famille royale (1817) et la veuve d'Hubert Robert deux des *Antiquités* commandées en 1786 pour Fontainebleau et demeurées dans l'atelier de l'artiste, c'est au successeur de Louis XVI qu'ils font hommage. C'est bien au Louvre, musée royal, en revanche, que le marquis de Rivière destine la *Vénus de Milo* lorsqu'il la présente à Louis XVIII (1821). De même les dons au Roi du fils de l'égyptomane Thedenat-Duvent (1823) et de Méhémet-Ali (1824) préparent la constitution du Musée Egyptien de Champollion. Les fouilles et missions archéologiques qui commencent alors, donnent l'occasion de cadeaux gouvernementaux (marbres d'Olympie donnés par le Sénat hellénique en 1829 ; fragments du Temple d'Assos, donné par le Sultan Mahmud II en 1838). Dès lors, comme l'explique plus loin A. Caubet, l'enrichissement des départements archéologiques se construira sur un jeu croisé d'actions généreuses, où le désintéressement personnel des archéologues-découvreurs, des voyageurs, des personnels diplomatiques et militaires en mission, se conjugue avec la libéralité, active ou passive, des gouvernements et parfois celle des autres pays.

(2) En règle générale, nous citerons les donations ou legs au moment qui nous paraît le plus significatif, c'est-à-dire lorsque la volonté du donateur se manifeste, la réalisation du geste (s'il s'agit d'un usufruit, par exemple) pouvant intervenir beaucoup plus tard.

Gérard Dou
La Femme hydropique
première œuvre donnée en 1798
au Museum central des Arts
par B. Clauzel

Réplique romaine
d'un portrait d'*Alexandre le Grand*
exécuté autour de 330 av.J.-C.,
offert en 1803 à Bonaparte
qui le fit déposer au Louvre la même année

Ci-contre :
La Vénus de Milo,
présentée pour le Louvre en 1821
à Louis XVIII,
par le marquis de Rivière

Le Vase de Pergame
offert en 1838
par le sultan Mahmud II

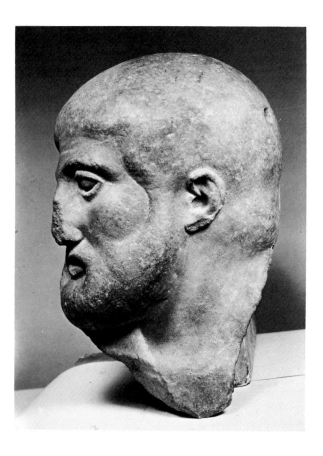

Bague aux chevaux
(XIIIᵉ-XIIᵉ s. av.J.-C.)
offerte par le vice-roi
d'Égypte Méhémet-Ali
à Charles X,
qui la dépose au Louvre

Tête d'Héraclès,
fragment de métope
du temple de Zeus à Olympie
(vers 460 av.J.-C.),
donnée en 1829
par le Sénat hellénique

Un autre type de donateurs, étudié par P. Rosenberg et I. Compin, se fait jour à la fin de la Monarchie de Juillet, les artistes (Granet, 1848) ou héritiers d'artistes (Mme Tripier-Lefranc, nièce de Mme Vigée-Lebrun, 1842) qui souhaitent laisser au Louvre un témoignage de leur œuvre (ou de l'œuvre de leur parent).

C'est au même moment que commencent les dons de portraits familiaux par les modèles ou leurs héritiers : Mme Jarre lègue son portrait par Prudhon (1844) et Isabey donne le portrait de son père par Gérard (1852). Ainsi s'établit une tradition, commentée également par P. Rosenberg et I. Compin, qui vaudra au Louvre des chefs-d'œuvre d'Ingres, Goya, Gros, Lépicié, Flandrin ou David.

1849-1870

Lorsqu'il offre « à la Nation » (1849) *La leçon de musique* de Fragonard, Walferdin, qui a rassemblé une superbe collection d'œuvres du peintre, se fixe un objectif volontariste qui sera celui plus ou moins nettement appuyé de nombreux donateurs par la suite. Il veut « faire une chose utile au public » en lui donnant à voir une œuvre d'un artiste jusqu'alors mal représenté dans les collections et qu'il importe de réhabiliter. Le geste n'est qu'un signe qui prélude à bien d'autres. S'affirme désormais la notion d'un musée complet qui se doit d'illustrer toutes les vraies valeurs du passé et qui, pour ce faire, ne peut se passer de l'intuition, des compétences et de la libéralité des amateurs avertis. En même temps se décide l'agrandissement, le développement du « Palais du Peuple » qui fournira au musée de nouveaux espaces et lui insufflera de nouvelles ambitions, concurrentes de celles qui gagnent les musées de l'Europe industrielle et bientôt d'Amérique.

Dès lors dons et legs vont se multiplier à l'intention de tous les départements[3] et émanant des personnalités les plus variées, archéologues que leur métier ou leur passion ont entraînés en Egypte, en Grèce, au Proche-Orient (Tyskiewicz, 1862 ; Saulcy, 1864 ; Luynes, 1864-1865 ; Delaporte, 1865), artistes ou héritiers d'artistes, amateurs. L'entrée de la collection Sauvageot en 1856 marque une date capitale dans l'histoire des donations. D'abord par l'abondance de l'enrichissement. C'est l'ensemble de sa collection que donne l'amateur : près de 1 500 pièces, essentiellement du Moyen Âge et de la Renaissance, qui augmentent de pièces rares et de séries complètes principalement les collections des sculptures et des objets d'art. Ensuite, parce qu'avec Sauvageot, c'est une race de collectionneurs qui pénètre au Louvre, possédés par le virus de l'accumulation et souvent sans grands moyens financiers (Sauvageot était fonctionnaire des Douanes et violoniste à l'Opéra). Ces « chineurs » qui s'étaient multipliés depuis la Restauration

(3) Un épisode curieux de l'histoire du Louvre sous Napoléon III est la création d'un Musée des Souverains, organisé par Horace de Viel-Castel (bien connu plus tard par de fielleux mais croustillants *Mémoires*) qui suscita pour ce faire un grand nombre de dons de souvenirs historiques, allant du hochet fétichiste à l'objet authentiquement précieux.

Coupe en argent doré
à décor figuré
(VIIIᵉ siècle av.J.-C.)
pièce majeure du premier lot
d'antiquités chypriotes
entré au Louvre,
donnée en 1851
par Félix Caignard de Saulcy

Stèle du dieu de Moab
(XIIᵉ-XIᵉ siècle av.J.-C.)
découverte à Schihan
par F. de Saulcy
lors de son voyage
autour de la Mer Morte
et donnée en 1856
par le duc de Luynes

Statue de la déesse Neith, bronze incrusté d'or
(Egypte IVᵉ-IIIᵉ s. av.J.-C.),
donnée en 1862
par le comte Michel Tyskiewicz

Génie protecteur, bas-relief assyrien
(palais de Nimroud,
ancienne Kalhou, VIIIᵉ siècle av.J.-C.)
donné en 1864 par Henri Delaporte

Coupe en faïence fine
(atelier de Saint-Porchaire, milieu du XVIᵉ siècle)
donnée en 1856 par Charles Sauvageot

Aiguière en cristal de roche et argent doré
(Paris XIVᵉ siècle [pierre]-XVIIIᵉ siècle [monture])
léguée en 1861 par Théodore Dablin

Autoportrait de Jean Fouquet
(après 1450)
sur médaillon de cuivre,
émail peint et or,
donné en 1860
par le vicomte Hippolyte de Janzé

Feuillet de diptyque en ivoire :
*Couronnement de la Vierge
et saint Jean l'Évangéliste*
(Angleterre avant 1358)
donné en 1856
par Charles Sauvageot

Valve de miroir en ivoire :
Le jeu d'échecs
(Paris, vers 1300)
donnée en 1856
par Charles Sauvageot

Jean-Siméon Chardin,
La brioche (1763)
légué en 1869 par le Dr Louis La Caze

Jean-Honoré Fragonard,
Portrait d'une jeune cantatrice feuilletant un cahier de musique,
légué en 1869
par le Dr Louis La Caze

Petrus-Paulus Rubens,
Le sacrifice d'Isaac par Abraham,
légué en 1869
par le Dr Louis La Caze

Rembrandt van Rijn,
Bethsabée au bain,
légué en 1869
par le Dr Louis La Caze

Frans Hals,
La bohémienne,
légué en 1869
par le Dr Louis La Caze

Jean-Honoré Fragonard,
La leçon de musique,
donné en 1849
par Hippolyte Walferdin

Jusepe de Ribera,
Le pied-bot,
légué en 1869
par le Dr Louis La Caze

Nicolas de Largillierre,
Portrait de famille,
légué en 1869
par le Dr Louis La Caze

sur la trace d'Alexandre du Sommerard (le « prince du bric-à-brac » comme l'a baptisé Balzac), toujours à l'affût de la pièce rare, dénichée « pour rien » chez le brocanteur. Balzac s'inspire explicitement de Sauvageot pour créer *Le Cousin Pons*. La générosité de Sauvageot, son désintéressement qui « épate » les Goncourt (« ... ce petit vieillard dîne modestement à cinquante sous, après avoir donné, donné pour rien – car ces héroïsmes sans bruit et sans réclame sont invraisemblables – donné à la France une collection de plusieurs millions... ») seront exemplaires. Nombreux sont désormais les amateurs, fastueux ou modestes, et parfois liés, comme il l'était, au milieu des conservateurs, qui donneront ou légueront tout ou partie de leur cabinet au Louvre. Tels Janzé (1860) ou Dablin (1861), autre modèle du *Cousin Pons*.

C'est surtout le cas du docteur La Caze, certainement le plus grand donateur du Louvre dans le domaine de la peinture ancienne (1869). Amateur original et passionné (citons encore les Goncourt qui le rencontrent à La Haye devant un Rembrandt : « Une façon de Diderot épileptique qui a des crises d'admiration presque inquiétantes devant toute bonne toile ancienne... »), La Caze avait constitué sans moyens inépuisables et seulement guidé par son flair, une collection de peintures, exclusivement du XVII⁰ et du XVIII⁰ siècles, comportant des pièces qui figurent aujourd'hui parmi les plus illustres du Louvre, tels la *Bethsabée* de Rembrandt, le *Gilles* de Watteau, *La bohémienne* d'Hals, *le Pied-Bot* de Ribera, et des séries entières de maîtres hollandais et flamands (Rubens), ainsi qu'un ensemble unique de toiles de Watteau, Fragonard, Chardin, Largillierre et des autres maîtres du XVIII⁰ siècle que l'amateur et quelques amis (les frères Marcille) avaient redécouverts et collectionnés avant même que les Goncourt ne les remettent définitivement à la mode. D'un seul coup, le Louvre pouvait enfin montrer à son public une école entière que le goût officiel dominé par l'esthétique néo-classique avait longtemps relégué au purgatoire. Plus généralement l'appétit de La Caze pour le morceau de peinture pure, qu'il appelle la « tatouille » et qui lui fait tant apprécier les esquisses, amène au musée certains de ces « tableaux d'amateurs » qui lui manquaient. On voit clairement ici le rôle essentiel joué par l'initiative privée dans la constitution d'une collection comme celle du Louvre, initiative qui épaule ou supplée celle des responsables du musée souvent démunis de moyens pour les achats qui s'imposeraient et parfois aussi, pourquoi ne pas le dire, manquant, au bon moment, de prestesse ou de flair.

Notons pourtant que si les conservateurs du musée ont toujours dû s'appuyer ainsi sur les collectionneurs pour mettre en œuvre une politique d'acquisitions, certains d'entre eux ont été, et sont encore, des donateurs[4]. Ainsi Frédéric Reiset, grand ami de La Caze, conservateur des Dessins puis des Peintures, qui donne en 1863 le *Retable de saint Denis* de Bellechose, ou Louis Courajod, qui achète en 1878 (pour le donner plus tard au musée) un *Christ* roman, jugé trop « barbare » par le comité des Musées.

Autre ami de Reiset, le grand connaisseur de dessins His de La Salle donne en plusieurs fois (notamment 1866 et 1878) la meilleure part de sa

(4) Ainsi M. Charles Sterling qui a donné en 1979, sous réserve d'usufruit, sa bibliothèque (plus de 12 000 volumes) et sa photothèque (plus de 38 000 documents) au Département des Peintures ; ou Louis Courajod qui fit don, à sa mort, de sa documentation au Département des Sculptures. Mentionnons à cette occasion les dons de documentations, qui n'ont pas été retenus dans le répertoire : ainsi en 1972 celui des archives de Jean David-Weill à la Section Islamique, ou, en 1986 le don au Département des antiquités égyptiennes, par Mme Mallet, du très important fonds d'archives de son père, l'égyptologue Jean Clédat. Enfin, cas exceptionnel, il ne faudrait pas oublier la donation, en 1931, par deux médecins argentins, amis de la France, les docteurs F. Perez et C. Mainini, d'un laboratoire qui, installé au Louvre, permit à la recherche scientifique de s'insérer officiellement dans le cadre de la Direction des Musées de France.

Jean-Antoine Watteau,
Gilles,
légué en 1869 par le Dr Louis La Caze

Henri Bellechose,
Retable de saint Denis,
donné en 1863 par Frédéric Reiset

somptueuse collection au Louvre. C'est aussi le cas d'un vieux collectionneur, ami de jeunesse d'Ingres et lui-même sculpteur, Edouard Gatteaux,
qui après avoir donné plusieurs fois des dessins au Louvre (1864 et 1869),
et malgré les pertes que subissent ses collections durant les incendies de
la Commune, n'hésite pas à offrir encore (1873), puis à léguer (1881) un
ensemble de feuilles de premier ordre appartenant aux différentes écoles,
ainsi que des peintures, des sculptures et des émaux peints. His de La
Salle et Edouard Gatteaux appartiennent à cette famille de donateurs
perpétuels, si l'on peut dire, qui comprendra également Jules Maciet (par
ailleurs grand donateur du Musée des Arts décoratifs), liés à la vie du
musée par les rapports qu'ils entretiennent avec les conservateurs et l'attention constante qu'ils portent à l'enrichissement des collections. Les
membres de cette famille seront assez nombreux à la fin du siècle pour
constituer la Société des Amis du Louvre.

1870-1914

Jusqu'à la Première Guerre mondiale, les grandes donations se multiplient. À côté des « cousins Pons », thésauriseurs impénitents de « bibelots », une autre race d'amateurs s'est développée, passionnés eux aussi par le Moyen Âge et la Renaissance, souvent également par l'Islam (et quelquefois pour certains d'entre eux par l'Extrême-Orient et l'Antiquité), mais plus exigeants, et généralement plus fortunés, bien conseillés ou eux-mêmes érudits : E. Piot, Ch. Timbal, le baron Davillier, G. Dreyfus, E. Corroyer, Ch. Piet-Lataudrie, la marquise Arconati Visconti et R. Duseigneur, V. Martin Le Roy, O. Homberg, J.B. Peytel, J. Maciet, F. Doistau, G. Dormeuil, M. Sulzbach, Ch. Mège, A. Bossy.

On pourrait citer bien d'autres noms à Paris et en province, notamment à Lyon (Chabrières-Arlès, Chalandon)[5], de ces amateurs de la période faste, qui appartiennent à des milieux sociaux et politiques bien différents et qui comptent évidemment de grands marchands (F. Spitzer, Ch. Stein, G. Brauer) et des conservateurs (E. Molinier, plus tard l'infatigable G. Migeon, Marquet de Vasselot) toujours enclins à convaincre leurs amis collectionneurs d'acheter puis de donner...

Ceux que nous avons nommés furent tous donateurs du Louvre, certains offrant ou léguant quelques pièces choisies, d'autres léguant des ensembles complets (ainsi Davillier qui ne lègue pas moins de 582 œuvres) ou même la totalité de leur collection. Le Département des Objets d'art et celui des Sculptures, enfin définitivement distingués l'un de l'autre en 1893, leur sont particulièrement redevables ainsi que la future Section Islamique. Il faut situer à part, plus éclectique et moins sûre dans les intentions didactiques qui animent le collectionneur, la collection Adolphe Thiers.

Les Rothschild sont les princes de cet âge d'or du collectionnisme. A vrai dire, ce nom mythique, les « Rothschild », désigne des tempéraments fort divers d'amateurs, même si le goût de l'œuvre d'art de la plus haute qualité, associé à un style de vie, fut et demeure une constante familiale. A l'appétit toujours marqué pour les objets précieux de l'Antiquité, du Moyen Âge et de la Renaissance s'ajoute chez beaucoup d'entre eux une prédilection pour le XVIIIᵉ siècle français qui offre le cadre le plus somptueusement élégant aux plaisirs et aux devoirs sociaux, et bien sûr, pour la grande peinture, pour les chefs-d'œuvre les plus recherchés des « Old Masters », surtout ceux du XVIIᵉ et du XVIIIᵉ siècles.

La générosité est aussi une tradition familiale, s'exerçant dans les domaines philanthropiques, scientifiques et « culturels » les plus divers. Au Louvre, elle se manifeste de multiples façons. En 1873, Gustave et Edmond de Rothschild, fils du baron James, fondateur de la branche française, financent les fouilles de Milet et de Didymes et offrent les pièces qui en proviennent, notamment le *Torse de Milet*. Le baron Edmond – outre les innombrables donations dont il gratifia d'autres institutions – ne cessera plus de s'intéresser

(5) Remarquons que, si les donateurs français du Louvre (de sa création à nos jours) sont en majorité parisiens, les lyonnais viennent en tête pour la province, environ une trentaine.

Christ (Bourgogne 2ᵉ quart du XIIᵉ siècle)
donné en 1895 par Louis Courajod

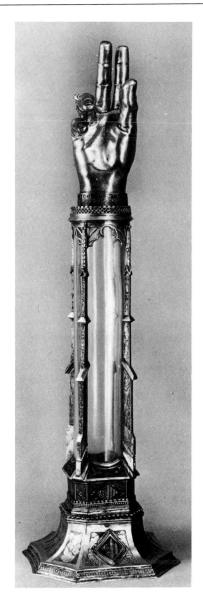

Francesco Botticini,
*La Vierge adorant l'Enfant entourée
de saint Jean-Baptiste enfant et de deux anges,*
donné en 1914 par la marquise Arconati Visconti

Bras reliquaire de saint Louis de Toulouse,
argent doré, émaux, cristal de roche
(Naples, Lando di Pietro ?, avant 1338)
donné en 1891 par Mme Frédéric Spitzer

Desiderio da Settignano,
Le Christ et saint Jean-Baptiste enfants,
marbre donné en 1914
par la marquise Arconati Visconti

Chandelier : *Samson et le lion*
(Basse-Saxe, 1re moitié du XIIIe siècle)
donné en 1916
par la marquise Arconati Visconti

Gourde en porcelaine tendre
dite des Médicis (Florence XVIe siècle)
donnée en 1883 par
la baronne Charles Davillier

Reliquaire de la Vraie Croix de l'abbaye de Floreffe,
cuivre, argent doré, niellé, gemmes (Meuse ap. 1254)
légué en 1901 par le baron Adolphe de Rothschild

au musée puisqu'il donne en 1895 le fameux trésor romain d'argenterie de Boscoreale et laisse au Louvre, à la fin de sa longue vie, l'incomparable collection de dessins et de gravures que sa compétence érudite en ce domaine lui avait permis de rassembler. On doit à sa sœur Charlotte (baronne Nathaniel) le legs (1899) d'un choix de primitifs italiens, témoignant d'un goût assez rare chez les autres collectionneurs de la famille (sauf, plus tard, chez Mme Ephrussi, sœur du baron Edouard et fondatrice du musée de Saint-Jean-Cap-Ferrat). Le fils de la baronne Nathaniel, le baron Arthur, est lui aussi un grand donateur (Greuze, Ruisdael, Hobbema). Issu de la branche napolitaine, le baron Adolphe appartient au groupe plus ancien que nous avons déjà cité – il fut d'ailleurs conseillé par Spitzer –, de ces amateurs qui faisaient leur miel des objets précieux et des sculptures du Moyen Âge et de la Renaissance. Contenant aussi des œuvres remarquables de cette époque, la collection léguée par la baronne Salomon (donatrice de l'hôtel de la rue Berryer devenu Fondation Salomon de Rothschild) est plus éclectique, puisqu'elle comprend également des meubles et objets du XVIIIᵉ siècle et d'importantes pièces islamiques.

La ferveur compétitive qui anime à la fin du XIXᵉ siècle la plupart des grands collectionneurs français – à l'occasion d'un événement comme la vente Spitzer par exemple en 1893 –, au moment où Paris est le centre du grand négoce d'art européen, aussi bien que les liens souvent amicaux qui les unissent, répétons-le, aux plus actifs des conservateurs du Louvre, explique que certains d'entre eux aient décidé d'unir leurs efforts et leurs connaissances pour créer la Société des Amis du Louvre (1897). L'actuel président, Raoul Ergmann, en relate plus loin la bénéfique histoire.

Un épisode éclaire bien l'efficacité d'une telle solidarité : l'achat par une société de sept donateurs « motivés » par le conservateur des Objets d'art, G. Migeon, de la précieuse collection médiévale rassemblée par l'architecte Victor Gay (1908).

Cette période, la fin du siècle et les années qui précèdent la Grande Guerre, est si fastueuse, si riche en donations de toutes espèces, profitant à tous les départements, qu'il nous est impossible de les citer toutes. Evoquons rapidement celles qui traduisent des pulsions nouvelles du goût et par conséquent élargissent les domaines historiques et géographiques couverts par le musée. Ce sont d'abord les dons qui renforcent encore le fonds islamique (Delort de Gléon, 1912) et surtout ceux qui constituent les collections des arts de l'Extrême-Orient (Grandidier, 1894 ; Gonse, 1893, 1894, 1919 ; Gillet, 1904 ; Camondo, 1911 ; Marteau, 1916), où l'on retrouve l'action de G. Migeon, lui-même grand donateur. Cette partie des collections du Louvre rejoindra plus tard le Musée Guimet, comme l'explique ici même J.-F. Jarriges.

Il faut ensuite observer les vagues successives qui font pénétrer l'art du XIXᵉ siècle au Louvre, d'abord par le reversement, après leur mort, des œuvres des artistes conservées de leur vivant au Musée du Luxembourg, grâce ensuite à des achats, souvent méritoires, grâce enfin à une étonnante série de donations. C'est là qu'à nouveau on apprécie les bienfaits des

Antoine-Jean Gros,
*Bonaparte
au pont d'Arcole,*
provenant
de la collection
de Louis-Joseph-Auguste Coutan,
donné en 1883
par ses héritiers
MM. et Mmes Hauguet,
Schubert et Milliet

Jean-François Millet,
Les Glaneuses (Orsay)
donné en 1890 par Mme Pommery

Jean-François Millet,
L'Angélus (Orsay)
légué en 1909 par Alfred Chauchard

Camille Corot,
La cathédrale de Chartres,
donné en 1906
par Étienne Moreau-Nélaton

Théodore Rousseau,
Groupe de chênes, Apremont,
légué en 1902 par Thomy Thiéry

Camille Corot,
Volterra ; le municipe,
donné en 1906 par Étienne Moreau-Nélaton

actions privées, où se manifeste la sensibilité de l'amateur indépendant, souvent fort en avance sur le goût officiel. L'observation vaut tout particulièrement pour cette période où les recherches de l'avant-garde vont de pair avec le maintien autoritaire d'une tradition et plus tard avec les résistances académiques qu'elles combattent. Il est frappant que des artistes comme Corot, Rousseau, Millet ou Courbet aient été de leur vivant mal ou pas représentés au Luxembourg et aient pratiquement fait leur entrée directe au Louvre grâce aux dons des artistes eux-mêmes (Corot) ou de leur famille (Courbet), complétant d'opportuns mais tardifs achats. Après le don par ses héritiers (Hauguet, Schubert, Milliet, 1883) de la collection de peintures et de dessins du marchand Coutan, constituée avant 1830 (Bonington, Gros, Gericault, Ingres), viennent, et pour ne citer que des noms isolés, celui de deux chefs-d'œuvre de Millet, devenu une coûteuse vedette du marché d'art, (*Le printemps* par Mme Hartmann, 1887, et *Les glaneuses* par Mme Pommery, 1890), puis, coup sur coup, l'arrivée de trois collections considérables qui font entrer en force « l'école de 1830 », Millet et l'école de Barbizon, au Louvre.

C'est d'abord la collection Thomy Thiéry (1902), qui illustre le goût de maints riches amateurs français (on pense ainsi à certains collectionneurs rémois) et étrangers de la fin du siècle (Mesdag à La Haye, et de nombreux collectionneurs de Boston et de Philadelphie), pour Corot et Rousseau, Dupré, Troyon et Daubigny, et aussi Delacroix et Decamps. Arrive ensuite (1910) la collection Chauchard composée avec de grands moyens financiers, qui regroupe les mêmes artistes, et surtout Millet autour de *L'Angelus*, ainsi que Meissonier. La troisième collection, provisoirement exposée au Musée des Arts décoratifs jusqu'en 1934, est la plus précieuse. Corot, Delacroix, les maîtres de l'école de 1830 et de Barbizon y sont représentés par des œuvres rares, choisies une à une par un artiste qui est aussi un historien d'art, Etienne Moreau-Nélaton. Si l'on ajoute que sa donation comprenait autour du *Déjeuner sur l'herbe* de Manet un ensemble de chefs-d'œuvre impressionnistes, actuellement regroupés au Musée d'Orsay, et qu'il dota le Cabinet des Dessins de suites entières de feuilles de Delacroix, Corot et Millet, on comprendra qu'il faut placer Moreau-Nélaton parmi les plus grands donateurs des musées nationaux, aux côtés de La Caze.

Une autre donation, admirable par l'intelligent éclectisme dont elle témoigne, annoncée en 1903 et effective en 1912, celle du comte Isaac de Camondo fait entrer, certaines de leur vivant (Degas, Monet), les œuvres des impressionnistes au Louvre et cela bien avant que ne les rejoignent celles du Luxembourg (1929), notamment les toiles fameuses du legs Caillebotte. Regroupée, pour une période de cinquante ans, comme le souhaitait le donateur, dans une série de salles spéciales, la collection Camondo comprenait aussi des pièces du Moyen Âge et de la Renaissance, une importante série d'estampes japonaises (qui ont rejoint depuis les fonds d'Extrême-Orient au Musée Guimet) et surtout un ensemble considérable de meubles, de tapisseries, d'objets d'art et de céramiques du XVIIIᵉ siècle (l'un des plus importants composés à Paris depuis la collection Hertford-Wallace). Cet enrichissement comblait une grande lacune des collections du Louvre, où une section consacrée au mobilier venait seulement d'être créée (1901) grâce aux versements du Mobilier national.

D'autres beaux meubles et objets du XVIIIe siècle (notamment des bronzes et une série de tabatières qui rejoignait ainsi au Louvre celles de la collection Lenoir, donnée en 1874) font partie d'une autre donation somptueusement composite, la dernière de l'avant-guerre, et qui fut elle aussi regroupée un temps dans des salles spéciales, celle d'un aristocrate russe fixé à Paris, le baron de Schlichting (1914). On y voyait un ensemble de peintures, le plus souvent de premier ordre, de toutes les écoles, du XVe au XVIIIe siècles, des dessins et des sculptures de la Renaissance.

Pendant toute cette période, le Département des Sculptures n'avait pas bénéficié d'enrichissements numériquement importants ; du moins avait-il reçu, on l'a dit, sa part dans les grandes donations (Gatteaux, Davillier, Camondo, Schlichting, Arconati Visconti), fondamentales pour le Moyen Âge et la Renaissance, ainsi que des pièces isolées de première importance, tels les Houdon de Walferdin en 1880, le *Portrait de Michel-Ange* par Daniele da Volterra et le *Saint Christophe* de Francesco di Giorgio offerts par Piot (1890). De même les trois départements antiques, définitivement séparés en trois (Grèce et Rome, Egypte, Orient) en 1881, continuent à s'enrichir, surtout grâce aux produits des fouilles conduites par les archéologues français. La part qui revient à l'action personnelle des voyageurs (Lenormant, Sorlin-Dorigny) et à la libéralité des gouvernements des pays concernés n'est pas toujours aisée à discerner. On ne peut que renvoyer ici à ce qu'en dit A. Caubet. Il faut citer à part le don, déjà célébré, du trésor de Boscoreale acquis pour le Louvre par le baron Edmond de Rothschild (1895). On ne constate aucune entrée massive de collections privées durant cette période, sauf celle de Lady Hope, fille du général Rapp (1874), mais l'arrivée de quelques pièces, surtout romaines, appartenant à des ensembles hétérogènes (Gatteaux, Thiers, His de La Salle, Peytel).

En revanche, chaque département reçoit, de tel militaire en mission ou en poste à Tunis, de tel consul à Beyrouth, de tel ingénieur travaillant sur un chantier en Turquie ou au Proche-Orient, ou de tel fonctionnaire d'Afrique du Nord, des objets, souvent modestes, parfois précieux, trouvés dans le sol ou marchandés dans un souk.

Il est d'autres donateurs dont la générosité désintéressée vaut d'être saluée, ceux qui ajoutent aux legs d'œuvres d'art des dispositions financières permettant au musée de se porter acquéreur de pièces autrement inabordables. Ainsi le legs de Mme Sevène (1887) finança l'achat d'une trentaine d'œuvres pour tous les départements. Maurice Audéoud, en plus d'une belle série de dessins, laissa des fonds suffisants pour que, sur les arrérages de son legs, soient acquises des œuvres aussi prestigieuses et coûteuses que le *Saint Sébastien* de Mantegna (1910), *L'inspiration du poète* de Poussin (1911), *La Dame en bleu* de Corot et *La mort de Sardanapale* de Delacroix, les bustes des Lemoyne par Coysevox et Lemoyne ou le *Reliquaire de*

Eugène Delacroix,
Jeune orpheline au cimetière,
donné en 1906 par Étienne Moreau-Nélaton

Bernard Van Risen Burgh,
Table à écrire (vers 1750)
léguée en 1911
par le comte Isaac de Camondo

Naïade en porcelaine de Vincennes (1756)
léguée en 1880
par Mme Adolphe Thiers

Charles Cressent,
Commode « au singe » (vers 1740)
léguée en 1914
par le baron Basile de Schlichting

Giovanni Battista Tiepolo,
Apollon et Daphné,
légué en 1914
par le baron Basile de Schlichting

Petrus-Paulus Rubens,
Ixion roi des Lapithes, trompé par Junon,
légué en 1914
par le baron Basile de Schlichting

Nicolas Poussin,
L'inspiration du poète,
acquis en 1911 sur les arrérages du legs de Maurice Audéoud (1907)

Jaucourt. C'est grâce au legs Seguin (1908) que purent être achetés entre autres *Le Christ* de Bellini et *Le monument de Mme Favart* de Caffieri, au legs Bareiller (1887), plusieurs sculptures du XVᵉ siècle et d'importants objets médiévaux et islamiques, et au legs Pernolet (1915) , la *Famille de paysans* de Le Nain. Est-il besoin de souligner les bienfaits d'une telle pratique, sur laquelle est toujours fondée, pour l'essentiel, la politique d'acquisitions des musées américains ?

1918-1944

Aux lendemains de la Première Guerre mondiale, le Louvre connaît une période de lente reprise. L'insuffisance des crédits d'acquisition est d'autant plus navrante et dommageable que les appétits des grands musées et collectionneurs étrangers, surtout américains, éveillés et entretenus par de remarquables marchands, la ruine ou l'affaiblissement financier de nombreux amateurs français qui les contraignent à se séparer de leurs biens, sans que de nouveaux collectionneurs, au moins pour l'art ancien, viennent les relayer, l'absence de moyens légaux pour retenir les pièces les plus irremplaçables du patrimoine, conduisent à une hémorragie progressive mais irréversible. Plus que jamais le musée doit donc compter sur la générosité privée pour poursuivre une politique d'acquisitions. La Société des Amis du Louvre est fort active et les donations continuent à enrichir tous les départements. Les collections impressionnistes et post-impressionnistes, pour lesquelles, il faut bien le dire, les efforts des responsables du musée manquent encore de conviction combative, s'accroissent pourtant grâce aux dons des artistes eux-mêmes et de leur famille ou de leurs proches (Renoir, Mme Zola, Jullien, Monfreid) et à la générosité des collectionneurs (Ernest May, Ch. Comiot, A. Pellerin, A. Personnaz). D'ailleurs, certains de ceux-ci (Joseph Reinach, Raymond Koechlin) sont aussi de brillants spécialistes d'art ancien.

En même temps s'étoffent et se diversifient les collections de peintures, de dessins et de sculptures du XIXᵉ siècle. Le goût raffiné de certains grands donateurs y est pour beaucoup. Née dans le milieu des impressionnistes avec Degas lui-même et ses amis Rouart et, on l'a vu, avec E. Moreau-Nélaton, une race de collectionneurs s'est développée, recherchant le Corot d'Italie et celui des figures, les esquisses de Gericault et de Delacroix, les aquarelles de Barye, de Daumier ou de Guys, les dessins d'Ingres. Cette prédilection pour un XIXᵉ siècle intime et libre, « moderne », que soutiennent un Paul Jamot et, dans ses écrits, un Lionello Venturi et qui s'accorde tout naturellement à la passion de plus en plus exclusive pour l'impressionnisme, exaltera plusieurs générations d'amateurs. J. de Zoubaloff, mécène d'origine russe, compte parmi les plus originaux de ces collectionneurs ; aux dessins de Barye, Daumier, David ou Gericault qu'il donne,

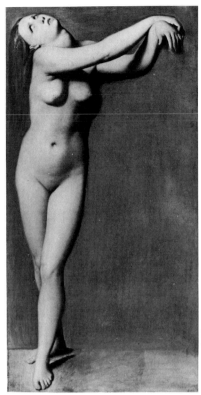

Jean-Auguste-Dominique Ingres,
Angélique,
légué en 1926
par Paul Cosson

Théodore Chassériau,
*Scènes de la vie
de sainte Marie
l'Égyptienne*,
dessin
légué en 1934
par le baron
Arthur Chassériau,
en souvenir
de son épouse

Antoine-Louis Barye,
Roger et Angélique, bronze
légué en 1902 par Thomy Thiéry

Camille Corot,
Vue de l'intérieur de la cathédrale de Sens,
donné en 1919 par Jacques de Zoubaloff

à *La cathédrale de Sens* de Corot, s'ajoute des suites de sculptures de Barye et des Rude (1912-1932). Le baron Arthur Chassériau complète la collection de peintures et de dessins de son parent, qu'il a reçue en héritage, par des achats et lègue l'ensemble, incomparable, aux musées nationaux (1934). On pourrait encore citer les Delacroix du baron Vitta, les Corot de la famille Robert (1926), les dessins de Goya et l'*Angélique* d'Ingres de Cosson (1926).

Outre les donations déjà mentionnées, et celles de grands antiquaires, G. Brauer (entre 1904 et 1936) par exemple, ou de conservateurs (G. Migeon, Marquet de Vasselot, P. Vitry, C. Benoît, P. Jamot), cinq grands ensembles dominent cette période de l'entre-deux-guerres par leur nombre et leur qualité. La collection de dessins donnés ou légués (1922) par le peintre Bonnat s'étend de Dürer et Raphaël à Ingres et Millet (le reste de la collection constitue, on le sait, le Musée Bonnat de Bayonne). La collection ou plutôt les collections données par la princesse de Croÿ (1930) englobent les suites de vues italiennes de Valenciennes et de Michallon ainsi que les dessins du XVIIe et du XVIIIe siècles rassemblés par son arrière-grand-père le comte de l'Espine, et les tableaux flamands et hollandais du XVIIe siècle d'Oscar de l'Espine, son père. Nous avons déjà dit l'importance capitale du cabinet d'estampes et de dessins fondé par le baron Edmond de Rothschild, qui constitue à lui seul une nouvelle section du musée (1936). La collection de dessins anciens laissés par le peintre américain Walter Gay (1938), avec quelques tableaux (Watteau), enrichit le Cabinet des Dessins de feuilles précieuses, notamment de Rembrandt. Enfin, un autre américain de Paris, ami fidèle du Louvre et de la Bibliothèque nationale, Atherton Curtis, offre (1938), avec de belles sculptures médiévales, le plus remarquable ensemble égyptien (près de 1 000 pièces) que le musée ait reçu en don.

Le temps de la guerre, durant lequel les collections du Louvre avaient quitté Paris pour trouver refuge dans différents dépôts provinciaux, est loin d'être inactif ou désespéré. C'est en 1942 que Carlos de Beistegui, Mexicain d'origine basque fixé en France, choisit de donner sa collection de peintures, composée de pièces insignes, des portraits surtout (Hey, David, Ingres, Goya, Fragonard), dont certains avaient été achetés sur les suggestions des conservateurs qui connaissaient les intentions du collectionneur. A ce geste de fidélité et de confiance, au moment où le pays traverse sa plus sombre période, répond, lorsque revient la lumière, un autre signe, non moins symbolique, le don par Mme de Goldschmidt-Rothschild, le jour même de la libération de Paris, de son bien le plus précieux, *L'Arlésienne* de Van Gogh.

C'est aussi pendant la guerre (1941) que le Louvre avait reçu de la fille d'un grand marchand de cadres, Ernest Dalbret, un ensemble inestimable de bordures anciennes (plus de 700). Ainsi peut se poursuivre une politique mise en œuvre avant guerre grâce à la générosité de Jules Strauss, grand collectionneur de tableaux impressionnistes, et qui depuis lors permet aux conservateurs de puiser dans ce fonds pour, pièce par pièce, habiller

Albrecht Dürer,
Portrait d'Érasme, dessin
donné en 1912 par Léon Bonnat

Antoine Watteau,
Bacchus, sanguine
donnée en 1938 par Walter Gay

Eugène Delacroix,
*Trois personnages relevant le corps
d'un homme mort*, dessin
légué en 1927 par Étienne Moreau-Nélaton

Rembrandt van Rijn,
Les trois croix, eau-forte
léguée en 1935 par le baron Edmond de Rothschild

Pierre-Henri de Valenciennes,
Vue du couvent de l'Ara Coeli : le pin parasol,
donné en 1930 par la princesse Louis de Croÿ

convenablement des peintures souvent pourvues de cadres anachroniques ou de série.

En 1942, Mme Dol-Lair avait consenti un legs assez important pour que les arrérages continuent chaque année à financer des achats dont tous les départements ont profité. Le legs de la princesse de Polignac, née Singer, l'un des grands mécènes parisiens de l'avant-guerre (elle avait même participé, toute jeune femme, à la souscription lancée par Monet pour l'achat de l'*Olympia* en 1890 !), fait entrer au Louvre ses Monet et ses Pannini. Grâce à elle une « donation canadienne anonyme », la plus richement dotée dont dispose le Louvre, permettra des achats sensationnels.

Une exposition organisée au Louvre à l'automne 1945, dans la salle des Etats encore intacte, ne montrait pas moins de 270 pièces (celles données par P. Jamot et C. de Beistegui avaient fait l'objet d'expositions spéciales), entrées dans les musées nationaux depuis 1939. Parmi les nombreux dons au Louvre figuraient notamment des œuvres grecques et égyptiennes offertes par M. et Mme de Nanteuil (1942), le *Jeune Dessinateur* de Chardin donné par M. Sommier (1943), la *Vue de Tivoli* de Corot (don de la famille d'Ernest Rouart, 1943), les Lautrec de M. Berthellemy (1943), des sculptures et des objets médiévaux donnés par le docteur Chompret.

1945-1968

Avec l'après-guerre vient le temps de la reconstruction et des retrouvailles. Les collections spoliées par les nazis et transférées en Allemagne rentrent en France. Leurs propriétaires, ceux qui sont revenus, récupèrent leurs biens, parfois seulement en partie. Plusieurs d'entre eux, en témoignage de reconnaissance pour les efforts de la Commission de Récupération ou pour l'assistance des musées nationaux dans la sauvegarde de leurs collections, font alors cadeau au Louvre d'une pièce insigne, choisie dans l'ensemble qu'ils ont retrouvé. C'est le cas de la *Sophie Arnould* de Houdon donnée par Mme Stern (1947), du Corneille de Lyon offert par les héritiers d'Adolphe Schloss (1949) ou de la commode de Dubois donnée par Mme Thalmann (1945). David David-Weill prie les conservateurs eux-mêmes de choisir les pièces d'orfèvrerie du XVIIIe siècle français qui manquent au Louvre.

Autres signes de la paix revenue, les gestes amicaux adressés au Louvre de Grande-Bretagne par Mrs. Yates Thompson (qui lègue deux grandes enluminures de Fouquet pour *L'Histoire ancienne*, rejoignant celles déjà données par les Amis du Louvre et par M. Fenaille, grand donateur dont le Louvre reçut, entre autres, la monumentale porte du consistoire du

Ci-contre :
Thomas Gainsborough,
Lady Alston,
donné en 1947
par Mme Muhlstein,
Mlle de Rothschild,
les barons Alain et Elie de Rothschild
en souvenir de leurs parents,
le baron et la baronne
Robert de Rothschild

Capitole de Toulouse) et par un grand marchand, Percy Moore Turner. On lui doit le *Saint Joseph charpentier* de Georges de La Tour, dont, comme on le murmure, la National Gallery n'avait pas voulu.

Ces années marquent la fin d'une époque, sur ce plan comme sur tant d'autres. Sans que, au moins pour le « grand art » ancien, de nouvelles collections de même envergure se constituent, plusieurs somptueux ensembles réunis à la fin du siècle dernier se dispersent alors ou sont partagés entre différents héritiers. A la suite de la disparition du baron Robert de Rothschild (1947) puis de celle du baron Edouard (1949), et pour remercier les musées nationaux de leur aide pendant la guerre, leurs enfants respectifs donnent au Louvre d'une part *Lady Alston* de Gainsborough et le *Nicodème* d'ivoire du XIIIᵉ siècle, et d'autre part le *Portrait de la marquise Doria* de Van Dyck. Ces pièces hors pair seront rejointes plus tard (1974), après la disparition de la baronne Edouard et grâce à la générosité de ses enfants, par d'autres œuvres capitales (autrefois dans les collections d'Alphonse de Rothschild) : la statue de *Madame de Pompadour en Amitié* de Pigalle, *La buveuse* de Pieter de Hooch, des céramiques célèbres de Saint-Porchaire et la *Vierge à l'Enfant* de Memling.

Arrivent également alors des œuvres évoquant le souvenir d'autres amateurs fameux de la grande époque : le buste de *Madame Adélaïde* de Houdon donné par les héritiers d'Arthur Veil-Picard (1946) dont la collection constituait un florilège incomparable d'œuvres du XVIIIᵉ siècle, des tableaux et des dessins de la collection Pereire (1948) qui retrouvent les portraits de Rembrandt donnés en 1933, des portraits de Gainsborough *(Conversation dans un parc)* et de Lawrence donnés (1951, 1952) par le fils et le petit-fils d'un amateur passionné de peinture anglaise, Camille Groult. En 1958 la collection entière de Charles Mège, déjà citée, enrichit tous les départements, surtout pour les arts du Moyen Âge et de la Renaissance. Quelques pièces antiques et islamiques précieuses, des meubles rares du XVIIIᵉ siècle signalent, grâce à ses héritiers, le goût singulier du découvreur que fut Alphonse Kann, tout à la fois connaisseur d'art ancien et passionné d'avant-garde (1948), tandis que la suite de tapisseries de *La Noble pastorale* léguée par Edouard Larcade (1945) rappelle le souvenir d'un grand antiquaire spécialiste de meubles et d'objets d'art, qui avait été de son vivant donateur constant du Louvre.

En 1967 l'Orangerie accueille une exposition rassemblant les œuvres les plus remarquables acquises par le Louvre depuis 1947, parmi lesquelles celles entrées par donation ou legs, soit 246 numéros sur 527. Le bilan de ces vingt ans est impressionnant. Il n'inclut plus les arts asiatiques (Inde, Chine, Japon, etc.) qui sont dorénavant entièrement regroupés au Musée Guimet, devenu musée national des arts asiatiques. Mais il comprend les tableaux et les pastels de l'époque impressionniste. C'est d'ailleurs l'un des points forts de l'exposition. Depuis 1947, le Jeu de Paume présente cette grande époque, devenue l'une des plus populaires, appréciée de tous les publics. La présence des grandes donations du passé (Caillebotte, Camondo, Moreau-Nélaton, Personnaz) y rappelle clairement qu'en France ce sont

Ci-contre :
Antoon Van Dyck,
*Portrait présumé de la marquise
Geronima Spinola-Doria,*
donné en 1949
par les héritiers
du baron Édouard de Rothschild
en souvenir de leur père

Paul Cézanne,
La femme à la cafetière,
donné en 1956
par M. et Mme Jean-Victor Pellerin

Vincent Van Gogh,
Autoportrait (Orsay)
donné en 1949
par Paul et Marguerite Gachet

Edgar Degas,
La sortie du bain, pastel
donné en 1961
par Hélène et Victor Lyon

Vincent Van Gogh,
L'Arlésienne (Mme Ginoux) (Orsay)
donné en 1944
par Mme Rodolphe de Golschmidt-Rothschild
à l'occasion de la libération de Paris

Nicodème,
dit *Prophète Rothschild*
(ivoire ;
3ᵉ quart du XIIIᵉ siècle)
donné en 1947
par les enfants
du baron
et de la baronne
Robert de Rothschild
en mémoire
de leurs parents

Plaque de conjuration contre la démone Lamashtou
dite *Plaque des enfers*
(bronze assyrien, VIIIᵉ siècle av.J.-C.)
provenant de la collection de Louis De Clercq
et donnée en 1967
par son petit-neveu Henri de Boisgelin

Panthère bacchique
appuyée sur un vase,
bronze
(Puy-Saint-Martin, Drôme
IIIᵉ siècle ap.J.-C.)
légué en 1958
par Élisabeth Mège

Taureau dans les papyrus
(Egypte vers 1350 av.J.-C.)
carreau de céramique,
légué en 1949
par Alphonse Kann

Plat
(Iznik, Turquie vers 1540-1555)
légué en 1960
par M. et Mme Claudius Côté

Médaillon, *Buste d'Éros* en or
(Syrie IIIᵉ siècle av.J.-C.)
provenant de la collection Louis De Clercq,
donné en 1967
par son petit-neveu Henri de Boisgelin

les amateurs privés qui ont, avant toute initiative officielle, fondé les collections nationales de l'impressionnisme. Depuis la guerre les conservateurs ont à cœur d'enrichir un ensemble qui, sur bien des points, est alors moins complet que ceux de certains grands musées américains (New York, Boston ou Chicago). Là aussi, en plus d'achats excellents, soutenus parfois par la providentielle donation canadienne anonyme, ils y sont puissamment aidés par l'apport des donateurs : collections entières (Gachet, Charpentier, Lung, etc.), chefs-d'œuvre isolés (Halphen, Pellerin) ou ensembles comprenant également des œuvres pour le Musée d'Art moderne (Gourgaud, Bernheim de Villers) ou pour le Louvre même (Laroche, Gourgaud).

La collection Victor Lyon (1961, entrée en 1977), qui doit demeurer groupée au Louvre, offre à la fois un magnifique ensemble impressionniste (Monet, Renoir, Cézanne, Degas) et une salle de peintures du XVIIe et du XVIIIe siècles (Canaletto, G.D. Tiepolo).

Pour les périodes les plus anciennes, le Louvre bénéficie alors de plusieurs donations : celle de Raymond Weill, de longue date bienfaiteur du Département égyptien et qui lègue sa collection, et surtout (1967) celle consentie par M. de Boisgelin qui demande aux conservateurs des trois départements antiques de retenir dans la collection, fameuse parmi les archéologues, de son grand-oncle L. De Clercq, ce qui manquait au Louvre. Une sélection parmi les centaines de pièces ainsi choisies donne lieu à une exposition particulière au Louvre en 1968.

Autre collection ancienne, celle du Lyonnais Claudius Côte, entièrement laissée aux musées de sa ville natale et de Paris. Pour sa part, le Louvre y gagne entre autres un ensemble exceptionnel d'ivoires et d'émaux médiévaux et une série de montres qui achève, après les donations Garnier et Olivier, d'établir la prépondérance du musée en ce domaine.

Parmi les toiles anciennes, une œuvre d'exception au moins vaut d'être saluée, *La messe de fondation de l'ordre des Trinitaires,* sans doute le chef-d'œuvre de Carreño de Miranda, donné par la comtesse de Caraman (1964), provenant de la collection du général Arrighi, duc de Padoue, et témoin des grandes collections françaises de peinture espagnole formées au XIXe siècle (Soult, Aguado). Le Louvre demeure à jamais inconsolable d'avoir perdu la plus extraordinaire d'entre elles, la galerie espagnole de Louis-Philippe, exposée dans nos murs et restituée à la famille d'Orléans après 1848.

Deux donations avaient fait l'objet, avant le rassemblement général de 1967, d'expositions particulières, émanant de deux personnalités intimement liées, leur vie durant, à l'activité des musées : celle de Carle Dreyfus, conservateur du Département des Objets d'art (1952) et celle de David David-Weill (1953). Ce dernier, président du Conseil des musées depuis 1931, n'avait cessé pendant quarante ans d'exercer une sorte de mécénat permanent en faveur du musée, constamment soucieux d'intervenir au

bon moment en épaulant financièrement un achat pour lequel les crédits manquaient et donnant lui-même sans cesse des pièces de sa propre collection, souvent par séries entières. Figure légendaire de l'amateur ouvert aux formes et aux époques les plus diverses de l'art (de Sumer et de la Chine archaïque à l'art contemporain, avec une dilection particulière pour le XVIII siècle français et la peinture et le dessin du XIX siècle), il comprenait mieux qu'aucun autre les appétits encyclopédiques du Louvre, le besoin incessant de combler les lacunes, d'illustrer telle période, tel art encore absent des collections ou révélé depuis peu.

La création, pratiquement *ex nihilo* d'une collection consacrée à la grande orfèvrerie française du XVIII siècle, que viendra augmenter la collection Puiforcat achetée par S. Niarchos pour le Louvre (1955), en donne parmi d'autres une preuve spectaculaire.

Faut-il ajouter qu'à sa suite Pierre David-Weill, puis Michel David-Weill, son fils et son petit-fils, lui ont succédé à la présidence du Conseil des musées, poursuivant en tous points son œuvre ?

1968-1988

Vingt ans ont passé depuis l'exposition de 1967. D'autres bilans des acquisitions beaucoup plus sélectifs et concernant l'ensemble des musées ont été dressés en 1980 et en 1985 (alors sans les donations). Ils ont révélé avec éclat les bienfaits patrimoniaux d'un nouveau mode d'acquisition, la dation, moyen de s'acquitter des droits de mutation par la remise à l'Etat d'œuvres d'art. Il ne s'agit évidemment pas là de donation, mais dans bien des cas, constatons-le, les héritiers de grands collectionneurs préfèrent utiliser la dation que tout autre moyen de paiement fiscal afin de contribuer à l'enrichissement du musée et aussi pour que le souvenir du goût de leur parent y demeure présent à jamais.

Les donations n'ont pas cessé pour autant. Impossible ici de les évoquer toutes. On sait que plusieurs départements organisent à intervalles réguliers des présentations complètes de leurs acquisitions, avec des catalogues exhaustifs.

Relevons pourtant les donations qui ont contribué à enrichir le Département des Objets d'art de pièces rares du XVIII siècle dans le domaine de l'orfèvrerie (comte et comtesse de Mony-Colchen, 1964 ; duchesse de Richelieu, 1968, 1971 ; Helft, 1970 ; Kugel, 1982), du mobilier (Richelieu, 1970 ; Ortiz, 1982) et de la porcelaine (comte Anne-Jules de Noailles, 1979), enrichissements couronnés par la plus importante donation faite au dépar-

Apôtre,
statuette d'applique
provenant de la châsse
de saint Romain
à Rouen
(vers 1260-1280)
donnée en 1971
par les enfants
de M. et Mme
David David-Weill

Martin Carlin,
Table à plateau de porcelaine de Sèvres
(Paris vers 1785)
provenant du château de Villeneuve-l'Étang
donnée sous réserve d'usufruit en 1973
par M. et Mme René Grog-Carven

Charles Cressent, *Commode* (vers 1740)
donnée en 1982
par MM. George Ortiz et Jaime Ortiz-Patiñō
en souvenir de leurs parents
M. et Mme Ortiz Linarès

Saucière Duplessis
(porcelaine de Vincennes, 1756)
donnée en 1962
par le comte Anne-Jules de Noailles

Salière en argent du service Orléans-Penthièvre
(Paris, Antoine-Sébastien Durand, 1758-1759)
donnée en 1971 par Pierre David-Weill
en souvenir de ses parents

tement depuis longtemps, celle de l'incomparable ensemble de meubles et de tapisseries réuni par René Grog et son épouse Mme Carven (1973). Le même département bénéficiaire des largesses, répétées d'année en année, d'un grand antiquaire, Nicolas Landau, a reçu, après la disparition de celui-ci, sa collection, unique au monde, d'objets scientifiques, et depuis cette donation, Mme Landau ne cesse de manifester sa générosité.

Dans un tout autre champ de la curiosité, Max Kaganovitch, connaisseur renommé des impressionnistes et des maîtres modernes, a laissé sa collection personnelle (donation de Max et Rosy Kaganovitch, 1973) composée de pièces choisies, ou plutôt retenues entre toutes, des peintres qu'il aimait (de Daumier aux Fauves) et qui est passée du Jeu de Paume au Musée d'Orsay. Tel est aussi le cas d'une autre collection d'impressionnistes, réunie par un amateur argentin, le docteur Eduardo Mollard, et donnée par son épouse (1961 et 1972), qui demeure regroupée au musée d'Orsay.

Le nom du docteur Mollard nous fournit l'occasion d'évoquer un phénomène notable et dont vraisemblablement peu d'autres musées européens ont à ce point bénéficié : le nombre considérable d'étrangers qui honorent le livre d'or des donateurs du Louvre. Nous ne parlons naturellement pas ici de ceux qui, nés hors de France, sont devenus français, mais de ceux qui, gardant leur passeport d'origine, ont choisi la France comme résidence ou comme patrie de cœur en y laissant l'ensemble ou une part importante de leurs collections, de Thomy Thiéry (mauricien) et Schlichting (russe) à C. de Beistegui (mexicain) et R. Grog (suisse), à A. Curtis et W. Gay (tous deux américains) et à S. Niarchos (grec), ou encore à ceux qui, par un geste, souvent munificent, ont voulu prouver leur francophilie ou leur attachement personnel au Louvre. Quelques chiffres : parmi les quelques 200 donateurs étrangers, 48 sont américains, 37 sont britanniques, 15 sont belges, 10 sont suisses, 8 sont iraniens et 6 sont hollandais, les autres appartenant à tous les autres pays d'Europe mais aussi au Proche et au Moyen-Orient[6].

Revenons à ces vingt dernières années et aux donations concernant la fin du XIXᵉ siècle. Parmi les plus considérables, on peut signaler les dons (1976-1979) de G. Signac (Signac, Cross) et ceux par M. et Mme R. Kahn Sriber (1975) de deux chefs-d'œuvre de Van Gogh (*La nuit étoilée*) et Renoir. On sait qu'une décision définitive fut prise en 1977 de créer un musée consacré à la seconde moitié du XIXᵉ siècle et aux premières années de ce siècle, regroupant autour des peintures et des sculptures impressionnistes du Jeu de Paume l'ensemble des collections nationales, pour toutes les techniques, et éclairant cette grande et féconde période. Le Musée d'Orsay, ouvert en 1986, a pris son autonomie, mais sans que soit reniée la notion fondamentale d'unité des collections nationales (les acquisitions de peintures et de sculptures du nouveau musée sont toujours inscrites sur les inventaires correspondants du Louvre et le Cabinet des Dessins est commun aux deux musées), qui se développent successivement et selon la génération à laquelle appartiennent les artistes, en trois musées, le Louvre, le Musée d'Orsay, le Musée national d'Art moderne. Les donateurs qui avaient gratifié le

(6) En dehors de la nationalité de ces donateurs, il est intéressant de distinguer statistiquement certaines de leurs professions. On dénombre : 10 chefs d'État, 74 diplomates, 15 hommes politiques, 32 membres du clergé, 43 juristes, 55 médecins, 98 militaires, 40 industriels, 30 banquiers, 199 peintres, 14 graveurs, 5 miniaturistes, 29 sculpteurs, 46 architectes, 35 écrivains, 18 musiciens et 210 marchands et antiquaires. Enfin, sur la centaine de conservateurs donateurs au Louvre, une vingtaine sont étrangers.

Corrado Giaquinto,
Le Repos pendant la fuite en Égypte,
donné en 1983 sous réserve d'usufruit
par MM. Othon Kaufmann et François Schlageter

Eustache Lesueur,
Volumnie et Véturie devant Coriolan,
donné en 1983 sous réserve d'usufruit
par MM. Othon Kaufmann et François Schlageter

Gian Domenico Tiepolo,
Rébecca au puits,
donné en 1975 par la comtesse Bismarck

Francesco Solimena,
Scène dans un temple, dessin
donné en 1980
par Jean et Valentine Trouvelot

Louvre de leurs largesses sont donc honorés au Musée d'Orsay, comme ils l'avaient été au Jeu de Paume.

Pour le Département des Peinture et celui des Arts graphiques, plusieurs donations significatives prouvent qu'une tradition s'y poursuit : le don ou le legs au Louvre d'œuvres d'artistes par leurs héritiers, telles les donations Escholier (1969, 1970, Riesener, Delacroix), Mme Henraux (Delaroche, C. Vernet), Flandrin et Froidevaux (Flandrin), Redon (pas moins de 450 dessins), P. Howard-Johnson (Helleu), E. Dubufe, qui vécut assez vieux pour donner en 1980 des œuvres peintes par son grand-père Edouard sous le second Empire et par son arrière-grand-père en 1820 !

A côté d'un grand nombre de donations de feuilles isolées, souvent de premier rang – notons en passant que l'amour du dessin ancien suscite encore en France des vocations d'amateurs fervents et compétents – le Cabinet des Dessins a reçu plusieurs ensembles de premier ordre : la collection de 250 feuilles de toutes écoles du XVIᵉ au XVIIIᵉ siècles, de P.F. Marcou, qui fut inspecteur général des Monuments historiques, donnée par sa fille et son gendre J. Trouvelot, et l'ensemble des dessins, des aquarelles et des pastels du XIXᵉ siècle (Daumier, Delacroix, Lautrec, Redon) et du XXᵉ siècle (Bonnard) qu'avait rassemblé un grand historien des arts graphiques, Claude Roger-Marx, donné selon ses vœux par sa fille Mme Asselain.

Moins nombreux sont les dons réservés aux départements antiques, comme sont plus rares les amateurs des arts de ces périodes, surtout depuis que le patrimoine des pays concernés est mieux protégé. En provenance d'une collection ancienne, une des plus personnelles constituées à Paris au début du siècle, quelques pièces précieuses d'Egypte et de Byzance fixent le souvenir de la comtesse de Béhague, grâce à la générosité des héritiers du marquis de Ganay. De son côté la section islamique s'est enrichie grâce à plusieurs dons de J. Soustiel et au legs de Mme A. Godard.

Pour les peintures, en plus de ceux déjà célébrés, on doit signaler les dons de la comtesse Bismarck (G.D. Tiepolo), R. Grog, Mme P. Derval (Benson), R. Polo (*L'adoration des bergers* de Fragonard) et surtout s'arrêter un instant sur la donation qui fit l'objet d'une exposition au Louvre en 1984, d'O. Kaufmann et F. Schlageter, collectionneurs strasbourgeois épris du XVIIᵉ et du XVIIIᵉ siècles italien et français. Ce qu'ils donnent au Louvre (42 tableaux et deux dessins), ce sont des tableaux d'amateurs, des toiles brillantes et animées, voire dramatiques, illustrant un goût très sûr pour l'esquisse ou pour le « morceau de peinture » baroque. Depuis la dernière guerre, une génération d'afficionados et d'historiens a, comme eux, suivi la trace d'Hermann Voss et de Roberto Longhi et redécouvert la verve picturale et le foisonnement des foyers baroques italiens. Une fois encore, le Louvre, riche en grande peinture officielle de ces époques (Rome, Bologne), mais assez dépourvu pour les autres centres (Naples, Gênes, Venise), se « met à jour » et cela grâce à la complicité et au désintéressement d'amis indépendants.

Lorsqu'on considère ce qui est entré au Louvre depuis cinquante ans par voies de donations, on est frappé par l'extrême diversité de la provende. Pour les périodes antérieures, on pouvait encore, à travers les vagues des donations successives – et compte tenu évidemment des délais dans le temps entre l'acquisition par le collectionneur et le don par lui-même ou ses héritiers –, analyser l'un après l'autre les apports nouveaux au fonds « classique » des collections du premier muséum : l'Egypte, le Moyen Âge et la Renaissance archéologique et pittoresque depuis les « primitifs » successivement révélés (italiens, flamands, allemands, enfin français et espagnols), l'Assyrie et le Proche-Orient, le XVIIIe siècle français, ses peintres, ses sculpteurs, plus tard son mobilier, encore plus tard son orfèvrerie, le Japon, la Chine, l'impressionnisme, certains arts primitifs, le XIXe siècle intime...

Depuis que les voyages, les expositions et les livres somptueusement illustrés invitent à composer tous les « musées imaginaires », le goût s'est élargi en se diversifiant, ou plus exactement se permet d'être moins exclusif, moins « terroriste » pour utiliser un terme du jargon parisien. On peut aimer à la fois Vermeer et Guido Reni, comme on aime Cézanne et Puvis de Chavannes. Au moins ceux qui sont toujours à l'affût de la qualité, de l'invention.

Alors tout est-il dit ? Le Louvre doit-il, les connaissant parfaitement, tenter de combler peu à peu ses lacunes dans chaque département en « programmant » ses achats, en bénéficiant des dations et en comptant sur des donateurs thaumaturges ? Ce serait trop simple, à supposer même que nous ayons les moyens d'une telle politique ! Car, Dieu merci, le champ de l'histoire de l'art reste ouvert à toutes sortes de découvertes, de résurrections aujourd'hui imprévues. Le regard de l'amateur prompt et décisif suscitera toujours de nouvelles œuvres et certaines d'entre elles, un jour, s'offriront, seront offertes, au public du musée, en quête de connaissance et de délectation.

Michel Laclotte
Directeur du Musée du Louvre

Il m'appartient de remercier ici l'équipe qui a pris en main l'organisation de l'exposition des donateurs : tout d'abord, Patrick Le Chanu, conservateur des musées de France, qui a posé les bases et établi le premier programme de cette présentation, relayé ensuite par Marie-Anne Dupuy, puis Thierry Crépin-Leblond, conservateur stagiaire des musées de France, Frédéric Lacaille, conservateur stagiaire des musées contrôlés, et Vincent Pomarède, conservateur au Service de restauration de l'Inspection générale des musées classés et contrôlés, ainsi que Eve-Marie Chanut.

Gobelet d'or dit d'Anne d'Autriche
(Paris vers 1645)
donné en 1955 sous réserve d'usufruit
par M. Stavros S. Niarchos

Tête de cavalier dite le *Cavalier Rampin*
(Athènes vers 550-540 av.J.-C.)
léguée en 1896 par Georges Rampin

Donateurs du Louvre :

Archéologues et fouilleurs

Il serait injuste, dans un hommage rendu aux personnalités qui ont enrichi les collections du Louvre, de ne pas faire une place aux archéologues et fouilleurs. S'ils ne sont pas à proprement parler des donateurs, en ce sens qu'ils n'ont pas offert d'œuvres provenant de leurs collections, en revanche, par leur courage, leur ténacité et leur dévouement, ils ont contribué à faire des départements archéologiques l'essentiel de ce qu'ils sont aujourd'hui ; c'est tout particulièrement le cas du Département des Antiquités orientales, en majeure partie constitué à partir des découvertes faites par des expéditions françaises ; le matériel archéologique mis au jour lors de ces fouilles fut divisé en vertu d'accords passés entre les États, une part prenant le chemin du Louvre ; il s'agissait d'informer le public français et européen sur la nature et l'importance de la recherche en Orient.

Ces archéologues, il n'est pas question ici d'en dresser la liste. Encore faut-il évoquer le souvenir de certains, les plus notables.

Les pionniers

L'histoire de l'exploration archéologique française se divise en deux phases principales : à celle des pionniers, caractérisés par leur esprit d'entreprise, succéda la période des scientifiques.

Les pionniers en Égypte

C'est par l'Égypte que commença l'aventure. Les savants qui accompagnèrent Bonaparte dans son expédition d'Égypte rassemblèrent leurs études scientifiques, artistiques, botaniques, zoologiques et ethnographiques dans la monumentale *Description de l'Égypte*, premier grand recueil sur cette civilisation, qui devait encourager Champollion dans le chemin du déchiffrement des hiéroglyphes réussi en 1822. Son disciple, Auguste Mariette (1821-1881), mena sur divers sites de la vallée du Nil des fouilles qui enrichirent le Louvre de monuments tels que le *Scribe accroupi* et les offrandes du *Serapeum de Memphis*. Il mit sur pied le service des antiquités et le premier musée de Boulaq, ancêtre de l'actuel Musée national du Caire.

Les pionniers au Proche-Orient

La découverte des antiquités de l'Orient s'est effectuée selon trois directions, la Mésopotamie, le Levant et l'Iran, qui constituent les grands axes de la collection orientale du Louvre.

Les premières explorations de la Mésopotamie sont dues à des diplomates ; Paul-Émile Botta (1802-1870), en poste à Mossoul, et son dessinateur E. Flandin découvrirent le palais de Sargon

Le Scribe accroupi
(Égypte vers 2600-2400 av.J.-C.) provenant des fouilles d'Auguste Mariette à Sakkara

Les membres de l'expédition de V. Place
durant la fouille du palais assyrien de Khôrsabad en 1852-1853 ;
la porte des taureaux est aujourd'hui au Louvre (calotype de G. Tranchand)

Jérusalem, tombeau des rois de Juda, cour extérieure ;
cliché pris par Auguste Salzmann en 1863,
au moment des travaux de F. de Saulcy (Musée d'Orsay)

d'Assyrie à Khorsabad ; Victor Place (1818-1875), l'architecte F. Thomas assisté du photographe G. Tranchand en poursuivirent l'exploration : l'ouverture du Musée assyrien, aménagé dans l'aile Nord de la Cour Carrée du Louvre au public parisien en 1847 devait révéler au monde occidental une culture jusqu'alors connue seulement par la *Bible*. À partir de 1877, E. de Sarzec se tourna vers la Basse Mésopotamie : l'exploration du site de Tello entraîna la découverte des Sumériens et valut au Louvre les monuments d'Our-Nanshé et Goudéa. L'œuvre de Sarzec fut poursuivie de 1903 à 1909 par le capitaine G. Cros. En même temps, vers le Levant, les savants se prirent à étudier la Terre Sainte dans l'intention de mieux comprendre la *Bible* : Ernest Renan, méditant sa *Vie de Jésus*, se rendit en Phénicie (1860-1861). Ses observations ont été rassemblées dans les volumes de sa *Mission de Phénicie*, parus entre 1864 et 1874. Les œuvres qu'il rapporta au Louvre formèrent le noyau de la collection du Levant. Félicien de Saulcy, qui l'avait précédé sur le terrain en 1850-1851, s'intéressa surtout à Jérusalem et prit des moulages du *Tombeau des Rois*. Clermont-Ganneau (1846-1923), disciple de Renan et philologue de grand

mérite, se pencha sur le pays de Moab *(Stèle de Mesha)* ; par son flair, il dépista les fraudes que suscitait (déjà !) la chasse aux antiquités. De Chypre, le marquis de Vogüé et son architecte E. Duthoit rapportèrent au Louvre le monumental *Vase* de pierre trouvé devant le sanctuaire d'Amathonte.

De 1884 à 1886, c'est vers l'Iran que se tourne M. Dieulafoy. Initiateur de la recherche française à Suse, il ouvrait l'ère des ingénieurs archéologues. Son épouse, l'intrépide Jeanne Dieulafoy, en rapporta de pittoresques anecdotes dans son *Journal*, paru en 1888. La permanence de la mission fut concrétisée par la création de la Délégation en Perse (1897) confiée à J. de Morgan, autre ingénieur de talent qui travailla également en Égypte. Puis ce fut, à partir de 1912, R. de Mecquenem, lui aussi ingénieur des Mines, accompagné de l'orientaliste V. Scheil ; les antiquités rapportées de la capitale élamite constituent la majeure partie de la collection iranienne du Louvre.

Les pionniers en Grèce et dans le Monde classique

De nombreux savants français ont contribué à la redécouverte de la Grèce ; parmi les expéditions archéologiques, l'une des plus notables est celle de J.-J. Dubois et G.-A. Blouet dans le Péloponnèse et à Olympie en 1828, enrichissant le Louvre des *métopes* du temple de Zeus. Cette mission devait conduire à la monumentale publication en trois volumes, *Expédition scientifique en Morée*, Paris, 1831-1833. Pour la Grèce du Nord, mentionnons la mission d'E. Miller à Thasos (1863-1864), qui permit d'enrichir le musée des célèbres reliefs du premier âge classique, *Hermès et les Charites, Apollon et les Nymphes*. Il faut également citer le nom de Léon Heuzey, dont l'activité au Musée du Louvre fut multiple. Retenons ici ses réalisations comme homme de terrain ; au cours d'une première mission en Macédoine en 1855, il put se rendre compte de l'intérêt de la région. Il y revint en mission en 1861 accompagné de l'architecte Henri Daumet, pour entreprendre des

J. de Morgan à Suse vers 1900

Apollon et les Nymphes, bas-relief trouvé à Thasos
(Grèce, v. 470 av. J.-C.)
par la mission d'E. Miller (1863-1864)

La salle Dieulafoy en 1932 au 1er étage de l'aile de la Colonnade au Louvre :
on y voit le chapiteau perse encadré par les reliefs du palais de Darius à Suse,
fouillé par M. Dieulafoy en 1884-1886

fouilles qui conduisirent à la découverte du palais de Vergina et
aux premières tombes « macédoniennes » que l'on peut attribuer
à la dynastie royale d'Alexandre le Grand. On sait qu'un siècle
après la belle publication de L. Heuzey et H. Daumet, *Mission
archéologique en Macédoine* (Paris, 1876), les archéologues grecs
mirent au jour la somptueuse tombe dite de Philippe de Macédoine
à Vergina. Les Français s'intéressèrent également très tôt à la
Grèce d'Asie, avec en particulier les missions de Ch. Texier à
Magnésie du Méandre en 1842 (le Louvre lui doit la *Frise* du
temple ionique d'Artémis Leucophryène) et d'O. Rayet et A.
Thomas à Milet en 1872-1873. C'est dans le sanctuaire d'Artémis
de cette cité qu'a été retrouvée la *Base* colossale exposée au Louvre
dans la cour du Sphinx.
Ce fut ensuite vers la civilisation antique de l'Afrique du Nord
que se tournèrent les recherches françaises. Dans le nombre,
retenons celles du R.P. Delattre dans les nécropoles de Carthage
(1899-1901) qui amenèrent la révélation de la civilisation punique :
le *Sarcophage du prêtre*, habile fusion des traditions grecques et
orientales, en est un exemple caractéristique.

L'ère scientifique

La deuxième phase de l'exploration archéologique française, celle
de l'ère scientifique, est apparue lorsque la création d'instituts et
écoles archéologiques françaises à l'étranger, évoquée plus loin, a
permis le développement de la recherche sur le terrain avec des
savants spécialement formés à cela. Jusqu'à une date récente, les
lois sur les antiquités de nombreux pays permettaient le partage
des découvertes avec la mission de fouille, ce qui a longtemps
constitué un mode majeur d'enrichissement du Musée du Louvre.

L'Égypte et la Nubie

Grâce au soutien de l'Institut français d'Archéologie du Caire,
l'activité archéologique française en Égypte fut immense. Ne
mentionnons ici que quelques-unes des missions qui donnèrent
lieu à un partage des collections avec le Louvre. E. Chassinat

Tête du roi Didoufri
(Égypte vers 2550 av.J.-C.) provenant des fouilles
d'E. Chassinat à Abou-Roach en 1901

au Nouvel Empire : nattes, meubles, objets personnels, outils et instruments, si rarement conservés dans les vestiges archéologiques. L'expansion de la culture pharaonique vers la périphérie est bien illustrée par les travaux en Nubie : J. Vercoutter (à partir de 1962) découvre à Mirgissa une forteresse égyptienne du Moyen Empire en milieu indigène et J. Leclant (1963) fouille à Tomas une nécropole du « Groupe C » et un sanctuaire méroïtique. Plus récemment encore, les travaux de l'Institut du Caire dans les mines de galène du Gebel Zeit, sur la mer Rouge, éclairent un aspect jusqu'ici négligé de la civilisation égyptienne, celle de l'exploitation industrielle. Les périodes coptes sont magnifiquement représentées au Louvre grâce aux fouilles de Baouît dues à Chassinat et Clédat (1901-1903) ; les récentes explorations de monastères du désert, comme les Kellia (1968, *Peintures murales*) poursuivent cette tradition.

Les fouilles scientifiques en Orient

À l'issue de la Première Guerre mondiale et la création de services archéologiques et de musées, l'archéologie orientale française connut une grande activité de terrain, dont les résultats peuvent être jugés aujourd'hui au Louvre grâce au partage des découvertes avec la nation invitante.

En Iraq, l'abbé de Genouillac poursuivit l'exploration du site sumérien de Tello qui avait fourni au Louvre ses statues de Goudéa. Il y fut suivi par André Parrot, qui reporta ensuite ses efforts sur l'immense « tell » de Larsa, siège de la dynastie à laquelle il a donné son nom.

En Syrie, la création de l'Institut français d'Archéologie à Beyrouth servit de moteur à toute une politique de chantiers de fouilles de longue durée. Claude Schaeffer entreprit à partir de 1929 de vastes travaux à Ougarit, capitale d'un royaume du littoral syrien dont la culture matérielle livra des œuvres d'un luxe tout cosmopolite. Le Louvre partage avec les musées d'Alep, de Damas et de Lattaquieh les découvertes permettant d'éclairer les civili-

explora les nécropoles de l'Ancien Empire à Abou Roach (1901, *Tête de Didoufri*), et du Moyen Empire à Assiout (1903, *Tombe du chancelier Nakhti*). L'orientaliste Clermont-Ganneau recherchait à Éléphantine la trace des immigrés juifs et araméens d'Égypte (1906). F. Bisson de la Roque étudia successivement le temple du Moyen Empire à Médamoud (statues de *Sésostris III*) puis la cité de Tod ; assisté du chanoine Drioton, il découvrit notamment en 1936 le *Trésor* déposé par Amenemhat II, composé d'objets et pierres précieuses importées de Mésopotamie et du monde égéen. Il faut faire une place particulière à Pierre Montet ; outre ses travaux à Byblos et dans la nécropole thinite d'Abou Roach (1913, *Vases de pierre*), sa découverte du *Trésor de Tanis* en 1939 devait le rendre célèbre. C'est à B. Bruyère que l'on doit la connaissance de la nécropole et du village de Deir el-Médineh (à partir de 1922), riche par sa moisson d'objets de la vie quotidienne

L'abbé de Genouillac
près de sa tente à Kish, en Mésopotamie,
avant la Première Guerre mondiale

André Parrot (1901-1980) sur le chantier de Mari.
Archéologue, il fut conservateur
du Département des Antiquités orientales
puis premier directeur du Louvre

C.F.A. Schaeffer à Enkomi (Chypre)
en 1924

sations du Levant, parmi lesquelles nous citerons la *Patère de la chasse* et le *Baal au foudre*. En 1933, A. Parrot découvrit la cité de Mari dont il dégagea des sanctuaires et le palais royal, orné de la *Fresque de l'investiture* aujourd'hui à Paris. Des équipes françaises poursuivent encore à l'heure actuelle leurs travaux sur ces deux chantiers. À Chypre, C. Schaeffer, déjà, avait fouillé Enkomi, cité commerçante détruite vers 1150 environ ; un temple de cette cité recélait la statuette en bronze du *Dieu au banquet*. Toujours à Chypre, Schaeffer mit au jour en 1934 à Vounous une nécropole de la fin du IIIe millénaire, remarquable pour sa *Vaisselle funéraire* en terre rouge polie.

En Iran, la succession de R. de Mecquenem à la tête de la mission de Suse fut assurée par R. Ghirshman qui poursuivit d'abord l'exploration de Suse, puis s'intéressa à Tchoga Zanbil, éphémère capitale élamite : le mobilier des divers sanctuaires du complexe sacré de la ziggourat comporte de la vaisselle de faïence et des panneaux d'ivoire, partagés entre Paris, Suse et Téhéran. Ghirshman explora aussi les nécropoles de Sialk et tépé Giyan, sur le plateau iranien et la poterie peinte provenant des tombes de guerriers figure parmi les chefs-d'œuvre de l'art animalier.

Les institutions

Les enrichissements par dons d'États

Les quelques exemples de cadeaux de gouvernements étrangers à l'État français concernent surtout l'archéologie : on mentionnera ainsi le don par le Sénat hellénique des antiquités d'Olympie découvertes par l'expédition de Dubois et Blouet (1829) ou le don par le sultan Mahmoud II en 1838 des reliefs archaïques d'Assos et du *Vase de Pergame* ; de même le don par le sultan Abdoul Hamid du *Vase d'argent d'Entéména* découvert par les Français à Tello (1896). Le don par le gouvernement égyptien (1972) d'une statue colossale d'*Aménophis IV*, le roi hérétique, a été fait en remerciement de l'action française en faveur du sauvetage d'Assouan. Tout récemment, le gouvernement de la république d'Arménie offrait au Louvre une grande stèle funéraire médiévale (*Khatchkar*, 1976) provenant du cimetière d'Arindji. Mais le don par George V de médaillons en bronze par M. Desjardins, J. Arnould et P. Le Nègre, provenant du décor de la place des Victoires de Paris, montre bien que la générosité de chefs d'État ne s'arrête pas aux seules œuvres archéologiques.

Patère de la chasse
(orfèvrerie XIIIe siècle av.J.-C.)
provenant du partage des fouilles
de C. Schaeffer à Ougarit

Vase d'Entemena
(Tello vers 2400 av.J.-C.).
Cette œuvre majeure de l'art sumérien
fut donnée par le sultan Abdul Hamid II en 1897,
après la fouille
de la mission française d'E. de Sarzec,
grâce à l'entremise de l'ambassadeur J. Cambon

Ci-contre :
Pilier osiriaque à l'effigie du roi Aménophis IV
(Égypte vers 1375 av.J.-C.).
Donné en 1972
par la République Arabe d'Égypte
à la France en remerciement
de sa contribution
au sauvetage des monuments de Nubie

Il y eut aussi des dons faits à un chef d'État français, pour raisons de sympathie personnelle ; ainsi certains cadeaux faits au général de Gaulle, qui ont été reversés aux musées. Citons le *Casque* en bronze donné par le chancelier Adenauer (remis par le gendre du général, A. de Boissieu) ou les antiquités offertes par le roi de Jordanie.

Les partages après fouilles ont constitué le principal moyen d'accroissement des collections par dons d'État à État. Rappelons qu'il s'agit de clauses particulières prévues dans les lois sur les antiquités mises en vigueur dans divers pays au moment où se constituaient des services archéologiques locaux, en général à l'issue de la Première Guerre mondiale. Ces clauses stipulent le partage des découvertes archéologiques entre le pays qui envoie une mission archéologique (dans le cas de la France, le partage s'est fait essentiellement au profit du Louvre) et le gouvernement dirigeant le territoire où s'effectuent les découvertes. C'est ainsi que les gouvernements d'Égypte, de Syrie, d'Iran, d'Iraq, de Chypre, d'Israël (l'on pourrait continuer l'énumération avec l'Afghanistan, le Pakistan, etc., qui ont enrichi le Musée Guimet) ont tout particulièrement droit à la gratitude des musées archéologiques français.

Les temps ont changé : aujourd'hui, et depuis la fin des années quarante en général, l'intégralité des découvertes doit tout naturellement demeurer dans leurs pays d'origine, qui sont désormais équipés de musées modernes et de personnel scientifique hautement qualifié. Il faut cependant rendre justice à ces accords de partage, qui, tout en favorisant le développement des collections d'antiques du Louvre, ont permis la redécouverte et la protection, par le public français comme par leurs lointains héritiers, des témoins de toutes ces civilisations disparues.

Il faudrait tout citer : on ne rappellera que les chantiers archéologiques les plus heureux et les mieux représentés dans les salles du musée, que ce soit Assiout ou Tanis en Égypte, Ougarit et Mari en Syrie, Tello et Larsa en Iraq, Suse en Iran, etc.

Depuis que les lois de partage sont tombées en désuétude après la Seconde Guerre mondiale, quelques circonstances exceptionnelles permettent cependant de rétablir les dons d'État à État ; il s'agit notamment des antiquités mises au jour lors de campagnes de sauvetage entraînées par de grands travaux : autoroutes, barrages. Ce fut le cas de Meskéné, en Syrie, condamnée par le barrage de l'Euphrate. J. Margueron y mit au jour, de 1972 à 1976, les ruines d'Emar, capitale d'un royaume syrien au temps des Hittites ; en 1982, le Département des Antiquités orientales pouvait présenter au public les antiquités de Meskéné, obtenues en partage à l'issue des travaux sur le terrain.

L'Académie des inscriptions, les écoles et instituts archéologiques français à l'étranger

Les collections archéologiques de l'Institut avaient été constituées peu à peu par les membres de l'Académie des inscriptions et belles lettres ; la plupart des pièces furent par la suite transmises au Musée du Louvre. Pour se limiter aux plus fameuses, citons

Le Cippe de Malte,
inscription bilingue, phénicienne et grecque, qui permit le déchiffrement du phénicien par l'abbé Barthélemy en 1774. Transmis par la Bibliothèque Mazarine au Louvre par l'intermédiaire de S. de Sacy

le don en 1803 des marbres de l'ancienne collection Olier de Nointel, rapportés de Constantinople par l'ambassadeur de France en 1680 ; en 1864, le *Cippe de Malte*, qui avait permis à l'abbé Barthélémy de déchiffrer le Phénicien (1774), fut transmis par la Bibliothèque Mazarine, qui le tenait de l'Académie, par l'intermédiaire de Silvestre de Sacy. En 1891, l'Institut fait don des antiques de l'ancienne collection Léopold Hugo.

L'Académie des inscriptions et belles lettres était et demeure la principale autorité scientifique et morale concernant l'archéologie française à l'étranger. L'Institut assura le financement partiel de nombreuses missions qui ont contribué à enrichir le Musée du Louvre, celle de Phénicie par Renan, celle de Byblos, de Doura Europos, etc. Le rôle de l'Académie est non moins grand dans la préparation des publications.

Cette action de l'Académie dans le domaine de la recherche archéologique, si importante dans la formation des collections du Louvre, s'est déployée en étroite collaboration avec les écoles et instituts français à l'étranger, par lesquels ont transité les antiquités obtenues en partage.

Les instituts constituent des bases permanentes accueillant, autour d'inestimables bibliothèques, des étudiants et des chercheurs en mission. Ils permettent les facilités offertes par leur infrastructure, leur connaissance du milieu et du terrain, facilitant les relations entre les autorités locales et les musées français. Souvent l'exploration sur le terrain se poursuit encore de nos jours sur les sites mêmes qui ont naguère contribué à augmenter les collections du Louvre. Elle permet, grâce aux progrès accomplis dans la recherche archéologique, une meilleure compréhension des civilisations disparues à travers leurs témoignages matériels exposés dans les musées.

Parmi ces instituts français, nous ne citerons, par ordre de création, que ceux qui ont servi de truchement pour l'accroissement des collections du Louvre :

École française d'Athènes, fondée en 1846 ; intermédiaire et organisateur de nombreuses missions archéologiques françaises en Grèce (Delphes, Délos, Thasos) et récemment Chypre (Amathonte).

École française de Rome, fondée en 1873. Pour ce qui concerne le Louvre, citons ses activités en Tunisie.

Institut français d'Archéologie orientale du Caire, fondé en 1880 : la liste des découvertes aujourd'hui au Louvre dans le catalogue de l'exposition *Un siècle de fouilles françaises en Égypte, 1880-1980* (Paris, 1981) permet de se faire une idée de l'ampleur et de la variété de l'œuvre accompli par cet organisme.

École biblique de Jérusalem, fondée en 1890 : seul institut à proposer un véritable enseignement en plus de sa bibliothèque. Le Louvre lui doit le mobilier archéologique de Tell el-Farah dû aux fouilles effectuées par le R.P. de Vaux près de Naplouse.

Institut français d'Archéologie de Beyrouth, créé en 1946, devenu en 1978 *Institut français d'Archéologie du Proche-Orient,* avec des antennes à Amman, Damas et Sanaa : renvoyons à l'histoire de l'exploration en Syrie et au Liban pour l'importance des œuvres entrées au musée grâce à cet organisme.

Les « délégations », ou missions permanentes, telle la DAFI pour l'Iran ou la DAFIK pour l'Iraq, quoique dépourvues de bibliothèques comparables à celles des institutions énumérées ci-dessus, ne doivent pas être oubliées au palmarès bien que créées après l'abolition des lois de partage.

N'oublions pas non plus l'action scientifique des corps expéditionnaires qui étaient souvent accompagnés d'un service archéologique, comme l'armée d'Orient dans les Dardanelles. Parmi les réalisations les plus remarquables, on citera la couverture photographique aérienne de la Syrie, effectuée par l'Aviation française du Levant ; l'initiative en revenait au R.P. Poidebard (1925), inventeur de l'application à l'archéologie de la photo d'avion (certains de ces clichés, aujourd'hui sans prix, sont conservés aux archives des Antiquités orientales).

Les universités, musées universitaires et musées étrangers

Les relations entre le Louvre et les universités ou musées universitaires se sont établies par voies d'échanges et par dons ; les expéditions archéologiques conjointes furent également un mode d'enrichissement du musée.

Les échanges entre le Louvre et les musées étrangers comptent en effet parmi les moyens d'enrichissement des collections ; certes, il ne s'agit souvent que de matériel d'étude puisé dans les grandes séries, comme le don par le British Museum de moulages en échange de matériel de Mésopotamie. Avec l'Institute of Archaeology de l'université de Londres, il s'agit d'échanges d'antiquités de Palestine contre du matériel de Syrie. La section de céramique grecque s'enrichit régulièrement par échanges avec divers musées de précieux fragments de vases attiques, dans le but de reconstituer l'œuvre de peintres identifiés par l'érudition contemporaine.

Mais il y eut parfois des échanges d'œuvres prestigieuses : ainsi avec Berlin, dont le *Lion* décorant la voie sacrée de Babylone a été échangé contre des objets de Suse. Dans certains cas, il s'agit de compléter une œuvre ou un ensemble dispersé.

C'est le cas de la *Stèle de Mesha.* On sait que cette stèle, monument de victoire d'un roi de Moab sur les tribus d'Israël vers 842 av. J.-C., fut fracassée par les habitants au moment de sa découverte ; la plupart des morceaux ont été recueillis auprès de la tribu locale par Clermont-Ganneau pour être remontés au Louvre ; il y manquait des cassons, acquis par le Britannique Warren et par l'Allemand Schlottmann. Le Palestine Exploration Fund, dont le siège est à Londres, fit don de ses fragments en 1875 tandis que la Deutsche Morgenländische Gesellschaft consentait de céder les siens en 1891.

Un accord particulier lie le Louvre avec le Metropolitan Museum de New York pour l'échange triennal de la statue complétée d'*Our-Ningirsou,* prince de Lagash vers 2150 av. J.-C. : la tête étant à New York et le corps au Louvre, l'œuvre restaurée dans son intégrité traverse l'Atlantique tous les trois ans.

Le père Poidebard dans le désert de Safa en 1927.
Inventeur de la photographie archéologique aérienne, il utilisa les services de l'Aviation française du Levant (cliché archives A.O.)

Bien que les dons de musées et universités étrangers soient rares, car il n'est pas dans leur vocation de servir de mécènes quand ils en recherchent désespérément eux-mêmes, le cas se présente exceptionnellement : le Louvre doit au Philadelphia Museum of Art un tableau du peintre Thomas Eakins, originaire de Philadelphie, formé à Paris (1931).

Le Musée du Louvre a participé à plusieurs expéditions conjointes : il s'agit de campagnes de fouilles archéologiques effectuées en conjonction avec des institutions étrangères : le fruit des découvertes fut alors divisé entre le pays d'origine et les participants : citons les travaux de la France en liaison avec l'université de Yale sur le site caravanier de Doura Europos ; la *Fresque de la chasse* a été envoyée au Louvre après partage entre la Syrie et le Musée de l'Université de Yale en 1935 ; citons également la fouille franco-américaine à Antioche sur l'Oronte de 1931 à 1937, en coordination avec l'Université de Princeton : le Louvre en retira la belle *Mosaïque des saisons*.

Paul Delaroche,
Bonaparte franchissant les Alpes (1848)
donné par M. et Mme R.R. Birkhauser
par l'intermédiaire de la Lutece Foundation en 1982

Le rôle des associations

Sociétés savantes, associations et fondations de mécénat comptent parmi les catalyseurs importants de l'enrichissement des collections.

Les associations de sauvegarde formées par des amateurs jouent en France un rôle considérable dans la préservation du patrimoine français : on mentionnera par exemple le Comité Chassériau, formé pour éviter la vente et la dispersion des peintures murales que l'artiste avait peintes pour la Cour des Comptes ; lorsque la démolition de cet édifice fut décidée en 1898, le comité obtint la dépose et le transport au Louvre (don en 1903).

Les dons aux musées ont souvent été faits par l'intermédiaire d'associations, et cela pour plusieurs raisons : volonté d'anonymat de la part des donateurs ou recherche de discrétion ; commodité de paiement lorsqu'il s'agissait d'acquérir des œuvres en vente publique ou d'opérer des compensations ou exemptions fiscales.

Ces intermédiaires entre le marché de l'art et les musées revêtent plusieurs aspects : il peut s'agir de sociétés savantes, comme la Société française de Numismatique, fondée en 1865 (don en 1881 d'une stèle de Montouhotep au Département des Antiquités égyptiennes).

La Société des Amis du Louvre, dont le rôle est primordial, fait dans ce livre l'objet d'une présentation particulière ; plus modestes à côté de ce phare, d'autres associations méritent que l'on rappelle leur souvenir, comme l'Amicale des Anciens de Dachau, par qui fut transmis le *Portrait d'Henri Rochefort* par Dalou, donné par U. Moussali en 1975.

Les associations étrangères ne sont pas absentes non plus, comme le montre l'entrée d'une main provenant d'une statue de Louis XIV (don par F.H. Cripps-Day, sous les auspices du National Art-Collections Fund britannique en 1934) et le rôle de la Lutèce Foundation ; cette fondation, dont le siège est à New York, a pour but de favoriser le mécénat américain envers la France en le faisant bénéficier de dispositions fiscales favorables : c'est à travers cette fondation que le *Bonaparte franchissant les Alpes* de Delaroche est entré au Louvre (1982, don Mr. et Mrs. Birkhauser) ainsi que le *Portrait dit de Baretti* par Subleyras (1981, don Fondation B. et A. Meyer) et le *Christ roman* d'école allemande (don Michel David-Weill, 1981).

L'exemple d'action accompli par une fondation qui aura sans doute le plus frappé le public récemment est celui de l'acquisition du *Saint Thomas* de Georges de La Tour : la souscription publique s'est opérée par l'intermédiaire de la Fondation de France (1988).

Annie Caubet
Conservateur en chef du Département des Antiquités orientales

Coupe avec personnification de l'Afrique
faisant partie du trésor de Boscoreale
donné en 1895 par le baron Edmond de Rothschild

65

Stèle de Taperet
(Égypte Xᵉ-IXᵉ siècle av.J.-C.)
donnée en 1851 par Louis Batissier

Donateurs du Louvre :

Les artistes et leurs descendants

Les dons et legs par les artistes

Pendant longtemps, le Louvre fut – aussi – une école. Pour les artistes – jeunes ou moins jeunes, célèbres ou débutants – copier répondait à une exigence, copier au Louvre était l'enseignement par excellence. C'était percer les secrets des grands maîtres du passé et tenter de se les approprier. Comment, dès lors, s'étonner que ces artistes – les plus célèbres comme ceux que la gloire, parfois injuste dans ses jugements, n'avait pas daigné couronner – aient voulu témoigner leur reconnaissance à leur musée en lui offrant certaines de leurs œuvres ?

Une remarque, d'entrée de jeu, et un regret : ces artistes ne donnent que rarement leurs copies d'après les maîtres.

Quelques chiffres nous guideront : pour nous limiter aux seules peintures, 170 peintres (ou leur famille) ont offert au Louvre 450 tableaux dont ils sont les auteurs. Précisons-le toutefois : le Louvre n'expose pas les vivants. Au XIXᵉ siècle et au début du XXᵉ siècle, le Musée du Luxembourg, qui en est l'antichambre, est donc pour les œuvres données par les artistes, un passage obligé avant qu'elles ne puissent entrer au Louvre, généralement dix ans après la mort de leurs auteurs.

S'il est difficile de déterminer quel artiste eut, le premier, la généreuse idée de donner ou de léguer ses tableaux au Louvre, on peut affirmer que la tradition connut son apogée durant la seconde moitié du XIXᵉ siècle. Elle ne fut pas que française : en 1893, l'artiste anglais Georges Frederic Watts reçoit la commande pour le Luxembourg de *L'Amour et la Vie* ; il se déclare trop honoré par cette commande pour accepter que son tableau lui soit payé et l'offre à l'État. D'autres artistes étrangers firent de même : l'Italien de Nittis, le Norvégien Grimelund, mais bien sûr ce furent les Français qui tinrent plus particulièrement à donner – de leur vivant encore – certaines de leurs propres œuvres. Citons (sans procéder par ordre de date ou d'importance) Léon Bonnat qui offre en 1881 le portrait du peintre Léon Cogniet qui venait de mourir, ou Fantin-Latour qui donne en 1899 son esquisse de *L'atelier des Batignolles* (acquis pour le musée sept ans auparavant), ou encore Alphonse Legros qui offre en 1896 son *Christ mort* (et cinq dessins). Sans doute l'artiste dijonnais qui s'était volontairement exilé en Angleterre craignait-il l'oubli de sa patrie. Dans le geste de ces artistes, souvent des artistes « officiels » comme Carolus-Duran, Henner ou Cormon, un point commun : le respect pour une institution vénérée. C'est le même respect reconnaissant qui explique le legs de Granet (200 dessins et aquarelles) ou de Turpin de Crissé (143 dessins) ou de Corot qui donne, à sa mort,

Marius Granet,
*La pièce d'eau des Suisses
à Versailles*, aquarelle
léguée en 1850 par l'artiste

Camille Corot,
Le Forum vu des jardins Farnèse (1826),
légué en 1875 par l'artiste

au Louvre, deux de ses plus belles œuvres de jeunesse, le *Forum* et le *Colisée*. Charles-Louis Müller pour sa part lègue l'esquisse des *Dernières victimes de la Terreur* (son grand tableau avait été acheté par l'État au Salon de 1850-1851) et la liste est longue des artistes – de Meissonier à Karl Daubigny – qui, par révérence et gratitude, testent en faveur du Louvre. Mais quand Elie Delaunay (en 1891) ou Léon Bonnat (en 1922) lèguent les portraits qu'ils ont peints de leurs mères, à l'amour du musée s'ajoute la piété filiale, à l'intérêt esthétique la valeur sentimentale. C'est bien entendu également le cas pour François Flameng, qui offre en 1899 le portrait de sa femme qui venait de mourir.

On accordera une place à part aux artistes amateurs, aux artistes collectionneurs : si Caillebotte, que l'on nous reprocherait à juste titre de classer dans la première de ces catégories, eut la modestie de ne pas faire figurer dans son legs une de ses toiles, La Caze, le grand docteur La Caze, dont la collection enrichit le Louvre de tant de chefs-d'œuvre, ne put s'empêcher de glisser dans son legs son *Autoportrait*, malencontreusement déposé à Pau en 1952. Et comment ne pas approuver le geste de Paul Jamot qui lègue, avec bien des chefs-d'œuvre, six de ses toiles, peintes en 1916, représentant l'église des Jacobins de Toulouse, dans laquelle étaient garés les camions qui contenaient les tableaux évacués du Louvre pendant la Grande Guerre et dont il avait la garde ? À l'intérêt documentaire de ces œuvres, au souci de perpétuer le souvenir d'un épisode grave de l'histoire du musée, s'ajoute – comment s'en offusquer ! – le désir secret de la consécration artistique...

On n'abordera pas ici le chapitre des artistes donateurs d'œuvres dues à d'autres mains que les leurs. Mais qu'ils offrent leur portrait par un artiste ami (Harpignies par Dubufe) ou une œuvre de leur maître (portrait de son père par le baron Gros légué par Müller déjà cité), qu'ils lèguent leur collection (Bonnat – mais Bayonne bénéficiera plus que Paris de la générosité du peintre – ou Picasso) ou un seul tableau (le splendide *Dindon* longtemps cru de Velázquez, offert par François Flameng en 1923, un des plus intrigants « anonymes » du Louvre !), ces artistes bien évidemment attribuaient à leur geste une portée.

Méprisé, bousculé, contesté, nié, le musée n'a pas été remplacé. Non seulement l'artiste souhaite être vu, il veut être confronté. La tradition – comment s'en étonner – demeure vivante, dont bénéficie aujourd'hui Beaubourg, le Centre national d'Art et de Culture Georges Pompidou, qui pousse tant d'artistes – les incompris comme les plus célèbres – à offrir leurs œuvres, et bien souvent les plus chéries.

Les dons et legs par les héritiers d'artistes

Les raisons qui incitent les héritiers d'artistes à donner ou à léguer sont-elles radicalement différentes de celles des artistes ? Au-delà de la piété, de quelque nature qu'elle soit, il y a l'intime conviction de la grandeur de l'artiste disparu, auquel seul le musée, en l'occurrence le plus illustre d'entre tous, sait rendre justice. L'acceptation du don par le musée est la première étape de cette reconnaissance – l'étape officielle – que le jugement du public et des générations successives viendra confirmer. D'où cette clause, souvent souhaitée, de la présentation permanente. Qui ne

Hubert Robert,
La Maison carrée à Nîmes,
légué en 1822 par Mme Hubert Robert, veuve de l'artiste

Joseph Boze,
Autoportrait, pastel
donné en 1866 par Victoire Boze,
fille de l'artiste

Eugène Delacroix, *Lucile Virginie Le Guillou*,
légué par Jenny Le Guillou, gouvernante de l'artiste
et mère du modèle, à Mme Duriez de Verninac
pour être remis au Louvre après la chute de l'Empire ;
en exécution de cette volonté, remis en 1872 au musée
par l'intermédiaire du peintre Pierre Andrieu

comprend et n'approuve le geste de Victor Regnault offrant au Louvre huit tableaux et 105 dessins de son fils Henry, mort pour la France à Buzenval en 1871 à l'âge de vingt-huit ans ! Et qui ne se souvient des démarches pressantes de la comtesse de Tou-louse-Lautrec pour que les œuvres de son fils, mort à trente-sept ans, soient réparties dans divers musées français (Albi, on le sait, sera le principal bénéficiaire de cette volonté, mais le Luxembourg reçut en 1902 l'aujourd'hui célèbre *Femme au boa noir*) ! Mais les parents d'artistes n'ont guère l'occasion d'exercer leur générosité

que dans le cas – heureusement rare – où leurs enfants meurent jeunes. Infiniment plus fréquentes sont les libéralités dues aux veuves d'artistes. Qualifier d'abusive, comme on l'a fait parfois bien injustement, leur vigilante piété à l'égard du compagnon disparu est méconnaître le fait que, alliées des jours difficiles et témoins du labeur, du bonheur comme du désespoir que sous-entend toute création, elles ne sont pas étrangères à celle-ci ; c'est oublier aussi que, sans leur inlassable générosité, le Louvre, comme nombre de musées, ne serait pas ce qu'il est. Que l'on y songe un instant : Mme Hubert Robert, qui meurt en 1822, ouvre la liste. Elle lègue au Louvre *La Maison carrée* et *L'Arc de triomphe d'Orange*, deux des chefs-d'œuvre restés dans l'atelier de son mari, disparu depuis quatorze ans. Citons, sans souci de palmarès, Mme Belly, Mme Meissonier (la famille Meissonier se distinguera par ses largesses), Mme Hébert, Mme Fantin-Latour (*La Famille Dubourg*, en 1921), Mme Guillaumet pour les tableaux ; Mme Heim dans le domaine du dessin (mais les dons Belly, Hébert et Guillaumet étaient riches aussi en dessins) ; Mme Hugues, Mme Injalbert pour ce qui est de la sculpture. Mais de ces libéralités, la plus chargée d'émotion ne demeure-t-elle pas celle de Jenny Le Guillou, la fidèle gouvernante de Delacroix, qui légua à Mme Duriez (née Verninac) le portrait de sa fille Lucile Virginie par Delacroix, qui lui avait été donné par son maître, et dont elle demandait qu'il soit remis au Louvre après la chute de l'Empire ? Ce qui fut fait en 1872. (Delacroix lui avait encore légué son *Autoportrait* qui connut le même sort heureux pour le musée.)

On n'aura garde d'oublier deux frères et une sœur d'artiste qui surent témoigner de leur générosité : Émile Bastien-Lepage offre en 1926 son portrait par Jules Bastien-Lepage et l'autoportrait de celui-ci ; deux ans plus tôt, Marc Bazille avait légué deux tableaux de Frédéric, tombé à Beaune-la-Rolande en 1870, ainsi que l'ad-mirable portrait du jeune impressionniste par Renoir. Comment enfin ne pas se souvenir que Juliette Courbet offrit au Louvre en

Gustave Courbet, *L'enterrement à Ornans* (1849-1850),
donné en 1881 par Juliette Courbet, sœur de l'artiste

Pierre-Jean David d'Angers,
Bonchamp (1824), bronze
donné en 1900 par Mme Leferme,
fille de l'artiste

1887 *L'enterrement à Ornans* (exposé aujourd'hui au Musée d'Or-say) ?

La piété filiale a – elle aussi – suscité des dons importants. Parmi ceux-ci, les sculptures sont nombreuses (œuvres de David d'An-gers, offertes par son fils Robert et sa fille Mme Leferme ; de Guillaume, données par sa fille Mme Lefuel ; de Frémiet, données par sa fille Mme Fauré-Frémiet...). Sans doute les évidents pro-blèmes de conservation de certaines œuvres fragiles ont-ils parfois incité à confier au musée le soin de les préserver ; mais qui regretterait cette décision salvatrice qui fit entrer plâtres, terres cuites, cires aux côtés des bronzes et des marbres – et parfois des dessins, car certains enfants de sculpteurs, comme Mme Dufet-Bourdelle, ont choisi d'offrir au Louvre des œuvres graphiques.

Au nombre des enfants de peintres, citons Mme Dwernicka qui donna en 1872 l'immense *Ecole d'Apelles* (H. 3,75 m ; L. 4,80 m !) de son père, Jean Broc, mort en Pologne vers 1850, que l'on espère un jour prochain voir enfin exposé ; René-Paul Huet, Mme Mar-jolin-Scheffer (fille d'Ary Scheffer), Michel Monet (deux Monet en 1926 ; la belle-fille de l'artiste, Blanche Hoschedé-Monet en légua quatre en 1940), sans oublier – mais les étrangers sont rares dans cette liste – Lionel Constable qui donne en 1877 la vue de *Hampstead Heath* de son père, John, disparu quarante ans aupa-ravant. Plus ambigu mais non moins généreux est le geste du colonel Langlois, fils de Jérôme-Martin Langlois, lui-même peintre de batailles, qui offre le portrait de David par son père : la notoriété du modèle imposait en quelque sorte l'acceptation du tableau.

Il serait faux de croire que seuls les parents les plus proches offrent des œuvres des artistes dont ils descendent. Le cas le plus illustre est bien sûr celui du baron Arthur Chassériau (1850-1934), fils d'un cousin germain du peintre (1819-1856). Non seulement

Théodore Chassériau,
La toilette d'Esther (1841), légué en 1934
par le baron Arthur Chassériau,
fils du cousin germain de l'artiste

Paul Delaroche, Étude pour le *Naufrage*, dessin à la mine de plomb et sanguine, donné en 1971 par Mme Henraux, arrière-petite-fille de l'artiste

il légua au Louvre les œuvres de l'artiste dont il avait hérité, mais celles qu'il avait, sa vie durant, passionnément recherchées. Sa mort en 1934 fit entrer au Louvre 77 peintures de son lointain parent et les 2 200 dessins que vient de cataloguer, avec autant de soin que de savoir, Louis-Antoine Prat. L'exemple n'est pas unique : citons, pour les peintres, Mme Tripier Le Franc qui donne en 1843 trois chefs-d'œuvre de sa tante, Mme Vigée Le Brun, les portraits de l'artiste et de sa fille, d'Hubert Robert et de Paisiello (son mari donnera en 1883 une nouvelle œuvre de Mme Vigée Le Brun) ; Phidias Vestier qui lègue en 1875 une toile de son grand-père Antoine (représentant sa grand-mère) ; Fernand Corot qui offre en 1911 le portrait de sa grand-mère, Laure Sennegon par son arrière-grand-oncle, Camille ; Mme Philippe Delaroche-Vernet (dont le mari était le petit-fils de Paul Delaroche et de la femme de celui-ci, Louise Vernet, fille d'Horace) qui lègue en 1938 des œuvres de Delaroche, de Joseph et d'Horace Vernet ; Mlle Lepailleur, petite-nièce de Marguerite Gérard ; Mme Julien Pillaut, veuve du petit-fils de Léon Riesener... On mentionnera comme exemple particulièrement révélateur Albert Maignan : il lègue en 1909 un beau *Portrait d'Eugénie Paméla Larivière* par son frère, Louis-Eugène, mort en 1823, âgé de vingt-trois ans à peine. Albert Maignan, mari de la nièce du peintre, voulait, par son geste, rendre hommage à un artiste au talent précoce, trop tôt disparu, dont seul le Louvre pouvait sauver le nom de l'oubli. Plus près de nous, en 1971, car la tradition n'est pas morte et l'habitude ne s'est pas éteinte, Mme Henraux, née Delaroche-Vernet, donne 700 dessins de son arrière-grand-père Paul Delaroche, et, en 1980, M. Edouard Dubufe, arrière-petit-fils de Claude-Marie Dubufe, fait donation au Louvre de deux peintures de cet artiste (et à Orsay d'œuvres des Dubufe des deux générations suivantes). Encore récemment, en 1984, Mme Froidevaux offre un tableau d'Hippolyte Flandrin, son grand-oncle. Trois ans plus tard, Mme Flandrin-Latron, femme d'un petit-fils de Paul Flandrin, donne un tableau de ce dernier et deux esquisses de son frère Hippolyte... La liste serait longue. Contentons-nous de citer encore, parmi les libéralités dont bénéficient d'autres départements que celui des Peintures, le legs de M. Foussier, petit-fils de l'orfèvre Biennais, et pour ce qui est des dessins, les dons d'Henri Gérard, neveu du baron (20 dessins choisis par Reiset en 1851) et de Mme Henner, nièce de Jean-Jacques (50 dessins).

Claude-Marie Dubufe,
La famille Dubufe en 1820,
donné en 1980 par Édouard Dubufe,
arrière-petit-fils de l'artiste

Hippolyte Flandrin,
Madame Hippolyte Flandrin (1846),
donné en 1984 par Mme Froidevaux,
petite-nièce de l'artiste

Mme Vigée-Le Brun, *Mme Vigée-Le Brun et sa fille* (1786),
donné en 1843 par Mme Tripier Le Franc, nièce de l'artiste

Baron François Gérard,
Portrait de femme,
dessin au crayon noir et estompe,
donné en 1851 par le baron Henri-Alexandre Gérard,
neveu de l'artiste

Évocatrice et significative, la décision de Louis-Bonaventure Girard d'offrir au Louvre, en 1808, 832 dessins de son oncle, le sculpteur Edme Bouchardon, « en hommage à l'Empereur ».

Un mot encore sur les descendants de sculpteurs, nombreux à témoigner de leur générosité. G. Le Chatelier, petit-neveu du sculpteur Deseine (1749-1822), qui rachète, pour les donner, des œuvres de son grand-oncle, semble procéder à la manière du baron Arthur Chassériau. Mentionnons le comte de Fredy (de la famille des Coustou), François Bonnassieux et Cécile Armagnac (arrière-petit-fils et arrière-petite-fille de Jean-Marie-Bienaimé Bonnassieux), L'Ebé Bugatti (nièce de Rembrandt Bugatti) et le filleul de celle-ci, M. Desbordes, qui ont permis au Département des Sculptures du Louvre (et d'Orsay) de s'enrichir d'œuvres importantes des artistes auxquels ils étaient apparentés. Citons enfin M. Montenard qui offre en 1891 le projet de tombeau en cire que son grand-oncle Giraud avait réalisé pour sa femme et ses enfants morts du choléra...

De ces noms trop rapidement alignés, de ces listes que conclure ? Le constant attachement des artistes et de leurs familles au Louvre est ancien. Aux plus grands, il offre la consécration et aux moins fortunés un havre. Car le Louvre est non seulement le musée des chefs-d'œuvre, mais aussi le dictionnaire des artistes, tout spécialement des artistes français. Pour tous il est le garant que l'histoire ne les oubliera pas, même si elle les a négligés de leur vivant ou les néglige aujourd'hui.

Pierre Rosenberg
Conservateur en chef du Département des Peintures

Isabelle Compin
Documentaliste au Département des Peintures

Donateurs du Louvre :

Les modèles et leurs descendants

Il est banal de le rappeler, bien des gloires sont passagères : tel écrivain qui se croyait immortel, tel ministre à l'origine de réformes qui, pensait-il, lui assureraient une place dans l'histoire, tel acteur ou tel ambassadeur seraient bien étonnés d'apprendre qu'ils ne doivent la survie de leur nom qu'à leur portrait et au peintre auquel ils n'accordèrent que, chichement parfois, quelques heures de pose... Pour ne citer qu'un petit nombre d'exemples pris dans les collections du Louvre (et sans évoquer *La Joconde,* notre *Mona Lisa...*) qui aujourd'hui se souviendrait de Ferdinand Guillemardet, ambassadeur de France en Espagne entre 1798 et 1800, sans Goya, ou même de Bertin aîné, le puissant fondateur du *Journal des débats,* sans Ingres ? Qui connaîtrait les visages (et les noms) d'Eugène Boch ou du docteur Gachet sans Van Gogh, des Rivière sans Ingres, de Lola Melea sans Manet ? L'immortalité a ses caprices...

Le Louvre est riche en portraits magnifiques : ils furent souvent donnés (ou légués) par les modèles de ces œuvres (ou par leurs héritiers) ; dans ce cas, il s'agit généralement de portraits peints (220 tableaux remis par 170 donateurs – sans prendre en compte ici les autoportraits ou effigies familiales donnés par leurs auteurs, dont nous parlons dans un autre chapitre : celui des artistes donateurs) ; les portraits dessinés et sculptés sont bien moins nombreux.

Peut-on tenter d'apporter à ces dons une explication ? Quels liens unissent le peintre et son modèle, le modèle et le musée, le modèle et le Louvre ? Certes, il y a autant de portraits que de cas d'espèce, mais on est en droit de s'interroger sur les raisons qui poussent un homme (ou une femme) célèbre ou inconnu à souhaiter son portrait, sur les raisons qui lui font choisir tel peintre plutôt que tel autre, sur les raisons qui le conduisent (ou qui conduisent ses héritiers) à offrir cette œuvre à un musée (et à quelles conditions ?) et au Louvre plutôt qu'à tel autre musée. Autant de questions qui mériteraient d'amples réponses. Bornons-nous à noter ici que, lors des séances de pose, un lien s'établit entre le modèle et son peintre, un lien d'un ordre bien particulier – toute personne qui a posé en a la nette conscience. Avec l'achèvement du portrait, ce lien se détend, modèle et artiste se séparent, le tableau gagne la demeure du modèle, le peintre se consacre à ses nouvelles tâches. Le musée, par la volonté du modèle ou de ses héritiers, les unit à nouveau sous le regard des visiteurs. Ne l'avaient-ils pas – consciemment ou inconsciemment – l'un et l'autre souhaité ?

Autant de cas d'espèces, disions-nous : donnons quelques exemples. Le 11 février 1864, le capitaine aux dragons de l'Im-pératrice, Versigny, écrit au directeur du Louvre : « Plusieurs artistes et amateurs, entre autres Monsieur Marcille, ont admiré chez moi un tableau de Prud'hon. Mon frère et moi, militaires tous deux, craignons de le voir exposé à de fâcheux accidents par suite de nos fréquents changements de résidence. C'est un portrait de notre mère enfant [Marie Marguerite Lagnier, plus tard Mme Versigny]. Nous ne voulons à aucun prix qu'il soit vendu. Nous désirons en faire don au musée du Louvre. Nous le saurons là à l'abri de tout événement, et toujours à notre disposition lorsque nous voudrons le visiter... » Quelques années plus tard, Osborne de Sampayo, administrateur de la Compagnie royale des chemins de fer portugais, fait montre d'un même souci : il abandonne l'usufruit que sa mère lui avait concédé – aux termes d'un testament par lequel elle léguait au Louvre le portrait de sa tante, Mme Regnault de Saint-Jean-d'Angély par Gérard – car, appelé à déménager souvent, il craint que le tableau n'en souffre ; il

Pierre-Paul Prud'hon,
Marie-Marguerite Lagnier, plus tard Madame Versigny (1796),
donné en 1864 par MM. Versigny, fils du modèle

Jean-Auguste-Dominique Ingres,
Mademoiselle Caroline Rivière,
légué en 1870 par Mme Rivière,
belle-sœur du modèle

préfère donc le remettre au musée, en exprimant le vœu d'en recevoir une copie.

Autre exemple, autre motivation, clairement exprimée par les donateurs : c'est à l'occasion du cinquantième anniversaire de leur mariage que M. et Mme Gaston Bernheim de Villers offrent en 1951 leurs portraits et celui de leur fille par Renoir, et – pour le Musée national d'Art moderne – deux autres portraits par Vuillard, l'un de leur fils, mort en déportation, l'autre de leur fille. La nouvelle répartition des collections nationales entraînée par l'ouverture du Musée d'Orsay a permis – et l'on peut s'en réjouir – le regroupement des cinq tableaux de ce don aussi émouvant que généreux.

Comment ne pas évoquer aussi le legs par Sophie Robillard-Rivière, par testament du 7 février 1870, des trois portraits des Rivière par Ingres ? Paul Rivière, fils de Philibert Rivière et de « Sabine » Blot de Beauregard, frère de Caroline et héritier des tableaux, avait épousé, à la veille de sa mort, sa compagne de longue date, Sophie Robillard. C'est à elle – comme le rappelait récemment Hélène Toussaint (trentième dossier du Département des Peintures du Louvre consacré aux portraits d'Ingres) – que notre musée doit « trois des plus précieux portraits de la peinture mondiale ».

Un premier point surprend : de ces 200 portraits, 20 % seulement, guère plus, ont été donnés directement par les modèles ; c'est le cas des portraits Bernheim par Renoir que nous mentionnions plus haut. C'est le cas encore des portraits d'Edme Bochet par Ingres ou de Mme Jarre par Prud'hon et, pour citer quelques exemples d'œuvres offertes au Louvre et aujourd'hui exposées à Orsay, des portraits du sculpteur belge L.H. Devillez et de Gustave Geffroy, l'un et l'autre par Carrière ; d'Eugène Boch par Van Gogh, du docteur Gachet par Goeneutte (son portrait par Van Gogh fut donné ultérieurement par ses enfants) ou de Séverine par Hawkins.

Autre surprise concernant cette fois les grands donateurs du Louvre qui offrent l'ensemble de leurs collections. Certes les portraits d'Alfred Chauchard (par Benjamin Constant), de Carlos de Beistegui (par Zuloaga) ou de M. et Mme Victor Lyon (par Henner et Baschet) font partie intégrante de ces donations et sont, par la volonté des testateurs, exposés en permanence avec ces collections, mais pas plus Thomy Thiéry, Isaac de Camondo qu'Étienne Moreau-Nélaton, Antonin Personnaz ou Gustave Caillebotte, Paul Jamot ou Othon Kaufmann et François Schlageter – et les exemples pourraient être multipliés – n'ont souhaité que dans leurs donations figurassent leurs portraits. Doit-on voir là une preuve de la modestie de ces grands amateurs ?

Ce sont avant tout les héritiers des modèles qui offrent les portraits de leurs ancêtres. Les enfants souvent : Paul et Marguerite Gachet donnent le portrait de leur père par Van Gogh ; il en va de même du portrait de Guillemardet par Goya, légué par son fils Louis-Philippe, de celui de J.-B. Isabey par Gérard donné par son fils Eugène, de celui de Charles Cordier par Ingres offert par sa fille,

Ignacio Zuloaga, *Carlos de Beistegui*
(représenté devant deux tableaux faisant partie de sa donation :
Mme Drouais par Drouais et *Mme Panckoucke* par Ingres),
donné en 1942 par le modèle

Francisco de Goya y Lucientes,
Ferdinand Guillemardet,
légué en 1865
par Louis Guillemardet, fils du modèle

Louis Michel Vanloo, *Denis Diderot* (1767),
légué en 1911 au nom de la famille de Vandeul par Albert de Vandeul,
arrière-arrière-petit-fils du modèle

Nicolas-Bernard Lépicié, *Le petit dessinateur : Carle Vernet
à l'âge de 14 ans* (1772), légué en 1890 par Horace Paul Delaroche,
arrière-arrière-petit-fils du modèle

la comtesse Mortier, de celui de Mme Reymond par Mme Vigée
Le Brun offert par sa fille, Mlle Reymond. Rarement l'épouse
(fait exception Mme Zola qui donne le portrait de son mari par
Edouard Manet) ; assez fréquemment le frère (*Portrait de Bazille*
par Renoir offert par Marc Bazille) ou les petits-enfants (le Louvre
doit les portraits de M. et Mme Proudhon par Courbet à leurs
petites-filles, Mmes Fauré-Frémiet et Henneguy, et celui de
M. Vallet par Prud'hon à sa petite-fille, Mme Sevène). Mais sou-
vent les liens de parenté sont bien moins étroits ; ainsi Juliette
Dodu donne-t-elle le portrait (par Girodet) du baron Larrey, père
de son parrain ; ou bien encore Albert de Vandeul offre-t-il au
Louvre le portrait de son arrière-arrière-grand-père Diderot par
Louis-Michel Vanloo (du même Vanloo le portrait de l'architecte
Soufflot est donné au Louvre en 1880 par son petit-neveu).

Dès lors, on ne s'étonnera pas qu'entre la date d'exécution de
certaines de ces œuvres et la date de leur entrée dans les collections
du Louvre l'écart soit parfois considérable et dépasse souvent cent
ans. Ainsi le duc d'Harcourt offre sous réserve d'usufruit, en
1970, le portrait de son ancêtre Anne-François d'Harcourt, duc
de Beuvron, peint par Fragonard deux siècles auparavant. Mentionnons aussi Mme Bigot qui lègue en 1984 un portrait de la fin
du XVIIIᵉ siècle d'un membre de sa famille, M. Leconte, ou encore
Mme Say qui lègue en 1917 le portrait de son père, Édouard
Bertin, peint par Greuze vers 1801. Citons encore Charles Pasteur
qui donne en 1948 le portrait de son arrière-grand-mère par Gros
(vers 1795-1796) ou la comtesse Raquine qui offre en 1943 le
portrait de sa grand-mère par Mme Haudebourt-Lescot peint en
1817, ou la marquise d'Estourmel qui donne en 1968 le portrait
de son arrière-grand-père, le vicomte d'Arlincourt par Robert
Lefèvre (1822). Sans oublier Antonin Marmontel, qui lègue en
1907 le portrait de son ancêtre Marmontel par Roslin (1767), ni
Horace-Paul Delaroche qui lègue en 1890 les portraits de son
arrière-arrière-grand-père, Carle Vernet, par Lépicié (1772) et par
Robert Lefèvre (1804).

On peut encore s'interroger sur les professions exercées par les
modèles. Les artistes sont nombreux : peintres célèbres, comme
Carle Vernet ou Frédéric Bazille, ou oubliés, comme Jacques-
Gérard Milbert (par Rouillard), peintre photographe (Louis
Daguerre par Rude), ou miniaturiste (Carrier par Court), sculpteur
(Devillez par Carrière) ou graveur de médailles (Gallé par Gros),
orfèvre (Odiot par Vernet) ou ébénistes (les Beurdeley par Baudry
et Zorn), mais aussi compositeurs (Ambroise Thomas par
H. Flandrin ou Saint-Saëns par le sculpteur Paul Dubois), ou
encore écrivains (Victor Hugo par Bonnat, Alexandre Dumas
toujours par Bonnat et aussi par Meissonier, sans oublier Diderot,
Proudhon et Zola que nous avons déjà cités, ni Maxime Ducamp
et Louise Collet réunis par Pradier). Mentionnons encore quelques
acteurs et chanteurs (Rachel par Barre), quelques critiques d'art
(Castagnary et Champfleury tous deux par Courbet, Roger Marx
et Gustave Geffroy, tous deux par Carrière), des marchands de
tableaux (Gaston Bernheim et Georges Petit, ce dernier par Ricard)
et deux directeurs du Louvre (Théophile Homolle, directeur des
Musées nationaux de 1904 à 1911, par Bonnat, et son prédécesseur,
Albert Kaempfen, directeur de 1887 à 1904, par Landelle).

Baron François Gérard,
*Jean-Baptiste Isabey
et sa fille* (1795),
donné en 1852
par Eugène Isabey,
fils et frère des modèles

James Pradier,
Maxime Ducamp,
bronze
donné en 1893 par le modèle

Jean-Auguste Barre,
Rachel (1848), ivoire
légué en 1909 par
Mme Dinah Félix, sœur du modèle

Jean-Auguste-Dominique Ingres,
Charles Arnauld Delorme (1830),
dessin à la mine de plomb, donné en 1885
par la marquise de Tamisier, fille du modèle

François-Désiré
Froment-Meurice et
James Pradier, *Vase* en
argent doré de
Froment-Meurice, orné
d'un médaillon en
malachite de Pradier
représentant le général
baron de Feuchères (à
qui l'objet fut offert
par les Hospices civils
de la Ville de Paris en
1844), donné en 1890
par la baronne de
Feuchères, veuve du
général

Les hommes politiques sont rares (Royer-Collard par Boilly et Gericault ; Thiers par Bonnat) comme les ecclésiastiques (Mgr Thomas par Bouguereau) et les avocats. Plus nombreux les militaires (le maréchal Regnault de Saint-Jean-d'Angély par Gérard, le général Fournier-Sarlovèze par Gros, le vice-amiral Miot par Émile Lévy, le général baron de Feuchères, médaillon par Pradier sur un vase d'argent doré de Froment Meurice), comme les médecins (Larrey, Gachet, déjà cités, mais aussi le dentiste Rossi par Sigalon ou la femme de l'accoucheur de l'impératrice Eugénie, Mme Cadet de Gassicourt, par Hersent), les architectes (Garnier par Baudry ou encore Soufflot par L.M. Van Loo et Ch. Arnault Delorme dessiné par Ingres) et – comment s'en étonner – les collectionneurs (Édouard André par Carpeaux ; citons ici La Caze qui offrit avec son admirable collection son autoportrait : il pourrait, à ce titre, être aussi bien mentionné parmi les artistes que parmi les médecins, mais c'est le collectionneur qui, en priorité, a droit à toute notre reconnaissance). Nous sommes dans l'embarras pour préciser le statut social de Mme de Loynes (par Amaury-Duval) dont on sait toute l'importance du salon, ou encore de Mme Valtesse de la Bigne (par Gervex), modèle (c'était d'ailleurs son « métier ») qui offrit son portrait au Musée du Luxembourg en 1906.

Si, en règle générale, les modèles sont français (font exception quelques Belges – Boch, Devillez, Rops par Mathey – et un Italien, le compositeur Antonio Pacini par Sigalon), les artistes ne le sont pas toujours (Goya, Van Gogh, Zorn, Zuloaga, Gilbert Stuart, Lampi, Winterhalter, Sargent, Roslin). Grâce à leurs modèles,

Jean-Honoré Fragonard, *Anne-François d'Harcourt, duc de Beuvron*,
donné en 1970 sous réserve d'usufruit par le duc d'Harcourt, descendant du modèle

Louis Léopold Boilly,
Gabrielle Arnault, légué en 1904
par Mme Charles Napoléon Arnault,
veuve du neveu du modèle

certains de ces artistes sont entrés en force au Louvre. Ainsi pour le XVIIIᵉ siècle, Louis-Michel Vanloo avec trois portraits l'emporte sur Heinsius (deux) et sur Fragonard, Lépicié, Roslin, Vigée Le Brun, etc. À l'époque néoclassique, les principaux bénéficiaires sont Bœilly (sept tableaux ayant tous pour modèles des membres de la famille Arnault), Ingres (cinq tableaux : Bochet, Cordier, les Rivière), devant Prud'hon (Mme Jarre, M. Forney, M. Vallet, Mme Versigny) et Gérard (quatre également), puis Drölling (trois), loin devant Goya et David (M. et Mme Mongez). Les vainqueurs *ex aequo* du XIXᵉ siècle sont Bonnat, Carrière et Henner avec chacun dix tableaux, devant Ricard (huit), Hébert (sept), H. Flandrin et Renoir (cinq chacun). Suivent avec quatre : Bastien-Lepage, Baudry, Courbet (Champfleury, Castagnary, M. et Mme Proudhon) et Odilon Redon. De la liste Cézanne est absent.

Quelles raisons poussent les héritiers des modèles à offrir au Louvre les portraits devenus leur propriété ? Il serait hypocrite de se contenter d'évoquer la seule générosité du donateur. Certes, celle-ci ne doit pas être sous-estimée et mérite toute la reconnaissance et la gratitude de la part des générations successives de conservateurs et de visiteurs. Mais bien souvent cette générosité s'accompagne de motivations sentimentales qui n'ont rien de méprisable ou de ridicule et n'ôtent rien au mérite du geste : le musée est (était ?) à la fois considéré comme un lieu de sauvegarde et un lieu sacré. Grâce au musée, grâce à l'artiste qu'il aura choisi pour le représenter, le modèle – quels qu'aient été ses talents – échappera à l'oubli. Réunion unique de chefs-d'œuvre, lieu de délectation, le Louvre ne doit pas négliger cet aspect, cette originalité de son passé.

Pierre Rosenberg
Conservateur en chef du Département des Peintures

Isabelle Compin
Documentaliste au Département des Peintures

Louis David,
M. et Mme Antoine Mongez (1812),
légué en 1855
par Mme Mongez, l'un des modèles

Donateurs du Louvre :

Les antiquaires donateurs

La participation des antiquaires à la formation des collections du Louvre est capitale, non seulement à cause des achats que le musée leur fait mais aussi grâce aux dons innombrables qu'ils lui ont consentis depuis le dernier quart du XIXᵉ siècle.

Antiquaires et collectionneurs à la fois, Frédéric Spitzer et les Beurdeley semblent avoir été les premiers marchands donateurs du Louvre. Spitzer offrit en 1878 un bas-relief d'Antonio Lombardo. Alfred Beurdeley et son fils, membres d'une famille de marchands de curiosités implantée à Paris dès le début du XIXᵉ siècle, donnèrent en 1880 un ensemble insigne, la marche d'autel en carreaux de faïence provenant du château de La Bâtie d'Urfé, due au potier rouennais Masséot Abaquesne. Dès lors, les dons d'antiquaires se sont inscrits sur les inventaires du musée selon un rythme régulier. On peut même dire qu'ils sont devenus traditionnels, d'une génération à l'autre, chez certaines grandes familles de marchands comme les Bernheim, Cailleux, Helft, Koutoulakis, Prouté, Seligmann, Soustiel, Wildenstein.

Les antiquaires donateurs du Louvre ne sont pas seulement français. On relève parmi eux une notable proportion d'étrangers : Anglais, Américains, Allemands, Suisses, Belges. Les départements antiques et la Section islamique ont reçu beaucoup d'objets de marchands d'Athènes, du Caire (tel A.M. Sameda, qui donna, en 1952, une tête de Sésostris III) ou de Beyrouth, tandis que les antiquaires napolitains Cesare et Ercole Canessa ont offert en 1898 des objets du trésor de Boscoreale. En 1980, la galerie Tamenaga de Tokyo a été le premier donateur japonais du Louvre. La générosité de beaucoup de ces antiquaires étrangers a été suscitée par la passion de l'art français et le souvenir de leurs visites au Louvre : c'est par exemple le cas du marchand genevois Laurent Rehfous, ou de M. James Grafstein, antiquaire new-yorkais, ancien élève de l'École du Louvre.

L'importance des objets que le Louvre doit aux antiquaires, comme à l'ensemble de ses donateurs, est bien sûr variable. Mais, s'il s'agit, dans quelques cas, d'objets anecdotiques, ces dons incluent nombre d'œuvres qui étaient indispensables au Louvre. Aussi beaucoup de marchands figurent-ils sur la liste des grands donateurs gravée dans la rotonde précédant la galerie d'Apollon.

Le musée a reçu des antiquaires des objets isolés ou des ensembles. Quelques-uns n'ont offert qu'une seule œuvre – parfois un chef-d'œuvre. D'autres ont au contraire échelonné leurs dons, fidèlement, pendant une longue période, tels Lembessis, donateur du Département des Antiquités grecques, étrusques et romaines, de

1904 à 1935, ou, plus diversifiés, Edouard Larcade, de 1905 à 1945, Charles Ratton, de 1929 à 1973, Nicolas Landau, de 1958 à 1977. Certains antiquaires qui furent en même temps collectionneurs ont été particulièrement généreux, donnant ou léguant l'ensemble de leur collection ou une partie d'entre elle : Jean Granet († 1917) légua sa collection au Louvre ; Marcel Bing († 1920) permit aux conservateurs, par son testament, d'opérer un choix dans la sienne ; Raoul Duseigneur donna en 1916 une série d'œuvres intéressant divers départements ; par le nombre comme par la qualité, se détachent la donation de Godefroy Brauer en 1920, formée de peintures, de sculptures et d'objets d'art (dont la *Vierge à l'enfant* attribuée à Jacopo della Quercia et deux bas-reliefs de Riccio) et bien évidemment la très importante donation Max et Rosy Kaganovitch qui fit entrer au Louvre et au Musée du Jeu de Paume, en 1973, une vingtaine de tableaux (Corot, Courbet, Pissarro, Bonnard...) aujourd'hui rassemblés dans une salle au Musée d'Orsay.

Différentes raisons, les relations professionnelles avec le musée, les relations personnelles avec les conservateurs, l'intérêt pour les collections du Louvre, références permanentes, le souci de les accroître ou d'en compenser les faiblesses, le désir de lier au Louvre à juste titre un nom qui a marqué dans l'histoire du goût, ont pu, ensemble ou séparément, susciter ces gestes généreux.

Les dons peuvent être pour l'antiquaire un moyen d'exprimer au musée, son client, sa satisfaction à l'occasion d'un achat, d'encourager ou de récompenser sa fidélité. Lorsque, par exemple, le musée acheta en 1898 à Stanislas Baron la célèbre pyxide en ivoire d'Al-Mughira, l'antiquaire offrit quatre autres ivoires médiévaux d'un intérêt considérable, notamment un olifant d'Italie du Sud. Dans le domaine des peintures, nombreux sont les grands marchands de tableaux qui accompagnent d'un don l'achat d'une œuvre par les musées. Les dons peuvent être aussi, à l'occasion de l'exportation d'une œuvre importante, un moyen d'atténuer la nostalgie qu'elle pourrait inspirer aux conservateurs et de reconnaître leur compréhension. Vendant en 1970 au Musée de Toledo le nécessaire en orfèvrerie strasbourgeoise de la princesse Marie-Louise-Albertine de Hesse-Darmstadt, qui était déjà incomplet, Jacques Helft eut la délicatesse d'en retirer deux pièces en faveur du Louvre.

Les relations cordiales entretenues entre antiquaires et conservateurs ont souvent favorisé les dons. Ainsi constate-t-on que, dans les dernières années du XIXᵉ siècle et les premières années du XXᵉ, tous les antiquaires parisiens auxquels le Louvre achetait

Masséot Abaquesne,
Marche d'autel en carreaux de faïence (1557)
provenant du château de La Bâtie d'Urfé,
donnée en 1880 par Alfred Beurdeley et son fils

Ci-contre :
Louis Claude Vassé,
l'*Amour assis sur le bord de la mer rassemblant les colombes du char de Vénus*, marbre
donné en 1986 par M. et Mme Pierre Fabius

Bernard Van Risen Burgh,
Table chiffonnière (vers 1764)
en vernis Martin et porcelaine tendre,
léguée en 1930 par Francis Guérault

La danse de la tenture dite de la *Noble Pastorale*
(France 1ᵉʳ quart du XVIᵉ siècle)
donnée en 1945 par M. et Mme Édouard Larcade

des œuvres médiévales, musulmanes et extrême-orientales, effectuaient parallèlement des dons : tels Baron, Brauer, et Duseigneur déjà nommés, Marcel Bing, Demotte, Mme Duffeuty, Charles Stein, Stora... La personnalité des conservateurs du Département des Objets d'art, Émile Molinier (qui était un des conseillers artistiques de la marquise Arconati Visconti, comme notamment Duseigneur) et Gaston Migeon, n'était sans doute pas étrangère à ce mouvement, dans lequel a pu intervenir une certaine émulation. Plus tard, Percy Moore Turner, qui donna et légua au Louvre des tableaux capitaux, fut l'ami des conservateurs successifs du Département des Peintures, Jules Guiffrey, Paul Jamot et M. René Huyghe.

Les antiquaires cependant n'ont pas besoin qu'on prenne des initiatives à leur place. Bien au contraire, il semble que souvent ils aient spontanément réservé pour le Louvre telle ou telle œuvre importante, parfois étrangère à leur spécialité, qu'ils ont particulièrement aimée, qu'ils n'ont jamais voulu vendre et qu'ils ont souhaité mettre à l'abri définitivement. C'est le cas récent, très touchant, de M. et Mme Pierre Fabius et de M. et Mme Francis Barbe, qui se sont séparés au profit du Louvre, les premiers, en 1986, de *L'Amour* de Vassé, statue en marbre provenant de Mme Du Barry et de l'impératrice Joséphine, les seconds, en 1988, d'une paire de très belles bergères de Sené exécutées pour le château de Madame Élisabeth à Montreuil. Ainsi doit-on aux antiquaires beaucoup d'œuvres de premier plan qui immortalisent au Louvre leur discernement. Rappelons le souvenir de Stephan Bourgeois, qui donna la *Réunion de famille* de Le Nain en 1897, de Durighello, responsable de la présence au Louvre du vase d'Émèse, de Francis Guérault († 1930), qui destina au musée son plus beau meuble, la table de B.V.R.B. en porcelaine de Sèvres et vernis Martin, d'Édouard Larcade, qui légua la tenture de *La Noble Pastorale* en 1945, de Louis Guiraud, qui compléta la collection de bronzes du Louvre en 1949 au moyen de l'impressionnant *Enlèvement de Déjanire* attribué à Pietro Tacca, provenant des collections de Louis XIV, ou de Paul Cailleux, grand amateur de terres cuites des XVIIe-XVIIIe siècles, qui fit bénéficier le musée de plusieurs d'entre elles.

La spécialisation et l'érudition de certains antiquaires les ont souvent incités à choisir leurs libéralités en fonction des lacunes et des besoins du Louvre. Les marchands spécialisés dans l'art musulman – Kelekian, Kevorkian, Charles Vignier – aidèrent Migeon par leurs dons lorsqu'il cherchait à pourvoir le musée d'une collection dans ce domaine. P.M. Turner offrit au Louvre le *Saint Joseph charpentier* de La Tour, à une époque où ce peintre

était encore mal représenté. Paul Mallon, qui s'était consacré à l'art byzantin, enrichit le musée de céramiques byzantines (1929). Nicolas Landau dota le Louvre d'une collection de nielles, puis, préoccupé par la pauvreté du musée en matière d'instruments scientifiques, lui attribua ceux qu'il avait sélectionnés pour lui-même tout au long de sa vie.

Les besoins du Louvre sont en particulier compris par les antiquaires historiens d'art tels que Jacques Helft, Georges Wildenstein, donateur du *Concert* de Tournier, M. Jean Cailleux, à qui l'on doit tant d'œuvres du XVIIIe siècle, ou M. Jean Soustiel, qui fait autorité en matière de céramique islamique et en a fait profiter le musée.

Certains antiquaires qui jouent un rôle de précurseurs se plaisent à représenter au Louvre les artistes qu'ils ont découverts et promus. La galerie Jean-Claude Gaubert, M. Alfred Daber, M. et Mme Joseph Hahn ont respectivement donné des œuvres d'artistes sur lesquels ils ont organisé des expositions ces dernières années : peintres symbolistes, Paul Guigou, Jacques Gamelin.

Les antiquaires enfin contribuent beaucoup à la connaissance du décor et de l'histoire du Louvre grâce à des dons de peintures et dessins s'y rapportant, qu'on doit notamment à M. Henri Baderou, grand bienfaiteur du Musée de Rouen, aux galeries Hahn, Marcus, Prouté, Fischer-Kiener.

Il faut aussi rendre hommage aux épouses et aux héritiers d'antiquaires, qui se sont souvent montrés très généreux. Mme Spitzer (1891), Mme Eugène Kraemer (1913), Mme Simon Goldschmidt (1924), Mme Lucien Guiraud (qui donna en 1956 le *Tigre couché* de Barye), Mme Alfred Strölin (1976), ont offert en souvenir de leur mari des œuvres importantes, tandis que Mme Landau ne cesse de s'associer aux libéralités de Nicolas Landau. Citons aussi le don de la collection de Coutan (1779-1830), l'un des principaux marchands de tableaux parisiens sous la Restauration, collection passionnante, formée d'œuvres de peintres contemporains de Coutan, qui entra au Louvre grâce à ses héritiers en 1883.

De nos jours, le soutien constant qu'apportent les antiquaires aux efforts du Louvre pour accroître ses collections est particulièrement efficace et généreux comme le prouve le présent *Répertoire* dans lequel figurent tous les grands antiquaires contemporains. Que leurs prédécesseurs et eux-mêmes y trouvent l'expression de la profonde gratitude des conservateurs.

Daniel Alcouffe
Inspecteur général des Musées
chargé du Département des Objets d'art

Donateurs du Louvre :

Les conservateurs donateurs

Les conservateurs forment une catégorie professionnelle de donateurs du Louvre particulièrement abondante puisqu'on en recense environ soixante-dix dans ce *Répertoire*.

Il s'agit surtout de conservateurs du Louvre qui, dans la plupart des cas, ont donné à leur propre département. Mais il faut cependant noter la générosité de plusieurs collègues de musées extérieurs et même étrangers. Parmi les premiers, se distinguent deux conservateurs de Versailles connus par leurs publications, Gaston Brière, donateur de plusieurs dessins, et André Pératé, qui rassembla une collection de primitifs italiens dont trois se trouvent au Louvre. Au nombre des seconds figure, en 1960, Pierre Bautier, conservateur des Musées royaux de Belgique, ami d'un des conservateurs du Département des Peintures, Édouard Michel.

Les voies grâce auxquelles les conservateurs entrent en possession d'œuvres susceptibles de gagner le Louvre sont très diverses.

Il faut rappeler d'abord que certains parmi eux ne se sont pas contentés de prendre soin des œuvres d'autrui mais ont été eux-mêmes des artistes. Paul Jamot s'adonnait à la peinture, de même que plus récemment MM. Maurice Sérullaz et Léon de Groër. Le plus ancien de ces conservateurs artistes fut Auguste de Forbin, qui était passé par l'atelier de David et devint en 1816, après Denon, le second directeur du Louvre. Forbin estima légitime de donner au Louvre sept de ses œuvres.

Au siècle dernier et au début du siècle, les conservateurs, issus de familles aisées et de milieux d'amateurs, se plaisaient souvent à acheter pour eux-mêmes en même temps que pour le musée. Le cas de Sauvageot amalgame les deux activités car, après avoir

été toute sa vie un collectionneur méritant, il reçut le titre de conservateur honoraire au moment où il donna au Louvre sa collection en 1856. Dans la galerie des conservateurs qui furent à la fois collectionneurs et donateurs, Sauvageot incarne le collectionneur éclectique et pittoresque de la première moitié du XIXᵉ siècle, de même que Boucher de Perthes, qui, s'il ne fut pas conservateur, créa les musées d'Abbeville et offrit trois objets pseudo-royaux au Musée des Souverains créé au Louvre en 1852.

À partir du Second Empire, les collections devinrent plus rigoureuses et plus spécialisées. En général les conservateurs collectionnaient dans leur domaine, à certaines exceptions près puisque les conservateurs du Département des Objets d'art du Louvre, Barbet de Jouy, Migeon et Dreyfus s'intéressèrent à des champs très variés, tels les porcelaines et jades de Chine pour le premier, la peinture impressionniste pour le second. Contemporains et collègues au Louvre, Barbet de Jouy (1812-1896), Laborde (1807-1869), Reiset (1815-1890) et Viel-Castel (1802-1864) firent bénéficier le musée d'œuvres de leurs collections. Les dons des deux premiers furent modestes. Reiset vendit des peintures et des dessins au duc d'Aumale mais donna au Louvre, outre quelques dessins et objets, le célèbre *Retable de saint Denis* en 1863. C'est de Viel-Castel que vinrent les libéralités les plus importantes.

La génération de conservateurs du Louvre qui suivit comprend de nouveau une série de grands collectionneurs qui furent particulièrement généreux. Il s'agit, pour le Département des Sculptures, de Louis Courajod (1841-1896), qui enrichit le Louvre de six sculptures ; pour le Département des Objets d'art, d'Émile Molinier (1857-1906) et de Gaston Migeon (1861-1930), qui, à partir de 1894, ne cessa de donner des objets d'art, et légua des tableaux ; et, pour le Département des Peintures, de Camille Benoit (1851-1923), notamment donateur de la *Petite Pieta ronde*, Paul Leprieur (1860-1918) et Paul Jamot (1863-1939), à qui l'on doit un legs considérable comprenant la *Messe de saint Grégoire*, un Le Nain et trois Corot.

Cette tradition fut poursuivie à la génération suivante par Carle Dreyfus (1875-1952), fils du grand collectionneur Gustave Dreyfus. Il fit des dons au Département des Objets d'art, dès 1908, et au Département des Antiquités égyptiennes, avant de léguer en 1952 une collection touchant presque tous les départements. Jean David-Weill, issu lui aussi d'une famille de collectionneurs, fut le dernier représentant de ce type de conservateur-mécène et aida de même le Louvre, au moyen de dons, de son vivant, et en lui laissant à sa mort, en 1972, une partie de sa collection.

Ci-contre :
attribué à Jean Warin,
Louis XIV enfant, bronze
donné en 1939
par Mme André Strauss
en souvenir de son mari

École française XVᵉ siècle,
Pitié de Notre Seigneur dit la *Petite Pietà ronde*,
donné en 1918 par Camille Benoit
par l'intermédiaire de Maurice Fenaille

Le Nain,
Famille de paysans,
légué en 1941 par Paul Jamot

D'autres conservateurs ont donné des œuvres qu'ils ont recueillies par héritage, don, acquisition. Georges Bénédite, conservateur du Département des Antiquités égyptiennes, et son frère Léonce, conservateur du Musée du Luxembourg, héritèrent de la collection de leur ami Georges Michonis et donnèrent en souvenir de lui plusieurs de ses peintures et dessins. D'autres conservateurs ont choisi de mettre à l'abri au Louvre une œuvre qui leur venait de leur famille : Charles Ravaisson-Mollien, conservateur adjoint au Département des Antiquités grecques et romaines, donna en 1902 le portrait de *Mesdemoiselles Mollien* par Rouget ; Pierre Schommer, conservateur en chef du Musée de Malmaison, destina au Louvre le masque de sa tante Anna Foucart dû à Carpeaux ; M. Maurice Sérullaz donna en 1959 une statue d'enfant romaine en marbre, achetée par son père, en souvenir de ses parents. Il n'est pas étonnant de trouver dans cette catégorie des conservateurs héritiers d'artistes qui ont souhaité représenter au Louvre l'œuvre de ceux-ci : Raymond Régamey, attaché au Département des Peintures, offrit vingt-cinq dessins de son oncle, le peintre d'histoire Guillaume Régamey, Pierre Schommer des dessins de son père, le peintre François Schommer, et M. Pierre Amiet des dessins de sa tante Louise Amiet.

Jean-Joseph Marquet de Vasselot joua un rôle éminent dans l'enrichissement des collections du Département des Objets d'art en favorisant le don de plusieurs chefs-d'œuvre de la collection de son beau-père Victor Martin Le Roy, le plus grand collectionneur français du début du siècle dans le domaine médiéval.

Les conservateurs ont offert aussi des œuvres qu'ils ont eux-mêmes reçues en don, parfois, si celui-ci a été fait à titre professionnel, parce qu'ils ont eu scrupule à le conserver. Ainsi Léonce Bénédite offrit-il une peinture de Puvis de Chavannes que l'artiste lui avait dédiée, M. Pierre Amiet une massue qu'il tenait de Henri Seyrig, MM. Bernard Dorival et Serge Grandjean des œuvres qu'on leur avait également données. Tout récemment M. Hubert Landais, prenant sa retraite, laissa au Louvre son portrait dessiné par Avigdor Arikha.

Il peut arriver aussi que le conservateur, sans être collectionneur, ait découvert une pièce intéressante dans des circonstances telles qu'une réaction immédiate s'imposait et qu'il ne pouvait la sauver qu'en l'achetant lui-même. Il la remettra au Louvre après s'en être parfois gardé la jouissance un certain temps. C'est le cas, au Département des Sculptures, d'un bas-relief en marbre du XIVe siècle représentant probablement Thomas de Lusignan et de la *Tête Paul Vitry*. Le premier fut découvert dans le bazar de Nicosie par Camille Enlart, directeur du Musée de Sculpture comparée du Trocadéro, au cours d'une de ses missions à Chypre. La seconde, acquise d'un habitant de Gaillon par Paul Vitry, conservateur en chef du Département des Sculptures, fut identifiée par lui comme un vestige d'une des statues d'apôtre exécutées pour la chapelle du château de Gaillon au début du XVIe siècle. Enlart donna le bas-relief en 1899 et Vitry la tête en 1940, lorsqu'il prit sa retraite.

Mieux que personne, les conservateurs connaissent les atouts et les faiblesses des fonds du Louvre. Aussi leurs donations, même modestes, ne sont-elles pas indifférentes mais en général judicieusement choisies en fonction d'eux. La collection de majoliques du marquis Campana qui entra au Louvre en 1863 ne comportait pas, curieusement, de pièces vénitiennes. C'est sans doute pourquoi Alfred Darcel, conservateur au Département des Objets d'art, donna dès 1864 un magnifique plat vénitien en camaïeu bleu, daté de 1548. De leurs voyages et de leurs fouilles, les conservateurs archéologues, de Champollion à André Parrot, Pierre Devambez et Mme Christiane Desroches-Noblecourt, ont rapporté des tessons, silex, tablettes, sceaux, fragments d'objets, qui, d'une façon peu spectaculaire mais éminemment utile, ont complété les séries d'objets des départements antiques.

Il est des cas où le conservateur, soutenu par la volonté de doter son département d'un fonds qui lui manque, a jugé plus rapide de le constituer en partie sur ses moyens financiers personnels. Ainsi Migeon créa-t-il les collections islamique et extrême-orientale du Louvre à partir des acquisitions qu'il fit faire et des dons qu'il obtint, mais aussi grâce à ses propres dons, politique que, pour l'art musulman, continuera Jean David-Weill, de qui provient en partie la collection de bois islamiques égyptiens.

Pour combler des lacunes, les conservateurs, dans quelques cas, n'ont pas hésité à offrir des œuvres dont l'achat n'était pas souhaité par leur administration. Viel-Castel rend bien compte de ce souci constant des conservateurs de vouloir faire le bonheur du Louvre parfois malgré lui : « J'ai donné, mardi dernier, au Musée, écrit-il en mars 1854, une collection de peintures provenant d'anciens manuscrits italiens, espagnols, flamands et français des XIIe, XIVe, XVe et XVIe siècles ; parmi ces peintures il y en a de fort belles. Je désirais depuis longtemps qu'une collection de ces peintures fût adjointe à notre collection de dessins. On s'y refusait ; alors je l'ai recueillie et je l'ai donnée. (...) Ce sera là un commencement ; la collection s'augmentera peu à peu. Le cadeau me coûte cher pour ma modeste fortune, mais je tenais à fonder une collection que je considère comme très précieuse pour l'histoire de l'art. J'ai déjà donné beaucoup d'objets au musée ethnographique ; j'ai donné des faïences au musée des émaux ; mais les peintures de manuscrits me préoccupaient, et après avoir imprimé mon opinion sur leur utilité dans l'histoire de l'art, je devais les donner ». Courajod se vit aussi refuser l'acquisition du « Christ Courajod », magnifique Christ en bois roman bourguignon qui orne maintenant le Département des Sculptures. Mais il l'acheta et le donna.

Précieux aussi sont les dons de leur documentation que certains conservateurs ont consentis. Celle d'Édouard Michel forme le noyau de l'actuelle documentation du Département des Peintures. Celle de M. Charles Sterling a été donnée sous réserve d'usufruit en 1979.

Les familles des conservateurs enfin ont souvent fait preuve de générosité. On doit au fils de Laborde la « tête Laborde », provenant d'un fronton du Parthénon, à Mme Adolphe Siry, sœur de Courajod, des sculptures données en souvenir de lui, à la comtesse Paul Durrieu, la *Tentation de saint Antoine* de P. Huys, offerte en souvenir de son mari, conservateur adjoint au Département des Peintures, à la mère de Maurice Pezard, attaché au Département des Antiquités orientales, des céramiques islamiques. Mme Marquet de Vasselot accrut encore les libéralités de sa famille, notamment grâce au don de la tapisserie de la *Chasse à l'éléphant*. De Mme Charles Boreux, veuve du conser-

La chasse à l'éléphant, tapisserie
(Flandres vers 1530)
donnée en 1956 par Mme Jean-Joseph Marquet de Vasselot

vateur du Département des Antiquités égyptiennes, vinrent, en
1946, plusieurs objets égyptiens dont une belle tête royale en
schiste de la XVIIIᵉ dynastie.

Si la publication du *Répertoire* des donateurs du Louvre permet
de prendre conscience de la clairvoyance et du désintéressement
des conservateurs d'autrefois, elle démontre aussi que la tradition
des dons de conservateurs se maintient, plusieurs des jeunes
conservateurs du Louvre actuels comptant déjà au nombre de ses
bienfaiteurs.

Daniel Alcouffe
Inspecteur général des Musées
chargé du Département des Objets d'art

Donateurs du Louvre :

La Société des Amis du Louvre

En mars 1897 – la date exacte ne figure pas sur le procès-verbal – se réunit au domicile de Georges Berger, député de la Seine, 8, rue Legendre à Paris, un « Comité d'initiative pour la fondation projetée de la Société des Amis du Louvre ». Il y avait là – outre les fonctionnaires – le directeur des Musées nationaux et celui des Beaux-Arts, l'inspecteur général des Édifices diocésains, un second député, Aynard, un conseiller d'État qui avait été diplomate, Louis Legrand, le comte Henri de Laborde et Gustave Larroumet. « Les membres du Comité – tels sont les termes du procès-verbal – sont unanimes à déplorer la modicité des ressources dont dispose le Louvre pour le développement de ses collections. Trop souvent, dans les grandes ventes et dans bien d'autres occasions, il arrive que, faute de moyens, il laisse échapper d'inestimables chefs-d'œuvre, dignes de prendre place dans ses galeries, qui vont embellir les collections particulières quand ce n'est pas des musées étrangers. »

On cita l'exemple de la *(sic)* National Art Collection Fund de Londres et du Kaiser Friedrich Museum de Berlin et aussi celui de la Société Rembrandt d'Amsterdam, dont Louis Legrand avait observé l'action alors qu'il était en poste aux Pays-Bas. Cette réunion a donné naissance aux Amis du Louvre. L'acte d'état-civil fut dressé lors de l'assemblée générale constitutive du 26 mai 1897 ; les choses allaient vite. La liste des fondateurs comprenait, outre les participants à la réunion de mars, le sénateur Bardoux, trois autres députés, Léon Bourgeois, Georges Leygues et Raymond Poincaré ; des amateurs connus, le comte Isaac de Camondo, Camille Groult et Jules Maciet ; le baron Edmond de Rothschild et le comte Greffulhe ; deux peintres enfin : Edouard Detaille et Puvis de Chavannes (Vuillard sera le dernier peintre à être élu au conseil mais sa mort l'empêcha de siéger).

Le 1er juin suivant, la Société complète son conseil par l'adjonction au noyau primitif de « collectionneurs notables » : le prince Roland Bonaparte, Albert Bossy, Alfred Chauchard, Gaston Dreyfus, le baron Gérard, Rodolphe Kann, Raymond Koechlin, le comte de Lanjuinais, Martin Le Roy, Rouart aîné, Edme Sommier et Thommy *(sic)* Thiéry. La reconnaissance d'utilité publique est prononcée le 14 septembre 1898 par un décret signé de Félix Faure.

Dès l'origine, l'esprit de l'association avait été clairement énoncé : la tâche était artistique, mais aussi patriotique : il s'agissait de mettre le Louvre en mesure de faire face à la concurrence étrangère, surtout à celle de musées plus jeunes comme la National Gallery anglaise et le Musée de Berlin, qui se montraient alors fort actifs. La Société se veut une réunion d'amateurs ; on insistera souvent, en cours de réunion, sur ce caractère. Le conseil se présente comme un répertoire des grands collectionneurs de chaque génération. Beaucoup de ses membres sont connus par les dons ou les legs faits au Louvre ou à d'autres musées français : Chauchard, Thomy Thiéry, Rouart, Martin Le Roy, les Rothschild, Maciet, puis Maurice Fenaille, Carlos de Beistegui, David Weill.

La Société entretient des relations de confiance et de collaboration avec l'administration des musées et les départements du Louvre. Enfin – « fait de société » notable – son conseil, émanation d'un milieu bourgeois, aisé et cultivé, ouvre, ou entrouvre, les frontières alors assez tranchées du « monde » parisien : on y trouvera côte à côte, même à l'époque où l'affaire Dreyfus divise la France, des aristocrates comme Greffulhe et Lanjuinais, des industriels comme Camille Groult et des financiers comme Camondo et les Rothschild. Ces rencontres rappellent les liens noués dans *La Recherche du temps perdu* entre le père du narrateur et M. de Norpois au sein d'une commission.

Pour tous, l'essentiel est d'acquérir des œuvres. Le 21 février 1898, premier achat : c'est une *Vierge à l'Enfant* que l'on croit alors de Piero Della Francesca, vendue par le marchand Haro. Le prix demandé est de 140 000 F. Le Conseil des musées ne dispose que de 100 000 F ; à la Société de faire la différence. Lors de la discussion, Rodolphe Kann, sans nier « la valeur d'art » de l'œuvre, juge le prix trop élevé et révèle que les conservateurs de Berlin n'ont pas voulu du tableau ; ils y voient une œuvre de Baldovinetti. Nonobstant, la contribution est votée et la *Vierge* achetée pour 130 000 F. L'avenir devait, sur l'attribution, donner raison aux berlinois. La conclusion de l'affaire est communiquée au conseil le 28 février 1898, lors d'un dîner qui l'a réuni chez Voisin, célèbre restaurant de l'époque.

En 1899, nouvel épisode significatif : il s'agit de *L'atelier* de Courbet qui figure dans la vente Desfossés, le jour même de la séance, le 26 avril. Pour acheter le tableau, estimé 32 000 F, le Louvre a besoin du concours de la Société, car il n'a que 15 000 F

Ci-contre :
Alessio Baldovinetti,
La Vierge et l'Enfant,
acquis en 1898
avec le concours de la Société
des Amis du Louvre

Gustave Courbet, *L'atelier du peintre*,
acquis en 1920 avec l'aide d'une souscription publique
et de la Société des Amis du Louvre

disponibles. La Société décide d'acheter *L'atelier* à son compte en encaissant le montant du crédit du Louvre, et de l'exposer ; le comte de Camondo fera l'avance de la somme. L'œuvre, trop chère, échappe ; on en reparlera dans les séances de 1919 et de 1920 ; elle est alors mise en vente par Barbazanges qui en demande 900 000 F (une des délibérations, en novembre 1919, s'est tenue dans la galerie Barbazanges, face au tableau).

Les Amis constatent l'insuffisance des fonds réunis par souscription publique – 50 000 F seulement –, ils verseront 25 000 F, augmentés de dons personnels de Camondo, de David Weill et d'Ernest May. Le 12 janvier 1920, alors que le prix a été ramené à 700 000 F, le conseil vote un concours de 50 000 F. C'est ainsi que *L'atelier* entre au Louvre.

Une autre acquisition capitale a été débattue en 1904 et 1905 : c'est celle de la *Pietà de Villeneuve-lès-Avignon.* L'œuvre est finalement cédée par la commune de Villeneuve au prix de 100 000 F. C'est, bien plus tard, une semblable négociation, menée cette fois par Jacques Dupont, alors président de la Société et qui avait lui-même découvert le tableau, qui aboutit en 1979 à l'entrée au Louvre, par un don des Amis du *Saint Sébastien soigné par Irène* de Georges de La Tour.

Il serait trop long d'énumérer la suite des dons faits par la Société. On relèvera seulement quelques cas, parmi les plus importants, et qui témoignent des préférences des Amis. Dès ses débuts, la

Société a montré l'étendue de son intérêt pour les divers domaines de l'art. En 1901, sur la suggestion de Maciet, elle achète une importante tapisserie flamande du début du XVIe siècle, le *Jugement dernier.* La même année, une somme est affectée à l'achat, lors de la vente Hayashi, d'objets d'art japonais. En 1906, ce sont les *Gisants de Charles IV et de son épouse Jeanne d'Évreux,* donnés au Département des Sculptures ; en 1906, une statuette de *Vierge,* œuvre française du XVe siècle ; en 1921, l'esquisse en terre cuite du Bernin pour *La Vérité.* Les dessins ont souvent retenu l'attention de la Société ; sans doute l'achat le plus important est-il celui de la suite de quarante paysages de Claude, provenant de la vente Heseltine ; Maurice Fenaille a été le généreux artisan de cette acquisition, qui aboutit en 1920.

De nombreux dessins du XIXe siècle, de Delacroix à Renoir en passant par Chassériau, Daumier et Millet, ont été donnés par les Amis.

Malgré la rareté de l'apparition sur le marché d'œuvres antiques de grande qualité, les départements d'archéologie ont eu leur part des dons : une tête d'enfant praxitélienne du IVe siècle, en 1906 ; cas singulier, un faux notoire, acquis comme tel en 1910 : c'est la copie d'une coupe à figures rouges du Ve siècle que le musée souhaitait posséder pour sa valeur documentaire.

L'action de la Société prend parfois des détours inattendus ; ainsi, elle fait faire par l'ébéniste Sormani des copies de meubles d'époque

Enguerrand Quarton,
Pietà de Villeneuve-lès-Avignon,
donné en 1905 par la Société des Amis du Louvre

Vue de la salle du 1er étage de la Colonnade
pendant l'exposition de la Société des Amis du Louvre en 1922.
On reconnaît la tapisserie du *Jugement dernier*
et la *Pietà de Villeneuve-lès-Avignon*

Le Jugement dernier, tapisserie (Bruxelles vers 1500)
donnée en 1901 par la Société des Amis du Louvre

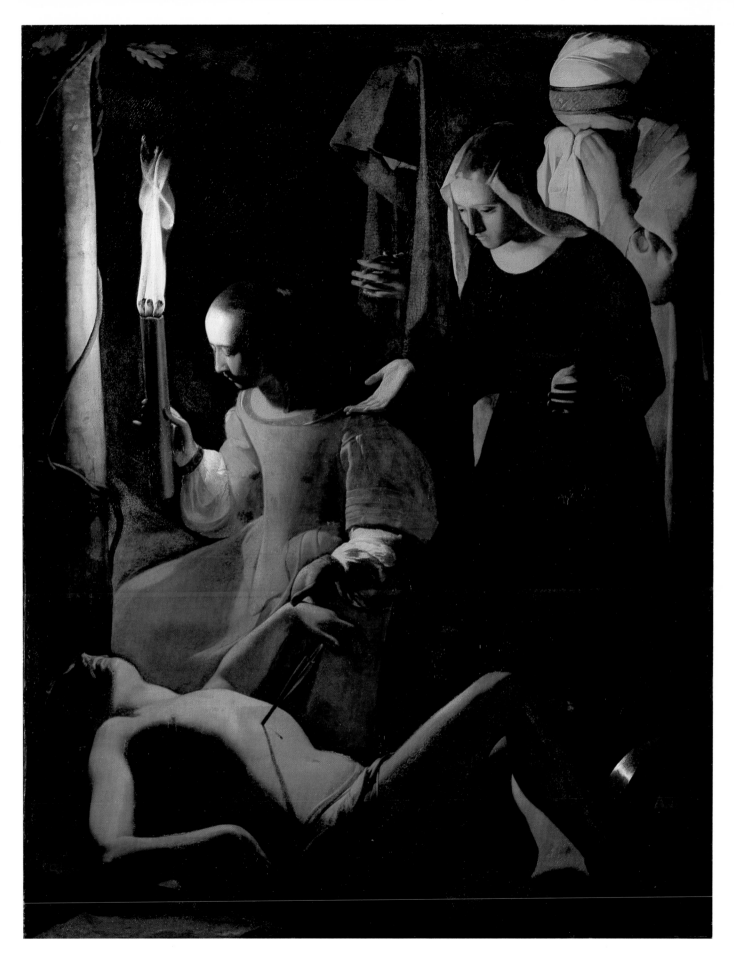

Le Bernin, *La Vérité*,
esquisse en terre cuite
donnée en 1921
par la Société des Amis du Louvre

affectés aux administrations pour faire entrer au Département des Objets d'art les originaux : c'est le cas du *Bureau, dit de Vergennes,* mais aussi celui d'un autre *Bureau, dit de Choiseul.* Dans les périodes difficiles – celles des deux guerres – on se soucie des artistes nécessiteux, et aussi des gardiens du musée. Lorsqu'il est rapporté au conseil que la tombe de Louis La Caze au Père-Lachaise est à l'abandon, il vote un crédit de 10 000 F pour rendre au monument sa dignité.

Les fonds nécessaires proviennent, logiquement, des cotisations : en 1914, l'association compte 3 500 membres à 20 F l'an. Quelques années après la Première Guerre mondiale, ce chiffre est de nouveau atteint. En 1938, il est de 5 707. La cotisation était passée à 30 F en 1927, à 100 F en 1945. Actuellement, compte tenu des adhésions de ménages, la Société attribue près de 19 000 cartes chaque année. Dans les premiers temps de son existence, elle avait très souvent bénéficié des libéralités personnelles de certains membres de son conseil : les Camondo, les David-Weill, Maurice Fenaille, pour ne citer qu'eux, avaient manifesté leur générosité.

Si curieux que cela paraisse, le donateur collectif qu'est la Société semble avoir une personnalité propre ; il a ses préférences, sa ligne de conduite. Un intérêt particulier, par exemple, pour les origines de l'art français, pour les « primitifs », d'abord. Après la *Pietà de Villeneuve-lès-Avignon,* on achète un portrait d'enfant du Maître de Moulins (Jean Hey) et la *Bataille de Cannes* de Jean Fouquet. Le choix des sculptures montre la même orientation. À une autre extrémité de la gamme, l'attention pour le XIXᵉ siècle est très vive : le nom de Delacroix est celui qui revient le plus souvent dans les procès-verbaux ; Corot, Daumier, Dupré, Millet et Rousseau ne sont pas oubliés. L'achat majeur du *Bain turc* d'Ingres

Claude Gellée dit le Lorrain,
La Sibylle de Cumes conduisant Énée, dessin
donné en 1920
par la Société des Amis du Louvre

Jean Fouquet,
La bataille de Cannes, miniature sur vélin
donnée en 1921
par la Société des Amis du Louvre

Jean-Auguste-Dominique Ingres,
Le bain turc,
donné en 1911 par la Société des Amis du Louvre
avec le concours de Maurice Fenaille

en 1911 a été suivi, entre autres, par celui de *La folle* de Gericault en 1938. Et la Société a donné au Louvre nombre d'œuvres, et non des moindres, de la seconde moitié du siècle, impressionnistes compris : le *Portrait de Mallarmé* par Manet, ceux de *Hilaire-René Degas* et de *Pagans* par Degas, ainsi que des œuvres de Renoir et de Lautrec.

Aujourd'hui, malgré le nombre de ses adhérents, malgré le concours de ses membres bienfaiteurs – 900 environ –, la Société doit faire face à la flambée des prix sur le marché de l'art, résultat d'une concurrence qui n'avait pas été prévue en 1897. Pourtant, au cours des dernières années, elle a encore pu donner au musée, pour ne citer que quelques cas significatifs : *L'Annonciation* de Giulio Cesare Procaccini ; la *Montée au Calvaire,* l'un des rares tableaux religieux de Largillierre ; deux vases à fond platine d'époque Restauration ; un bureau de l'ébéniste Grohé ; lors de la vente de la collection Béhague, une statuette égyptienne et une crosse en ivoire du XIIe siècle ; il y a peu, un dessin de Füssli et un bracelet en or, superbe travail protobyzantin. Sa contribution à l'achat du *Saint Thomas* de Georges de La Tour a manifesté sa fidélité à l'exemple donné lors de l'acquisition de *L'atelier* de Courbet : elle a versé à la souscription 2 000 000 F pris sur les cotisations et recueilli plus de 600 000 F, en outre, par un appel à ses adhérents.

Théodore Gericault,
La folle monomane du jeu,
donné en 1938 par la Société des Amis du Louvre

Raoul Ergmann
Président de la Société des Amis du Louvre

Nicolas de Largillierre,
La montée au calvaire,
donné en 1988
par la Société des Amis du Louvre

Donateurs du Louvre :

Du Louvre au Musée de la Marine

Avant même la création du Muséum central des arts, le Louvre abritait un très important ensemble de modèles de navires. D'abord réalisés par les arsenaux sur l'ordre de Colbert, les plus beaux étaient offerts au roi par les arsenaux ou les villes qui avaient financé la construction du vaisseau, ou encore par certains particuliers qui avaient commencé à en réunir des collections entières. Ainsi une ébauche de musée fut constituée à des fins scientifiques, rattachée officiellement en 1786 à l'École des élèves-ingénieurs de la marine, pour servir à leur instruction.

En 1801, un premier musée fut ouvert au public dans le nouveau ministère de la Marine (ancien Garde-meuble de la Couronne). Il présentait, outre les modèles réduits de navires, quelques instruments scientifiques, des cartes marines et des tableaux, notamment la célèbre série des ports de France de J. Vernet et J.-F. Hue. Mais la plupart des collections étaient toujours au Louvre, dans la salle de marine de plus en plus abandonnée.

Après la victoire des flottes occidentales coalisées sur la marine ottomane à Navarin, en 1827, qui marquait une éclatante renaissance de la flotte de guerre française, il fut décidé d'établir au Louvre un musée de marine qui prit le nom de Musée Dauphin en l'honneur du duc d'Angoulême qui logeait non loin de là, aux Tuileries, dans le pavillon de Marsan. Le nouveau musée, créé par ordonnance royale du 27 décembre 1827, fut organisé par l'ingénieur du Génie maritime Pierre Zédé. Appuyé par le comte de Forbin, directeur des Musées royaux, Zédé s'installa dans une série de salles, au premier étage de la cour Carrée. Très vite à l'étroit, le musée déménagea pour prendre place au second étage et ouvrit ses portes sous la monarchie de Juillet. La nomination du peintre Morel-Fatio comme conservateur, en 1852, permit la publication du premier catalogue des collections. La construction d'un nouveau navire donnant lieu à la réalisation d'un modèle, les premiers dons furent le fait des arsenaux et des villes constructrices, suivis de peu par les dons et legs de particuliers. En 1866, le peintre André Milon léguait sa collection, faisant entrer un modèle « offert par la ville de Dunkerque à Louis XV enfant ». Après la Première Guerre mondiale, Mme Morel-Fatio laissait à son tour la collection de son mari.

Administré par la Direction des Musées nationaux jusqu'alors, le Musée de la Marine passa sous le contrôle du Service historique du ministère de la Marine en 1919, restant toutefois au Louvre, et s'agrandissant à l'occasion d'une grande vitrine pour les modèles du Yacht-Club de France et de quelques dons marquants, tel le modèle de l'*Hercule,* exécuté en 1845 pour Louis-Philippe, et

Entrée du Musée de la Marine au Louvre, en 1939 sur le palier du second étage de l'escalier Henri-IV

offert par le duc d'Orléans, ou le modèle du *Héros,* offert en 1932 par le comte Durieu de Lacarelle.

À côté de ces dons d'objets maritimes, le musée n'avait cessé de recevoir des collections ethnographiques rapportées de tous les coins du monde par des voyageurs, marins et diplomates. Ces dons, loin de donner une orientation nouvelle au Musée de la Marine, s'accumulaient au Louvre dans des caisses, attendant des jours meilleurs. Dès 1849, pourtant, on avait songé à créer un musée d'ethnographie qui vit le jour au palais du Trocadéro après l'Exposition universelle de 1878. Les pièces ethnographiques du Musée de la Marine y furent peu à peu transférées jusqu'en 1905.

Le transfert du Musée de la Marine hors du Louvre, envisagé dès 1919, ne put s'effectuer qu'en 1937, lorsqu'une aile du nouveau palais de Chaillot lui fut affectée. Il y acheva son installation définitive en 1943.

Thierry Crépin-Leblond
Conservateur stagiaire
des musées de France

Frédéric Lacaille
Conservateur stagiaire
des musées contrôlés

Donateurs du Louvre :

Du Musée du Louvre au Musée Guimet

Fondé à Lyon d'abord, en 1879, puis à Paris, en 1889, par Émile Guimet (1836-1918), industriel lyonnais, le Musée Guimet a eu pour premier but d'illustrer l'histoire des religions, en particulier celles de l'Asie. Cependant, les successeurs d'Émile Guimet se sont attachés à réunir des œuvres capables de montrer la qualité des arts asiatiques et de donner un vaste panorama des richesses archéologiques des régions s'étendant de l'Afghanistan au Japon. Le développement des missions archéologiques françaises à partir des années vingt a très largement contribué à cette nouvelle orientation du Musée Guimet qui est devenu en 1928 un musée national. En 1941, Georges Salles prend la décision de réunir les collections d'arts asiatiques du Louvre à celles du Musée Guimet, décision qui sera ratifiée en 1945. De 1947 à 1950, la réouverture étage par étage permet de présenter au Musée Guimet les importantes donations d'arts asiatiques du Louvre.

Les dons d'art japonais au Musée du Louvre

C'est grâce à la persévérance de Gaston Migeon, conservateur au Département des Objets d'art du Musée du Louvre, que l'art oriental, et plus particulièrement l'art asiatique, put entrer au Musée du Louvre et prendre place aux côtés de l'art classique grec et romain. En 1893, son action se concrétisa par l'entrée d'une première collection d'art japonais, sous la forme d'estampes offertes par divers grands amateurs de cette période du japonisme,

tels que Samuel Bing, Charles Gillot ou l'imprimeur Manzi. Les plus célèbres collectionneurs de « bibelots japonais », comme on se plaisait à les nommer, Louis Gonse et Philippe Burty, participèrent activement à l'enrichissement des collections d'art asiatique. En cette fin de siècle, l'art japonais était admiré au-delà de toute autre forme d'expression d'art asiatique. Le sculpteur Devillez, ami d'E. Carrière, ou le banquier Isaac de Camondo participèrent à ce mouvement et le Musée du Louvre bénéficia plus tard de leur générosité. Hayashi Tadamasa, antiquaire japonais, fut le principal fournisseur de ces collections. Par ses conseils et ses dons de peintures et d'estampes, il compléta le premier fonds du Musée du Louvre. Une liste de donateurs serait incomplète si l'on omettait le graveur Théodore Duret ou le joaillier Henri Vever (paravent de Hokusai, portrait de Hokusai, rouleau au cavalier sur cheval rétif).

Cependant, il faut réserver une place de premier ordre aux trois grands donateurs que furent Isaac de Camondo, Georges Marteau et Raymond Koechlin.

La collection d'Isaac de Camondo, entrée au Louvre en 1911, comprenait, à côté des célèbres peintures impressionnistes et du mobilier du XVIIIᵉ siècle, plus de 420 estampes japonaises, toutes d'impression de très haute qualité et de tirages rares. Il s'était tout particulièrement attaché à réunir des œuvres d'artistes du XVIIIᵉ siècle, comme Harunobu, Utamaro et Sharaku. Elles constituent actuellement les temps forts de la collection déposée au

Paravent à huit feuilles : *Réunion de courtisanes*,
peinture à l'encre et en couleurs sur papier, style Hokusai (début XIXᵉ siècle),
donné en 1922 par Henri Vever

Vue de l'intérieur de Georges Marteau, 3, rue La Boétie.
On reconnaît sur la table un élément de chandelier (Iran vers 1396-1397)
et son support (Iran fin XIVe siècle-début XVe siècle),
ainsi qu'un plateau (Égypte 1250-1295), objets aujourd 'hui au Louvre

Musée Guimet. Mais son appartement des Champs-Élysées recelait aussi de rares sculptures japonaises (époque de Kamakura et de Muromachi, XIIIe et XVIe siècles principalement) et des vases archaïques chinois actuellement présentés au Musée Guimet.

Georges Marteau légua lui aussi sa collection au Louvre en 1916. Pour ce qui concerne l'art japonais, elle comprenait des peintures provenant des célèbres amateurs Gillot et Bing, des laques, des céramiques et gardes de sabre.

C'est enfin à Raymond Koechlin, l'un des fondateurs de la Société des Amis du Louvre, qu'il faut rendre hommage. Il vint à l'art asiatique dès 1890 et commença de collectionner les estampes japonaises. Tout au long de sa vie, il réunit des œuvres d'art japonais dont il fit don au Louvre ou qu'il légua (1932). Il eut le goût pour les grès rustiques associés à la cérémonie du thé, pour

les laques anciens dont il sut reconnaître les œuvres de qualité (coffret à sutrâ de l'époque de Kamakura, XIIe siècle), mais aussi pour les peintures d'école Kanô et les estampes de l'école de l'Ukiyo-e. Il demeure le dernier grand donateur du Musée du Louvre en arts asiatiques avant que le Département des Objets d'art ne dépose ses collections au Musée Guimet.

Le legs Marteau

Georges Marteau s'intéressa de bonne heure aux arts de l'Orient. Graveur de cartes à jouer, il commença par réunir des tarots et des gravures, tant japonaises que des XVe et XVIe siècles, que le Cabinet des Estampes de la Bibliothèque nationale a recueillis, et légua au Musée des Arts décoratifs une remarquable série de

Grand plat en porcelaine « bleu et blanc », Chine,
four de Jing de Zhen, période Kanxi 1662-1722 (Musée Guimet),
donné par Ernest Grandidier

« pochoirs » et de tissus du Japon, et au Louvre des laques et des gardes de sabre. Mais à peine eut-il découvert la miniature persane que son engouement pour cet art fut total. Acquérant sans relâche à l'Hôtel des Ventes, il rentrait le soir chez lui et étudiait, comparait, lisait tout ce qui avait été publié sur le sujet. S'il n'alla pas jusqu'à apprendre le persan, il travaillait néanmoins avec un ami persan, lequel lui traduisait les inscriptions portées sur les œuvres ou les morceaux de calligraphie figurant au verso. Son érudition devint bientôt si sûre qu'il ne refusa pas d'écrire, en collaboration avec son ami Henri Vever, une histoire de la miniature persane, rédigée sous forme de catalogue. (G. Marteau et E. Vever, *Les miniatures persanes*, [etc.] *exposées au Musée des Arts décoratifs*, Paris, 1913.) En 1916, Georges Marteau léguait au Louvre un remarquable ensemble de miniatures persanes et « indo-persanes » (33 miniatures mogholes provenant du legs Marteau se trouvent aujourd'hui au Musée Guimet) rassemblé par ses soins.

La collection Grandidier

Ernest Grandidier, auditeur au Conseil d'État, après une mission en Amérique du Sud, vit une carrière qui s'annonçait brillante brusquement interrompue par la chute de Napoléon III et les remaniements administratifs qui suivirent. Retiré des affaires, il occupa ses loisirs à rechercher des livres rares. Ce fut vers 1875 que son goût de collectionneur se fixa sur la céramique chinoise. Il commença par fréquenter alors le grand importateur Philippe Sichel qui lui faisait l'honneur de ses arrivages. À cette époque, ses intérêts étaient dirigés vers des porcelaines raffinées telles qu'on les appréciait au XVIIIe siècle (« famille verte » et « famille rose »). À cette première collection il va consacrer sa fortune, et selon l'expression de Raymond Koechlin, « convertira » sa propriété qu'il possédait aux environs de Corbeil « en porcelaine ». Comme ses contemporains Sichel, Heliot, Bing ou les Goncourt, il s'enthousiasme avant tout pour des pièces virtuoses, dont on retrouve l'écho dans bon nombre de porcelaines européennes.

C'est en 1894 qu'il décida de doter les collections nationales de ces séries qui leur faisaient totalement défaut. Ce fut alors l'installation au Louvre, dans les salles basses du bord de l'eau sur lesquelles il va veiller avec amour pendant près de vingt ans. Infatigable, dans le cadre du musée, il va poursuivre ses achats en France comme à l'étranger. Progressivement, son goût s'approfondit, notamment grâce à la fréquentation du grand sinologue Édouard Chavannes. Il remonte le temps et ajoute à ces séries tardives de nombreuses pièces beaucoup plus anciennes (Ming puis les « Bleu et Blanc », Song puis Tang et Han), constituant un ensemble de près de 8 000 pièces légué à l'État à sa mort en 1911.
L'œuvre d'Ernest Grandidier constitue le plus grand déploiement du genre qu'on puisse trouver en Europe continentale. Il est l'un des rares collectionneurs de son temps à avoir compris que l'art de la céramique n'est pas une expression mineure mais qu'elle égale en Chine la peinture ou la sculpture.

En 1944-1945, lorsque fut établi le nouveau plan de regroupement des collections nationales qui prévoyait la fondation au Musée Guimet d'un département asiatique, le magnifique ensemble fut transféré place d'Iéna.

Jean-François Jarrige
Inspecteur général des Musées,
chargé du Musée Guimet

Donateurs du Louvre :

Du Louvre au Musée d'Orsay

Depuis la création du Musée du Louvre, aux décisions concernant le programme même – quelles catégories d'œuvres y conserver ? – s'ajoute, sans cesse renouvelée, la question de l'espace nécessaire à la présentation des collections.

Et il n'est pas de domaine plus sensible que celui des œuvres créées au fil des ans, dès le XVIIIe siècle, par les artistes vivants qui, de modernes et contemporaines, finissent par devenir, bien entendu, le temps passant, anciennes à leur tour. Ce sont ces impératifs combinés qui ont justifié l'utilisation de lieux extérieurs au Louvre lui-même, le Musée du Luxembourg, le Jeu de Paume, à deux reprises, et maintenant le Musée d'Orsay, sans oublier le Musée national d'Art moderne, installé au Palais de Tokyo pendant près de quarante ans, avant son transfert au Centre national d'Art et de Culture Georges-Pompidou en 1977. À cette occasion, un dernier « reversement » faisait entrer sur les inventaires du Louvre les œuvres d'artistes nés jusqu'en 1870. La plupart étaient destinées au Musée d'Orsay, ouvert en 1986. Sa préparation devait susciter de nouvelles donations ; bien que pour les peintures, les sculptures, les dessins et pastels, les inventaires soient toujours communs aux deux musées, les donations et legs reçus à partir de 1977 n'ont pas été retenus dans le *Répertoire* des donateurs, y compris les dessins, toujours matériellement conservés par le Département des Arts graphiques au Louvre, même s'ils sont exposés – selon les règles habituelles de sécurité – par roulement au Musée d'Orsay.

Le Musée du Luxembourg (1818-1939)

Paradoxalement, ce n'est pas faute de place, mais au contraire parce qu'après la chute de l'Empire le Louvre se trouvait dégarni, que l'on songea, dès 1815, à y transférer les œuvres anciennes de Rubens, Le Sueur ou Joseph Vernet, exposées jusqu'alors dans la Galerie du Luxembourg et à utiliser les espaces libérés pour glorifier l'école française moderne. Le Musée du Luxembourg était né, conçu comme l'« antichambre » du Louvre : selon des modalités qui ont varié avec le temps – à la mort des artistes, dix ans après leur mort, un siècle après leur naissance –, et qu'il a été de plus en plus difficile d'appliquer strictement, les œuvres du Luxembourg entraient au Louvre... ou étaient envoyées en dépôt, en fonction de la place disponible et de l'évolution du goût. Si, dans son rapport d'intention du 23 novembre 1815, Lavallée, secrétaire général des Musées royaux, pouvait vanter, à propos du Luxembourg, l'intérêt qu'il aurait pour les artistes, « puisque

l'honneur d'avoir un tableau dans cette galerie sera une preuve aux yeux de leurs compatriotes et des étrangers de l'estime qu'on fait de leurs talents » (Archives du Louvre), la situation évolue vers un choix officiel – fait presque exclusivement d'achats – qui exclut, dès le milieu du siècle, les novateurs les plus puissants et que seule va compenser plus tard la générosité privée. Les trois portraits de la famille Rivière par Ingres, légués par une parente des modèles en 1870, passent quelques années au Luxembourg avant le transfert global au Louvre, en 1874, de toutes les œuvres acquises à Ingres depuis 1819. Mais à côté d'artistes immédiatement reconnus, comme David, Ingres ou Delacroix, d'autres sont moins bien traités, Corot notamment. Il ne devait qu'au hasard l'entrée au Luxembourg en 1854 de *Matinée ; danse des nymphes* et il légua, en 1875, deux de ses paysages d'Italie de 1826, petits chefs-d'œuvre déjà classiques qu'on ne pouvait contester. La situation était plus critique pour Millet ou Courbet, sans parler de Manet et ses amis impressionnistes. On sait que c'est grâce à l'action de Monet et de la souscription qu'il lança que *L'Olympia* de Manet pu être donné à l'État en 1890, sept ans après la mort de l'artiste. Le purgatoire du Luxembourg s'acheva en 1907 et l'œuvre fut glorieusement accrochée au Louvre, en pendant de la *Grande odalisque* d'Ingres, dans la salle des États.

C'est sans doute par dépit – une souscription pour faire entrer au Luxembourg *D'où venons-nous ? Que sommes-nous ? Où allons-nous ?* (maintenant à Boston) ayant échoué – que Paul Gauguin fut particulièrement cruel avec le Luxembourg, le comparant en 1902, dans *Racontars de rapin,* à « une vaste prison » ou encore à « une maison de passe » qu'il faudrait détruire, et constatant comme à regret : « Donateurs, Inspecteurs avec la permission de la Direction des Beaux-Arts et du Conseil d'État, ont introduit en quelques années Daumier, Puvis de Chavannes, Manet, collection Caillebotte avec triage. »

On sait le tollé que souleva, auprès des instances académiques notamment, l'acceptation de trente-huit œuvres léguées en 1894 par l'ami et mécène des Impressionnistes, Gustave Caillebotte. Ce fut néanmoins le début d'une reconnaissance qui devait devenir bientôt une immense popularité.

Dans le même temps les amateurs – Charles Hayem dès 1898 pour Gustave Moreau, plus tard, en 1926, John Quinn pour Seurat – et les familles d'artistes – Toulouse-Lautrec en 1902, Bazille en 1904 et 1924, Renoir en 1923, Monet en 1927, Pissarro en 1930, etc. – s'ingénient à compléter les collections du Luxembourg, avant les grands transferts au Louvre de 1929-1933.

Si on envisagea un temps de présenter à côté des *Nymphéas* de Monet la collection Caillebotte à l'Orangerie, elle gagna à partir de 1929 le deuxième étage du Louvre où elle prit place dans l'ancienne salle de la collection Thomy Thiéry avec l'ensemble des œuvres de la fin du XIXᵉ siècle.

Le Musée des Écoles étrangères, au Jeu de Paume (1922-1940)

Reprenant une idée émise dès le Second Empire par Philippe de Chennevières, le Musée du Luxembourg, à la fin du siècle, étendit son programme aux écoles étrangères et, là aussi, le rôle des amateurs fut capital. Edmund Davis constitua ainsi une collection de peinture anglaise pour le musée ; donnée en 1915, elle ne pouvait trouver place dans l'unique petite salle consacrée aux écoles étrangères face à la salle Caillebotte du Luxembourg. Une annexe fut alors ouverte, en 1922, au Jeu de Paume des Tuileries. Le nouveau musée eut une telle faveur que les dons affluèrent, la place manqua et de grands travaux furent entrepris en 1930-1932 pour remplacer le velum, destiné à diminuer la hauteur des anciennes salles de sport, par un premier étage. Après la Seconde Guerre mondiale et le regroupement des collections modernes au palais de Tokyo, le local était disponible pour donner l'extension requise à un musée de l'Impressionnisme.

Le Musée de l'Impressionnisme, au Jeu de Paume (1947-1986)

Ouvert dès 1947 au public, réaménagé complètement et modernisé de 1954 à 1959, rénové encore en 1969, le Jeu de Paume, annexe du Louvre cette fois, ne cessa d'être un des musées favoris du public. Déjà presque exclusivement composé de collections offertes au Luxembourg et au Louvre – l'État n'acheta aucune peinture de Pissarro, par exemple – dont celles de Caillebotte, de Moreau-Nélaton, de Camondo, de Personnaz enfin, il ne cessa de s'enrichir grâce aux libéralités d'amateurs enthousiastes, donnant une œuvre ou, comme Gachet, Mollard ou Max et Rosy Kaganovitch, une collection.

L'espace vint une nouvelle fois à manquer et d'autres artistes tels Émile Bernard ou Bonnard qui n'avaient plus de raison de rester au Musée national d'Art moderne, ne pouvaient trouver place au Louvre ou au Jeu de Paume. Aucune œuvre n'avait été transférée depuis qu'en 1947 Toulouse-Lautrec et Seurat étaient entrés au Louvre pour le Jeu de Paume. Nul doute que le prestige de ce musée n'ait été un des meilleurs garants pour faire accepter par les pouvoirs publics le grand projet du Musée d'Orsay. Lors des préparatifs, entrepris dès 1973, des artistes comme Burne-Jones ou Millais eurent enfin les honneurs des cimaises du Louvre, quittant alors les réserves du Musée national d'Art moderne.

Le Musée d'Orsay

En 1986, marquant un second passage des œuvres du XIXᵉ siècle sur la rive gauche de la Seine, l'ouverture du Musée d'Orsay permettait à nouveau de confronter les peintures de Courbet ou Whistler à celles de Manet et de faire enfin voisiner les œuvres – peintures, sculptures ou objets d'art – de Gauguin avec les créations de ses amis de Pont-Aven et de ses admirateurs Nabis.

Sont en effet regroupés au Musée d'Orsay – à côté de nouvelles acquisitions – des peintures, sculptures et pastels précédemment au Louvre, au Jeu de Paume ou au Musée national d'Art moderne,

Vue d'une salle du Jeu de Paume en 1929 avec, sur le mur de gauche, le triptyque de Léon Frédéric *L'Âge d'or*, donné en 1903 par Georges et Léonce Bénédite en souvenir et selon le désir de Georges Michonis

Ci-contre :
Gustave Moreau,
L'apparition,
aquarelle
donnée en 1898
par Charles Hayem

Vue du salon d'Étienne Moreau-Nélaton en 1906 (73, faubourg Saint-Honoré).
On distingue au fond à gauche : *Sortie de l'école turque* de A. Decamps ; à droite : *Le génie de la Paix* attribué à P.P. Prud'hon ;
sur le mur de droite : *L'église de Marissel* de C. Corot et *Nature morte au homard* d'E. Delacroix

Vue de la salle Moreau-Nélaton au Louvre en 1937 avec le *Déjeuner sur l'herbe* d'E. Manet

Vue de la salle Moreau-Nélaton au Jeu de Paume en 1948

Vue d'une des salles consacrées à la collection Chauchard au Musée d'Orsay, en 1989, avec *L'Angélus* de J.-F. Millet

dont un certain nombre furent exposés, dès 1977, en une « préfiguration d'Orsay » dans les salles du Palais de Tokyo.

Véritable prolongement du Louvre pour la période de 1848-1914, chargé d'évoquer la création artistique de l'époque dans toute sa diversité, le Musée d'Orsay doit bien évidemment une grande partie de son succès aux collections données ou léguées avant sa création, au Luxembourg, au Louvre ou au Jeu de Paume.

À côté de ce qui fit la richesse du Jeu de Paume – faut-il rappeler que la présence du *Déjeuner sur l'herbe* de Manet, chef-d'œuvre du Salon des Refusés de 1863, indispensable à notre démonstration, est due à la générosité d'Étienne Moreau-Nélaton –, d'autres dons faits au Louvre sont maintenant présentés au Musée d'Orsay. Deux exemples permettront d'en saisir l'importance : celui des compositions monumentales de Courbet, *L'enterrement à Ornans,* donné par sa sœur Juliette en 1881, et *L'atelier du peintre,* acquis grâce à une souscription publique et à la Société des Amis du Louvre en 1920 ; celui du legs d'Alfred Chauchard au Louvre en 1909, riche de bronzes de Barye, de peintures de Delacroix, de Meissonier ou de l'école de Barbizon, autour du fameux *Angélus* de Millet. La collection Chauchard a été intégralement transférée au Musée d'Orsay, tandis que la collection Thomy Thiéry, comprenant des œuvres des mêmes artistes, mais d'une tonalité plus romantique – avec Decamps par exemple – n'a pas quitté le Louvre, qui conserve en outre quelques œuvres de la fin du XIXᵉ siècle dans les collections Beistegui et Victor Lyon.

La présence au Musée d'Orsay de collections restées groupées selon la volonté des donateurs (Chauchard, Moreau-Nélaton, Mollard, Personnaz, Gachet, Max et Rosy Kaganovitch) contribue à la richesse et à la diversité de la présentation et apporte, de surcroît, un témoignage direct sur le goût des amateurs et leurs intentions vis-à-vis des musées nationaux. Leurs choix sont, d'une manière éclatante pour cette époque, l'indispensable complément de ceux, plus prudents, que faisait l'administration chargée, du vivant des artistes, de recueillir, de Salon en Salon, ce qui lui semblait digne d'être proposé au regard des visiteurs.

Geneviève Lacambre
Conservateur en chef au Musée d'Orsay

Édouard Manet,
Le fifre,
légué en 1911
par le comte Isaac de Camondo

Henri de Toulouse-Lautrec,
Jane Avril dansant,
légué en 1937
par Antonin Personnaz

Camille Pissarro,
Gelée blanche,
légué en 1972 par Enriqueta Alsop
au nom du Dr Eduardo Mollard

Paul Gauguin,
Paysannes bretonnes,
donné en 1973
par Max et Rosy Kaganovitch

Catalogues d'expositions des nouvelles acquisitions du Musée du Louvre comprenant des dons, donations ou legs

1922
La Société des Amis du Louvre. Ses dons au musée, 1897-1922.
Notice lue à la fête du jubilé de la Société par Raymond Koechlin, président, le 21 février 1922. Paris, 1922 (catalogue sans exposition).

1930
Orangerie des Tuileries,
Catalogue de l'Exposition d'antiquités orientales. Fouilles de Tello, Suse et de Syrie.

1933
Orangerie des Tuileries,
Les achats du Musée du Louvre et les dons de la Société des Amis du Louvre, 1922-1932, exposés au Musée de l'Orangerie.

1945
Musée du Louvre,
Musée du Louvre. Nouvelles acquisitions réalisées depuis le 2 septembre 1939.

1947
Orangerie des Tuileries,
Exposition du Cinquantenaire des Amis du Louvre. 1897-1947.

1955
Cabinet des Dessins,
Choix de pièces des donations et acquisitions du Cabinet des Dessins, 1946-1954.

1967-1968
Orangerie des Tuileries,
Vingt ans d'acquisitions du Musée du Louvre, 1947-1967.

1980-1981
Galeries nationales du Grand Palais,
Cinq années d'enrichissement du patrimoine national, 1975-1980.
Donations, dations, acquisitions.

1981
Palais de Tokyo, Musée d'Art et d'Essai,
Un siècle de fouilles françaises en Égypte, 1880-1980.

1981
Cabinet des Dessins,
Donations de la Société des Amis du Louvre.

1983
Musée du Louvre,
Musée du Louvre. Nouvelles acquisitions du Département des Peintures (1980-1982).

1984
Cabinet des Dessins,
Acquisitions du Cabinet des Dessins, 1973-1983.

1984
Musée du Louvre,
Musée du Louvre. Nouvelles acquisitions du Département des Sculptures (1980-1983).

1985
Musée du Louvre,
Musée du Louvre. Nouvelles acquisitions du Département des Objets d'art, 1980-1984.

1987-1988
Musée de Louvre,
Musée du Louvre. Nouvelles acquisitions du Département des Peintures (1983-1986).

1988
Musée du Louvre,
Musée du Louvre. Nouvelles acquisitions du Département des Sculptures (1984-1987).

Répertoire des donateurs

**Coordination générale
du *Répertoire* des donateurs :**

Marie-Anne Dupuy

assistée de :

Thierry Crépin-Leblond
Conservateur stagiaire des musées de France

Frédéric Lacaille
Conservateur stagiaire des musées contrôlés

Vincent Pomarède
Conservateur au Service de restauration de
l'Inspection générale des musées classés et contrôlés

Auteurs des notices :

Béatrice Abbo
Documentaliste au Département des Antiquités
égyptiennes

Daniel Alcouffe
Inspecteur général des musées, chargé du
Département des Objets d'art

Christine André
Chargée de mission au Département des Arts
graphiques

Marie-France Aubert
Conservateur au Département des Antiquités
égyptiennes

Sophie Baratte
Conservateur au Département des Objets d'art

Françoise Baron
Conservateur en chef au Département des
Sculptures

Pantxika Béguerie
Conservateur au Musée d'Unterlinden de Colmar

Sophie Biass
Conservateur stagiaire des musées contrôlés

Lizzie Boubli
Conservateur au Département des Arts graphiques

Geneviève Bresc-Bautier
Conservateur au Département des Sculptures

Marie-Françoise Briguet
Chargée de mission au Département des Antiquités
grecques, étrusques et romaines

Béatrice de Chancel
Conservateur au Musée des Beaux-Arts d'Angers

Jacqueline Christophe
Documentaliste au Département des Sculptures

Isabelle Compin
Documentaliste au Département des Peintures

Dominique Cordellier
Conservateur au Département des Arts graphiques

Thierry Crépin-Leblond
Conservateur stagiaire des musées de France

Jean-Pierre Cuzin
Conservateur en chef au Département des
Peintures

Antoinette Decaudin
Documentaliste au Département des Antiquités
orientales

Élisabeth Delange
Conservateur au Département des Antiquités
égyptiennes

Anne Dion
Conservateur au Département des Objets d'art

Anne Distel
Conservateur au Musée d'Orsay

Anne Driguez-Lavanant

Sylvie Dubois
Documentaliste au Département des Antiquités
orientales, section islamique

Marie-Martine Dubreuil
Documentaliste au Département des Peintures

Lise Duclaux
Conservateur honoraire au Département des Arts
graphiques

Marielle Dupont
Chargée de mission au Département des Arts
graphiques

Dominique Dupuis-Labbé
Conservateur stagiaire des musées de France

Jannic Durand
Conservateur au Département des Objets d'art

Pierre Ennès
Conservateur au Département des Objets d'art

Élisabeth Foucart-Walter
Conservateur au Département des Peintures

Jacques Foucart
Conservateur en chef au Département des
Peintures

Sylvie Gache Patin
Conservateur au Musée d'Orsay

Jean-René Gaborit
Inspecteur général des musées, chargé du
Département des Sculptures

Danielle Gaborit-Chopin
Conservateur en chef au Département des Objets
d'art

Catherine Goguel
Directeur de recherche au C.N.R.S., chargée de
mission au Département des Arts graphiques

Sophie Guillot de Suduiraut
Conservateur au Département des Sculptures

Diane Harlé
Documentaliste au Département des Antiquités
égyptiennes

Pierrette Jean-Richard
Documentaliste à la collection Edmond de
Rothschild

Frédéric Lacaille
Conservateur stagiaire des musées contrôlés

Sylvain Laveissière
Conservateur au Département des Peintures

Amaury Lefébure
Conservateur au Département des Objets d'art

Catherine Legrand
Conservateur au Département des Arts graphiques

Ségolène Le Mène
Chargée de recherche au C.N.R.S. (musée d'Orsay)

Isabelle Leroy-Jay-Lemaistre
Conservateur au Département des Sculptures

Stéphane Loire
Conservateur au Département des Peintures

Laurence Madeline
Conservateur stagiaire des musées contrôlés

Laure de Margerie
Documentaliste au Musée d'Orsay

Catherine Metzger
Conservateur en chef au Département des
Antiquités grecques, étrusques et romaines

Jean-François Méjanès
Conservateur au Département des Arts graphiques

Hélène Meyer
Conservateur adjoint des musées de la ville de
Troyes

Régis Michel
Conservateur au Département des Arts graphiques

Marie Millot
Documentaliste à la bibliothèque centrale des
conservateurs du Louvre

Marie Montembault
Documentaliste au Département des Antiquités
grecques, étrusques et romaines

Geneviève Pierrat
Conservateur au Département des Antiquités
égyptiennes

Madeleine Pinault
Documentaliste au Département des Arts
graphiques

Vincent Pomarède
Conservateur au Service de restauration de
l'Inspection générale des musées classés et contrôlés

Louis-Antoine Prat
Chargé de mission au Département des Arts
graphiques

Rodolphe Rapetti
Conservateur au Musée d'Orsay

Claudie Ressort
Documentaliste au Département des Peintures

Nicole Reynaud
Directeur de recherche au C.N.R.S.

Pierre Rosenberg
Inspecteur général des musées, chargé du
Département des Peintures

Marie-Françoise de Rozières
Restauratrice au Département des Antiquités
égyptiennes

Marie-Hélène Rutschowscaya
Conservateur au Département des Antiquités
égyptiennes

Marie-Catherine Sahut
Conservateur au Département des Peintures

Béatrice Sarrazin
Conservateur au Musée des Beaux-Arts de Nantes

Cécile Scaillierez
Conservateur au Département des Peintures

Brigitte Scart
Chargée de la documentation au Département des
Arts graphiques

Agnès Scherer
Secrétaire de documentation au Département des
Antiquités grecques et romaines

Guilhem Scherf
Conservateur au Département des Sculptures

Arlette Sérullaz
Conservateur en chef au Département des Arts
graphiques

Emmanuel Starcky
Conservateur au Département des Arts graphiques

Laure Starcky

Élisabeth Taburet-Delahaye
Conservateur au Département des Objets d'art

Dominique Thiébaut
Conservateur au Département des Peintures

Carlos Van Hasselt
Directeur de la Fondation Custodia, Institut
néerlandais

Dominique Vila
Documentaliste au Département des Peintures

Christiane Ziegler
Conservateur au Département des Antiquités
égyptiennes

Avertissement

C'est à l'occasion de l'exposition *Les Donateurs du Louvre* qu'il fut décidé de publier parallèlement un *Répertoire* des donateurs. Si l'exposition temporaire ne pouvait qu'être sélective, en raison de l'abondance des dons, le *Répertoire* se veut exhaustif. On a pu ainsi recenser plus de 2 665 donateurs d'œuvres d'art depuis la création du musée jusqu'au dernier comité de juin 1988 (date imposée par les délais d'impression).

Le *Répertoire,* entrepris à l'automne 1987, a demandé de la part de chaque département un travail considérable de recherches biographiques, souvent long et difficile. Il a parfois permis de clarifier la provenance de certaines œuvres et abonde en informations nouvelles. Il a été cependant difficile, et dans certains cas impossible, de retrouver le moindre élément d'information sur quelques auteurs de dons manuels, notamment au siècle dernier, les archives du Louvre n'ayant conservé que leurs noms.

Que l'on veuille donc bien être indulgent en constatant certaines lacunes inévitables. Nous serons reconnaissants à tous ceux qui nous permettront de rectifier une erreur ou de compléter une biographie. Mais il faut bien préciser que les notices se devaient de rester brèves en raison du très grand nombre de donateurs. Il n'est pas besoin de préciser que les portraits des donateurs sont systématiquement des détails de tableaux, sculptures, photographies... et qu'il ne nous a pas semblé nécessaire de le préciser à chaque fois.

Enfin, tous les auteurs tiennent à remercier les personnes et services qui les ont aidés dans leur tâche :
C. Abadie, V. Abdy, C. Aboussouan, L.M. de Abreu Daniel Ribeiro, A. Acheroff, D. Adt, M. Agosto, Ph. Akar, M. d'Albenas, J. d'Albis, N. Altero, P. Amiet, J. Amsieau, M. André, T. André, M. Anglade, P. Arizzoli-Clémentel, J. d'Arjuzon, F. Arquié-Bruley, Ch. Aston, M.M. Aubrun, L. Auer, J.L. Augé, L. Aurore, N. Avci, M. Avril, R. Bacou, P.J. Balagna, M. Bapst, L. de Barante, J. Barneda, C. Barral, J. Barut, R. Bassac, A. Bassier, P. Baudin, F. Beaucour, F. Béghin, S. Bellenger, F. Benard, Mme Benedict, M.T. Berger, J. Bergeret, A. Bert, C. Bertho-Lavenir, M. et Mme D. Bichet, R. Bineau, I. Bizot, G. Blazy, P. De Boer, M. Bompaire, A. Bordeau, T. Bouldaroussi, J.P. Bourcheix, C. Bourdet, Vte et Vtesse J.M. de Bourgoing, P. Boyet, P. Brame, Ph. Brame, A. Braunwald, E. Breall, E. Bressensdorf, P. Bro, L. Bultot, Mme Bumsel, Ch. Burns, F. Cachin, Y. Cantarel-Besson, J. Canton-Debat, Mlle de Capellis,
R. Carvallo, H. Cazaumayou, A. Chabot, J. Chamay, N. Chanchorle, E.M. Chanut, F. Chappey, M. Chapuis, M. et Mme J. Château Minois, M. Chatelle, A. de Chefdebien, émir Chehab, B. Chevallier, G. Cheyssial, J. Christophe, G. de Clairval, M. Clauzel, M. et Mme Clément-Grandcourt, R. Cleyet-Michaud, Mme Cochrane, M.C. Comerre, R. Conilleau, Mlle Corvisier, F. Cote, abbé Couppey, Ch. Coural, G. Courtet, D. Coutagne, M.L. Crosnier-Lecomte, D. Darde, M.C. David, M. et Mme David-Weill, S. Day, J. Decanter, C. Dehud, F. Delaroche-Vernet, B. Delmas, J.M. Desbordes, L.P. Desmarres, A. Desvachez, Mme Devade, J. Dragomir, B. Drake-Boehm, M. Drucker, J.M. Dubois, M. Duchamp, G. Ducher, Mme Ducreux, B. Ducrot, R. Dufet-Bourdelle, O. Duff, P.H. Dufournet, F. Dumas, C. Dumas-Dreyfus, Mme Dunham, M. Dunninq, J. Durand-Revillon, Mme Durosoy, M. Ehrmann, B. Ely, V. Endicott Barnett, P. Even, M. et Mme B. d'Everlange de Bellevue, D. Farr, W. Feigelmann, G. Ferey de Rosengath, E. Fergusson, Ph. Fleury, S. Folds Mc Cullagh, Fondation Pro Helvetia, C. Fons, M. de Forbin, J. Forneris, A. Forray, F. Fossier, J. Foucart-Borville, P. Fournié, M. de Framond, J.P. Froidevaux, M. Frote-Langlois, F. Fur, M. Gaillard, P. Gasnault, V. Gauthier, J.L. Gauzere, M. Gayral, D. Gazier, F. Gendrot, M. et Mme Gervais, J. Gerville-Reache, A. Gilet, M. Girard, T. Girard, S. Giroux, S. Gohel, J. de Gourmont, abbé J. Goy, S. Grandjean, V. Graslin, A. Grassi, G. Grieten, M. Grinberg Vinaver, Ph. Grunchec, J.J. Guerlain, P. Guigues, M. Guillon, P. Guiomar, M. Guise, C. Haffner, I. Hamel-Rouart, E. Hardouin-Fugier, W. Hauptman, Père Hechaime, F. Heim, Mme Helft, H. Heller, Mme Henraux, A.M. Henry, A. Hepp, F. Heugel, K. Hiesinger, J. Hoogsteder, H. Hours, R. d'Huart, G. Hubert, M.C. Hubert, V. Huchard, P. Huques, R. Hurrell, R. Huyghe, M. Jacob, A. Jacquard, M. Jeancard, F. Jestaz, M. Jeune, D. Johns, B. Joly, J. Jouet, J. Jouin, J.J. Journet, M. Journet, Ch. Jouzeau, R.A. Joyce, C. Judrin, D. Kettaneh, I. Kettaneh-Méjanès, A.M. Kevorkian, P. Koch, A. Köhler, A. Kolaczyk, H. Kraan, A. Kucia, A. et N. Kugel, J. Kuhnmunch, G. Kuraszewski, Mme Lacaze-Serre, K. de Lacharrière, M. Lacour, M. et Mme Laffitte-Larnaudie, M.R. Laflèche, E. Lagarce, A. Laing, Mme de La Martinière, H. Landais, A. et O. Lapeyre, C. Laude, M.T. Laureilhe, abbé Lechat, M. Leclarq, Ch. Leemans, O. Lefuel, Mme et Mlle Legge-Bourke, M.A. Lemonnier, J.M. Leniaud, J. Le Pavec, Ch.H. Lerch, J.M. Léry, D. Leroy, M. Leroy, B. de Lestapis, Mme Levine, Mme Levyne, B. Lossky, Mme Louis, Mme Loup, H. Loyrette, J. Lugand, Mme Lung,

J. Lurault, R.P. F. Maalouf, G. Mabille, F. Macé de Lépinay,
M. Maggiar, E. Maillet, J. Mallet, Mme Marcheix, M. Maréchal,
L. de Margerie, M. Margontier, H. di Marino, Mme Maritch-
Havilland, M. Martignon, E. Martin, Ch. Mascarei, J.F. Maurel,
Mme Maurice-Bokanowski, A. Maury, M. Maury, K. Meissner,
B.S. Meloni, M. Meras, B. de Mestier du Bourg, Me Meunié,
F. Meyer, L. Minder, J.Y. Moch, E. Moinet, Mona Bismarck
Foundation, I. Monnot, G. Morancé, Mme Moreau, V. Morel,
V. Morel-Izambard, E. Moreux, M. Morin, A. Mouilla,
Mlle Moureaux, M. Moureaux, U. Moussali, S. Moussette,
K. Munch, J.H. Munger, J.M. Nectoux, Y. Nédélec, T. Nielsen,
J.W. Niemeijer, Mme de Nomazy, G. Noufflard, D. O'Neill,
M.C. O'Neill, J. Nunez, C. Ortiz de Rozas, Y. Ozanam,
A. Pardailhe-Galabrun, P. Paulin, H. Pauwels, Mme Pavie,
B. Penei, F. Pequin, F. Perrot, C. Petit, N. Petit, M. Petit-Hory,
Y. Pierrey, A. Pingeot, J.P. Pisselet, abbé Ph. Ploix,
Mme Poisson, G. Polaillon-Kerven, F. Popelier Robert-Jones,
A. Pougetoux, Ch. Pouliquen, Mlle Poux, A. de Précourt,
J. Prost, M. et Mme H. Prouté, M. de Rambuteau,
J.P. Ranou Butté, M. Régent, J.S. Retel, P. Reverchon,
B. Reverdin, R. Reverdin, J.P. Reverseau, A. Reze-Hure,
C. Richebe, G. Rill, P.E. Robinne, G. de Rochambeau,
Mme Roche, Mme Roger, M. Roland Michel, V. Rollet,
A. Romain-Lenormand, A. Roncin, M. Rongus, C. Roulet-
Gaulis, L. Ryaux, N. Sainte-Fare-Garnot, Mme Saix,
J.C. de Salins, E. Salvan, J.P. Samoyault, Mme Sancholle-
Henraux, Mme Schmit, R. Schreuder, F.G. Seligmann,
O. Serrurier, D. Sicard, Br. Silvestre de Sacy, Mme Simon,
H. Sitbon, L. Skorka, M. Snoeckx, J. Soustiel, E. Speelman,
Ch. Speroni, abbé J. Starcky †, V. Starp, A. Stern, E. Surtel,
D. Sutton, Mme Tabbagh, E. Taburet-Delahaye, E. Talbo-Rice,
Mme de Talleyrand et Valençay, J. Thévenet, X. Thévenet,
R. Thomas, F. Thomas-Maurin, S. Thomson, L. Thornton,
Mme Tissier, M. Tournadre, G. Triana, M. Tripet,
M. Van Bergh-Gerbaud, C. Van Hasselt, A. Van der Jagt,
M.L. Van der Pol, M. et Mme U. Van de Sandt,
J.P. Van der Spelden, A. Van Ypersele de Strihou, M. Varagnac,
C. Vaudecrane, A. Vernay, F. Viatte, G. Villa,
Ph.A. de Vilmorin, M. et Mme F. Vindry, P. de Vogüé, I. Volf,
P. Waksman, S. Walton, A. Wengraf, L. Whitaker, Ch. Zuber-
Monod.

Les archives :
Les archives du Consulat de France à Londres
Les archives départementales du Rhône
Les archives départementales de Saône-et-Loire
Les archives diplomatiques du ministère des Affaires
étrangères
Les archives de l'Enregistrement du département de la Seine
Les archives de l'Armée de terre
Les archives de la Marine nationale
Les archives municipales de Lyon
Les archives municipales de Rouen
Les archives du Louvre et des musées nationaux
Les Archives nationales
Les archives du Sénat
Les archives de la Ville de Bruxelles
Les archives de la Ville de Paris

Les bibliothèques :
La bibliothèque de la conservation du Musée des Antiquités
nationales de Saint-Germain-en-Laye
La bibliothèque de l'École des Chartes
La bibliothèque de l'Institut
La bibliothèque centrale des musées nationaux
La bibliothèque du Sénat
La bibliothèque de la Ville de Marseille

Les directions :
La Direction des Français à l'étranger et des étrangers en
France du ministère des Affaires étrangères
La Direction des affaires générales de l'hôpital Beaujon

Les services :
Les services d'archives départementales et municipales
Le service de la documentation des archives de l'Assistance
publique
Les services d'état-civil des mairies de Paris et des mairies de
France
Le service Information-Presse de l'ambassade d'Israël
Le service des œuvres d'art de la Réunion des musées
nationaux

Sociétés et compagnies :
La Compagnie nationale des experts, l'établissement
A. Delombre, le Syndicat national des antiquaires négociants
en objets d'art

Les différents types de libéralités

Le don manuel : il s'accompagne d'un simple échange de correspondance indiquant clairement la volonté du donateur.

La donation : elle donne lieu à la rédaction d'un acte notarié, et peut être assortie de conditions, la plus fréquente étant la réserve d'usufruit qui laisse la jouissance de l'œuvre au donateur (à son conjoint ou à ses enfants) jusqu'à son décès (ou le leur), à moins qu'il(s) n'y renonce(nt), ce qui est fréquent en ce qui concerne le Louvre.

Le legs : libéralité consentie par testament et qui ne devient effective qu'au décès du testateur.

Toute œuvre proposée en don, donation ou legs (comme toute œuvre dont on envisage l'achat) fait l'objet d'une proposition d'acquisition de la part du conservateur intéressé, proposition qui passe devant deux instances chargées de l'examiner et de porter un avis sur l'intérêt de l'entrée de la pièce dans les collections nationales : en premier lieu le comité des conservateurs de la direction des Musées de France (s'il refuse, la procédure s'arrête là), puis le conseil artistique de la Réunion des musées nationaux, composé d'amateurs et de personnalités liées au monde de l'art et des musées. Si l'avis est favorable, un arrêté ministériel permet l'entrée de l'œuvre dans les collections.

Bibliographie du Répertoire des donateurs

Les recherches sur les donateurs du Louvre ont été menées à l'aide de très nombreux ouvrages qu'il serait trop long de mentionner tous ici. La plupart d'entre eux sont cités dans les notices du *Répertoire.* Ont été en premier lieu utilisés : les dictionnaires biographiques français et étrangers, les annuaires, bottins et dictionnaires professionnels, les Who's who et bottins mondains, à côté desquels il convient de mentionner certains bulletins, revues et ouvrages qui ont été systématiquement consultés par les différents départements.

Bulletins, revues, périodiques :
Bibliothèque de l'École des Chartes
Bulletin de correspondance hellénique
Bulletin de l'Institut français d'archéologie orientale
Bulletin de la Société française d'égyptologie
Journal of Egyptian Archeology
Recueil de l'Institut
Revue archéologique
Revue d'assyriologie
Revue d'égyptologie
Revue des études grecques
Revue des études latines
Syria.

Who was who in Egyptology, W.R. Dawson et E.P. Uphill, Londres, 1972.

Être antiquaire, Paris, 1983.

Les Marques de collections de dessins et d'estampes, F. Lugt, Amsterdam, 1921 et supplément, La Haye, 1956.

Petit Larousse de la peinture, sous la direction de M. Laclotte, assisté de J.P. Cuzin, Paris, 1979.

Archéologues, historiens de l'art, numismates, conservateurs de musées, collectionneurs français, protestants français du XVIe au XIXe siècle, 1981 (manuscrit aux archives des musées nationaux).

Abréviations

A.O.	Antiquités orientales (Département des)
ap.	après
av.	avant
Bibl. nat.	Bibliothèque nationale
Cat. exp.	catalogue de l'exposition
cf.	*confer*
C.N.R.S.	Centre national de la recherche scientifique
Coll. part.	Collection particulière
déb.	début
Dr.	Docteur
E.N.S.B.A.	École nationale supérieure des Beaux-Arts
ép.	épouse
etc.	et caetera
E.U.	États-Unis (d'Amérique)
F.	Francs (français)
ibid.	*ibidem*
I.C.O.M.	International Council of Museums
id.	*idem*
I.F.A.O.	Institut français d'archéologie orientale
J.-C.	Jésus-Christ
mi.	milieu
M.N.A.M.	Musée national d'Art moderne
O.R.T.F.	Office de radiodiffusion-télévision française
p(p).	page(s)
P.M.E.	petites et moyennes entreprises
R.F.A.	République fédérale d'Allemagne
R.P.	Révérend Père
s.	siècle
S.A.	Société anonyme
s.d.	sans date
t.	tome
U.N.E.S.C.O.	United Nations Educational, Scientific and Cultural Organisation
U.R.S.S.	Union des républiques socialistes soviétiques
v.	vers
vol.	volume
†	décédé en
*	l'astérisque renvoie à un nom de donateur ayant une notice dans le *Répertoire*

Abdul Hamid II

Mme F. Abram
G. Ricard, Louvre

Mme Adélaïde
F.X. Winterhalter, Versailles

AARON Didier et ses fils, Olivier et Hervé

Grands antiquaires parisiens (mais aussi à New York et à Londres), ils offrirent au Louvre en 1984 le *Pont* de J. B. Pierre.

ABDUL HAMID II
Constantinople 1842 - Constantinople 1918

Trente-quatrième sultan ottoman, appelé au pouvoir en 1876 et détrôné en 1909. Don du vase d'argent d'Entéména par l'intermédiaire de l'ambassadeur de France Paul Cambon en 1896, ainsi que de divers objets provenant des fouilles de Sarzec à Tello.

ABDY Sir Robert
Londres 1896 - Newton Ferrers (Cornouailles) 1974

Issu d'une famille qui protégea Gainsborough, il fut un amateur et un collectionneur très éclectique, ayant cependant une prédilection pour le XVIIIᵉ s. français. Grand admirateur de la France (il travailla activement pour la Résistance française à Londres) et du Louvre, il donna en 1929 une *Tête de femme* grecque en marbre du Iᵉʳ s. av. J. -C. Après sa mort, en 1982, un buste de Marie-Antoinette en biscuit de Sèvres (1782) fut donné anonymement en souvenir de lui.

ABOUCAYA Mme Léon
voir **DREYFUS Mme Gustave**

ABOUSSOUAN Camille

Conservateur au Musée Sursock (Beyrouth, 1960-1979). Ambassadeur délégué permanent du Liban auprès de l'UNESCO (1978-1983). Vice-président du Conseil exécutif de l'UNESCO. Don d'une empreinte de sceau syrien en 1981.

ABRAM Mme Félix, née Delphine Dreyfus
Paris 1838 - Nice 1925

Legs au Louvre de deux portraits (Orsay) peints par G. Ricard en 1866 : son portrait et celui de son époux, Félix Abram, banquier à Marseille, qui occupa dans cette ville plusieurs hautes fonctions dont celle de Président du Conseil Général des Bouches-du-Rhône. Legs également, au Musée des Arts Décoratifs d'un important lot de céramiques.

ABRAMI Pierre Léon
Istanbul ? 1879 - Paris 1945

Médecin des Hôpitaux, professeur à la Faculté de Médecine de Paris. Don en 1938 de deux miroirs magiques islamiques (Iran ou Anatolie, XIIᵉ s.) en bronze.

ABREU Rosalia dite Lilita Sánchez
Paris 1886 - Paris 1955

Issue d'une très riche famille cubaine, elle fut la première femme d'Albert S. Henraux* dont elle divorça. Cultivée et généreuse, elle contribua à la construction du pavillon cubain de la Cité universitaire et aida de nombreux écrivains. Elle fut très liée avec Saint-John-Perse à qui elle inspira les *Lettres à l'étrangère*. Collectionneuse de tableaux, elle donna en 1948, un tableau de G. Ricard, copie de la *Bethsabée* de Rembrandt et un secrétaire de voyage Louis XVI en acajou, ainsi que trois objets destinés au Musée Guimet et des tableaux destinés au Musée national d'Art moderne et au Musée national du Château de Compiègne.

ACHEROFF Anayat

Fils de Jacques Acheroff*, il fit don à la Section islamique en 1974 d'un ensemble de tessons de verre mamelouks, de tessons de céramique (Mésopotamie ou Iran, Xᵉ-XIVᵉ s.) et de fragments de tapis iraniens.

ACHEROFF Jacques
Téhéran 1897 - Paris 1973

Antiquaire au Caire, puis à Paris. Dons à la Section islamique en 1952 d'un batonnet de divination (?) en os, en 1958 de la coupe à la fleur stylisée (Irak ou Iran, IXᵉ-Xᵉ s.), en 1960 d'un plat fragmentaire (Égypte, Fostat, fin Xᵉ-déb. XIᵉ s.).

ACLOQUE Mme,
née Laure Euphrasie Beau
Paris 1830 - Paris 1890

Legs au Musée du Luxembourg de deux œuvres ; une peinture de Bouguereau, *La Jeunesse de l'Amour* (déposée en 1981 au Musée de Lunéville) et une sculpture de Clésinger, *La jeunesse de Bacchus* (Musée d'Orsay).

ADAM M. et Mme Hippolyte
voir **CLERC Antonin**

ADDA Fernand
Alexandrie 1890 - Paris 1965

Homme d'affaires et collectionneur. Don par ses héritiers, en 1965, d'un grand vase (Espagne ?, XVᵉ s. ?), publié ainsi que toute la collection Adda dans le livre de Rackham, *Islamic Pottery and Italian Maiolica...* en 1959.

ADELAÏDE Eugénie Louise,
princesse d'Orléans dite Madame
Paris 1777 - Paris 1847

Sœur de Louis-Philippe, dont elle fut la conseillère. Don en 1834 d'un buste romain.

ADELSWÄRD baronne Gustave d',
née Mathilde-Jeanne de Pourtalès
1854 - Paris 1934

Legs aux musées nationaux de quatre portraits de famille par le peintre espagnol R. de Madrazo y Garreta (Orsay).

AGAY Mme Albert d'

Plusieurs dons au Département des Antiquités orientales, en souvenir de son père Pierre Aublé : figurine babylonienne et cylindre mésopotamien (1927) et au Département des Antiquités grecques et romaines : collection de céramiques trouvées sur l'île de Rhodes, en particulier à Lindos (un aryballe, trois alabastres, un lécythe à couverte noire brillante, un vase en terre vernissée) et à Camiros (un plat rhodien, un cothon, un aryballe) (1927-1928).

AHARONIAN Kevork

Pharmacien libanais, naturalisé français. Don en 1983 d'une épingle en argent décorée de têtes de béliers (Urartu ; Arménie antique).

AKAR Mme Juliette
Paris 1892 - Paris 1968

Don, en mémoire de son époux André Akar (Ville d'Avray 1877 - mort en déportation, Grossbeeren, Allemagne 1944), banquier et grand amateur d'art, des *Bûcherons* de Troyon (dépôt en 1963 au Musée de La Rochelle).

ALAYER de COSTEMORE D'ARC Jean, comte d'
1895 - Paris 1985
ALAYER de COSTEMORE D'ARC Mme Jean comtesse d', née Marie-Louise Durand-Ruel

Le comte d'Alayer avait épousé en 1913 la fille de Joseph Durand-Ruel (1862-1928) et petite fille de Paul Durand-Ruel (1831-1922) le marchand des impressionnistes. Ils donnèrent en 1951 aux musées nationaux une série d'œuvres de André, Maufra, Moret, d'Espagnat (maintenant au Musée d'Orsay) ; seul un tableau d'Albert André, *L'escalier Daru* fut alors affecté au Louvre pour des raisons iconographiques, le reste n'entra au Louvre qu'à l'occasion du reversement du Musée national d'Art moderne en 1977.

ALBARÈDE André-René
Paris 1895 - Paris 1984

A. R. Albarède, peintre (il exposa au Salon des Artistes français de 1933 à 1940), institua comme légataire universel les Petits frères des pauvres, léguant au Louvre une assiette en porcelaine de Sèvres aux armes du lieutenant de police Sartine (1775).

ALBENAS Jean Marie Albert baron d'
Montpellier 1826 - Montpellier 1908

Issu d'une vieille famille de la noblesse parlementaire du Languedoc, Albert d'Albenas était le neveu de l'historien d'art Jules Renouvier qui lui légua sa collection. Il donna au Département des Objets d'art du Louvre en 1902 un médaillon en nacre gravé d'après Dürer, l'année même où il cédait au Département des Peintures *La Résurrection de Lazare* de Gérard de Saint-Jean (fin XVᵉ s.).

ALBENAS Raymond baron d'
Béziers 1883 - Montpellier 1951

Lieutenant-colonel ; il donna au Louvre en 1943, sous réserve d'usufruit, l'esquisse d'un tableau de Pissarro : *Paysage à Montmorency* que le peintre avait donné, en 1865 à son grand-oncle, Georges d'Albenas, conservateur du Musée de Montpellier, frère de Jean-Marie Albert*. Cette œuvre entra au Louvre en 1976 (Musée d'Orsay).

ALDEGA galerie Marcello

Installée à Rome, 117 via del Seminario. Don en 1988 d'un dessin de G. Zoboli (1681-1767), étude de *Vieillard drapé*, au dos d'une lettre adressée à l'artiste.

ALEXANDRY d'ORENGIANI baronne

Parente (son épouse ou l'une de ses belles filles ?) du baron Frédéric d'Alexandry d'Orengiani qui avait été maire de Chambéry (1860-1870), président du Conseil général de la Savoie, puis sénateur (1876-1882). Don en 1920 et en 1921 de deux portraits de l'impératrice Eugénie, peint l'un par Dubufe (déposé à Versailles), l'autre par Winterhalter (déposé à Compiègne).

ALIGNY ou CARUELLE d'ALIGNY Mme Théodore, née Amélie Charlotte Tiran
Paris 1796 - Paris 1877

Veuve en premières noces de Jean-Jacques Caval. Don en 1874 de trois dessins de Caruelle d'Aligny (1798-1871), son second mari, dont l'atelier était vendu cette année-là.

ALLARD du CHOLLET comte Maurice
Paris 1863 - Paris 1937

Dons en 1935 d'un portrait peint d'Henri IV et de quatre médaillons en terre cuite de Chinard et, en 1936 de deux dessins et trois tableaux.

ALLIANCE ISRAÉLITE UNIVERSELLE

Fondée en 1860 (45 rue La Bruyère, Paris IXᵉ), a pour but de promouvoir l'éducation au Moyen-Orient et en Israël. Don en 1918 de bijoux d'or trouvés dans un tombeau de Jérusalem en 1899, sans doute par l'intermédiaire de Sylvain Levi, un des vice-présidents de l'Alliance.

ALLIER

Don au Département des Antiquités grecques et romaines d'un sceau rectangulaire en bronze (1925).

ALLOTTE de La Fuÿe
voir **DAVID-WEILL David**

ALMA-TADEMA Laurence
1864 - 1940
ALMA-TADEMA Anna
1867 - 1943

Respectivement écrivain et peintre paysagiste, filles d'un premier mariage du peintre Lawrence Alma-Tadema (1836-1912) avec une française, Marie-Pauline Cressin. Elles donnèrent en 1934 le buste de *Lady Alma-Tadema*, deuxième épouse de l'artiste, exécuté par A. J. Dalou (Musée d'Orsay).

ALOUF Fouad

Antiquaire à Beyrouth. Don en 1975, au Département des Antiquités grecques et romaines, de l'épitaphe fragmentaire d'un sarcophage en plomb de type "tyrien" et d'un fragment d'un autre sarcophage de même matière.

ALSOP-MOLLARD Mme Enriqueta
Pergamino (Argentine) 1890 - Biarritz 1971

Après le décès du Dr. Eduardo Mollard (Buenos-Aires 1863 - Biarritz 1947), la compagne de sa vie a souhaité que l'État français reçoive en souvenir de ce collectionneur passionné d'art français un ensemble de premier plan de ce qui avait été la collection du Dr. Mollard. Elle donna d'abord en 1961, huit peintures de Renoir* (*Portrait de Charles Le Cœur*), Boudin (deux *Scènes de plage*), Degas, Fantin-Latour*, Rousseau et Corot, exprimant le désir que ces œuvres demeurent groupées sous la dénomination ·"donation Eduardo Mollard" ; à cet ensemble s'ajoutèrent, en 1972, vingt-deux tableaux (Diaz, Jongkind, Lépine, Boudin, Pissarro, dont la *Gelée blanche* de la première exposition impressionniste, Sisley et A. Stevens) léguées par la donatrice pour être joints aux précédents (toutes ces œuvres sont actuellement regroupées au Musée d'Orsay dans une salle consacrée à cette collection). Selon sa volonté, le reste de la collection passa en vente publique à Paris, Palais Galliéra, 4 décembre 1972.

ALTARRIBA Clément

Don en 1977 de deux dessins d'Emile Bernard son beau-père.

ALTOUNIAN Joseph
Constantinople 1889 - Mâcon 1954

D'origine arménienne, antiquaire spécialisé dans l'Antiquité et l'art médiéval. Installé à Paris, il exercera son activité à Mâcon, après son mariage avec Henriette Lorbet, et se fixera dans cette ville en 1938. En 1930 don d'un chapiteau de·marbre italien, du Xᵉ-XIᵉ s.

AMANDRY Pierre

Membre de l'Institut (Académie des Inscriptions et Belles Lettres), membre associé de

L. Alma-Tadema
L. Connell

A. Alma-Tadema
L. Alma-Tadema, Royal Academy of Arts, Londres

A. André

l'Académie royale de Belgique. Membre de l'École française d'Athènes de 1937 à 1941 puis secrétaire de 1942 à 1949 avant d'en être directeur de 1969 à 1981. Ancien professeur titulaire de la chaire d'archéologie de la Faculté des Lettres de Strasbourg. Ses études portent en particulier sur Delphes et il a publié tout particulièrement un ouvrage sur les bijoux antiques de la collection Stathatos. Don en 1950 d'un trône à trois pieds en terre cuite d'époque mycénienne.

AMATEURS groupe d'

En 1890, un groupe d'amateurs se constituait pour acheter en souscription à la veuve d'Ed. Manet, le célèbre tableau de l'artiste, très contesté, *Olympia*, afin de l'offrir à l'État. L'œuvre, convoitée par des amateurs américains et que d'aucuns jugeaient indigne et du Louvre et du Musée du Luxembourg, devait faire son entrée dans les collections nationales grâce à la persévérance des souscripteurs, représentés par Monet. De février à la fin décembre 1890, les négociations furent menées avec ténacité, consacrées le 30 décembre 1890 par l'acceptation définitive de l'État. Pourtant, en ouvrant à *Olympia* les portes du Luxembourg, les donateurs n'obtenaient aucune garantie de la voir un jour accrochée aux cimaises du Louvre. Il fallut qu'en 1906-1907, Clemenceau fasse pression sur le sous-secrétaire d'État aux Beaux-Arts d'alors, Dujardin-Baumetz, pour faire passer le nouveau chef-d'œuvre de l'établissement probatoire au grand musée national. La liste des souscripteurs comprend quatre-vingt-quatre noms qui, s'ils n'étaient restés dans l'histoire de l'art, de la littérature, de la musique, mériteraient de rester dans l'histoire du goût pour leur seule défense de l'œuvre de Manet.

Cat. exp., *Manet*, Paris, grand Palais, New York, Metropolitan Museum of Art, 1983, p. 183 (liste des souscripteurs).

AMATEURS DANOIS groupe d'

Don en 1919 par un "groupe d'Amateurs danois" présidé par Karl Madsen, directeur du Musée royal des Beaux-Arts de Copenhague, d'un tableau de Ch. W. Eckersberg, *Un ancien paquebot danois voguant vent arrière*. Il s'agit

d'un don consenti en échange de la cession au Danemark par l'État français du célèbre *Portrait des filles Nathanson* par Eckersberg. Pendant la première guerre mondiale en effet, ce tableau avait été mis sous séquestre en France avec les biens de Mme veuve Hélène Rée, de nationalité allemande qui, décédée en 1917, l'avait légué au Musée royal des Beaux-Arts de Copenhague.

AMAYENA Mlle Irénée

Don en 1936 de trois dessins.

AMBASSADEUR de la RÉPUBLIQUE ARGENTINE à PARIS

Don en 1933 d'un tableau de Corot, *Paysage au chevrier* (1837), en échange de la mise en dépôt à la légation d'Argentine à Paris d'un *Portrait de Mme de Alvear et de sa nièce* par G. Ferrier, acheté par l'État pour le Musée du Luxembourg en 1911.

AMERICAN WOMEN'CLUB OF PARIS comité d'art

Installé 61 rue Boissière à Paris, ce club féminin a fait don en 1928, au Musée du Luxembourg, d'un tableau d'E. Vail (1857- ?), *Le port de Concarneau* (déposé à Brest en 1971), remis par sa présidente, Mme Walter W. Cotchett.

AMICALE des Anciens de DACHAU voir MOUSSALI Ulysse

AMIET Pierre

Conservateur en chef du Département des Antiquités Orientales de 1968 à 1988 et auteur de nombreux ouvrages (*L'art antique du Proche-Orient*, Paris 1977 ; *La glyptique mésopotamienne archaïque*, Paris, CNRS, 1980 ; *L'âge des échanges inter-iraniens, 3500-1700 av. J.-C.*, Notes et documents, n° 11, Paris, RMN, 1986...). Dons au Département de 1962 à 1969 de différents objets : cylindres, haches du Louristan et une massue qui lui fut donnée par

M. Seyrig[*]. En 1974 don au Cabinet des Dessins de plusieurs œuvres de sa tante Marie-Louise Amiet (1879-1944).

AMIS de BAGATELLE un groupe d'

Ce "Groupe d'amateurs et de Parisiens de Paris" qui comprenait notamment F. Doistau[*] et C. Groult[*], forma le projet, en 1905, d'un musée consacré à l'école de peinture anglaise et abrité dans le pavillon de Bagatelle, dans le Bois de Boulogne. Ses membres devaient prêter les chefs d'œuvre de leurs collections pour des expositions temporaires dont le produit des entrées permettrait à la Ville de Paris, propriétaire du lieu, d'acquérir des œuvres d'art constituant un nouveau musée. Ce projet avorta la même année mais permit cependant l'acquisition, puis le don au Louvre, d'un portrait par Lawrence, *La comtesse d'Inchiquin*.

"Un musée à Bagatelle", *Les Arts*, n° 42, juin 1905, pp. 2-8.

AMIS du LOUVRE société des

Cf. pp. 98 à 106.

ANDRAL Mme Charles Guillaume Paul, née Marie-Blanche Delius
Reims 1837 - Châteauvieux (Loir-et-Cher) 1925

Descendante de Pierre-Paul Royer-Collard (1763-1845), orateur politique et philosophe, qui avait épousé en 1799 Mlle de Forges de Châteauvieux, elle légua deux portraits de son illustre ancêtre, l'un jeune, par Boilly, l'autre (en dépôt à Versailles) par Gericault.

ANDRÉ Alfred
Paris 1839 - Paris 1919

A l'origine apprenti orfèvre, il fut le fondateur de la "maison André", célèbre atelier de restauration toujours existant, qui a travaillé pour les plus grandes collections publiques et privées (celles de la famille de Rothschild notamment), en France et à l'étranger, dans tous les domaines, à l'exclusion de la peinture. Cet atelier a été successivement installé rue Notre-Dame-de-Lorette, puis dans un hôtel particulier, 15 rue Dufrénoy, qu'Alfred André acheta en 1880, et enfin depuis 1971, 107 boulevard de Charonne. A. André donna une coupe en faïence perse (1903), une célèbre plaquette en argent attribué à Brunelleschi, *Le Christ exorcisant un possédé* (1904), et participa à l'acquisition de la collection Victor Gay (cf. Mme Victor Gay). La collection d'A. André (objets de l'Antiquité, du Moyen-Âge et de la Renaissance) fut vendue après sa mort à l'Hôtel Drouot les 23-24 avril 1920.

ANDRÉ Béatrice

Conservateur chargée des inscriptions, entrée au Département des Antiquités orientales en août 1978. Don en 1985 de vases miniatures en albâtre, d'époque néolithique (Syrie), Moyen-Euphrate.

ANDRÉ Édouard
Paris 1833 - Paris 1894

Grand collectionneur, banquier et député du Gard. Il commence v. 1863 à constituer sa collection d'objets d'art qu'il ne cessera d'enrichir en particulier au cours de nombreux voyages en Italie, entrepris d'abord seul puis avec sa femme Nélie née Jacquemart*. Les deux œuvres qu'il donne en 1889 au Département des Sculptures du Louvre - un *Ange adorateur* du XIVᵉ s. et une *Tête d'homme couronné* du XIIIᵉ s. - témoignent de son goût particulier pour l'art italien. Il fut aussi l'un des protecteurs de *La Gazette des Beaux-Arts*, et président fondateur de l'Union des Arts Décoratifs.

ANDRÉ Mme Édouard,
née Nélie Jacquemart
Paris 1841 - Paris 1912

Peintre portraitiste, élève de L. Cogniet. Elle donna en 1872 au Musée du Luxembourg le portrait qu'elle avait fait du général d'Aurele de Paladine (déposé à Versailles en 1887). Elle épousa en 1881 Édouard André*. A la mort de celui-ci en 1894, elle donna au Louvre, en son nom et mémoire, un volet de diptyque de Memling et deux bustes de Carpeaux représentant son mari et son beau-père. En 1897, elle gratifia encore le Département des Sculptures d'une *Vierge* en stuc peint italienne du XVᵉ s. et les départements archéologiques de deux objets romains et de cinquante-cinq objets égyptiens, dont deux têtes royales de l'époque Saïte et un bas-relief peint du Nouvel Empire. Elle légua enfin, en 1912, à l'Institut de France, l'hôtel du boulevard Haussmann contenant la collection d'art ancien ainsi que ses propres œuvres, et son domaine de Chaâlis.

S. de Ricci, "Musée Jacquemart-André", *Les Arts*, fév. 1914, pp. 1-32.

ANDRÉ Mme Eugène Frédéric

Legs en 1922 d'une *Esquisse d'après Rubens* par le peintre G. Ricard (Orsay).

ANDRÉ Léon
Paris 1873 - Paris 1954

D'abord tenté par la peinture, il succéda à son père Alfred André* à la tête de l'entreprise familiale. Il donna en 1919, en souvenir de son père, un bas-relief en ivoire byzantin, un *Baiser de paix* en argent italien du XIVᵉ s. et une coupe en majolique de Faenza, puis en 1948, en souvenir de son fils Pierre, un coffret en émail peint vénitien du XVᵉ s. La maison André fut dirigée après son décès par sa fille, Denise André († 1975), et sa belle-fille, Mme Pierre André, et l'est maintenant par son petit-fils M. Jean-Michel André.

ANDRÉ Pierre
Paris 1905 - Paris 1948

Troisième génération de restaurateurs d'objets d'art, directeur de la célèbre maison André, il collabore pendant vingt-cinq ans à la vie de tous les départements du Louvre. Il participe en Égypte à la restauration du trésor de Tôd. En 1943, il fit don de neuf éléments de garniture de momies, en cuir, datant de la fin du premier millénaire av. J.-C.

ANDRIAN de WERBURG Mme

Don en souvenir de son époux, en 1948, de deux bracelets formés de monnaies hellénistiques et romaines et d'une bague en or avec intaille.

ANGELINI Jean-Baptiste

Numismate, membre du Conseil d'administration des Amis du Musée des Antiquités nationales (St-Germain-en-Laye). Don en 1984 d'un fragment de socle (ou autel ?) en albâtre, du Royaume de Saba.

ANGELY Anne-Marie d'
Paris 1875 - Paris 1944

Anne-Marie d'Angely était la fille de Marguerite de Conflans dont la famille avait été très liée à Manet qui aurait vu chez eux pour la première fois, des tableaux de l'école espagnole. Legs du portrait de sa mère, peint par Manet v. 1873 (Musée d'Orsay).

ANGER Madame
† av. 1874

En exécution d'une clause testamentaire de Mme Anger, son beau-fils, L. Anger, remit en 1874 le portrait de J. D. Doche (1766-1825), chef d'orchestre et compositeur, peint par A. C. Fleury. Mme Anger était veuve, en premières noces, d'un descendant de Doche.

ANNETIN Albert
Laon (Aisne) 1853 - Romilly-sur-Seine (Aube) 1934

Don d'une pendule style Louis XVI (1934).

ANSALONI Louis Maxime
Lons-le-Saunier 1882 - ?

Architecte, conseiller technique honoraire de la Banque de France. Don d'une miniature de Sionest (1965).

ANTERROCHES Louis, vicomte d'

Directeur de la Compagnie du Vésinet. Don en 1895, au Département des Antiquités grecques et romaines, d'une inscription latine trouvée à Aïn Tekbalet, province d'Oran.

ANTOMARCHI Jean
Loreto-di-Casinca (Corse) 1829 - ap. 1900

Lieutenant d'infanterie au 19ᵉ de ligne (1863-1870). Il entreprit des fouilles en Italie à la Tolfa v. 1863 et à Civita-Vecchia en 1869. Dons en 1863 de perles de verre, éléments d'un collier, en 1869, de deux miroirs étrusques et d'une petite amphore en 1867.

ANTONIADES

Don en 1852, au Département des Antiquités grecques et romaines, d'un aigle en marbre, trouvé à Alexandrie.

ANTONY Pol Jacques Vincent,
dit ANTONY-THOURET
Epernay 1886 - Paris 1964

Agent commercial. Il donna en 1920 un tableau de C. Dutilleux, *L'enfant au papillon*. Cette œuvre avait appartenu à la fille de l'artiste, Elisa Dutilleux, épouse du critique Alfred Robaut, et avait été rachetée par la famille à la vente de tableaux qui avait suivi le décès d'E. Robaut-Dutilleux en 1919. P. Antony-Thouret, dont le lien de parenté avec E. Robaut-Dutilleux n'a pu être déterminé, associa le souvenir de la défunte au don du tableau.

APPIA-DABIT Béatrice, Mme Blacher

Graveur suisse, travaillant à Paris. Don à la Chalcographie en 1973 d'une planche gravée, les *Baux*, et de cinq autres en 1976, après l'acquisition de trois premières à partir de 1963.

ARAGON Henry

Don en 1917, au Département des Antiquités grecques et romaines, d'un fragment de cuirasse en bronze doré, d'un petit bouclier de même matière, et d'un relief en os.

ARAPIDES Monsieur

Directeur de l'Eastern Telegraph Company, domicilié à Rhodes. Dons, en 1902 d'une amphore à figures noires et d'une œnochoé rhodienne, et en 1903 de trois marbres antiques découverts à Rhodes.

ARCONATI VISCONTI
marquise Gian-Martino, née Marie Peyrat
Paris 1840 - Paris 1923

Fille d'Alphonse Peyrat, journaliste républicain et anticlérical, directeur du journal *Le Siècle*, et de Marie-Thérèse Risch, Marie Peyrat épousa à Paris, en 1873, le marquis Gian-Martino Arconati Visconti. Veuve dès 1876, elle hérita des biens de son mari en Italie - en Lombardie, à Florence, à Balbaniello sur le lac de Côme - et en Belgique - château de Gaasbeck. Elle passa, cependant, la plus grande partie de sa vie à Paris. Élève de l'École des chartes et de l'École du Louvre, elle montrait un esprit ouvert et hardi et réunissait dans son salon de la rue Barbet-de-Jouy, des personnalités du monde politique et des historiens d'art (Gambetta avec lequel elle entretint une correspondance, Jaurès, J. Reinach*, G. Monod, G. Lanson, L. Liard, R. Kœchlin*, C. Dreyfus*, J. Guiffrey ou P. Vitry*...). Elle ne commença à collectionner qu'après 1890, au moment de la vente de la collection Spitzer*. Sur les conseils d'É. Molinier* et, surtout de R. Duseigneur*, elle réunit bientôt une importante collection composée, en majorité, d'œuvres du Moyen-Âge et de la Renaissance. La marquise Arconati Visconti a fait de nombreuses donations aux musées parisiens (musées des Arts décoratifs, Carnavalet), aux musées d'Angers et de Lyon. Elle racheta les bibliothèques de Gaston Paris et d'Émile Bertaux pour les offrir aux universités de Paris et de Lyon, fonda l'Institut de géographie de Paris. L'École des chartes, la Sorbonne et de nombreuses œuvres philanthropiques bénéficièrent de sa générosité. Elle offrit, en 1922, à l'état Belge, son château de Gaasbeck qu'elle avait transformé en musée de la Renaissance. En 1916, la donation au Louvre de sa collection, y fit entrer des œuvres de toute première importance, aussi bien dans le domaine des dessins (six dessins des écoles française et italienne XVIᵉ-XVIIIᵉ s.), que des peintures (quatorze tableaux dont Botticini, Luini), que des objets d'art (plus d'une centaine de pièces comprenant des aquamaniles, deux triptyques d'ivoire du XIVᵉ s. ; l'armoire dite "d'Hugues Sambin" ; les stalles de Saint-Claude ; des majoliques ; des bronzes de la Renaissance) ou que des sculptures (vingt-huit œuvres dont Desiderio da Settignano, *Jésus et saint Jean Baptiste enfants* ; Donatello, *Vierge et l'Enfant entourés d'anges*, école milanaise, *Stemma aux armes des Visconti* ; Matteo Civitale, *Vierge à l'Enfant* ; école des Mantegazza, *Saint Jean Baptiste* ; Bourgogne, fin XVIᵉ s., *Évanouissement de la Vierge* ; France, XVIᵉ s., *Religieuse en prière* ; atelier du maître d'Esloo, *Saint Léonard, Saint guerrier*). La section islamique avait reçu auparavant (1893 et 1914) plusieurs pièces remarquables (parmi lesquelles : Khorassan, Iʳᵉ moitié XIIIᵉs., plateau de bronze incrusté ; Égypte, XIVᵉ s., bassin ; Iran, 1590-91, seau de bain de cuivre incrusté ; Espagne, XIIᵉ-XIIIᵉ s., pyxide d'ivoire).

J. J. Marquet de Vasselot "La collection de Mme la marquise Arconati Visconti", *Les Arts*, 1903, nᵒ 19, pp. 17-32, nᵒ 20, pp. 1-14. P. Leprieur, A. Michel, G. Migeon, J. J. Marquet de Vasselot, *Musée du Louvre. Catalogue de la collection Arconati Visconti*, Paris, 1917. Cat. exp. *Les Arconati Visconti, château de Gaasbeck*, Gaasbeck, 1967. G. Baal, "Un salon dreyfusard : la marquise Arconati Visconti", *Revue d'histoire moderne*, juill.-sept. 1981, pp. 433-463.

ARGOUTINSKY-DOLGOROU-KOFF Wladimir Nikolaevitch, prince
Tbilissi (U. R. S. S.) 1875 - Paris 1941

Fils du maire de Tbilissi (ancienne Tiflis) et chambellan de la cour, diplomate puis conservateur au Musée de l'Ermitage avant de s'installer en France en 1921. Surtout connu comme amateur et collectionneur de dessins. Don en 1934 d'un *Paysage avec des fabriques et des ruines*, dessin du paysagiste français du XVIIᵉ s., Guillerot.

ARIKHA Avigdor

Peintre et graveur israélien, vivant à Paris. Don en 1983 d'une feuille d'études de Delacroix.

ARIZZOLI Mme Jacques,
née Marie-Adrienne Clémentel
BARRELET Mme James,
née Marie-Thérèse Clémentel

Elles sont toutes deux filles d'Étienne Clémentel*, député du Puy-de-Dôme de 1900 à 1919, sénateur de 1920 à sa mort, ministre de l'Industrie et du Commerce dans le gouvernement Clemenceau de 1915 à 1920. Familier de Giverny, il correspond avec lui de 1916 à 1924 et le dessine. L'un des exécuteurs testamentaires de Rodin, qui lui consacre son dernier buste, il participe à ce titre à la création du Musée Rodin. Marie-Thérèse Barrelet, conservateur au Musée du Louvre, directeur de recherches au CNRS, est spécialiste des Antiquités orientales. Avec sa sœur, Mme Jacques Arizzoli, elle donne en 1988, vingt-sept lettres de C. Monet adressées à É. Clémentel, que complète le don fait au Musée d'Orsay de huit autochromes en couleurs, représentant Monet à Giverny, exécutés par Clémentel lui-même.

Cat. exp. *Étienne Clémentel et les Arts*, Riom, Musée Mandet, 1985.

ARJUZON
Félix Henri Marie Joseph comte d',
Paris 1869 - Paris 1957

En 1841 H. Flandrin peignit le *Portrait du comte Félix d'Arjuzon* (1800-1875) que son petit-fils offrit au Louvre en 1949. Félix d'Arjuzon avait déjà donné, l'année précédente deux dessins de Louis Gaston Adrien de Ségur (1820-1881), élève de P. Delaroche. Ordonné

Ed. André
J.B. Carpeaux, Orsay

Mme Ed. André
E. Hébert, Musée Jacquemart-André, Paris

L. André

Marquise Arconati-Visconti

A. Armand
A. Cabanel, Orsay

Mme Ch. Aston

Mme H. Aubry-Lecomte
H. Aubry-Lecomte, Bibl. nat., Paris

A. Azara
Ch. Hewetson, Bibl. Mazarine, Paris

---

prêtre en 1847, cet artiste était le frère aîné du comte Edgar de Ségur-Lamoignon qui épousa en 1857 Marie Reiset, fille de F. Reiset*.

J. Arjuzon, *Histoire et généalogie de la famille d'Arjuzon*, Paris 1978, pp. 68-69.

ARMAGNAC Mademoiselle Cécile

Arrière-petite-fille du sculpteur Jean-Marie Bienaimé Bonnassieux (1810-1897). Don en 1980 de cinq esquisses en terre et en cire de son aïeul.

ARMAND Alfred
Paris 1805 - Paris 1888

Architecte, constructeur des gares des lignes de St-Germain-en-Laye et de Versailles. En 1863 il entre en relation avec His de la Salle*, recherche des objets d'art et porte surtout son attention sur la photographie et les médailles italiennes des XVᵉ et XVIᵉ s. Legs au Département des Antiquités grecques et romaines, d'une tête de sphinx en marbre blanc rapportée de Baalbeck (dépôt au Département des Antiquités orientales).

ARMÉNIE
République Socialiste Soviétique d'

Le ministre de la culture de cette république a donné en 1976, une grande stèle timbrée d'une croix (Khatckkar), provenant du cimetière Arindji, afin de représenter au Louvre l'art arménien du Moyen-Âge (fin XIIIᵉ-XIVᵉ s.).

ARMINGTON Caroline Hélène
Bompton (Ontario) 1875 - New York 1939

Peintre et graveur canadien, ayant beaucoup travaillé à Paris et en Europe. Après l'acquisition par la Chalcographie de deux de ses planches gravées à l'eau-forte, fit don en 1931 et 1933 de cinq vues des cathédrales de Rouen, Amiens, Chartres, Reims et Tours.

ARMINGTON Franck Milton
Fordwich (Ontario) 1875 - New York 1941

Peintre et graveur canadien, époux de Caroline Hélène Armington*. Après l'acquisition de deux planches gravées à la pointe sèche, fit don en 1931 à la Chalcographie de cinq paysages à l'eau-forte.

ARMITAGE Révérend Elkanah
Manchester 1844 -1929

Pasteur anglais, congressionaliste, spécialisé en philosophie et religions comparées. Fait don en 1881 d'un ostracon démotique au Département des Antiquités égyptiennes.

ARNAUD-JEANTI Monsieur et Madame

Don en 1902, en souvenir de leur fils Gaston, d'un lot de petits objets en marbre, en bronze et en verre, recueilli sur l'île de Crète en 1893.

ARNAULD-BALTARD Mme Paule
Rome 1835 - Paris 1916

Fille unique de l'architecte des Halles et de Saint-Augustin dont elle a donné en 1890 un dessin : *Façade de l'église Saint-Augustin*.

ARNAULT Mme Charles Napoléon (dit Pol), née Caroline Augusta Flore Victorine Venant
Cosne 1828 - Cannes 1904

Petite-fille d'Arnault de Gorse (frère de l'écrivain Antoine-Vincent Arnault [1766-1834], secrétaire perpétuel de l'Académie française), elle épousa l'arrière petit-fils de l'écrivain. Le peintre Boilly se trouva lié à cette famille par son second mariage avec Adélaïde Le Duc, cousine des frères Arnault. Il est l'auteur de six petits portraits de membres de cette famille et d'un de M. Hubert, cousin des Le Duc, que MmeArnault légua au Louvre, ainsi que deux portraits de A. V. Arnault et de sa femme peints respectivement par F. A. Vincent et J. B. Regnault (tous deux déposés à Versailles).

ARNAULT Jacqueline

Héritière de la riche collection de l'architecte Georges Fossard au prieuré de St-Leu d'Esserent.Don en 1978 d'un panneau de sarcophage mérovingien en plâtre.

ASCHER E.

Antiquaire à Paris. Don en 1949 d'un vase hellénistique au Département des Antiquités grecques et romaines, en 1951 d'une statue et d'une coupe au Département des Antiquités égyptiennes.

ASHBURNE Lady, née Mlle de Monbrison

Don en 1920 d'un pastel, portrait présumé de Louise de France, fille de Louis XV, pour répondre au vœu de sa mère Mme R. de Monbrison.

ASSELAIN Mme René, née Paulette Roger-Marx

Fille de Claude Roger-Marx*, critique d'art et collectionneur, et petite fille de Roger Marx (1859-1913), inspecteur des Beaux-Arts, organisateur de l'exposition universelle de 1889, et responsable du Département des Peintures de l'Exposition centennale de 1900. Don en 1978, en souvenir de son père et selon ses vœux, d'un ensemble considérable de dessins français du XIXᵉ s. (trente-et-un), parmi lesquels trois œuvres de Delacroix, un Gericault et un Barye, et de deux peintures de Carrière.

Cat. exp. *Donation Claude Roger-Marx*, Musée du Louvre, 1980-1981.

ASSOCIATION HISTORIQUE POUR L'ÉTUDE DE L'AFRIQUE DU NORD

Don en 1899 de quatre inscriptions chrétiennes et d'un chapiteau, découverts à Bénian, et en 1900 d'une tête de Juba II, en marbre trouvée à Cherchel (Algérie).

ASTON Mme Christopher, née Sylvia Lindo
Kingston (Jamaïque) 1913 - Neuilly-sur-Seine 1982

De nationalité jamaïquaine et britannique, elle exerça la profession de professeur de piano à Londres puis à Paris ; elle pratiqua également la peinture et la sculpture (exposition à la Galerie Katia Granoff en 1975). Le legs qu'elle consentit au Département des Peintures servit à acquérir *L'Aurore* de J. B. de Champaigne (1986) et le *Nu assis* de Ch. W. Eckersberg (1987).

AUBRY Madame
Épouse du miniaturiste Louis François Aubry (Paris 1767 - Paris 1851) qui travailla au Louvre comme restaurateur. Don du *Portrait de l'artiste* (1851).

AUBRY-LECOMTE Mme Hyacinthe, née Lecomte
Fille du commissaire du gouvernement pour les travaux du Simplon, mariée depuis 1821 au dessinateur et lithographe H. Aubry-Lecomte (1787-1858). Don en 1860 de trois dessins de son mari, dont un portrait de leur fille aînée.

AUDÉOUD Jules Maurice
Genève 1864 - Hélouan (près du Caire) 1907

Riche amateur, membre de la branche parisienne d'une famille genevoise, fils du banquier Jules-Paul Audéoud, lui-même donateur du Musée de Cluny. En 1898, donation sous réserve d'usufruit de l'esquisse du *Vœu à l'Amour* de Fragonard et de deux dessins de Boucher et Fragonard. Legs des *Amateurs d'estampes* de Boilly et surtout d'un important ensemble de dessins de Rembrandt, Tiepolo, Watteau, Saint-Aubin, Lawrence ainsi que d'un album de *Notes d'un voyage d'Italie* des Goncourt. Le Musée du Luxembourg, la Manufacture de Sèvres et la Bibliothèque nationale bénéficièrent également de legs. Par son testament de 1899, il institua l'État français son légataire universel et affecta les revenus de sa fortune (plus de sept millions et demi de francs-or) à l'acquisition d'œuvres d'art par le Musée du Louvre. Les arrérages de cette fortune permirent de réaliser de très importantes et très prestigieuses acquisitions : pour le Département des Peintures, le *Saint Sébastien* de Mantegna (1910), *L'Inspiration du poète* de Poussin (1911), *La course des chevaux libres à Rome* de Gericault, *La femme à la perle*, *La Trinité des Monts* et *La dame en bleu* de Corot (1912), le *Saint Jérôme lisant* de Signorelli (1913) et *La mort de Sardanapale* de Delacroix (1921) ; pour le Département des Sculptures les bustes d'*Antoine Coypel* par Coysevox, de *Noël Nicolas Coypel* par J. B. Lemoyne, *L'enfant à l'oiseau* par Pigalle (1910) et *Madame Favart* par J. B. Defernex (1911) ainsi que le relief de Carrières-sur-Seine (3ᵉquart du XIIᵉ s.) en 1921 ; pour le Département des Objets d'Art, deux tapisseries de la tenture de la *Vie de saint Anatoile*

de Salins (Bruges, 1501-1506) et le célèbre *Reliquaire de Jaucourt* en argent doré (Byzance, XIᵉ-XIIᵉ s. et France, XVIᵉ s.).

Bulletin de l'art ancien et moderne 3067 (18 janv. 1908) p. 22. W. Viennot, *Bibliothèque nationale (Département des Imprimés). Catalogue de la collection Audéoud (éditions d'amateurs et reliures modernes)*, Paris, 1912.

AUGÉ de LASSUS Mme Louis
Don en 1925 de cinq fragments d'antiques : des stèles attiques, une *Tête de femme* romaine et un fragment de corniche ayant appartenu à son mari le littérateur (Paris 1841 - 1914) qui fut un grand voyageur découvrant Damas, Palmyre, l'Égypte avec Maspéro*, Troie avec Schliemann.

AUGER Mme Ernest-Édouard, née Émilie-Françoise Lebacqz
Valenciennes 1837 - Valenciennes 1905

Veuve d'un conseiller à la Cour de Cassation qu'elle avait épousé en 1859 et qui mourut à Paris en 1888, elle donna en 1893 deux coffrets en cuir de la fin du Moyen-Âge.

AULANIER Mme Robert, née Christiane Petit
Rueil-Malmaison 1897 - ? 1972

Chargée de mission au Musée du Louvre, elle est surtout connue pour ses travaux sur l'*Histoire du Palais et du Musée de Louvre* (*La Grande Galerie, Le Salon carré*, les *Trois Salles des États*, 1952... *Le Pavillon de l'Horloge*, 1964). Elle donna deux peintures de L. Cogniet (1952) et de Jan Provost (remis par son mari en 1973), et un portrait dessiné de *Julie Manet* par Berthe Morisot en 1969.

AUMONT Mlle Augustine Louise
Paris 1817 - Versailles 1880

Peut-être fille d'un doreur de la Manufacture de Sèvres, sans que l'état civil permette de l'établir formellement, elle légua en 1881, sous réserve d'usufruit en faveur de sa sœur Caroline Aumont, deux tableaux de fleurs et de fruits de Jacobber (entrés dans les collections en 1883, ils furent déposés l'un 1889 à Fontainebleau, l'autre en 1921 au Sénat). La testatrice voulait ainsi "honorer la mémoire de son excellent maître, Mr. Jacobber, ancien peintre de la manufacture de porcelaines de Sèvres".

AUMONT Georges
Paris 1863 - Paris 1931

Avoué près la Cour d'Appel de Paris, légua au Louvre un secrétaire en armoire Louis XV en marqueterie de Reizell et au Musée des Arts décoratifs une pendule Louis XV.

AUNAY Mme Charles Marie Stephen Le Peletier comtesse d', née Sarita Kimbal Berdan
Flatlands (E. U.) 1855 - Paris 1935

Avec son mari, ambassadeur de France, sénateur et Président du conseil général de la Nièvre (1840-1918), elle s'est liée d'amitié avec G. Maspéro* qui les conseilla pour leur collection d'objets égyptiens. Amis de Clemenceau*, proches des Goncourt, leur prédilection allaient aux objets d'Extrême-Orient dont ils réunirent une superbe collection. Don d'un miroir en bronze égyptien de Basse Époque en 1892.

AZARA José Nicolas de
Barbunalès-en-Aragon 1731 - Paris 1805

Diplomate espagnol, ambassadeur à Rome où il édite *Réflexions sur la beauté et le goût* de Mengs tout en réunissant une précieuse collection d'œuvres d'art, grâce aux fouilles archéologiques entreprises à son initiative. Il fit recueillir à Florence les pensionnaires de l'Académie de France, chassés de Rome en 1793 ; son action en faveur de l'armistice conclu en 1796 à Bologne entre la France et le pape lui donna un rôle politique de premier plan (Canova envisagea de lui consacrer un relief sculpté) ainsi que l'ambassade d'Espagne à Paris. Le IV vendémiaire an XII (27 septembre 1803), il fit don au Premier Consul du buste d'Alexandre le Grand découvert dans la villa des Pisons près de Tivoli, œuvre d'un très grand intérêt pour l'Antiquité mais aussi don opportun, alors que le consulat se tournait résolument vers une forme de pouvoir monarchique ; c'est sans doute avec la même idée politique que Napoléon Bonaparte fit déposer le buste du Conquérant au Musée du Louvre.

G. Hubert, *La Sculpture dans l'Italie napoléonienne*, Paris, 1964. S. Nicolàs Gomez, "José Nicolàs de Azara, representante en Italia del pensamiento illustrado espagñol", *Academia* 54 (1982), pp. 239-276.

AZE Mme Adolphe
Don en 1884 d'une aquarelle de son mari, le peintre français A. Aze (1823-1884), au Musée du Luxembourg.

BACHET Jean André
Responsable de fabrication d'appareils médicaux. Don en 1958 d'un fragment de sarcophage d'une chanteuse d'Amon (fin de l'Époque ramesside).

BACONNIERE de SALVERTE comte Gaston
Paris 1827 - Compiègne 1886

Diplomate. Don en 1859, peu de temps avant son mariage avec Marie Pastré, fille du banquier Pastré, d'un scarabée-sceau égyptien, peut-être cadeau du vice-roi d'Égypte, Mohammad Ali, qu'il connaissait bien.

BADEN-GARCIA Madame

Copiste au Musée du Louvre. Don en 1889 au Département des Antiquités grecques et romaines d'une coupe à reliefs.

BADEROU Henri

Historien d'Art et amateur, Henri Baderou compte parmi les grands marchands parisiens de l'après-guerre. En 1975, il a offert au Musée de Rouen l'ensemble de sa splendide collection de dessins et une fort importante collection de tableaux. Le Louvre a également bénéficié de sa générosité. Au Cabinet des Dessins, il a donné en 1946, 1967, 1971, 1974 et 1976 des œuvres souvent choisies par ses soins en raison de leur intérêt pour l'histoire du Louvre (Nicolle, *La Salle des cariatides* ; Percier*, *Projet pour un fronton du Louvre* ; Percier et Fontaine, *Séance de l'ouverture des Chambres au Louvre [en 1820]*) ou complétant les collections (sept dessins de Bison, un portrait-charge de F. A. Vincent...). Quant au Département des Peintures, il a reçu de lui en 1984 une nature morte du milieu du XVIIᵉ s. : *Pêches, prunes et raisins*, par P. Liégeois.

"La donation Suzanne et Henri Baderou au Musée de Rouen", *Études de la Revue du Louvre*, nᵒ 1, 1980.

BAGNEUX Faudoas Serillac Léon, comte FROTIER de
Limezy 1874 - Rennes 1916

Don en 1902 d'un fragment de mosaïque de la fin du IVᵉ s., provenant de la nef centrale d'une église de l'ancienne Rusguniae (Tamentfoust), située sur la rade, non loin d'Alger.

BAILLEHACHE-LAMOTTE Alfred

Legs en 1923 d'une statuette en terre cuite provenant de Béotie.

BAIN-BOUDONVILLE Mme François Louis, née Victorine Jouy
Lille 1797 - Paris 1872

Legs au Musée du Louvre du *Portrait d'Étienne Jouy*, son père, peint par Mme Haudebourt-Lescot, (entré en 1873 et déposé à Versailles). Le modèle était auteur dramatique et homme de lettres, membre de l'Académie française. Sous la Monarchie de juillet il fut conservateur de la bibliothèque du Louvre.

BAKER

Négociant à Sainte-Hélène. Il donna au Musée des Souverains en 1868, un banc utilisé par Napoléon à Sainte-Hélène, affecté au Musée national du Château de Malmaison.

BALSAN M. François

Géologue et explorateur, membre de la Commission centrale de la Société de Géographie dont il devient président en 1959. Don en 1954 au Département des Antiquités orientales d'une gouttière ornée d'un bucrâne provenant de Timna (royaume sud-arabe de Qataban) et d'un fragment de cuillère (Iran sassanide) en 1968.

BANCEL Étienne-Marie
St-Chamond (Loire) 1808 - Paris 1893

Don en 1884 (sous le nom de Jean Perréal, à qui il devait consacrer l'année suivante une monographie restée célèbre) d'un tableau attribué aujourd'hui au Maître de 1499. Une estampe au burin, dont la lettre indiquait le nom et la libéralité du donateur, fut éditée à cette occasion par la Chalcographie.

BAPST Armand
1857 - 1930

Joaillier. Arrière-petit-fils de Bertin l'aîné, fondateur du *Journal des Débats*, et neveu de Mme J. B. L. Say*. Don en 1915, avec celle-ci et Mme Patinot, de deux paysages d'Éd. Bertin (1797-1871). Ces dessins, choisis par le peintre L. Bonnat*, furent offerts en souvenir de Mme Éd. Bertin, tante des donateurs.

BAPST Germain
Paris 1853 - Paris 1921

Cousin issu de germain de A. Bapst*, il appartenait à une illustre famille de joailliers parisiens, originaire de Souabe. Georges-Michel Bapst vint à Paris au milieu du XVIIIᵉ s., se fit naturaliser français, travailla avec le célèbre Strass et épousa sa nièce. Au XIXᵉ s., les Bapst furent joailliers de la Couronne pendant trois générations, de la Restauration au Second Empire. A la mort d'Alfred Bapst (1823-1879), dernier joaillier de la Couronne, son fils Germain lui succéda en s'associant avec Lucien Falize, puis se sépara de celui-ci en 1892 pour se consacrer à l'érudition. On lui doit de nombreuses études sur l'orfèvrerie et la joaillerie anciennes (notamment *Les Germain*, 1887 ; *Histoire des Joyaux de la Couronne de France*, 1889), des éditions de textes (*Inventaire de Marie-Josèphe de Saxe*, 1883 ; *Testament du roi Jean le Bon et inventaire de ses joyaux à Londres*, 1884), ainsi que des publications suscitées par les expositions universelles. Il fut président de la Société nationale des Antiquaires de France. Il donna en 1889 deux tympans en carreaux de faïence turcs, œuvres très importantes provenant de Constantinople (1574), et légua un buste intime de la princesse Mathilde, en plâtre, par J. B.Carpeaux (Orsay).

BARASSE-LEBEL Albert

Fils du Libraire, éditeur H. Barasse-Lebel (1828 - 1912). Don en 1923 d'un dessin de Chaplin, *Portrait de Daubigny*.

BARATZ Léon
Kiev (U. R. S. S.) 1871 - Cannes 1961

Avocat et professeur, d'origine russe, il légua aux musées nationaux une collection de peintures, dessins et aquarelles russes du XVIIIᵉ au XXᵉ s., en demandant que cette libéralité (acceptée par le Comité dès 1962 et par arrêté en 1966) soit enregistrée comme "don de M. et Mme Léon Baratz en mémoire de M. et Mme Abraham Dobry". Le Louvre reçut ainsi deux portraits peints par M. F. Quadal (*La grande duchesse Maria* ; *La grande duchesse Anna*), deux autres par V. L. Borovikovski (*Les princesses Kourakine* ; *Serguei Iakovlev*) et un dessin de Repine. Le Musée national d'Art moderne s'enrichit du reste de la collection, comprenant une vingtaine d'œuvres, en particulier d'artistes ayant travaillé pour les Ballets russes : Annenkoff, Bakst et Alexandre Benois. L'une des cinq aquarelles de ce dernier et une peinture de Boris Grigorieff représentent le château d'Auxigny à Quantilly (Cher), propriété de M. Dobry († 1936) et de Mme Dobry, née Lubov Baratz, à qui toutes ces œuvres avaient appartenu.

BARBAROUX Monsieur

Conseiller honoraire à la Cour d'Appel de Paris. Don d'une miniature d'Henry, *Portrait du Girondin Charles Marie Barbaroux*, grand-père du donateur (1891).

BARBE Francis
BARBE Mme Francis, née Suzanne Goumy

Antiquaire parisien spécialisé dans le XVIIIᵉ s., Fr. Barbe était établi 112 boulevard de Courcelles et est maintenant retiré. En 1988, M. et Mme Barbe ont offert une paire de bergères d'une qualité exceptionnelle, exécutée par J. B.Cl. Séné pour le château de Mme Élisabeth à Montreuil (Versailles).

BARBEDIENNE Ferdinand
St-Martin-de-Fresnay (Calvados) 1810 - Paris 1892

Associé d'Achille Collas, l'inventeur de la machine à réduire, Barbedienne fonda la plus importante maison d'édition de bronzes d'art du XIXᵉ s. Ses catalogues commerciaux proposaient des tirages en plusieurs dimensions d'œuvres anciennes ou modernes, de torchères, lampes, candélabres, qu'il vendait dans le monde entier. A la vente après décès de Barye, Barbedienne acheta cent-vingt-cinq modèles du sculpteur, qu'il édita à de très nombreux exemplaires, et l'esquisse en plâtre retouché à la cire du *Lion assis* qu'il donna au Louvre la même année.

Metman, *La petite sculpture d'édition*, thèse dactylographiée de l'École du Louvre, Paris, 1944.

G. Bapst

F. Barbedienne
H. Chapu, Musée des Beaux-Arts, Caen

J.H. Barbet de Jouy
C. Godebski, Orsay

BARBET de JOUY Joseph-Henri
Canteleu 1812 - Paris 1896

Second fils de Juste Barbet, qui avait acheté à Jouy la fabrique de tissus imprimés fondée par les Oberkampf, Joseph-Henri Barbet de Jouy, après des études de droit et d'architecture, entra au Louvre en 1850 comme attaché à la conservation des Objets d'Art du Moyen-Âge et de la Renaissance puis il devint successivement conservateur adjoint des Antiques et de la Sculpture moderne en 1855, ensuite conservateur du Musée des Souverains de 1863 à la fin de l'Empire et conservateur des Objets d'Art. De cette période datent ses publications sur les collections du Louvre, en particulier sur les gemmes et joyaux de la Couronne et ses divers dons au Musée (dessins, sculptures, objets d'art). Nommé directeur des musées nationaux en 1879 (révoqué en 1881), il fut élu en 1880 membre de l'Académie des Beaux-Arts.

Ussel, comte d', "Barbet de Jouy. Son journal pendant la Commune", *Revue hebdomadaire*, X, 1898, pp. 178-204 et 320-342

BARBOU DES COURRIÈRES Édouard

St-Hilaire-Bonneval (Haute-Vienne) 1896 - Bordeaux 1987

Industriel, collectionneur et critique d'art. Don, en 1956, d'un *Christ en croix*, de bois, en partie du XIIIᵉ s.

BARD Aimé Joseph
Ausat-sur-Allier 1873 - Dinan 1943

Ingénieur. Legs d'une miniature, *Portrait du général Bard* (1943).

BARDAC Noël Nathan
Odessa 1849 - 1915

Naturalisé français par décret présidentiel en 1878. Il a entrepris la constitution du groupe destiné à fournir des fonds à la Compagnie du Chemin de fer de Beyrouth-Damas-Hauran, entreprise menée à bonne fin. Don du cône d'Enténéma, et d'une statuette en terre cuite trouvée à Priène, *Éros nu volant*, en 1896.

BARDAC Sigismond
Nijni-Novgorod (U. R. S. S.) 1856 - Paris 1919

Banquier. Don en 1897 d'un vase à deux becs du début du XVIIᵉ s. en terre vernissée provenant de La Chapelle-des-Pots (Charente-Maritime).

BARDEY Pierre

Négociant à Aden (Yémen du Sud). Correspondant du Ministère de l'Instruction publique et des Beaux-Arts (Comité des travaux historiques et scientifiques). Don en 1908, 1910, 1912 d'objets sud-arabiques.

BAREILLER Paul Auguste François
Boissise-le-Roi (Seine-et-Marne) 1831 - Melun 1887

Emprisonné à Melun pour avoir blessé un de ses ouvriers, il lègue, par testament de février 1887, par misanthropie, sa fortune au Kronprinz d'Allemagne (qui refuse), et par philanthropie, ses valeurs mobilières (200.000 F.) à l'État français afin de créer un fonds dont les revenus serviraient à des acquisitions des musées nationaux. En outre des tapisseries, des sièges, des faïences, porcelaines et d'autres objets d'art seront remis aux musées de Sèvres, de Cluny, des Arts décoratifs, Guimet et à la Manufacture des Gobelins. Le Département des Objets d'Art recevra quatre pièces, dont deux bronzes italiens du XVIIᵉ s. Sur les arrérages de ce legs ont été acquis pour le Département des Peintures le premier Raeburn entré au Louvre, *La capitaine Hay of Spot*, ainsi qu'un Goya et un Hoppner ; pour le Département des Sculptures quatre pièces des XIVᵉ et XVᵉ s. ; pour la Section islamique des faïences et bronzes persans ; enfin pour le Département des Objets d'Art un reliquaire en argent orné de style byzantin (Italie, XIIIᵉ s.), deux anges en laiton (Flandres, XVᵉ s.), un vase en faïence à décor en camaïeu (Florence, XVᵉ s.), une tapisserie "mille fleurs", *Le concert* (France, v. 1500), etc.

BAREISS Monsieur

Don en 1967 de tessons de céramique grecque.

BARGUET Paul

Égyptologue, après l'I. F. A. O, participe à des campagnes de fouilles de Karnak puis devint conservateur au Département des Antiquités égyptiennes (1959-1966). Enseigne l'égyptologie à la faculté de Lyon puis à la Sorbonne. Don d'une trentaine de silex provenant de la région thébaine (1948).

BARNES colonel John

Barnes, alors capitaine, fit partie de la garnison anglaise de Sainte-Hélène à partir de 1810. En 1866, époque à laquelle il résidait à Jersey, il offrit au Musée des Souverains une canne en bambou dont Napoléon se servait à Sainte-Hélène, déposée au Musée de l'Armée en 1908.

G. Martineau, *Napoléon's Last Journey*, Londres, 1976

BAROIS Julien
1849 - Paris 1937

Ingénieur, inspecteur général des Ponts-et-Chaussées, membre de l'Institut d'Égypte et de l'Académie des Sciences coloniales, chargé de missions dans divers pays d'Europe et du Proche-Orient. Il travailla, en Égypte, pendant une trentaine d'années, à des projets d'irrigation. Don en 1935, d'un chandelier de cuivre incrusté d'argent (Égypte ou Syrie, fin XIVᵉ s.).

BARON Stanislas
Mont-de-Marsan 1824 - Paris 1908 (?)

Négociant en vins, collectionneur et antiquaire. Dons au Louvre (1894 et 1898) de plusieurs ivoires médiévaux dont un olifant (Italie du sud, fin XIᵉ s.) et d'une gargoulette à décor d'épigraphie arabe.

BARRELET James

Secrétaire-général de l'Industrie du verre du Marché commun, directeur-général-adjoint de la Fédération du verre français, président des Amis du Musée national des Arts et Traditions populaires, auteur de nombreux articles et ouvrages sur la verrerie dont, notamment, *La Verrerie en France de l'époque gallo-romaine à*

J. Bartet
J.E. Blanche, Versailles

L. Barthou
K. Van Dongen, coll. part.

E. Bastien-Lepage
J. Bastien-Lepage, Orsay

nos jours (Paris, 1953). Don en 1986 au Département des Objets d'Art d'une coupe française en opaline montée, du début du XIXᵉ s., portant l'étiquette du célèbre fabricant et marchand parisien L'Escalier de cristal.

BARRELET Mme James
voir **ARIZZOLI** Mme Jacques

BARRÈRE Pierre Edmond de
Morlaix 1819 - Paris 1890

Diplomate en poste à Tiflis, puis au Proche-Orient. Don en 1867, par l'entremise de Saulcy*, d'une lampe de mosquée en cuivre "provenant de la mosquée d'Omar à Jérusalem".

BARROIS Jean Pierre Frédéric
Paris 1786 - Meaux 1880

Miniaturiste. Legs en 1880 d'une de ses œuvres *Etude d'un Dalmate* (déposée au Musée des Arts décoratifs), médaillée au Salon de 1819 ; don manuel par M. E. Schlœsing fils, de Marseille, héritier de Mme Victor Desain (1913).

BART Victor
Versailles 1816 -1898

Premier adjoint au Maire de Versailles de 1874 à 1884, conseiller municipal, donateur de la Bibliothèque municipale de Versailles. Don en 1894 au Cabinet des Dessins d'un *Portrait de Bonaparte* par Dutertre.

BARTET Mme Julia
Paris 1854 - Paris 1941

Jeanne Julie Regnault, dite Julia Bartet, sociétaire de la Comédie-Française, a légué un tableau de J. Ch. Cazin, *L'orage à Equihen*, (accepté en 1942 ; maintenant au Musée d'Orsay), qu'accompagnaient deux lettres du peintre lui demandant le prêt de l'œuvre pour l'Exposition Universelle de 1900. Le legs comprenait en outre le portrait de l'actrice, exécuté au pastel par J. É. Blanche (Versailles).

BARTHOLONI Jean
Genève 1880 - Genève 1937

Compositeur de musique, auteur de poèmes symphoniques et d'œuvres pour piano, violon et orgue, il fut Président du Conservatoire de Genève et publia des critiques musicales et un livre sur Wagner. Don en 1921 de deux tableaux italiens, l'un d'après Batoni, l'autre de Guidobono.

BARTHOU Louis
Oloron-Ste-Marie 1862 - Marseille 1934

Homme politique, plusieurs fois ministre sous la Troisième République, président du Conseil et sénateur, il fut tué lors de l'attentat dirigé contre le roi Alexandre Iᵉʳ de Yougoslavie. Bibliophile, amateur érudit (passionné par la musique et la littérature romantique, il est l'auteur de livres et d'articles consacrés à Wagner, Lamartine, Vigny et Hugo), il légua au Louvre trois dessins de Fragonard, ainsi que deux tableaux français du début du XVIIIᵉ s. (*Bacchante*, parfois attribué à Lemoyne), et du début du XIXᵉ s. (*Portrait de femme*, alors attribué à Fragonard).

BASSIER André

M. A. Bassier a travaillé au service technique du groupe Boussac. La seconde femme de son père qui avait tenu une galerie à Paris, lui avait légué des œuvres du peintre, aquarelliste et graveur Éd. J. Dufeu (1840-1900). M. Bassier a généreusement donné, en 1977, un dessin de cet artiste *Scène orientale*.

BASTIEN-LEPAGE Émile
Damvillers 1854 - Paris 1938

Émile Bastien-Lepage vouait à son frère aîné, le peintre Jules Bastien-Lepage une très grande admiration. C'est avec lui qu'il fit ses premiers pas dans la peinture de paysage avant de se tourner vers l'architecture. Il fut l'élève de l'architecte André à l'École des Beaux-Arts. Don au Louvre de deux œuvres de son frère en 1926 (Orsay).

BASZANGER Lucien
Amsterdam 1890 - Genève 1971

Joaillier de nationalité hollandaise, établi à Genève. Il y fut président de la Chambre de Commerce des Pays-Bas en Suisse. Il offrit en 1946 une célèbre bague en or ornée d'une émeraude gravée. Grand admirateur de Napoléon, il fut aussi un donateur des Musées nationaux d'Ajaccio et de Malmaison.

BATISSIER Louis
Bourbon-l'Archambault 1813 - Enghien 1882

Médecin, inspecteur des Monuments historiques de l'Allier en 1839 puis chargé de mission en Grèce, Syrie et Asie Mineure. Consul de France à Suez de 1848 à 1861, il fait don en 1851 d'une importante collection de papyrus égyptiens, de vases, d'amulettes et de la superbe stèle en bois peint de Taperet, ainsi que de plusieurs objets au Département des Antiquités grecques et romaines.

BATTÉ Mme Léon

Don en 1922 de deux dessins italiens provenant de la collection Morris Moore* en souvenir de son mari, ami de Morris.

P. Bautier

BAUDICOUR Prosper Collette de
Paris 1788 - Paris 1872

Fils d'un avocat au Parlement de Paris, cet amateur fortuné qui occupait un hôtel particulier situé 91 boulevard Saint-Michel, rassembla une nombreuse collection de gravures et publia *Le Peintre-graveur français continué*, suite du *Peintre-graveur français* de Robert-Dumesnil (2 vol., Paris, 1859-1861). Don en 1853 au Musée des Souverains d'un dessin représentant Bonaparte en 1785.

BAUDIN Mme Charles Philippe Maurice, née Henriette Julie Françoise Mallet
Paris 1836/37 - Cannes 1895

A légué au Louvre un tableau que son mari et elle-même avaient acquis à Delft en 1864 : un *Portrait d'homme*, par W. Willemsz. van Vliet.

BAUDIN Henri
Lyon 1882 - Les Millonets, Vétheuil (Val d'Oise) 1952

Fils du peintre E. Baudin (Lyon 1843 - Lyon 1907), lui-même sculpteur sur bois avant de devenir acteur (théâtre, cinéma muet et début du parlant ; il joua dans une soixantaine de films dont *Le cheminot* et *Les trois mousquetaires)*, également photographe, il donna en 1934 un tableau de son père, *Camélias dans un vase* (dépôt en 1960 au Mobilier national). Il est l'auteur de précieux écrits sur son père conservés à l'état de manuscrits dans les archives familiales.

BAUDIN Mme Henri Jean, née Anne Victoire Lucile Renaud
La Gua (Charente-Maritime) 1834 - Paris 1917

Les deux portraits du XVIIIᵉ s. qu'elle légua au Louvre sont ceux de ses arrière-grands-parents maternels : J. B. Loÿs, écuyer, conseiller et secrétaire du roi, peint en 1769 par L. M. Van Loo, et Mme J. B. Loÿs, née Marie Combe, peinte en 1768 par F. H. Drouais.

BAUDIN Jean
voir **DERECQ Fernand**

BAUDOIN Henri
Paris 1876 - Paris 1963

Commissaire-priseur à Paris de 1908 à 1942. Don en 1939 de deux dessins d'A. de La Patellière.

BAUDOUIN Charles
Paris 1790 - Le Vésinet 1867
BAUDOUIN Hippolyte

Ancien officier de cavalerie de la Grande Armée, Charles Baudouin donna, avec son frère Hippolyte, propriétaire-rédacteur du *Moniteur de l'Armée* en 1864, un groupe en terre cuite exécuté en 1799 par le sculpteur Louis Delaville, représentant "sept enfants jouant à la main-chaude ou les arrière-petits-enfants de Boucher". Charles et Hippolyte Baudouin faisaient partie de ces sept arrière-petits-enfants de Boucher, tous enfants du célèbre imprimeur-libraire de l'Assemblée sous la Révolution, François-Jean Baudouin, dont la mère était la fille cadette du peintre.

M. Beaulieu "Oeuvres inédites d'un sculpteur oublié : Louis Delaville (1763-1841)" *Bulletin de la Société de l'Histoire de l'Art français*, 1976 (1978), pp. 301-312.

BAUGÉ Madame
1840 - ?

Professeur de musique et de diction. Don d'une miniature représentant le *Portrait du Général Balland*, aïeul de la donatrice (1897).

BAUGNIES Monsieur G.

Don en 1929 d'une aquarelle de E. Detaille, en exécution des volontés de Mme Roger-Jourdain*.

BAUTIER Pierre
Péronnes-lez-Binche 1881 - Bruxelles 1962

Savant conservateur des Musées Royaux de Belgique qui démissionna prématurément en 1927, lié à Éd. Michel*, conservateur au Louvre et à Albert P. de Mirimonde*, esprit curieux voyageant à travers l'Europe, connaisseur et admirateur de l'art français, défenseur de la peinture belge du XVIIIᵉ s. Il avait réuni une importante collection de tableaux dans son hôtel de l'avenue Louise à Bruxelles. Il donna au Louvre en 1960, par l'intermédiaire de la Société des Amis du Louvre, une imposante toile de Verhaghen, le *Festin d'Hérode*. P. Bautier montrait ainsi son attachement à la France (le tableau fut déposé, avec le plein accord du donateur, au Musée de Dijon, ville et musée qu'il affectionnait). En outre, à plusieurs reprises il fit bénéficier de sa générosité par divers dons et legs les Musées Royaux des Beaux-Arts (Jordaens, K. X. Roussel, Maliavine...) ainsi que l'Académie Belgica à Rome qui reçut de lui une *Vue de l'Arc de Triomphe de Constantin* peinte par H. Van Lint. Enfin, il légua sa précieuse bibliothèque à la Fondation nationale Princesse Marie-José à Rome et sa documentation et ses notes de travail à l'Université de Louvain.

Baron Descamps, "In memoriam Pierre Bautier", *Bulletin des Musée Royaux des Beaux-Arts, Bruxelles*, nᵒ 1-2, mars-juin 1962, pp. 147-147. J. Lavalleye, "Notice sur Pierre Bautier, membre de l'Académie", *Annuaire de l'Académie royale de Belgique*, t. CXXXI, 1965, pp. 224-237. A. P. de Mirimonde, "Musée des Beaux-Arts de Dijon. Le Festin d'Hérode par Pierre-Joseph Verhaghen", *La Revue du Louvre et des Musées de France*, 1968, nᵒ 4-5, pp. 265-266.

BAUTTE de FAUVEAU Mlle Augusta
Florence 1847 - Genève 1938

Sa mère, Mme Bautte, née Annette de Fauveau, était la sœur de Félicie de Fauveau, sculpteur, dont le portrait par A. Scheffer a été légué au Louvre en 1900 par Mme Marjolin-Scheffer*. Par l'intermédiaire de son cousin, W. Rossel*, elle donna en 1938 le portrait de sa grand-mère maternelle, Mme Alexandre de Fauveau, née de Lapierre, peint par R. Lefèvre en 1807 (dépôt en 1951 par l'intermédiaire du Mobilier national à l'Ambassade de France près le Saint-Siège à Rome, Villa Bonaparte).

BAYE Joseph, marquis de
Paris 1853 - 1931

Explorateur et archéologue, il fit des séjours en Russie et en Sibérie. En France il explora les nécropoles des "champs d'urnes" de Champagne et donna sa collection au Musée des

M. Bazille
F. Bazille, Louvre

Comtesse A. de Beausacq
J.J. Henner. Orsay

Antiquités nationales (St-Germain-en-Laye, où une salle portait son nom). Don au Louvre de vingt-trois vases caucasiens et transcaucasiens (1900-1901) ainsi que de céramiques provenant de Crimée et d'objets de métal provenant de tombeaux du Caucase (1895, 1900 et 1905).

BAZAINE Mme Achille, née Bazille

Don en 1929 d'un dessin de Sir George Hayter (Londres 1792 - 1871), grand-père maternel de son mari.

BAZILLE Frédéric
Montpellier 1877 - Méric, près Montpellier, 1965

Fils de M. Bazille* et neveu du peintre dont il portait le prénom ; don en 1949 de deux dessins de son oncle, une étude pour *La baignade*, (Fogg Art Museum, Cambridge, E. U.), et une étude pour *La robe rose*, peinture donnée par son père.

BAZILLE Marc
Montpellier 1845 - Montpellier 1923

Frère du peintre F. Bazille (1841-1870) ; dès 1904, il participa à l'acquisition par le Musée du Luxembourg, de *La réunion de famille*, peinture transférée au Louvre en 1929 puis au Musée d'Orsay. En 1921, il fit don de deux albums de dessins de son frère, ainsi que d'un dessin de Renoir. Il a légué deux peintures de son frère, *L'Atelier de l'artiste, rue de La Condamine* et *La Robe rose*, ainsi qu'un *Portrait de Frédéric Bazille* par Renoir.

BEAUCHAMP Monsieur de

Don en 1896, au Département des Antiquités grecques et romaines, de quatre petites statuettes en terre cuite d'Attis tenant la syrinx.

BEAU-CHARRIER Mme Madeleine

Fille du peintre H. Charrier (1859-1950) dont elle a donné en 1977 trois dessins : *Paysage de la Creuse, La muse du sculpteur* et *Étude pour une musicienne.*

BEAUMONT comte de

En 1817, alors qu'il était "Lieutenant de Roi à Vincennes", il offrit à Louis XVIII cinq tableaux représentant des membres de la famille royale. Les portraits du Dauphin et de la Dauphine, père et mère du souverain, furent envoyés à St-Cloud (localisation actuelle inconnue) ; les portraits par Nattier de Madame Louise, de Madame Sophie et de Madame Adélaïde sont conservés, les deux premiers à Versailles, le troisième au Louvre.

BEAUMONT comtesse Louis Robert de la Bonninière de, née Jeanne Élizabeth de la Croix de Castries
1843 - Paris 1891

Élève et amie du peintre Hébert (qui fit son portrait en 1879) et du compositeur Jules Delsart, célèbre pour sa beauté (les assiduités du prince de Metternich l'avait compromise au point de provoquer une séparation de corps et de biens d'avec son époux, le comte de Beaumont). Legs au Louvre de *La Vérité* de P. Baudry (Musée d'Orsay).

R. P. d'Uckermann, *Ernest Hébert, 1817-1908*, Paris, 1982.

BEAUNE Philibert
Vitteaux (Côte d'Or) 1806 - St-Germain-en-Laye 1867

Ancien conseiller de la préfecture de la Côte d'Or, plus tard attaché à la conservation du Musée des Antiquités nationales de St-Germain-en-Laye; cet archéologue bourguignon donna en 1851 deux esquisses du sculpteur dijonnais J. Dubois, *Vierge à l'Enfant* et *Saint Bernard.*

BEAUSACQ comtesse Alfred de, née Marie Joséphine de Suin
Cherbourg 1829 - Paris 1899

Femme de lettres, sous le pseudonyme de "Comtesse Diane", elle fréquenta notamment Pierre Loti, Sully Prudhomme, Hérédia. En 1886, Henner fit son portrait, qu'elle légua au Louvre (accepté en 1900, conservé au Luxembourg puis au Louvre, maintenant au Musée d'Orsay.)

BECK Jean
Bonn 1776 - Paris 1845

Graveur en pierres fines puis fondeur, il avait réuni un petit cabinet de curiosités. Il légua au Louvre deux ivoires et un bronze. Il est également donateur du Cabinet des Médailles à la Bibliothèque nationale.

J. F. Leturcq, *Notice sur Jacques Guay, graveur en pierres fines du roi Louis XV*, Paris, 1873, p. 4.

BECKER Eugène et Mme, née Marie-Louise Labrosse

Antiquaire, rue de l'Université, spécialisé dans les arts décoratifs du XVIIIᵉ s. et les tissus anciens, Eugène Becker offrit avec sa femme, en 1986, un plateau de tasses à glace en porcelaine de Sèvres (v. 1780) et un couteau aux armes du prince Eugène, et en 1988 une terrine du service dit des Asturies.

BECQ de FOUQUIÈRES Monsieur

Inspecteur des Théâtres. Don en 1905 d'un tableau d'I. Pils : le *Portrait de François Pils*, le père de l'artiste (dépôt à Compiègne en 1953).

BEER Edgar

Marchand d'antiquités établi à Bruxelles. Don en 1948 de textes cunéiformes babyloniens, et en 1950 d'une plaquette et d'un scarabée égyptiens.

C. de Beistegui
I. Zuolaga, Louvre

Mme L. Belly
L. Belly, coll. part.

BEGUIN Madame

Don en 1952 au Département des Antiquités égyptiennes d'un masque de sarcophage, d'une lampe en terre cuite et d'une statuette d'Isis en bronze.

BÉHAGUE Martine Marie Pol, comtesse de
Paris 1870 - Paris 1939

Comtesse de Béarn par son mariage avec René Marie Hector de Galard de Brassac (dont elle divorça) et tante du marquis H. de Ganay*, elle fit don au Musée du Louvre d'un cadre ancien de style italien en bois sculpté et doré de la fin du XVIᵉ s. destiné à encadrer *La Joconde* (1909).

BEISTEGUI Carlos de
Mexico 1863 - Biarritz 1953

D'origine basque, il arriva en France dès 1876, au moment où ses parents s'y établirent. Peintre amateur, il fut conseillé à ses débuts par L. Bonnat qui put lui donner le goût de la collection. Dès 1902, il achetait en bloc et donnait à la Bibliothèque nationale la célèbre collection de médailles et de monnaies d'Alsace, formée par H. Meyer. C. de Beistegui constitua une collection de peintures limitée quant au nombre, mais très exigeante quant à l'importance des œuvres, achetant parfois à la demande des conservateurs du Louvre des pièces que ceux-ci ne pouvaient acquérir pour le musée. Des portraits de la fin du XIXᵉ s. et du début de ce siècle figuraient aussi dans la collection : toiles de ses amis espagnols Madrazo et Zuloaga, de Bonnat, Léandre, Caro-Delvaille et Etcheverry. Donnée en 1942 sous réserve d'usufruit et entrée au musée à la mort du donateur, la collection, une des plus belles reçues par le Louvre, et qui doit être présentée groupée, témoigne de la prédilection pour l'art du portrait des XVIIIᵉ et XIXᵉ s. qu'avait le collectionneur : portraits de la *Duchesse de Bouillon* de Largillière, de *Madame Drouais* de F. H. Drouais, de la *Duchesse de Chaulnes* de Nattier, d'un *Artiste* de Fragonard, de *Bonaparte*, de *Madame de Verninac* et de *Monsieur Meyer* de David, de *Madame Lecerf* de Gérard, de *Bartolini* et de *Madame Panckoucke* d'Ingres ; portraits de *Livio Odescalchi* de Van Dyck, de la *Marquise de la Solana*, chef d'œuvre de Goya, et de *Mrs Cuthbert* de Lawrence, auxquels on peut ajouter, par Zuloaga, le portrait de *C. de Beistegui* et un *Autoportrait*. La donation comprend aussi deux précieux primitifs français, *La Vierge à l'Enfant* bourguignonne du début du XVᵉ s., et le *Charles Orland* de J. Hey ; la *Didon* de Rubens, *Le feu aux poudres* de Fragonard et deux petits Meissonier, *La barricade* et le *Liseur*. En outre, en 1935, C. de Beistegui avait participé (pour 20.000 F.) à l'achat de la célèbre paire de chenêts de F. T. Germain (acquise pour 300.000 F.).

J. Guiffrey, "La collection Carlos de Beistegui", *Gazette des Beaux-Arts*, mars 1931, pp. 137-154. G. Bazin, "Les récentes acquisitions du Musée du Louvre. La donation Carlos de Beistegui", *Revue des Beaux-Arts de France*, 1943, nᵒ V, pp. 263-275, pp. 325-333. J. Babelon, "La collection Carlos de Beistegui", *Beaux-Arts*, 10 fév. 1943, p. 3.

BÉJOT Eugène
Paris 1867 - Paris 1931

Peintre et graveur, il désigna pour légataire universel le Cabinet des Estampes de la Bibliothèque nationale, à charge pour celui-ci de remettre divers legs particuliers, notamment au Département des Manuscrits de la Bibliothèque nationale (manuscrits d'Henry Bataille, dont E. Béjot avait hérité) et au Louvre, où entrèrent, en 1932, un tableau de Boudin de 1865 (Musée d'Orsay) et deux grandes aquarelles d'Hervier.

BELICS Simon

Don en 1976 du *Portrait de Tolstoï*, peint par L. Pasternak et d'une aquarelle de K. P. Brülow ((Orsay).

BELLANGER Angélique Louis Charles
Paris 1815 - 1886

Legs de deux dessins de Prudhon : un *Autoportrait* et un *Portrait de Constance Mayer*.

BELLANGER Mme Camille

Veuve du peintre C. F. Bellanger (Paris 1853-1923), second Prix de Rome en 1875, auteur d'un *Traité de peinture*. Don de cinq dessins en 1925 et 1926 au Musée du Luxembourg, (reversement au Cabinet des Dessins en 1933).

BELLERY-DESFONTAINES Mme Henri Jules Ferdinand

Veuve du peintre Bellery-Desfontaines. Don (conformément aux volontés de son mari) en 1910 d'un dessin de A. F. Cals, *Portrait de Mme Ricard*, tante de la donatrice.

BELLON

Don en 1879 d'une statuette grecque en terre cuite.

BELLY Mme Léon, née Émilie Laure Klose
Strasbourg 1836 - château de Montboulan, Salbris (Loir-et-Cher) 1925

Descendante de l'industriel Samuel Kœchlin, fondateur de la célèbre fabrique d'indiennes de Mulhouse, elle épousa en 1862 le peintre L. Belly. Devenue veuve (1877), elle eut à cœur de perpétuer le souvenir de son mari, dont elle offrit au Louvre, en 1877, 1894 et 1902, trois peintures et trois dessins. A sa mort, ses enfants, Édouard (naturaliste, 1866-1931) et Marguerite (Mme François Urbain, 1872-1960), donnèrent encore, en son nom, trois tableaux et cinq albums de croquis de Belly. (Quatre des peintures ont été attribuées au Musée d'Orsay et deux déposées, en 1954, au Musée de St-Omer, ville natale de l'artiste ; les dessins sont conservés au Louvre, Département des Arts graphiques).

BELMORE John Armar Lowry Corry, Earl of

Amateur irlandais, héritier d'une collection familiale. Il a donné en 1983 une très belle bergère Louis XV en bois doré, estampillée N. Blanchard.

Comte A. de Bendern

G. Bénédite

L. Bénédite
A. Beaury-Saurel, Orsay

BENDERN Arnold Maurice Deforest, comte de
Paris 1879 - Biarritz 1968

Fils naturel du baron Maurice de Hirsch de Gereuth, célèbre banquier et philanthrope d'origine bavaroise (1831-1896), et de Juliet Arnold, il hérita de son père une fortune considérable. D'abord baron de Forest (titre autrichien confirmé en Angleterre en 1900) et citoyen anglais, il fit ses études à Eton et devint officier, servant en France en 1914. Il fut membre du London County Council (1910-1913) et du Parlement britannique (1911-1918). Puis, propriétaire d'un domaine au Liechtenstein, il s'y fit naturaliser en 1932 et reçut du prince de Liechtenstein le titre de comte de Bendern, Bendern-sur-le-Rhin étant la seconde ville du pays. En 1936, il fut nommé conseiller diplomatique de la principauté. Le comte de Bendern possédait notamment le château de Promenthoux, à Prangins (Suisse), et, à partir de 1940, la villa Espoir, à Biarritz, dans laquelle il mourut. Passionné de courses automobiles, d'ornithologie (il créa une réserve d'oiseaux sur le lac de Genève), de tableaux (sa collection renfermait notamment des œuvres de Titien, Breughel, Van Dyck, Greuze), le comte de Bendern était aussi un homme très généreux. Il donna notamment à la Ville de Paris son domaine de Beauregard, à La Celle-St-Cloud, afin qu'y soient construits des logements sociaux modèles et des logements d'artistes. Il offrit au Louvre en 1950 la célèbre paire d'armoires en marqueterie Boulle provenant de la collection de William Beckford.

BENEDICT Kurt Werner Hans Martin
Berlin 1899 - Paris 1972

Élève de M. Friedländer, il s'intéressa à la peinture du XVIIᵉ s. nordique et française, notamment à la nature morte, publia entre autres un article sur Osias Beert en 1938 et contribua à la découverte de Linard en rédigeant le premier catalogue de l'œuvre de cet artiste en 1948. Il travailla d'abord pour la galerie Van Deemen à Berlin, puis installa sa propre galerie à Paris dès 1935 ; il poursuivit sa carrière de marchand de tableaux jusqu'en 1970. Collectionneur de tableaux et de dessins du XVIIᵉ s., il donna en 1937 au Musée du Louvre une *Scène de l'Ancien Testament* de L. Bramer (apparemment disparu pendant la dernière guerre). Il est également donateur de plusieurs musées allemands ainsi que des musées d'Alger et de Tel-Aviv.

BÉNÉDICTINES de BAYEUX

Don en 1939 au Département des Antiquités égyptiennes, par une pensionnaire retraitée du monastère des Bénédictines de Bayeux, au nom de cette institution, d'un fragment de coffret de toilette en bois du Nouvel Empire.

BÉNÉDITE Georges
Nîmes 1857 - Louxor (Égypte) 1926
BÉNÉDITE Léonce
Nîmes 1859 - Paris 1925

Égyptologue, Georges fut conservateur en chef du Département des Antiquités égyptiennes du Louvre, jusqu'à sa mort, survenue au cours d'une mission archéologique. Son frère Léonce, d'abord attaché au Musée de Versailles, puis conservateur du Musée du Luxembourg (1892) et du Musée Rodin, publia de nombreux ouvrages sur les peintres et les sculpteurs du XIXᵉ s. Tous deux ayant hérité de la collection de peintures et d'objets d'art (surtout modernes) de leur ami Georges Michonis (Versailles 1860 - Paris 1901), donnèrent, en souvenir de lui et selon son désir, certaines de ces œuvres aux musées. Le Louvre et le Luxembourg reçurent en 1903 : le triptyque de *L'âge d'or* que L. Frédéric venait d'achever (Musée d'Orsay), une esquisse peinte de Ch. L. Müller, deux gouaches de C. Schwabe, un dessin de Flers, un portrait au crayon par Allais de l'aïeul de G. Michonis et, pour le Département des Objets d'Art, un bronze d'homme nu d'après un modèle du XVIᵉ s. D'autres œuvres de la collection Michonis furent en 1905 destinées à divers musées de province, notamment à celui de Besançon (une aquarelle de C. Schwabe et des objets d'art de Gallé, Brateau, Chaplet, etc.). L. Bénédite fut en outre donateur, à titre personnel, d'une peinture de Puvis de Chavannes, *Saint Sébastien* (Musée d'Orsay) qu'il offrit en 1923 en mémoire de l'artiste qui la lui avait dédicacée, et d'une miniature de F. Millet (transférée du Musée du Luxembourg au Louvre en 1931).

A. Dezarrois, "Léonce Bénédite", *Le Bulletin de l'Art ancien et moderne*, juin 1925, pp. 177-180

BENGESCO Mlle Marie

D'origine roumaine, don en 1913 d'une petite amphore de verre qui proviendrait de Syrie.

BENOIST-DEVÉRIA Henri

Petit fils du peintre Achille Devéria, frère de Jacques Devéria*, établi à Viña-del-Mar au Chili, il donna en 1926 le double *Portrait d'Achille et Eugène Devéria* (dépôt en 1927 à Versailles).

BENOIT Camille
Roanne 1851 - Paris 1923

Compositeur, élève de C. Franck, auteur de plusieurs poèmes symphoniques, dont *la Nuit*, inspiré de Michel-Ange, musicologue. L'amitié d'Henry Roujon le fit entrer au Louvre en 1888 comme attaché au Département des Peintures dont il devint conservateur adjoint en 1894. Il s'y spécialisa dans l'étude des Primitifs français et nordiques, publiant entre 1899 et 1904 des articles fondamentaux, entre autres dans la *Gazette des Beaux-Arts* et la *Chronique des Arts*. Devenu aveugle, il prit prématurément sa retraite en 1918, et donna alors au Louvre plusieurs tableaux : la *Nef des Fous* de J. Bosch, la *Cour de ferme* de C. van Dalem et, par l'intermédiaire de M. Fenaille*, la "*Petite Pieta ronde*", œuvre française du XVᵉ s. L'administration lui conféra alors l'honorariat. L'année suivante, il offrit un dessin d'A. Brouwer. Les musées de Versailles, de Reims et de sa ville natale, bénéficièrent aussi de ses dons.

P. Jamot, "Camille Benoit (1851-1923)", *Gazette des Beaux-Arts*, juill.-août 1923, pp. 81-88.

BENTIVOGLIO d'ARAGON Stanislas Prosper Philippe comte
Florence 1822 - Florence 1889

Consul de France à Smyrne de 1861 à 1871. Don en 1872 d'une stèle funéraire à fronton trouvée à Ephèse.

C. Benoît
H. Fantin-Latour, Orsay

M. et Mme G. Bernheim de Villers
A. Renoir, Orsay

BERALDI Henri
Paris 1849 - 1931

Bibliophile, écrivain auteur de plusieurs travaux érudits sur l'histoire de la gravure. Don en 1923 d'un dessin de C. Nanteuil : *La jolie fille de la garde.*

BERARD Maurice Robert Georges
Paris 1891 - 1985

Banquier. Collectionneur d'objets d'art de haute époque et de tableaux modernes. Président des Amis du Musée national d'Art moderne. Vice-président des Amis du Louvre et des Amis d'Eugène Delacroix. Président d'honneur de l'Association Léonard de Vinci. Membre de la Société française d'Égyptologie et du comité de la Société de l'Histoire du Protestantisme français. Don en 1948 de deux tessères romaines en os.

BÉRAUD-VILLARS Madeleine

Don en 1955 de soixante-deux carreaux provenant du château d'Écouen.

BÉRÈS M. et Mme Pierre

Grand libraire, éditeur et amateur parisien, il donne en 1979 au Cabinet des Dessins, avec son épouse douze dessins de P. Laprade, dont plusieurs projets d'illustrations.

BERGER

Commandant. Dons de cylindres et cachets, fragments de tablettes, objets divers, inventoriés en 1912.

BERGER Herman Georges
Bassens (Gironde) 1875 - Nice (Alpes-Maritimes) 1924

H. G. Berger était le fils de l'ingénieur des Mines Paul-Louis-Georges Berger, importante personnalité officielle de son temps qui collabora activement, entre autres, aux expositions universelles de 1867, 1878, 1889 et 1900. P. L. G. Berger était en outre président de la Société des Amis du Louvre, membre du Conseil supérieur des musées, et membre de l'Institut. A sa mort, en 1910, H. G. Berger fit don au Musée du Louvre, en souvenir de son père, de deux majoliques italiennes qui furent choisies par G. Migeon* et L. Metman. Parmi celles-ci figure une importante coupe de Faenza attribuée au "Maître vert" et datée 1524.

J. J. Marquet de Vasselot, "Les céramiques italiennes de la donation de M. H. G. Berger au Louvre", *Bulletin des musées de France*, 1911, p. 20.

BERGER Philippe
Beaucourt 1846 - Paris 1912

Il soutint une thèse de théologie en 1873, puis devint professeur d'hébreu à la Faculté de Théologie protestante. Il collabora au *Corpus inscriptionum semiticarum* avec Renan au fauteuil duquel il succéda à l'Académie des Inscriptions et Belles-Lettres. Il termina sa carrière d'enseignant comme professeur d'hébreu au Collège de France. Il fit don, en 1892, d'un fragment de carreau en céramique provenant du tombeau de la sultane Zobeid à Bagdad.

BERGER Mme Samuel, née Lucie Hélène Himly
Paris 1861 - Paris 1944

Fille de L. A. Himly (Strasbourg 1823 - Paris 1906), membre de l'Institut, Doyen de la Faculté des Lettres de Paris. Legs du portrait de son père par le peintre strasbourgeois J. Wencker (entré en 1945 ; déposé, en raison des origines du modèle et du peintre, en 1946 au Musée des Beaux-Arts de Strasbourg) et d'un dessin de J. Th. Schuler, également strasbourgeois.

BERGER de XIVREY Jules
Versailles 1801 - St-Sauveur-lès-Bray 1863

Bibliothécaire à l'Arsenal, conservateur adjoint à la Bibliothèque nationale, membre de l'Académie des Inscriptions et Belles Lettres (1839). Don en 1863 d'une tête d'homme en calcaire d'Edesse.

BERGES

Don en 1919 au Département des Antiquités grecques et romaines d'un fragment de bandeau funéraire en or, de figures de style archaïque et de deux petits oiseaux en tôle d'or.

BERNARD Fernand

Chef d'exploitation du chemin de fer d'Hanoï au Tonkin. Dons au Département des Antiquités grecques et romaines, en 1902 d'un torse de jeune homme en marbre et d'un plomb de commerce syrien, et en 1903, au Département des Antiquités orientales, d'un petit groupe de calcaire phénicien et d'un sanglier en terre cuite trouvé à Beyrouth.

BERNARD Georges
Paris 1874 - Paris 1951

Collectionneur parisien, il donne en 1938 l'esquisse d'un fronton de la Cour carrée du Louvre par Lesueur.

BERNHEIM de VILLERS Gaston
1870 - 1953
BERNHEIM de VILLERS Mme Gaston, née Suzanne Adler
1883 - 1961

Gaston Bernheim de Villers (associé à son frère Josse Bernheim-Jeune*), fut aussi peintre sous le nom de Villers. En 1937 il donna un pastel de Degas et un dessin de Cézanne. En 1951, à l'occasion du cinquantième anniversaire de son mariage il fit don d'une série de portraits de famille par Renoir et Vuillard le représentant, ainsi que son épouse, et leurs enfants, prématurément disparus, Geneviève (comtesse Jean Boby de La Chapelle, 1907-1936) et Claude, inhumé à Auschwitz en janvier 1944. Toutes ces œuvres sont maintenant regroupées au Musée d'Orsay avec le portrait par Bonnard de *Josse et Gaston Bernheim* précédemment au Musée national d'Art moderne, et qui faisait partie du même don.

BERNHEIM de VILLERS héritiers de Gaston

C'est grâce aux petits enfants et héritiers de Gaston Bernheim de Villers*, que à la suite du décès de Mme Gaston Bernheim de Villers*, la *Nature morte à la bouilloire* de Cézanne chef d'œuvre de jeunesse de l'artiste (1963), pu rentrer dans les collections nationales (Orsay).

BERNHEIM-JEUNE galerie

Alexandre Bernheim (1839-1915), fondateur de la galerie parisienne Bernheim-Jeune dont les activités se poursuivent aujourd'hui, a d'abord exercé le métier de marchand de tableaux à Bruxelles. Il s'installa à Paris et à la fin des années 1880, ses deux fils Joseph (Josse) Bernheim (1870-1941) et Gaston Bernheim* furent associés à l'entreprise. Autour de 1900, Bernheim-Jeune en vint à se consacrer presque exclusivement aux peintres impressionnistes et à ceux de la génération suivante, Van Gogh, Seurat, Signac, Cross, Bonnard, Maillol, Marquet, Dufy, Matisse, Van Dongen, Vlaminck, Utrillo, Chagall, Gromaire. La galerie doublée d'une maison d'édition d'art occupa successivement des locaux rue La Fayette, rue Laffitte, boulevard de la Madeleine et rue Richepanse, avenue de l'Opéra et enfin faubourg Saint-Honoré et avenue Matignon. A plusieurs reprises (1911, 1912, 1917, 1933) ces grands marchands parisiens ont contribué, par leur dons, à l'enrichissement des collections du Louvre (David, Dehodencq, Ribot, *Le Sermon*, en souvenir d'Alexandre Bernheim, Ingres).

L'Art Moderne et quelques aspects de l'art d'autrefois, 163 planches d'après la collection privée de MM. J. et G. Bernheim-Jeune, poème d'H. de Régnier et textes par d'autres auteurs, Paris, 1919.

BERNIER Louis
Paris 1846 - Paris 1919

Architecte, élève de Daumet, Grand Prix de Rome en 1872, membre de l'Institut, il reconstruit l'Opéra Comique. Legs d'un fragment de base en marbre d'Halicarnasse.

BERR Mlle Alice
Mostaganem (Algérie) 1871 - Paris 1965

Don en 1961, en souvenir de sa mère Noémie Sophie Crémieu, de *Bacchus et Ariane* d'après A. Coypel (dépôt en 1968 au Mobilier national).

BERSIER Jean Eugène
Paris 1895 - St-Barthélémy-d'Anjou (Maine-et-Loire) 1978
BERSIER Mme Jean Éugène,
née Marie Valentine Aubert
Loriol (Drôme) 1899 - St-Barthélémy-d'Anjou (Maine-et-Loire) 1982

J. E. Bersier (peintre et graveur, historien d'art, professeur à l'École des Beaux-Arts d'Alger et de Paris) et Mme Bersier ont donné en 1973 au Cabinet des Dessins cinq œuvres (qui entrèrent, l'une immédiatement, les autres en 1983 après extinction d'usufruit) : deux cartons de P. Baudry pour la décoration de l'Opéra, deux paysages de J. Ch. Cazin et une feuille d'études de Gauguin.

BERSIER Jean Eugène
Paris 1895 - St-Barthélémy-d'Anjou (Maine-et-Loire) 1978
LEBÉE Edmond
St-Germain-en-Laye 1891 - Morienval (Oise) 1981

J. E. Bersier* et E. Lebée, banquier, amis du peintre R. X. Prinet (dont le premier avait été l'élève) furent légataires et exécuteurs testamentaires de sa veuve. A ce double titre, en 1959, ils donnèrent au Louvre, en souvenir de Mme et de M. Prinet, trois peintures de ce dernier (maintenant au Musée d'Orsay) et neuf dessins anciens de sa collection, parmi lesquels une gouache double-face d'Oudry illustrant le *Roman comique* de Scarron et des feuilles de Blœmaert, Jouvenet, Pater, Boucher, Raffet et Amaury-Duval.

BERTAULT A.

Son père fut l'ami et le mouleur du sculpteur Dalou. Don en 1926, de deux œuvres de ce dernier, une *Tête de Fleuve* et le masque de Delacroix, étude pour le *Monument de Delacroix*, ainsi qu'un *Enfant* dû au sculpteur Falguière (Orsay).

BERTAUTS-COUTURE Georges
Villiers-le-Bel 1885 - Arcachon 1957
BERTAUTS-COUTURE Mme Georges,
née Simone Edith Henriette Le Gros
Périgueux 1889 - Arcachon 1963

G. Bertauts-Couture était le petit-fils du peintre T. Couture (1815-1879). Sa mère, Mme Bertauts, née Berthe Couture, était la fille aînée de l'artiste. G. Bertauts-Couture fit une carrière militaire qu'il termina comme lieutenant-colonel. Il publia une partie de la correspondance et des manuscrits de son grand-père dans deux études qu'il lui consacra : *Thomas Couture (1815-1879). Sa vie, son œuvre, son caractère, ses idées, sa méthode par lui-même et par son petit-fils*, Paris, 1932, et "Thomas Couture. Sa technique et son influence sur la peinture française de la seconde moitié du XIXe s.", *Études d'art*, n° 11/12, 1955-1956, Alger, Musée des Beaux-Arts. M. Bertauts-Couture donna en 1953 quatre dessins préparatoires au *Baptême du Prince impérial* (Musée national du Château de Compiègne) et déposés aussitôt au Musée de Compiègne. En 1953, avec Mme Bertauts-Couture, il fit une donation sous réserve d'usufruit de deux dessins et de quatorze tableaux, qui entrèrent en 1964, après le décès de sa veuve. Selon les vœux des donateurs, les œuvres furent déposées dans divers musées de province (les dessins de Montpellier en 1971, et les tableaux en 1966, à Bagnères-de-Bigorre, Beauvais, Bordeaux, Castres, Dijon, Lyon, Nantes, Reims, Rennes, Senlis et Toulouse). En outre le Musée de Compiègne bénéficia plusieurs fois de la générosité du colonel Bertauts-Couture de 1931 à 1964.

BERTELS Mme Henri

Don en 1927 d'un dessin de Carpeaux, *Portrait de Thomas Prior Armand*, ami de l'artiste.

BERTHELIN Louis Eugène Georges
Fontenay-aux-Roses 1841 - Rosny-sur-Seine 1904

Attaché d'ambassade à la légation de France en Hollande en 1864, puis en Italie en 1868, il devint secrétaire d'ambassade en Chine en mars 1869 et à Tanger au mois de juillet de la même année. Par testament il légua au Louvre, au nom de son père Bon-Louis Berthelin (1806-1879), conseiller à la Cour de Cassation, un groupe en terre cuite de Clodion représentant un *Satyre couronnant une bacchante*.

BERTHELLEMY André Marie Désiré
Paris 1868 - Paris 1943

Amateur et collectionneur. Donation sous réserve d'usufruit, en 1929, d'un ensemble de peintures - Renoir, *La liseuse* ; Toulouse-Lautrec, *Portrait de Louis Bouglé, Le commissionnaire, Femme dans un lit* - et de dessins de Barye, C. Guys, Forain et Toulouse-Lautrec.

BERTIN-MOUROT
Mademoiselle Thérèse

Nièce de Paul Jamot*. Don en 1942 de trois dessins de J. Labasque.

BERTRAND Jean
Bonifacio 1790 - Paris 1876

Général. Don en 1850 d'une nymphe en bronze, au Département des Antiquités grecques et romaines.

BERTRAND Louis
Spincourt 1866 - Cap-d'Antibes 1941

Écrivain français, auteur d'intéressantes biographies historiques, il fut élu membre de l'Académie française en 1925. Don en 1889 d'une inscription chrétienne découverte à Philippeville (Algérie).

BESANÇON Julien

Journaliste. Don en 1981 d'une brique de Gudea avec inscription relative à la construction d'un temple de Ningirsu, terre cuite, Tello, v. 2150 av. J.-C.

BESNUS Georges dit DENOINVILLE
1864 - Paris (?) 1950

Fils du peintre M. A. Besnus (1831-1909), romancier, secrétaire du Syndicat de la Presse artistique, collaborateur au *Voltaire*, au *Journal des Arts*, à la *Gazette des Beaux-Arts*, et à *L'Art et les Artistes*. Il réunit ses critiques sous le titre *Sensations d'art* (1898-1913, 8 vol.). Don d'un dessin de G. Michel en 1911.

BESSIÈRES baron Ferdinand
Toulon 1858 - Paris 1908

Legs d'une boîte en or et écaille portant au couvercle une miniature de la maréchale Bessières, duchesse d'Istrie.

BESSIÈRES Napoléon
Prayssac (Lot) 1802 - Arnouville-lès-Gonesse 1856

Fils du maréchal d'Empire, Jean-Baptiste Bessières, 2e duc d'Istrie, pair de France, légua *Le premier consul passant une revue et distribuant des sabres d'honneur après la bataille de Marengo* de Gros (déposé en 1874 à Compiègne, en 1939 à Malmaison, en 1958 à Versaille puis en 1969 à Malmaison). Il avait donné en 1852 onze amphores grecques trouvées à Rhodes et portant le cachet des magistrats chargés de la vérification.

BESSINS Amédée

Don en 1894 d'une aquarelle d'Edme de Saint-Marcel.

BESSON Mme George,
née Jacqueline Marguerite Bretegnier-André

Artiste peintre sous le nom de Bret-André, seconde épouse du critique et collectionneur George Besson, elle succéda à son père adoptif Albert André comme conservateur du Musée de Bagnols-sur-Cèze. Par des dons à différents musées elle défend la mémoire d'Albert André dont, en 1975, elle donne aux musées nationaux dix huit dessins.

BEULÉ Karl
Paris 1860 - Rabat 1913

Commandant au 8e régiment de tirailleurs algériens en garnison à Bizerte (Tunisie). Legs du portrait de sa mère, dessin de Cabanel.

BEURDELEY André Alfred Marie

De la famille des ébénistes et collectionneurs Alfred I et II, et Marcel Beurdeley*, il était lui-même industriel. Don en 1920, sous réserve d'usufruit, d'un dessin de l'école souabe du XVe s., *La pièce de maîtrise*, qui venait de la collection d'Alfred II Beurdeley, son parent.

BEURDELEY Louis-Auguste-Alfred I
Paris 1808 - Paris 1882
BEURDELEY Alfred II-Emmanuel-Louis
Paris 1847 - Paris 1919

Jean Beurdeley (1772-1853) avait ouvert un magasin de curiosités à Paris, sous la Restauration, rue Saint-Honoré. Son fils Alfred I transféra la maison paternelle au pavillon de Hanovre, boulevard des Italiens, et lui adjoignit un atelier de fabrication de meubles, voué à l'interprétation du mobilier du XVIIIe s. Il devint sous le Second Empire, par la qualité de sa production, l'ébéniste le plus réputé de Paris dans ce genre, fournissant l'Empereur et brillant aux expositions universelles. Il transmit en 1875 son entreprise à son fils Alfred II qui se spécialisa dans les copies des meubles célèbres du Garde-Meuble national mais ferma son atelier en 1894. Grands collectionneurs, Beurdeley père et fils donnèrent en 1880 la marche d'autel de la chapelle du château de La Bastie-d'Urfé (Loire), composée de carreaux en faïence dûs au fameux potier rouennais Masséot Abaquesne (1557).

D. Ledoux-Lebard, *Les ébénistes du XIXe s., 1795-1889*, 2e éd., Paris, 1984, pp. 75-82.

BEURDELEY Marcel
St-Pair-sur-Mer (Manche) 1899 - Paris 1978

Avocat au Conseil d'État et à la Cour de Cassation, il était le fils d'Alfred II Beurdeley*, ébéniste et collectionneur. Aux meubles, objets d'art, peintures et dessins hérités de son père, il se plut à adjoindre des œuvres d'artistes contemporains ; la collection ainsi réunie fut, après sa mort, dispersée en vente publique à Paris, le 16 mai 1979. Marcel Beurdeley a légué cinq lithographies de Fantin-Latour dédicacées à son père, cinq aquarelles et dessins d'artistes divers, et cinq tableaux, dont une rare marine de Delacroix (*La mer vue des hauteurs de Dieppe*) et les portraits de son grand-père et de son père, peints, le premier par Baudry en 1862, le second par Zorn en 1906 (tous deux au Musée d'Orsay).

BEZOMBES Roger

Peintre et graveur. Don à la Chalcographie en 1974 d'une pierre lithographique, *Incarnat*.

BIAGGI Auguste

Élève du sculpteur A. J. Dalou, il exposa régulièrement au Salon de la Société nationale des Beaux-Arts. Don en 1952, d'une œuvre de Dalou, le *Forgeron* (Orsay).

BICHET Albert
Paris 1840 - Amilly (Loiret) 1920

Ce grand collectionneur de céramique fit des dons importants au Musée des Arts décoratifs, au Musée de Cluny, au Musée de Sèvres et au Musée du Louvre. Parent par alliance du peintre James Tissot il offrit également au Musée du Luxembourg en 1904 un des chefs-

A. I Beurdeley
P. Baudry, Orsay

A. II Beurdeley
A. Zorn, Orsay

L.M. Bing
L. Cappiello, Louvre

Comtesse A. de Bismarck
C. Beaton

F. Bisson de la Rocque

d'œuvre de ce dernier, le portrait intitulé *Les deux sœurs* (Musée d'Orsay). Ses dons au Musée du Louvre en 1897, 1908 et 1911, se composent de douze faïences françaises parmi lesquelles une célèbre bouquetière rectangulaire de Rouen signée de la manufacture de Levavasseur (v. 1775).

BIDDLE Fondation

La collection de Mrs Margaret Biddle, riche américaine fixée à Paris et dont les réceptions en son hôtel de la rue Las-Cases étaient célèbres, comprenait surtout des impressionnistes ; elle fut dispersée après sa mort à Paris, Galerie Charpentier le 14 juin 1957. C'est en souvenir de Mrs Thomson-Biddle et de l'amitié qu'elle témoignait à la France que la Fondation Biddle (représentée par les enfants de Mrs Biddle, M. Theodore Schulze et Mme Peggy Downey) remit en juin 1957 aux musées nationaux la *Fête algérienne* de Renoir (qui avait longtemps fait partie de la collection de Monet).

BIDEAU Yannick

Directeur de galerie. Don en 1984 au Cabinet des Dessins d'un important dessin de G. Courbet : *Autoportrait à la pipe*.

BIESTA MONRIVAL
voir MONRIVAL Mme Auguste

BIGAULT du GRANRUT Louis Paul Gaston
Châlons-sur-Marne 1872 - Paris 1953

Général, commandant en chef des troupes du Levant de 1921 à 1923. Don en 1934 d'une figurine de déesse syrienne en bronze.

BIGOT Mme Henri, née Ida Bienvaux
Senlis (Oise) 1896 - Neuilly-sur-Seine 1984

Conformément aux volontés exprimées dans son testament (qui elles-même s'inspiraient d'un vœu formulé par un cousin, Louis Gustave Wolf Oberlin, décédé en 1925, précédent propriétaire du tableau) ses enfants ont remis

au Louvre un portrait de l'École française de la fin du XVIIIᵉ s. représentant un membre de la famille : Claude Louis Leconte (legs accepté par le Comité en 1985 et par arrêté en 1987).

BIGOT Louis Vincent
Paris 1832/33 - Château de Launay, Senguy (Vienne) 1909

Directeur honoraire des droits d'entrée et d'octroi de Paris. Legs de trois gouaches de l'école française du XVIIᵉ s. et d'une somme de 50.000 F. destinée à l'achat d'un tableau du XVIIIᵉ s.

BIJASSON Mme Henri, née Hermine de Turenne
Paris 1864 - Sannois (Val-d'Oise), 1942

Légua deux tableaux de H. F. Riesener, trois miniatures de l'école française, des bijoux et des objets d'art de la fin du XVIIIᵉ et du XIXᵉ s., dont un presse-papier ayant appartenu à Rachel, déposé au musée de la Comédie française.

BILLARD Antoine

Legs en 1864 de deux petites figurines en terre cuite au Département des Antiquités grecques et romaines.

BILLY comte Robert de
BILLY comtesse Robert de, née Yvonne Fenaille
Paris 1890 - Montrosier (Aveyron) 1985

Au nom de son père M. Fenaille*, la comtesse Robert de Billy, associée à son mari, a fait don en 1948 de vingt dessins d'A. Caron, destinés à illustrer *L'Histoire françoyse de nostre temps...*, publication imaginée par N. Houel en l'honneur de Catherine de Médicis.

J. Guiffrey, *Les Dessins de l'Histoire des Rois de France par Nicolas Houel*, Paris, Ed. Champion, 1920.

BING Lucien Marcel
Paris 1875 - 1920

Antiquaire et collectionneur, il permettait, par testament de 1911, aux musées nationaux, de

faire un choix dans sa collection. R. Kœchlin* et G. Migeon* choisirent d'importants dessins de Degas, dont le *Portrait d'Hélène Hertel*, *Femmes sur la pelouse*, deux études pour la *Répétition de chant*, ainsi qu'un *Buste de jeune fille*, plâtre de F. Rude, et un tesson de verre à décor de lustre polychrome (Égypte, XIIᵉ s.). Oeuvres et objets sont entrés au Musée en 1922.

BINOT Mme Jean

Legs d'un couvercle de sarcophage en bois peint du Nouvel Empire, transmis en 1961 par Mme Bartoli en exécution des volontés de Mme Binot.

BIOCHE de MISERY Alexandre Philippe
† 1841 ?

Legs d'un autoportrait dessiné de Girodet, qui lui avait été offert par l'artiste en 1834.

BIRKHAUSER M. et Mme Robert Raymond

Industriel américain en accessoires d'automobiles, passionné d'histoire napoléonienne et collectionneur d'œuvres d'art et de souvenirs de cette époque, R. R. Birkhauser donna avec son épouse au Louvre en 1982, par l'intermédiaire de la Lutèce Fondation*, le *Bonaparte franchissant les Alpes* de P. Delaroche.

BIRTSCHANSKY Zacharie
Moscou 1889 - Paris 1950 (?)

Marchand de tableaux. Don en 1939 d'un paysage d'A. Magnasco.

BISMARCK comtesse Albert, née Mona Strader
Louisville (États-Unis) 1899 - Paris 1983

Citoyenne américaine originaire du Kentucky, elle avait épousé dans les années vingt Harrison Williams, l'un des hommes d'affaires les plus influents de l'époque ; après la mort de ce dernier, elle se remaria successivement avec le comte Albert Edouard Bismarck puis en 1971, avec le comte Umberto Nicolas De Mar-

E. Bizot

E. Blémont
H. Fantin-Latour, Orsay

tini. Elle était célèbre non seulement pour sa beauté et son élégance qu'attestent de nombreux portraits, mais aussi pour le cadre raffiné dans lequel elle vivait à Long-Island, Capri et Paris. C'est dans son hôtel parisien, 34 avenue de New York, qu'elle a souhaité créer la Fondation Mona Bismarck, association américaine à vocation artistique et culturelle. Ses collections, ont été dispersées en 1987 à Monte-Carlo, Londres et Florence. Mais dès 1974, elle avait donné au Louvre sous réserve d'usufruit deux tableaux importants de G. D. Tiepolo (donation acceptée en 1975) ; elle avait abandonné son usufruit en 1981, après la mort du comte De Martini.

BISSIEU Raimond Clément Émile
Verneuil-sur-Avre 1865 - Paris 1954

Représentant de commerce. Don en 1917 d'une statuette en plâtre représentant *Louise Colet* par Pradier. Sa mère, Mme Colet-Bissieu, née Henriette Suzanne Colet, était la fille de Louise Colet.

BISSON de la ROCQUE Fernand
Bourseville (Somme) 1885 - Neuilly 1958

Égyptologue, fouilleur en Palestine puis en Égypte, il permet l'entrée au Louvre en 1924 de la célèbre tête de Didoufri. Nommé directeur des fouilles du Musée du Louvre, il se consacre à Médamoud puis à Tôd - site encore aujourd'hui fouillé par le Louvre -, deux sanctuaires dont l'histoire remonte du Moyen Empire jusqu'à l'époque arabe. Les "portraits" de Sésostris III, le célèbre trésor de Tôd, proviennent de ces campagnes, dont il dressa un volumineux rapport dans la série des fouilles de l'*Institut*. Dons en 1929 et 1930.

Bulletin de l'Institut français d'Archéologie Orientale 58 (1959), pp. 175-184.

BIVER comtesse Marie Louise Berthe Diane
Villiers-le-Bacle (Essonne) 1896 - Paris 1986

Femme de lettres, historienne d'art, auteur d'une thèse sur la *Sculpture officielle du Premier Empire* et d'un ouvrage sur l'architecte Fontaine. Don en 1981 d'un buste de Voltaire par Houdon en marbre, et du plâtre du buste d'*Andromaque* par Milhomme.

BIZET

Don, en 1861, du très beau casque d'or découvert à Amfreville (Eure), à Napoléon III qui le fit déposer au Louvre ; ce casque fut ensuite transmis en 1958 au Musée des Antiquités nationales, qui jusqu'alors, en exposait une copie.

BIZOT Ennemond
Lyon 1900 - Paris 1988
BIZOT Mme Ennemond, née Marguerite Gillet
Lyon 1904 - Paris 1986

Ancien élève de l'École Polytechnique, industriel, membre du Conseil artistique de la Réunion des musées nationaux de 1968 à 1984, E. Bizot a réuni une collection très éclectique. Il a offert au Louvre, en son nom et celui de son épouse, une tapisserie d'après Lurçat (1978), un centre de feuillet de diptyque d'ivoire du VIᵉ s. (1979), et une *Tête de Christ* (1981) provenant de l'Hôtel-Dieu de Tonnerre (Bourgogne, v. 1300). Il participa également financièrement à un don des Amis du Louvre pour le Cabinet des Dessins : *Le couronnement de la Vierge* de Jordaens (1980).

BLANC Alexandre

Don en 1928 de cinquante-cinq verres antiques.

BLANC Étienne

Descendant du comte Henri Delaborde (1811-1899) qui fut conservateur du Cabinet des Estampes à la Bibliothèque nationale, secrétaire perpétuel de l'Académie, critique d'art, il donna une œuvre de G. Moreau : *Hésiode et la Muse*, qui faisait partie de la collection du comte, en 1961 (Orsay).

BLANCHARD Mme Jules
voir FOYATIER famille

BLANCHE Jeanne Marie
voir GILLET Charles Firmin

BLANCHET Adrien
Paris 1866 - Paris 1958

Historien et numismate français. Bibliothécaire au Département des Médailles de la Bibliothèque nationale, membre libre à partir de 1919 de l'Académie des Inscriptions et Belles Lettres, il écrivit de nombreux ouvrages concernant la numismatique. Il donna au Département des Antiquités grecques et romaines en 1906 un moule de buste de femme, en 1928, une jambe de statuette en bronze, en 1930 une petite figurine en terre cuite, en 1931 deux tessères en plomb et en 1945 une statuette d'hermaphrodite en bronze ; et au Département des Objets d'Art en 1945 une plaquette en cuivre de la Renaissance représentant la *Nativité*.

BLARENBERGHE Mme Henri François Alexandre van, née Amélie Thiébaut-Brunet
Ingouville 1828 - Paris 1907

Fils de la miniaturiste Hélène van Blarenberghe († 1853), Henri François Alexandre van Blarenberghe (1819-1906) légua au Louvre l'ensemble prestigieux des œuvres des van Blarenberghe. Ce legs fut rendu effectif à la mort de sa veuve et de son fils, Henri Michel, mort le même jour que sa mère en 1907.

BLÉMONT Léon-Émile Petitdidier, dit Émile
Paris 1839 - Paris 1927
BLÉMONT Mme Émile, née Berthe Louise Mantin
Paris 1850 - Paris 1928

D'une famille d'industriels lorrains, Blémont put se consacrer à la poésie dès son plus jeune âge, fondant ou subventionnant deux revues, *La Renaissance artistique et littéraire* et *Le Penseur*, et publiant de nombreux recueils à partir de 1866. Ami de Mérat, Valade, Coppée, Daudet, Arène, Bergerat, Dorchain et Valabrègue, il vouait aussi un culte à Victor Hugo auquel il consacra plusieurs de ses œuvres. Avec sa femme, il fit don en 1910, sous réserve d'usufruit (abandon en 1920) du célèbre *Coin de table* de Fantin-Latour, exposé au Salon de 1872 (Musée d'Orsay).

G. Blumenthal
A. Dechenaud, Bibl. nat., Paris

E.G. Boch
V. Van Gogh, Orsay

E. Bochet
J.A.D. Ingres, Louvre

E.A. Bonnaffé
Bibl. nat., Paris

BLIND Mathilde
Mannheim 1841 - Londres 1896

Arrivée à Londres en 1849 elle reçut une éducation britannique, sans jamais rompre les liens qui l'attachaient au continent où elle voyagea à plusieurs reprises. Elle devint poète et fit aussi la traduction du *Journal de Marie Bashkirtseff*. Dans les années 1880, elle fit la connaissance de Ford Madox Brown qui décorait l'Hôtel de Ville de Manchester. A sa mort, elle légua une partie de sa fortune au collège Newham de Cambridge, et le tableau de son ami F. M. Brown, *Haydée découvrant le corps de Don Juan*, au Musée du Luxembourg (Orsay).

BLOCH Jean
Paris 1884 - déporté à Auschwitz en 1942 et disparu

Collectionneur fortuné spécialisé dans l'époque de Louis XIV, J. Bloch fut aussi un mécène, un érudit, un bibliophile et un homme de grand goût. Il était membre des conseils d'administration de l'Union centrale des Arts décoratifs, de la Société des Amis de Sèvres et de la Société des Amis de la Bibliothèque d'Art et d'Archéologie. Il prit part à l'organisation de la grande exposition *La faïence française de 1525 à 1820*, au Musée des Arts décoratifs, en 1932, et dirigea ensuite, avec le Dr. Chompret*, Jacques Guérin et Paul Alfassa, la publication du *Répertoire de la faïence française* en 1933-1935, pour laquelle il fournit une aide financière. Sa collection fut vendue au palais Galliera le 13 juin 1961 (peintures, sculptures, meubles et orfèvrerie) et le 2 décembre 1961 (faïences), les deux catalogues étant respectivement préfacés par J. Guérin et M. Henry-Pierre Fourest. Sa bibliothèque fut dispersée à l'Hôtel Drouot le 15 février 1962. Certains de ses objets passèrent de nouveau en vente au palais Galliera le 13 juin 1963, notamment une gantière et une paire de pots de toilette parisiens en argent du XVIIe s. et un coffret en tapis de la Savonnerie qui furent acquis par le Département des Objets d'Art. En 1935, avec six autres grands collectionneurs, il avait participé financièrement à l'acquisition de la paire de chenêts de François-Thomas Germain. Il fut aussi un donateur du Musée des Arts décoratifs.

BLOCK-LOOZ Édouard Albert de

Peintre, belge, comme son père, Eugène-François (1812-1893), ancien conservateur du Musée royal des Beaux-Arts d'Anvers. Don en 1929 de sept dessins de son père, et d'un portrait de celui-ci par Baugnies (1874-1925). Il fit aussi don d'une œuvre de son père au Musée de Blérancourt.

BLOUET Mme Abel

Épouse de l'architecte français Blouet (1795-1853), prix de Rome en 1821. Il restaura les thermes de Caracalla, dirigea des recherches archéologiques lors de l'expédition de Morée. Ancien professeur de l'École des Beaux-Arts et membre de l'Académie des Beaux-Arts en 1850, il avait été chargé de terminer l'arc de triomphe de l'Étoile. Don en 1863, en souvenir de son époux, d'un fragment d'en-tête de décret et d'une statue de femme découverte à Délos, en marbre.

BLUM M. Claude

Legs au Cabinet des Dessins d'un projet d'illustration de Willette, *Féodalité ancienne et moderne*, en 1961.

BLUM Edith Clara
Lawrence (E. U.) 1895 - Paris 1976

Miss Blum, de nationalité américaine, vécut à New York et à Paris. Elle était peintre. En 1966, elle donna en souvenir de ses parents, M. et Mme Albert Blum, une œuvre importante de Mme Vigée-Lebrun, le *Portrait de la comtesse Skavronskaïa* (le Metropolitan Museum of Art reçut d'elle la même année, également en mémoire de ses parents, le portrait de d'Angiviller par Greuze). Elle légua le *Portrait de jeune homme au tricorne*, attribué à F. H. Drouais, quatorze tabatières françaises et étrangères des XVIIIe et XIXe s., un meuble à hauteur d'appui de Weisweiler en acajou et une table de toilette de Topino. Son testament prévoyait aussi des legs en faveur du Metropolitan Museum of Art et du Shelburne Museum (Vermont).

BLUMENTHAL George
Francfort 1858 - New York 1941
BLUMENTHAL Mme George, née Florence Meyer
Los Angeles 1873 - Paris 1930

Le banquier américain G. Blumenthal fut un grand collectionneur qui s'intéressait au Moyen-Âge et à la Renaissance comme au XVIIIe s. et fut l'un des plus importants bienfaiteurs du Metropolitan Museum of Art de New York par ses dons en espèces et en objets. Président des Trustees du musée de 1934 à sa mort, il joua un grand rôle dans la formation des Cloisters. A Paris, il habitait, 15 boulevard de Montmorency, une demeure qui appartenait à sa femme Florence, épousée en 1898, et qu'il fit décorer d'éléments médiévaux. En 1929, M. et Mme Blumenthal acquirent pour l'offrir au Louvre un fauteuil Louis XV de Michel Gourdin, rare car couvert en tapis de la Savonnerie. En 1932, après la mort de sa femme, G. Blumenthal donna trois sculptures : deux chefs-d'œuvre, *Deux personnages sous des arcatures*, bas-relief en pierre (Ile-de-France, Ire moitié du XIVe s.), et *Tête de femme*, pierre (Bourbonnais, v. 1500), ainsi qu'une *Vierge à l'Enfant*, pierre peinte (Normandie, déb. du XVIe s.): En 1934, il offrit encore la porte en pierre de l'hôtel d'Effiat à Gannat (Bourbonnais, XVe s.), qu'il avait fait remonter boulevard de Montmorency. Les collections parisiennes de G. Blumenthal furent en partie dispersées en vente publique à Paris en 1932-1933.

St. Rubinstein-Bloch, *Catalogue of the Collection of George and Florence Blumenthal, New York*, Paris, 1916-1930, 6 vol.

BOBILLIER Antoinette Christine Marie
Lunéville 1858 - Paris 1918

Legs à la Bibliothèque nationale, à l'Institut, etc. Legs au Louvre d'une miniature par le Père Jean François.

BOCH Eugène Guillaume
St-Vaast-La Louvière (Belgique) 1855 - Monthyon (Seine-et-Marne) 1941

Ce peintre belge fixé en France depuis 1881 (il fréquente l'atelier Cormon à Paris où il rencontre Toulouse-Lautrec) a exposé aux Indépendants à Paris et aux Vingt à Bruxelles. En 1888 il posa pour Vincent Van Gogh à qui il rendit visite à Arles ; c'est la veuve de Theo Van Gogh qui lui offrit ce portrait en souvenir des deux frères Van Gogh, en 1891. Il le légua au Louvre par l'intermédiaire de la Société des Amis du Louvre dont il faisait partie. Le reste de sa collection fut dispersé à l'Hôtel Drouot le 16 février 1951. Eugène Boch était le frère d'Anna Boch, elle-même peintre et amateur d'œuvres de Van Gogh et Gauguin.

Cat. exp. *Anna Boch und Eugène Boch. Werke aus den Anfangen des Modernen Kunst*, Saarbrücken, Moderne Galerie, 1971. *Van Gogh in Arles*, New York, Metropolitan Museum, 1984, n° 98.

BOCHET Edme
Lille 1783 - Château de Maronnes, Meuvaines (Calvados) 1871

E. Bochet, inspecteur de l'Enregistrement et des Domaines à Rome, puis conservateur des Hypothèques à St-Denis et à Paris, appartenait à une famille qui compta nombre de personnalités et à laquelle Ingres fut lié d'amitié bien avant son mariage avec Delphine Ramel (nièce d'E. Bochet). Bochet légua au Louvre son portrait par Ingres sous réserve d'usufruit en faveur de ses enfants ; en 1878 ceux-ci, renonçant à leur droit à l'usufruit, remirent au musée le tableau original en échange de copies qui furent exécutées à leur intention par (ou sous la direction de) P. Flandrin. (Le portrait - également peint par Ingres en 1811 - de la sœur d'E. Bochet, Mme Panckoucke, est lui aussi entré au Louvre, grâce à la donation Beistegui*).

H. Toussaint, *Les portraits d'Ingres ; peintures des musées nationaux*, Paris, 1985, pp. 42-46.

BOCQUET M. et Mme Jacques
voir **RIDDER André de**

BOISGELIN Henri Louis Marie Martin de
St-Cyr-sur-Loire (Indre-et-Loire) 1897 - Paris 1985

Petit neveu et héritier de la collection de Louis De Clercq (Oignies, Pas-de-Calais, 1836 - Oignies 1901). C'est par le duc de Luynes* que ce dernier fut initié à l'archéologie et il visita à deux reprises l'Asie Mineure et la Syrie en 1859 et 1860 où il eut pour compagnon d'exploration (entre autres) E. Guillaume-Rey* ; il y retourna à nouveau en 1862-1863. Pérétié, alors consul de France à Beyrouth, contribua largement à la constitution de sa collection. Son héritier offrit au Louvre de choisir les pièces qu'il souhaitait dans la collection De Clercq, sous la seule réserve que les objets soient exposés : les départements d'archéologie ont été bénéficiaires de cette donation en 1967. De cette collection constituée de marbres, de bronzes, de bijoux et de verrerie, deux cents trente-quatre pièces sont entrées au Département des Antiquités égyptiennes, dont deux cent-dix-sept scarabées, deux-cent-quarante-sept pièces au Département des Antiquités grecques et romaines dont de très beaux bijoux

hellénistiques, cent-quatre-vingt-une pièces au Département des Antiquités orientales dont soixante-quatorze sceaux cylindres. Le Cabinet des Médailles de la Bibliothèque nationale a reçu les pierres gravées et les monnaies. Une exposition des pièces essentielles a été réunie au Louvre, galerie Denon, en 1968.

"La donation L. De Clercq - H. de Boisgelin", *La Revue du Louvre*, 1968, n° 45, pp. 299-346. H. Derenbourg, "Nécrologie de deux français, Louis De Clercq et Gaston Paris", *Revue Internationale de l'Enseignement*, Paris, 1904.

BOISSELIER Henri
Bologne 1815 - Liverpool 1875

Diplomate, successivement chancelier du consulat de France à Dublin (1835), puis à Londres (1846), consul à Leeds (1861), Birmingham (1865) et Liverpool (1869). Don au Musée des Souverains en 1858 d'une table à jeu provenant du mobilier de Napoléon à Sainte-Hélène (déposée au Musée de l'Armée).

BOISSIER Alfred
Genève 1867 - Etay (Vaud) 1945

Assyriologue suisse. Correspondant étranger de l'Académie des Inscriptions et Belles-Lettres. Don en 1933 d'un lot de cent vingt-sept clichés photographiques pris en 1894 au cours de la Mission Chantre en Asie Mineure. Don au Musée de Genève, en 1938 de sa collection de tablettes babyloniennes.

BOISSIEU Alain et Madame, née Élisabeth de Gaulle

Général, gendre du général de Gaulle*, il fut Grand-Chancelier de la Légion d'Honneur de 1975 à 1981. Remise en 1981 d'une tête de divinité fluviale, en marbre, au Département des Antiquités grecques et romaines. Ce don avait été fait au général de Gaulle par le chancelier Adenauer.

BOISSIEU Mme Georges, née Élisabeth Porteu de La Morandière

Don en 1983 au Cabinet des Dessins en souvenir de son mari d'une *Architecture* de l'école de Véronèse et d'un dessin attribué à Jacopo Bassano.

BOISTARD Pierre
Le Blanc (Indre) 1901 - Durtol (Puy-de-Dôme) 1979

Avocat général près la Cour d'Appel de Paris, il désigna l'Institut Pasteur pour légataire universel, à charge pour celui-ci de laisser les musées nationaux choisir, dans sa demeure du Blanc, les œuvres d'art qu'ils souhaiteraient retenir. Deux tableaux entrèrent ainsi au Louvre en 1981 : une *Nymphe* d'Ange Tissier et une *Pastorale* de l'École flamande (?) du XVIIIe s. (déposée en 1983 à Cholet).

BOITTELLE Monsieur

"Amateur de gravures et de portraits" qui fit don à la Chalcographie en 1878 de trois planches gravées représentant le portrait du cardinal de Fleury par Rigaud, œuvres de F. Chéreau, P. Drevet et S. H. Thomassin fils.

BONAPARTE-WYSE Louis
Niesen (canton de Berne) 1876 - Le Cannet 1920

Descendant de Lucien Bonaparte. Legs d'une *Vénus couchée* peinte dans la manière de Bol qui entra au Louvre en 1920.

BONASSE-LEBEL Albert

Fils du libraire et éditeur Henri Bonasse-Lebel (1828-1912). Don en 1923 d'un portrait dessiné de Daubigny par Chaplin.

BONCOMPAGNI Margaret Draper, princesse

Don en 1932, à l'occasion d'un séjour parisien, d'un tableau français du XVIIe s. représentant une *Femme nue tenant une flèche*.

BONEHILL Mme Paul Mottard

Elle donna en 1945 un pastel très important de Manet, la *Jeune fille aux yeux bleus*, resté dans la famille Groult-Mottard, après la vente posthume des œuvres de Manet en 1884, ainsi que deux gouaches de Pillement et trois dessins français du XVIIIe s.

BONJOUR Mme Philibert, née Léonie Jenny Marie Ode
Paris 1817/18 - Langeais (Indre-et-Loire) 1888

A son décès entrèrent au Louvre, auquel elle les avait légués, deux tableaux du XVIIe s. : une *Réunion de buveurs* de l'École romaine, et un *Combat de cavalerie* de J. Courtois.

BONNAFFÉ Edmond Auguste
Le Havre 1825 - Paris 1903

Collectionneur et historien spécialisé surtout dans la période de la Renaissance, il publia entre autres ouvrages d'érudition, en 1874, un *Inventaire des meubles de Catherine de Médicis en 1589*, en 1887 *Le Meuble en France au XVIe s.* et en 1898 des *Études sur la vie privée de la Renaissance*. Il s'intéressa également à l'histoire du goût et des collections. Don en 1875 de trois carreaux de la Renaissance, dont un provenant du château d'Ecouen, et de deux sculptures en pierre, et, en 1897 d'une terre cuite antique.

BONNASSIEUX François

Arrière-petit-fils du sculpteur Jean-Marie Bienaimé Bonnassieux (1810 -1897), il offrit, en 1982, l'esquisse en terre crue de la *Méditation* par son aïeul.

L. Bonnat
Autoportrait, Orsay

T. Borenius
M. Beerbohm, coll. part.

Ch. Boreux
A. Bilis, Louvre

Mme G. Bouchot-Saupique
Bibl. nat., Paris

BONNAT Léon
Bayonne 1833 - Marchy-St-Éloi 1922

Après des études à l'École des Beaux-Arts de Paris et malgré un échec au concours du Prix de Rome en 1857, Bonnat put, grâce à une bourse de sa ville natale, effectuer un séjour à l'Académie de France à Rome en même temps que Degas et Chapu. Très vite, suivant les traces d'His de La Salle*, il utilisa les revenus que lui valaient ses portraits très appréciés, pour réunir méthodiquement une collection de peintures, sculptures et surtout dessins, destinée à enrichir le musée de Bayonne qui porte maintenant son nom. Membre de l'Institut, Président du Conseil des musées nationaux, il fit bénéficier le Louvre de ses libéralités dès son vivant. En 1881 et 1887 deux de ses œuvres, *Portrait du peintre Léon Cogniet* (Musée d'Orsay, offert avec Mme Cogniet) et *Job* (déposé à Bayonne) ; en 1912, trois dessins insignes de Michel-Ange, Dürer : le *Portrait d'Erasme*, Ingres : la *Famille Stamaty* ; en 1918 trois médailles de bronze de Chapu, en 1919 un ensemble capital de dessins de Rembrandt et son école, enfin en 1922 quatre albums de Pollaiuolo, Fra Bartolommeo, C. N. Cochin et Chapu. Par legs entrèrent en 1922 le *Portrait de la mère de l'Artiste* (Orsay) et en 1923, plusieurs dessins très importants de Holbein, Ingres, Raphaël, deux albums de J. F. Millet, ainsi que trois sculptures : *Buste de Léon Bonnat*, bronze et *Esquisse de la jeunesse* pour le tombeau d'H. Regnault, plâtre par Chapu, *Buste de la baronne Daumesnil*, plâtre par Falguière. En 1923 les exécuteurs testamentaires et les héritiers de L. Bonnat décidèrent de donner au Cabinet des Dessins neuf albums de divers artistes, trouvés dans les papiers du peintre après sa mort.

M. Pays, "Léon Bonnat peintre et collectionneur", *L'Art et les Artistes*, nouvelle série t. III, 1921, pp. 129 à 143. *Dessins français du XIXᵉ s. du Musée Bonnat à Bayonne*. Cat. par V. Ducourau et A. Sérullaz. Cabinet des Dessins du Musée du Louvre. Paris 1979.

BONNET Alfred
Montreuil (Pas-de-Calais) 1865 - Montreuil 1931

Legs d'une cheminée Louis XVI en marbre gris, sculptée de guirlandes de feuilles de laurier.

BONNIER-ORTOLAN Mme
voir **FLORENT Mme**

BOQUENTIN Marie
voir **HUMBEL Victor**

BORDAT François
Issoudun (Indre) 1827 - Paris 1898

Legs d'une montre Louis XVI en or ciselé ornée de diamants.

BORDEAUX-GROULT Pierre

Petit-fils et héritier du grand collectionneur C. Groult*. Don d'un tableau de Gainsborough, *Conversation dans un parc* (1952) ainsi que de dessins de Watteau, *Coquillages*, de Fragonard, *Triomphe du Prince d'Orange d'après Jordaens*, (1978) et de Sir Thomas Lawrence *Portrait de jeune femme* (1986).

BORENIUS Tancred
Wiborg (Finlande) 1885 - Salisbury 1948

Historien d'art anglais. Lecteur d'histoire de l'Art à University College (Londres), il fut nommé professeur en 1922. Il s'intéressa principalement à l'art italien et à l'art anglais. Il publia de nombreux articles dans la revue *Apollo* dont il fut le fondateur en 1925, et surtout dans le *Burlington Magazine*. En 1924, il donna au Louvre *L'attaque d'un palais* de Monsù Desiderio.

"Obituary to Dr. Tancred", *Burlington Magazine*, XC, 1948, p. 327. D. Sutton, "Tancred Borenius : Connoisseur and Clubman", *Apollo*, avr.1978, pp. 294-309.

BOREUX Charles
Caen 1874 - Paris 1944

Conservateur au Département des Antiquités égyptiennes dont il prend la tête en 1926, il entreprend la réorganisation des salles du rez-de-chaussée et la rédaction d'un catalogue des collections (1932). En 1946, Mme Boreux donna au Louvre en souvenir de son époux quatre statuettes égyptiennes dont une tête royale du Nouvel Empire.

BOROVSKY Marianne

Originaire de Saint-Petersbourg, elle quitta la Russie en 1922 pour la Bulgarie où elle fit ses études. En 1929, elle gagna Nice où elle fut élève de l'École nationale des Arts décoratifs. Elle s'installa ensuite à Paris, travaillant dans l'entreprise familiale de tabletterie, à laquelle elle donnait des modèles d'objets. Don en 1980 d'un bracelet en or provenant de son arrière-grand-mère (Saint-Petersbourg, v. 1845).

BOSSY Albert
Paris 1862 - Meudon 1903

Élève de Courajod*, secrétaire en 1897 de la Société des Amis du Louvre. Selon ses vœux, une partie de sa collection d'œuvres médiévales est entrée au Louvre en 1904 (notamment : Peintures : Maître de la Nativité de Castello, *Vierge et Enfant entourés d'anges*. Sculptures : France, XIVᵉ s. *Vierge assise à l'Enfant* ; Pays-Bas du Sud, XVᵉ s., *Vierge à l'Enfant assise sur un pliant* ; Bourgogne XVᵉ s. *Saint Étienne* ; France, XVᵉ s. *Vierge à l'Enfant* du Bourget. Objets d'art : tapisserie, XVᵉ s., *Histoire de Vasthi*. Albert Bossy est également donateur du Musée des Arts décoratifs. (Cf. aussi Sumpt*).

P. Leprieur, "Le don Albert Bossy au musée du Louvre" *Monument... E. Piot*, janvier 1904, pp. 219-227. *Ibidem*, "La collection Albert Bossy", *Les Arts*, 1904, n° 35, pp. 13-26.

BOTFIELD Beriah
Earl's Ditton, Shropshire 1807 - Londres 1863

Après des études à Oxford, il devint shériff du comté de Northamptonshire puis se lança, à partir de 1840, dans la vie parlementaire. Les recherches bibliographiques et généalogiques occupaient la plupart de ses loisirs. Son œuvre la plus célèbre demeure ses *Notes sur les bibliothèques des cathédrales anglaises* parues en 1849. Il avait réuni une importante collection de tableaux, décrite en 1848, ainsi qu'une bibliothèque riche en éditions originales d'ouvrages classiques, dont hérita, peu après la première guerre mondiale, la famille Thynne. Ces collections se trouvent depuis 1946 au château de Longleat. Don au Louvre en 1854, d'un tableau aujourd'hui attribué à Boccaccio Boccaccino.

Th. Crombie, "Beriah Botfield and his Dutch pictures at Longleat", *Apollo*, CV, n° 180, février 1977, pp. 102-106.

BOUCHER Alfred
Nogent-sur-Seine 1850 - Aix-les-Bains 1934

Sculpteur, grand Prix du Salon en 1900, il fit don, en 1928, d'un portrait passant alors pour être celui de Rembrandt. Outre des tableaux, sa collection comprenait des dessins du XVIIIᵉ s. et des antiquités grecques.

La France de l'Est, 15-16 janvier 1928.

BOUCHER de CREVECŒUR de PERTHES Jacques, dit BOUCHER DE PERTHES
Rethel 1788 - Abbeville 1868

Fonctionnaire des Douanes à Abbeville (1802), Marseille et, sous l'Empire, dans les départements français d'Italie, puis à Boulogne, Paris, La Ciotat, Morlaix, enfin directeur des Douanes à Abbeville (1825). Partisan du libre échange économique (*Opinion de M. Christophe...*, 1830), philanthrope (*De la misère*, 1840), volontiers mémorialiste (*Les masques, biographies sans nom...*, 1861), auteur de tragédies, d'une comédie, et de divers récits de voyage. Il est surtout le fondateur des études préhistoriques françaises. La publication de *De la création, essai sur les origines et la progression des êtres* (1839-1841) puis des *Antiquités celtiques et antédiluviennes* (1847-1864) imposent peu à peu au monde savant sceptique, parfois violemment hostile, la justesse de ses intuitions. Collectionneur passionné accumulant dans un pêle-mêle hétéroclite meubles, peintures, objets de toutes époques, vestiges et ossements préhistoriques, président de la Société d'Émulation d'Abbeville (1830-1865), il participe activement à la création du Musée d'Abbeville et du Ponthieu (1833) et lègue ses collections à la ville d'Abbeville pour en faire un second musée (1861). Don d'une partie de ses collections au Musée naissant des Antiquités nationales de St-Germain-en-Laye (1867) et, au Musée des Souverains au Louvre (1853), de trois objets attachés au souvenir de François Iᵉʳ (poire à poudre), Henri IV (trictrac) et Louis XVI (vilebrequin).

J. J. Clayet-Merle, "Boucher de Perthes et le Musée des Antiquités nationales", *Antiquités nationales*, 18-19, 1986, pp. 39-45.

BOUCHOT-SAUPIQUE Mme Georges, née Jacqueline Bouchot
Paris 1893 - Dôle 1975

Fille de l'historien d'art Henri Bouchot, chargée de mission au Musée du Louvre de 1925 à 1939, collaboratrice de Jacques Jaujard, directeur des musées nationaux de 1941 à 1944, conservateur puis conservateur en chef du Cabinet des Dessins de 1945 à 1963. Don en 1975 de trois dessins de son mari, le sculpteur Georges Saupique (Paris 1889 - 1961).

BOUCICAUT Mme Aristide, née Marguerite Guérin
Verjur 1816 - Cannes 1887

Marguerite Guérin arrive vers l'âge de douze ans à Paris où elle devient apprentie dans une blanchisserie. A dix-huit ans elle prend la direction d'une crémerie chaude, où Aristide Boucicaut, employé du magasin le "Petit Saint-Thomas", vient régulièrement. En 1839 ils eurent un fils et c'est en 1848 qu'ils se marient. Du "Petit Saint-Thomas" au "Bon-Marché", dont elle pose la première pierre en 1869, Marguerite Boucicaut suit l'ascension de son mari. Restée seule après la mort de ce dernier en 1877, et de son fils en 1879, à la tête d'une immense fortune, elle n'oublie pas ses difficiles débuts. Elle multiplie alors les actions charitables. A sa mort, sa fortune fut partagée entre le "Bon Marché" et l'Assistance publique. Ses tableaux (un Courbet et un Fromentin), furent légués au Musée du Louvre.

M. B. Miller *Au Bon Marché, 1869-1920, Le consommateur apprivoisé*, Paris, 1987.

BOUDIN Eugène héritiers d'

A la mort du peintre en 1898, Gustave Cahen exécuteur testamentaire et premier biographe de l'artiste procéda au partage du fonds d'atelier suivant les dernières volontés du maître. Une vente publique est organisée (20-21 mars 1899) mais les musées d'Honfleur, du Havre et surtout les collections nationales reçurent une part considérable de ce fonds ; environ cinq mille sept-cent-quarante feuillets d'études diverses et quatre cents esquisses rehaussées d'huile sur papier, l'une des donations les plus importantes jamais consenties à l'État, dans le domaine du dessin.

L. Manœuvre "Eugène Boudin dessins inédits", *Les Dossiers du Musée d'Orsay*, 14, 1987.

BOUDOT-LAMOTTE Maurice
La Fère 1878 - Paris 1958

Peintre et collectionneur, il donna au Louvre en 1951 un paysage d'Aligny. Une partie importante de sa collection a été léguée par sa fille Marie-Josèphe, au Musée départemental de l'Oise à Beauvais.

Cat. exp. Beauvais, 1980, *Hommage à Maurice Boudot-Lamotte (1878-1958)* par J. Thuillier, M. M. Aubrun.

BOUDOUIN Georges Charles
Brest 1897 - Paris 1955

Chef d'atelier à la Savonnerie, il était le petit-neveu du critique d'art Ernest Chesneau et a donné, en 1945, le portrait du fils de ce dernier, Émilien Chesneau, peint en 1867 par Carpeaux (Orsay).

BOUGUEREAU Vincent Charles

Don en 1986 au au Cabinet des Dessins de trois importants dessins du peintre W. Bouguereau (1825-1905).

B. Botfield
Th. Philipps, coll. part.

A. Boucher

J. Boucher de Perthes
Grévedon

M. Boucicaut
W. Bouguereau, coll. part.

BOUILLOT Auguste

Bruxellois, il offre en 1926 dix dessins de son beau-père, le peintre C. dell'Acqua (1827-1905), *Scènes de la Révolution de 1848 à Paris*, faits d'après nature.

BOULLAIRE Jacques
Paris 1893 - Paris 1976

Graveur et illustrateur, peintre de la Marine. Don à la Chalcographie en 1973 d'une planche gravée, *Le Pont-neuf à Paris*.

BOURCERET Mme Jacques,
née Marie Chevallier
Paris 1889 - Pau 1925

Legs d'une montre-tabatière et d'un tableau de N. Lancret, *Le duo* (dépôt au Musée des Beaux-Arts de Lyon en 1955), à exposer sous la dénomination "legs Paul Chevallier" nom de son père, commissaire-priseur.

BOURGEOIS Marie Auguste Antoine
voir **CARISTIE Augustin Nicolas**

BOURGEOIS Stephan
1838/39 - Baden-Baden 1899

Fondateur, avec ses frères Gaspard († 1904) et Jean († 1893), d'un commerce d'antiquités à Cologne, avec une succursale à Paris, rue de la Chaussée d'Antin, qu'il dirigea. Il s'occupa principalement de tableaux anciens et donna au Louvre un tableau de Le Nain, *Réunion de famille*.

BOURGOGNE M. et Mme Jean

Don en 1984 d'une amphore en terre cuite déposée au Musée de l'École de Nancy en 1987.

BOURGUET Pierre d'Audibert Caille du,
Révérend Père du
1913 - Paris 1988

Membre de la Compagnie de Jésus. Professeur d'égyptologie (hiéroglyphes et copte) à l'Institut catholique de Paris à partir de 1953, professeur d'archéologie paléochrétienne et byzantine à l'École du Louvre. Conservateur (1957) puis conservateur en chef (1974) au Département des Antiquités égyptiennes, chargé des collections coptes jusqu'en 1978. Auteur de nombreuses publications sur l'art copte et paléochrétien. Don en 1966, au Département des Antiquités grecques et romaines, de deux peintures représentant une femme drapée, debout tenant un rameau, et une femme assise, un enfant devant elle.

BOURIANT Urbain
Nevers 1849 - Vannes 1903

Élève de Maspéro*, conservateur-adjoint du Musée de Boulak puis successeur de Grébaud* à la tête de l'Institut archéologique du Caire. Dons en 1889 et 1891 au Département des Antiquités égyptiennes.

BOURJAT Jean
Grenoble 1838 - Rives (Isère) 1915

Le général Bourjat était l'héritier et exécuteur testamentaire de Georges Hartmann († 1900) éditeur de musique à Paris, boulevard de la Madeleine, entre 1869 et 1891. Don en 1902 d'un grand *Portrait de femme* de Renoir (Orsay).

BOURSIN Marie Georget dite Mme Mary
Blois (Loir-et-Cher) 1849 - St-Cloud (Hauts-de-Seine) 1921

D'un milieu modeste (elle était la fille d'un menuisier illettré de Blois), elle devint la maîtresse d'A. Chauchard*, qui en fit sa légataire universelle. Elle était aussi liée avec Gaston Calmette, directeur du *Figaro*, et son frère, le Dr. Calmette. Elle demeurait à Paris dans un hôtel particulier, 32 rue de Lisbonne. En 1913, elle donna au Louvre un célèbre mobilier Louis XVI (deux canapés et dix fauteuils), estampillé par Poirié et garni en tapisserie de Beauvais, qui provenait des collections Double et Chauchard.

BOUSTROS Elias
†Beyrouth 1984

Antiquaire à Beyrouth. Don en 1983 d'une tablette d'origine ougaritique de Ras-Shamra, XIVᵉ s. av. J. -C.

BOUTHEROÛE-DESMARAIS Paul
Paris 1864 - Paris 1947
BOUTHEROÛE-DESMARAIS
Stéphane

Descendant d'une grande famille d'orfèvres parisiens du XVIIIᵉ s., industriel pétrolier, P. Desmarais fonda avec son frère la maison Desmarais Frères. Il épousa Léontine Natanson, cousine de Thadée Natanson. C'est grâce à ce lien que la salle de bains de leur hôtel particulier, 98 avenue Raymond-Poincaré, fut décorée par Vuillard, qui fit aussi le portrait de leur fils Stéphane. Celui-ci, également industriel pétrolier, a été président directeur général de la maison familiale, qui a été absorbée par la Compagnie française des Pétroles, et est maintenant président d'honneur de la F. I. D. I. C. (Financière pour l'industrie et le commerce Desmarais). P. Desmarais et son fils donnèrent en 1946 un célèbre mobilier Louis XV de Delanois comprenant un canapé et six fauteuils.

P. Verlet, "Un mobilier par Delanois couvert en tapisserie de Beauvais", *Bulletin des Musées de France*, avr. 1946, pp. 13-14.

BOUVET Mme
voir **PATON Mme**

BOY Jules Francisque
Boudes 1865 - Versailles 1913

Don, en 1899, de deux céramiques islamiques et d'une étoile en céramique iranienne du XIVᵉ s.

BOY Michel
Boudes (Puy-de-Dôme) 1844 - Versailles 1904

D'abord employé chez un marchand de fer, puis apprenti ciseleur M. Boy fit fortune dans le commerce. Formé par Gay*, Carrand fils et Basilewski, il constitua une importante collection composée, en grande partie, d'objets du Moyen Âge, collection qui fut dispersée en vente publique, à Paris, l'année qui suivit sa mort. Il offrit à deux reprises des céramiques au Musée du Louvre : en 1899, des céramiques orientales et en 1900, une plaque de poêle aux armes de Lorraine.

E. Molinier, "La collection Boy", *Catalogue des Objets d'Art... composant la collection de feu M. Boy*, Paris, Galerie Georges Petit, 15-24 mai 1905.

BOYARD Édouard (ou Edmond ?)
Mentionné de 1826 à 1848

Propriétaire à Rouen, il avait dès 1826 (conjointement avec F. Chevalier neveu, négociant au Havre, qui renoncera à sa part en 1830), acheté pour 30.000 F. au peintre G. Guillon Lethière (1760-1832) son immense tableau de la *Mort de Virginie*, signé par l'artiste en 1828, entreposé au Louvre en 1830 et exposé au Salon de 1831. En 1848, Boyard offrit ce tableau au Louvre, pour réaliser le souhait de l'œuvre que l'œuvre y rejoignît son pendant, *Brutus condamnant ses fils à mort* (1811 ; Salon de 1812 ; acquis en 1819).

BOYER Rachel
voir **CARRIER Marguerite**

BOYSSET Émile Auguste
1848 - 1914

Diplomate, notamment consul de France à Larnaca de 1891 à 1900. Don d'antiquités chypriotes (petites sculptures, céramique, bijoux d'or et plaque orfévrée) de 1896 à 1901.

BOZE Mlle Victoire Ursule Madeleine
Paris 1781 - ap. 1866

Fille du peintre J. Boze (1745-1826), V. Boze était également artiste, comme en témoigne sa correspondance. Elle donna en 1866 le célèbre *Autoportrait* au pastel de J. Boze. Ultérieurement sa petite-nièce, M. C. Garnier*, légua, selon ses volontés, le portrait de *Madame Joseph Boze* par son mari.

J. A. Volcy-Boze, *Le comte Joseph de Boze, peintre de Louis XVI*, Marseille, 1873

P. du Bourguet

P. Boutheroüe-Desmarais

F. Bracquemond
H. Fantin-Latour, Orsay

BRACQUEMOND Félix
Paris 1833 - Paris 1914

Peintre et graveur, l'un des fondateurs de la Société des aquafortistes, il a donné, en 1910, deux tableaux : l'un de Bonhommé (*Portrait de Jean Aubertot*), l'autre de J. B. Guichard (*Portrait d'Alexandre Dumas père*), dont il avait été l'élève.

BRAME Hector Gustave
? 1866 - Paris 1936

H. G. Brame fit partie d'une dynastie de marchands de tableaux, actifs à Paris depuis le milieu du XIXᵉ s. Il est le fils du fondateur de cette dynastie, Hector-Henri-Clément Brame (Lille 1831 - Paris 1899). Celui-ci, également collectionneur, fut surtout connu comme le marchand de Corot*, des peintres de Barbizon (Rousseau et Millet), de Carolus-Duran et de H. Regnault. Parfois confondu avec son père, H. G. Brame fut son associé et devint le marchand attitré de Degas. Il fit plusieurs dons de dessins d'A. Ricourt († 1876) en 1927, de Georges Victor Hugo en 1929, de F. Raynaud en 1932. Est-ce le même qui donna en 1928 un petit groupe en bronze de Ch. Fratin (1800-1864), *L'ours dentiste* ?

BRAME Paul
voir ZILLHARDT Madeleine

BRAME Paul
Paris 1851 - Suisse (au cours d'un voyage) 1908
ORVILLE Ernest
Valenciennes 1837 - Paris 1910

Beaux-frères - Paul Brame était le fils d'Édouard Brame et de Paméla de la Gardanne, nièce de Gatteaux*, tandis qu'Ernest Orville était leur gendre, ayant épousé leur fille Caroline Brame, sœur aînée de Paul Brame* - et petits-neveux par alliance du célèbre artiste, ami d'Ingres et collectionneur, E. Gatteaux*, ils donnèrent, en 1899, le portrait de celui-ci peint par P. Flandrin d'après H. Flandrin (envoyé alors à Versailles). Don utile, si l'on songe que l'original d'H. Flandrin de 1861 avait été détruit dans l'incendie de la maison de Gatteaux sous la Commune, à Paris, en 1871. De son côté E. Orville offrit au Louvre en 1909 trois sculptures : un projet de médaille en cire attribué à Gatteaux*, une statuette en terre cuite de *Minerve* par Moitte et une réplique en terre cuite de l'*Hercule Farnèse* par Monnot.

BRANCA Napoléon
Porto-Vecchio 1851 - ap. 1917

Capitaine instructeur au 28ᵉ Dragons à Vincennes (1892-1898). Don en 1895 de cinq petites rondelles en bronze découvertes en Corse.

BRANDON Mme Jacob,
née Eulalie Charlotte Boucher
Ville-d'Avray 1835 - Ville-d'Avray 1906

E.Ch. Boucher et le peintre J. Brandon (1831-1897) avaient unis leur veuvage respectif en 1893, soit quatre ans avant la mort de l'artiste. Sa veuve donna en 1898 un scène de synagogue : le *Sermon du Jeûn d'Av, synagogue d'Amsterdam* (déposé en 1933 à la mairie de Sollacaro, Corse) ainsi que deux aquarelles de son mari.

BRAQUAVAL Mme Louis,
née Julia Guénez
Dunkerque 1862 - St-Valéry sur Somme 1929
BRAQUAVAL Marie-Louise,
plus tard Mme André David
1884 - Paris 1932

En 1922 la femme et la fille du peintre Braquaval (1854-1919) ont offert au Louvre un paysage de l'artiste.

BRAUER Godefroy
Nagymorton (Hongrie) 1857 - Nice 1923

Antiquaire parisien. Fit de nombreux dons, en 1904 et 1906, au Département des Objets d'Art, en 1920 également au Département des Objets d'Art (cinquante-deux œuvres), au Département des Peintures (neuf œuvres) et au Département des Sculptures (neuf œuvres), en 1921 au Département des Antiquités égyptiennes (six œuvres), la plupart sous réserve d'usufruit pour lui-même et pour son épouse, Lina Haas (1868-1936). Parmi les dons les plus importants il faut signaler : un bouclier de parement italien, fin XVᵉ s., avec la figure de Milon de Crotone (entré en 1921), un tapis mamelouk (Égypte, v. 1500) (entré en 1911), une *Déposition de croix* peinte par Pietro da Rimini (entrée en 1932), deux bas-reliefs en bronze attribués à Riccio et représentant *La Descente aux Limbes* et la *Résurrection* (entrés en 1936), un *Buste d'homme* en terre cuite attribué à Vittoria (entré en 1936), une *Vierge à l'Enfant*, haut relief en terre cuite attribué à Jacopo della Quercia (entré en 1936). Il légua au Cabinet des Dessins deux dessins italiens. Enfin sur les arrérages du don, trois objets ont été acquis en 1924, 1927 et 1931.

BRAUN Roger Théodore Édouard
Ville d'Avray 1862 - Paris 1941

Notaire. Il fit de nombreux dons, notamment à la Ville de Saverne, aux musées de l'Armée, de la Marine, de la Légion d'Honneur, etc. Il légua (1938) sous réserve d'usufruit au profit de son épouse († 1951) et de sa fille Mme Jean Zuber († 1987) deux pastels de Valade, les portraits de M. et Mme Théodore Lacroix, ses ancêtres du côté maternel.

BRAUX Georges de
voir NEUFVILLE Stéphanie de

BREARD Henri Georges
Paris 1873 - Paris 1950

Peintre de portrait et de paysage, il exposa au Salon des Artistes français de 1911 à 1939. En 1942, il institua le Louvre légataire de sa collection de statuettes en bois, dont il devait distraire dès 1949 un *Christ mort* en buis, remis alors au Musée. A sa mort, le Louvre retint seulement une statuette du *Christ au pressoir*, bois français du XVIᵉ s.

BRESSET Édouard

Antiquaire, expert, a fait don, en 1988, d'un petit buste d'ange en marbre, fragment probable d'une statuette ayant appartenu à un tombeau du XIVᵉ s.

Abbé H. Breuil

G. Brière
Bibl. nat., Paris

M. Brohan
P. Baudry, Orsay

BRESSON M.

Don en 1905 d'un tableau de F. Vernay, *Automne*, au Musée du Luxembourg (Orsay).

BRETON Émile
Courrières (Pas-de-Calais) 1831 - Courrières 1902

L'artiste avait exprimé le désir de laisser un souvenir de son œuvre au Musée du Luxembourg ainsi qu'à plusieurs musées du Nord ; le legs prenait effet au décès de son épouse en 1905. Le principe du legs au Musée du Luxembourg fut accepté par le Comité consultatif en janvier 1906 ; toutefois le conservateur du musée, L. Bénédite*, négocia avec la famille pour obtenir, plutôt qu'*Effet de neige, la nuit* initialement proposé, *La Toussaint* (inscrit sur l'Inventaire des Peintures du Louvre ; déposé postérieurement par l'Administration. Localisation actuelle inconnue).

BRÉTON Geneviève
1849 - 1918

Fille de Louis Bréton, l'un des fondateurs des éditions Hachette. Fiancée au peintre H. Regnault tué à Buzenval en 1870, elle épousa A. Vaudoyer*. Ses enfants, Jean-Louis Vaudoyer (académicien) et Marianne Vaudoyer (Mme Daniel Halévy) firent don au Louvre, en son nom, en 1921, d'un portrait du peintre toulousain A. Bida (1823-1895) par H. Regnault.

BRETON Pierre François Auguste Alexandre
Dreux 1871 - Dreux 1943

Grand amateur d'antiquités égyptiennes. Legs de plusieurs objets entrés en 1945.

BREUIL abbé Henri
Mortain 1877 - L'Isle-Adam 1961

Initié dans sa jeunesse à la paléontologie par le géologue Geoffroy d'Ault du Mesnil et, jeune séminariste, par le préhistorien Édouard Piette dès 1897. La découverte des grottes peintes des Combarelles (1901), ses relevés des peintures du site d'Altamira en Espagne (1902) et son étude systématique des fresques préhistoriques lui permettent de faire reconnaître l'authenticité (Congrès de la Mouthe, 1902) et l'originalité de l'art pariétal du paléolithique supérieur dont il affine parallèlement la chronologie (Congrès de Périgueux, 1905). Professeur d'ethnographie préhistorique à Fribourg (1905-1910), professeur au Collège de France (1929), président de la Société préhistorique française (1936), membre de l'Institut (1938), il participe à la plupart des grandes découvertes de ce siècle (sculptures du Tuc-d'Audoubert, 1912 ; les Trois-Frères, 1916 ; Lascaux, 1940 ; Rouffignac, 1956) ; étendant le champ de ses investigations à l'Europe centrale (1923-1925), à la Chine et à l'Afrique (1942-1951), il domine l'ensemble des études préhistoriques. On lui doit plus de trois cents publications diverses et surtout sa synthèse : *Quatre cents siècles d'art pariétal* (1952). Nombre d'établissements français et étrangers sont redevables de sa générosité, notamment, au Louvre, le Département des Objets d'Art (don en 1926, d'un fragment d'ivoire médiéval) mais surtout le Musée des Antiquités nationales de St-Germain-en-Laye (objets mobiliers paléolithiques, relevés de fresques, manuscrits, correspondance, photographies...).

A. H. Brodrick, *The Abbé Breuil prehistorian, a biography*, Londres, 1963 ; H. Delporte, "Hommage à l'occasion d'une exposition : l'abbé Henri Breuil (1877-1961)", *Antiquités nationales*, 16-17, 1984, pp. 13-16 ; S. Cassou de Saint-Mathurin et M. Th. Berger, "L'Abbé Breuil et Maurice Thaon à Lascaux", *Antiquités nationales*, 18-19, 1986, pp. 123-132.

BRIANDET Jean Baptiste Camille
Paris 1827 - Paris 1910

Don, en 1905, d'un plat d'Avisseau dans le style de Bernard Palissy.

BRIERE Gaston
Paris 1871 - Paris 1962

Conservateur au Musée de Versailles pendant presque toute sa carrière, professeur à l'École du Louvre (1911-1938), il fut directeur du dépôt des musées nationaux au château de Brissac pendant la seconde guerre mondiale et membre du Conseil artistique des musées nationaux à partir de 1945. Il fut aussi codirecteur du *Répertoire d'histoire moderne et contemporaine de la France* et de la *Revue d'histoire moderne et contemporaine*, et à trois reprises président de la Société de l'Histoire de l'Art français, dans le *Bulletin* de laquelle il a principalement publié. Don de deux dessins en 1919 et 1922, d'une statuette de Jovard : *Vallet de Viriville* en 1928, de trois dessins de S. della Bella en 1954. Legs d'un album de croquis, d'un dessin de Cochin, de deux pastels de Cl. Bornet et d'une miniature par le même artiste.

BRINCARD Louis Charles Georges, baron
1871 - Paris 1953

Président du conseil d'administration du Crédit Lyonnais, il donne en 1936 le buste en plâtre de Sabine Houdon par Houdon, en mémoire de la baronne Brincard, décédée en 1935, qui avait soutenu sa thèse d'École du Louvre sur les *chapiteaux de Cunault* en 1929.

BRISSON famille d'Henri

H. Brisson (Bourges 1835 - Paris 1912) fut un homme politique influent de la Troisième République. Plusieurs fois député de la Seine, du Cher et des Bouches-du-Rhône, il fut aussi Président du Conseil et Ministre à deux reprises, ainsi que Président de la Chambre des Députés. Sa famille donna au Louvre son portrait peint par M. Baschet (déposé au Musée de Versailles).

BRIVET M.

Don en 1865 de deux portraits peints, inspirés de modèles français du XVIᵉ s.

BROCA Paul
Ste-Foye-la-Grande 1824 - 1880

Chirurgien, fondateur de l'école d'anthropologie moderne, vice-président de l'Académie de Médecine et sénateur en 1880. Don en 1877 de plusieurs objets égyptiens précédemment donnés par Mariette à la Société d'anthropologie.

M. Horteloup, ''Éloge de Paul Broca'', *Bulletin de la Société de Chirurgie*, 1883.

BROHAN Madeleine Émilie
1833 - 1900

Comédienne comme ses deux sœurs Suzanne Augustine (1807-1887) et Augustine Joséphine Félicité (1824-1893), elle débuta à la Comédie française en 1850, et devint sociétaire en 1855. Mariée cette même année, elle se fit engager à Saint-Pétersbourg, où elle connut un grand succès, en 1856. A son retour en France, elle fut acclamée comme l'une des meilleures actrice de Paris, et quitta les planches en 1884, ouvrant un salon rue de Rivoli. Legs de son portrait par P. Baudry (Orsay).

BRONGNIART Édouard Charles Franklin
Paris 1830 - Bezu-St-Éloi (Eure) 1903

Arrière-petit-fils de l'architecte A. Th. Brongniart et inspecteur honoraire de l'enseignement du dessin dans les écoles de la Ville de Paris. Don en 1900, d'une statuette de plâtre par Clodion, *Hercule au repos*, qu'il tenait de son ancêtre avec lequel Clodion avait collaboré.

BROOKLYN MUSEUM New York

Il dépend de l'Institut des Arts et Sciences de Brooklyn, institution municipale créée au début du siècle dans un esprit parfaitement didactique, et regroupant de nombreuses sections d'art et d'ethnographie. Grâce à la collection, la bibliothèque, et surtout le legs financier de Charles Edwin Wilbour et ses enfants, la section égyptienne s'est beaucoup enrichie. Cette famille de mécènes fera aussi une donation financière au Département des Antiquités égyptiennes du Louvre. En 1961, le Brooklyn Museum offre au Louvre la partie inférieure d'une statue saïte de Iahmessaneith, dont le Louvre possédait déjà le buste.

BROSSÉ Léonce
1871 - ?

Architecte-inspecteur du Service de l'Archéologie et des Beaux-Arts du Haut-Commissariat en Syrie. Don en 1924 d'un sceau-cylindre et en 1926 d'une intaille d'agathe et d'une tablette de Tell Asharah.

Revue Archéologique XLI (1947), pp. 45-46.

BROWN dit JOHN-LEWIS-BROWN, Louise Henriette Marie Marguerite Jeanne
Paris 1872 - Jouy-en-Josas (Yvelines) 1959

Legs de quatre-vingt-cinq dessins et albums de son père, le peintre John Lewis Brown (1829-1890), représentant des cavaliers et des chevaux, et du portrait de son grand-père, George Brown, d'origine irlandaise, par G. Stuart.

BRUDIEUX André Roland

Graveur, président de la société *Le Trait* ; don à la Chalcographie en 1983 d'une planche de cuivre gravée au burin, *Vue du pont des Arts tel qu'il était*.

BRUET Monsieur

Bibliothécaire à Elbeuf. Don en 1886 d'un fragment d'inscription funéraire antique, trouvé à Cherchel (Algérie).

BRUMMER Ernest

Antiquaire parisien. Don en 1932 d'une paire d'oreilles votives en faïences au Département des Antiquités égyptiennes.

BRUMMER Joseph
? - ap. 1936

Antiquaire (?) à New York et à Paris. Don en 1922 d'une statuette de guerrier parthe en bronze au Département des Antiquités orientales et en 1929 d'un bronze *Eve* de Despiau.

BRUNEAU Jean Jules
Paris 1854 - Ecoublay (Seine-et-Marne) 1925

Agent de change à Paris, lié à J. Peytel*, il participe à l'achat en bloc de la collection Victor Gay (cf. Mme Victor Gay*), et à l'acquisition de la plaque ottonienne de la *Multiplication des pains* et du *Jeune berger*, bronze de Riccio.

BRUNET Marcelle
Paris 1903 - Paris 1986

Entrée en tant que stagiaire bénévole à la bibliothèque de la Manufacture de Sèvres en 1944, M. Brunet, jusqu'à sa retraite en 1968, y assura les fonctions de bibliothécaire-archiviste. Elle publia de nombreux ouvrages dont le catalogue de la porcelaine française de la Frick Collection à New York (1974) et, en collaboration avec Mme Tamara Préaud, actuelle archiviste de la Manufacture, un très important ouvrage sur la porcelaine de Sèvres (1978). M. Brunet a donné, en 1981, un seau à demi-bouteille du service offert, en 1774, par Louis XV à Marie-Caroline, reine de Naples. Elle a également légué à la Manufacture de Sèvres un important ensemble de dessins du peintre sur porcelaine J. Ch. Develly.

BRUNET de PRESLE Charles Marie Wladimir
Paris 1809 - Paris 1875

Professeur à l'École des Langues Orientales, membre de l'Institut, il termina en collaboration avec Egger le *Catalogue des papyrus grecs du Musée du Louvre et de la Bibliothèque Impériale*, Paris, 1865. Don en 1876 par ses héritiers d'une stèle funéraire grecque.

BRUNET-LOTTER Mlle

Don en 1962 d'une statuette en terre cuite de femme drapée d'Érétrie (?) datant de la seconde moitié du IIIᵉ siècle av. J.-C.

BRUYERE Bernard
Besançon 1879 - Chatou 1971

Égyptologue d'abord pensionnaire à l'I. F. A. O., il s'attache avec passion au site de Deir-el-Medineh. Donne deux stèles au Département des Antiquités égyptiennes en 1929.

BRY Michel de

Secrétaire général de l'Académie du disque français et du film musical, administrateur de la Vidéothèque de Paris, archéologue biblique. Il rédigea le savant catalogue de la vente de ses livres du XVIᵉ s. (*Bibliothèque d'un humaniste*) en 1953. Il a donné : en 1980, une vitrine exécutée sous la Restauration pour les Diamants de la Couronne ; en 1982, une épée iranienne, au Département des Antiquités orientales ; en 1983 un étui en cuir provenant du Dauphin, fils de Louis XIV ; en 1987, en hommage à H. Landais*, un déjeuner en porcelaine de Sèvres (1757). Il est aussi donateur du Musée de la Renaissance d'Ecouen, de la Bibliothèque nationale, du Musée Victor Hugo et du Musée lorrain de Nancy.

BRYEN Camille
Nantes 1907 - Paris 1977

Poète, peintre et graveur. Don à la Chalcographie en 1973, d'une planche gravée, *Signe igné 73*.

BUCHÈRE Paul

Attaché honoraire à la conservation du Musée égyptien au Louvre, en 1867. Don la même année de trois statues d'époques diverses.

BUCQUOY Jules
Péronne 1829 - Paris 1920

Mme Georges Édouard Deligand, née Charlotte Antoinette Marie Bucquoy, et Mme Marie-Émile Chauffard, née Jeanne Louise Bucquoy, toutes deux filles du Dr. Jules Bucquoy, firent don en 1920 d'une copie de l'*Autoportrait* de Jouvenet (déposé alors à Versailles), en souvenir et au nom de leur père, décédé accidentellement. Ce dernier était

L'E. Bugatti

Ph. Burty

R. Cagnat
Bibl. de l'Institut, Paris

G. Caillebotte
Autoportrait, Orsay

membre de l'Académie de Médecine, grand médecin des Hôpitaux de Paris et auteur de nombreuses études médicales, en particulier sur les maladies de cœur.

BUFFET Mme André, née Simone Querenet

Don en 1951, d'une fleur de lys du collier de la statue d'Henri IV en bronze du Pont-Neuf, œuvre de Pietro Tacca.

BUGATTI L'Ébé
Strasbourg 1903 - Paris 1980

Fille du constructeur automobile, E. Bugatti (1881-1947) et nièce du sculpteur R. Bugatti (1884-1916), elle écrivit un ouvrage consacré à son père, *L'Épopée Bugatti*. Les dernières années de sa vie furent vouées à la mise en valeur des œuvres de son oncle et elle a ainsi donné, en 1975, 1976 et 1979, au Musée du Louvre, plusieurs sculptures de l'artiste. Son filleul et héritier, M. J. M. Desbordes, a perpétué son geste, en offrant à son tour, en 1981, des pièces de R. Bugatti, permettant un rassemblement représentatif des œuvres de l'artiste, se trouvant maintenant au Musée d'Orsay.

BUHNER Mme, née Maria Dauby ou d'Auby

Peintre, connue pour avoir exposé (essentiellement des portraits de femmes) aux Salons de 1831 à 1866, elle donna au Louvre en 1867 l'*Autoportrait* de Mme Haudebourt-Lescot (1784-1845), dont elle avait été l'élève et l'amie.

BUIT Jean du
Paris 1886 - 1988

Polytechnicien, inspecteur général des Finances, chef de cabinet de R. Poincaré en 1926 puis directeur du Crédit national de 1929 à 1942. Don en 1935 d'un masque de momie "en souvenir de M. Arsène Henry, Ambassadeur de France, don de ses enfants".

BULGARIDES N.

Agent consulaire de France à Kavalla (Grèce). Don en 1900 au Département des Antiquités grecques et romaines d'un monument funéraire découvert à Amphipolis et d'une stèle de banquet funéraire provenant de Thasos, et en 1910 de deux stèles funéraires et de trois têtes en marbre.

BULTEAU Mme Mathilde Victoire Augustine
Roubaix 1860 - Paris 1922

Journaliste et romancière sous les pseudonymes de Fœmina, de Jacques Vontade, ainsi que sous ses noms de jeune fille et d'épouse (mariée en 1880 à Jules Ricard, elle le quitta en 1896). Par son testament de 1921, à l'exemple d'E. Lavisse, elle laissait toute sa fortune à l'Université de Paris, prévoyant de l'employer pour accorder des bourses à de jeunes historiens. Ses autres légataires étaient la Bibliothèque nationale, le Louvre (qui reçut en 1922 une *Pietà* d'albâtre du XVᵉ s. de l'entourage du Maître de Rimini et un tableau de Tassaert, *Pygmalion*), les musées de Versailles, de Malmaison et des Arts décoratifs.

BUMA-HETSTAATJE C. William A.

Établi à Los Angeles, sans doute d'origine hollandaise, il donna en 1924 sous l'attribution à G. d'Hondecœter, un tableau, *La tentation de saint Antoine*, donné aujourd'hui à F. van Valckenborgh.

BUMSEL Hyacinthe
Paris 1883 - Issy-les-Moulineaux 1964

Ce fabricant parisien ("sacs à provisions, musettes, serviettes d'écoliers...") donna en 1934 au Louvre, pour être déposé au Musée national du château de Pau, un tableau de l'École française du XIXᵉ s. qui, selon lui, représentait Henri IV recevant les clefs de Paris. La toile ayant pour vrai sujet *Les Guise tenant conseil dans le parc du château d'Eu*, elle fut déposée au château d'Eu en 1972.

BURCH Marie Camille Georgina
Londres 1870 - Paris 1952

Ancien professeur d'anglais de la Ville de Paris, naturalisée française, Mlle Burch légua le portrait (entré en 1953) de François-Alexandre Fromont, son arrière-grand-père, peint par Gosse en 1829, et un portrait en miniature peint par M. David en 1841 de sa grand-mère, Mme J. B. E. Ladeuze, née Élisabeth Fromont.

BUREAU Paul
Paris 1874 - Paris 1915

Avocat à la Cour d'Appel de Paris, il était le fils de Pierre Bureau (1827-1876) et le neveu d'Auguste Marie Boulard (1825-1897), tous deux peintres et·collectionneurs. Il mourut jeune et célibataire, en léguant au Louvre trois tableaux : deux paysages peints par son père (Musée d'Orsay) et *Le souffleur* de Chardin, peinture qui, en 1900, appartenait à sa mère († 1907), laquelle avait dû en hériter de son mari. L'importante collection que Paul Bureau avait lui-même réunie fut dispersée en vente publique en 1927 (Galerie G. Petit, 20 mai ; Hôtel Drouot, 23-24 mai) ; elle comprenait des dessins et tableaux anciens et modernes, dont un exceptionnel ensemble de quarante-neuf œuvres de Daumier provenant des collections de Pierre Bureau et d'Auguste Boulard (amis de cet artiste) ou achetées par Paul Bureau à d'autres amateurs ; parmi ces dernières figurait *La blanchisseuse* dont le Louvre se porta acquéreur.

"La collection Paul Bureau", *Le Figaro artistique*, 5 mai 1927, pp. 470-471, et 23 juin 1927, pp. 585 et 587. "Collection Paul Bureau", *La Gazette de l'Hôtel Drouot*, 12 mai 1927, p. 1

BURG Lucien Marcel
Paris 1875 - 1920

Antiquaire et collectionneur ; son testament de 1911 permettait aux musées nationaux de faire une libre sélection dans sa collection. Kœchlin* et Migeon* choisirent huit importants dessins de Degas dont le *Portrait d'Hélène Hertel, Femmes sur la pelouse*, deux études pour la *Répétition de chant* (Washington, Fondation Dumbarton Oaks) ainsi qu'un *Buste de jeune fille*, plâtre de F. Rude.

BURNE-JONES Sir Edward
Birmingham 1833 - Londres 1898

Célèbre peintre anglais, a envoyé trois de ses dessins au Musée du Luxembourg en 1892 (Louvre). Il reçut en remerciement un vase dit de Lesbos de la Manufacture de Sèvres.

BURTHE d'ANNELET
baron André Joseph Victor
Paris 1867 - Paris 1952

Amateur d'art, donateur au Musée de l'Armée. Legs au Louvre d'une *Vierge* en albâtre de Trapani, d'un dessin de Gericault ainsi que de gravures à l'Institut d'Art.

BURTY Philippe
Paris 1830 - Astaffort (Lot-et-Garonne) 1890

Collectionneur, historien et critique d'art, l'un des plus influents de son temps, défenseur de la gravure originale (il était lui-même graveur), il contribua notamment à faire connaître l'art japonais en Europe. Ami et exécuteur testamentaire de Delacroix, il légua au Louvre un dessin de l'artiste, *La montée au Calvaire*, que ce dernier lui avait légué dans son testament, et l'*Album d'Afrique du Nord et d'Espagne*, légué avec réserve d'usufruit au Dr. Jean Charcot. Ils entrèrent au musée en 1891. Le Département des Sculptures bénéficia également d'un don en 1886 : un *Masque de femme* du XIVᵉ s.

M. Tourneux, "Philippe Burty", *Gazette des Beaux-Arts*, t. XXXVII, 1907, pp. 388-402. G. P. Weisberg, "Philippe Burty, a notable critic of the nineteenth century", *Apollo*, 1970, pp. 296-300. P. Georgel, "Le romantisme des années 1860. Correspondance Victor Hugo-Philippe Burty", *Revue de l'Art*, 1973, n° 20, pp. 9-64.

BURTY-HAVILAND Paul
Paris 1880 - Paris 1950
CAMU-HAVILAND Mme Albert,
née Jeanne Haviland
1867 - Paris 1915

Ils étaient les enfants de Charles E. Haviland (1839-1921), fabricant de porcelaine et collectionneur ; de son premier mariage avec Valérie-Marie Guillet, il avait eu une fille, Jeanne ; du second, avec Madeleine Burty, fille du critique d'art Ph. Burty*, trois fils. L'aîné Paul, fit don au Louvre en 1922 d'un tableau de J. A. Vallin en son nom propre et celui de sa demi-sœur, décédée quelques années plus tôt.

BUTAUD Jean
Bourganeuf 1875 - Bourganeuf 1956

Docteur, président du syndicat d'initiative de Bourganeuf. Don en 1943 du bras droit de la statuette de bronze dite l'*Apollon de la Courrière*.

CABANEL Barthelemy

Frère du peintre A. Cabanel, il donna au Musée du Luxembourg en 1889, à la mort de l'artiste, le *Portrait d'Alfred Armand* (Orsay).

CABANEL Mme Victoria

La Galerie Cabanel, 76 rue de Seine à Paris, fut fondée en 1952 par André Cabanel qui la dirigea d'abord plusieurs années avec Georges Ventura. Mme Cabanel prit la direction de la galerie au moment de la disparition de son mari en 1966. Mme Cabanel a donné au Louvre en 1985 la *Bacchanale d'enfants* de P. J. Sauvage ; elle avait déjà offert plusieurs tableaux, dont en 1972 l'esquisse de la *Mort d'Adonis* de J. B. Regnault et en 1974 l'*Enlèvement d'Hélène* de Ch. Pœrson, sous le couvert de l'anonymat. En outre, elle a donné plusieurs œuvres au Cabinet des Dessins, dont une aquarelle de Percier en 1969 et un *Projet de bas-relief* de Bergeret en 1970.

CABAT Pierre Louis

Diplomate. Don en 1977, grâce à l'intervention de P. Miquel*, de sept dessins de son arrière-grand-père le paysagiste L. Cabat (1812-1893).

CABET Jean Baptiste Paul
Nuits (Côte d'Or) 1815 - Paris 1876

Sculpteur, élève puis collaborateur de Rude. Don en 1871 de cinq grands dessins de son maître.

CADET de GASSICOURT Félix
Paris 1871 - Paris 1953

Il poursuivit sa carrière à la Bibliothèque nationale de 1899 à 1932 et fut l'auteur de l'*Histoire de l'Abbaye de Cordillon* (1906) et de *Paris et ses Vieux Hôtels* (1928). Il donna en 1950 le portrait de sa grand-mère, *Madame Félix Cadet de Gassicourt* (déposé en 1983 à Angoulême) par L. Hersent. Le grand-père du donateur, Charles Louis Félix (1781-1861), était accoucheur de l'impératrice Eugénie et fils du pharmacien de l'Empire.

CAGNAT René
Paris 1852 - Paris 1937

Chargé par le Ministère de l'Instruction publique de plusieurs expéditions archéologiques en Tunisie. Nommé en 1887 professeur d'épigraphie et d'antiquités romaines au Collège de France, il est élu en 1895 à l'Académie des Inscriptions et Belles Lettres dont il était devenu le secrétaire perpétuel en 1916. Outre son cours d'épigraphie romaine édité en 1886, qui fait toujours autorité, il publia de nombreux ouvrages, parmi les plus connus une étude sur les impôts indirects chez les Romains et de nombreux volumes traitant des antiquités africaines. Don en 1894 de deux épitaphes sur marbre trouvées entre Tunis et Carthage.

CAHEN-SALVADOR Jean

Conseiller d'État. Don en 1976 en souvenir de Marie-Paule Fontenelle-Pomaret († Paris 1975), ancien directeur de la revue *La Renaissance de l'Art*, de quatre albums de dessins de F. Ziem (1821-1911), ainsi que de seize dessins de Max Jacob partagés entre les musées d'Orléans et de Quimper, auquel a été attribué aussi le buste de *Mme Fontenelle-Pomaret*, sculpté par Despiau, et d'un portrait de famille par S. Valadon (déposé au Centre Georges Pompidou).

CAHINGT Paul-Henri
Villers-sous-Foucarmont   (Seine-Maritime)
1825 - Londinières (Seine-Maritime) 1904

Collaborateur de l'abbé Cochet, le célèbre archéologue et érudit rouennais, P. H. Cahingt fut professeur au collège de Dieppe. Il a fourni de nombreuses études relatives à l'histoire de l'archéologie, spécialement à l'émigration dieppoise au Canada et aux Antilles, à la Commission des Antiquités de la Seine-Inférieure et aux Amis du Vieux Dieppe. Il fit de nombreux dons au Musée de Neufchâtel-en-Bray (Seine-Maritime). Au Musée du Louvre il offrit à deux reprises, en 1863 et en 1865, des carreaux médiévaux.

H. Eloy, *Un collaborateur de l'abbé Cochet : P. H. Cahingt*, Rouen, 1947.

CAHN Herbert

Antiquaire à Bâle. Dons d'un groupe d'*Aphrodite et Éros* en terre cuite en 1952, de deux moules en terre cuite en 1960 et d'un fragment de vase en 1966.

CAILLEBOTTE Gustave
Paris 1848 - Gennevilliers (Hauts-de-Seine)
1894

Gustave Caillebotte se joignit aux Impressionnistes en exposant avec le groupe dès 1876. Longtemps méconnu, Caillebotte a enfin atteint la notoriété due à son talent propre trop longtemps occulté par le retentissement de son rôle de mécène auprès de ses camarades peintres. C'est en effet grâce à G. Caillebotte que les Impressionnistes firent une entrée éclatante, à plus d'un titre, dans les collections nationales françaises. Eclat du "scandale" d'abord : en 1894, lorsque Caillebotte meurt, très jeune encore, et lègue à l'État (comme il l'avait envisagé dès 1876) sa collection uniquement composée d'œuvres de peintres impressionnistes (soixante-sept peintures et pastels en tout, pour leur majorité antérieurs à 1880 et acquis très tôt ainsi que deux dessins de Millet) ceux-ci sont loin d'être unanimement acceptés du public et de là naître les difficultés. Les autorités des musées d'une part sont ravies de recevoir gratuitement des œuvres d'artistes non représentés (sauf Manet, Renoir et Sisley) dans les collections nationales et que leur prix rend désormais difficilement abordables. D'autre part le Musée du Luxembourg qui doit les abriter puisqu'il s'agit

P. Cailleux

A.N. Cain
L. Bonnat, Musée du Petit Palais, Paris

G. Cain
L. Bonnat, coll. part.

---

d'œuvres d'artistes vivants manque de place et l'on craint, si l'on expose l'ensemble de la collection comme le stipule expressément le testament, de paraître favoriser une certaine tendance artistique, qui est encore contestée. Martial Caillebotte*, en revanche, soutenu par Renoir*, choisi comme exécuteur testamentaire, insiste fermement sur l'obligation absolue de recevoir et d'exposer la totalité de la collection. Les négociations difficiles, passionnées - et déjà relayées par la presse contemporaine -, aboutirent à un compromis qui permit à l'État d'opérer un choix d'œuvres (quarante en tout, le reste revenant à la famille de l'artiste), enfin exposées en 1896. Ainsi entraient dans les collections nationales quelques-uns des chefs-d'œuvre de l'actuel Musée d'Orsay où la collection se trouve maintenant après avoir été successivement au Louvre (1929 à 1933), puis au Jeu de paume (1947) : *L'Estaque* de Cézanne, sept pastels de Degas dont *L'Étoile* ou *Danseuse sur la scène*, *Femmes assises à la terrasse d'un café*, *Le Balcon* de Manet, *Le Déjeuner*, la *Gare Saint-Lazare*, *Régates à Argenteuil* de Monet, *Potager et arbres en fleurs*. *Printemps à Pontoise* et les *Toits rouges* de Pissarro, *Régates à Molesey* de Sisley et enfin le *Bal du Moulin de la Galette*, *La Balançoire*, la *Liseuse* et le *Torse, effet de soleil* de Renoir.

P. Vaisse, "Le legs Caillebotte d'après les documents", *Bulletin de la Société de l'Histoire de l'Art français*, 1983, (1985), pp. 201-208. M. Bérhaut, "Le legs Caillebotte. Vérités et contre-vérités", *ibidem*, pp. 209-223.

CAILLEBOTTE héritiers de Gustave

Les héritiers de Gustave Caillebotte étaient son frère cadet Martial Caillebotte* et son demi-frère l'abbé Alfred Caillebotte (1834-1896) curé de Notre-Dame de Lorette. Aucune œuvre de Gustave Caillebotte n'étant comprise dans son legs, ses héritiers, ainsi que Renoir*, son exécuteur testamentaire firent don à l'État en 1894 des *Raboteurs de parquet* (Orsay), chef-d'œuvre de la première manière du peintre.

CAILLEBOTTE Martial
Paris 1854 - Paris 1910

Musicien amateur, philatéliste, le plus jeune frère du peintre Gustave Caillebotte fut étroitement associé à la vie artistique de celui-ci, et à sa mort il fut appelé à jouer un rôle de premier plan dans les négociations entre l'État et les héritiers de Gustave Caillebotte* à propos du legs de ce dernier. Martial Caillebotte compléta le legs de son frère en offrant en 1894, *Les toits sous la neige* de Gustave Caillebotte (Orsay).

CAILLEUX Jean et Denise de

Historien d'art, J. Cailleux a publié de nombreux articles consacrés à l'histoire de la peinture et du dessin français du XVIIIᵉ s., prenant à la mort de son père, P. Cailleux*, la responsabilité de la Galerie Cailleux. Il a rédigé les catalogues de nombreuses expositions organisées à la galerie et est l'auteur du catalogue *Les Hubert Robert du Musée de Valence* (1985) et d'un *Hubert Robert et les jardins* (1987). Fondateurs en 1965 du "Prix Paul Cailleux" destiné à permettre la publication d'un ouvrage d'érudition sur l'art du XVIIIᵉ s. Jean Cailleux et sa sœur Denise Cailleux-Mégret ont offert au Département des Peintures en 1968 le *Portrait de Philippe Coypel* de Ch. A. Coypel et en 1978 le *Triomphe de l'Eucharistie*, esquisse du Sicilien O. Sozzi ; au Cabinet des Dessins, en 1949 un pastel de Ducreux, en 1978 un dessin du Cavalier d'Arpin et en 1981 cinq croquis de Hubert Robert.

CAILLEUX Paul
Paris 1884 - Paris 1964

Fondateur en 1912 de la galerie qui porte son nom, Faubourg Saint-Honoré à Paris, expert et négociant de tableaux et dessins anciens essentiellement du XVIIIᵉ s., dont il était un grand connaisseur, il organisa dans sa galerie des expositions qui connurent un réel retentissement. Collectionneur, P. Cailleux se passionnait pour tous les aspects de la création du XVIIIᵉ s. français, particulièrement pour les terres cuites dont il avait rassemblé un bel ensemble, aujourd'hui pour l'essentiel au Musée Bonnat de Bayonne. P. Cailleux a donné en 1956 l'*Entrevue de Neuhaus* de L. de Sil-

vestre ; il avait offert en 1934, 1946, 1951 et 1954 plusieurs terres cuites de Julien, Pajou et attribué à Monnot, plus particulièrement les maquettes des *Chevaux du Soleil* de G. et B. Marsy et du *Général Marceau* de Dumont ; le Cabinet des Dessins lui doit (1946) un *Projet de monument funéraire* de Pajou.

CAIN Auguste Nicolas
Paris 1821 - Paris 1894

Sculpteur animalier, il donna en 1891 un tableau de D. A. Raffet, *Soldat de la Première République*, ainsi qu'un groupe en cire de son beau-père Mène, également sculpteur animalier, *L'hallali du cerf* (Orsay).

CAIN Georges
Paris 1853 - Paris 1919
CAIN Henry
Paris 1859 - Paris 1930 ou 1937

Élève de Cabanel, Vibert et Detaille, G. Caïn se consacra également aux lettres et publia de nombreux ouvrages sur l'histoire de Paris. En 1897 il devint conservateur du Musée Carnavalet. Son frère, Henry, après avoir été l'élève de J. P. Laurens et E. Detaille, devint librettiste ; il écrivit notamment le livret de *La vivandière* de B. Godart. Georges et Henry Caïn offrirent au Louvre, en 1898, *Chiens au terrier* une cire de leur grand-père, P. J. Mène (1810-1879) et, en 1927, deux œuvres de leur père le sculpteur A. Cain*, *Rhinocéros attaqué par des tigres* et *Lion et lionne se disputant un sanglier* (Orsay).

CAISSE NATIONALE DES MONUMENTS HISTORIQUES

Elle a participé financièrement, avec divers grands collectionneurs, à l'acquisition du pot-à-oille du service Orloff (1933) et à celle de la paire de chenets de F. Th. Germain (1935).

CALANDO Mlle Marguerite

Petite-fille du collectionneur Émile-Louis Calando dont la vente après-décès eut lieu à Paris les 11 et 12 décembre 1899 ; elle a fait don en 1970 d'un important *Paysage* de Pynacker, et en 1982, de trois dessins de Poussin.

J. Cambon
C.P. Renouard, Louvre

Comte I. de Camondo

CALLOU Georges Antoine
Paris 1794 - Paris 1871

Ami du peintre A. Dauzats. Don, en 1866, d'un tableau de W. G. Ferguson, *Coq, gibier et ustensiles de chasse.*

CALMANN Hans Maximillian
Hambourg 1899 - Pilton (Somerset) 1982

D'une famille de banquiers allemands, ce remarquable érudit, grand amateur d'objets antiques et de numismatique, dut s'installer en Angleterre, où, à partir de 1938, tout en continuant de collectionner pour lui-même, il se consacra au commerce des dessins, s'attirant la clientèle et l'amitié des grands collectionneurs et acheteurs. En 1969, il fit don, grâce à D. Mahon* qu'il associa à ce don, d'un dessin de l'École française du XVIIe s., *Noces d'Hercule et de Déjanire,* d'après une composition de N. Poussin pour la grande galerie du Louvre.

CAMBON Jules Martin
Paris 1845 - Vevey 1935

Gouverneur Général de l'Algérie en 1891, il est nommé ambassadeur à Washington en 1897, remplace son frère à Madrid entre 1902 et 1907, et se retrouve à l'Ambassade de France à Berlin (1907-1914). Membre de l'Académie française en 1918. Don en 1897 de deux blocs rupestres de Hadj-Meimoum (sud oranais) gravés.

CAMOIN Manuel

Commandant des Messageries Maritimes. Don d'un petit cippe avec une inscription sud arabique, rapporté en 1885 et présenté au Louvre par M. Champion, libraire, éditeur, quai Voltaire à Paris en 1905.

CAMONDO comte Isaac de
Constantinople 1851 - Paris 1911

Banquier issu d'une famille de banquiers de Constantinople, il était de nationalité italienne. En 1866, les frères Abraham et Nissim de Camondo s'installèrent dans deux hôtels contigus, respectivement 61 et 63 rue de Monceau.

Abraham († 1889), déjà collectionneur, fut le père d'Isaac, qui commença à collectionner très jeune, installé successivement rue de Presbourg, rue Gluck, puis 82 avenue des Champs-Elysées. Il légua sa collection au Louvre en demandant qu'elle restât groupée pendant cinquante ans (elle fut installée au second étage du Louvre, entre l'escalier Mollien et la Grande Galerie). La collection présente un quadruple aspect : art d'Extrême-Orient, Moyen-Âge et Renaissance, arts décoratifs du XVIIIe s., peintures et dessins. Les objets extrême-orientaux, consistant principalement en estampes japonaises, sont maintenant au Musée Guimet. La collection médiévale et Renaissance comprend des sculptures (*Tête d'impératrice*, art byzantin, VIe s. ; *Combat de cavaliers et de fantassins*, groupe en terre cuite, attribué à Rustici), des bronzes (*Crucifixion*, bas-relief attribué à Donatello) et un très beau masque en cuivre doré limousin du XIIIe s. La collection de meubles et objets du XVIIIe s. fut la première de ce type qui entrât au Louvre, dont la collection de meubles venait d'être créée grâce aux versements du Mobilier national de 1901. Elle consiste en meubles, acquis, en partie à la vente du baron Double en 1881 (meubles d'ébénisterie : table à écrire de B. V. R. B., commode de Leleu, commode célèbre de Schlichtig, table mécanique de Wolff ; et très beaux sièges : six chaises de Tilliard, paire de bergères et chaise longue de Delanois, "mobilier des Dieux" de N. Q. Foliot, deux fauteuils de Jacob provenant du mobilier royal), bronzes d'ameublement, tapisseries, deux pièces d'orfèvrerie Louis XV (parmi les premières qui gagnèrent le Louvre) et céramiques (porcelaines de Saxe, faïences de Rouen, Marseille, Moustiers, Sinceny, célèbre cartel en faïence de Strasbourg dominé par la figure du Temps). La collection de soixante-deux tableaux est l'une des plus importantes jamais donnée au Louvre. Elle fit entrer au Musée, contrairement à l'usage, des œuvres d'artistes vivants, car Camondo fut l'un des premiers et des plus éclairés collectionneurs de toiles impressionnistes. C'est pourquoi la plupart de ses peintures sont maintenant au Musée d'Orsay : œuvres de Corot (*L'Atelier*), Cézanne (*Les Joueurs de cartes, La Maison du pendu, Le Vase bleu*), Degas (*La Classe de danse, Le Foyer de la danse, Le Champ de courses. Jockeys amateurs, La Femme à la potiche, L'Absinthe, Les Repasseuses*), Manet

(*Lola de Valence, Le Fifre*), Monet (quatre vues de *La cathédrale de Rouen, Le Bassin d'Argenteuil, La Charrette*), Sisley (*Inondation à Port-Marly, La Barque pendant l'inondation, Port-Marly*), Toulouse-Lautrec (*La Clowness Cha-U-Kao*). La collection comprend encore des dessins dûs à Ingres et Delacroix, et surtout aux Impressionnistes, en particulier Degas et Manet (pastel *Étude de femme*). Une salle du Département des Objets d'Art porte le nom de Camondo.

G. Migeon, *Le Comte Isaac de Camondo*, Paris, 1913 (Les Donateurs du Louvre). *Musée national du Louvre. Catalogue de la collection d'Isaac de Camondo*, Paris, s. d..

CAMONDO comte Moïse de
Constantinople 1860 - Paris 1935

Fils du comte Nissim de Camondo et cousin germain d'Isaac*. Il fut membre du Conseil artistique de la Réunion des musées nationaux, vice-président de la Société des Amis du Louvre et de l'Union centrale des Arts décoratifs. Il fit reconstruire par Sergent l'hôtel de ses parents, 63 rue de Monceau (1911-1914), et y rassembla une collection d'œuvres d'art françaises du XVIIIe s. L'ensemble fut légué à l'Union centrale sous le nom de Musée Nissim de Camondo, en souvenir de son fils Nissim, tué en combat aérien en 1917. Le comte Moïse contribua financièrement à l'achat des chenets de F. Th. Germain en 1935.

CAMU-HAVILAND Mme Albert
voir **BURTY-HAVILAND Paul**

CANAT de CHIZY Madame
voir **FOUQUES DUPARC Arthur**

CANDÉ Mme Henry,
née Madeleine Darier-Baziere
Dijon 1868 - Neuilly-sur-Seine 1944

Épouse d'un peintre aquarelliste. Donation en 1939 sous réserve d'usufruit, de deux peintures entrées en 1944 : le *Siège d'Hulst* (1645) d'H. de Meyer et un *Triomphe romain* de Salucci, ainsi que d'une pendule en acajou de Janvier et Bréguet (déb. du XIXe s. ; déposée au Musée de Besançon).

J.L. Capitan
Bibl. de l'Institut, Paris

Carolus-Duran
G. Biessy, Orsay

CANESSA Cesare et Ercole

Antiquaires à Naples, Piazza dei Martiri. Don en 1898 de plusieurs vases et d'une plaque de revêtement en argent provenant du Trésor de Boscoreale, et en 1912, par Ercole seul, d'un socle de bronze avec dédicace.

CANONGE Jules
Nîmes 1812 - Nîmes 1870

Poète et homme de lettres. Don en 1853, sous réserve d'usufruit, d'un dessin attribué à Raphaël et ayant fait l'admiration d'Ingres, des Flandrin et de Pradier.

CANOVILLE

Le Dr. Canoville, qui était originaire de Gréville, comme Millet, donna en 1925, sous réserve d'usufruit (abandonné en 1952), le portrait de sa mère, Mme Canoville-Guérin, l'épouse d'Eugène Canoville, peint par Millet, son ami d'enfance (Orsay).

CANTACUZÈNE Dr. Alexandre
Paris 1901 - Paris 1980
CANTACUZÈNE Mme Alexandre, née Marianne Labeyrie
Paris 1905 - Pantagnan (Landes) 1971

Fils et belle-fille du collectionneur roumain Jean Cantacuzène (1863-1934) qui avait réuni un important ensemble de dessins et de gravures, en partie dispersé à Paris, en vente publique, du 4 au 6 juin 1969. Le Louvre y fit l'acquisition de sept dessins. Don en 1946 d'un dessin de Perino del Vaga.

CAPELLIS Mademoiselle Simone de

Descendante directe du marquis de La Billarderie, frère aîné du comte d'Angiviller. Don en 1978 d'une miniature de Rouvier, *Portrait du marquis de Pujol*, allié à la famille de Capellis.

CAPITAN Joseph Louis
Paris 1854 - Paris 1929

Médecin et anthropologiste français, connu surtout par ses travaux en préhistoire. Il fonde l'Institut International d'Anthropologie et enseigne au Collège de France tout en dirigeant des fouilles sur des sites préhistoriques ; l'abbé Breuil* sera son élève. On lui doit plusieurs ouvrages dont *L'Humanité préhistorique dans la vallée de la Vézère* (1924). L'essentiel de ses collections est conservé au Musée des Antiquités nationales (St-Germain-en-Laye). Don au Louvre d'un fragment de plat chrétien, d'une lampe en terre cuite et legs d'un vase à étrier mycénien.

CAPPIELLO Mme Jean, née Monique Le Bourgeois

Belle-fille du caricaturiste et affichiste L. Cappiello (1875-1942). Don en 1979 de trente-six pastels et dessins de l'artiste, complétant l'acquisition d'un millier de projets d'affiches, portraits-charges et croquis, présentés au Grand Palais en 1981.

CARAMAN Adolphe Frédéric Joseph Marie Victor Riquet comte de
Berlin 1800 - 1876

Capitaine jusqu'en 1830, il s'illustra en restaurant et étudiant le château d'Anet dont il fut propriétaire de 1840 à 1860. Il offrit, en 1861, au Louvre deux reliefs du XVIe s., la *Force* et la *Foi*, provenant de l'église paroissiale d'Anet.

CARAMAN comtesse Béatrice de FUSTIER Mme Patrice, née Hélène de Nervaux Loÿs

Fille et petite-fille de la comtesse E. de Caraman*, elles ont donné en 1982 neuf cadres du XIXe s.

CARAMAN comtesse Ernest de, née Hélène de Ganay
Paris 1890 - Château de Courson (Essonne) 1974

Propriétaire du château de Courson à la mort de son époux, elle hérita de la remarquable collection de peintures réunies entre 1820 et 1850 par le général Arrighi, premier duc de Padoue qui avait fait la guerre d'Espagne dans les armées de son cousin le roi Joseph. Célèbre par ses œuvres espagnoles, cette Galerie était considérée comme l'une des plus importantes en France avec la collection Soult et la collection Aguado. En 1964 la comtesse de Caraman fit don au Musée du Louvre du chef d'œuvre de Carreño de Miranda, *La fondation de l'ordre des Trinitaires*, en souvenir de son époux.

J. Baticle, H. et P. Fustier, P. et O. de Nervaux Loÿs, *Domaine de Courson. Île de France*, Paris, s. d.

CARAPANOS Constantin
Arta d'Épire 1840 - Athènes 1914

Attaché à l'Ambassade turque à Paris, puis Secrétaire général de la Société générale de l'Empire ottoman à Constantinople, il contribue à l'annexion par la Grèce des provinces de l'Épire et de la Thessalie. Député d'Arta au Parlement hellénique, il poursuit des fouilles dans ses terres épirotes et découvre les ruines de Dodone. Il publie *Dodone et ses ruines* (1878). Don au Louvre de quelques bronzes des VIIIe et VIIe s. av. J. -C. en 1881.

CARDON Charles-Léon
Bruxelles 1850 - Bruxelles 1920

Artiste-peintre-décorateur, il participa notamment à la décoration des palais et châteaux royaux belges, s'inspirant parfois d'exemples français (Galerie d'Apollon au Louvre, par exemple), de l'Hôtel de ville de Bruxelles ainsi qu'à la présentation intérieure de plusieurs musées de Bruxelles, tout en constituant parallèlement une importante collection de tableaux et objets d'art rassemblée dans une pittoresque maison du quai au Bois à Brûler à Bruxelles (qui lui valut le surnom de "baron du Canal"). Il organisa des expositions, fit bénéficier de sa générosité les musées de Bruxelles (Siberechts, Baschenis) et le Louvre à qui il destina le petit retable peint et sculpté de l'École du Rhin inférieur du début du XVe s. auquel son nom est resté attaché ("Chapelle Cardon") et qui fut remis au musée en 1921 par ses héritiers. Sa collection fut dispersée dans une vente publique à Bruxelles en 1921, à laquelle plusieurs tableaux importants furent acquis par le Musée Royal des Beaux-Arts de Bruxelles (Gossaert, Maître de Saint Gilles...).

J.A. Carrier
J.D. Court, Musée Goya, Castres

CARDOZO Auguste Henri
Bayonne 1846 - Paris 1925

Ingénieur des Arts et Manufactures, (il consentit plusieurs legs aux Association amicale, Société des Amis et Caisse de secours des Élèves de l'École Centrale), il légua au Louvre *L'Escarpolette* de Pater et une statue de *Bacchus* par Carlès sous réserve d'usufruit au profit de sa fille Joséphine, épouse de Richard Octave-Feuillet, fils de l'écrivain Octave Feuillet, laquelle renonça tout de suite au Pater (entré en 1926 ; déposé en 1934 à l'Assemblée nationale) et en 1953 au Carlès (Orsay).

CARFORT de l'ORIENT Monsieur

Don en 1886, au Département des Antiquités égyptiennes, d'une stèle en calcaire du soldat Houy, rapportée d'Égypte par Febvrier des Pointes*.

CARISTIE Augustin Nicolas
Avallon 1783 - Paris 1862

Architecte, Grand Prix de Rome en 1813 ; inspecteur général en 1827, puis vice-président du Conseil des Bâtiments civils en 1846 ; membre de l'Institut en 1840. Ses héritiers chargèrent son élève, Marie Auguste Antoine Bourgeois (Avallon 1821 - Paris 1884), de remettre à la Chalcographie, au nom de son maître, en 1869, treize planches gravées ayant servi à l'illustration de *Plans et coupes d'une partie du Forum romain et des monuments de la Voie sacrée...* (Paris 1821), et cinquante-trois autres destinées à illustrer *Monuments antiques à Orange* (Paris 1856).

CAROILLON de VANDEUL
Charles Denis dit Albert
Paris 1837 - Paris 1911

Arrière-arrière-petit-fils de Diderot dont la fille Marie-Angélique était devenue Mme de Vandeul. On lui doit l'entrée au Louvre d'un certain nombre d'œuvres provenant des collections personnelles de Diderot : le buste de celui-ci par Pigalle donné en 1905 en même temps que le modèle du *Mausolée Galitzine* par Houdon (considéré dans la famille comme un projet de tombeau pour le philosophe), le

portrait peint par L. M. Van Loo et le marbre du buste de Houdon, légués en 1911, sous réserve d'usufruit en faveur de ses cousins germains, le baron Arthur Le Vavasseur et le baron Louis Le Vavasseur, qui y renoncèrent aussitôt et les remirent au Louvre comme "don de la famille de Vandeul".

CAROILLON de VANDEUL
Louis Alfred
Paris 1814 - Paris 1904

Arrière-petit-fils de Diderot, il était l'oncle d'Albert Caroillon de Vandeul*. Il donna en 1902 les *Noces de Thétis et Pélée* et le *Cortège de Thétis* de Bartolomeo di Giovanni, deux portraits d'homme, l'un de Giovanni Bellini, l'autre de Marziale, une *Sainte Famille* de Bronzino ainsi que la *Bethsabée* de Drost. Il compléta ce don en 1903 par une toile de Pâris Bordone : *Flore*.

CAROLUS-DURAN Charles Émile
Auguste Durand, dit Émile-Auguste
Lille 1837 - Paris 1917

Peintre. Don d'un de ses tableaux, *Le poète à la mandoline*, en 1900 (Musée d'Orsay).

CARON Mme, née Lucie Begouin
Trouville 1875 - Uzès 1972

Don, en 1938, d'un *Portrait de Mlle Bunel*, cousine de la donatrice, peint par E. Pils en 1845.

CARPENTIER Camille

Don en 1893 de cinq tableaux de Chintreuil (Orsay) et de douze études du peintre déposées dans divers musées de province dans les années 1920.

CARPENTIER Camille fils

Don en 1891 d'un tableau de J. Desbrosses : *La montée du petit Saint-Bernard*.

CARRA de VAUX Georges
Chartres 1840 -ap. 1897

Avocat à la Cour d'Appel de Paris. Consul, puis ministre plénipotentiaire en 1893. Il était membre de la Société numismatique de Paris, membre titulaire à vie de la Société d'ethnographie de Paris. Don en 1875 d'une pyxide et d'un canthare en verre trouvés dans l'île de Crète alors qu'il était chargé de la gestion du consulat de La Canée.

CARRELET comtesse Paul,
née Irène Caroline Gaulot
Dijon 1827 - 1890

Épouse du général Paul Carrelet (Dijon 1821 - Paris 1886) qui fit campagne en Afrique, au Mexique puis contre l'Allemagne et fut nommé général de brigade en 1873. Don au Louvre, au nom de son mari, d'une inscription trouvée à Carthage (1887).

CARRIER Joseph Auguste
Paris 1800 - Paris 1875

Miniaturiste et peintre de portraits et de paysages, Carrier fut élève de Prud'hon, Gros et Daniel Saint. Il exposa au Salon de 1824 à 1868. Peintre du duc de Bourbon, prince de Condé, Carrier fut fait Chevalier de la Légion d'Honneur en 1866, année où il donna au Louvre une étude d'Eustache Lesueur. Il légua trois miniatures en 1875 (dont deux déposées au Musée des Arts décoratifs en 1924).

CARRIER Mme Joseph, née Claudine
Clémence Jamont de Joncreuil
Paris 1821 - Paris 1890

Don en 1888 du *Portrait* de son défunt mari, le miniaturiste J. A. Carrier* par D. Court. Elle souhaitait qu'il figurât dans la galerie des portraits d'artistes alors constituée au Louvre (déposé à Versailles).

CARRIER Marguerite Madeleine Jeanne
Paris 1864 - Paris 1925

Petite-fille du miniaturiste A. J. Carrier*. Don de sept miniatures de Carrier transmis par Mlle Rachel Boyer (1925).

L.R. Carrier-Belleuse

Mme E. Carrière
E. Carrière, Orsay

Mme Ch. Cartier
Ed. Dubufe, coll. part.

Ch. Casati

CARRIER-BELLEUSE
Mme Albert Ernest, née Louise Adnot
Paris 1821 - Paris 1903
CARRIER-BELLEUSE Louis Robert
Paris 1848 - Paris 1913

L'épouse du sculpteur Carrier-Belleuse (1824-1887), offrit avec son fils Louis (élève de son père, de Cabanel et de Boulanger et qui débuta au Salon de 1870), une œuvre de l'artiste, la *Bacchante*, en 1895 (Orsay).

CARRIÈRE Mme Eugène, née Sophie Adélaïde Desmouceaux
Paris 1855 - Paris 1922

Legs d'un tableau de son époux *L'enfant malade* (Orsay).

CARRIÈRE groupe d'amis d'Eugène

Une lettre du 19 mars 1908 de Paul Dujardin adressée à Étienne Moreau-Nélaton* nous apprend que Rodin a décidé de "réunir une vingtaine d'amis et de leur demander une souscription" afin de réunir la somme de 15.000F. permettant d'acheter, à la famille Carrière le tableau *Mère et enfant (Tendresse)* (Orsay) présenté au Salon d'Automne de 1905, pour le donner au Musée du Luxembourg. Rodin voulait trouver l'argent dans les trois jours. La vingtaine d'amis de Carrière et de souscripteurs étaient ainsi composée : Rodin, Mme Menard Dorian, Moreau-Nélaton*, Georges Hœntschel, Crinbaum, Mme Hertz, Peytel*, Dr. Gordischze, Pierre Caplain, Lucien Sauphar, Raymond Bonheur, Séailles, Agache, Arthur Fontaine, Ernest Chausson, Jules Strauss*, Philippe Escudier, Devillez*, Kœchlin*, Desjardins, Lerolle, Henri Fontaine. Avec l'aide de la Société nationale des Beaux-Arts et du Salon d'Automne, on put réunir la somme de 14.770F.

CARTAULT Augustin
Paris 1847 - Paris 1922

Normalien et membre de l'École Française d'Athènes, il est nommé professeur de littérature ancienne à l'École Normale puis à la Sorbonne en 1886 après avoir soutenu sa thèse sur *La Trière Athénienne*. Spécialiste de philologie grecque et latine, on lui doit des *Études sur les Bucoliques de Virgile*, une *Étude sur les Satires d'Horace*, etc... Don au Louvre de neuf têtes et fragments de terre cuite provenant de Lesbos et de Smyrne (1881).

CART BALTHAZAR Alexandre Achille
Paris 1789 - Saint-Cloud 1864

Legs au Musée des Souverains d'un portefeuille de voyage en maroquin rouge passant pour provenir de Napoléon (déposé au Musée de l'Armée) et d'un tableau de C. de Baellieur, *Galerie d'objets d'art en 1637*.

CARTERON Pierre
1852 - ap. 1911

Diplomate, il préside la délégation française à la Commission internationale pour le règlement de la canalisation de la Marne au Rhin en juin 1898. Officier de l'Instruction publique en 1903, il est promu ministre plénipotentiaire en 1907 à Port-au-Prince puis à Montevideo. Don en 1885 d'un oxybaphon en terre cuite au Département des Antiquités grecques et romaines.

CARTIER Mme Charles
voir **CASATI Charles**

CARTIER Mlle Élisabeth
Paris 1877 - Paris 1969

Légataire universelle en 1898, avec son frère Pierre*, de Ch. J. Hittorff*, très lié à Ingres par l'intermédiaire de ses beaux-parents Lepère. Don en 1938, avec son frère, de deux peintures, *Étude de tête pour la Grande Odalisque* d'Ingres* et *Portrait de l'architecte Jean-Baptiste Lepère* par M. J. Blondel, ainsi que de trois portraits dessinés par Ingres, ceux de Lepère, de Mme Lepère, née Élisabeth Fontaine, et de Mme Ingres, née Madeleine Chapelle, dessin dédicacé à Mme Lepère à Rome en 1841. Dans ce don, figuraient aussi six autres dessins dont quatre par Hubert Robert. En 1963, Mlle Cartier fit don, "au nom et en souvenir de sa sœur Madame d'Assier de Valenches, née Cartier", des portraits, dessinés par Ingres en 1829, de l'architecte Hittorff et de sa jeune épouse née Élisabeth Lepère, ainsi que d'un portrait plus tardif de leur fille Jeanne-Élisabeth, étude pour l'un des six médaillons peints par Ingres pour le salon de la famille Hittorff à Paris. Ce médaillon peint faisait aussi partie de ce deuxième don, avec un autre portrait de la même jeune fille par H. Flandrin. Mlle Cartier a donné aussi une boîte ornée d'une miniature, ayant également appartenu à l'architecte Hittorff.

CARTIER Pierre Charles Philippe Ernest
Paris 1869 - Paris 1941

Médecin. Don, en association avec sa sœur Élisabeth*, des souvenirs hérités de la famille Hittorff, ainsi que de six dessins français du XVII⁰ s.

CARVALLO Joachim
Don Benito (Espagne) 1869 - Paris 1936

Après ses études de médecine à Madrid, il fut, entre 1893 et 1906, l'assistant du Professeur Charles Richet, prix Nobel en 1913. En 1906, il acheta le château de Villandry et se consacra à la restauration de cette demeure et à la création des jardins qui l'entourent et l'ont rendu célèbre. Dès 1906 il avait commencé à réunir une importante collection de peintures axée principalement sur l'école espagnole du XVII⁰ s. Celle-ci fut dispersée par le fait des héritages et lors d'une vente publique à Tours en 1956. En 1922, il a fait don au Louvre d'un tableau de Valdès Leal et en 1925 d'une toile de Herrera le Vieux au Musée du Prado. J. Carvallo fut l'organisateur de la première grande exposition d'art espagnol qui eut lieu à Paris en 1924 et le créateur, cette même année, de la "Demeure historique" qui regroupe aujourd'hui la quasi totalité des Monuments Historiques appartenant à des particuliers.

J. Milward, "The Carvallo Collection of Spanish Art", *International Studio*, Août 1926, n° 84 ; E. de Ganay, "Actualité de Villandry", *L'Amour de l'Art*, 1946, pp. 251-254.

CASATI dit CASATI de CASATIS Charles
Lyon 1833 - Montbarrois (Loiret) 1919
CARTIER Mme Charles, née Marie-Laure CASATI
Lyon 1834 - Paris 1900

Enfants de Jean-César Casati, notaire à Lyon, Charles Casati, archiviste-paléographe et docteur en droit (1854), devint successivement, après avoir fait la campagne d'Italie, juge au tribunal civil de Lille (1870), conseiller à Douai puis à Orléans, enfin conseiller à la Cour d'Appel de Paris (1883), jusqu'à sa retraite en 1893. Il se retira alors dans son château de La Javellière, à Montbarrois, pour se consacrer à ses recherches. On lui doit de nombreuses publications dans les domaines du droit, de l'histoire et de l'archéologie, et en particulier sur la civilisation étrusque. Il donna en 1902 une tapisserie de Paris représentant *Achille à Scyros*, conformément au vœu de sa sœur, Mme Charles Cartier, qui, liée avec Gambetta et Jules Ferry, eut à Paris un célèbre salon politique et mondain.

V. du Bled, "Madame Charles Cartier", *Le salon de la "Revue des Deux-Mondes"*, Paris, 1930, pp. 129-149.

CASSAGNADE Mme Ernest, née Marguerite Claude, dit Marcel
Paris 1861 - Turenne (Corrèze) 1942

Veuve en premières noces d'Étienne Roche († 1910), avoué, et en secondes noces d'Ernest Cassagnade (1857-1924), avocat à la Cour d'Appel. Elle légua deux peintures à sujet religieux de Licherie et de Pœlenburgh, un dessin à la plume de La Rue, un paysage à l'aquarelle de J. Dupré et un pastel du XVIIIe s., qui entrèrent au musée en 1943.

CASSAGNE Joseph, baron de

Dépositaire d'une collection familiale, il a donné en 1987 deux coupes en agate (art byzantin, Xe-XIe s. ?) et en 1988 une lorgnette au chiffre de Louis XVIII. Il est aussi donateur du Musée national du Château de Malmaison, du Musée Carnavalet, du Musée de la Légion d'Honneur, du Musée de la Chasse de Gien et du trésor de Saint-Bertrand de Comminges.

CASSATT Mary
Alleghany-City, Pittsburgh (Pennsylvanie) 1844 - Le Mesnil-Theribus (Oise) 1926.

L'artiste a fait don en 1897 d'un de ses pastels, *Maternité* ou *Mère et enfant sur fond vert* (Orsay).

CASSEL baronne, née van Doorn

Elle vendit à Paris, à la Galerie Charpentier, le 30 mai 1956, un très important ensemble de meubles et objets français du XVIIIe s. et de tableaux. Immédiatement après, elle offrit la célèbre écritoire en argent doré du cardinal da Cunha, dû à Th. Germain.

CASTAGNARY Mme Jules, née Eugénie
St-Mandé 1849 - Paris 1930

Épouse du critique d'art défenseur de l'art de Courbet, des impressionnistes et des naturalistes, elle légua, selon les volontés de son mari, le portrait de celui-ci que Courbet avait réalisé en 1870 (Orsay).

CASTAN Mme Auguste, née Marie-Louise Élisabeth Boll
Besançon 1848 - Besançon 1932

Épouse du bibliothécaire de la Ville de Besançon. Divers legs en faveur d'établissements d'utilité publique et legs au Louvre d'une miniature d'Augustin, *Autoportrait*.

CASTEL Mme Étienne du, née Françoise Paul-Dubois

Fille du sculpteur et peintre P. Dubois (Nogent-sur-Seine 1829 - Paris 1905). Sa donation, exceptionnelle par le nombre et la qualité, de sept-cents dessins de son père au Cabinet des Dessins en 1976, installe dans une solide pérennité l'œuvre graphique de cet artiste auquel Mme du Castel a en outre consacré un ouvrage essentiel : *Paul Dubois, peintre et sculpteur, 1829-1905* (édition du Scorpion). La donation du Castel comprend par ailleurs quatre dessins de J. E. Delaunay.

CASTELLANI Alessandro
1824 - 1883

Membre d'une famille de célèbres bijoutiers, orfèvres et antiquaires romains. Succédant à leur père Fortunato Pio (1793-1865), Alessandro et son frère Augusto (1829-1914) s'illustrèrent en créant des modèles de bijoux inspirés de l'Antiquité. Augusto rassembla la très importante collection de bijoux antiques dont la majeure partie est conservée à la Villa Giulia à Rome. Les collections de la famille Castellani firent l'objet de plusieurs ventes publiques en 1866 et 1884. Don en 1879, au Département des Antiquités grecques et romaines, de dix fragments de terre cuite.

CASTELLANI Enrichetta

Antiquaire installée 3 via Venti Settembre à Rome. Don d'une vasque de bronze, en forme de grande coquille, trouvée dans un tombeau à Santa Maria di Capua, lors de fouilles conduite par son mari A. Castellani* (1897).

CASTELLI Clemente
Varzo d'Ossola (Italie) 1870 - Paris 1959

Peintre paysagiste, il donna en 1948 l'une de ses œuvres, représentant la Salle des Sept-mètres au Louvre.

CASTRO de POLO Mme Maria Teresa
voir POLO M. et Mme Roberto

CATHREIN Mme Franz Martin Joseph, née Marie Lucie Marilhat
Roanne (Loire) 1841 - Paris 1906

Son père, Robert Marilhat, banquier, président de la Chambre et du Tribunal de Commerce de Thiers, était le frère du peintre P. Marilhat. Au décès de Mme Cathrein, afin de réaliser ses derniers vœux, ses enfants - Valentin Paul Ferdinand Cathrein, Mme Paul Desabie née Marie Élisabeth Adrienne Cathrein, et Lucien Mathias Cathrein - donnèrent en son nom le portrait de P. Marilhat peint par Th. Chassériau, alors âgé de seize ans, et offert par ce dernier au modèle, qui en échange lui fit cadeau d'un de ses propres paysages (paysage entré au Louvre par don du baron Chassériau*).

CATROUX Mme Georges, née Marguerite Jacob
Mondement (Marne) 1881 - Paris 1960

Épouse du général Georges Catroux (1877-1969) qui fut Grand Chancelier de la Légion d'Honneur, elle s'était intéressée aux icônes durant l'ambassade de son mari en U. R. S. S. (1945-1948). De cette époque date son désir de léguer au Louvre deux icônes russes (entrées au musée en 1960), qu'elle avait acquises durant ce séjour à Moscou.

CATTAUI Bey Adolphe
Le Caire 1865 - Le Caire 1925

Fonctionnaire dans l'administration des finances en Égypte, réorganise la Soiété Royale de Géographie d'Égypte. Égyptologue amateur, il donne de nombreux papyrus en 1887.

CAU

Maire de Tébessa, département de Constantine (Algérie). Don au Louvre d'un pied de ciste en bronze trouvé à Aïn-el-Halloufa, au sud de Tébessa, transmis par le gouverneur d'Algérie, J. M. Cambon en 1897.

CAVELIER Pierre Jules
Paris 1814 - Paris 1894

Sculpteur élève de David d'Angers, Grand Prix de Rome en 1842, professeur à l'École des Beaux-Arts, membre de l'Institut, il participa en particulier au décor sculpté de l'Hôtel de Ville de Paris et à celui du Pavillon Turgot au Louvre. Don au Musée en 1891 d'une statuette de danseuse voilée en terre cuite, qu'il tenait de l'architecte Titeux.

CAZIN Mme, née Marie Guillet
Paimbœuf 1844 - Equihen 1924
CAZIN Jean Michel
Paris 1869 - 1917

La femme du peintre et sculpteur J. Ch. Cazin (1841-1901), élève de son mari et de Rosa Bonheur, fit don au Musée du Luxembourg avec son fils Jean-Michel d'une œuvre de l'artiste, *Femme de marin* (Orsay).

H. Malo, "Souvenirs sur les Cazin", Paris, 1922.

CESSAC Jean Léon de
voir FOUQUE Ferdinand André

CHABER Alfred
Montpellier 1817 - Montpellier 1894

Un an avant sa mort, il donna au Louvre quelques uns de ses tableaux, dont une esquisse pour *La tempête* de Gericault et un *Portrait d'homme* aujourd'hui attribué à Vouet. Il avait auparavant gratifié le musée de sa ville natale de plusieurs dons, en particulier en 1876.

CHABRIÈRES-ARLÈS
Auguste François Ferdinand
Oullins (Rhône) 1854 - Neuilly-sur-Seine 1904

Administrateur des Hospices civils de Lyon (1886) et de nombreuses autres sociétés, fils unique de Maurice Chabrières (Crest, Drôme, 1829 - Paris 1897). Don au Département des Objets d'Art (1904) d'un couvercle de céramique d'Iznik (milieu du XVIe s., aujourd'hui à la Section islamique). Maurice Chabrières, trésorier payeur général du Rhône, régent de la Banque de France, vice-président du Conseil d'administration du Chemin de fer d'Orléans, administrateur du Canal de Suez, avait épousé en 1853 Adelaïde-Claire Arlès-Dufour (Lyon 1830 - Oullins 1915), issue d'une des plus importantes familles de soyeux et industriels lyonnais. Collectionneur et archéologue, Maurice Chabrières avait réuni à Lyon d'abord, puis à Paris, une collection de meubles et objets d'art du Moyen-Âge et de la Renaissance dont la réputation lui valut d'être président de l'exposition rétrospective de Lyon (1877). Après sa mort puis celle de son fils, la collection resta indivise jusqu'au décès de sa femme en 1915.

G. Migeon, "La collection Chabrières-Arlès", *Les Arts*, 1903, n° 23, pp. 8-16. J. Fr. Garmier, "Le goût du Moyen-Âge chez les collectionneurs lyonnais du XIXe s.", *Revue de l'art*, 47, 1980, pp. 58-59.

CHABRIÈRES-ARLÈS Mme Auguste, née Adine-Clémentine-Laure-Zoé Fraissinet
Marseille 1856 - Oullins (Rhône) 1918

Appartenant à une grande famille de Marseille, elle avait épousé (1877) Auguste Chabrières-Arlès. Don au Département des Objets d'Art (1916) d'un aquamanile en bronze du XIIIe s., offert avec ses enfants (Gabrielle, Anita, Maurice, Louis, Marcel et Christiane) en souvenir de la famille Chabrières-Arlès.

CHAIRY Mme Charles, née Camille-Louise Neugass
Alger 1895 - Paris 1979

Veuve d'un avocat collectionneur ; don en 1979, par l'intermédiaire de son cousin Léon Louis-Weill, vice-président des Amis du Louvre, d'un dessin d'Hubert Robert.

CHALABRE comte Roger de

En donnant au musée les couvercles de deux sarcophages de Ankhmerout et Horakhbit, le comte de Chalabre mettait fin aux péripéties de ces deux monuments égyptiens en France. Arrivés à Marseille en 1632, ils comptent parmi les biens de l'intendant Fouquet en 1659, époque à laquelle La Fontaine leur consacre des vers. Leurs différents propriétaires les transportèrent successivemment à Vaux-le-Vicomte, puis au château d'Ussé, enfin à Paris où ils gagnèrent le Louvre en 1847.

CHALAIN comtesse Joseph Blandin de, née Jeanne Allotte de La Füye
Grenoble 1888 - Versailles 1971

Fille du colonel Allotte de La Füye. Don en 1955 d'une tablette babylonienne et en 1964 de bulles de terre cuite.

CHALANDON Marie Georges
Lyon 1852 - Chabreuil (Drôme) 1925
CHALANDON Marie Ferdinand
Lyon 1875 - Lausanne 1921

Issu d'une famille de soyeux lyonnais, fils du collectionneur Albin-Denis-Joseph-Nizier Chalandon (1809-1885), collectionneur lui-même, Georges Chalandon hérita d'une partie des collections paternelles partagées entre lui, son frère Emmanuel et sa sœur Élisabeth. Don (1922) de l'ange Chalandon, statuette d'ivoire (Paris 2e moitié du XIIIe s.), en mémoire de son neveu, Ferdinand, fils de son frère Emmanuel, archiviste-paléographe (1899), membre de l'École française de Rome (1899), auteur d'un *Essai sur le règne d'Alexis Ier Comnène* et d'une *Histoire de la domination normande en Italie et en Sicile* (1908) et du second volume de l'*Histoire des Comnènes* (1912). Ferdinand Chalandon préparait une *Histoire de la civilisation byzantine au XIIe s.* et projetait l'édition avec Gustave Schlumberger* d'une *Sigillographie de l'Orient latin* lorsque survint la Grande Guerre. Mobilisé en août 1914 et promu sous-lieutenant au service automobile, tombé gravement malade, il devait

succomber après de longues souffrances qui lui interdirent tout travail (1921).

G. Schlumberger, "Ferdinand Chalandon", *Bibliothèque de l'École des Chartes*, LXXXII, 1921, pp. 446-447 ; *L'École des Chartes et la Guerre (1914-1918), Livre d'Or*, Paris, 1921, p. 59. J. F. Garmier, "Le goût du Moyen-Âge chez les collectionneurs lyonnais du XIXe s.", *Revue de l'Art*, 47, 1980, p. 58.

CHALLET Casimir Paul
1837 - ap. 1897

Diplomate, chargé de la gestion du consulat de Constantinople en 1878, il dirige le consulat général de Quito. Successivement en poste à Glasgow, à Alexandrie et Tunis, il est ministre plénipotentiaire en Amérique centrale. Don en 1875 de quatre figurines de déesses et danseuses découvertes à Milo et Syra.

CHAMBURE comtesse Hubert de, née Geneviève Thibault
Neuilly-sur-Seine 1902 - Strasbourg 1975

Grande spécialiste de la musique du Moyen-Âge et de la Renaissance, à laquelle elle consacra sa thèse, elle publia de nombreux articles. Sa passion pour les instruments anciens l'amena à fonder avec L. de La Laurencie, G. Le Cerf et E. Droz la Société de Musique d'Autrefois et à accepter, en 1961, le poste de conservateur du Musée instrumental du Conservatoire de Musique de Paris. Grande collectionneuse d'instruments anciens et de manuscrits des XVe-XVIIe s., elle fit don à la Section islamique, en souvenir de ses parents, d'un panneau de céramique à décor de vases (Syrie, XVIIe s.).

J. Jenkins, "Geneviève Thibault, Mme Hubert de Chambure", *Early Music*, vol. IV, 1976.

CHAMPEAU Julien Alexandre Louis
Lacanne-les-Bains (Tarn) 1896 - 1955

Capitaine, commandant la 2e compagnie méhariste en Syrie. Don en 1929 d'un autel palmyrénien.

CHAMPEAUX Alfred de
Bourges 1833 - Paris 1903

Membre fondateur du Musée des Arts décoratifs, il se rendit célèbre par ses nombreuses publications d'histoire de l'art, dont en 1886 le *Dictionnaire des fondeurs, ciseleurs, modeleurs*, et, en 1894, *Les travaux d'art exécutés pour Jean de France, duc de Berry*. En 1866, alors qu'il était attaché au bureau des travaux historiques de la préfecture de la Seine, il offrit au Musée du Louvre un carreau provenant de l'Alcazar de Tolède.

P.J. Cavelier
V.F.E. Biennourry, Villa Médicis, Rome

Mme J.Ch. Cazin
Bibl. nat., Paris

J.F. Champollion
L. Cogniet, Louvre

CHAMPEAUX de la BOULAYE
Octave de
Orléans 1827 - Barbizon 1903

Peintre paysagiste, il donna en 1897 au Musée de la Marine, alors au Louvre, un tableau de sa main, *Trois escadres en Méditerranée dans la rade de Toulon* (1892), qui fut ensuite placé au Musée du Luxembourg (déposé ultérieurement par l'administration, il n'est pas localisé actuellement).

CHAMPFLEURY héritiers de

Jules Husson-Fleury (Laon 1821 - Paris 1899), dit Champfleury, fut une des figures dominantes du mouvement réaliste du milieu du XIXe s. Romancier, nouvelliste, journaliste, il fut un ardent défenseur de l'œuvre de Courbet qui le représenta. Don de ce portrait par les héritiers du romancier en 1891 (Orsay).

Champfleury, *Le Réalisme*, textes choisis et présentés par G. et J. Lacambre, Paris, 1973.

CHAMPOISEAU Charles François Noël
Tours 1830 - 1909

Diplomate. Étant à Andrinople, il reçoit du gouvernement impérial une subvention pour effectuer des fouilles dans l'île de Samothrace en 1863 où il recueille des inscriptions, des bas-reliefs et la fameuse *Victoire de Samothrace*. Les musées du Louvre, de St-Germain-en-Laye et la Bibliothèque nationale ont enrichi leurs collections de monnaies, médailles, statues provenant de ses fouilles. Il est membre de l'Académie des Inscriptions et Belles Lettres depuis 1889. Don en 1874 de deux torses d'Apollon archaïques trouvés à Actium, en 1886 de figurines et de fragments de terre cuite découverts le long de la côte égéenne d'Asie mineure ainsi que d'un taureau en bronze de Myrina et en 1890, de deux fibules, de deux bracelets en bronze, de quelques pièces de céramique trouvées en Italie sur l'emplacement de la ville campanienne de Suessula.

CHAMPOLLION Jean-François
Figeac (Lot) 1790 - Paris 1832

Fondateur de l'Égyptologie, il y consacre sa vie et découvre en 1822 les principes de l'écriture hiéroglyphique oubliée depuis mille cinq cents ans ; en 1826 il fonde au Louvre le Musée Égyptien dont il est le premier conservateur et l'enrichit par l'achat de grandes collections, en particulier celles des consuls Salt et Drovetti*. Il dirige en 1828 une expédition de fouilles avec Rosellini, la première à explorer de façon systématique les monuments, l'histoire et la géographie de l'ancienne Égypte ; il y acquiert pour le Louvre une centaine d'antiquités. Membre en 1830 de l'Académie des Inscriptions et Belles-Lettres, premier titulaire de la chaire d'Histoire et d'Archéologie égyptiennes au Collège de France, il s'éteint en 1832, laissant une œuvre immense que son frère Champollion-Figeac se charge de publier. Avant son départ pour l'Égypte, Champollion offrit en 1828 au Musée du Louvre cinquante-deux pièces qui montrent son intérêt pour tous les aspects de la civilisation égyptienne : stèles, table d'offrande, momies de bélier, bijoux, castagnette en ivoire, chevets, objets de toilette, vases, amulettes, tissu copte et même un balai de jonc.

Hartleben, *Champollion*, Paris, 1985.

CHANCEL Abel
Paris 1847 - Paris 1917

Architecte, legs du *Portrait de Benoit Chancel* son père, dessiné par P. Flandrin à Lyon en 1845.

CHANCEL Augustin de
Vars (Charente) 1814 - Égypte 1867

Officier de marine, Administrateur de la Compagnie du Canal de Suez, collaborateur de la *Revue Orientale*. Don d'une statue égyptienne du Moyen Empire en 1865.

CHANDON de BRIAILLES
René Claude Marie François
Paris 1892 - Chaource (Aube) 1953

Conseiller général de l'Aube, maire de Chaource, il publia des articles sur les croisades et l'Orient latin. Legs accepté en 1955 de cent-quatre-vingt-douze pièces islamiques comprenant aussi bien des céramiques, des métaux, des bois, des bijoux, des ivoires que des pierres sculptées. On peut signaler tout spécialement une aiguière à tête de coq (Syrie du Nord, XIIe-XIIIe s.), une bouteille à décor de personnages dans un paysage (Iran, XVIIe s.), trois coupes en céramique à décor "haftrang" (dit "minaï", Iran, fin XIIe-déb. du XIIIe s.), un vase "boule" à décor épigraphique (Syrie du Nord, fin XIIe-déb. du XIIIe s.), un pilon de mortier incrusté d'argent (Syrie, XIIIe s.), un encrier à trois bacs incrusté d'or et d'argent (Iran, fin XVe-déb. du XVIe s.) ainsi qu'un chapiteau (Syrie, Rusafa ? , VIIIe-IXe s.).

CHANGEUX Jean-Pierre
CHANGEUX Mme Jean-Pierre,
née Annie Dupont

Professeur à l'Institut Pasteur et professeur au Collège de France, membre de l'Académie des Sciences et de plusieurs académies étrangères, J. P. Changeux, chercheur en neurobiologie moléculaire, a obtenu pour ses travaux de nombreux prix internationaux. Il est l'auteur de *L'homme neuronal* (Paris, 1983). Collectionneurs de peintures anciennes, Jean-Pierre Changeux et son épouse ont donné en 1983 au Musée Bossuet de Meaux un important ensemble de tableaux des XVIIe et XVIIIe s., notamment de C. Van Loo, J. F. de Troy, Gamelin, Ch. A. Coypel, B. Boulogne. Ils ont offert au Louvre deux toiles, l'*Allégorie de la Casa Pia de Lisbonne* du portugais Sequeira en 1979 et le *Moïse sauvé des eaux* de Thomas Blanchet en 1985.

CHANTRELL Lydie

Fille de J. B. Chantrell qui fut propriétaire du château de Madame Elisabeth à Montreuil (Versailles), elle est peintre et poète. Elle a très souvent exposé à Paris, Londres, New York, Baltimore. Elle a publié en 1978 *Les Moires* ; (suivi du) *Journal de Mirande*. En 1958, après la mort de son père, elle a donné en souvenir de celui-ci deux ensembles de sièges historiques très importants qui lui avaient appartenu. Ils sont estampillés par Boulard et Sené, proviennent du château de Montreuil et sont couverts d'une garniture brodée par Madame Élisabeth.

J. Charbonneaux
R. Delamarre

Baron A. Chassériau

E. Chassinat

A. Chauchard
Benjamin-Constant, Orsay

CHAPLET Ernest
Sèvres 1835 - Choisy-le-Roi 1909

Céramiste révolutionnaire, Chaplet initia Gauguin aux techniques de la céramique. Il fit cuire dans ses fours de nombreuses œuvres de l'artiste, avant de s'installer à Choisy-le-Roi. Legs au Musée du Luxembourg d'une *Nature-morte* de Gauguin, déposée au Musée de Rennes en 1955.

CHAPPÉE Jules dit Julien
Le Mans 1862 - Le Mans 1957

Petit-fils de V. Doré, le fondateur des fonderies du Mans, il devint en 1922 le président des Établissements Chappée mais fut surtout historien, archéologue, numismate, collectionneur et peintre. Membre de plusieurs sociétés savantes du Mans, fouilleur à St-Pavin-des-Champs, Champagne (Sarthe), Asnières, Glanfeuil (Maine et Loire)..., il avait réuni une collection de monnaies et d'œuvres du haut Moyen-Âge au XVIIIᵉ s. Auteur de nombreux articles et ouvrages d'érudition mancelle il dirigeait la publication, dans "les Archives du Cogner", de documents qu'il avait recueillis et dont il offrit une partie à la Bibliothèque nationale, au Collège de France, à l'Institut. Donateur des musées de Tessé au Mans, de Laval, des Tissus de Lyon, il offrit au Louvre (1920 et 1925) deux objets dont *l'anneau du Prince Noir* XIVᵉ s.

A. Boutton, "Julien Chappée. Notice nécrologique", *Bulletin de la Société d'Agriculture, Sciences et Arts*, nᵒ spécial, 1957, pp. 240-245. P. Cordonnier-Détrie, *Julien Chappée, le peintre*, Le Mans, 1959. R. Baret, "La dispersion des collections Chappée", *La Province du Maine*, juill.-sept. 1963.

CHAPPUIS Adrien
St-Cloud 1899 - Tréssuire (Savoie) 1978

Fils du physicien suisse Pierre Chappuis, l'une des premières autorités dans le domaine de l'atome, ce juriste se passionna pour Cézanne qu'il découvrit en 1929. Auteur de plusieurs ouvrages sur l'artiste et en particulier de *The Drawings of Paul Cezanne. A Catalogue raisonné* (Londres, 1973). Don en 1967 d'un dessin de Cézanne, *Portrait d'Achille Empéraire*.

CHARBONNEAUX Jean
Genlis (Côte d'Or) 1895 - Paris 1969

Ancien membre de l'École française d'Athènes, il fouilla à Delphes, Mallia (Crète) et Samothrace où il retrouva la main droite de la *Victoire de Samothrace*. Conservateur au Département des Antiquités grecques et romaines à partir de 1925 puis Conservateur en Chef et Inspecteur Général des Musées, membre de l'Institut. Il est l'auteur de nombreuses publications consacrées surtout à l'Art égéen et à la Sculpture grecque et romaine parmi lesquelles : *La Sculpture grecque archaïque* (1939), *La Sculpture grecque classique* (1943), *La Grèce archaïque, la Grèce classique, la Grèce hellénistique* (1968... en collaboration avec R. Martin et F. Villard). Don d'un bol béotien en terre cuite avec dédicace à Zeus, en 1932.

CHARBONNEL Jules
Saintes 1830 - Poitiers 1870

Attaché au Cabinet des Médailles de la Bibliothèque nationale de 1855 à 1857. Legs d'une plaque d'émail peint au Musée du Louvre ; autres legs à la Bibliothèque et au Musée de Poitiers.

CHARLIAT Pierre-Jacques

Don en 1932 d'un album de dessins d'Émile Ulm (XIXᵉ s.).

CHARPENTIER Albert
Bourges 1872 - Guéthary 1953
CHARPENTIER Mme Albert, née Elvira de Aramayo
Tupiza (Bolivie) 1871 - Guéthary 1950

Le Dr. Albert Charpentier était psychiatre. Avec son épouse bolivienne, dont la famille devait sa fortune à l'étain, il rassembla entre les deux-guerres une magnifique collection de peintures impressionnistes incluant également des œuvres plus récentes de Modigliani, Vuillard, Laprade, Bouche, qu'il appréciait particulièrement. Peintre amateur lui-même, il est l'auteur d'un ouvrage *Sur quelques peintres* (Renoir*, Monet, Bouche) Paris, 1936. Dix toiles parmi les plus importantes de sa collec-

tion furent offertes au Louvre en 1937 et en 1951, notamment : Manet, *Anguille et rouget*, Degas, *Danseuses en bleu*, Renoir, *La Seine à Argenteuil* (Orsay), ainsi qu'un pastel de Renoir.

CHARPENTIER Jean
St-Mandé 1891 - Paris 1976

Marchand de tableaux célèbre de la rue du Faubourg Saint-Honoré, il a vendu son commerce dès 1937. En 1938, don au Louvre de deux peintures, un *Moulin à Montmartre avant l'orage*, attribué à G. Michel et *Mars et Vénus*, École hollandaise.

CHARPY Charles Antoine
Perpignan 1869 - Elne (Pyrénées-Orientales) 1941

Général de division, grand officier de la Légion d'Honneur en 1929. En mission en Grèce, en Orient puis en Pologne. Don au Louvre en 1922 de deux lots d'objets trouvés dans la nécropole d'Eléonte au cours des fouilles dirigées par le capitaine Pons, puis par le lieutenant Meslier.

CHARRIER Louis

Sous-chef à la préfecture de Constantine. Don en 1904 d'un lot de tessons de céramique islamique.

CHARTREY Victor

Agent de la Compagnie du Canal de Suez. Don en 1892 d'une stèle de Darius dressée près de Suez à inscriptions cunéiformes.

CHARVET Léon
Lyon 1830 - Paris 1916

Architecte issu d'une famille d'artistes lyonnais, il était aussi inspecteur de l'Enseignement du Dessin et des Musées. Fixé à Paris en 1879, il donna en 1890 le portrait de son grand-père, le dessinateur J. G. Charvet, peint par le maître de ce dernier, D. Nonnotte (déposé en 1922 à Versailles).

CHASLES Henri
Chartres 1833 - Paris 1907

Neveu et héritier de l'illustre mathématicien, Michel Chasles, bibliophile éclairé dont la collection de livres est justement célèbre. Don au Département des Antiquités grecques et romaines en 1881 d'un lot de tablettes de plomb découvertes en Eubée et au Département des Antiquités égyptiennes d'un papyrus grec, provenant du Cabinet de son oncle.

CHASSÉRIAU baron Arthur
Alger 1850 - Paris 1934

Fils du cousin germain du peintre Th. Chassériau (1819-1856), il fut le collaborateur de Ferdinand de Lesseps* dans la Compagnie du Canal de Panama avant de devenir associé d'une charge d'agent de change. Il hérita en 1881 du frère aîné de l'artiste, qui lui légua un très important ensemble de peintures et de dessins de Chassériau. A partir de cette date, et jusqu'à son décès en 1934, il n'eut de cesse d'augmenter l'importance de sa collection, recherchant avec passion toutes les œuvres de l'artiste. C'est sous son impulsion que fut organisée la rétrospective de 1933 à l'Orangerie, faisant suite à la parution de l'ouvrage de L. Bénédite* en 1932, qui lui est dédié. Dès 1906, il participa à l'achat du *Portrait de Lacordaire* et, à plusieurs reprises, offrit au Louvre des tableaux de Chassériau : en 1896, le *Portrait équestre du calife de Constantine* (envoyé alors à Versailles) ; en 1918, avec son épouse, née Henriette Bell (Oran, 1840 - Paris 1931), quatre peintures, dont les *Deux sœurs*, ainsi qu'un *Paysage aux environs d'Athènes* de Marilhat (déposé à Thiers en 1924), en 1933 enfin, trois portraits. Il légua sa collection aux musées nationaux en son propre nom et souvenir de sa femme, faisant ainsi entrer au Département des Peintures et sous forme de dépôts, dans d'autres musées français (Carnavalet, La Rochelle, Strasbourg, Avignon, Valenciennes, Clermont-Ferrand, Lyon, Rouen...) soixante-dix-sept tableaux de Chassériau - œuvres achevées (la *Toilette d'Esther*, le *Coucher de Desdémone*, par exemple) ou esquisses - et, au Cabinet des Dessins, plus de deux mille deux cents dessins ainsi que trente-sept albums ou carnets.

L. A. Prat, *Inventaire général des dessins. École française. Théodore Chassériau*, Paris, 1988, Introduction

CHASSÉRIAU comité

Lorsque fut décidé en 1898 de ne pas reconstruire la Cour des Comptes en partie détruite par l'incendie de la Commune en 1871, et que le terrain fut vendu à la Compagnie des Chemins de fer de Paris-Orléans, un comité de sauvegarde des fresques de Chassériau qui décoraient l'escalier d'honneur du bâtiment se constitua, pour éviter leur vente et leur dispersion. A l'origine de cette initiative Ary Renan, qui avait mené une campagne de presse dans la *Chronique des Arts*, et la *Gazette des Beaux-Arts*, autour duquel s'étaient regroupées des personnalités dont le baron Chassériau*

bien entendu, Roger Marx, L. Bénédite*, R. Kœchlin*, Arsène Alexandre, Raymond Ephrussi... Le comité Chassériau obtint l'autorisation de faire enlever les peintures et en fit don en 1903. Ainsi entrèrent au Louvre huit fragments, dont la *Paix*, les *Marchands orientaux* et le *Silence*, grisaille. Le comité avait fait transposer sur toile à ses frais en 1900 la *Paix* et l'*Océanide* ; la Société des Amis du Louvre prit en charge par la suite la transposition des autres fragments.

CHASSINAT Émile
Paris 1868 - St-Germain-en-Laye 1948

D'abord imprimeur, il se consacre à l'égyptologie et devient en 1898, directeur de l'Institut Français d'Archéologie Orientale du Caire dont il fonde le *Bulletin* et la *Bibliothèque d'Études* et crée l'imprimerie en dessinant une partie des caractères. Don de dix-sept papyrus en 1952.

F. Daumas, *Annales du Service des Antiquités de l'Égypte* LI (1950), p. 537.

CHATEL Madame
† Alger 1923

Legs (entré en 1926) d'une amphore à vernis noir provenant des fouilles faites par le père de la donatrice, M. Pélissier de Reynaud.

CHATRY DE LA FOSSE Mme Jacques, née Marie-Pauline Sola
Alep (Syrie) 1842 - Paris 1921

Épouse de J. Chatry de la Fosse (1807-1892), elle a légué dix tableaux français et néerlandais (entrés au Louvre en 1921), parmi lesquels *Le Herengracht à Amsterdam* de J. Van der Heyden et *Le Dam avec le nouvel Hôtel de Ville à Amsterdam* de G. Berckheyde.

CHAUCHARD Alfred
Paris 1821 - Paris 1909

Fils d'un restaurateur parisien, A. Chauchard fit des débuts modestes dans le commerce comme simple commis d'un magasin de nouveautés. En 1854 lui vint l'idée du "grand magasin" du Louvre qu'il réalisa avec la collaboration de Faret et Hériot et l'appui du banquier Eugène Pereire. En 1885 Chauchard abandonna la direction effective des magasins. Son immense fortune lui permit de vivre avec faste entre son hôtel de l'avenue Velasquez et le château de Longchamp au Bois de Boulogne. En dehors de nombreuses œuvres de philanthropie, Chauchard se consacra à ses collections artistiques très célèbres. Par testament (1906), A. Chauchard légua à l'État les collections de toute nature de l'avenue Vélasquez, collections de valeur inégale, mais dont l'ensemble, resté groupé selon la volonté du donateur, n'en demeure pas moins impressionnant et révélateur du parti-pris du collectionneur : Corot (*La danse des Nymphes*), Meissonier (*1814*), Delacroix, Diaz, Dupré, Fromentin, Troyon, Rousseau y dominaient ; Chauchard réussit le

coup d'éclat de garder en France l'*Angélus* de Millet qui avait quitté notre pays pour l'Amérique, ainsi que deux dessins (Moreau le Jeune, et Millet) et un fonds important de sculptures décoratives en plus de bronzes de Barye et de Cain (la plupart des œuvres sont déposées en province). Au moment de la création d'Orsay, il fut décidé que cette collection devait prendre place dans ce musée dédié à la seconde moitié du XIXe s. et comme au Louvre, jadis, les portraits du donateur par Benjamin-Constant et Weigele veillent sur les salles de la collection Chauchard.

Musée du Louvre, catalogue de la collection Chauchard, Paris, 1910.

CHAUFFARD Marie Émile Anatole
Avignon 1855 - Paris 1932

Docteur en médecine en 1882, spécialiste des maladies du foie, il entra à l'Académie de Médecine en 1902 et devint professeur à la Faculté de Paris à partir de 1908. Donne en 1907 une plaquette en bronze d'après Moderno.

CHAUFFARD Mme Marie-Émile
voir BUCQUOY Jules

CHAUVET Stephen
1885 - 1950

Neurologue. Don de deux amulettes en os, Palestine (1936).

CHÉDEVILLE Mme Émilienne Marie Alexandra
Paris 1862 - Paris 1932

Fille d'un avoué parisien, elle épousa Eugène-Armand-Marcel Guillet, négociant, puis Gustave-Albert Bastide, divorçant dans les deux cas. Elle avait institué légataire universel l'Association Valentin Haüy, léguant au Louvre une pendule en marbre et bronze du début du XIXe s. illustrant l'histoire de Bélisaire.

CHEMINÉ Monseigneur Paul

Évêque catholique de rite chaldéen de Sinneh (autrefois capitale de la province du Kurdistan persan), Iran, aujourd'hui Sanandadj. Don en 1893 d'une statuette en bronze, inscrite au nom du roi Assurdan.

CHÉREAU Didier

D'abord journaliste (rédacteur en chef des revues *HAD* à Paris et *Vida das artes* au Brésil), marchand de tableaux, sculptures et dessins anciens à Paris depuis 1974 - sa galerie est spécialisée dans la peinture et la sculpture des XVIIe et XVIIIe s. et l'art romantique -, il a donné, en 1986, une esquisse de L. de Boullongne le Jeune, *Minerve* et, en 1987, le *Couronnement de la Vierge* peint par R. Cazes.

CHÉRI Isaac Lévi dit Salvador Ravel ou dit
Paris 1810 - Paris 1871

Fils d'Abraham Lévi dit Salvador Ravel, négociant, et de Léa Ravel, il était sous le Second Empire, à Paris, directeur de l'établissement spécial autorisé pour les ventes de chevaux aux enchères. Il donna au Musée des Souverains en 1853 un soulier de Marie-Antoinette (déposé au Musée des Arts décoratifs).

CHESNAIS Bernard

Scénariste, il a offert plusieurs tableaux et dessins à des musées français (*La mort de Bayard*, dessin préparatoire au tableau de même sujet du Musée de Marseille, donné à ce musée en 1988). Le Louvre lui doit deux études peintes de P. V. Galland (1973) et de J. P. Laurens (1976) (Orsay).

CHESTER John Greville
Denton (Norfolk) 1830 - Londres 1892

Pasteur, ami de l'archéologue Petrie*, après de nombreux voyages en Égypte, il lègue son énorme collection aux musées anglais ainsi que deux papyrus au Louvre.

CHEVALIER Pierre Augustin

Membre de la Commission municipale de Paris, où il demeurait, rue de Rivoli, il donna le 31 juillet 1855 à Napoléon III pour l'une de ses résidences ou l'un de ses musées, le portrait du *Comte Alcide de La Rivallière* par Gros (Salon de 1819).

CHEVALLIER François Adrien
Paris 1839/1840 - Paris 1908

Par son testament de 1905, F. A. Chevallier léguait tous ses tableaux, sous réserve d'usufruit en faveur de sa femme. Trois œuvres furent choisies par le Louvre en 1909 et y entrèrent au décès de Mme Chevallier en 1930 : une *Scène de cabaret* et *L'oiseau privé* de Boilly et un *paysage* de Debucourt.

CHEVALLIER Paul
voir **BOURCERET Marie**

CHEVARRIER Philibert
1820 - 1895

Vice-consul de France à Jaffa. Plusieurs dons en 1880 au Département des Antiquités grecques et romaines (couvercle de sarcophage, figurines en terre cuite de Judée, lampe d'époque chrétienne) et au Département des Antiquités orientales d'un sarcophage avec inscription.

CHIAPETTA Raphaël
Trecchina (Italie) 1913 - Aix-en-Provence 1986

Issu d'une famille de tanneurs aixois,

R. Chiapetta découvrit très tôt le monde des antiquaires. Il se passionna pour l'œuvre de l'ami de Cézanne, A. Emperaire (1828-1898) ; don en 1968, par l'entremise de J. Rewald*, de deux dessins de cet artiste.

CHIEZE Mme Léon, née Marie Françoise Alby
Djidjelli (Algérie) 1856 - Menton 1958

Donna en 1947 le portrait de son père *M. Alby, enfant, à la pomme*, exécuté par Bally en 1827 (déposé en 1947 au Musée de Castres). Pour une raison inconnue, le tableau fut inventorié comme "don de M. Doyon Toulouse".

CHIHA Francis
Damas v. 1860 - 1926

Avocat à Damas. Don de deux tablettes assyriennes rapportées par l'abbé Trihidez* en 1898.

CHOLET Guy de
1868 - 1916

Fils d'Henri et petit-fils de Jules de Cholet (1798-1889) polytechnicien et pair de France. Sa sœur, Marguerite de Cholet, comtesse Vitali remit aux musées nationaux en 1923, trois peintures de Gauguin, *Les Alyscamps, Femmes de Tahiti* et *Au bord du Gouffre* (ce dernier tableau en dépôt au Musée des Arts décoratifs) ainsi qu'un *Paysage* de Cross (Orsay).

CHOMPRET Alexandre Eugène Joseph
Eclaron (Haute-Marne) 1869 - Paris 1956

Le Dr. Chompret se rendit aussi célèbre par ses travaux de stomatologie, science dont il fut un des pionniers, que par ses recherches sur la céramique. Sa contribution la plus importante dans ce dernier domaine reste le monumental *Répertoire de la faïence française* en six volumes, publié en 1933 à la suite de l'exposition rétrospective de la faïence française, au Musée des Arts décoratifs. Le Dr. Chompret était membre du conseil d'administration de l'Union centrale des Arts décoratifs. Il était également président de la Société des Amis de Sèvres. Collectionneur éclairé, il fit largement profiter les musées de ses découvertes par des dons successifs au Musée des Arts décoratifs et au Musée de Sèvres. Au Musée du Louvre il offrit en 1927 un chapiteau bourguignon, puis sous réserve d'usufruit, en 1942, deux sculptures, deux céramiques d'Iznik, deux majoliques, deux pièces de dinanderie, trois émaux et deux ivoires, et, en 1949, deux autres sculptures.

CHOPPARD Urbain Louis
Freneuse (Seine-et-Oise) 1846 - Tunis 1903
HANNEZO Cyr Gustave
Lunéville 1857 - ap. 1920

Lieutenants au 4e Tirailleurs Indigènes, à Tunis (1885-1887 et 1887-1894). Don au Louvre

d'une plaque de plomb découverte dans les fouilles faites par les donateurs à Sousse (Tunisie), en 1892.

CHOUDENS MM. de
voir **PATON Mme Pierre Jules**

CHRISTIANI Isidore-Fernand CHEVREAU, baron de
Corbeil 1857 - Paris 1928

Il légua au Louvre un ensemble de vingt-et-une peintures, principalement des XVIIe et XVIIIe s. français et nordique (Deshays ; Drouais ; Hilair ; Pourbus ; Snyders ; Swebach...) ; deux pastels dont un de M. Denis ; neuf dessins dont cinq études d'oiseaux d'Oudry ; douze miniatures de Guérin, Heinsius, Mosnier (certaines en dépôt au Musée des Arts décoratifs)... ; une médaille italienne du XVIIe s. en bronze doré, et une étude de femme en terre cuite de Dalou.

CHRISTOPOULOS Galanis

Antiquaire à Athènes. Don en 1895 d'une déesse assise en terre cuite et de deux fragments d'aile peinte ayant appartenu à une grande figurine de terre cuite découverts en Béotie à Thèbes. Nouveau don en 1904 de deux terres cuites : une *Chèvre allaitant son chevreau* et une gourde en terre noire.

CID Albert

Ancien directeur de la Galerie Balzac à Paris. Don en 1966 de la *Boucherie à Alger* par J. Seignemartin.

CIECHANOWIĘCKI comte André

Amateur, directeur de la Galerie Heim de Londres où il organise des expositions avec catalogues sur la peinture et la sculpture du XVIIe au XIXe s., donne en 1974 l'*Apothéose de Napoléon Ier* de Berthelemy, en 1975 la *Mort de Démosthène* de F. Boisselier et, en 1983, le buste de *Diane* en marbre par Ponsonelli et une esquisse de tombeau en plâtre.

CITROËN Mme Maxime
voir **DAVID-WEILL David et Pierre**

CITROËN société

Fondée par André Citroën (Paris 1878 - Paris 1935). A la suite de la mission Citroën en Centre-Asie, la fameuse "Croisière jaune", en 1931-1932, les objets rapportés par le grand orientaliste Joseph Hackin*, archéologue de l'expédition, avait été présentés au public dans le "Musée Citroën". En 1933, A. Citroën faisait don d'une partie de la collection au Musée Guimet, et, en 1936, les établissements Citroën, représentés par Pierre Michelin, administrateur, et A. Gœrger, secrétaire général de la mission, offraient aux musées nationaux, pour

B. Clauzel
E. Champmartin, Versailles

G. Clemenceau
E. Manet, Orsay

L. Clément-Carpeaux

être répartis entre le Département des Antiquités orientales, la Section islamique et le Musée Guimet, un ensemble d'objets, dont une aiguière et un bassin (Khorassan, XIIᵉ s.) et cent trente-sept objets, pour la plupart iraniens et provenant de tépé Giyan (vases, poignards, hâches, pendeloques à têtes animales et sceaux-cylindres). Ce don était fait en souvenir d'A. Citroën, décédé l'année précédente.

CLAIRVAL Mme, née Thérèse de Morizot
Alger 1851 - Paris 1920

Peintre et sculpteur, elle fut l'élève de Signol, Auber, Bonnat et Falguière. Elle exposa au Salon à partir de 1875 et est également l'auteur, sous le pseudonyme de Jules de Varaville, d'une *Histoire du Château de Vincennes des origines à nos jours* (1900). Elle était la petite-fille de Anne Fortunée Léonie Garat, baronne Daumesnil, surintendante de la Maison de la Légion d'Honneur, dont elle donna en 1891, au Musée du Louvre le portrait sculpté par Falguière (déposé, en 1956, à la Maison de la Légion d'Honneur à Saint-Denis).

CLAUZEL Bertrand
Mirepois (Ariège) 1772 - Secorrieu (Haute-Garonne) 1842

Brillant militaire de carrière - il fut sous les armes dès 1791, reçut la dignité de maréchal en 1831 et devint gouverneur général de l'Algérie en 1835 - et homme politique - en 1829, il se fit élire député (libéral) des Ardennes -, B. Clauzel mérite aussi de rester dans l'histoire comme le premier donateur du Louvre. A l'extrême fin de l'année 1798, il fit don au Directoire exécutif qui le remit au Museum central des Arts de la *Femme hydropique* de G. Dou. Ce tableau lui avait été offert le 9 décembre 1798 par Charles-Emmanuel IV de Savoie, roi de Sardaigne (1751-1819), alors que le jeune militaire avait été envoyé en Italie - il avait, à l'époque le grade d'adjudant général -, pour négocier l'abdication du monarque, beau-frère de Louis XVI. Mission dont il s'acquitta avec succès, puisque Charles-Emmanuel lui fit présent à titre personnel d'une des pièces les plus remarquables de la galerie royale de Turin qui avait figuré dans les collections du prince Eugène de Savoie. Le "pa-

triotisme" du "citoyen Clauzel" reçut un écho louangeur dans le *Moniteur universel* du 11 nivôse an VI (31 décembre 1798) et c'est à bon droit que le nom de Clauzel figure en tête des grands donateurs sur les plaques de marbre de la rotonde d'Apollon au Louvre.

G. Vauthier, "Le don de l'*Hydropique* de Gérard Dou par l'adjudant général Clauzel", *Bulletin de la Société de l'Histoire de l'Art français 1921*, Paris 1922, pp. 207-209.

CLAVÉ Mme Charles Joseph, née Marie Françoise Ursule Joséphine Wiriath
Landser (Haut-Rhin) 1832/1833 - Paris 1910

Ayant survécu à son fils, décédé prématurément, elle légua le portrait de celui-ci, peint par Henner, au Louvre, sous réserve d'usufruit en faveur de sa sœur Mme Kaeppelin, qui y renonça immédiatement. (Le tableau, accepté en 1911, temporairement conservé au Musée du Luxembourg, fit retour au Louvre et se trouve maintenant au Musée d'Orsay).

CLAVEL dit IWILL, Mme Marie Joseph
voir **RAVAISSON-MOLLIEN Charles**

CLEMENCEAU Mme Albert
voir **MEURICE héritiers de Paul**

CLEMENCEAU Georges
Mouilleron-en-Pareds 1841 - Paris 1929

Homme politique, homme d'État, Clemenceau fut aussi l'ami de certains artistes : Manet, Monet, Rodin. Il fut particulièrement lié à Monet dont il devint le voisin puisqu'il avait une maison de campagne près de Giverny ; c'est aussi grâce à lui que la série des *Nymphéas* a trouvé sa place à l'Orangerie des Tuileries. En 1892, Clemenceau donnait au Louvre un dessin attribué à Gabriel, suivi en 1921 par une statuette de *Vénus* en marbre et un buste en plâtre du général Hoche par Boizot. En 1927, l'*Autoportrait* de Monet entrait également dans les collections nationales, par sa générosité (Orsay).

CLÉMENT Olivier
Paris 1903 - Fleurier (Neuchâtel) 1982

Professeur agrégé. Petit-fils de l'historien d'art Charles Clément, fils de l'avocat Frédéric Clément, auteur d'une monographie sur le peintre F. Ehrmann (1833-1910). Don en 1974 de deux dessins de F. Ehrmann.

CLÉMENT-CARPEAUX Louise
Paris 1872 - Paris 1961

Fille du sculpteur Carpeaux (1827-1875) ; elle consacra plusieurs articles dans la *La Revue de l'art ancien et moderne* (1927), *L'Art et les Artistes* (1932), *Beaux-Arts*, (1937) et un livre à l'œuvre de son père, *La vérité sur l'œuvre et la vie de J. B. Carpeaux* (1934-1935). Elle fit une importante donation (peintures, sculptures) au Musée du Petit-Palais, en 1938. Au Musée du Louvre, elle donna en 1927 un plâtre de Rude : *La Bonté* et en 1952 une esquisse en plâtre de Duret. Elle légua le portrait peint de l'artiste par lui-même (Orsay).

CLÉMENTEL Étienne
Mézard 1864 - Prompsat (Puy-de-Dôme) 1936

Ayant renoncé à la peinture, qu'il avait étudiée dans l'atelier du peintre clermontois Carot, pour se lancer dans la carrière politique, il fut élu maire de Riom, député puis conseiller général du Puy-de-Dôme ; il eut la charge de plusieurs ministères importants dans les différents cabinets qui se succédèrent entre 1906 et 1926. Lorsqu'il prit sa retraite, il put peindre à nouveau ; ami de Monet et surtout de Rodin dont il devint l'exécuteur testamentaire, il était également familier avec des artistes de sa région tels que E. Dahonet, P. Franc-Lamy, L. Devedeux. Son beau-père, le peintre A. Roux, avait d'ailleurs été l'élève de Devedeux. E. Clémentel donna en 1929 un tableau de Devedeux qui avait figuré à l'exposition des "Portraits du Siècle", le *Portrait de la mère de l'artiste* (placé initialement au Musée du Luxembourg, il fut déposé en 1962 au Musée de Riom).

Cat. exp., *Étienne Clémentel et les Arts*, Riom, Musée Mandet, 1985.

Ch. Clermont-Ganneau

Clot - Bey
*Académie des Sciences, Lettres et Arts,
Marseille*

E. Coche de La Ferté

CLERC Antonin, et sa famille
Paris 1871 - Autreau (Pas-de-Calais) 1954

Médecin, professeur à la Faculté, membre de
l'Académie de Médecine. Don en 1919 d'un
dessin de P. P. Prud'hon, *Portrait du Roi de
Rome* ; ce don fut fait en souvenir de
M. Hippolyte Adam (1827-1901), banquier à
Boulogne-sur-Mer, et de Mme Hippolyte
Adam, née Amélie Perrochaud (1841-1914)
par leur quatre filles, Simone, Mme Edmond
Marbeau (1864-1945), Antoinette, Mme René
Lisle (1866-1944), Madeleine, Mme Léon
Yeatman (1873-1955) et Suzanne, Mme
Antonin Clerc (1879-1952).

CLERMONT-GANNEAU Charles
Paris 1846 - 1923

Diplomate. Professeur au Collège de France.
Orientaliste, maître d'épigraphie et d'archéologie sémitique. Son nom reste attaché à la
stèle de Mesha dont il sut acquérir les fragments pour le Louvre, de même que les documents originaux qui lui sont relatifs, avant
sa destruction. 1872 : don d'un moulage,
d'après un estampage d'une inscription
grecque interdisant aux étrangers l'accès du
Temple de Jérusalem (original perdu). 1923 :
de sa succession nous sont parvenus différents
petits objets de Palestine, de Syrie et de
Chypre.

"Nécrologie Clermont-Ganneau", *Revue Archéologique*, 1923-1, pp. 342-345.

CLOAREC

Don au Louvre de deux fragments de statuette
hellénistique en bronze en 1968.

CLOQUET Jules
Paris 1790 - Paris 1883

Fils du dessinateur et graveur J. B. A. Cloquet.
Il consacra sa vie à la médecine, domaine dans
lequel, grâce à ses importantes découvertes, il
fit une carrière glorieuse qui culmina, en 1855,
par son élection à l'Académie des Sciences.
J. Cloquet fut, en outre, le chirurgien de Napoléon III. Il offrit en 1863 au Musée du
Louvre un plat dans le genre de Palissy et une
statuette en terre cuite du XVIIIe s.

CLOT Antoine Barthélemy, Bey
Grenoble 1793 - Marseille 1868

Chirurgien marseillais, appelé par Mehemet
Ali* en Égypte où il lutte contre le choléra,
promu Bey, puis général. Son importante collection fut répartie entre le musée Borély de
Marseille et le Louvre. Donne au Louvre
quatre statuettes d'Horus-faucon et des amulettes en 1853 ; en 1841, il avait été l'auteur
d'un des premiers dons d'objets islamiques au
Louvre.

H. Thiers, "Le docteur Clot-Bey", *Revue Populaire*,
1869.

CLOUZOT Henri
Niort 1865 - Paris 1941

Fils d'un libraire-imprimeur renommé de
Niort, il se sentit très vite attiré par la recherche
et l'érudition ; après avoir collaboré à diverses
revues locales il s'installa à Paris en 1900, où,
devenu secrétaire du collectionneur Eudel, il
commença à publier un nombre très important
d'ouvrages. En 1908, il fut nommé conservateur de la Bibliothèque Forney et, en 1920,
conservateur au Musée Galliera. On lui doit
de nombreux ouvrages sur les arts décoratifs,
dont le *Dictionnaire des miniaturistes sur émail*
(1924), plusieurs pièces de théâtre, et une au-
tobiographie intitulée *Une ville, un enfant*
(1928). Il prit une part importante à la fondation de la *Revue des Études rabelaisiennes*, en
1903, et en 1926 publia un livre important sur
Balzac. Don en 1923, par l'intermédiaire de
G. Migeon* d'un carreau provenant du château d'Oiron.

COCHE de la FERTE Étienne
Paris 1909 - Paris 1988

Conservateur des musées nationaux, il fit toute
sa carrière au Musée du Louvre. Il aborda
dans ses travaux aussi bien le domaine de la
Grèce antique (thèse de l'École du Louvre sur
les *Ménades dans l'art grec* ; *Essai de classification
de la céramique mycénienne* en 1951), celui de
Rome (*Portraits romano-égyptiens du Louvre* en
1958) que le monde paléo-chrétien et byzantin
dans lequel il se spécialisa en devenant conservateur des Antiquités chrétiennes en 1954
(*L'Antiquité chrétienne au Musée de Louvre* en
1958 ; *L'Art de Byzance* en 1981). Don en 1960

à la Section islamique d'un médaillon en terre
cuite illustrant l'histoire de Bahram-Gur et
Azadeh, tirée du *Shah-nameh*.

COCHET abbé Jean Benoit Désiré
Sanvic 1812 - Rouen 1875

Inspecteur des Monuments historiques.
Membre de l'Institut. Conservateur du Musée
des Antiquités de Rouen en 1867. Archéologue
dirigeant de très nombreuses fouilles en Normandie, essentiellement de nécropoles gallo-
romaines et franques qui ont donné lieu à
plusieurs publications dont le rayonnement
scientifique fut très grand. Don au Louvre en
1852 et 1853 de divers objets : vases en terre
cuite, fibules, armes provenant de fouilles à
Fécamp et à Lillebonne.

COGNACQ Gabriel
Paris 1880 - Seraincourt (Val-d'Oise) 1951

Petit-neveu d'Ernest Cognacq (1839-1928) et
de Louise Jay (1838-1925), fondateurs du Musée Cognacq-Jay à Paris, il leur succéda à la
tête des grands magasins de la Samaritaine.
Collectionneur (toiles impressionnistes, estampes des XVe-XIXe s. (Daumier), tableaux
et dessins du XVIIIe s., livres) et philanthrope,
il fut élu membre de l'Académie des Beaux-
Arts en 1938 et fut membre puis président du
Conseil artistique de la Réunion des musées
nationaux. Il contribua financièrement à l'acquisition des chenets de F. Th. Germain en
1935. Sa collection fut vendue après sa mort
à Paris en 1952-1953.

P. Cabanne, "Grands collectionneurs. Les Cognacq",
Jardin des Arts, no 179 (oct. 1969), pp. 72-85.

COGNIET Mme Léon
voir BONNAT Léon

COIFFARD Jacques

Diplomate en poste à Changhaï, Téhéran
(1939-1941), Alger (1944), Barcelone et San-
tiago il s'engagea dans les Forces françaises
libres au début de la Seconde Guerre mondiale.
Il termina sa carrière comme ministre plénipotentiaire à Sofia. Il fit don à la Section
islamique, en 1963, d'une cruche (Iran XIIIe s.)
et d'un petit *Cheval* en métal (Iran XIIe s.).

Abbé J.B. Cochet
H. Manesse, Bibl. de l'Institut, Paris

G. Cognacq
Bibl. nat., Paris

G. Colonna-Ceccaldi

COINY Mme, née Marie-Amélie Le Gouaz

Fille du graveur Y. Le Gouaz (Brest 1742 - Paris 1816) et de sa femme, née J. F. Ozanne, elle se trouvait être la dernière héritière du peintre N. Ozanne (Brest 1728 - Paris 1811) qui enseigna à Louis XVI et à ses frères les éléments de la construction et de la manœuvre des vaisseaux. En 1829, elle vendit au Louvre, un très grand nombre de dessins de son oncle. En 1840, elle fit don au prince de Joinville, fils de Louis-Philippe*, de dix autres dessins (conservés au Musée de la Marine).

COLAS Michel

Maquilleur styliste attaché à la maison Guerlain. Don en 1986 d'une saucière en porcelaine de la manufacture du duc d'Angoulême (Paris, v. 1785).

COLIN André
COLIN Maurice
FOURIÉ Mme Albert, née Hélène Colin

Ces trois frères et sœur sont issus d'une famille d'artistes des XVIIIᵉ et XIXᵉ s., apparentée à Greuze, aux Challe, aux Drouais, aux Toudouze, aux Marcotte et aux Leloir. André Colin était peintre lui-même, et sa sœur Hélène épousa le peintre Albert Fourié. Ils firent conjointement don, en 1916, d'un portrait de leur grand-père, Alexandre Colin (1798-1873), peintre, en souvenir de leur père Paul Colin (1835-1916), inspecteur général de l'enseignement du dessin et fils du modèle. Le portrait était alors attribué à Gericault, ami et maître d'Alexandre Colin, qui fut directeur de l'École des Beaux-Arts de Nîmes puis professeur à l'École Polytechnique. Peintre et lithographe, essentiellement portraitiste, il avait été l'élève de Girodet, et fut aussi l'ami de Delacroix et de Bonington.

COLLIGNON famille et héritiers de Maxime

Archéologue et explorateur, membre de l'Institut, Maxime Collignon (Verdun 1849 - Paris 1917) fut professeur d'archéologie grecque à la Sorbonne. Don d'un groupe chypriote en calcaire et de divers objets en bronze et en marbre au Département des Antiquités grecques et romaines.

COLLINET Mme Paul, née Marthe Guérin
Lille 1880 - Paris 1963

Fille du collectionneur Louis Guérin, épouse de Paul Collinet, historien du droit, spécialiste du Bas-Empire, membre de la Société des Amis du Louvre, elle fit de nombreux voyages en Égypte, Grèce, Italie, ce qui lui permit d'augmenter les collections héritées de son père. Son neveu et exécuteur testamentaire, le général François Le Roux (1904-1978), transmit son legs d'un vase en verre d'époque romaine, en forme de poisson, au Département des Antiquités égyptiennes, et d'un chapiteau en marbre (Italie, VIIIᵉ s.).

COLLOT Mademoiselle

Sœur d'un Ami du Louvre résidant alors à Dunkerque, elle a fait don en 1958 avec la participation de la Société des Amis du Louvre, d'un dessin de Bonington.

COLMET-DAAGE Madame
voir FOUQUES-DUPARC Arthur

COLONNA-CECCALDI Georges
Paris 1840 - 1879

Diplomate. Dons aux départements des Antiquités orientales et des Antiquités grecques et romaines, en 1871 et 1877, d'un lot d'anses d'amphores portant des inscriptions, venant de Chypre et de Syrie, et de figurines chypriotes.

COLSON Jean Baptiste Alexandre
Buzancourt (Haute-Marne) 1802 - Noyon 1884

Fils d'un chirurgien, docteur en médecine (1825), médecin chef des hospices de Noyon (1829), correspondant de l'Académie de Médecine, fut aussi numismate, collectionneur et archéologue. Membre de la Société des antiquaires de Picardie, président du comité archéologique de Noyon (1856), membre de la Société française de numismatique et d'archéologie et de la Société royale de numismatique de Londres, publia de nombreuses études en France et à l'étranger. Ses collections de monnaies furent dispersées en deux ventes (Paris 6 février 1868 et 21 juin 1881). Don en 1863 d'un sceau de bronze du Moyen-Âge.

COMAIRAS Philippe
St-Germain-en-Laye 1803 - Fontainebleau 1875

Fils de Mme Jaquotot, peintre sur porcelaine à la Manufacture de Sèvres. Comairas, également peintre, fut l'élève d'Ingres*. Legs d'un dessin de Mme Jaquotot, *Autoportrait*, de deux peintures sur porcelaine d'après Raphaël (dépôt au Musée de Sèvres) et de deux portraits de l'École de Pourbus le Jeune.

COMIOT Charles
St-Dié 1961 - Neuilly-sur-Seine 1945

Industriel, fournisseur des Ministères de la Marine et de la Guerre. Amateur d'art, on le trouvait au Conseil des Amis du Louvre et au Conseil des Amis du Luxembourg. Il était aussi membre du Comité de la Maison de Victor Hugo. En 1926 il fit don de trois œuvres très importantes au Musée du Louvre : le *Portrait du Violoncelliste Pillet* par Degas, le *Chemin montant dans les herbes* de Renoir (Orsay) et une *Vue de Saint-Lô* par Corot.

M. Guiffrey, "La donation Comiot au Louvre", *Beaux-Arts*, Avril 1926.

COMMINGES-GUITAUD comtesse de

Don en 1898, en souvenir de son mari, d'un tableau de V. Boucquet, *Le porte-étendard* (1664), qui aurait été acheté en Espagne par la donatrice.

COMNOS

Don au Département des Antiquités grecques et romaines d'un petit miroir en métal en 1876.

V. Considérant
Bibl. nat., Paris

Ch. Cordier

M. Cordier
H. Cordier, Orsay

F. Cormon
Guillonnet, Musée du Petit Palais, Paris

COMPANYO Paul
Perpignan 1817 - 1901

Médecin principal à la Compagnie Universelle du Canal de Suez de 1860 à 1870. Don en 1865 d'une plaque de faïence de l'époque ramesside.

CONSIDÉRANT Victor
Salins 1808 - Paris 1893
MAIRON

V. Considérant qui rencontra Fourier dans sa jeunesse, se montra toute sa vie fidèle aux pensées du fondateur du Phalangstère, dans les différents journaux qu'il lança au cours de sa vie. En 1873 il donna, avec Mairon, le portrait de son maître à penser, Charles Fourier, par L. Gigoux (Dépôt au Musée Granvelle de Besançon, ville natale du philosophe).

CONSTABLE Lionel Bicknell
1828 - 1887

Fils du peintre John Constable (1776-1837). Don d'un tableau de son père (1877).

CONSTANT Mme Benjamin,
née Catherine Jeanne Arago
Paris 1851 - Versailles 1909

Petite-fille de l'astronome François Arago. En 1902, après le décès de son mari le peintre Benjamin-Constant, elle donna le *Portrait de tante Anna* (d'abord placé au Musée du Luxembourg puis déposé en 1933 au Musée de Montpellier), dont le modèle était probablement une tante de l'artiste.

CONTENAU Georges
Laon 1877 - Paris 1964

Docteur en médecine. Conservateur au Département des Antiquités orientales de 1937 à 1946. Don de tablettes cappadociennes en 1925.

CORDIER Charles
Cambrai 1827 - Alger 1905

Sculpteur français, élève de Rude, il débute au Salon de 1848. Il est connu comme spécialiste de bustes ethnographiques. Don en 1862 d'un très beau torse masculin antique, en marbre, provenant de Paros.

CORDIER Mme Henri

Don en 1926 au Musée du Luxembourg, peu après la mort de son mari, le professeur Henri Cordier (1849-1929), du portrait que Caillebotte fit de celui-ci en 1883 (Orsay).

CORDIER Marcel

Fils du sculpteur Henri Cordier (1853-1926) et petit-fils du sculpteur Charles Cordier★. Don, en 1930, d'un *Coq triomphant d'un aigle* (déposé au Musée de la Guerre à Vincennes)

d'Henri Cordier ; en 1933, d'un buste en terre cuite le représentant enfant et de quatre études de lions en cire, d'après les reliefs assyriens du British Museum, d'Henri Cordier (Musée d'Orsay).

CORMIS François Charles de
Aix-en-Provence 1902 - Aix-en-Provence 1984

Provençal, ardent défenseur du patrimoine et des paysages aixois avec l'*Association pour la protection des demeures anciennes* qu'il fonda. Passionné par la famille des peintres Van Loo, actifs en Provence à la fin du XVIIe et au début du XVIIIe s., il fit don d'un dessin de F. Van Loo en 1954, par l'intermédiaire des Amis du Louvre.

CORMON Fernand
Paris 1845 - Paris 1924

Le peintre donna, en 1897 au Musée du Luxembourg le portrait qu'il fit de Pierre Lehoux, († 1896), son camarade de l'atelier de Cabanel (portrait déposé à la mairie d'Oppède en 1934).

CORNU Mme Sébastien,
née Albine Hortense Lacroix
Paris 1809 - Longpont (Oise) 1875

Fille d'une femme de chambre de la reine Hortense, elle fut élevée auprès du prince Louis-Napoléon, le futur Napoléon III, à Augsbourg et Arenenberg. Elle était la sœur de Paul Joseph Eugène Lacroix, qui fut sous le Second Empire architecte de l'Élysée et des Tuileries et inspecteur des châteaux de la Couronne. Aux côtés de son mari, le peintre S. Cornu (1804-1870), elle joua un rôle important dans l'acquisition de la collection du marquis romain G. B. Campana (onze mille huit cent trente cinq objets) et la création du Musée Napoléon III. Inauguré le 1er mai 1862, celui-ci fut fermé dès le mois d'octobre de la même année et ses collections réunies à celles du Louvre, à la suite d'une cabale menée par le clan de la princesse Mathilde et du surintendant des Beaux-Arts Nieuwerkerke★. S. Cornu avait rédigé le *Catalogue des tableaux, sculptures de la Renaissance et des majoliques du Musée Napoléon III* (1862). Très familiarisée avec la littérature allemande, son épouse publia quelques écrits sous le pseudonyme de Sébastien Albin. En 1872, elle fit don au Louvre de deux primitifs, vraisemblablement acquis lors de leurs séjours en Italie.

M. Emerit, *Madame Cornu et Napoléon III*, Paris 1937.

COROT Camille
Paris 1796 - Paris 1875

Peintre. Conformément à sa volonté, *Le Forum vu des jardins Farnèse* et *Le Colisée vu des jardins Farnèse*, peints à Rome en mars 1826, entrèrent à sa mort au Louvre, qui ne possédait jusque là qu'une seule œuvre de l'artiste, la *Danse des nymphes*, (entrée au Luxembourg en 1854 et attribuée au Louvre en 1874).

C. Corot
L. Belly, Versailles

N.M.F. Corot
A. Axilette,
Musée des Beaux-Arts, Angers

COROT Noël Marie Fernand
Aisery (Côte-d'Or) 1859 - Neuilly-sur-Seine
1911

Compositeur de musique. Petit-fils de Laure
Sennegon et arrière-petit-fils d'Annette-Oc-
tavie Corot, sœur de Camille Corot*, il était
fils d'Émile Corot, dont le lien de parenté avec
le peintre n'a pu être déterminé. A sa mort,
il légua ses collections de tableaux et d'œuvres
d'art à Étienne Moreau-Nélaton*, le chargeant
d'en disposer en faveur des musées. En 1911,
E. Moreau-Nélaton remit au Louvre le *Portrait de Laure Sennegon* par Camille Corot.

CORROYER Édouard
Amiens 1835 - Paris 1904
CORROYER Mme Édouard,
née Pauline Forget
Paris 1845 - Paris 1922

Élève de Viollet-le-Duc, membre de l'Académie des Beaux-Arts, inspecteur général des
édifices diocésains, Corroyer fut d'abord architecte diocésain de Soissons, puis du Mont-
Saint-Michel auquel il consacra l'essentiel de
son travail et de ses publications. Il exposa
régulièrement aux Salons, de 1864 à 1884, des
dessins et études faits pour la restauration de
divers monuments. En dehors des restaurations du Mont-Saint-Michel, il travailla aux
églises de Ham, Nesles, Athies..., reçut la
médaille d'argent à l'Exposition universelle de
1889 et consacra plusieurs publications à l'architecture médiévale. Il offrit au Louvre, en
1893, *l'anneau de Maurice de Sully*. Une partie
de sa collection fut donnée et léguée au Louvre
par sa veuve : un dessin de Vaudoyer ainsi
que plusieurs pièces de sa collection d'objets
d'art (*Vierge* et *Saint Jean* d'or, France, v. 1400 ;
émaux champlevés et émaux peints ; ivoires
gothiques ; S. Le Blond : *écuelle du grand Dauphin*, 1690-1691 ; coffret de Moustiers), de
sculptures (deux statuettes de bois de *Vierge à
l'Enfant*, France, XIVᵉ s., et Malines, déb.
XVIᵉ s. ; Anvers, XVIᵉ s. : *Annonciation*, et figures d'applique : *deux religieux*).

J. J. Marquet de Vasselot, "La donation Corroyer au
Musée du Louvre", *Beaux-Arts*, 1ᵉʳ juin 1923, pp. 149-
151.

CORTEGGIANI Jean-Pierre

Don au Département des Antiquités grecques
et romaines de quatre lots de tablettes scolaires
du Fayoum en 1986.

CORTOT Alfred
Myon (Suisse) 1877 - Lausanne 1962

Pianiste et chef d'orchestre, Alfred Cortot a
voué un véritable culte à Wagner dont il possédait un portrait peint par Renoir*. Donation
en souvenir de sa première femme, de ce
portrait, sous réserve d'usufruit, en 1947 (Orsay).

COSSÉ-BRISSAC comtesse Charles de,
née Charlotte de Biencourt
Guérard (Seine-et-Marne) 1865 - St-Luperce
(Eure-et-Loir) 1957

Elle offrit au Louvre, en 1938, cinq dessins de
P. Dagnan-Bouveret (dont certains lui étaient
dédicacés), et deux *Bacchanales* de Cotelle,
pour le Cabinet des Dessins, puis l'année suivante un buste en terre cuite par P. Merard,
pour le Département des Sculptures. Elle fut
aussi bienfaitrice du Musée de Chartres et de
l'Association diocésaine.

COSSON Paul Henri Charles
Paris 1849 - Paris 1926

Collectionneur, avocat à la Cour d'Appel. Don
d'une étude dessinée de l'école de Prud'hon
en 1923. Legs d'objets d'art chinois et japonais,
de trente six peintures principalement du
XIXᵉ s. (*Portrait de l'artiste tenant une académie*
de L. Melendez, étude pour *Angélique*
d'Ingres*, *Remise de cerfs au crépuscule* de
Courbet, etc...) et de quatre-vingts dessins
(cinq Goya), aquarelles, miniatures ou pastel
des XVIIIᵉ et XIXᵉ s. ; il fit d'autres legs au
Musée du Luxembourg, au Musée J. J. Henner, à la Comédie-Française, Carnavalet, Versailles. Paul Cosson a également légué plus de
neuf cents estampes des XIXᵉ et XXᵉ s. à la
Bibliothèque nationale.

COSTANTINI Nissim
Marseille 1806 - Paris 1886

Don en 1884 du chef d'œuvre de Pigalle,
l'Enfant à la cage, en marbre.

CÔTE Claude-Marius dit Claudius
Lyon 1881 - Lyon 1956
CÔTE Mme Claudius,
née Marie-Jeanne-Françoise Jusseau
Lyon 1891 - Lyon 1960

Fils unique de l'industriel et commerçant lyonnais Jean-Pierre Côte, ancien élève de l'École
de commerce de Lyon, membre de la Société
des Antiquaires de France et industriel lui-
même, membre du Cercle de commerce de
Lyon, Claudius Côte se tourna aussi dès son
adolescence vers l'histoire de l'art et suivit,
comme auditeur, des cours à l'Université de
Lyon, notamment ceux d'Émile Bertaux dont
il sollicita les conseils pour ses premières acquisitions. Sa curiosité et sa passion de collectionneur s'étendirent à une grande variété de
domaines : peinture française et italienne ancienne et moderne, sculpture française, objets
d'art du Moyen Âge, montres et horlogerie (il
publia en 1927 avec Eugène Vial *Les horlogers
lyonnais de 1550 à 1650*), meubles (dispersés en
grande partie en vente publique à Lyon les 19
et 20 février 1937), céramique, tissus, livres,
monnaies et antiques, objets d'ethnographie
française et étrangère (Afrique, Amérique,
Océanie, Asie), préhistoire et ethnologie. Claudius Côte fit de son vivant don de quelques
monnaies royales au Cabinet des Médailles et
d'une faïence au Département des Objets
d'Art (1934), ainsi que deux pièces archéologiques au Musée de St-Germain-en-Laye (1921
et 1922). Selon le vœu de son mari Mme
Claudius Côte légua par testament la totalité
des collections qu'elle répartit selon leur nature
entre le Musée des Beaux-Arts de Lyon (tableaux de l'École lyonnaise, faïences françaises,
sculptures du XIXᵉ s.), le Museum d'Histoire
naturelle de Lyon (préhistoire et ethnologie),
le Musée de l'Homme à Paris (ethnographie)
la Bibliothèque nationale (antiques, monnaies
françaises, grecques et romaines, sceaux,
plombs antiques, décorations, gravures et photographies), le Musée de Cluny (tissus byzantins) et le Musée du Louvre. Ce dernier reçut
notamment le *Portrait de Charles de La Rochefoucauld* par Corneille de Lyon et une *Vue*

Ch. Cottet
E.R. Ménard, Orsay

J. Couelle
L. Leygue, Bibl. de l'Institut, Paris

d'une villa romaine par Ravier (Département des Peintures), sept miniatures, entre autres de Guérin, Isabey, Bourgeois et Sicardi (Cabinet des Dessins), un ensemble de céramiques ayyoubides et ottomanes et un plat lustré aux Oiseaux du XIIᵉ s. (Section islamique) et, surtout, pour le Département des Objets d'Art, des ivoires byzantins et médiévaux (plaque : *Joël*, Italie ? VIIᵉ s. ? ; pion de tric-trac : *Samson*, Cologne, XIIᵉ s. ; *Christ*, Paris, déb. du XIVᵉ s., *Vierge à l'Enfant*, Angleterre, XIVᵉ s...), des émaux mosans et limousins des XIIᵉ et XIIIᵉ s. (une plaque en navette : *Christ bénissant*, attribué aux ateliers de Conques, déb. du XIIIᵉ s. ; une plaque de reliure, la *Crucifixion*, Iᵉʳ quart du XIIIᵉ s...), des céramiques, de l'orfèvrerie, une centaine de montres qui forment, avec celles des collections P. Garnier* et Olivier*, le fonds des collections du département. En outre, l'essentiel des biens immobiliers ou en espèces furent attribués aux Hospices civils de Lyon, au Cabinet de Médailles de la Bibliothèque nationale et au Musée du Louvre, institués légataires universels.

E. Bertaux, *Quelques pièces de la collection Claudius Côte*, Lyon, 1912 ; "La donation Côte, au Musée du Louvre", *La Revue du Louvre*, 1961, nᵒ 3, pp. 117-141.

COTTET Charles
Le Puy 1863 - Paris 1925

Ch. Cottet fit d'importantes donations de ses œuvres au Musée du Luxembourg. En 1905, il donnait un tableau *Danses la nuit au Caire* (Orsay), en précisant que ce don ne devait pas être mentionné sur le cartel. Trois autres tableaux, légués à la mort de l'artiste, sont venus compléter la collection de ses œuvres présentées au Luxembourg, grâce au premier don, grâce aussi à deux importants achats de l'État.

COTTIER Maurice
Paris 1822 - Château de Cangé (Indre-et-Loire) 1881

Originaire du milieu protestant et financier, il était l'un des propriétaires de la *Gazette des Beaux-Arts*. Parmi ses légataires figurait le Louvre, qui s'enrichit, en 1881, d'œuvres de Delacroix, *Hamlet et Horatio, Jeune tigre*, de Decamps, *La défaite des Cimbres* et *Les murs d'Aigues-Mortes*, et d'un *Portrait de femme* de Verspronck.

COTTINI Mlle Élisa Caroline
Paris 1834 - Neuilly-sur-Seine 1915
COTTINI Mlle Henriette

Les sœurs Cottini avaient hérité de la collection de leur père J. Cottini*, qu'elles enrichirent de quelques œuvres. Dès 1879, elles donnèrent des tableaux anciens aux musées de Lille (dont Greco, Véronèse, l'esquisse du *Paradis*, Watteau de Lille, des Italiens...), de Troyes (tableaux italiens de Procaccini, Morazzone, Recco...) et d'Arras. En 1899, elles offrirent au Musée du Louvre un *Portrait de Condorcet* attribué à Greuze (déposé à Versailles) et un *Portrait de trois hommes* réattribué récemment à Simon de Vos. Élisa légua en 1915 au Louvre le reste de la collection, mais celle-ci fut refusée et revint au légataire universel, l'Assistance publique de Paris (tableaux de Francken, Marilhat, Buys, le portrait de M. et Mme Cottini par Jourdy, Rosa, Bassan, divers italiens...).

H. Vlieghe, "A propos d'un portrait de trois hommes par Simon de Vos (1603-1676) au Louvre" *La Revue du Louvre et des Musées de France*, 1988, nᵒ 1, p. 38, note 1 sur la collection Cottini.

COTTINI Jean
Craveggia (Italie) 1802 - Paris 1876

Médecin des Hôpitaux de Paris. Il avait réuni une collection d'environ quatre-vingts toiles parmi lesquelles on comptait un certain nombre de tableaux italiens du XVIIIᵉ s. La majeure partie de cette collection est aujourd'hui rassemblée au Musée de l'Assistance publique de Paris. Il donna au Louvre en 1850 un tableau de l'entourage de Poussin (déposé en 1900 à l'Ambassade de France à Constantinople) et *Saint Paul à Malte* de M. de Vos. L'année suivante, il publia un *Examen du Musée du Louvre, suivi d'observations sur l'expertise en matière de tableaux*.

Y. Saint-Geours, N. Sainte-Fare-Garnot, N. Simon, *Catalogue du Musée de l'Assistance publique*, Paris, 1981 (notice nᵒ 272).

COUBARD Germain Étienne, dit COUBARD D'AULNAY
Aulnay-sous-Bois 1804 - Paris 1863

Homme de lettres, ami du peintre J. M. Vien fils et de son épouse, il prononça l'hommage funèbre de cette dernière en 1843, et à la mort de l'artiste fut son légataire universel. E. Coubard légua au Musée du Louvre les portraits de Vien père et de son épouse Marie-Thérèse Vien par Roslin (entrés en 1864 et déposés à Versailles) et au Musée de Montpellier un autre portrait de Vien père en sénateur, par Vien fils.

COUELLE Jacques marquis de, dit Jacques COUELLE

Architecte, créateur de jardins, membre de l'Institut, fondateur, en 1935, à Aix-en-Provence, de la "Décoration architecturale" : Maîtrise des Arts de la Pierre, du Fer et du Feu, consacrée à "l'organisation de documentation et réunion d'éléments architecturaux exemplaires, mis au service de nombreux architectes, accessibles à une clientèle privée". En 1932, il fait don d'une frise en pierre, du XIᵉ s., provenant de St-Martin-de-Crau (Bouches-du-Rhône), et, en 1933, d'un chapiteau du XIIᵉ s. provenant vraisemblablement d'Alet (Aude).

Cat. exp. "Jacques Couëlle. Vivre ailleurs aujourd'hui", Paris, Centre Georges Pompidou, 1988.

COULOMB Henri Robert
Paris 1878 - Nice 1925

Médecin oculariste des hôpitaux, affecté aux troupes coloniales de 1908 à 1912. Don en 1925 d'une collection d'amulettes et d'yeux égyptiens, ainsi que d'un masque de momie du Fayoum.

COULON P.

Don en 1971 au Louvre de boucles d'oreille en or provenant de Rhodes (?).

COULTER Mary J.
Newport (Kentucky) 1880 - Santa-Barbara (Californie) 1966

Peintre et graveur américain ; fut aussi conservateur du Département des Estampes à l'Art Institute de Chicago, puis Assistant-Director, Fine Arts Gallery, San Diego. Don à la Chalcographie en 1937, de deux planches gravées à l'eau-forte, par l'entremise de M. Pascal Bonetti et de M. de Fontnouvelle.

COURAJOD Louis Charles Léon
Paris 1841 - Paris 1896

Archiviste-paléographe, conservateur au Cabinet des Estampes de la Bibliothèque nationale, Louis Courajod entre en 1874 au Musée du Louvre à la Conservation des d'objets d'art du Moyen-Âge et de la Renaissance et de la Sculpture moderne. Lorsqu'en juin 1893 on scinde ce vaste domaine, c'est lui qui prend en charge le nouveau Département de la Sculpture du Moyen-Âge, de la Renaissance et des Temps modernes. Dans ses cours de l'École du Louvre où il occupe la chaire d'histoire de la Sculpture, il galvanise une génération d'élèves (la grande salle de l'École du Louvre porte d'ailleurs son nom). Sa recherche érudite, sur l'art italien, le Musée des Monuments français et la sculpture française a laissé des instruments de travail irremplaçables. Courajod était aussi un collectionneur attentif, de sculptures et de plaquettes. Il donna, en 1895 au Louvre un des plus beaux bois romans de Bourgogne, le "Christ Courajod", dont le comité des Musées avait refusé l'acquisition, ainsi que cinq sculptures italiennes, en marbre du XIVe s. (cf. aussi Mme Siry).

"Louis Courajod (1841-1896)", *la Revue de Champagne et de Brie*, 1896. A. Michel, "Louis Courajod", la *Gazette des Beaux-Arts*, 1er sept. 1896, pp. 203-217.

COURBET Ernest

Lointain cousin du peintre Gustave Courbet, trésorier honoraire de la Ville de Paris. Don, en 1916, d'un masque en plâtre de la *Marquise de Tallenay* attribué à G. Courbet (Musée d'Orsay) ; et d'un dessin de Courbet, *Portrait de sa sœur Juliette*.

COURBET Juliette
Ornans 1831 - Paris 1915

Sœur cadette de Gustave Courbet qui la fit apparaître dans quelques unes de ses œuvres. A la mort de l'artiste (1877), elle devint sa légataire universelle et son exécutrice testamentaire : elle fit donc le difficile partage des œuvres qui lui étaient revenues, entre le Musée du Luxembourg (Orsay), le Musée du Petit-Palais à Paris, les musées de Besançon, d'Ornans et de Vevey.

COURTOT Paul Laurent
Paris 1856 - Limoges 1925

Peintre et professeur au Lycée de Limoges ; membre de la Société des artistes français et de la Société archéologique du Limousin. Don en 1921 d'un dessin d'Amaury Duval (*Portrait de M. Lafond*).

COUSIN Georges
Paris 1860 - Nancy 1907

Professeur à l'Université de Nancy, ancien membre de l'École Française d'Athènes. Don au Département des Antiquités grecques et romaines en 1905 de trois terres cuites, d'une bague et d'un dauphin en bronze.

COUTAN Collection
HAUGUET Mme Jacques Albert, née Marie-Thérèse Schubert
Ribeauvillé 1842 - Antibes 1883
MILLIET Mme Gustave, née Henriette Schubert
Ribeauvillé 1844 - ?

Les peintures et dessins entrés au Louvre en 1883 sous la désignation de "Collection Coutan. Don Hauguet, Schubert et Milliet", proviennent tous de la collection formée par Louis Joseph Auguste Coutan (Paris 1779 - Paris 1830), qui fut l'un des principaux marchands de tableaux parisiens sous la Restauration. Cette collection se transmit par sa femme, née Lucienne Hauguet (1788-1838) au frère de celle-ci, Ferdinand Hauguet († 1860), qui la légua à son fils Maurice Jacques Albert Hauguet (Paris 1819 - Antibes 1883). C'est ce dernier qui voulut que la collection Coutan fût donnée au Louvre : sa femme, née Marie-Thérèse Schubert ne lui survécut que quelques mois et transmit ce vœu à sa propre sœur Henriette, Mme Gustave Milliet, qui le réalisa en 1883, conjointement avec son mari, stipulant que l'ensemble choisi par le Louvre porterait l'intitulé cité plus haut. Le reste de la collection fut dispersé en vente publique les 16 et 17 décembre 1889. Ami des peintres de son temps, Coutan affectionnait les esquisses - parfois données par leurs auteurs - et ce goût se retrouve dans les deux Prud'hon (*Le Christ en croix* et les *Noces d'Hébé et d'Hercule*), l'un des deux Bonington (*Anne d'Autriche et Mazarin* ; l'autre est la *Vue de Venise*) et les quatre Gericault (deux *Courses de chevaux montés, Cheval gris au râtelier* et *Deux chevaux de poste à la porte d'une écurie*.) Gros y figure avec sa

L. Courajod
J. Becquet, Orsay

J. Courbet
G. Courbet, Musée du Petit Palais, Paris

L.J.A. Coutan
J.B. Augustin, Louvre

G.A. Crauk
G. Boulanger, Villa Médicis, Rome

Mme G.A. Crauk
G. Crauk, Musée des Beaux-Arts, Valenciennes

A. Curtis
L. Burleigh-Curtis, Bibl. nat., Paris

---

célèbre étude de *Bonaparte à Arcole* (1796) et Ingres* avec *Le pape Pie VII tenant chapelle*. Le Cabinet des Dessins reçut pour sa part vingt-sept feuilles par Prud'hon, Ingres et Gericault, entre autres, et une miniature par Augustin représentant *M. Coutan*.

CRAUK Gustave Adolphe
Valenciennes 1827 - Meudon 1905

Frère du peintre Ch. A. Crauk. Élève de Ramey fils, Dumont et Pradier, il obtint le Premier Grand Prix de Rome en 1851. Sculpteur qui bénéficia jusqu'à la fin de sa vie de commandes officielles de l'État et de la Ville de Paris, Crauk a laissé également des effigies de nombreuses personnalités de son temps. Il donna en 1875, le buste du *Général Yusuf* (dépôt au Musée de Versailles la même année) et, en 1884, un groupe en marbre, *Jeunesse et Amour* (dépôt à Valenciennes en 1935).

CRAUK Mme Gustave Adolphe, née Marguerite Gondoin
Paris 1843 - Bellevue 1929

Épouse du sculpteur Crauk* et petite-fille de Jacques Gondoin, architecte de l'École de Médecine. Don en 1928 de plusieurs œuvres de son mari : les bustes de l'architecte *Jules Bouchot*, du *Père du Lac*, de *Louise Pélissier de Malakoff* et des groupes représentant le *Baiser de l'Amour* et des *Tritons* (Musée d'Orsay).

CRAWFORD Osbert Guy Stanhope
Bombay 1886 - Southampton 1957

Archéologue anglais, donne en 1929 une pierre gravée d'inscriptions safaïtiques.

CRÉMIEU Mme Noémie Sophie
voir **BERR Alice**

CRÉPET Jacques
L'Isle-Adam 1874 - Paris 1952

Son père, Eugène **Crépet** (1827-1892), homme de lettres, contribua beaucoup à faire connaître Baudelaire : il lui demanda de collaborer à son importante anthologie des *Poètes français* (1861-1862) et, après sa mort, publia (1887), sous le titre *Oeuvres posthumes*, un volume fondamental groupant des textes inédits du poète et une étude biographique. Jacques Crépet fit d'abord carrière dans le journalisme littéraire, puis reprenant l'œuvre de son père, multiplia les travaux érudits (éditions critiques et articles) sur Baudelaire, dont il fut le remarquable exégète et biographe. Il a légué au Louvre deux peintures d'E. Deroy (1820-1846) : *La petite mendiante rousse*, que son auteur avait offerte à Théodore de Banville (celui-ci parle longuement dans *Mes souvenirs* de ce tableau dont le modèle fut l'inspiratrice de son ode *A une petite chanteuse des rues* et de celle de Baudelaire *A une mendiante rousse*), et le *Portrait de Pierre Dupont* (1821-1870), poète et chansonnier, également ami de Deroy, Baudelaire et Banville (tableau déposé en 1963 à Compiègne).

CRESSON Paul
Viroflay 1867 - Verneuil-sur-Seine 1929

Avocat. Fils d'Ernest Cresson, bâtonnier de l'ordre des avocats, (1824-1902) ; membre du Conseil de l'Ordre de 1922 à 1926. Don en 1921 d'un portrait sculpté de son père, exécuté par Dalou.

CRIPPS DAY F. H.

Don d'un fragment d'une main de statue en bronze de Louis XIV en 1934 par l'intermédiaire du National Art - Collections Fund.

CROŸ princesse Louis de, née Eugénie Marie Caroline Amélie Henriette Hortense de L'Espine
Paris 1867 - Paris 1932

Cette donation faite en 1930, avec réserve d'usufruit pour un petit nombre de pièces, constitue par le nombre d'œuvres offertes - environ trois mille huit cents dessins et peintures - par leurs qualités et par leurs intérêts, l'une des plus importantes reçues par le Louvre. C'étaient en fait trois collections familiales que la donatrice, sans enfant, remit alors. La première était celle formée par son arrière-grand-père, le comte de l'Espine, décédé en 1865 ; il avait été sous la Restauration, directeur de la Monnaie de Paris, puis sous Louis-Philippe*, Introducteur des ambassadeurs. Le don de la collection qu'il avait formé a révélé son goût pour le paysage, son intérêt particulier pour l'Italie et suggère des liens amicaux avec quelques artistes avec lesquels il avait peut-être travaillé : P. H. Valenciennes (1750-1819) dont il avait réuni près de mille dessins et études peintes sur cartons, la plupart faits en Italie entre 1778 et 1781, et autant d'œuvres de son élève A. E. Michallon (1796-1822), réalisées en Italie et en Sicile entre 1817 et 1821, ainsi qu'une centaine d'études peintes aussi à Rome par l'architecte J. Th. Thibaut (1757-1826). Le comte de l'Espine avait réuni aussi plusieurs centaines de dessins de deux autres de ses contemporains, morts jeunes l'un et l'autre : A. X. Leprince (1799-1826) et J. A. Franquelin (1798-1839). Il avait aussi collectionné les artistes du XVIIe s. (en particulier S. Vouet et des dessins de paysagistes hollandais actifs en Italie) et du XVIIIe s. (exceptionnel ensemble de dessins par Oudry, Boucher, Trémolières, Hubert Robert, J. G. Wille). La deuxième collection fut constituée par le père de la donatrice, Oscar de l'Espine (1827-1892) et centrée sur la peinture hollandaise et flamande du XVIIe s. (*La Marine d'argent* d'A. van Beyeren et *La Marine d'or* de S. van Ruysdael, *L'Arracheur de dents* de Honthorst et *Les Pantoufles*, entré sous le nom de Vermeer et attribué aujourd'hui à S. van Hoogstraten). La troisième collection provenait de la mère de la princesse de Croÿ, née Hortense de Tascher de La Pagerie et décédée des suites de la naissance de sa fille ; ces objets liés à l'impératrice Joséphine, furent données au Musée de la Malmaison.

Catalogue de l'exposition des œuvres provenant des donations faites par Madame la princesse Louis de Croÿ..., Paris, Orangerie, 1930-1931. C. Brière-Misme, "Au Musée du Louvre, la donation de Croÿ, les tableaux hollandais", *Gazette des Beaux-Arts*, 1er semestre 1933, pp. 231-249.

CUMMINGS Nathan W.
St-John (New-Brunswick) 1896 - Palm-Beach (Floride) 1985

Industriel et homme d'affaires américain, né au Canada. Self-made-man, il développa de manière spectaculaire Consilated Foods Corporation, tout en administrant des entreprises aussi diverses que Twentieth Century Fox, Electrolux ou General Dynamics. Il commença en 1942 une collection de peintures, consacrée aux Impressionnistes et aux artistes contemporains, réunissant en grand nombre des œuvres de Manet à Gauguin et de Vuillard à Kandinsky. Il créa à Charlevoix (Michigan) un jardin de sculpture, consacré aux Contemporains et réunissant Brancusi, Moore, Giacometti, Manzu, etc... . Il fut particulièrement généreux avec le Metropolitan Museum et le Museum of Modern Art de New York ainsi qu'avec l'Art Institute de Chicago ; il finança aussi le Nathan Cummings Art Building de l'Université de Stanford et le Joanne and Nathan W. Cummings Art Center de Connecticut College. Don en 1956 d'un *Portrait de Charles de Créqui* dessiné par D. Dumoustier, et en 1964 d'un très grand dessin au fusain sur toile, *Trois femmes*, œuvre de Daumier (Orsay).

CUMONT Fernand

Ingénieur. Don d'un alabastre attique en 1924 au Département des Antiquités grecques et romaines.

CUMONT Franz
Alost 1868 - Bruxelles 1947

Philologue et archéologue belge, professeur à l'Université de Gand. On lui doit des études sur les mystères de Mithra. Don en 1913 et 1920 de plusieurs objets syriens et en 1939 d'un relief mithriaque offert avec le comte Offenbach en souvenir de Fernand Cumont.

Syria XXVI (1949), p. 168.

CUNNINGHAM Robert

Antiquaire et collectioneur américain. Grand amateur de porcelaine de Sèvres, il a donné en 1986, en son nom et en celui de M. David Middleton, une tasse et une soucoupe en porcelaine de Sèvres de l'époque de la Restauration.

CURTIS Atherton
Brooklyn (E. U.) 1863 - Paris 1943

Collectionneur, érudit à qui l'on doit diverses publications sur l'estampe, Atherton Curtis fut un grand ami de la France où il vécut près de cinquante années. Sa générosité à l'égard des musées fut immense. En 1935 déjà, il avait offert, à titre de don manuel, un collier égyptien (IVe-VIe s.) en or, perles et cristal vert, et en 1938 divers objets de poterie médiévale et trois tableaux, dont un Corot et un Théodore Rousseau. La même année, il faisait donation, sous réserve d'usufruit, de la majeure partie de sa collection, en associant à cette libéralité ses deux épouses, Louise Burleigh († 1910) et Ingeborg Flinch († 1943). Cette donation comprenait, outre quelques centaines de pièces originales d'Émile Decœur, destinées au futur au Musée national d'Art moderne, huit sculp-

tures, pour la plupart médiévales, parmi lesquelles figurait un chapiteau du XIIe s., provenant d'Avignon, deux *Vierge à l'Enfant* du XIVe s. et un petit groupe l'*Éducation de la Vierge*, en albâtre, œuvre française du XVe s. Mais la part essentielle de ce don était constituée par un magnifique ensemble égyptologique de près de mille pièces. Par un surcroît de générosité, A. Curtis leva aussitôt la réserve d'usufruit pour trois des plus beaux objets, qui entrèrent au Louvre dès 1938 : la *stèle de la princesse Nefertiabet* datant de l'Ancien Empire, et le groupe de *Raherka et Merseankh*, et surtout, le petit groupe d'*Aménophis IV et Néfertiti*. Le reste de la donation, mis en sûreté pendant la guerre, en même temps que les œuvres du Louvre, regagna Paris en 1949, et fut alors, peu à peu, intégré aux collections des divers départements. Curtis léguait, en outre, à la Section islamique, un calice "céladon" en céramique (Égypte, XIIIe-XIVe s.). Passionné de gravure, il laissait aussi, au Cabinet des Estampes de la Bibliothèque nationale, un important et précieux ensemble d'estampes et de dessins. Membre associé du Conseil des Musées, il figure sur la plaque des grands donateurs.

C. Boreux, "Trois œuvres égyptiens de la donation Atherton Curtis", *Monuments et Mémoires publiés par l'Académie des Inscriptions et Belles-lettres. Fondation Eugène Piot*, t. XXXVI, 1940, pp. 13-16. Cat. exp. *La collection Curtis, estampes et dessins*, Paris, 1951.

CUVELIER Mme Hélène Marie Louise
Arras 1860 - Thomery (Seine-et-Marne) 1905

Petite-fille par sa mère des aubergistes Ganne de Barbizon, elle légua au Louvre des tableaux achetés par ses parents aux artistes qui fréquentaient l'auberge de ses grand-parents : *La Madeleine lisant*, *Le repos des chevaux* et *Les baigneuses de Bellinzona* par Corot, *Les chiens dans la forêt* par Diaz et *La couseuse* de Millet (ce dernier tableau maintenant au Musée d'Orsay).

CZARTORISKI les héritiers du prince Adam-Louis

Descendant de la famille princière polonaise des Czartoriski, grand amateur d'art, dont les riches collections se trouvent aujourd'hui aux musées de Cracovie et de Poznam, Adam-Louis (Paris 1872 - Varsovie 1937) était le fils de Ladislas Czartoriski et de Marguerite d'Orléans, fille du duc de Nemours. Ses héritiers ont donné au Louvre en 1975 un portrait du roi Louis-Philippe* par Winterhalter et un ensemble de quarante-huit panneaux peints provenant de la décoration de l'hôtel Lambert à Paris, demeure acquise en 1848 par Anna Czartoriska, née Sapieha.

DABER Alfred

Également collectionneur, M. Alfred Daber fut un actif marchand de tableaux de 1924 à 1970, année où il se retira des affaires. De 1924 à 1926, il ouvrit à Montparnasse une première galerie, placée sous le patronage d'A. Lhote

et R. Delaunay et inaugurée par une exposition sur la Section d'or. En 1926, il organise la première exposition en France sur P. Klee. Il ouvre ensuite, en 1936, une nouvelle galerie où sont organisées d'importantes expositions de peintures. Il contribua à faire connaître le paysagiste Paul Guigou (1834-1871) par plusieurs expositions entre 1938 et 1970, et présenta notamment les œuvres d'Eva Gonzalès, Lépine, Boudin, Jongkind et les peintures de Maillol. M. Daber donna en 1970 au Cabinet des Dessins trois paysages de P. Guigou.

DABLIN Théodore
Rambouillet (Yvelines) 1783 - Paris 1861

Il était fils de Jacques Dablin, maître serrurier à Rambouillet, et de Gabrielle Besson. Il s'établit marchand de fer et acier à Paris rue Greneta, puis, après la mort de sa mère (1823), il se retira rue de Bondy (René Boulanger) et devint prêteur sur gages. Très lié, par l'intermédiaire de sa mère, avec Balzac et sa famille, il prêta de l'argent à l'écrivain qui lui dédia *Les Chouans* et il contribua à inspirer le personnage du cousin Pons. Dablin était en effet collectionneur, rassemblant à la fois peintures, dessins, miniatures, estampes, antiquités, objets d'art. Il légua une miniature d'Augustin, *Autoportrait*, ainsi que plusieurs objets spectaculaires : une aiguière en cristal de roche du XIVe s., une croix en cristal de roche, une coupe en argent doré strasbourgeoise (1598), une coupe en argent émaillé allemande ou hongroise du XVIIe s., les *Douze Césars* en pierres dures, cinq tabatières et des émaux cloisonnés chinois.

J. Adhémar, "Balzac, sa formation artistique et ses initiateurs successifs", *Gazette des Beaux-Arts*, déc. 1984, pp. 231-242.

DAGON de la CONTRIE Louis
Brucksal (duché de Bade) 1807 - Sébastopol 1855

Capitaine du 21e régiment d'infanterie légère en Maurétanie. Don en 1844, au Département des Antiquités grecques et romaines, d'une tête en marbre de Ptolémée, roi de Maurétanie (21-40 ap. J. -C.) trouvée à Cherchel (Algérie)

DALBRET Suzanne
Paris 1897 - Paris 1941

Fille du marchand de cadres parisien, Ernest Dalbret (1861-1940), elle légua en 1941 à l'État français toute la collection de cadres anciens qu'elle avait héritée de son père ; soit près de deux mille cadres qui furent répartis en 1945 entre différentes institutions. Le Musée du Louvre en choisit environ sept cents de belle qualité et l'École des Beaux-Arts en préleva trois cents pour les donner en récompense chaque année au Prix de Rome.

**DALLEMAGNE Mme Aimé-Edmond,
née Renée Fournier**
Paris 1897 - Villiers-sur-Orge (Essonne) 1982

Épouse du graveur A.-E. Dallemagne (1882-1971). Don à la Chalcographie en 1976 d'une planche gravée par lui, *Rue basse des tanneurs à Amiens*.

D'ALLEMAGNE Henry René
Marnes-la-Coquette 1863 - Marnes-la-Co-quette 1950

Archiviste-paléographe, collectionneur d'objets d'art, de sculptures du Moyen-Âge et de la Renaissance et de céramiques islamiques, il fit don à la Section islamique en 1899 d'un fragment de stèle funéraire provenant de Samarcande (XIVᵉ-XVᵉ s.). En 1951, ses héritiers Jacques D'Allemagne, Maurice D'Allemagne et Mme Jean Charles Lefebvre offrirent un bassin en cuivre incrusté au nom de Hugues IV de Lusignan roi de Chypre (Égypte, Iᵉ moitié du XIVᵉ s.).

Vente. 1953, 2 et 3 mars. Paris, Drouot. *Objets de haute curiosité... objets d'art d'Orient. Collection Henry D'Allemagne*.

DAMIRON Charles
Lyon 1868 - Artaix (Saône-et-Loire) 1964

Avocat au barreau de Lyon (1894) puis bâtonnier (1938), Ch. Damiron mena de pair une carrière de collectionneur et d'historien d'art. Il publia plusieurs ouvrages de souvenirs dont, *Ma vie passionnante de collectionneur* (1958). Ses intérêts, cependant, le portaient surtout vers la céramique. Il publia dans ce domaine des ouvrages sur la faïence de Moustiers (1919), de Lyon (1926), et sur la majolique italienne (1944). Ch. Damiron offrit à six reprises au Musée du Louvre d'intéressantes pièces de céramique, essentiellement des carreaux : en 1920, deux carreaux provenant du Petit Château de Nevers, en 1921, deux carreaux du Midi de la France, du XVIᵉ s., en 1924, deux albarels de Nîmes et un carreau bourguignon, en 1927, une coupe aux armes de Claude de Lorraine-Guise, abbé de Tournus (v. 1600), en 1934, un carreau andalou et deux carreaux provenant de Brou, et en 1940 enfin, un carreau catalan.

DANINOS Albert
V.1840 - v. 1912

Égyptologue, assistant au Louvre, participe aux fouilles dirigées par Mariette*. Donne en 1887 et en 1920 un ostracon et une perle de verre.

DANJON Daniel Romani Numa
Condé-sur-Seulles 1848 - ap. 1929

Agrégé et professeur de droit à la Faculté de droit de Caen. Il est l'auteur de plusieurs livres dont le *Traité de droit maritime* paru en six volumes de 1910 à 1916. Il donne en 1910, le portrait au pastel de d'Alembert par

M. Quentin de La Tour, en "mémoire de René Danjon dont la trop courte jeunesse avait été embellie par le culte des arts". Ce portrait avait été légué à son ami et exécuteur testamentaire au marquis de Condorcet ; de Mme de Condorcet, il entra en la possession de Jean Romani, architecte du département du Calvados, mari de la filleule de Mme de Condorcet et grand-père maternel de M. Danjon.

L. Gonse, "Le portrait de d'Alembert par La Tour", *Bulletin des Musées de france*, 1910, pp. 81-82.

**DANON Robert et Mme,
née Madeleine Bernheim**

Donation en 1971, sous réserve d'usufruit, d'une belle *Vierge à l'Enfant* de G. B. Tiepolo.

DARCEL Alfred
Rouen 1818 - Paris 1893

Ancien élève de l'École Centrale de Paris, puis directeur d'usine, Alfred Darcel entra dans l'administration des Beaux-Arts en 1849. Attaché à la conservation des Objets d'Art du Louvre en 1862, il devint administrateur de la Manufacture des Gobelins en 1871, puis succéda à E. du Sommerard comme directeur du Musée de Cluny en 1885. Membre du Comité des Travaux historiques et membre fondateur de l'Union centrale des Arts décoratifs, A. Darcel collabora régulièrement aux *Annales archéologiques*, à la *Revue des Sociétés savantes* et à la *Gazette des Beaux-Arts* ; il est également l'auteur de plusieurs catalogues du Louvre (faïences, 1864, émaux et orfèvrerie, 1883) et de celui de la collection Basilewski (1874). Donateur du Département des Antiquités grecques et romaines (en 1887 et 1889) et du Cabinet des Dessins (en 1866 don d'une miniature de Sauvage), il donna au Département des Objets d'Art, en 1864, un plat de faïence vénitienne et une médaille d'Hippolyte de Gonzague.

DARCEL J.

Don d'un aigle antique en bronze trouvé dans la Seine, et d'un vase en terre cuite (1857).

DARESSY Georges
Sourdon (Somme) 1864 - Sourdon 1938

Égyptologue, il fouille en Égypte pendant toute sa carrière (Vallée des Rois, Deir-el-Bahari) parallèlement aux travaux de restauration aux temples de Karnak et de Louxor. Rentré en France, il fait une série de dons au Louvre, échelonnés entre 1928 et 1938, constitués d'objets égyptiens, coptes, islamiques, grecs et orientaux.

DAUBAN Madame

Don en 1933 d'un tableau de Largillière, *Moïse sauvé des eaux*.

DAUBIGNY Karl
Paris 1846 - Auvers-sur-Oise 1886

Fils du peintre Ch. F. Daubigny, il fut aussi son élève. Le tableau qu'il légua au Luxembourg est le seul qui représente l'artiste dans les collections du Musée d'Orsay.

DAUBRÉE Emmanuel
1838 - 1926

Administrateur de la Compagnie du Canal de Suez, il était le frère cadet de Marie Delessert que le peintre E. Hébert avait aimée. Sa mère, veuve de Jean-Baptiste Daubrée, se remaria en 1846 avec le négociant Édouard Pannifex. Mme Pannifex entretint toute sa vie des relations d'amitié avec Hébert, indépendamment de ses relations avec Marie Delessert. Emmanuel Daubrée donna avec réserve d'usufruit, en 1910, deux portraits peints par Hébert de sa mère, *Mme Pannifex*, et celui de sa sœur, *Mme Delessert* (en dépôt au Musée de Compiègne), et un dessin représentant *Édouard Pannifex*, son beau-père. Emmanuel Daubrée avait déjà donné en 1884 trois épitaphes (romaines et chrétienne) trouvées à Trèves.

DAUGNY Louis Jules Léon
Paris 1811 - Paris 1891

Entré à l'École Polytechnique en 1831 puis à l'École d'application de l'Artillerie et du Génie en 1833, il fit carrière comme officier d'artillerie. Il donna en 1885 une burette en cristal de roche montée en argent doré (XVIᵉ s.).

DAUMET Pierre Jérôme Honoré
Paris 1826 - 1911

Architecte, Prix de Rome, membre de l'Institut. Chargé avec Léon Heuzey d'une mission archéologique en Macédoine. Il participa comme architecte à la reconstruction du Palais de justice de Paris, à la restauration du théâtre d'Orange et à celle du château de Chantilly. Don d'une figurine archaïque en terre cuite d'Aphrodite (1871).

DAVID Mme Maxime, née Louise Armande Lydie Carnot
Nevers 1811 - Paris 1886

Épouse du miniaturiste M. David qui fut l'élève de Mme de Mirbel. Legs aux musées de Laon et de Reims ; legs au Louvre de deux miniatures de M. David (dépôt Musée des Arts décoratifs).

DAVID d'ANGERS Robert
Paris 1833 - Neuilly-sur-Seine 1912

Fils et élève du sculpteur P. J. David d'Angers (1788-1856), il sculpta des reliefs, des médaillons et des bustes dont celui de son père commandé par l'État pour le Musée de Versailles. Veillant sur la mémoire de son père, il publia l'album de ses médaillons et donna

A. Darcel
M. Vuillier, Bibl. nat., Paris

P.J.H. Daumet
H. Chapu, Bibl. de l'Institut, Paris

D. David-Weill

en 1900 au Louvre la collection presque complète de ces médaillons ainsi que dix statuettes en bronze, réductions des statues de grands hommes.

DAVID-NILLET Mme Germain, née Adélaïde Gœtt
Chatenois 1862 - Paris 1936

Don en 1933, en souvenir de son mari, le peintre David-Nillet (1861-1932), de sculptures de Dalou, Meunier, Millès, Rodin et Ségoffrin (Musée d'Orsay), de dix tableaux et d'une quarantaine de dessins, principalement d'artistes du XIXᵉ s.

DAVIDOVITCH Boris

Don d'un tableau alors attribué à Maratta (1931).

DAVID-WEILL David
San Francisco 1871 - Neuilly-sur-Seine 1952
DAVID-WEILL Mme David, née Flora Raphaël
Paris 1878 - Neuilly-sur-Seine 1971

David Weill, qui fit transformer son nom de famille en David-Weill en 1929, était le fils du banquier Alexandre Weill, originaire de Phalsbourg (Moselle), qui dirigeait avec ses beaux-frères, les quatre frères Lazard, la banque du même nom. D. David-Weill, qui fit des études de droit, devint l'un des plus grands financiers du XXᵉ s. Il dirigea Lazard Frères, fut régent de la Banque de France et administrateur de nombreuses sociétés françaises et étrangères. Il épousa en 1897 Flora Raphaël, fille du banquier Edward Raphaël, dont il eut sept enfants : Jean, Pierre, François († 1934), Jeanne (Mme Roger Seligmann), Simone (baronne Henri de Bastard puis Mme Maurice Durosoy*), Marthe (Mme Jean Lambiotte), Antoinette (Mme Maxime Citroën). D. David-Weill consacra une grande part de son activité à des œuvres philanthropiques diverses (logements sociaux, sanatoriums, œuvres maternelles, Cité universitaire...). Il joua d'autre part un rôle éminent dans le domaine culturel, ce qui devait susciter son élection à l'Académie des Beaux-Arts en 1934. Très tôt collectionneur (son premier

achat fut, à dix-huit ans, le *Portrait de Marie-Joseph Chénier* par Mme Labille-Guiard), il rassembla dans sa demeure de Neuilly des œuvres d'une grande variété : peintures, dessins, miniatures, sculptures (une remarquable collection de bustes), ainsi que des objets d'art de toutes provenances, tant occidentaux (mobilier du XVIIIᵉ s., orfèvrerie, pour laquelle il fut conseillé par Henri Nocq) que musulmans, extrême-orientaux et précolombiens. "On peut dire de lui qu'il était un spécialiste dans les disciplines les plus diverses" (Jacques Vandier). Il fit bénéficier de son expérience de grand financier, de son goût, de ses connaissances et de sa générosité, l'ensemble de la vie artistique française, aidant les artistes, les étudiants, les chercheurs, favorisant la réalisation de missions et d'expositions, enrichissant de ses dons les bibliothèques parisiennes et surtout les musées. Membre (1920) puis président (1931) du Conseil artistique de la Réunion des musées nationaux, il fut aussi président de la Société des Amis du Musée Guimet, vice-président de la Société des Amis du Louvre, de l'Union centrale des Arts décoratifs et des Amis du Musée Carnavalet. Les œuvres innombrables qu'il offrit aux musées, souvent de concert avec Mme David-Weill, sont le fruit d'un choix judicieux, fait en fonction des besoins et des lacunes des collections. Il donna à des musées de province (St-Quentin, Mulhouse), à ceux de Malmaison et de Versailles, et à presque tous les musées parisiens (Art moderne - *La Partie de poker* de Vallotton -, Arts décoratifs - secrétaire en laque provenant de Bellevue -, Carnavalet, Cluny, Guimet, Rodin, Arts et Traditions populaires, Légion d'Honneur, Musée de l'Homme). Son premier don au Louvre, en 1912, fut un bronze archaïque chinois, le premier qui entrât dans les collections nationales (maintenant au Musée Guimet). Dès lors tous les départements bénéficièrent de ses libéralités. On lui doit en particulier les sept cents objets sumériens provenant de Tello de la collection du colonel F.-M. Allotte de La Fuÿe (1844-1939), sumérologue et numismate, qu'il avait acquise (1931), des terres cuites du Louristan (1931-1933), un grand vase en faïence de Rakka (Perse), des XIIᵉ-XIIIᵉ s. (1930), un brûle-parfum léontomorphe en bronze (Khorassan, XIᵉ-XIIᵉ s. ; 1933), des esquisses de Chinard (1926), Clodion et Pigalle (1929), des albums de David (1932) et Delacroix (1925), quarante-huit

études de Constable (1924). En 1937, il offrit sept œuvres majeures : deux peintures, *Madame de Sorquainville* de Perronneau et *A la Grenouillère* de Renoir* (maintenant au Musée d'Orsay), un dessin, *Trois études de jeune nègre* de Watteau, un pastel, *Le Comte de Bastard (?)* de Perronneau, un buste, *La Comtesse de Jaucourt* de Houdon, une statuette en bronze égyptienne (la déesse *Ouadjet*) et un *Athlète* en bronze grec du Vᵉ s. av. J.-C. En outre il participa financièrement à l'acquisition d'œuvres capitales : *Madame Marcotte de Sainte-Marie* (1923) et le *Bain turc* d'Ingres, *La Folle* de Gericault, *L'Atelier* de Courbet, *La Blanchisseuse* de Daumier (1927), *Mallarmé* de Manet (1928), le pot-à-oille du service Orloff (1933), les chenets de F. Th. Germain (1935), l'*armilla* attribuée à Nicolas de Verdun (1936). Il faut ajouter de nombreux dons anonymes. Après la guerre, pendant laquelle, en 1940, M. et Mme David-Weill émigrèrent aux États-Unis, ils reprirent leur politique généreuse, donnant sous réserve d'usufruit : en 1946, un prodigieux ensemble de dix-huit pièces d'orfèvrerie française du Moyen-Âge au XVIIIᵉ s., ce qui créa la collection d'orfèvrerie du Louvre (notamment biberon de Reims, XVᵉ s. ; œuvres de Th. Germain, dont quatre pièces du célèbre service Orléans-Penthièvre), puis en 1948 deux *Vue du Louvre* d'Hubert Robert. D. David-Weill donna encore en 1950 une importante coupe en céramique de Nishapur ou Samarcande (XIᵉ s.). A sa mort enfin entra au Louvre la collection de trois cent quatre-vingt-seize miniatures et émaux français et étrangers des XVIIᵉ-XIXᵉ s. qu'il destinait au musée. Mme David-Weill poursuivit l'œuvre de son mari en offrant en 1953 la statue de Pajou, *La Fidélité (Mme Du Barry tenant à la main le cœur de Louis XV)*, et en 1955 des tissus coptes. Après son décès, une partie de la collection David-Weill fut vendue à Paris, à l'Hôtel Drouot ou au Palais Galliera : estampes (25-26 mai 1971), orfèvrerie (trois ventes, 4 juin et 24 novembre 1971, 4-5 mai 1972), peintures et dessins (9-10 juin 1971), objets antiques et médiévaux (16 juin 1971, 28-29 juin 1972).

Cat. exp., *Donations de D. David-Weill aux musées français*, Paris, Orangerie des Tuileries, 1953. Cat. exp., *Donations de D. David-Weill au Musée du Louvre. Miniatures et émaux*, Paris, Musée du Louvre, 1956-1957.

J. David-Weill

P. David-Weill

Baron J.Ch. Davillier
Suchetet, Orsay

DAVID-WEILL Jean
Paris 1898 - Paris 1972

Fils de David David-Weill*, il entra dans la carrière des musées et devint conservateur de la Section islamique du Louvre en 1945. Pensionnaire à l'Institut français d'Archéologie orientale du Caire de 1933 à 1936, il travailla à l'édition d'un important codex sur papyrus, texte d'un des plus anciens recueils de tradition islamique : le *Djâmi'* d'Ibn Wahb du IXᵉ s. Parallèlement à son enseignement à l'École du Louvre, il publia de nombreux articles consacrés à l'archéologie, à l'épigraphie et à la papyrologie arabes... Il fit don à la Section islamique en 1933 et 1936 d'un brûle parfum léontomorphe (Iran, Khorossan XIᵉ-XIIᵉ s.), d'un carré magique en bronze (Iran, XIIᵉ s.) et d'un panneau à marqueterie d'ivoire et de bois (Égypte, IXᵉ s.). Son legs en 1972 enrichit notablement la collection de bois islamiques égyptiens des IXᵉ-XIIIᵉ s.

DAVID-WEILL Michel
DAVID-WEILL Mme Éliane

Fils de Pierre* (1900-1975), petit-fils de David* (1871-1952), Michel David-Weill, membre de l'Institut, est également - comme le furent son père et son grand-père - président du Conseil artistique des musées nationaux. Éminent banquier, grand collectionneur et généreux mécène notamment en faveur du Musée d'Orsay), il partage son temps entre Paris et New York. En 1976, à la mort de son père, il offrit, avec sa sœur Éliane, le *Taureau blanc à l'étable* de Fragonard et, au Département des Sculptures, un *Christ en croix* en bois polychrome, œuvre allemande du début du XIIᵉ s.

DAVID-WEILL Pierre
Paris 1900 - Paris 1975

Emigré aux États-Unis avec son père David David-Weill* en 1940, il se fixa quelque temps à New York d'où il administra les branches américaine et anglaise de la banque Lazard. Puis il succéda à son père, à la tête de Lazard Frères. Il fut membre (1963), puis président (1965) du Conseil artistique de la Réunion des musées nationaux, soutenant comme son père, avec bienveillance et efficacité, la politique des

conservateurs. Son activité de mécène et d'amateur lui valut d'être élu à l'Académie des Beaux-Arts (1970). En 1971, après la mort de sa mère, il donna en souvenir de ses parents, complétant ainsi leur œuvre, une salière en argent du service Orléans-Penthièvre (A.-S. Durand, 1758-1759). Il offrit en même temps avec ses frère et sœurs, M. Jean David-Weill, la baronne Henri de Bastard (puis Mme-Maurice Durosoy*), Mme Jean Lambiotte et Mme Maxime Citroën, une statuette d'apôtre en cuivre doré provenant de la châsse de saint Romain à la cathédrale de Rouen (v. 1300). En 1972 il offrait encore avec son frère Jean, une collection de bronzes du Louristan, et en 1974, seul cette fois, un brûle-parfum avec une poignée en forme de léopard d'époque parthe.

DAVID-WEILL Simone
voir **DUROSOY Mme Maurice**

DAVILLIER Jean-Charles, baron
Rome 1823 - Paris 1883
DAVILLIER baronne,
née Élisabeth-Désirée Drouard
Paris 1831 - Le Plessis-Bouchard (Val d'Oise) 1904

Issu d'une famille languedocienne, petit-fils de Jean-Charles-Joachim Davillier qui fut régent de la Banque de France sous l'Empire, devint baron en 1810 et pair de France en 1831, J. Ch. Davillier préféra aux affaires familiales, les voyages en Italie et en Espagne, et l'érudition. Il publia d'importants travaux sur les arts décoratifs français et espagnols, faisant parfois figure de précurseur dans certaines de ses recherches (*Le Cabinet du duc d'Aumont...*, Paris, 1870 ; *Les Arts décoratifs en Espagne au Moyen-Âge et à la Renaissance*, Paris, 1879 ; *Les Origines de la porcelaine en Europe*, Paris, 1882 ; *L'Espagne*, Paris, 1874, célèbre ouvrage illustré par Gustave Doré). Il réunit dans son hôtel, 18 rue Pigalle, une collection de sculptures et d'objets d'art consacrée au Moyen-Âge et à la Renaissance. Par son testament rédigé en 1871, il légua à la Bibliothèque nationale sa bibliothèque, au Musée de Sèvres une collection de céramiques et de verreries, et au Louvre un énorme ensemble d'objets d'art dont le *Catalogue* comprend cinq cent quatre-vingt-deux numéros. Ceci valut notamment au Départe-

ment des Sculptures des sculptures italiennes importantes : *Vierge assise sur un trône portant l'Enfant*, en marbre (XIIIᵉ s.), *La Vierge et l'Enfant entre deux chérubins*, bas-relief en pierre du XVᵉ s., *Vierge embrassant l'Enfant*, bas-relief en terre cuite (Florence, XVᵉ s.), *La Madeleine ravie au ciel*, bas-relief en terre cuite autrefois attribué à Verrochio, un buste d'empereur romain en bronze de Ludovico Lombardo. Le Département des Objets d'Art reçut de célèbres tapisseries du XVᵉ s. (*L'Offrande du cœur*, *La Résurrection*, *La Vierge glorieuse*), une grande croix en émail champlevé limousine, des ivoires gothiques, deux coupes en jaspe rouge provenant de Laurent le Magnifique, des bronzes de la Renaissance (statuettes comme le célèbre *Arion* de Riccio, plaquettes et médailles), des bijoux de la Renaissance, des faïences hispano-mauresques et italiennes, des émaux peints. Le legs Davillier comprend aussi des objets islamiques importants : trois ivoires (pyxide, Espagne, Xᵉ s. ; coffret, Espagne, XIIᵉ s. ; plaque, Égypte, XIVᵉ s.) et une lampe de mosquée, Égypte, XIVᵉ s.). La baronne Davillier (veuve en premières noces de Désiré-Théodore Rond, elle avait épousé le baron en 1865) ajouta à ces objets, en don personnel, cinq porcelaines des Médicis et, en souvenir de son mari, le buste de celui-ci par Suchetet (Orsay). Le reste de la collection Davillier fit l'objet de deux ventes, en 1887 et, après la mort de la baronne, en 1904.

L. Courajod et E. Molinier, *Donation du baron Charles Davillier. Catalogue des objets exposés au Musée du Louvre*, Paris, 1885. G. Brière, *Notice sur le baron Charles Davillier*, Paris, 1905 (*Les Donateurs du Louvre*).

DAVILLIER REGNAULT de
SAINT-JEAN d'ANGÉLY comtesse,
née Flore Angélique Mongrard
Le Havre 1834 - Paris 1917

Fille adoptive du comte d'Empire et maréchal de France Regnault de Saint-Jean d'Angély, elle légua en 1917 plusieurs tableaux et objets provenant du château de Serville au Musée de l'Armée et, au Musée du Louvre, le portrait de son père adoptif par Gérard (déposé à Versailles). Le portrait de la mère du modèle, également peint par Gérard, était entré au Louvre quelques années auparavant par le legs de Mme de Sampayo*.

Mme Ed. Debat-Ponsan
Ed. Debat-Ponsan, Orsay

A. Dehodencq
Autoportrait, Louvre

DAYAN Moshé
Kibboutz de Degania 1915 - 1981

Officier israélien, chef d'état-major lors de la campagne du Sinaï en 1956 puis ministre de la Défense pendant la guerre des Six-Jours en 1967. Plusieurs fois ministre, sa vie publique l'empêcha de se consacrer à son goût pour l'archéologie. Don en 1962 d'un ossuaire en forme d'animal d'époque chalcolithique, provenant d'Azor près de Tel-Aviv.

DAYET Maurice
1889 - ap. 1954

Secrétaire d'ambassade à Téhéran. Don en 1925 d'une brique susienne.

DEBAT-PONSAN Mme Édouard,
née Marguerite Garnier
Joigny 1856 - Paris 1933

Épouse du peintre Debat-Ponsan (1847-1913), elle était aussi la sœur du peintre J. Garnier (1847-1889). L'œuvre de son mari *La Charette*, qu'elle donna au Louvre en 1929, fut déposée à Vire en 1974.

DE BŒR galerie P.

Célèbre galerie d'Amsterdam spécialisée dans les tableaux anciens, fondée en 1922 par Piet De Bœr († 1974). Elle offrit en 1983 au Louvre un important cadre hollandais du XVIIᵉ s., à placage roux et filets noirs, destiné à l'*Astronome* de Jan Vermeer qui venait d'être acquis par le musée.

DECAUX Georges
Bernay 1845 - Rouen 1914

Éditeur parisien, il publia une revue hebdomadaire de voyages, *Sur terre et sur mer*. Il donna ses collections de livres à la Bibliothèque historique de la Ville de Paris et, en 1905, le *Portrait du peintre Vincent*, de Labille-Guiard, au Musée du Louvre.

DE CLERQ Louis
voir **BOISGELIN Henri de**

DECOURCELLE Pauline
Paris 1853 - Nogent-sur-Marne 1937

Legs d'un tableau italien du XVIIᵉ s. *Portrait de femme et d'enfant* (entré en 1938).

DEFFINS Mme Maurice,
née Gabrielle Narrat
Charleville-Mézières 1889 - Courbevoie 1978

Au nom de son mari, le docteur Deffins, et au sien propre, elle a, en 1974, fait don d'un tableau d'après Georges de La Tour : *L'éducation de la Vierge*.

DEFRANCE famille du général Jean Marie
Antoine comte
Vasay (Haute-Marne) 1771 - Paris 1835

Don en 1871 d'une copie du portrait du général Defrance peinte par Dien d'après le tableau de Riesener (déposée au Musée de l'Armée).

DEGAND Mme

Don en 1934 de trois dessins de Gaston Redon (1853- 1921), architecte et frère d'Odilon Redon.

DEGAND Alain

Don de deux aquarelles et de six dessins de Gaston Redon en 1977.

DEGAS héritiers d'Edgar

Au moment de la mort d'Edgar Degas en 1917, ses héritiers étaient son plus jeune frère, René, et les enfants de sa sœur Marguerite. René de Gas (Paris 1845 - Paris 1921) fut journaliste. Quand les musées nationaux achetèrent la *Famille Bellelli*, il consentit une remise importante sur le prix demandé ; plus tard il donna des carnets et des photographies de son frère à la Bibliothèque nationale. L'autre moitié de la succession d'Edgar Degas fut partagée entre les enfants de sa sœur cadette, Marguerite Fevre. Parmi tous les neveux Fevre : Madeleine, carmélite, Henri et Gabriel*, Jeanne* fut sans doute celle qui fut la plus proche du peintre car elle vint sur les conseils de Mary

Cassatt*, s'occuper de son oncle âgé ; elle relata ses souvenirs dans un livre consacré à l'artiste, *Mon oncle Degas*, Genève, 1949. Le contenu de l'atelier du peintre fut dispersé au cours de quatre ventes après décès ; écartées de ces encans, les sculptures, trouvées en très mauvais état et restaurées par Albert Bartholomé, ne purent être que partiellement sauvées. Une fonte posthume fut décidée ; grâce à la générosité des héritiers de l'artiste et d'Hébrard, qui en effectuèrent l'édition, la série P. (soixante-treize pièces) fut acquise au prix coutant en 1930 (Orsay).

DEGAS Mlle Jeanne
Sceaux 1877 - Paris 1979

Elle donna en 1946 les portraits de Philippe-Adolphe Courcier et de son épouse, ses grands-parents maternels, par E. Devéria (tableaux immédiatement déposés au Musée des Beaux-Arts de Pau).

DEGRAND Alexandre
1844 - ap. 1905

Diplomate, consul de France à Plovdiv (Bulgarie) en 1896. Il était également Officier de l'Instruction Publique depuis 1892. Don en 1902 d'un bas-relief votif trouvé en Thrace au Département des Antiquités grecques et romaines et en 1913 d'un vase en verre au Département des Antiquités orientales.

DEHODENCQ Alfred
Cadix 1855 - Bordeaux ? 1929

Fils aîné du peintre A. Dehodencq (1822-1882) et de Marie-Amélie Calderon, il donna un *Autoportrait* de son père en 1901 (Orsay), et en 1911 un carnet de croquis toujours de son père.

DE JONGE Mme Blanche

Citoyenne américaine habitant alors New York, elle donna en 1939 deux tableaux de Platzer, *Bacchus et Ariane* et le *Combat des Centaures et des Lapithes*, ainsi qu'un *Paysage* de J. Ruisdael (déposé en 1969 au Musée d'Orléans) en mémoire de S. W. De Jonge, son

Mme H. Delage
J.P. Aubé, coll. part.

Mme Delaistre
J. Romani, Musée Roybet-Fould, Courbevoie

Mme E. Delaplanche
E. Delaplanche, Orsay

époux décédé, "sujet américain qui a résidé très longtemps en France", selon les termes mêmes de la donation. Ce dernier était un donateur du Metropolitan Museum (il offrit en 1920 un portrait de L. G. Ricard).

DELAFORGE Ambroise
Paris 1817 - St-Mandé 1885

Graveur. A exposé au Salon en 1863 et 1865 deux de ses planches d'après des peintures conservées au Louvre, *Ecce Homo* de Guido Reni et la *Sainte Famille* d'Andrea del Sarto, dont il légua les planches gravées à la Chalcographie.

DELAGE Mme, née Hélène Aubé
Paris 1867 - Argenteuil 1957

Fille du sculpteur J. P. Aubé (1837-1916). Don en 1948, d'une œuvre de son père représentant *Dante* (Orsay).

DELAISTRE Mme,
née Hélène Jeanne Guillemet
Villiers-sur-Mer (Calvados) 1877 - Nice 1959

Fille du peintre A. Guillemet (1843-1918). Legs du portrait de son père, peint par Roybet et du sien par Romani. Les deux œuvres, entrées au Louvre en 1962, furent aussitôt déposées à Courbevoie.

DELAMARRE Madame

Don en 1910 en souvenir de son fils J. Delamarre*, d'un ostracon inscrit et de plusieurs tessons de céramique.

DELAMARRE Jules
Provins 1867 - Paris 1909

Grand voyageur au Moyen-Orient et archéologue, il travailla particulièrement à Amorgos (Cyclades) et à Théra (Santorin). Don en 1896 de deux têtes cycladiques en marbre et d'une lame de poignard en bronze provenant d'Amorgos, et en 1903 de six objets antiques de même provenance.

DELAMARRE Lucien

Donna en 1908 une *Vierge à l'Enfant* d'Antoniazzo Romano (déposé en 1957 au Musée du Mans), tableau qu'il avait acquis à la vente Sedelmeyer* en 1907.

DELAMOTTE A.

Président du canton de Beuzeville (Eure), amateur d'art, il donna en 1805 cent dessins qui n'ont pu être identifiés.

DELANCE Alice
Paris 1893 - Paris 1973

Fille du peintre P. L. Delance (1848-1924). Legs d'une importante œuvre de son père : *Grève à Saint-Ouen* (Orsay).

DELAPARD

Abbé de Tébessa (Algérie). Don en 1891 d'une pierre tombale en forme de caisson consacrée à Phillyris mis à mort par un certain Capellianus.

DELAPLANCHE Mme Eugène

Épouse du sculpteur Delaplanche (1836-1891), dont elle donne une œuvre en 1892.

DELAPORTE Pacifique Henri
Tripoli (Syrie) 1815 - Paris 1877

Diplomate, consul de France à Tunis, au Caire puis à Bagdad, il prend sa retraite en 1864. Très tôt passionné d'antiquités, il se constitue une collection variée d'objets africains qu'il propose au Louvre en 1854. Déjà, en 1853, le Département des Antiquités grecques et romaines avait reçu un buste colossal de *Lucille-Junon* retrouvé en 1845 à Carthage. En 1864, il offre au Louvre une série de bas-reliefs assyriens provenant de Nimrud.

DELAROCHE Horace Paul
Versailles 1865 - Alger 1890

Petit-fils du peintre Paul Delaroche et de Louise Vernet (elle-même petite-fille et fille

des peintres Carle et Horace Vernet), il a légué, sous réserve d'usufruit en faveur de sa mère, quatre dessins de P. Delaroche et trois importants tableaux : le *Portrait "de Madame Chalgrin"* par David, le *Portrait de Carle Vernet* par R. Lefèvre et *Le petit dessinateur* (C. Vernet à quatorze ans) par Lépicié. Mme Delaroche mère remit aussitôt (1890) ces œuvres au Louvre, ne conservant le bénéfice de l'usufruit que pour la peinture de Lépicié (entrée à sa mort, en 1901).

DELAROCHE-VERNET
Mme Philippe Gaston Georges,
née Suzanne Sprinz Louise Paraf
Paris 1884 - Paris 1938

Philippe Delaroche-Vernet (1878-1935) ancien député, était le petit-fils du peintre Paul Delaroche et de Louise Vernet, fille d'Horace et petite-fille de Carle Vernet. Sa femme fit en 1938 un legs important concernant les familles des peintres Vernet et P. Delaroche. Plusieurs départements bénéficièrent de ce legs : celui des Objets d'Art, d'une statuette en ivoire de *Mme P. Delaroche et H. Delaroche* (en dépôt au Département des Sculptures) et celui des Peintures des portraits de la famille Vernet, de plusieurs toiles des Vernet et de Delaroche (certaines en dépôt au Mobilier national et dans des musées de province). Le Cabinet des Dessins reçut de nombreuses feuilles d'études réunies en albums par H. Vernet, des dessins de ce dernier et de C. Vernet (trois sont en dépôt aux châteaux de Compiègne et de Versailles) et d'autres artistes du XIXᵉ s. Le Département des Sculptures reçut deux terres cuites de Dalou *La Lecture* et *Femme assise* (Orsay).

DELATTRE Père Alfred-Louis
Déville-lès-Rouen (Seine-Maritime) 1850 - Carthage 1932

Père blanc. Membre de la Société des missionnaires d'Alger, archéologue et membre de l'Institut. Il consacra ses activités religieuses et archéologiques à Carthage et contribua largement à la découverte de nombreux monuments païens et chrétiens de l'antique Carthage dont il recueillit les objets retrouvés dans ses fouilles au Musée Lavigerie qu'il fonda et dont il fut le conservateur. Auteur de très nombreuses publications consacrées à ses fouilles et à l'archéologie chrétienne en Afrique du Nord. Don en 1901 d'objets provenant de ses fouilles à Carthage et en 1912 d'une lampe chrétienne portant une inscription.

DELAUNAY Jules Élie
Nantes 1828 - Paris 1891

Peintre, il a légué un très grand nombre de dessins provenant de son atelier, en particulier des albums de croquis. Ses trois exécuteurs testamentaires, les peintres Moreau et L. Vian, le graveur Ch. Bellay, devaient répartir cet ensemble entre différents musées (Amiens, Besançon, Grenoble, Lille, Montpellier, Nantes, et, à Paris, l'École des Beaux-Arts et le Louvre). Au Louvre, après décision de 1893, les dessins sont entrés en trois lots, le premier étant envoyé au Musée du Luxembourg, le dernier remis aux musées nationaux en 1898 par G. Moreau qui avait été chargé de l'achèvement des peintures du Panthéon, restées incomplètes à la mort de Delaunay. J. E. Delaunay a également légué une peinture de sa main, le *Portrait de sa mère* (Orsay).

DELESSERT Alexandre Henri Louis
Paris 1828 - 1898

Voyageur et homme de lettres. Don d'une tête de lion en marbre trouvée à Sparte et de deux vases corinthiens (1852), de fragments de bijoux en or de Sparte (1853) et d'un collier en verre avec figurines de sirène, trouvé dans une tombe de Tharros, en Sardaigne (1854).

DELIGAND Georges
1846 - Sceaux 1939

Avocat à la Cour d'Appel de Paris. Son legs enrichit les collections du Trésor de la cathédrale de Sens, du Musée des Arts décoratifs et du Musée du Louvre. Le Cabinet des Dessins du Louvre reçut trois œuvres : *Naïades et triton* de F. Boucher, la *Danseuse au triangle* de Prud'hon et une *Tête de paysan* de Lépicié alors que la Section islamique se vit attribuer un panneau de carreaux de céramique ottoman (Turquie, Iznik, fin XVIᵉ s.).

DELIGAND Mme Georges Édouard
voir BUCQUOY Jules

DELLA FUENTE

Don d'un lécythe à figures noires en 1887.

DEL MEDICO Henri E.
Istambul 1896 - 1970

Archéologue amateur. Don de tessons hittites en 1941.

DELOMBRE André

Directeur d'une fonderie et aciérie, collectionneur de faïences et de porcelaine. Don en 1955 au Musée national de Céramique de Sèvres de cent onze tasses dites "trembleuses" en porcelaine de Paris. La même année, il remit à titre de don manuel au Musée du Louvre, un médaillon en terre cuite de l'atelier de Clodion, *Faunesse jouant avec un petit satyre*.

DELORIÈRE Charles Alfred
Paris 1841 - Lyon 1929

Receveur des Finances, et administrateur des Hospices de Lyon. Don en 1908, d'une tête de *Vierge* en pierre, du XIVᵉ s., primitivement destinée au Musée des moulages de l'université de Lyon, et transmise au Louvre par l'intermédiaire de H. Lechat*, professeur à la Faculté des Lettres de cette Université.

DELORME Pierre Charles François
Paris 1783 - Paris 1859

Peintre. Legs d'un portrait dessiné de Casanova par Girodet dont il avait été l'élève. Son legs, transmis au Musée en 1860 par son fils Charles, avocat à Paris, comprenait en outre un dessin de Poussin.

DELORT de GLEON Alphonse Léopold
baron
Paris 1843 - Paris 1899

Ingénieur des Mines, architecte et collectionneur. Il vécut longtemps au Proche-Orient et en Égypte et se constitua une très belle collection d'objets islamiques que son épouse* légua au Louvre. En 1894, il fit don d'un plateau au nom d'un sultan rassoulide du Yémen (Égypte, entre 1321 et 1363) et d'un casque.

DELORT de GLEON Mme Alphonse, née Marie Augustine Angélina Grandcolas, baronne
Paris 1852 - Paris 1911

En 1912, elle légua au Louvre la remarquable collection d'objets d'art islamique rassemblée par son mari*. Toutes les techniques des arts décoratifs y sont représentées : bois, ivoires, métaux, textiles, céramiques. Trois métaux incrustés d'argent, datés, objets-phares des collections de la Section islamique en proviennent : l'aiguière datée 1309 (Proche-Orient arabe), l'aiguière signée de Husayn ibn Muhammad al-Mawsili datée de 1258 (Syrie) et la boîte au nom d'Aydemir al-Ashrafi (Syrie, datée 1371). Les autres objets sont, pour la plupart, attribués à l'Égypte ou à la Syrie mameloukes (vantaux de portes de minbar en bois incrusté de polygones d'ivoire ; plaque d'ivoire à décor épigraphique ; vase à pied de lion ; chandeliers incrustés d'argent) et à l'Iran du XVᵉ s. (chandeliers, bassin). A ce legs, comprenant aussi une série de petits bronzes destinés au Département des Antiquités grecques et romaines, a été joint, en 1912 par don de Mme Rich, sœur du baron Delort de Gléon, le portrait de celui-ci peint par Gérôme.

J.E. Delaunay
P. Puvis de Chavannes, Louvre

P.C.F. Delorme
J.A.D. Ingres, Louvre

Baron A.L. Delort de Gléon

G.J. Demotte

M. Denis
*Autoportrait, Musée d'Art Moderne
de la Ville de Paris*

DELOYE Mme
voir **FOYATIER famille**

DELTEIL Mme Henri-Loÿs

Veuve du graveur, expert et écrivain d'art
Loÿs-Delteil (Paris 1869 - Paris 1927). Don à
la Chalcographie en 1930 de six planches gravées, et d'une septième en 1932.

**DELVILLE Aimée Eugénie,
dite Delville-Cordier**
Paris 1826 - Paris 1899

Lègue une somme de 5.000 F., qui contri-
buera, en 1899, à l'acquisition d'une statue de
Vierge à l'Enfant en bois, production d'un atelier des Pays-Bas septentrionaux, au XVe s.

DELZONS Mlle Antoinette

Don en 1920 d'une brique susienne inscrite
au nom de Shutruk-Nakhunte.

DEMAEGHT Louis
Dunkerque 1831 - Oran 1898

Officier. Créateur du musée archéologique
d'Oran qu'il enrichit de ses dons. Auteur de
publications consacrées à l'archéologie africaine. Don en 1895 d'une inscription chrétienne provenant d'Attava (Hedjir Roum, Algérie) et en 1896 d'une inscription chrétienne
sur pierre trouvée dans la province d'Oran.

DEMANCHE Georges Jules
Bellevue-Meudon 1870 - Paris 1941 (?)

Peintre, G. J. Demanche a donné au Cabinet
des Dessins en 1920 deux dessins d'Alphonse
Perin et en 1934 au Département des Peintures
un tableau de *Ruines* (dépôt au Musée des
Beaux-Arts de Reims).

**DEMANDOLX-DEDONS Pierre Louis
Marie comte de**
Avignon 1866 - Marseille 1955

Descendant d'une ancienne famille de la noblesse provençale qui a donné plus de trente

chevaliers et plusieurs commandeurs de
l'Ordre de Malte, il fit don en 1932, d'un petit
groupe en bronze représentant *Hercule et Déjanire marchant sur le corps de Nessus*, d'après
un modèle italien du XVIe s.

**DE MELAY de PERREUX
Auguste Jacques Nicolas**
† à bord de *L'Oise*, au large de Pondichéry,
1835

Gouverneur des établissements français dans
l'Inde de 1829 à 1835. Sans doute ce "commandant Demelay" qui donne en 1817, au Département des Antiquités grecques et romaines, un autel rond trouvé à Délos.

DÉMOGÉ Mme
1872/73 - 1963

Donation sous réserve d'usufruit, en 1962, d'un
pastel de Russell, *Portrait de Mrs Jean et de ses
deux fils, Thomas et John*.

**DEMOLDER ROPS Mme Eugène,
née Claire Rops**
Paris ? ap. 1875 - ?

Fille du peintre et graveur belge F. Rops (1833-
1898) et de Léontine Deluc, épouse de l'écrivain belge E. Demolder. Don en 1921, de six
dessins de F. Rops.

DEMONFORT François Georges
1844/45 - Paris 1919
**DEMONFORT Mme François Georges,
née Berthe Marie Madeleine Moutard**
Bordeaux 1851 - Paris 1926

Le neveu de l'artiste A.-A. Montfort (1802-
1884) donna en 1917 une collection de plus de
six cents dessins d'artistes des XVIIIe et XIXe s.
En 1921, sa femme compléta ce premier fonds
par un legs de cent-vingt dessins de Montfort,
d'un portrait dessiné d'*Antoine-Alphonse Montfort* par P. Delaroche ainsi que de trois autres
dessins d'artistes du XIXe s. En outre, Fran-
çois-Georges Demontfort avait légué, sous réserve d'usufruit en faveur de sa femme, neuf
tableaux de son oncle et un *Bain de Diane* de
l'école de Rubens (cette dernière œuvre est en

dépôt au Ministère de la Justice). Ils entrèrent
au Louvre en 1927. Demontfort avait également donné en 1917 un moulage en plâtre
d'un *Cheval écorché* par Gericault. Il légua par
ailleurs à l'École des Beaux-Arts un recueil
d'Académie et des carnets d'études de Montfort, et des manuscrits relatant les deux
voyages du peintre en Orient (1827-1828 et
1837-1838) à la la Bibliothèque nationale.

DEMOTTE Georges Joseph
Paris 1877 - Chaumont-sur-Tharonne (Loir-
et-Cher) 1923

De nationalité belge, antiquaire, spécialisé
dans l'art du Moyen-Âge et de l'Orient. Installé à Paris, il ouvrit une maison à New York.
Célèbre pour le proeès qui lui fut intenté pour
exécution et commerce de faux, il a publié
quelques ouvrages illustrés. Don en 1910 d'un
chapiteau en marbre byzantin.

D. Brachlianoff "Le portrait de l'antiquaire Demotte", *Matisse dans les collections du Musée des
Beaux-Arts de Lyon*, Lyon, 1987, pp. 9-13.

DEMY Adolphe

Don d'un fragment de plaque en bronze portant une inscription romaine (1889), et d'une
planche de cuivre gravée reproduisant cette
inscription offerte à la Chalcographie (1897).

DENIS ou DENYS

Lieutenant. Don d'un strigile en bronze grec
gravé trouvé en Tunisie, en 1895

DENIS Maurice
Granville 1870 - Paris 1943

Lorsque P. Jamot* légua au Louvre l'ensemble
des peintures composant l'*Histoire de Psyché*,
M. Denis fit don de la deuxième version de
l'*Enlèvement de Psyché* en précisant que ce
tableau devait être joint au legs Jamot.

DE NITTIS Giuseppe
Barletta 1846 - St-Germain-en-Laye 1883

Le peintre italien donna au Musée du Luxembourg en 1883, son tableau : *La Place des Py-*

R. Desmarres

Mme R. Desormière
Th. Steinlen, Orsay

---

ramides, tandis que l'État achetait, la même année, une autre œuvre ; *La Place du Carrousel : Ruines des Tuileries en 1882* (Orsay).

DEPAULIS Mlle Élisabeth
Paris 1821 - 1903

Fille du graveur de médailles A. J. Depaulis (1790-1867)et d'Élisabeth Duchesne († 1821). Legs du portrait dessiné de sa belle-mère, née Delphine Rolle, par Ingres*.

DEPORT Mme,
née Margarita Counord-Arias

Vice-consul du Honduras. Don d'un scarabée au nom de Touthmosis III en 1952.

DERECQ Fernand
Paris 1855 - Paris 1940

Avocat, membre de la Société des Amis du Louvre, il légua verbalement une *Mise au tombeau* de l'École italienne du XVᵉ s. (déposé en 1960 au Musée de Nice), deux dessins et un plat de faïence de Marseille du milieu du XVIIIᵉ s. Ses volontés ont été exécutées en 1940 par Mᵉ Jean Baudin, avoué auprès du Tribunal de la Seine.

DERVAL Mme Paul, née Tania Porte
Marseille 1895 - Paris 1986

Modiste et couturière, elle épousa à Paris Paul Pitren d'Obigny de Ferrières, dit Paul Derval, directeur des Folies Bergère, qui lui confia la gestion des ateliers de couture du music-hall. De la mort de son mari, en 1966, à 1974, elle dirigea elle-même les Folies Bergère. En 1971, elle donna au Louvre sous réserve d'usufruit une *Vierge à l'Enfant avec deux saintes* d'A. Benson, entrée au Musée en avril 1987, quelques mois après son décès. Le Musée de Versailles reçut de la même façon sa collection de meubles.

DESABIE Mme Paul
voir **CATHREIN Mme Franz Martin Joseph**

DESAINS Charles

Don en 1854 d'une miniature (déposée au Musée des Arts décoratifs) de Mlle S. C. Delacazette en souvenir de cette amie (1774-1854).

DESBROSSES Jean
Paris 1835 -Paris 1906

J. Desbrosses, qui fut l'élève du peintre Chintreuil fit beaucoup pour la connaissance de son maître. Il organisa une exposition à l'École des Beaux-Arts en 1871, publia un volume consacré à son œuvre et fit ériger, à Pont-de-Vaux, village natal de l'artiste, un monument. Enfin, il donna au Louvre en 1884 la dernière œuvre de l'artiste : *Pluie et soleil* (Orsay).

DESLANDRES Mme Pierre,
née Jeanne Durègne de Launaguet
Caudéran (Gironde) 1901 - Boulogne-Billancourt (Hauts-de-Seine) 1987

Le Louvre lui doit un tableau attribué à Van Orley, *Le Christ au Jardin des oliviers*, et des dessins de Girodet (artiste à qui le mari de la donatrice était apparenté, car il était le neveu du physicien Henri Becquerel, dont un ancêtre avait épousé la cousine germaine de Girodet). Ces œuvres, données sous réserve d'usufruit en 1976, sont entrées au musée en 1988.

DESMARRES Robert
Neuilly 1869 - Grez-Neuville 1947

Fils du premier chirurgien ophtalmologiste français, Louis-Auguste Desmarres, et petit-fils du peintre Tony Robert-Fleury, il fit des travaux sur la cicatrisation des plaies durant la guerre de 1914-1918, des recherches en collaboration avec le prince de Broglie et sir Alexandre Fleming (travaux sur la pénicilline), s'intéressa également à la micro-biologie et contribua à la découverte du microscope électronique. Don en 1907, de son portrait en pied, enfant, sculpté par Henri Chapu, ami intime de la famille Desmarres (Orsay).

DES MAZIS Léon François, baron
Choisy-le-Roi (Val-de-Marne) 1805 - St-Mars-le-Désert (Mayenne) 1866

Collectionneur parisien. Legs d'un grand bassin en argent du XIXᵉ s. orné de miniatures sur émail.

DESMOTTES Aimé Eugène Constantin
Lille 1825 - Paris 1899

Collectionneur, il légua un buste de *Vierge*, haut-relief de bois peint et doré, d'origine italienne, dans le goût du XVᵉ s. (entré au Louvre en 1902). Le musée de Cluny, à Paris, et le Musée de Lille bénéficièrent également de ce legs.

DESORMIERE Mme Pierre Roger,
née Renée Germaine, dite Colette Steinlen
1888 - Paris 1969

Fille du peintre Th. A. Steinlen (1859-1923), elle lègue au Louvre tout le fonds d'atelier de son père, soit vingt-huit peintures, quelques sculptures, et surtout un ensemble de deux mille trente-cinq dessins. (Cf. Mme Hein).

DESPREAUX de SAINT-SAUVEUR
Louis Félix Jacques François
Paris 1792 - Paris 1876

Consul de France à Larnaca (1828). Don en 1833 de plusieurs monuments funéraires trouvés en Macédoine : *Stèle de Mégaclès et Kanthys*, *Stèle de Démarchos et Pythophanès*, *Stèle à fronton d'Adéa et Thrason*, et de quelques sculptures en marbre, dont une tête de *Caracalla* trouvée à Drama près de Philippes, en Macédoine, et une *Diane* drapée, découverte à Salonique.

DESROCHES-NOBLECOURT
Christiane

Inspecteur général des musées nationaux au Département des Antiquités égyptiennes, conseiller de l'UNESCO auprès du Centre de documentation et d'études sur l'Égypte ancienne au Caire, directeur de recherches au CNRS. Directeur de fouilles importantes dans la Vallée des Reines et au Ramesseum, elle a

J.B.E. Detaille
A. Morot, Versailles

P. Devambez
G. Guiraud

Th. Devéria
E. Devéria, Louvre

L. Devillez
E. Carrière, Orsay

organisé à Paris deux mémorables expositions, *Toutankhamon* (1967) et *Ramsès II* (1976). Don de silex préhistoriques égyptiens en 1968, 1970 et 1971.

DESTOUCHES Adrien Aimé
Paris 1824 - Neuilly 1891

Fonctionnaire des douanes, fils de l'architecte L. N. M. Destouches et d'Armande Charton, beau-frère de l'architecte Lefuel. Legs de six dessins d'Ingres*, Gericault, Forestier et Granet parmi lesquels le *Portrait de sa mère* par Ingres.

DESTREM Jean
Poitiers 1842 - Paris 1929

Auteur dramatique. Conservateur du Musée Naval au Musée du Louvre (de 1901 à 1919), attaché au Ministère de la Marine de 1919 à 1920 (Service historique). Don en 1918 de deux dessins de Le Barbier l'aîné.

DESVAUX Nicolas
Paris 1810 - Fontenay-aux-Roses 1884

Le général Desvaux accomplit une grande partie de sa carrière militaire en Afrique du Nord. Grand voyageur, il visita entre autre l'Égypte et la Syrie. Il a donné deux ostracas grecs, en 1866 et 1869.

DETAILLE Jean Baptiste Édouard
Paris 1848 - Paris 1912

Peintre. Legs d'un dessin de sa main, *La revue passée à Chalons le 9 octobre 1896*, entré en 1920 et déposé au Musée national du Château de Versailles.

DÉTROYAT Alexandre Maurice
Paris 1868 - Paris 1951

Ancien élève de l'École polytechnique, ingénieur, fils de l'homme politique, journaliste et écrivain Pierre-Léonce Détroyat (1829-1898), A. M. Détroyat donna en 1927, suivant les volontés de sa mère, née Hélène Garre (1844-1926), nièce du publiciste et polémiste Émile de Girardin (1806-1881), deux portraits de famille : celui d'Émile de Girardin, dessiné par Ch. Müller, et celui de Sophie Gay (1776-1852), écrivain, mère de Delphine Gay, l'épouse d'Émile de Girardin, peint par L. Hersent (tous deux déposés à Versailles).

DEUTSCH de la MEURTHE
Mme Salomon Henry,
née Marguerite Ida Caroline Raba
Bordeaux 1854 - Paris 1941

Descendante d'une riche famille d'hommes d'affaires bordelaise d'origine portugaise, elle épousa Salomon Henry Deutsch de la Meurthe (1846-1919) le promoteur de la navigation aérienne. Elle fit don (1919 et 1930) du tableau de F. Guardi *Campo de l'église des Santi Gio-*vanni e Paolo, avec la Scuola di San Marco à Venise*, et de la sculpture en marbre de Carpeaux, *Le Prince impérial et son chien Néro*.

DEVADE Mme Robert
voir NEPVEU-DEGAS Jean

DEVAMBEZ Pierre
Paris 1902 -Paris 1980

Fils du peintre A. Devambez. Ancien membre de l'École d'Athènes, il fouilla à Thasos, Claros et Xanthos (Turquie). Conservateur au Département des Antiquités grecques et romaines à partir de 1937 puis conservateur en chef, membre de l'Institut, il fut rapporteur général pour le *Corpus Vasorum Antiquorum* auprès de l'Union Académique Internationale. Don en 1954 de tessons de poterie de Bayrakli (Turquie).

DEVEDEUX Mme Louis,
née Marie Anne Françoise Léonie Méchin
Busset (Allier) 1838 - ?

Veuve du peintre clermontois L. Devedeux (1820-1874), elle donna en 1875 le tableau que son mari avait exposé au Salon l'année précédente : *Élisabeth, reine d'Angleterre, et sir Arthur Raleigh* (déposé en 1875 au Sénat).

DEVÉRIA Jacques

Petit-fils du peintre A. Devéria, frère de Henri Benoist Devéria, domicilié à St-Nazaire, il donna en 1927 le portrait de son père *Théodule Devéria** peint par E. Devéria, oncle du modèle et grand-oncle du donateur, ainsi qu'un portrait de la famille Devéria (envoyé alors à Versailles).

DEVÉRIA Théodule
Paris 1831 - Paris 1871

Conservateur des Antiquités égyptiennes au Louvre, épigraphiste, rédigea le catalogue des manuscrits égyptiens du Louvre. Nombreux dons de 1856 à 1866, notamment un exemplaire d'un poème à la gloire du pharaon dit "l'Enseignement loyaliste".

DEVILLEZ Louis
Mons (Belgique) 1855 - ?

Sculpteur, graveur de médailles. Grand ami d'Eugène Carrière qui fit son portrait, il s'intéressa aussi aux arts du Japon et de l'Islam. A côté d'estampes japonaises et d'objets chinois aujourd'hui dans les collections du Musée Guimet, il fit don au Louvre en 1930 d'un bassin incrusté d'or et d'argent à décor d'épigraphie et de personnages (Iran, Fârs, XIVᶜ s.) et d'une bouteille en céramique à décor de paysage (Iran, XVIᶜ s.). Un autre don en 1931 aux départements des Sculptures et des Peintures et au Cabinet des Dessins se composait d'un ensemble de dessins parmi lesquels des œuvres de David, Delacroix, de quarante peintures d'Eugène Carrière (paysages, portraits... , aujourd'hui au Musée d'Orsay) ainsi que d'un médaillon sculpté de Rude.

DÉZOBRY Charles
St-Denis 1798 - Paris 1871

Érudit et littérateur. Il publia en 1835 son principal ouvrage : *Rome au siècle d'Auguste*, et, vers la même date, fonda une librairie pour laquelle il composa notamment un *Dictionnaire de biographie et d'histoire* et un *Dictionnaire des lettres, des beaux-arts, sciences morales et politiques*. En 1872, entra au Louvre, auquel il l'avait légué, son portrait peint par Court en 1847.

DIDOT famille
voir **FIRMIN-DIDOT**

DIETZ Mme Jules,
née Marie Zoé Paléologue
Paris 1854 - Paris 1944

Elle était la sœur du diplomate et écrivain Maurice Paléologue, épousa Jules Dietz, avocat à la Cour d'Appel et rédacteur au *Journal des Débats*, et fut très liée avec la famille Renan. A l'instigation de P. Jamot* (qui lui avait été présenté par J.-E. Blanche), elle fit donation au Louvre, en 1936, de son portrait par Ary Renan (fils d'Ernest*). Le tableau entra au Louvre en 1945 (Orsay). Une autre œuvre d'Ary Renan (un dessin) fut, en souvenir d'elle, donné par ses filles Mmes Goüin* et Tinayre. Son beau-frère A. Pernolet* fut également donateur.

DILKE Sir Charles Wentworth
Londres 1843 - Londres 1911

Homme politique anglais. A la mort de son père, en 1869, il devint propriétaire de l'*Athenaeum*, publication à laquelle il collabora assidûment, et de *Notes and Queries*. Il entretint des rapports particulièrement cordiaux avec la France. Ami intime de L. Gambetta, il possédait dans ses collections, où l'on trouvait aussi des œuvres de Ford Madox Brown et de Watts, un portrait de l'homme politique français peint par Legros. A sa mort, il partagea ses œuvres entre les musées anglais, et légua au Musée du Luxembourg le portrait de Gambetta (Orsay).

DIMITRIOU Rina

Don d'une anse de bronze trouvée à Vosnitza (Acarnanie, Grèce), (1921), d'une statuette d'*Aphrodite* en terre cuite (1927), de cinq ampoules chrétiennes à eulogie, d'un askos en terre cuite de Gnathia et de deux lampes en terre cuite (1930).

DINSHAW Edulji F.

Collectionneur hindou originaire de Bombay, résidant à New York. Il réussit à acquérir en

1947 et 1948 le secrétaire à cylindre et la table à ouvrage en nacre exécutés par Riesener pour le boudoir de Marie-Antoinette à Fontainebleau. Il fit don de la table sous réserve d'usufruit en 1949. La table fut remise en 1958 et est maintenant affectée au Musée national du Château de Fontainebleau.

P. Verlet, "Le boudoir de Marie-Antoinette à Fontainebleau", *Art de France*, n° 1 (1961), pp. 162-165.

DITTE Mme Janin

Don en 1932 d'un autoportrait en miniature de P. H. Hall.

DOBRY M. et Mme Abraham
voir **BARATZ Léon**

DODU Mlle Juliette
St-Denis (Île de la Réunion) 1848 - Clarens (Suisse) 1909

Demi-sœur de Camille Falte, l'épouse d'O. Redon (qui a laissé de Juliette Dodu un portrait lithographié, 1904), elle se distingua pendant la guerre de 1870 : elle avait, en tant que gérante du bureau télégraphique de Pithiviers, intercepté des dépêches au péril de sa vie. Elle reçut la médaille militaire en 1877 et fut nommée chevalier de la Légion d'Honneur en 1878. Intendante de la propriété du baron Larrey, son parrain, à Bièvres, elle fut sa légataire universelle à sa mort en 1895. Les habitants de Bièvres lui élevèrent un statue, œuvre de la duchesse d'Uzès. Elle donna plusieurs tableaux au Louvre, selon les volontés du baron Hippolyte Larrey, fils du célèbre chirurgien J. D. Larrey*. Le Louvre accepta un *Portrait du premier consul* attribué à Girodet (déposé en 1982 à Versailles), un portrait du *Baron Jean-Dominique Larrey* par Girodet et celui d'*Hippolyte Larrey* par A. N. Perignon (déposé en 1944 au Ministère de la Défense) et le portrait de *Napoléon Ier en costume de sacre* par Girodet (déposé à Ajaccio en 1968). Elle donna également un dessin de Gros, les *Pestiférés de Jaffa*, et un buste de Napoléon Ier en bronze par Chaudet.

DOISTAU Félix
Paris 1846 - Paris 1936

Industriel de la région parisienne, peintre, collectionneur. Dons au Louvre, de 1903 à 1929, au profit de la Section islamique (en 1903 : Iran, v. 1600, Kilim de soie et argent ; en 1905 : Syrie, 1238-1240, bassin au nom du sultan Al Malik al'Adil ; Égypte ou Syrie, XIVe s., flambeau), des Département des Objets d'Art (en 1904 : Espagne, Xe s., deux bras de croix d'ivoire ; en 1905 : ouvrages de ferronnerie ; en 1919 : ivoires gothiques, orfèvrerie, bronzes), des Sculptures (en 1919 : France, XIVe s. *Vierge d'Annonciation* d'albâtre de Javernant), des Peintures (en 1919 : J. Van Cleve, *Vierge à l'Enfant avec saint Bernard* ; en 1929, A. Benson, *Jeune femme lisant un livre*), du Cabinet des Dessins (en 1920 : cent soixante neuf miniatures dont un camée ; en 1924, deux

Ch. Dézobry
J.D. Court, Louvre

Mme J. Dietz
A. Renan, Orsay

J. Dodu

Mme Ed. Dollfus
E. Hébert, Musée des Beaux-Arts, Grenoble

Mme Ch. Domergue

---

dessins de Rochard ; en 1925, émail de Thouron, *La famille Mégret de Sérilly*). F. Doistau est également donateur du Musée Guimet et du Musée des Arts décoratifs.

F. Depardieu, dans *L'Évènement*, 19 mars 1904 ; L. Demonts, Ch. Terrasse, *Catalogue de la donation Félix Doistau. Miniature des XVIIIᵉ et XIXᵉ s.*, Paris, 1922.

DOITTE

Directeur de la Compagnie du Port de Salonique. Don en 1900 de neuf inscriptions chrétiennes sur pierre, d'un fragment de stèle et d'un fragment de colonnette provenant de la nécropole de Thessalonique.

DOL Mme Joseph-Auguste, née Marie Lair
Paris 1856 - Paris 1942

Elle fit un legs universel à la Réunion des musées nationaux pour le Louvre, ce legs devant servir à l'acquisition de tableaux et d'objets d'art. De nombreuses œuvres ont été acquises de 1947 à maintenant sur les arrérages du legs Dol-Lair : pour le Département des Antiquités égyptiennes, six objets (tête royale du Nouvel Empire, 1954 ; trois objets funéraires de la collection Maspéro, 1975) ; pour le Département des Antiquités orientales, dix-neuf objets (coupe achéménide en bronze, 1948 ; coupe sumérienne en or, 1962) et une partie d'une collection de bronzes (1958) ; pour le Département des Antiquités grecques et romaines, un groupe de bronzes grecs (1948), onze autres objets (coupe en céramique du VIᵉs av. J. -C., 1972 ; cratère à figures rouges du IVᵉs av. J. -C., 1978) dont deux en partie, et une partie d'un trésor d'argenterie (1961) ; pour la Section islamique, trois objets (frise en bois sculpté, Espagne, XIVᵉ s., 1965) ; pour le Département des Sculptures, un chapiteau en marbre (1947) et une terre cuite de Clodion, *Jeune égyptienne au naos* ; pour le Département des Peintures, *Pan et Syrinx* de Dorigny (1949), le *Lit de Justice tenu au Parlement à la majorité de Louis XV* de Lancret (1949), un *Paysage* de Seurat (en partie, 1952), l'*Autoportrait* de Gauguin (en partie, 1966), *Le jeune homme et l'entremetteuse* de Sweerts (1967), la *Vue du lac de Némi* de Wright of Derby (1970), *Saint Jean l'Évangéliste* et *Saint Jacques le Majeur* d'A. Cano (en partie, 1977), *Composition décorative* de Largillière (en partie, 1979), *Ruines et figures dans un paysage* de Simon de Vos (1982), *Étalon arabe* d'Alfred de Dreux (1988) ; pour le Cabinet des Dessins, un pastel de Millet (1949), une *Étude de femme nue* de Cézanne (1951), un dessin de Cochin, *Fête à Versailles* (1959) ; pour le Département des Objets d'Art, treize objets : reliquaire en forme de couronne provenant du couvent des Dominicains de Liège (1947), cabaret égyptien de Napoléon Iᵉʳ en porcelaine de Sèvres (1949), plaque de l'Ordre du Saint-Esprit des ducs de Parme (1951), terrine en faïence de Marseille (1963), écran de Delanois (1963), dague en argent de Félicie de Fauveau (1982), statuette de Louis XV en biscuit de Sèvres (1984), le legs Dol-Lair ayant par ailleurs permis partiellement six autres acquisitions pour ce département.

DOLLFUS Adrien
voir THORENS Mme

DOLLFUS Mme Edmond,
née Marie Charlotte Émilie Alice Vergé-Dutaillis-Burglin
1849 - Paris 1930

Veuve de l'agent de change E. Dollfus, elle légua au Louvre plusieurs portraits de famille (dont celui de *Madame Dolffus* par Hébert maintenant au Musée de Grenoble) et celui de son fils Étienne Dollfus par le sculpteur Gardet (Orsay). Plusieurs autres musées (Carnavalet, Cluny, Mulhouse) ont également bénéficié de la générosité de cette donatrice.

DOMERGUE Mme Charles,
née Renée Verriez
Paris 1898 - Paris 1987

Ch. Domergue (Contrexéville 1878 - Paris 1931), violoniste, chef d'orchestre et compositeur, joua un rôle important dans la vie musicale parisienne du début du siècle, en fondant le Cercle musical, où furent joués en première audition des œuvres contemporaines importantes (1906-1910), puis en créant le théâtre de plein air du parc de Maisons-Laffitte (1911-1914). Il épousa en 1917 Renée Verriez qui, veuve jeune se consacra à leurs cinq enfants. Pour se conformer aux intentions de son mari, elle donna en 1965 un coffre Renaissance à décor de grotesques qu'il avait acheté.

DONATION ANONYME CANADIENNE

Sous cette appellation mystérieuse se dissimule une dotation généreuse faite en souvenir de Winnaretta Singer, princesse E. de Polignac*, et administrée par les musées nationaux, qui a permis l'acquisition d'œuvres prestigieuses qui eurent, sans cette aide, échappées à notre patrimoine, entre autres, en 1951, *la Pietà* de Petrus Christus, *Madame Gaudibert* de Monet, *L'Église d'Auvers* de Van Gogh (avec participation de P. L. Gachet*), et en 1952, *Port en Bessin* de Seurat, *William Sisley* de Renoir*, *La Madeleine* de Cézanne, *Le Village breton sous la neige* de Gauguin, en 1953, le pastel de *Baigneuse* de Degas, *Don Quichotte* de Monticelli, en 1954, la *Tête de paysanne* de Van Gogh, en 1955, le *Pont de Maincy* de Cézanne, en 1956, la *Vierge et saints* de Sassetta.

DORIA comte Arnaud
Château d'Orrouy (Oise) 1890 - Paris 1977

Fils du comte François Doria et gendre du baron Seillière, officier de cavalerie, bailli Grand Croix de l'Ordre de Malte, amateur, historien d'art, membre de l'Institut, président de la Société d'Histoire de l'Art français, vice-président de la Société des Amis du Louvre. C'est par l'intermédiaire de cette société qu'il a donné au Cabinet des Dessins en 1948 une étude de Delacroix, acquise en 1878 par le comte Arnaud Doria, son grand-père, amateur et historien averti, grand collectionneur de peintures et de dessins.

DORIA Mme Jean, née Isabelle Astruc
Paris 1866 - Paris 1952

Fille du peintre, sculpteur, poète, écrivain, Z. Astruc (1835-1907), dont elle donne en 1950 le portrait peint par Carolus-Duran (Orsay).

DORIVAL Bernard

Historien d'art, conservateur puis conservateur en chef du Musée national d'Art moderne (jusqu'en 1968), professeur à l'Université de Paris IV Sorbonne. Il fit don en 1953 d'un dessin attribué à l'École française du XVIIᵉ s., que M. Bellier lui avait donné comme provenant de la collection Natanson.

A. Doublemard
F.H. Giacomotti, Villa Médicis, Rome

J. Doucet
L. Cappiello, Louvre

DORLÉANS Auguste Alphonse
Paris 1857 - Paris 1942

Né d'un père qui travailla chez Barbedienne*, ancien contremaître de la fonderie Denière, il donna, en 1928, deux modèles de plâtre attribué à Clodion, recueillis par lui lors de la liquidation de la fabrique, en 1903.

DORMEUIL Georges
Paris 1856 - Paris 1939
DORMEUIL Mme Georges, née Antoinette Henriette Outhenin-Chalandre
Paris 1864 - Senlis 1949

Négociant en tissus, G. Dormeuil avait réuni une importante collection d'œuvres médiévales. En son nom et celui de son épouse il a donné au Louvre, en 1934, une statue de pierre polychrome (Île de France, v. 1400)de la *Vierge à l'Enfant* et divers objets d'art (crosses médiévales, ivoire, coffre XVIᵉ s. ; tapisserie : *Histoire de saint Julien*).

M. Aubert, "Une Vierge allaitant du XVᵉ s." (Donation Dormeuil), *Bulletin des Musés de France*, nov. 1946, pp. 3-4 ; P. Verlet, "La Donation Dormeuil au Département des Objets d'Art", *Ibid*, pp. 5-7.

DORNIER Mme Julien, née Charlotte Ubeleski
1819 - 1905

Donna en 1854 le portrait de son beau-père, le baron François Gabriel Dornier (1772-1844), peint par A. Asselineau (déposé en 1932 au Musée national du château de Fontainebleau).

DORNY Bertrand

Graveur. Don à la Chalcographie en 1976 d'une planche gravée *Oiseaux, vagues et dunes*.

DORTU Georges
DORTU Mme Georges, née Pauline Pannelier
Vitry-le-François 1891 - Paris 1984

Tout comme Maurice Joyant, dont ils donnèrent en 1951, sous réserve d'usufruit, le portrait peint par son ami Toulouse-Lautrec (Orsay), M. et Mme Dortu firent beaucoup pour la connaissance de l'art du peintre albigeois.

Mme Dortu, qui fut la secrétaire du plus fidèle ami de l'artiste, M. Joyant, rédigea le catalogue raisonné de l'œuvre de Toulouse-Lautrec. Elle fut également la présidente des Amis du Musée d'Albi et l'administrateur du Musée Toulouse-Lautrec, à la création duquel M. Joyant avait activement participé.

DORVILLE Armand
Paris 1875 - Cubjac (Dordogne) 1941

Avocat à la Cour d'Appel de Paris, auteur d'un livre sur C. Guys, il a légué au Louvre deux tableaux : une esquisse de Delacroix pour la Pietà de Saint-Denis-du-Saint-Sacrement et *Un couple dans une barque* de Jan Weenix.

DOSNE Félicie
Paris 1823 - Paris 1906

Belle-sœur d'Adolphe Thiers*, elle consacra la fortune dont elle hérita à la mort de ce couple, à la philanthropie, ainsi qu'à la bibliophilie. Don en 1902 à la Chalcographie d'une planche gravée au burin par A. J. Didier d'après le portrait de Thiers* peint par Bonnat*, et légué par Mme Thiers*.

DOSSIN Georges
1896 - 1983

Assyriologue belge, membre de la mission de Mari. Professeur à l'Université de Liège. Don en 1938 d'un sceau-cylindre de calcaire d'Arslan-tash et d'une plaquette de Larsa. Don en 1970 d'une plaquette babylonienne.

Revue d'Assyriologie LXXVIII-1, 1984, pp. 1-5.

DOUBLE Joseph Eugène Lucien
Paris 1846 - Paris 1895

Avocat, il publia sous le nom de Baron Double des ouvrages d'histoire, de critique d'art et de bibliophilie. Il donna en 1881, en souvenir de son père, officier d'artillerie, le tableau de G. Coques, *Réunion de famille dans un cabinet de tableaux*, dit autrefois *La famille Van Eyck*.

DOUBLEMARD Amédée
Beaurain (Aisne) 1826 - Paris 1900

Sculpteur. Premier Prix de Rome en 1855 avec un bas-relief (*Cléobis et Biton*). Auteur de divers portraits sculptés à Paris et en Province. Legs en 1901 du portrait dessiné du général Changarnier par H. Vernet (dépôt à Versailles).

DOUCET Jacques
Paris 1853 - Neuilly-sur-Seine 1929

Ce célèbre couturier qui habilla l'aristocratie parisienne aussi bien que Sarah Bernhardt et Réjane, fut aussi amateur de Chardin et Watteau comme de Picasso et Matisse, sans oublier Manet, Degas, Cézanne et Van Gogh. Il fut en rapports étroits avec André Suarès, André Breton, Reverdy, Max Jacob, Aragon, Desnos, et fut le fondateur des Bibliothèque d'Art et d'Archéologie et Bibliothèque littéraire Jacques Doucet. Il offrit au Louvre, en 1905, le buste présumé de Damilaville par Marie-Anne Collot (terre cuite) ; en 1907, sous réserve d'usufruit, la tête du *Christ de Lavaudieu* (Auvergne, 2ᵉ quart du XIIᵉ s.) - entrée en 1919 par renonciation à l'usufruit - ; en 1908, cinq maquettes de Carpeaux (Orsay). La dispersion en vente publique de ses collections d'art ancien (juin 1912) fut un évènement de l'avant-guerre et permit à l'amateur de s'orienter résolument vers l'art contemporain, tant en peinture que dans le domaine des arts décoratifs. Par testament il léguait au Louvre *La charmeuse de serpents* (entrée en 1936 ; Orsay) du Douanier Rousseau, que son ancien propriétaire, le peintre Robert Delaunay, souhaitait voir entrer au Louvre. Quant à sa veuve, Jeanne Doucet, elle remit au Louvre, en 1930, une tête de lionne sassanide et une statue en marbre d'un bodhisatva (époque Sovei) et en 1937, selon les instructions de son mari, une étude pour *Le Cirque* de Seurat (Orsay).

A. Joubin, "Jacques Doucet", *Gazette des Beaux-Arts*, fév. 1930. F. Chapon, *Mystère et splendeurs de Jacques Doucet, 1853-1929*, Paris, 1984.

Mme R. Doumic
E. Lévy, Orsay

C. Dreyfus
A. Bilis, Louvre

G. Dreyfus

**DOULET Mme Jean Baptiste Joseph,
née Joséphine Edmée Pacquereau**
† Paris 1893

Veuve en premières noces d'Henri Foubert.
Don de deux miniatures de Mme de Mirbel
(déposées au Musée des Arts décoratifs).

**DOUMIC Mme René,
née Hélène de Hérédia**
Menton 1871 - Paris 1953

Fille du poète J. M. de Hérédia, elle a légué
au Louvre le portrait de son père par E. Lévy
(Orsay), ainsi que deux portraits de sa mère
et un d'elle-même exécutés au pastel en 1885
et 1887 par le même artiste (Orsay). D'autres
souvenirs de famille ont été en outre légués
par elle à l'Institut et à la Bibliothèque de
l'Arsenal.

DOUX de LABRO Madame

Don en 1931 du *Portrait d'Eugène Pujalet*,
ancien directeur des musées nationaux, peint
par Etcheverry, qui fut transféré du Musée du
Luxembourg où il avait été placé à sa donation,
au Louvre en 1941.

DOZON Louis Auguste Henri
1822 - Versailles 1890

Consul de France à Chypre (Larnaca), puis à
Salonique. Don en 1881 d'une grande *Tête
d'homme barbu* provenant de Chypre, en calcaire.

DREUX Ernest
Paris 1825/26 - Paris 1911

Agent de change honoraire. Don en 1899 d'un
dessin d'une *Caravane* de P. H. Marilhat.

DREVET Jacques

Il donna en 1968 deux dessins de son père le
peintre et aquafortiste J. B. Drevet (Lyon 1854
- Lyon 1940).

DREXEL DAHLGREN Eva
Philadelphie 1904 - New York 1986

D'une grande famille de Philadelphie, associée
à la banque Morgan, elle alla très jeune en
Italie où sa mère, harpiste, s'installa, après son
divorce, pour se consacrer à la musique. Après
avoir étudié l'architecture à l'École des Beaux-
Arts de Paris, Eva s'intéressa à la photographie. En septembre 1940, elle revint en France
et, aux côtés d'Anne Morgan, travailla pour
la Croix-Rouge, à Grenoble et à Lyon ; elle
fut internée en 1943-1944 à Baden-Baden.
Vice-président du Comité américain de secours aux civils jusqu'à sa dissolution, elle
s'occupa du "Logis de France" à Blérancourt,
qu'elle transforma en hôtel d'accueil dans les
années 1950 afin d'aider au renouveau du
Musée de l'Amitié franco-américaine de Blérancourt. Elle donna au Louvre en 1982 un
coffret en acajou de Joseph Clément exécuté
pour Louis XVIII.

DREYFUS Carle
Paris 1875 - Paris 1952

La vie de Carle Dreyfus - fils dernier né, après
quatre filles, de Gustave Dreyfus* - s'est identifiée avec celle du Musée du Louvre. Issu d'un
milieu de grands amateurs, il fut naturellement conduit vers le Musée. Il y fut successivement attaché libre (1901), attaché (1910),
conservateur-adjoint (1919), conservateur en
chef au Département des Objets d'Art (1933)
jusqu'à sa retraite au début de la dernière
guerre (1940). Il surveilla l'évacuation des collections sur le dépôt de Valençay, où, durant
toute l'Occupation il monta dans leur voisinage
une garde clandestine. A leur retour en 1945,
il prit place au Conseil des musées nationaux.
Il était également membre du Conseil de
l'Union centrale des Arts décoratifs depuis
1920 et du Conseil d'administration du Musée
Rodin. Sa connaissance des collections du Louvre orienta ses dons vers les domaines les moins
bien représentés, et le poussa à faire acquérir
par ses amis Moïse de Camondo*, David
Weill*, R. Kœchlin*, L. Guiraud, H. Larcade,
des œuvres qui trouveraient un jour leur place
au Louvre. Ses libéralités à l'égard du Musée
du Louvre commencèrent par des dons au
Département des Objets d'Art (1908, 1920,
1926, 1930, 1934, 1938), au Département des

Antiquités égyptiennes (1928, 1937) pour abou-
tir au legs impressionnant de 1952, touchant
les départements des Objets d'Art, des Peintures, des Sculptures, des Antiquités orientales
(Section islamique), le Cabinet des Dessins
(plus de deux cents dessins), mais aussi le
Musée des Arts décoratifs, le Musée national
d'Art moderne, le Musée Guimet, le Musée
Rodin et le Musée Bonnat à Bayonne. Parmi
les trois cent quatre-vingt-sept numéros du
catalogue de ce legs se remarquent une des
plus belles statuettes équestres de la Renaissance (venant des collections de son père), la
fameuse étude à l'huile de Delacroix pour les
babouches des *Femmes d'Alger*, vingt dessins
de Degas, la *Phrynée nue dansant*, statuette en
bronze de Pradier, et *Le Ballon*, peint par
Valloton en 1899 (Orsay).

Cat. exp. *Collection Carle Dreyfus léguée aux musées
nationaux et au Musée des Arts décoratifs*, Paris, Musée
du Louvre, Cabinet des Dessins, 1953.

DREYFUS Mlle Gilberte
Marseille 1878 - Paris 1974

Fille de Joseph Dreyfus (1841-1909), banquier,
elle donna en 1969 deux tableaux hollandais
de D. van der Lisse et de H. C. van der Vliet,
provenant de la collection de son père (collection dont avait également fait partie un important tableau de Berchem acquis par le Louvre en 1945 et déposé en 1946 à Saint-Étienne).
Elle offrit également en 1969, sous réserve
d'usufruit, trois portraits de ses frère et sœurs
dessinés par Chaplin, et, en 1973, une petite
peinture en camaïeu de Raphaël Collin (aujourd'hui au Musée d'Orsay). Une mort bru-
tale ne lui permit pas de réaliser le projet
d'une donation du portrait de son père peint
par Bonnat* en 1890, mais celui-ci fut, en
souvenir d'elle, remis anonymement par ses
héritiers au Musée d'Orsay en 1982. Mlle Dreyfus avait également donné, en 1972, au Musée
de Pontoise des aquarelles sur calque de
P. Baudry et, en 1973, au Musée de Brest le
portrait de sa mère peint en 1891 par R. Collin.

DREYFUS Gustave
Paris 1837 - Paris 1914

Fils d'un fabricant de broderies de la rue de
Montorgueil, G. Dreyfus, après des études de

droit et un séjour en Égypte de 1862 à 1864, commença à former une importante collection de sculptures et de peintures de la Renaissance italienne, acquise, soit en Italie où sa femme avait des attaches, soit en France (en particulier la collection Timbal* en 1872). Ensuite, pendant près de quarante ans, il constitua une des plus complètes réunions de petits bronzes, de médailles et de plaquettes italiens qui attirait dans son appartement du 101 boulevard Malesherbes de nombreux amateurs parmi lesquels de futurs donateurs du Louvre : His de La Salle*, la marquise Arconati Visconti* ou le comte I. de Camondo* à qui il communiqua son goût pour la Renaissance italienne. (Cette collection dans l'indivision après la mort de Gustave, partit pour les États-Unis où elle passa de sir Joseph Duveen* à Rush H. Kress (1945) qui en fit don à la National Gallery de Washington). Membre de la Commission des Monuments historiques, vice-président de la Société des Amis du Louvre, il participa à l'organisation de toutes les grandes expositions artistiques du dernier quart du XIXᵉ s. Ses dons incessants (chaque année de 1873 à 1882, puis en 1885, 1890, 1892, 1893, 1894 et 1907) contribuèrent à former la collection de médailles et de plaquettes en bronze du Louvre et à enrichir la Section islamique (éléments du minbar du sultan Ladjin au Caire, fin XIVᵉ s.).

G. Migeon, "Gustave Dreyfus, vice-président de la Société des Amis du Louvre", *Notice lue à l'Assemblée générale annuelle de la Société des Amis du Louvre le 5 fév. 1929*, Paris, 1929.

DREYFUS Mme Gustave,
née Henriette Obermayer
Vienne 1836 - Paris 1929

Elle épousa Gustave Dreyfus* en 1864, à Paris. En 1919, après la mort de son mari, elle donna en son nom et au nom de ses cinq enfants (Edwine-Félicie [1865-1947], Mme Léon Aboucaya ; Léontine-Emma [1867-1945] ; Élise-Juliette [1868-1942] ; Inès-Régine-Marcelle [1873-1961], Mme Paul Goldschmidt), pour être inscrits comme don Gustave Dreyfus, deux des chefs-d'œuvre de la collection de son mari, avant que celle-ci ne soit dispersée et ne parte pour l'Amérique : le buste de marbre de *Dietisalvi Neroni* par Mino da Fiesole et le petit groupe en bronze de *Saint Jérôme et le lion* de Bartolomeo Bellano, légué à G. Dreyfus par son ami Alfred Armand.

DREYFUS Mme Hippolyte,
née Laura Barney
Cincinatti 1879 - Paris 1974

Citoyenne américaine. Dons à la Section islamique en 1956 d'un tambourin en laque (Iran, fin XVIIIᵉ s.), d'un plat (Iran, XVIIIᵉ-XIXᵉ s.) et en 1957 d'un astrolabe (Iran, XVIIIᵉ s.). Legs accepté en 1975-76 pour le Musée de Sèvres, le Musée Guimet, le Musée des Arts décoratifs, le Musée de l'Homme et le Service des Monuments historiques.

DRIOTON chanoine Étienne
Nancy 1889 - Montgeron 1961

L'un des plus célèbres égyptologues de sa génération, il fit une brillante carrière comme conservateur au Louvre, puis directeur du service des Antiquités de l'Égypte et enfin professeur au Collège de France. Entre 1927 et 1935, il donna au Musée du Louvre vingt cinq objets dont trois dessins sur éclats de calcaire avec la scène des chiens chassant une hyène.

DRIOUX Louis Georges Joseph
voir FRANCHI Nicolas Paul Vincent Napoléon

DROIT Jean
Laneuveville 1884 - Paris 1961

Collaborateur au journal *L'Illustration*, il réalisa, ensuite, des affiches, et illustra plusieurs ouvrages (*Lettres de Mon Moulin, Mireille, Paul et Virginie, Maria Chapdeleine*), et rédigea des ouvrages pour la jeunesse. Don en 1939, d'un portrait sculpté de *Marie Carrier-Belleuse* par son père, A. E. Carrier-Belleuse (Musée d'Orsay).

DROUET Charles
Paris 1838 - Paris 1908

Sculpteur il avait amassé des œuvres qu'il pensait être de Murillo, Turner ou Bonington. Il possédait également une importante collection d'estampes japonaises et de kakemono qu'il légua au Musée Guimet, ainsi que deux œuvres au Musée du Luxembourg : le *Portrait d'Antoine Jecker* de Carolus-Duran, déposé à Compiègne en 1963, et *L'homme à la pipe* de Whistler (Orsay).

DROVETTI Bernardino
Barbania (près de Livourne) 1775 - Turin 1852

Italien naturalisé français, consul de France en Égypte de 1802 à 1829. Il constitua trois grandes collections, respectivement acquises par les musées de Turin, de Berlin, et du Louvre. En 1825, il offrit à Charles X un superbe naos monolithe en granit rose de l'époque du roi Amosis.

DRU Léon
Paris 1837 - Paris 1904

Ingénieur, L. Dru avait réuni des collections d'œuvres d'art que ses dispositions testamentaires firent partiellement entrer dans divers musées. Le Louvre (Section islamique) reçut ainsi deux miniatures mogholes et six objets de métal incrusté - dont la *Coupe aux planètes* (Syrie déb. XIVᵉ s.), une boîte à couvercle festonné mammelouke du XIVᵉ s. et deux chandeliers du XIIIᵉ s. (Iran occidental) -, le Musée de Cluny des sculptures et des pièces d'orfèvrerie médiévales et le Musée des Arts décoratifs une collection de laques chinoises. En outre, Léon Dru ayant légué à l'État son château féodal de Vez (Oise), un arrangement

E. Drioton

Ch. Drouet
J. Patricot, Orsay

B. Drovetti
J.P. Granger, Louvre

Ch. Dubourg
H. Fantin-Latour, Orsay

E. Dubufe
Autoportrait, Compiègne

intervint avec ses héritiers : ceux-ci gardèrent la propriété du château contre le versement d'une indemnité qui fut pour partie consacrée à l'acquisition du château d'Azay-le-Rideau, pour partie attribuée aux musées nationaux ; ceux-ci, envisageant en 1907 l'achat pour le Louvre des portraits des deux enfants Godefroy par Chardin, l'*Enfant au toton* et le *Jeune homme au violon*, décidèrent d'affecter le legs Dru à l'acquisition du second.

DRUCKER Michel

Arrière-petit-fils du peintre A. Segé (1819-1885), M. Drucker a donné au Cabinet des Dessins en 1985 des dessins de son arrière-grand-père jusqu'alors toujours restés dans la famille, les *Rochers du Cap Fréhel*, et les *Rochers de Piégut*, sujet d'une œuvre du même artiste entrée au Musée de Chartres. M. Drucker avait précédemment donné, en 1959, deux dessins de Chintreuil en souvenir de son père.

DUBLET Fernand
Marseille 1877 - Callargues 1942

Après la Première Guerre mondiale (il obtint la Croix de Guerre), Fernand Dublet s'installa à Nice où il exerça son métier de médecin et fit d'importantes recherches sur la tuberculose. Petit neveu par sa mère du peintre de marines J. Guichard, il tenta de faire connaître son parent en aidant Pierre Ripert à rédiger un important article sur le peintre (*Bulletin du musée du Vieux-Marseille*, 1939) et en donnant, en 1938, deux tableaux de Guichard au Musée du Louvre : l'*Étang de Berre* et une *Marine*.

**DUBOIS Mme François,
née Marguerite Théodor Pierre**
Nancy 1793 - Paris 1879

Belle-sœur de J. E. Franklin Dubois*, veuve du peintre d'histoire F. Dubois (Paris 1790 - Paris 1871), elle donna en 1876 un tableau de ce dernier, *Daphnis et Chloé* (1848), déposé en 1879 au Ministère des Postes puis en 1912 à Périgueux (Préfecture de la Dordogne).

DUBOIS Jean Étienne Franklin
Paris 1794 - Paris 1854

Peintre d'histoire, dit Dubois jeune, il légua en 1851 le portrait de son père E. Dubois (Paris 1766- Paris 1839), dit Dubois père, peintre décorateur, (déposé en 1944 au Mobilier national) ; son frère François Dubois, également peintre d'histoire, dit Dubois aîné, avait été désigné par le donateur pour faire accepter par le Louvre le legs qui compte aussi un dessin de J. E. Franklin d'après la *Fornarina* de Raphaël.

**DUBOIS de COURVAL ET d'ANISY
Mme Ernest Alexis, née Eugénie Victoire Françoise Solona Xavière Isabelle Moreau**
Chiclana (Cadix) 1804 - Pinon (Aisne) 1877

Fille du général Moreau, elle avait épousé le vicomte de Courval, gentilhomme de la Chambre de CharlesX, qui consacra une partie de son temps à l'archéologie, s'occupa de la restauration de la cathédrale de Laon et du château de Coucy. Elle donna en 1862 le *Portrait de Madame Hersent**, sa tante, peint par son élève favorite Mme Desnos (placé initialement au Musée du Luxembourg et déposé en 1894 à Versailles).

DUBOURG Charlotte
† 1921

Belle-sœur du peintre H. Fantin-Latour* qui avait épousé sa sœur Victoria* en 1876, Charlotte Dubourg, professeur d'allemand dans des institutions privées, resta célibataire et vécut toujours très proche du ménage de sa sœur. Legs de son propre portrait, peint par Fantin (Orsay).

**DUBOURG Mme Jacques
DUBOURG Évelyne
DUBOURG Jacqueline**

La femme du marchand de tableaux Jacques Dubourg donna avec ses filles en 1982 un dessin de Goya : *La Veuve*.

DUBREUIL Monsieur

Don en 1903 au Musée du Luxembourg d'une *Nature morte au violon* de Ch. Cuisin (entré au Louvre en 1929, aujourd'hui à Orsay).

DUBREUIL François

Administrateur du bureau de bienfaisance du VIIe arrondissement. Don en 1874 d'un dessin de Tassaert, *Femme sur son lit de mort.*

DUBRUJEAUD Jean
† 1970

Neveu par sa mère, née Marie Doucet, du couturier J. Doucet*, il fit donation sous réserve d'usufruit en 1953 (le tableau entra au musée en 1970) du Manet : *Sur la plage* que son oncle avait acquis à la vente H. Rouart* (le cadre par Legrain que porte l'œuvre actuellement est un témoignage de son passage dans l'intérieur de Jacques Doucet). Il légua en outre le portrait par Degas de *Madame Jeantaud au miroir* avec usufruit au profit de M. Angladon-Dubrujeaud qui renonça à cet usufruit (Orsay).

DUBUFE Édouard
Paris 1819 - Versailles 1883

Deuxième réprésentant d'une illustre famille de peintres du XIXe s., E. Dubufe fit le portrait d'une grande partie de la haute société du Second Empire et de la Troisième République. En 1877, il donna au Musée du Luxembourg le *Portrait de l'académicien Émile Augier*, présenté au salon de la même année (déposé au Musée de Versailles en 1887).

E. Bréon, *Claude-Marie, Édouard et Guillaume Dubufe portraits d'un siècle d'élégance parisienne*, Paris, 1988.

DUBUFE Édouard
Paris 1883 - Bougival 1984

Il était le fils de Guillaume Dubufe, le petit-fils d'Édouard Dubufe* et l'arrière-petit-fils de Claude-Marie Dubufe. En 1980, il fit don, sous réserve d'usufruit, de plusieurs œuvres de ses ascendants représentant diverses personnes de la grande famille Dubufe, d'une

M. du Camp
Bibl. de l'Institut, Paris

E. Dugit
Ch. F. Sellier, Orsay

peinture de Friant représentant *Guillaume Du-bufe à son chevalet* et d'une sculpture de Bartholomé montrant *Madame G. Dubufe assise*.

E. Bréon, "Une revanche pour les Dubufe : à propos d'une donation", *Revue du Louvre*, 1984, n° 2, pp. 117-127.

DUBUFE Mme Guillaume, née Cécile Woog

Après la mort de son époux en 1909, le peintre G. Dubufe, elle donna au Musée du Luxembourg l'esquisse du plafond de la Comédie française à Paris (Orsay).

DUBUISSON Mme Albert

Épouse de l'auteur d'un ouvrage sur Bonington. Don d'un tableau alors attribué à l'artiste (1937), selon le vœu de son mari.

DU CAMP Maxime
Paris 1822 - Baden-Baden 1894

Membre de l'Académie française. Connu surtout pour les souvenirs de ses voyages avec Flaubert en Égypte, photographe, il fut mémorialiste, romancier, journaliste et critique d'art, familier de l'atelier Pradier. En 1864 il donna au Département des Antiquités égyptiennes le *Livre des Morts* sur papyrus de Taperousir. En 1893, il offrit son buste en bronze, par Pradier, et celui de sa mère, Alexandrine Chéronnet, marbre de Dantan. Il souhaitait alors que leur soit gardé l'anonymat.

H. du Camp, *Un voyageur en Égypte vers 1850 "Le Nil"*, éd. Sand/Conti 1987.

DUCHÂTEL comtesse, née Eglé Rosalie Paulée
† Paris 1878

Veuve de Charles Marie Tanneguy, comte Duchâtel (Paris 1803 - Paris 1867) ministre de l'Intérieur sous Louis-Philippe*, nommé membre de l'Académie des Beaux-Arts en 1846. Elle légua cinq des principaux tableaux de la galerie de son époux - dont la *Vierge de Jacques Floreins* de Memling et deux Ingres*, *Oedipe et le Sphinx* et *La Source* - sous réserve de l'usufruit laissé à ses enfants. Ceux-ci, le

comte Duchâtel, ministre de France à Bruxelles, et la duchesse de La Trémoille*, renoncèrent aussitôt à la jouissance de ces tableaux hérités de leur mère et entérinèrent le legs. Une Salle Duchâtel au Louvre en commémore la disposition initiale.

H. Delaborde, "La collection de tableaux de M. le comte Duchâtel", *Gazette des Beaux-Arts*, 1862, pp. 5-19 et pp. 247-266.

DUCLOUX Xavier

Vice-consul de France à Bourgaz (Turquie). Don en 1886 d'une inscription trouvée à Sidopolis, ancienne Apollonie de Thrace ; c'est un décret des habitants d'Apollonie en l'honneur d'un certain Aischrion, fils de Posidippe.

DU COLOMBIER Étienne

Ingénieur agronome, neveu par alliance de Monseigneur Thomas dont il donna le portrait peint par Bouguereau au Louvre, en 1970 (Orsay).

DUCREST de VILLENEUVE Mme Alexandre Louis, née Antoinette Sophie Laure Duvaucel
Paris 1789 - Paris 1867

Son père, fermier général, ayant été guillotiné en 1794, sa mère se remaria avec le zoologiste et paléontologue Jean Léopold Nicolas Frédéric, dit Georges Cuvier (1769-1832) en 1804. Elle-même épousa l'amiral Ducrest de Villeneuve, veuf en première noce d'Adélaïde Thévenard, et qui fit une des plus prestigieuses carrières maritimes de l'époque. Legs de son portrait dessiné par Lawrence (entré en 1872).

DUFAŸ Auguste
Paris 1828 - Paris 1904

Fils d'Auguste-Étienne Dufaÿ, négociant, et d'Aimée-Françoise Champion, il offrit en 1898 un guéridon Empire passant pour provenir du mobilier du cardinal Fesch, en souvenir de son grand-père Edme Champion, en son nom et au nom de sa sœur, Mme Charles-Philippe-Ferdinand de Lanon de La Renaudière, née Caroline Dufaÿ (Paris 1822 - Vaudry, Cal-

vados, 1897). Il donna aussi une paire de vases en porcelaine pourvus d'une monture en bronze doré Transition (1899) et deux porcelaines chinoises (1902).

DUFERON Mme G.
voir VERSINI Mme

DUFET BOURDELLE Rhodia

Fille du sculpteur Bourdelle (1861-1929) et de Cléopâtre Sevastos, elle est artiste-peintre sous le nom de Rhodia. Donatrice, avec sa mère, d'un ensemble d'œuvres et des ateliers de son père à la Ville de Paris, qui créa alors le Musée Bourdelle, elle est conservateur bénévole de ce musée. Veuve de l'architecte décorateur Michel Dufet, rédacteur en chef de revues d'art, elle organise des expositions des œuvres de son père dans le monde entier. Elle donne au Cabinet des Dessins en 1976 dix-sept dessins de Bourdelle.

DUFFEUTY Mme Clotilde

Antiquaire. Possédait une très belle collection de miniatures indiennes. Don à la Section islamique d'une coupe et d'un petit vase à parfum iraniens du XVIᵉ s., en 1893.

DUFOUR

Lieutenant. Don d'une lampe en terre cuite, 1875.

DUFOURNET Paul

Architecte, membre et conservateur de l'Académie d'Architecture, collectionneur de peinture moderne, auteur de plusieurs ouvrages. Don en 1978 de dessins de P. Borel (1828-1913) et de P. Chenavard (1808-1895).

DUGIT Ernest Aristide
St-Martin-du-Bû (Calvados) 1834 - Grenoble 1900

Ancien membre de l'École d'Athènes, professeur de littérature et d'antiquités grecques, auteur de nombreux ouvrages d'archéologie

H. Duhem
C. Meunier, Musée de la Chartreuse, Douai

Mme A. Dumas
J. B. Carpeaux, Musée du Petit Palais, Paris

Ch. A. Dumont
J.C. Chaplain, Bibl. de l'Institut, Paris

et de littérature française. Don d'une statuette féminine archaïque en terre cuite provenant de Naxos en 1874.

DUGUEY Mme

Don d'un fragment (bronze) de l'*Apollon de Lillebonne* en 1952.

DUHEM Henri
Douai 1860 - Juan-les-Pins 1941

Veuf de M. Duhem (1871-1918), peintre comme elle, il donna au Louvre en 1929 un tableau peint par cette dernière, *Reines-marguerites dans un vase* (placé initialement au Musée du Luxembourg et déposé en 1960 au Mobilier national). Henri et Marie Duhem avaient rassemblé à Douai une importante collection dont ils firent bénéficier les musées : Henri Duhem donna en 1934 au Musée de la Chartreuse de Douai un ensemble de tableaux de lui, de sa femme ainsi que de son fils, Rémy, († 1915). Nelly Marie-Louise Sergeant-Duhem, nièce de Marie Duhem, répondant aux vœux des deux époux, légua leur collection à l'Institut de France, qui entra au Musée Marmottan à Paris en 1895.

DULAC Mme, née Turquois
TURQUOIS Mademoiselle

Don en 1928 d'un tableau de Daumier : *Scène de comédie* dit aussi *Un Scapin*, en souvenir de leur père Daniel Turquois.

DULEAU Alphonse

Don en 1866 au Département des Antiquités grecques et romaines d'un petit groupe représentant un lion combattant un vautour, en ambre.

DUMANI

Marchand. Don en 1948 de tablettes au Département des Antiquités orientales.

DUMAS Mme, née Marie-Louise Simart

Elle a donné en 1931 aux musées de France un certain nombre de sculptures provenant de l'atelier de son grand-père, le sculpteur Pierre-Charles Simart (1806-1857), parmi lesquelles deux statuettes et quatre médaillons furent retenus pour le Louvre. Le *Buste de Simart* par Duret fut affecté au Musée de Versailles.

DUMAS Mme Alexandre,
née Cécile Regnier de la Brière
Paris 1851 - Paris 1934

Veuve d'Alexandre Dumas fils, elle légua le portrait de son époux, peint par Meissonier (dépôt au Musée de Versailles en 1935).

DUMAS Mme Georges Alphonse,
née Caroline Aimée Perrot
Paris 1876 - Paris 1986

Veuve du professeur G. Dumas (1866-1946), membre de l'Académie de Médecine. Don sous réserve d'usufruit en 1973, du portrait de son mari, pastel de Lévy-Dhurmer (Orsay).

DUMBAKLI Joseph

Marchand. Don au Département des Antiquités orientales en 1930 d'un petit bas-relief en basalte.

DUMITRESCU

Don v. 1930 au Département des Antiquités grecques et romaines de plusieurs fragments de vases trouvés lors de fouilles en Roumanie et d'autres fragments de provenance inconnue.

DUMONT

Habitait Nogent-le-Rotrou (Eure-et-Loir). Don au Musée des Souverains d'éléments de layette passant pour provenir du Roi de Rome (1855).

DUMONT

Commandant. Legs avec réserve d'usufruit d'un modèle en terre cuite de la statue du

Général Marceau faite par Jacques Edme Dumont (1937).

DUMONT Mme Augustin

Donne en 1884 à la mort de son mari le buste de Marie-Françoise Bertault, épouse du sculpteur E. Dumont, par son fils J. E. Dumont (1761-1844), beau-père de la donatrice.

G. Vattier, *Une famille d'artistes. Les Dumont (1660-1884)*, Paris, 1890.

DUMONT Charles Albert
Scey-sur-Saône 1842 - La Queue-en-Yvelines 1884

Archéologue, ancien directeur de l'École d'Athènes puis de l'École de Rome, membre de l'Institut. Auteur d'ouvrages importants sur la céramique et les inscriptions grecques. Don en 1869 et 1872 de plusieurs objets antiques (bronzes et terres-cuites).

DUMONT Charles Émile Étienne
Ajaccio 1867 - Meulan (Yvelines) 1939

Homme politique, il avait formulé le vœu que soit donné au Louvre, après le décès de son épouse (survenu en 1949), un *Portrait de femme* de l'entourage de Flinck. Le tableau fut remis au Louvre en 1950 par son exécuteur testamentaire, Joseph Girard, secrétaire général honoraire de la Compagnie des Chemins-de-fer du Nord, et déposé en 1951 au Musée de Riom.

DUMONT Mme Gustave-Abel,
née Elisabeth Virginie Helfen
Vianden (Grand Duché de Luxembourg) 1860 - Paris 1935

Legs de deux portraits peints par Carrière : le sien et celui de *Madame Helfen*, sa mère (Musée d'Orsay) ainsi qu'un buste de Victor Hugo par Rodin. A la mort de son épouse, Gustave Abel Dumont joignit à ce legs quatre autres œuvres de Carrière.

DUMONT Pierre Édouard
Paris 1826 - Nice 1907

Architecte. Don en 1902 d'un rouleau de car-

Mme G.A. Dumont
E. Carrière, Orsay

Th. Duret
E. Manet, Musée du Petit Palais, Paris

tons de vitraux de L. O. Merson. Par son testament de 1895, il légua 200.000 F. à la Société centrale des architectes. Il laissa en outre au Louvre, où ils entrèrent en 1909, un tableau dans le genre de Corot, *Le coup de vent*, et un buste en marbre du sculpteur Guillaume, représentant sa femme, Cécile Dumont, née Baudelocque.

DUPLAN Jules

Fils du coiffeur de Napoléon, il donna au Musée des Souverains des cheveux de l'Empereur coupés en 1814 par son père (déposés au Musée de l'Armée).

DUPONT Jacques
Paris 1908 - Paris 1988

Médecin, il prit part à la création du Laboratoire de Recherche des Musées de France. Chargé de mission au Département des Peintures, il devint ensuite inspecteur des Monuments historiques, achevant sa carrière dans ce corps comme inspecteur général, J. Dupont a été président de la Société des Amis du Louvre de 1954 à 1986. Il a animé cette Société de son savoir, de sa vivacité et de son goût, se faisant l'artisan de nombreuses acquisitions du musée, négociant avec patience et subtilité - comme il le fit pour le *Saint Sébastien* de Georges de la Tour qu'il avait découvert dans l'église de Bois-Anzeray - l'entrée d'œuvres essentielles au Louvre. Membre du Conseil artistique de la Réunion des musées nationaux, J. Dupont siégeait aussi au Conseil de l'Union centrale des Arts décoratifs, dont il fut, un temps, le vice-président. Il donna au Cabinet des Dessins en 1938 un très rare dessin de Pierre Le Tellier et en 1966 des feuilles de Restout, Lesueur et du Cavalier d'Arpin.

DUPRÉ Giovanni
Sienne 1817 - Florence 1882

Né de parents français, membre associé de l'Institut, fut l'un des sculpteurs les plus intéressants de la Toscane, au XIXᵉ s. En 1886, il fit don du plâtre de son *Abel mourant* qui avait figuré au Salon de 1855.

G. Dupré, *Pensieri sull'arte e ricordi autobiografici*, Firenze, 1879.

DUPRÉ Jules
Champagne-sur-Oise (Val-d'Oise) 1860 - L'Isle-Adam (Val-d'Oise) 1933
DUPRÉ Maurice
L'Isle-Adam 1865 - Paris 1935
SCELLIER de GISORS Mme Georges, née Juliette Ernestine Dupré
Paris 1859 - L'Isle-Adam 1948

Ils étaient tous trois enfants du paysagiste J. Dupré (1811-1889). L'aînée, Juliette Ernestine, épousa l'architecte Scellier de Gisors, inspecteur général des Bâtiments civils et Palais nationaux, professeur à l'École des Beaux-Arts, vice-président de la Société des Artistes français. Le deuxième, Jules fils, fut successivement secrétaire général des Beaux-Arts, chef du secrétariat particulier de Millerand et percepteur. Le troisième, Maurice, fut artiste lyrique. En 1894, ils offrirent au Louvre (pour la galerie des portraits d'artistes qu'on y avait alors constituée) un *Autoportrait* de leur père, peint en 1853, et au Musée de Limoges un petit plat en porcelaine, décoré par Jules Dupré en 1822 alors que, âgé de onze ans, il travaillait comme apprenti avec son père, céramiste. Ces dons furent effectués à l'occasion de l'inauguration du monument élevé en hommage à Jules Dupré à l'Isle-Adam, où il habita pendant un demi-siècle et où il mourut, monument conçu par son gendre Scellier de Gisors.

DU PUYTISON comte Xavier

Juriste, officier, puis commissaire de la Marine jusqu'en 1947, ayant beaucoup séjourné dès 1944 au Liban, en Syrie et dans tout le Proche-Orient. Directeur de la Banque de Syrie et du Liban (1949-1962), collectionneur d'archéologie chrétienne et de la fin de l'Antiquité. Don en 1970 d'un ensemble d'objets d'orfèvrerie du Haut Moyen-Âge originaires du Proche-Orient.

DU QUAIRE Charles

Maréchal des logis aux lanciers de la garde impériale (de Napoléon III), il donna au Musée des Souverains en 1867 un fragment de lettre de Napoléon (1818), donné à son père par le général de Montholon (déposé aux Archives nationales).

DURAND Marcel

Don en 1955, en souvenir de Mme Jeanne Desport, son épouse, de deux statuettes, de deux fragments de reliefs Campana, en terre cuite, d'un lécythe funéraire attique et d'un petit vase en verre.

DURAND Paul
† Chartres 1882

Grand voyageur et excellent dessinateur, il s'intéressa à l'archéologie, particulièrement à celle des chrétientés orientales. Le Dr. Paul Durand donne en 1876 une inscription chrétienne sur pierre trouvée près d'Epernay par lui-même. En 1833 Mme P. Durand offrit au Louvre en souvenir de son mari, plusieurs objets paléochrétiens.

DURAND Pierre Louis
Lyon 1897 - Neuilly-sur-Seine 1978

Ingénieur, il a fait don en 1952 d'un portrait peint dit de Jacob Bunel, peintre du roi Henri IV, attribué à Augustin Quesnel.

DURAND-LEFEVRE Madame

Dons en 1936, d'une œuvre du sculpteur Cavelier, le *Baron de Monthyon*.

DURANTON Mme Édouard, née Marguerite Lefebvre
Paris 1881 - St-Mandé (Val-de-Marne) 1956

Cadette des six enfants du peintre J. Lefebvre, elle a donné en 1945 deux œuvres de son père : des copies d'une fresque d'une tombe de Paestum, qu'il avait exécutées durant son séjour à l'Académie de France à Rome en 1862-1866.

DURET Théodore
Saintes 1838 - Paris 1927

Homme politique, journaliste et critique d'art. Don, en 1893, d'une copie d'après Gréco au Département des Peintures, en 1898, d'un flacon à eau-de-rose persan en verre bleu.

J.J.A. Durighello

R. Duseigneur

R. Dussaud
A. Bilis, Louvre

DURIGHELLO Jacques Joseph Antoine, dit Joseph-Ange
Saïda (Liban) 1863 - Paris 1924

Courtier en antiquités, ayant longtemps sillonné le Proche-Orient, il fit des dons au Département des Antiquités orientales, au Département des Antiquités égyptiennes et au Département des Antiquités grecques et romaines à diverses reprises (entre 1891 et 1920) parmi lesquels il faut mentionner le vase d'Émèse en argent (Syrie, VIᵉ-VIIᵉ s.), une figurine orientale aux jambes articulées en terre cuite, une intaille avec figurine d'adorante et épigraphie hébraïque et grecque, une enseigne en fer ajouré (Iran, XVIIᵉ s.) ; un lion égyptien en calcaire, modèle de sculpteur.

DURIGHELLO Mme Joseph-Ange, née Khouri Hassibi
Beyrouth 1880 - ?

Mariée en premières noces avec le commissionnaire en marchandises Joseph Rahaim (Djezzin, Liban, 1871 - ?), elle fut enlevée par J.-A. Durighello* qui l'épousa en 1912. Ce mariage fut annulé en 1916. Don en 1913 d'une œnochoé en bronze d'origine grecque.

DUROSOY Mme Maurice, née Simone Weill

En 1971, la générale Durosoy, fille de D. David-Weill* et sœur de Pierre David-Weill*, a offert au Louvre, sous réserve d'usufruit, deux tableaux de J. B. N. Raguenet, *La Seine en aval du Pont-Neuf à Paris* et *Le Pont-Neuf et la Samaritaine*.

DURRIEU comtesse Paul, née Françoise Duchaussoy

Elle épousa en 1889 le comte Durrieu (Strasbourg 1855 - Durrieu, par Grenade-sur-Adour 1925) qui était entré au Louvre en 1885 comme attaché à la conservation des Peintures et venait d'être promu conservateur-adjoint en 1888. Spécialiste de la peinture et de l'enluminure européenne du XIVᵉ au XVIᵉ s., il organisa en 1904 l'exposition des Primitifs français. C'est en mémoire de leur mari et père que la comtesse Durrieu et ses enfants firent don en 1935 de la *Tentation de saint Antoine* de P. Huys.

A. de Laborde, *Notice sur la Vie et les travaux de M. le comte Paul Durrieu*, 1924.

DURUFLE Madame

Don en 1917 en souvenir de son époux d'une collection de statuettes en terre cuite de style grec, et d'une figurine de déesse de style susien en calcaire.

DUSEIGNEUR Raoul
Lyon 1845 - Paris 1916

Ingénieur puis antiquaire, il fut, à partir de 1890, l'une des conseillers et l'ami de la marquise Arconati-Visconti*. En 1911, il donna un dessin de J. J. Boissieu. Il légua au Louvre, en 1916, un tableau (Ambrogio Lorenzetti, *Charité de saint Nicolas de Bari*), une statue de bois (Pays-Bas, XVᵉ s. : *Sainte Barbe*), des majoliques et faïences hispano-mauresques et des pièces islamiques (deux chandeliers, Anatolie XIIIᵉ s., et Proche-Orient, XVᵉ s.). La fondation qui porte son nom, faite au Louvre par la marquise Arconati Visconti*, est destinée à l'achat d'objets du Moyen-Âge, de la Renaissance ou islamiques.

P. Leprieur, A. Michel, G. Migeon, J. J. Marquet de Vasselot, *Musée du louvre. Catalogue de la collection Arconati-Visconti...* , Paris, 1917.

DUSSAUD René
Neuilly-sur-Seine 1868 - 1958

Conservateur-adjoint au Département des Antiquités orientales en 1910, puis conservateur en chef de 1937 à 1946. Dons en 1896 d'une plaquette de marbre inscrite en caractères phéniciens ; de 1912 à 1920, dons de petits objets provenant de différents sites de Syrie (intailles, sceaux-cylindres, scarabées et statuettes de bronze). En 1926 don d'une stèle funéraire de Smyrne. Lors de sa succession une dalle avec représentation animale, pierre volcanique, entre au Louvre.

E. Dhorme "René Dussaud", nécrologie", *Revue d'Assyriologie*, 52, 1958, pp. 93-94.

DUSSOL Madame

En 1966, après avoir vendu un pastel d'Auguste Pégurier au Louvre, elle fit don de deux autres pastels du même artiste (Orsay).

DUTENS Mme Alfred

En accomplissement d'un vœu exprimé par son mari, don au Musée d'une stèle funéraire de Palmyre en 1919.

DUTILLEUL Mme Charles Eugène, née Berthe Barry
Paris 1849 - Paris 1932

En 1928, elle fit donation, sous réserve d'usufruit, de portraits de famille exécutés par Alexandre Hesse : une peinture datée 1864 représentant la tante de la donatrice, Mme Delongchamp née Barry, un pastel et cinq dessins, qui entrèrent au Louvre en 1932.

DUTILLEUL-FRANCŒUR René

Diplomate, il donna en 1956 au Louvre, pour être déposés au Musée Baron Martin à Gray, à la suggestion du président A. P. de Mirimonde*, quatre tableaux du peintre M. J. Blondel : *La Vérité*, étude partielle pour un plafond du Louvre, 1828, *Sapho*, *La Vérité présentant la charte de 1830* et *L'Espérance*, 1836. Ceux-ci lui venaient d'une arrière-grand-tante, Mme Wittersheim, née Eudoxie Blondel, fille de l'artiste, qui la peignit enfant en

J. Duveen of Millbank

E.A. Egger
Bibl. de l'Institut, Paris

1838 (portrait donné par un cousin de M. Dutilleul-Francœur, M. Poidatz, au Musée de Gray en 1973). En 1983, il offrit deux pots à couvercle en porcelaine de St-Cloud (v. 1730-1740) et deux nécessaires en porcelaine de Mennecy (v. 1750).

DUVEEN of MILLBANK lord Joseph
Hull (G. B.) 1869 - Londres 1939

Antiquaire anglais. Débutant à New York à 17 ans, il devient rapidement l'un des plus grands marchands de tableaux du siècle avec des galeries à Londres, New York et Paris. Il est le fournisseur attitré des plus grands collectionneurs : J. P. Morgan, Frick, Carnegie, Rockefeller, Andrew Mellon. Nombre de chefs-d'œuvre de la peinture et de la sculpture aujourd'hui exposés dans les musées américains, sont passés entre ses mains. Il est élevé à la pairie en 1933, et prend alors le titre de lord Duveen of Millbank. Donateur de la National Gallery, de la Tate Gallery et du British Museum à Londres, il a fait don au Louvre d'un tableau de Patenier au Département des Peintures, d'un objet d'un monument à Soufflot par Delaistre à celui des Sculptures, et de deux statuettes en bronze de la Renaissance italienne au Département des Objets d'Art (1921 et 1922). Ses successeurs Duveen Brothers ont fait don d'un bandeau de tapisserie provenant du lit de la duchesse de Bourbon (1952).

Behrmann, *Duveen*, New York, 1951-1952, nouv. éd. 1982. *Duveen pictures in public collections in America*, New York, 1941.

DUVERDY Maurice
Paris 1859 - Maisons-Laffitte 1936

Avocat à la Cour d'appel de Paris, passionné de physiologie et d'hygiène - il publia en 1927 une brochure intitulée *Vivre en bonne santé* -, s'adonnant dans sa ferme de Normandie à l'agriculture et l'apiculture, M. Duverdy fut maire de Maisons-Laffitte de 1902 à 1935 et président de la la Société des Amis du Château. C'est pour ce château qu'il donna en 1924 le *Portrait du banquier Jacques Laffitte* peint par H. Scheffer (inscrit sur l'inventaire des Peintures et déposé immédiatement à Maisons-Laffitte).

DWERNICKA Mme Joseph, née Aline Broc

Aline Broc, qui épousa en 1855 Joseph Dwernicki (1771-1859), général polonais jadis au service de Napoléon Ier, était la fille du peintre J. Broc (1771- v. 1850), dont la biographie est mal connue. C'était l'un des principaux représentants de la secte des "barbus" ou "primitifs" issus de l'atelier de David et partisans d'une "régénération" de la peinture. Emblématique de ce mouvement, son grand tableau du Salon de 1800, intitulé *L'École d'Apelle*, était depuis 1818 exposé au Musée du Luxembourg mais restait propriété du peintre, qui souhaitait le voir entrer au Louvre. En 1872, sa fille, résidant à l'étranger, fit don du tableau, qui avait été endommagé pendant la Commune.

EDWARDS Mme Edwin, née Elisabeth Ruth Escombe
v. 1833 - 1907

Mariée en 1852 au magistrat anglais Edwards (1823-1879), elle l'encouragea à renoncer à sa carrière juridique pour se consacrer entièrement à sa vocation d'artiste. Connaissant peu de succès en tant que peintre, il réussit surtout en tant que marchand de tableaux. Se liant avec H. Fantin-Latour en 1861, le couple Edwards prit progressivement le rôle d'agent officiel et unique du peintre en Angleterre, leurs relations devenant de plus en plus impersonnelles pour n'être plus que purement commerciales. Ce fut cependant Mme Fantin-Latour qui remit en 1904 un tableau de W. Etty au nom de Ruth Edwards. Celle-ci avait déjà fait don d'un tableau de P. Robert, *Souvenir de la nuit du 4 août* (1891).

EGGER Émile Auguste
Paris 1813 - Paris 1885

Philologue et helléniste français, membre de l'Académie des Inscriptions et Belles Lettres. Don en 1879 de plusieurs ostraca coptes, démotiques et grecs.

EGGIMAN Monsieur

Éditeur pour la Réunion des musées nationaux, demeurant à Montauban. Don en 1947 d'un autoportrait dessiné du peintre L. Hersent.

EGYPT EXPLORATION FUND voir EGYPT EXPLORATION SOCIETY

EGYPT EXPLORATION SOCIETY

Société savante britannique créée en 1882 sous le nom d'Egypt Exploration Fund qu'elle gardera jusqu'en 1919, responsable de nombreux chantiers de fouilles d'Égypte. Financée par ses membres et par des instituts, universités et musées britanniques et étrangers, qui, en retour, profitaient des partages de fouilles de la Société. Dons au Louvre en 1888, 1890 et 1896, d'objets trouvés à Naucratis, Tanis (deux grands reliefs d'Osorkon II) et de Deir-el-Bahari, puis en 1932 d'une situle en bronze trouvée à Ermant.

ÉGYPTE République Arabe d'

Don en 1972 du buste d'Aménophis IV provenant du grand temple de Karnak, en remerciement de l'aide apportée par la France au démontage, remontage et au sauvetage des monuments de la Nubie.

EHRMANN Jean
Épinal 1902 - Paris 1984

Petit-fils du peintre alsacien F. Ehrmann et arrière-petit-fils de l'historien Henri Bordier, Jean Ehrmann, ingénieur de son état, devint historien d'art à l'exemple de son beau-père, G. Lebel*, dont il reprit et poursuivit les travaux sur A. Caron et l'art de la Renaissance. Il donna au Louvre en 1964 un dessin d'Oudry (*Paysage*), au Cabinet des Estampes de la Bibliothèque nationale six gravures uniques de Gillot et sa bibliothèque d'histoire de l'art (revues, publications diverses) au Musée national du Château d'Écouen.

"Personalia", supplément de la *Gazette des Beaux-Arts*, janv. 1985, p. 34. J. P. Babelon, *Bulletin de la Société de l'Histoire de l'Art français* 1985, (1987), p. 344.

EICHTAL héritiers d'Adolphe d'

Rose, Adolphe et Louis d'Eichtal donnèrent en 1895 un tableau de Delaroche *La jeune martyre* en souvenir de leur père, le banquier et homme politique Adolphe Seligman d'Eichtal (Nancy 1805 - Paris 1895) qui, après le décès du peintre en 1857, avait organisé avec le marchand Goupil l'exposition rétrospective Delaroche à l'École des Beaux-Arts, à laquelle ils donnèrent également deux cartons préparatoires du décor de l'hémicycle.

EICHTAL baron Gustave d'
Nancy 1804 - Paris 1886

Disciple fervent des doctrines saint-simoniennes, il est l'un des fondateurs de la Société d'Ethnologie et de l'Association pour l'encouragement des Études grecques (Guillaume Budé). Don en 1854 d'une coupe en terre cuite trouvée à Caeré (Cerveteri).

EISENLOHR Auguste Adolphe
Mannheim 1832 - Heidelberg 1902

Professeur d'égyptologie à l'Université de Heidelberg. Don de plusieurs ostraca au Département des Antiquités égyptiennes (1885).

ÉMILE-WEIL M. et Mme Émile Ruben Prosper
voir SCHLOSS Lucien

EMIONIDES Ph.

Don en 1921 d'une inscription funéraire grecque, provenant de Samsoun (Turquie) et en 1926 d'une inscription funéraire grecque, toutes deux sur pierre.

ENGEL Arthur
Strasbourg 1855 - 1920

Archéologue et numismate. Fouille en Espagne au Cerro de Los Santos, à Elche et à Osùna. Don de sculptures gréco-phéniciennes, collection pour partie déposée au Musée des Antiquités nationales (St-Germain-en-Laye).

ENGEL-GROS enfants de Frédéric

Don au Louvre, en 1921, par les enfants de M. Frédéric Engel-Gros, en souvenir de leur père, à la Section islamique et au Département des Objets d'Art, de la plaque d'émail limousin, de Guy de Mejos (1306). Frédéric Engel-Gros (1843-1918) succéda à son père, l'industriel et collectionneur Frédéric Engel-Dollfus de Mulhouse, à la tête de la maison Dollfus-Mieg ; après la guerre de 1870, il se fixa à Bâle. Il avait regroupé sa collection au bord du lac Léman, au château de Ripaille qu'il avait acquis en 1892.

P. Ganz, *L'œuvre d'un amateur d'art. La collection de M. F. Engel-Gros. Catalogue raisonné*, Paris-Genève, 1925, 2 vol.

ENGLISH Mrs Harold

Française d'origine, épouse d'un peintre américain qui vécut à Paris entre 1920 et 1935. Il acquit dans une vente deux peintures sur verre : *Tahitienne dans un paysage* réalisées par Gauguin et qui avaient décoré l'atelier de l'artiste, rue Vercingétorix. Lors de son retour aux États-Unis il emporta ces vitres, que sa femme donna au Musée du Louvre en 1958 (Orsay).

ENLART Camille
Boulogne-sur-Mer 1862 - Paris 1927

Archiviste-paléographe, ancien élève de l'École française de Rome, membre de l'Institut, il fut nommé en 1903 directeur du Musée de Sculpture comparée du Trocadéro, et en publia le catalogue. Professeur à l'École des chartes, à l'École du Louvre et à l'école spéciale d'Architecture, il s'illustra par de nombreux écrits, parfois illustrés par ses propres dessins, car il avait, dans sa jeunesse, étudié dans l'atelier de Bouguereau. Il mena, en outre, plusieurs campagnes de fouilles sur le site de la cathédrale de Thérouanne et joua un grand rôle au sein de la Commission des Monuments historiques. Durant toute sa carrière il poursuivit une enquête sur l'art gothique hors de France, qui lui valut d'effectuer plusieurs missions à Chypre, d'où il rapporta le relief de marbre orné d'un prince agenouillé dont il fit don en 1899. C. Enlart avait réuni une collection dont il enrichit le musée de sa ville natale, en 1926.

Cat. exp. *Collection Camille Enlart*, Boulogne-sur-Mer, 1977.

ENNÈS Pierre

Conservateur au Musée du Louvre (entré au Département des Objets d'Art en 1979). Don en 1980 à la Section islamique d'un fond de coupe au dragon (Meched, XVIIᵉ s.). Dons également au Musée de Rouen et au Musée d'Orsay.

EPHRAIM Fritz

Antiquaire. Don au Département des Antiquités grecques et romaines de trois statuettes antiques en bronze (1958), d'un moule de figurine en terre cuite (1952), et d'une tête féminine en marbre (1953).

EPHRUSSI Charles
Odessa 1849 - Paris 1905

Immortalisé par Renoir* dans le *Déjeuner des Canotiers*, où il figure en chapeau haut-de-forme, Charles Ephrussi était issu d'une famille de banquiers et d'exportateurs de blé d'origine russe. Il contribua par l'étendue de ses relations, qui allaient de la princesse Mathilde* à Gambetta, à imposer l'art de son temps, et notamment la peinture impressionniste. Propriétaire, depuis 1885, et rédacteur de la *Gazette des Beaux-Arts*, il favorisa la connaissance de nombreux artistes contemporains et aida de jeunes talents comme Laforgue, Proust ou A. Renan sur lesquels il exerça une forte influence. Intéressé également par l'art du début du XIXᵉ s. et par celui de la Renaissance, il publia avec son ami G. Dreyfus* un *Catalogue descriptif des dessins des maîtres anciens* et, grâce à l'aide de collaborateurs, des études sur Dürer et sur les médailleurs italiens. Il donna au Louvre en 1876 une plaquette en bronze d'après Moderno et une médaille de Matteo de' Pasti figurant Sigismond Pandolfo Malatesta (1550).

J. Adhémar et Ph. Kolb, "Charles Ephrussi (1849-1905). Ses secrétaires : Laforgue, A. Renan, Proust. "Sa" Gazette des Beaux-Arts", *Gazette des Beaux-Arts*, 1984, I, pp. 29-41.

ERMAN Adolphe
Berlin 1854 - 1937

Directeur du Département égyptien et assyrien au Musée de Berlin, il eut une influence considérable sur le développement de l'égyptologie et publia de nombreux ouvrages. Don d'une *Tête de Persan* en 1888.

ESCHOLIER Mme Raymond Antoine Marie Emmanuel ESCOLIER dit, née Marie-Madeleine Henriette Claudie Léouzon-le-Duc
Paris 1892 - Paris 1969

Femme de Raymond Escholier, historien d'art et conservateur des musées de la Ville de Paris. La mère de Mme Escholier, née Louise Riesener, était la fille du peintre L. Riesener*. Elle descendait de la dynastie des Riesener : le peintre H. F. Riesener (1787-1828) et l'ébéniste de la Couronne, J. H. Riesener (1734-1806). Par ailleurs elle était l'arrière-petite-nièce de Delacroix. Elle fit divers dons et legs dont bénéficièrent le Musée national du Château de Versailles, le Musée de Sèvres et le Musée Delacroix. Mme Escholier légua également au Louvre des tableaux de Morisot, Delacroix et Riesener (1969 et 1970) et donna au Cabinet des Dessins un pastel de Riesener.

ESNARD Max

Don en 1888 d'une lampe chrétienne trouvée en Tunisie.

ESPERANDIEU Émile Jules
St-Hippolyte-de-Caton (Gard) 1857 - Avignon 1939

Officier et archéologue. C'est au cours de sa carrière militaire, lors de la campagne de Tunisie en 1882-83 qu'il s'intéresse à l'antiquité, réunit bas-reliefs et inscriptions qu'il déchiffre. De retour en France, en 1884, il se perfectionne en épigraphie. Nommé Directeur de la Revue épigraphique du midi de la France dès 1898, il entreprend la publication du *Recueil général des bas-reliefs, statues et bustes de la Gaule romaine* (1913-1928). Il fouille au Mont Auxois à partir de 1905. Atteint par la surdité, retraité en 1918, il ne se consacre plus qu'à l'archéologie. Conservateur des monuments romains et des musées archéologiques de Nîmes, il est élu membre libre de l'Académie des Inscriptions et Belles-Lettres en 1919. Don en 1884 de l'épitaphe de l'évêque Rutilius trouvée à Mactar (Tunisie), en 1908 d'une lampe chrétienne.

ESPINASSY Fortuné dit Espinassy Bey

Pharmacien inspecteur, d'origine marseillaise, attaché au Ministère de la Guerre, en poste au Caire. En 1852, don d'une centaine d'objets égyptiens (amulettes en faïence, figurines en bronze et scarabées).

ESPOUY Hector d'
Salles-Adour 1854 - 1928

Peintre et architecte français, il reçut en 1884 le Prix de Rome d'architecture. En 1895 il fut nommé professeur de dessin ornemental de l'École des Beaux-Arts. Il donna deux de ses aquarelles en 1890 un *Projet de décoration de voûte pour un salon de la Villa Médicis* qu'il avait exposé au Salon de cette même année et en 1894 une *Vue de Rome*.

ESTAILLEUR de CHANTERAINE Philippe d'
Paris 1894 - Paris 1965

Industriel, pionnier de l'aviation (il fit le premier tour aérien de l'Afrique), écrivain (entre autres un ouvrage sur Abd El Kader en 1959 et de nombreux articles dans la Tribune libre du journal *Combat* sur l'Afrique et le Maghreb), il donna un portrait peint en pied d'Henri II d'après F. Clouet provenant d'une propriété en Bretagne de la baronne de Tuault de la Bouvrie, sa grand-mère maternelle († 1908), pour être mis en dépôt au château de Montal (St-Céré, Lot).

ESTOURMEL marquise d', née Anne Marie Marquiset

Don, en 1968, d'un *Portrait du vicomte d'Arlincourt* peint par R. Lefèvre en 1822. Arrière-grand-père de la donatrice, Charles Victor Prévot d'Arlincourt (1788-1856) fut un poète renommé au point d'être surnommé "prince des romantiques".

ETCHEGOYEN comtesse d', née Louise Augé, dite Augé-de-Lassus
Paris 1848 - Versailles 1939

Épouse de Charles Joseph Maurice, comte Dibarrart d'Etchegoyen, elle donna en 1933 au Louvre son portrait dessiné par Amaury-Duval en 1867.

ETEX Antoine
Paris 1808 - Chaville 1888

Etex s'est illustré à la fois comme sculpteur et comme peintre : il donna en 1871, *Eurydice*, son tableau du Salon de 1853 (placé au Musée du Luxembourg et déposé en 1891 au Musée de La-Roche-sur-Yon) ; sa veuve donna également son *Autoportrait* au Musée de Versailles.

EUGÉNIE Impératrice, née Eugenia María de Montijo de Guzman, comtesse de Teba
Grenade 1826 - Madrid 1920

Épouse de Napoléon III, Empereur des français. Don en 1868 de trois boucles d'oreilles antiques en or, provenant de Dodone (Grèce).

EXPOSITION DES PRIMITIFS FRANÇAIS, 1904, Comité de l'

L'Exposition des primitifs français de 1904, qui révéla la peinture française des XIVᵉ et XVᵉ s., fut préparée par une importante équipe, comprenant une section administrative, quatre comités d'organisation scientifique et un comité d'honneur. La prospection opérée dans les églises du Midi de la France permit de découvrir le retable de Boulbon, qui ne figura pas à l'exposition, mais fut acheté grâce à l'action de P. A. Lemoine, de G. Berger, vice-président de l'exposition, et surtout d'H. Bouchot. Le tableau fut offert au Louvre en juin 1904.

EYERRE Madame

Don en 1934, de la *Vengeance* du sculpteur Chambard (Orsay).

FABER Mme, née Françoise Cabet
† Paris 1881

Fille du sculpteur Cabet, ancien élève de Rude dont il avait épousé la nièce. Legs des bustes de L. David et de sa mère, Martine Cabet, par Rude (ce dernier déposé au Musée de Dijon).

FABER René

Petit-fils de Martine Cabet, nièce et héritière de Rude. Don de diverses sculptures dont les esquisses en terre cuite pour les statues du *Maréchal Ney* et de l'*Hébé* et d'un lot de dessins pour la première frise de l'arc de l'Étoile, le tout provenant de l'atelier de Rude (1931).

FABIUS Pierre
FABIUS Mme Pierre, née Suzanne Leroux

En 1986, M. Pierre Fabius, antiquaire, et son épouse ont fait don de l'*Amour* de Louis-Claude Vassé, précieux groupe de marbre ayant figuré dans les collections de la comtesse du Barry et de l'impératrice Joséphine.

FABIUS frères

Antiquaires. Donnent, en 1939, un petit relief en terre cuite, de Gérard, *La France et la Charte*, esquisse pour un œil-de-bœuf de la

C. Enlart
Bibl. de l'Institut, Paris

E.J. Espérandieu
Bibl. de l'Institut, Paris

Comtesse d'Etchegoyen
Amaury-Duval, Louvre

A. Etex
Autoportrait, Versailles

L'impératrice Eugénie
Ed. Dubufe, Versailles

A. Fallières
L. Bonnat, Orsay

H. Fantin-Latour
Autoportrait, Louvre

Mme H. Fantin-Latour
H. Fantin-Latour, Orsay

cour du Louvre, et en 1949 un tableau de l'École française du début du XXᵉ s. : *Vue de la Salle Duchâtel et du Salon carré au Louvre.*

FABRE Mme
voir **RYAN Mme**

FABRE Jean-Paul
FABRE Michel

Ils représentent la troisième génération d'une famille d'antiquaires parisiens, succédant après leur père et leur oncle, à leur grand-père Basile Fabre. Originaire de Lozère, celui-ci fonda en 1924 la Galerie B. Fabre et Fils, 19 rue Balzac, spécialisée dans les meubles et objets français du XVIIIᵉ s. M. Jean-Paul Fabre fait partie du Syndicat français des experts professionnels. MM. Fabre ont donné en 1985 un important cartel aux *Trois Parques* en marqueterie, dû à André-Charles Boulle.

FABRE Mme Paul,
née Marie Antoinette Caroline Allier
† Paris 1871

Legs d'un ensemble d'objets d'art, de sculptures du XIXᵉ s., de gravures et de sept dessins de Charlet qui entrèrent au Musée en 1892. Parmi les quatre sculptures figuraient deux œuvres d'A. Allier (1793-1870). Elle fit également bénéficier de ses dons les Manufactures nationales de Sèvres, des Gobelins et le Musée Adrien-Dubouché de Limoges.

FAGEL Odette

Pianiste, fille du sculpteur L. Fagel (1851-1913). Don en 1927, d'un œuvre de son père, esquisse du *Monument à Jean-Baptiste Carpeaux* (projet pour le Jardin des Tuileries, non réalisé) ; elle donna également en 1941 une statuette représentant le *Printemps* (Orsay).

FAKHOURI Émile
Sour (Liban)

En 1912, don d'une Monnaie de Tyr en argent.

FALCO Mme, née Sarah Jane Aldrophe
Paris 1866 - Paris 1930

Legs au Musée du Louvre d'un tableau d'Edmond Petitjean : *Une rue à Liverdun* (Orsay).

FALLANI

Antiquaire. Don en 1959 du portrait d'un romain du IIᵉ s., en marbre, trouvé à Rome.

FALLIÈRES Armand
Mezin 1841 - Mezin 1931

Président de la Troisième République de 1906 à 1913. En 1913, il donna au Musée du Luxembourg son portrait peint par Bonnat en 1907.

FANTIN-LATOUR Henri
Grenoble 1836 - Buré (Orne) 1904

C'est en 1899 que Fantin-Latour donna au Musée du Luxembourg l'esquisse d'*Un atelier aux Batignolles* (1869). En 1902, il donna le portrait de son épouse* *Victoria Dubourg*. Les deux tableaux furent transférés en 1931 au Louvre (Orsay).

FANTIN-LATOUR Mme Henri,
née Victoria Dubourg
Paris 1840 - Buré (Orne) 1926

Elle-même peintre, elle contribua à faire mieux connaître son mari, en rédigeant notamment, en 1906, le catalogue général de ses œuvres. En 1905, Victoria Fantin-Latour fit une première donation sous réserve d'usufruit au Louvre : un paysage de Bazille avec lequel H. Fantin-Latour fut lié, *Forêt de Fontainebleau*, suivi de *La Famille Dubourg*, en 1921, où l'on voit Victoria, sa sœur Charlotte et leurs parents. Les deux œuvres entrèrent au Louvre en 1926 (Orsay).

FARAH famille

Antiquaires établis à Sour (Liban) : Michel, Jean et Alexandre. Plusieurs dons entre 1890 et 1901 au Département des Antiquités orientales, dont une paire de lampes en forme de mouflons couchés offerte par Jean Farah ; au

Département des Antiquités grecques et romaines et au Département des Sculptures des épitaphes du XIIIᵉ s. trouvées en Palestine.

FARGES Abel
Amplepuis (Rhône) 1848 - ap. 1910

Officier des Affaires indigènes en Algérie (à partir de 1876), il s'intéressa à l'archéologie et à la numismatique de ce pays dont il publia des inscriptions antiques. Dons en 1890 d'une brique avec inscription chrétienne de Tunisie, en 1891 d'une inscription romaine sur pierre des environs de Tébessa (Algérie), et en 1895 de fragments de poteries avec inscriptions.

FAUGÈRE Mme Prosper,
née Marie Héloïse Garnon
Sceaux 1826 - Paris 1899

La veuve de Prosper Faugère légua une tête antique de femme voilée en marbre trouvée à Anaphé près de Santorin et un *Portrait de Pascal* attribué à l'époque à Ph. de Champaigne (France XVIIᵉ s., déposé à Versailles). Un autre *Portrait de Pascal* qui figurait dans le legs, ne semble pas être entré dans les collections. Prosper Faugère (1810-1887) était un érudit qui avait publié en particulier la première édition critique des *Pensées* de Pascal en 1844.

FAURE Mme
voir **VITRY Bernard**

FAURE Mme Ch.

Don en 1905 d'un tableau de Seignemartin : *Fleurs dans un vase* au Musée du Luxembourg (transféré au Louvre en 1931, aujourd'hui au Musée d'Orsay).

FAURE les enfants d'Élie

Les enfants du célèbre historien d'art Élie Faure (François, Jean-Pierre et Marie-Zéline Sadoul) donnèrent en 1964 le *Portrait d'Élisabeth Faure*, leur sœur aînée (1897-1903), peint par Carrière, affecté en 1985 au Musée de Strasbourg.

Mme Ph. Fauré-Frémiet

M. Fenaille
Bibl. nat., Paris

FAURÉ-FREMIET Mme Emmanuel,
née Jeanne Henneguy
1879 - 1967
HENNEGUY Mlle Suzanne

Mme Jeanne Henneguy était l'épouse du fils
du compositeur Gabriel Fauré et petit-fils du
sculpteur Frémiet, biologiste, membre de
l'Académie des Sciences et professeur au Collège de France. Sa sœur Suzanne et elle, étaient
filles d'un autre professeur au Collège de
France, Félix Henneguy et, petites filles du
philosophe Proudhon, que Courbet avait représenté, ainsi que Mme Proudhon en 1865.
Ce sont ces deux portraits que Mme Fauré-
Fremiet et Mlle Henneguy donnèrent au Louvre en 1970 (Orsay). Le Cabinet des Dessins
bénéficia d'un dessin de Frémiet donné en
1971.

FAURÉ-FREMIET Mme Philippe,
née Blanche Felon
Nîmes 1895 - Louveciennes 1983

Descendante du sculpteur J. Felon. Épouse du
petit-fils du sculpteur E. Frémiet et fils du
compositeur Gabriel Fauré. Don en 1971 de
trois œuvres d'Emmanuel Frémiet : *Deux bêtes
fantastiques se disputant un poisson, Saint
Georges combattant le dragon, Gorille traînant
par les cheveux un guerrier*. Elle renouvela son
geste en 1979 au profit du Musée d'Orsay.

FAVIERS Louis Henry, baron
MATHIEU de
Paris 1840 - Paris 1921

Issu d'une grande famille alsacienne anoblie
sous la Restauration, le baron de Faviers était
homme de lettres ; il écrivit plusieurs ouvrages
sous le pseudonyme de Henry Des Vosges
(notamment *L'Histoire d'un Alsacien* en 1872,
livre édité au profit des orphelins d'Alsace-
Lorraine, *La Paix publique selon la logique et
l'histoire* en 1885, *Les Anges d'après l'Écriture
Sainte* en 1899...). Il donna au Louvre en 1919
un *Rat* en bronze trouvé à Pompéi et légua
en 1921, pour le château de Maisons-Laffitte,
deux *Paysages* de l'École italienne du XVIIᵉ s.
(inscrits sur l'inventaire du Département des
Peintures, ils furent aussitôt déposés à Maisons-Laffitte).

FAY John Patrick
Irlande 1890 - St-Nazaire 1970

Amateur américain résidant à Paris. Il donna
sous réserve d'usufruit en 1964, un très beau
tableau en tapis de Savonnerie du XVIIᵉ s.
représentant un vase de fleurs.

FAYET Gustave
Béziers 1865 - Narbonne 1925

Peintre et illustrateur, il collectionna les
œuvres impressionnistes et post-impressionnistes, en particulier de Van Gogh ; il réunit
notamment un important ensemble de peintures, sculptures et céramiques de Gauguin
qui exécuta spécialement pour lui certains de
ses monotypes et de ses bois sculptés. Il
commanda à O. Redon pour l'abbaye de Font-
froide, près de Narbonne, où il recevait artistes,
écrivains et musiciens, la décoration de la bibliothèque (le *Jour* et la *Nuit*, 1910-1911). Il
donna au Louvre en 1911 deux tableaux de
Monticelli, *Baigneuses* et *Promenade dans un
parc* (Orsay).

J. Goulinat, "Les collections Gustave Fayet",
L'Amour de l'Art, 1925, pp. 131-142.

FAYET DURAND Jean
V. 1806 - Paris 1889

Collectionneur, lié à H. Flandrin, Jean Fayet
légua au Louvre un dessin de l'École de Michel-Ange qu'il avait acheté à l'avocat Savelli
à Senigallia et un très important album de
cent trente huit compositions de D. Tiepolo.
Il fit également bénéficier de son legs le Musée
de Cluny en donnant un plat et deux vases de
faïence italienne.

FEBVRIER DES POINTES Auguste
Vauclin (Martinique) 1796 - † à bord de la
frégate *La Forte* 1855

Amiral. Don en 1844 d'une coupe en céramique (Syrie, "Tell Minis", Iʳᵉ moitié du
XIIᵉ s.)

FEIGELMANN Walbert

Architecte, membre de l'Union Centrale des
Arts Décoratifs, sociétaire des Amis du Lou-

vre. Don en 1981 de deux miniatures de Dubson dont il est le parent par alliance (ces miniatures ont été remises au donateur par la
belle-sœur du peintre, Mania Kaganof quelques années avant son décès) et en 1988 à
nouveau d'une miniature.

FELDMANN Mme Maurice,
née Marie-Anne Léon
Paris 1894 - Paris 1974

Elle légua au Musée du Louvre deux tableaux
de Hubert Robert, *Ruines romaines* et *Lavan-
dières*, ainsi qu'une *Vue du château de Versailles*
peinte par J. E. Blanche ; tous trois furent
immédiatement déposés au Musée Granet à
Aix, la donatrice ayant indiqué comme des-
tination souhaitée pour ces tableaux "Aix-en-
Provence, qui est un peu notre patrie", selon
les termes même de son testament.

FÉLIX Mélanie-Émilie, dite Dinah
Paris 1836 - Paris 1909

Dernière sœur de la tragédienne Rachel, elle
joua très tôt, auprès d'elle, sous le nom de
Dinette, des rôles d'enfant. Elle termina sa
carrière comme sociétaire de la Comédie-
Française. Legs, en 1909, de la statuette en
ivoire de *Rachel dans le rôle de Phèdre*, par J. A.
Barre.

FELS comte Edmond de
1854 - 1951
FELS comtesse Edmond de, née Lebaudy

Personnalités marquantes du Paris mondain
et cultivé du début du siècle. Leur intérêt pour
l'art les amena à participer en 1918 à l'acquisition du chef-d'œuvre de Degas *La Famille
Bellelli* (Orsay).

FENAILLE Maurice
Paris 1855 - Paris 1937

Mécène et philanthrope, Maurice Fenaille s'intéressa à l'art ancien et l'art de son temps avec
une égale passion. Amateur de Rodin et de
Chéret, il leur passa de nombreuses
commandes, ainsi qu'à la Manufacture nationale des Gobelins dont il écrivit l'histoire.

Mme G. Ferrier
G. Ferrier, Orsay

B. Fillon
J. Leman, Bibl. nat., Paris

F. Flameng
Bibl. nat., Paris

Mme H. Flandrin
H. Flandrin, Louvre

Vice-président de la Société des Amis du Louvre en 1912 et membre du Conseil des musées nationaux en 1920, il fit bénéficier le musée de nombreuses libéralités tantôt donnant en son nom, tantôt participant à des acquisitions. Le Département des Objets d'Art lui doit plusieurs chefs-d'œuvre de l'art de la tapisserie (dons 1903, 1919) et plusieurs participations à des acquisitions spectaculaires : la collection d'ivoires et d'émaux du Moyen-Âge de Victor Gay (cf. Mme Victor Gay*) et l'achat de la plaque d'ivoire ottonienne de la *Multiplication des pains* et du *Jeune berger*, bronze de Riccio ; et *La bataille de Jarnac*, tapisserie tissée à Cadillac, en Gironde, au XVIIe s., en 1922 ; il fit don au Département des Sculptures de la *porte monumentale du grand consistoire de Toulouse*, milieu du XVIe s. (1932), et au Département des Peintures d'un *Projet d'aménagement de la Grande Galerie*, première des vues du Louvre par Hubert Robert à entrer dans les collections du musée (1912), d'un tondo du début du XVe s. d'un artiste parisien ou bourguignon : *Pitié de Notre Seigneur* (1918). Le Cabinet des Dessins, enfin, lui est redevable de plusieurs dons en 1912 et 1913, notamment la miniature du *Couronnement d'Alexandre* de J. Fouquet. (Cf. aussi C. Benoit).

G. Cognacq, *Institut de France. Académie des Beaux-Arts. Notice sur la vie et les travaux de Maurice Fenaille (1855-1937)*, Paris, 1940.

FERRER Jules

Don en 1894 d'une aquarelle de Jongkind, *Vue de Paris prise du quai de l'Hôtel de Ville*.

**FERRIER Mme Gabriel,
née Marie Antoinette Porlier**
Paris 1857 - Paris 1930

Veuve d'Albert Poullain-Deladreux, puis d'Alphonse Eugène Hardon (dont elle eut une fille, la future maréchale Pétain), elle épousa en troisièmes noces le peintre G. Ferrier. En 1920, elle fit donation sous réserve d'usufruit d'un portrait d'elle-même peint par son mari. (L'œuvre, entrée au Luxembourg à sa mort, au Louvre en 1933, se trouve maintenant au Musée d'Orsay).

FERSING Aage

Don en 1974 d'un dessin de l'École française de la fin du XVIIIe s., *L'enrôlement des volontaires*.

FERTE Léon
Paris 1848 - Paris 1939

Membre souscripteur de la Société des Amis du Louvre. Legs au Louvre d'un dessin de Prud'hon, *Préparatifs de guerre*.

FEUARDENT Georges

Petit-neveu de Charles Feuardent, frère de Félix Feuardent grand ami de Millet. Don en 1954, sous réserve d'usufruit, du portrait de son grand-oncle peint par Millet (usufruit abandonné en 1974 ; Orsay).

**FEUCHÈRES Marie Amélie Héloïse Gide,
baronne de**
Nîmes 1800 - Paris 1895

Veuve de Jean-Paul Foule, puis du général de Feuchères, elle fit don en sa mémoire d'un vase de Froment-Meurice, première œuvre de cet artiste à entrer au Louvre en 1890.

FÈVRE Gabriel
Paris ? 1872 - Bordighera (Italie) 1933

Fils de Marguerite De Gas, sœur cadette du peintre, devenue Mme Fèvre en 1865 par son mariage avec l'architecte parisien Henri Fèvre. Héritier de son oncle Degas, avec ses frères et sœurs, Jeanne*, Madeleine et Henri, Gabriel Fèvre a donné au Louvre en 1931 le *Portrait de Valernes et Degas* par Degas (Orsay).

**FEYDEAU de BROU Charlotte Diane
voir SAINT PAUL marquise de**

FICHEL Eugène
Paris 1826 - Paris 1895

Peintre, élève de P. Delaroche puis de Drölling à l'École des Beaux-Arts, il fit don en 1867 d'une miniature représentant *Monsieur Fichel*,

son père, peinte en 1823 par Mme Lizinka de Mirbel, née Rue (dépôt Musée des Arts décoratifs).

FICHOT Michel Charles
Troyes 1817 - Paris 1903

Peintre, architecte et lithographe. Don en 1880 d'une stèle votive africaine en l'honneur de Saturne, en marbre, provenant de Timgad (Algérie).

FILLON Benjamin
Grues (Vendée) 1819 - St-Cyr-en-Talmondais (Vendée) 1881

Issu d'une famille de "bleus" vendéens, fils d'un ancien officier de l'Empire, il fut juge suppléant à La Roche-sur-Yon, jusqu'en 1851. Il se consacra ensuite, d'une part, à ses collections (antiquités, monnaies, estampes, autographes), qu'il avait commencé à rassembler très jeune grâce à sa fortune personnelle, et, d'autre part, à ses publications, très nombreuses (*L'Art de terre chez les Poitevins*, 1864, dans lequel, l'un des premiers, il a étudié la faïence fine dite de Saint-Porchaire, l'édition des *Oeuvres* de B. Palissy etc.). Ses collections furent vendues à Paris après sa mort en 1882-1883. Il donna au Musée des Souverains, en 1867, une matrice de sceau de Napoléon, roi d'Italie, et au Département des Objets d'Art, en 1878, un bas-relief en bronze représentant l'*Entrée de Henri IV à Paris*.

[A. de Montaiglon], *Bibliographie chronologique des ouvrages de Benjamin Fillon, 1838-1881*, Niort, 1895.

FINOT Louis dit Rodolphe
Mèze (Hérault) 1849 - ?

En 1887, donne une sonnette en bronze provenant de fouilles faites aux environs de Valence, et, en 1895 une statue en bois du XVe s., représentant saint Fiacre (déposée au Palais de la Découverte, en 1979).

FIPARIM Société

Société de financement et de participations immobilières. La Fiparim, qui avait acheté en 1973 les anciens "Grands Magasins du Louvre", fit don au Louvre en 1976, d'une série de toiles de Barrias qui avaient orné les plafonds de la salle de bal du "Grand Hôtel du Louvre" aujourd'hui disparu.

FIQUET Alphonse
St-Germain-en-Laye 1828 - ap. 1881

Officier de marine. Don en 1880 au Département des Antiquités grecques et romaines, d'une statue féminine en marbre.

FIRMIN-DIDOT Alfred
Paris 1828 - Laons (Eure-et-Loire) 1913

Petit-fils de l'imprimeur Firmin Didot (1764-1836), dont le portrait dessiné par Girodet fut donné au Louvre par la famille Didot en 1848, A. Firmin-Didot prend en 1855 la direction de la maison Didot, qui prendra le nom de Didot-Bottin. Don au Département des Antiquités égyptiennes en 1881 d'un papyrus grec provenant sans doute de la riche collection de son père, Ambroise (1790-1876), helléniste puis éditeur.

FIRMIN-DIDOT Mme Georges-Paul, née Marie-Madeleine Du Mesnil de Maricourt

Don en 1938 en souvenir de son père H. de Maricourt, d'un fragment de statuette d'*Aphrodite*, en terre cuite, provenant de Chypre.

FISCHER Jacques
KIENER Chantal

Ils dirigent la galerie qui porte leur nom, ouverte en 1976 rue de Verneuil à Paris, qu'ils ont spécialisée dans les peintures, dessins et sculptures du XIXᵉ s., sans négliger des aspects particuliers comme les dessins d'architecture, de scénographie, d'arts décoratifs et de botanique. La galerie organise des expositions biannuelles avec catalogue. J. Fischer et Ch. Kiener ont donné au Louvre une toile de P. V. Galland (1979, Orsay), une *Vue de la rotonde de Mars, au Louvre* de Hirsch (1980), une esquisse peinte de Müller pour le décor de la voûte de l'escalier Mollien du Louvre (1988), ainsi que deux dessins (1984).

FITZ-JAMES comtesse Charles Robert de, née Rosalie de Gutmann
Vienne (Autriche) 1862 - Paris 1923

Veuve, elle légua le portrait de la marquise d'Orvilliers peint par David en 1790.

FLAMENG François
Paris 1856 - Paris 1923

Fils du peintre et graveur L. Flameng (1831-1911), peintre et collectionneur éclectique, il fut membre du Conseil des Musées. A la suite du décès de sa femme - dont il avait donné le portrait par lui-même, au Musée du Luxembourg en 1899 (Orsay) - il fit vendre ses collections aux enchères (Paris, Galerie Georges

Petit, 26-27 mai 1919) : on y trouve plusieurs Chardin, des portraits de l'école anglaise et un bel ensemble de dessins comprenant des Rembrandt, des Watteau et une magnifique série d'Ingres. Le *Dindon*, longtemps célèbre et attribué à Velazquez, donné aujourd'hui à l'école italienne du XVIIᵉ s., et le *Joueur de flûte*, pastiche dans le genre de Van Dyck, qui figurent dans le catalogue de la vente mais ne furent pas adjugés, furent donnés par Flameng au Louvre peu avant sa mort, en 1922, en souvenir de sa femme.

Ch. Saunier, "Collection François Flameng", *Les Arts*, 1918, nᵒ 164, pp. 2-11 ; nᵒ 165, pp. 2-10 ; nᵒ 167, pp. 16-24

FLAMENG enfants de François

Don en 1923, peu après la mort de leur père F. Flameng*, d'un dessin de leur grand-père, L. Flameng : *Portrait du graveur Meryon*.

FLANDRIN Mme Hippolyte, née Aimée Ancelot
1822 - 1882

Épouse du peintre H. Flandrin (Lyon 1809 - Rome 1864), elle donna à deux reprises au Louvre, en 1865, puis en 1869, une série de dix dessins de son mari.

FLANDRIN Mme Paul, née Desgoffe

Veuve du peintre P. Flandrin (Lyon 1811 - Paris 1902) elle donna en 1903, quatre dessins de l'artiste. A ce don se joignit le fils du peintre, Pierre Hippolyte Paul Flandrin (1857-1921).

FLANDRIN-LATRON Mme Simone

Épouse de l'architecte P. Flandrin (1902-1936) et belle-sœur de M. Froidevaux*, peintre cartonnier de vitraux, elle donna en 1987, avec ses enfants, deux esquisses d'Hippolyte Flandrin pour St-Germain-des-Prés et une copie de Paul Flandrin peinte d'après le *Saint Clair guérissant les aveugles* d'Hippolyte, ainsi que trois carnets de ces deux artistes. D'autres dessins (des trois frères Flandrin) du même fonds ont été acquis par le Cabinet des Dessins du Louvre et le Musée des Beaux-Arts de Lyon.

FLAVIAN

Don, par l'intermédiaire des Amis du Louvre, d'un tableau de Veyrassat : *L'Automne, chevaux sur un lac* en 1949 (dépôt la même année au Musée de Denain).

FLERSHEIM-LEGUEU Mme Jacqueline

Collectionneur parisien. Issue d'une famille de grands amateurs, elle s'est d'abord illustrée dans le sport en tant que membre de l'équipe nationale de golf. A partir de 1942, elle a participé à la Résistance au sein du réseau

Alibi. Elle a commencé à collectionner après la guerre, dans des domaines très divers : mobilier des XVIIᵉ-XVIIIᵉ s., dessins, art chinois. Elle a donné sous réserve d'usufruit un régulateur, deux fauteuils et deux chaises du XVIIIᵉ s. (1968, 1980, 1982) ainsi qu'un coffret et une paire de burettes du XVIᵉ s. (1982). Les musées Guimet, Cernuschi, Carnavalet, le Musée des Arts décoratifs de Strasbourg, le Musée national du Château de Fontainebleau, ont également bénéficié de sa générosité.

FLEURY comtesse de, née Émily-Frances Micklem
Henley-on-Thames (Oxfordshire) 1837 - Paris 1924

Veuve du poète Hippolyte de Saint-Anthoine de Rosset, comte de Fleury. Legs d'une pendule en bronze doré de Thomire, du début du XIXᵉ s., représentant *Oedipe et Antigone*.

FLEURY Michel

Archiviste-paléographe, président de la Commission du Vieux-Paris et inspecteur des Fouilles archéologiques de la Ville de Paris, il est directeur à l'École pratique des Hautes Études depuis 1958. Il assura la direction des fouilles de la Cour carrée entreprises dans le cadre des travaux du Grand Louvre. En 1961, don à la Section islamique de deux stèles égyptiennes datant des débuts de l'Islam.

FLORENT Madame

Legs de quatre miniatures d'Isabey dont les deux portraits de M. Férès, secrétaire de Marie-Antoinette, transmis par Mme Bonnier-Ortolan de Paris, sa parente (1880).

FLURCHEIM Bernard H.

Secrétaire général de la Fondation Foch. Don en 1950 d'une aquarelle de C. Troyon.

FOA Mme Alexandre, née Aziza Bacri
† Mustapha (Algérie) 1896

Legs entré au Louvre en 1903 d'un coffret en bois incrusté d'ivoire ou d'os à la Section islamique.

FODOR Carel Joseph
Amsterdam 1801 - Amsterdam 1860

Négociant d'Amsterdam, il offrit l'ensemble de sa collection composée de tableaux modernes, de dessins anciens et modernes et d'estampes à sa ville natale avec les fonds nécessaires pour l'installation et pour l'entretien du musée. En 1859, il offrit au Louvre un dessin de J. A. Langendyk représentant l'*Arrivée de Louis-Napoléon, roi de Hollande, à Amsterdam*.

Cat. exp. *The Fodor collection : nineteenth-century French drawings and watercolors from Amsterdam historisch Museum*, The Picker Art Gallery, Hamilton (E. U.), Amsterdams Historich Museum Amsterdam, 1985.

Mme J.A. Fontaine
P. Bonnard, Musée des Beaux-Arts, Caen

J.H. Forain
Autoportrait, Orsay

Comte A. de Forbin
Autoportrait, Louvre

FONDATION CUSTODIA

121 rue de Lille, Paris, créée en 1947 à l'initiative de Fritz Lugt afin de garder réuni l'ensemble des œuvres qu'il avait acquises avec son épouse, Johanna Lugt-Klever. Don de deux cadres en bois hollandais du XVIIᵉ s., destinés à *La scène pastorale* de J. M. Molenaer et à *La buveuse* de P. de Hooch (1977).

FONFREDE de

Don en 1852 au Département des Antiquités grecques et romaines de petits bronzes provenant de Babylonie : une statuette de bélier et un couvercle de vase.

FONTAINE Mme Jean Arthur, née Maximilienne Curtis
1892 - 1968

Épouse du fils du célèbre amateur, ami de M. Denis, très lié aux nabis, A. Fontaine. J. A. Fontaine qui avec son frère Philippe possédaient une importante ferrerie-quincaillerie existant toujours. Mme Fontaine légua son portrait peint par Bonnard en 1930 (dépôt au Musée de Caen en 1977).

FONTBRUNE (ou FONBRUNE) Henri Dussummier de
Bordeaux 1848 - ap. 1891

Journaliste à *L'Avenir libéral* puis au *Pays*, bonapartiste convaincu, il eut de vives polémiques contre le gouvernement de Thiers, des duels et des procès retentissants qui le contraignirent à partir en province où il dirigea plusieurs journaux du centre de la France. Après la mort du Prince impérial, en 1879, il renonça à la politique et ne publia plus que des romans et des articles littéraires. Don en 1889 d'un pastel de Perronneau représentant son arrière-grand-père Jean Couturier de Flotte.

FONVILLE Robert

Conseiller-maître honoraire à la Cour des Comptes. Don en 1969 de deux tableaux de F. Grasset, peints en 1900 et 1911, représentant la Galerie d'Apollon au Louvre.

FORAIN Jean Henri
Reims 1852 - Paris 1931

Peintre, dessinateur et graveur français, membre de l'Institut, et membre souscripteur de la la Société des Amis du Louvre. Don en 1928 d'une *Étude pour le portrait de Madame Moitessier* d'Ingres*.

Ch. M. Widor, "Notice sur la vie et les travaux de M. Jean-Louis Forain", *Institut de France-Académie des Beaux-Arts*, Paris 1931, nᵒ 22, pp. 91-109.

FORBIN Auguste, comte de
La Roque d'Anthéron 1777 - Paris 1841

Peintre, élève de Constantin à Aix puis de Boissieu à Lyon, il fréquenta avec son ami Granet l'atelier de David et se spécialisa dans les paysages d'Orient et les vues de ruines et d'architecture d'inspiration romantique. Forbin fut en 1816 le successeur de Denon comme directeur des Musées Royaux ; il créa le Musée du Luxembourg (1818) et ouvrit au Louvre les salles du Musée Charles X (1827). Il donna au Louvre sept de ses propres tableaux, dont restent au musée, donnés en 1819, l'*Eruption du Vésuve*, en 1826, la *Vue de Jérusalem*, en 1829, *Le cloître Saint-Sauveur à Aix-en-Provence* et en 1830, *Ruines d'Ascalon* et *Vue d'un cloître sur les bords de la Méditerranée*.

Vicomte J. B. Siméon, *Notice historique sur le comte de Forbin*, Paris, 1841. Baron H. Guillibert, "Le comte de Forbin", *Réunion des Sociétés des Beaux-Arts des Départements*, XII, Paris, 1905, pp. 441-477. P. Angrand, *Le comte de Forbin et le Louvre en 1819*, Lausanne-Paris, 1972.

FORBIN LA BARBEN Antoine, marquis de
Lyon 1903 - Salon-de-Provence 1987

Il donna en 1967 la maquette d'un projet de réunion du Louvre aux Tuileries réalisée vers 1806 (et gravée en 1810) par Sextius de Forbin, marquis d'Oppède (Aix-en-Provence 1767 - Aix-en-Provence 1853). La parenté de ce dernier avec le donateur est fort éloignée, et elle n'est pas plus proche avec le grand A. de Forbin*, la famille de Forbin étant très vaste et composée de plusieurs branches.

FORESTI Mme Jean Baptiste de, née Léopoldine Collmann
Vienne (Autriche) 1800 - Vienne 1873

Officier, Foresti prit part aux campagnes menées par l'Autriche contre Napoléon au cours desquelles il fut fait prisonnier en 1809. Il quitta ensuite le service pour entrer dans une maison de commerce. En 1815, il fut nommé sous-gouverneur du roi de Rome afin de seconder le gouverneur, le comte Maurice Dietrichstein, et resta longtemps auprès du prince. Foresti était un homme instruit qui prit une grande part à l'éducation du fils de Napoléon, auquel il enseigna notamment l'italien. C'est lui qui lui annonça la mort de son père. Mme de Foresti était la fille d'un médecin. Elle donna en 1864 au Musée des Souverains un nécessaire de toilette en argent ayant appartenu au roi de Rome, déposé au musée de l'Armée.

FORESTIER Henri Joseph de
St-Domingue 1787 - Paris 1872

Peintre. Don en 1868 d'un tableau de sa main, *Hercule combattant un serpent* (déposé en 1876 au Musée de Fontenay-le-Comte).

FORGET Charles-Gabriel
Paris 1807 - Paris 1873

Peintre. Lègue, en 1873, une statuette de *Vénus* en marbre (Italie, XVIᵉ s.).

FOROUGHI Mohsen
1907 - 1984

Homme politique iranien, plusieurs fois ministre. Don de petits objets iraniens dont une collection de cachets archaïques du Louristan et de Bactriane et le fameux *Taureau* de Marlik (sud-ouest de la mer Caspienne), ainsi que de trois coupes de céramique islamiques provenant de Nichapour en 1962.

Studia Iranica 15 (1986-2), pp. 245-248.

FORTUNY Henriette
† Venise 1949

Belle-fille du peintre M. Fortuny, elle donna

T. Foujita
*Autoportrait, Musée d'Art moderne
de la Ville de Paris*

A. Fould
F.J. Heim, Louvre

F.A. Fouqué

M.R.A. Fouques-Duparc
H. Regnault, Louvre

---

au Louvre neuf albums de dessins de l'artiste espagnol.

FOUCART Madame

Don en 1955 d'une coupe attique sans pied du début du IVe s. av. J. -C.

FOUCART Jacques
FOUCART Bruno

Jacques Foucart, conservateur en chef au Département des Peintures du Louvre est chargé du service d'Étude et de Documentation de ce département. Spécialiste des écoles du Nord et du XIXe s., il est l'auteur de nombreuses publications dans ces domaines. Il a donné en 1975, sous réserve d'usufruit, une grisaille de D. Barendsz, *La trahison de Judas* (abandon de l'usufruit en 1986 à l'occasion du don par les Amis du Louvre de deux autres Barendsz de la même série). Avec son frère Bruno Foucart, professeur à la Sorbonne, il a donné en 1974 un grand dessin de L. O. Merson, *La Musique*, et avec son épouse Élisabeth Foucart-Walter, conservateur au Département des Peintures, il a fait divers dons au Musée d'Orsay et à plusieurs musées de province, entre autres Amiens, Beauvais, Caen, Dijon, Gray, Lille, Lyon, Orléans, Pau, ainsi qu'à l'Institut néerlandais à Paris.

FOUCART Jean Baptiste
Valenciennes 1823 - Valenciennes 1895

Avocat à Valenciennes, et écrivain amateur. Il publia plusieurs pièces de vers et une comédie, se lia d'amitié avec Auguste Comte dont il fut l'un des exécuteurs testamentaires, et avec Carpeaux dont il offrit plusieurs œuvres au Musée de Valenciennes. Don de deux tableaux : un *Portrait de religieux* par J. Gossaert en 1872 et une *Tête de Vierge* par Claessens, en 1879 et en 1883 d'un buste de Carpeaux représentant le notaire Beauvais (déposé en 1934 au Musée des Beaux-Arts de Valenciennes).

FOUCHER Mme Victor

Épouse de Victor Foucher, magistrat et jurisconsulte français (1802-1866). Don en 1867 d'un gobelet côtelé en terre cuite trouvé dans le Voltume (Italie).

FOUJITA Tsugouharu
Tokyo 1886 - Zurich 1968

Peintre et graveur français d'origine japonaise. Don à la Chalcographie en 1927 de deux planches gravées à l'eau-forte et à la pointe-sèche.

FOULD Achille
Paris 1800 - La Loubière (Hautes-Pyrénées) 1867

Fils du banquier Pierre-Léon Fould, il fut plusieurs fois ministre de Napoléon III ; le Louvre fit en 1860 l'acquisition d'une partie de sa collection d'antiquités égyptiennes, qui comprenait plusieurs pièces provenant de la collection Anastasi. Il offrit au Louvre en 1857 quatre scarabées, dont deux royaux, provenant de la même collection.

Chabouillet, *Description des antiquités et objets d'art composant le cabinet de Monsieur Louis Fould*, Paris, 1861.

FOUQUÉ Ferdinand André
Mortain (Manche) 1828 - Paris 1904

Vulcanologue. Membre de l'Institut. Don en 1880 avec Jean Léon de Cessac d'une œnochoé à bec cycladique et d'un fragment de grand vase géométrique en terre cuite provenant de Théra (Santorin).

FOUQUÉ Mme, née Sylvie Joséphine Busquet
St-Ouen-l'Aumône 1872 - Ste-Marie-sur-Mer (Loire-Atlantique) 1959

Descendante de la fille adoptive de Louis Daguerre. Don, en 1934, d'un buste en plâtre de ce dernier, par Rude.

FOUCQUES-DUPARC Marie Robert Arthur
Paris 1842 - Paris 1915

Homme de lettres, sous-inspecteur des Beaux-Arts vers 1874, critique d'art dans *Le Correspondant* (1872-1874), il publia la correspondance de son ami le peintre H. Regnault. Il légua au Louvre sept portraits dessinés de sa famille ainsi qu'un portrait peint de sa femme, par Regnault. Ce legs était fait sous réserve d'usufruit au profit de ses enfants, Xavier Fouques-Duparc, Mme Louis Raymond Canat de Chizy et Mme René Marie Colmet Daâge, et des enfants de leur frère Robert, décédé, Henri, Antoinette et Noël Fouques-Duparc. Ils renoncèrent à l'usufruit dès 1920 (œuvres entrées en 1922).

FOUQUET Daniel
Doué-la-Fontaine 1850 - Le Caire 1914

Après avoir effectué deux séjours en Amérique du Sud, il s'installa en 1881 au Caire où il s'illustra en tant que médecin lors de l'épidémie de choléra de 1883. Il publia en 1900 une *Contribution à l'étude de la céramique orientale*, un des premiers ouvrages spécialisés sur la question. Sa collection fut dispersée en 1922 lors d'une vente aux enchères à Paris. Il fit plusieurs dons à des musées - Rouen, Lyon, Sèvres, Le Caire - et surtout au Louvre en 1891, 1892, 1894 : des figurines en céramique sassanides, des tessons de verrerie gréco-romaine et un ensemble de bois islamiques dont le "panneau à l'Oiseau stylisé" (Égypte, IXe-Xe s.).

FOUQUET héritiers de Jacques

Il organisa au Salon des Indépendants, durant 9 ans, des rétrospectives portant sur la période 1884-1970. Intermédiaire dans l'acquisition par le Musée du Louvre de dessins et pastels d'Émile Schuffenecker, en 1978, il exprime le souhait de faire un don au Louvre. Ses héritiers réalisent ce vœu en donnant au Cabinet des Dessins en 1981, par l'intermédiaire de Mme Béatrice de Zélicourt, deux carnets de croquis de A. Bénouville et des dessins de F. Juncker et E. Schuffenecker.

FOUQUIAU Paul-Casimir
La Ferté-St-Aubin 1855 - ?

Architecte, donne, en 1882, une *Allégorie du Commerce*, bas-relief de pierre du XVIIᵉ s., qui ornait la façade de l'ancien hôtel d'Effiat que l'on venait de démolir.

FOURCAUD Mme Louis de

Don en 1915 du portrait de son mari, le célèbre historien et critique, peint par Sargent en 1884 (Orsay).

FOURIÉ Mme Albert
voir **COLIN André**

FOURNIER Charles
Salmaise 1803 - Birkenhead (Angleterre) 1854

Peintre français. En exécution de ses vœux, sa veuve fit don en 1854 du dessin préparatoire pour le dernier tableau que Ch. Fournier laissa inachevé à sa mort, *L'Apothéose de Napoléon Iᵉʳ*.

FOURNIER Mlle Marguerite Henriette Delphine Camille
Bruxelles 1855 - Viroflay 1911

Legs d'un ensemble de trente-cinq dessins (entrés au Louvre en 1923) essentiellement des écoles italienne (dont un *paysage* de Campagnola), hollandaise, française et anglaise ainsi que cent seize gravures. Parmi les dessins français l'on remarque une feuille de Victor Hugo dédicacée au père de la donatrice, Charles, compagnon d'exil de l'écrivain.

FOURNIER-SARLOVEZE Achille
Moulins 1808 - Montluçon 1872

Juge d'instruction à Montluçon et conseiller général de l'Allier, il donna en 1854, au nom de sa famille, le portrait de son oncle le général comte François Fournier-Sarlovèze (1773-1827) peint par Gros. Le tableau fut accepté par l'empereur NapoléonIII pour le Musée de Versailles, d'où il passa au Louvre en 1889.

FOUSSIER Édouard
Paris 1824 - Paris 1882
FOUSSIER Mme Édouard, née Françoise Rivet
Auxerre 1820 - Paris 1885

Fils de Jean Foussier, avoué parisien, et de Charlotte-Coralie Biennais, fille du célèbre orfèvre de Napoléon, Édouard Foussier, après avoir fait des études de droit, devint auteur dramatique, faisant jouer sa première pièce en 1850 et collaborant avec Émile Augier. Après avoir en vain tenté de vendre au Louvre deux vases en bronze de son grand-père Biennais en 1868, il les légua au Louvre sous réserve d'usufruit pour sa femme (épousée en 1862), qui, en 1883, préféra les donner de son vivant.

FOYATIER Famille

Descendante du sculpteur D. Foyatier (1793-1863), Mme Marguerite Frouin, née Blanchard (au nom de sa mère Mme Jules Blanchard, née Marie Foyatier), Mme Deloye née Pauline Foyatier et Mme Toulet, née Gabrielle Foyatier, donnent en 1916 l'*Amour* (marbre), œuvre de leur père et grand-père.

FRADIN de BELABRE baron Louis
1862 - ap. 1919

Diplomate, vice-consul de France à Rhodes en 1899, don au Département des Antiquités orientales d'une statue égyptienne démotique trouvée à Rhodes.

FRAGUIER marquise de, née Élisabeth Hély d'Oissel

Descendante du grand amateur Pierre-Jean Mariette, elle a fait don en 1972 au Cabinet des Dessins de la précieuse correspondance échangée entre Pierre-Jean Mariette et son père Jean Mariette pendant son séjour à Vienne au service du prince Eugène de Savoie et son voyage en Italie. Sa fille Douce de Fraguier (décédée), épouse du comte Bruno de Boisgelin, s'est associée à ce don.

FRANCHI Nicolas Paul Vincent Napoléon
Petreto-Bicchisano (Corse) 1871 - ap. 1932
DRIOUX Louis Georges Joseph
Langres (Haute-Marne) 1888 - ap. 1948

Médecin-chef et officier d'administration de l'ambulance de Verria, en Macédoine, ils ont donné une tête de femme colossale en marbre, trouvée près de Verria, en 1919.

FRANCK Bernard
Asnières 1922 - Katmandou 1987

Legs, en souvenir de sa femme, née Betty Turner, d'un tableau de W. Etty, *Femme nue de dos*, entré en 1988.

FRANÇOIS-PONCET Albert
Tonnerre 1890 - Paris 1985

Industriel français, il donna en 1962, puis en 1965, un ensemble de quarante six dessins de son beau-père R. Piot (1869-1934). Chartiste de formation, il était membre des Amis du Louvre et lié notamment avec A. Gide et F. Poulenc.

FRATTESI Mme, née Bléry

Fille du peintre et graveur E. Bléry (1805-1887). Don à la Chalcographie en 1910, de deux-cent-dix planches gravées par lui, ainsi que de gravures au Musée du Luxembourg.

FREDY Henri Marie comte de
Paris 1838 - St-Auvent (Haute-Vienne) 1924

Maire de Saint-Auvent de 1884 à sa mort, Conseiller général, apparenté à la famille des Coustou, il donne, en 1874, deux statuettes de terre cuite de Nicolas Coustou, le *Gladiateur Borghèse* et l'*Hercule Commode*. En remerciement, on lui accorda une coupe de Sèvres.

FREMONT-CHERVIER Suzanne

Peintre, elle a été sociétaire du Salon d'automne à partir de 1934. Don au Département des Antiquités orientales d'un moulage du lion de Babylone (original disparu), en 1934.

FRÈRES PRÊCHEURS (dominicains)

Province dominicaine de France. Don (transmis par le père Vallée) en 1909 par la Bibliothèque du Saulchoir d'une suite de cinq études sur le thème de la vie de Saint Dominique par le père Hyacinthe Besson.

B. Horaist, *L'œuvre peinte du R. P. Hyacinthe Besson O. P. 1816-1861* (thèse), Université de Paris X (Nanterre), 1980.

FRESCO Frédéric

Industriel. Don à la Section islamique en 1981 d'une ceinture "polonaise" du XVIIᵉ s.

FREULER Louise

Don en 1891 d'une miniature de Bourgeois représentant le *Portrait de Fanny Morlot*, parente du légataire (sa femme ou sa mère ?) et peintre (1792-1876), en exécution du legs d'Ernest Sébastien Morlot décédé quelques années plus tôt.

FREVILLE de LORME baronne de, née Inès Rosty Barkoczy
Rome 1884 - Paris 1971

Artiste-peintre, sous le nom d'Inès Barcy, élève de Lenbach et de Mosson, elle est surtout connue pour ses portraits. Présidente d'honneur de l'Union des Femmes peintres et sculpteurs. Don sous réserve d'usufruit en 1971 de deux pastels de Lenbach.

FREYCINET Melle Cécile de

Don en 1931 d'un statuette féminine en terre cuite au Département des Antiquités grecques et romaines, en souvenir de son père Charles-Louis de Saulces de Freycinet (Foix 1828 - Paris 1923). Académicien, il fut Président du Conseil à quatre reprises et Ministre de la Guerre de 1888 à 1893.

FRIBOURG René
Arlon (Belgique) 1880 - New York 1963

Administrateur de sociétés en France et aux États-Unis, devenu citoyen américain, il était

P.F. Gachet
V. Van Gogh, Orsay

P.L.L. Gachet
E. Bernard, Orsay

à sa mort président honoraire de la Compagnie Continentale (France) et président du Conseil d'administration de la Continental Grain Company (New York). Ayant rassemblé une abondante collection de meubles et objets français du XVIIIᵉ s., il donna sous réserve d'usufruit en 1951 une paire de chenets à tritons, signée par Antoine Moreau. Sa collection fut vendue après sa mort à Londres en 1963.

FRIEDSAM Colonel Michael
États-Unis 1860 -1931

Président de la firme Altman et Cie de New York. Il légua au Metropolitan Museum de New York sa collection d'objets d'art et de peintures, spécialement remarquable par les Primitifs français et nordiques et réuni grâce au concours expérimenté du marchand Kleinberger*. Il donna au Louvre en 1925 la *Circoncision* de B. Veneto puis l'année suivante, grâce à l'entremise occulte de son neveu A. Lœbl*, le *Paysage* de A. Brouwer que les musées nationaux n'avaient pu, faute de fonds suffisants, acheter à la vente Warneck.

L. Réau, "Une collection de Primitifs français en Amérique", *Gazette des Beaux-Arts*, janv. 1926, pp. 1-15.

FRŒHNER Christian
Karlsruhe 1834 - Paris 1925

Conservateur au Musée du Louvre, d'abord attaché au Département des Antiquités puis conservateur des Objets d'Art des résidences impériales. Il a laissé des catalogues des collections encore indispensables. Dons de statuettes et de papyrus en 1868 et 1870 au Département des Antiquités égyptiennes.

FROIDEVAUX Mme Yves,
née Madeleine Flandrin

Petite-fille du paysagiste P. Flandrin (et par là-même arrière petite-fille d'A. Desgoffe, lui aussi paysagiste) et petite nièce des peintres H. et A. Flandrin, épouse de l'Architecte en chef et Inspecteur général des Monuments historiques Y. Froidevaux (1908-1983), belle-sœur de Mme Flandrin-Latron*, elle fut avec sa sœur Marthe Flandrin (1904-1987), qui était elle-même artiste (peintre-décorateur d'églises

et aquarelliste), l'une des initiatrices de la grande exposition de trois frères Flandrin organisée à Paris et Lyon en 1984, et donna à cette occasion, avec ses enfants, le portrait de l'épouse d'H. Flandrin, peint par ce dernier en 1846. Avec Marthe Flandrin, elle édita en 1984 le *Journal* d'H. Flandrin en Italie et les premières lettres des trois jeunes artistes.

FROMENT-DELORMEL Eugène
Paris 1820 - Paris 1900

Élève et ami du peintre E. Amaury-Duval, il était son exécuteur testamentaire. En cette qualité il donna en 1890 le *Portrait de Pierre Duval*, dit Amaury-Duval, membre de l'Académie des Inscriptions et Belles-Lettres, peint par son fils E. Amaury-Duval (déposé en 1927 à Versailles).

FROUIN Mme André
voir **FOYATIER famille**

FRYSZMAN M. et Mme Jacques

Historien, amateur d'art, collectionneur de dessins Jacques Fryszman donna avec son épouse en 1983, sous réserve d'usufruit, un tableau attribué à J. Pynas, la *Lapidation de saint Étienne*, "en souvenir du Dr. E. I. Schapiro" à qui le tableau avait appartenu, avant d'être acquis en 1978 par le donateur ; J. Fryszman était en effet un vieil ami du collectionneur londonien d'origine russe Efim I. Schapiro (1899-1977), qui lui légua par ailleurs ses dessins.

FUCHS Rudolf

Officier autrichien (lieutenant du 12ᵉ lanciers), fils du dentiste de la famille impériale d'Autriche. Il donna au Musée des Souverains en 1863 des cheveux du duc de Reichstadt coupés par son père après la mort du prince (déposés au Musée de l'Armée).

FUSTIER Mme Patrice
voir **CARAMAN comtesse Béatrice de**

GABARROU Mme,
née Jeanne Marie Courbec
Paris 1847 - Antibes 1935

Legs en 1936 du portrait sculpté en marbre de sa mère Herminie Félicie Courbec, née Bully, exécuté par Clésinger (dépôt en 1938 au Musée de Boulogne-sur-Mer).

GABORIAUD Léo Abel

Vivait à Paris. Don d'un tableau de Raffet (1929).

GABRIEL Monseigneur

Don d'un chapiteau byzantin en pierre et de plusieurs briques avec inscriptions provenant de Constantinople, 1886.

GABRIELLI Mme Algernon
voir **JONES Mme Antoine**

GACHET Paul Ferdinand
Lille 1828 - Auvers-sur-Oise 1909

Le Dr. Gachet, médecin qui avait songé à être peintre, ami de jeunesse de Van Gogh, familier de Courbet et d'Armand Gautier, fut particulièrement lié dès le début des années 1870 à Cézanne (qui séjourna à Auvers-sur-Oise), à Pissarro et à Renoir*. Plus tard, c'est Pissarro qui suggéra à Théo van Gogh, à cause de la présence du Dr. Gachet, de proposer à Vincent de séjourner à Auvers, à son retour du Midi. Le Dr. Gachet offrit aux musées nationaux, en 1892, son portrait peint par R. Gœneutte (Orsay).

P. Gachet, *Deux amis des impressionnistes le Dr. Paul Gachet et Murer*, Paris 1956.

GACHET Paul Louis Lucien
Auvers-sur-Oise 1873 - Auvers-sur-Oise 1962
GACHET Mlle Marguerite Clémentine Élisa
Paris 1869 - Auvers-sur-Oise 1949

Paul Gachet, sa vie durant, s'est attaché à perpétuer le souvenir de son père, le Dr. Gachet*, inséparable de celui de Vincent van Gogh et des dernières semaines de la vie de l'artiste à Auvers. *Le portrait du docteur Paul Gachet* par Van Gogh fit justement partie du premier don - auquel s'associait Marguerite Gachet - fait par Paul Gachet en 1949, don commémorant de manière différée par la guerre, le cinquantenaire de la venue de Vincent à Auvers en 1890. Ce premier don (qui comprenait aussi deux *Autoportrait* de Van Gogh et Guillaumin) fut suivi de plusieurs autres qui firent entrer dans les collections nationales la plus grande partie de la collection rassemblée par de Dr. Gachet, et largement préservée par ses enfants ; en 1951 des dessins (Gautier, Outin, Cézanne, Gachet, Bourgeois, Viges, Pissaro, Renoir, Sisley, etc) ; en 1954 des tableaux de Van Gogh, Cézanne et Pissaro. En 1958, P. Gachet offrit plusieurs toiles de son père (qui signait Paul van Ryssel) et de lui même. Il fit également en mémoire de son père plusieurs dons au Musée de Lille (ville natale du docteur) et au Musée Fabre de Montpellier (où le Dr. Gachet avait terminé ses études médicales).

GADIFFET-CAILLARD
Mlle Eugène-Marie
Paris 1857 - Nice 1927

Legs d'un bas-relief, en terre cuite, *Vulcain et les amours forgerons* (France, XVIIIᵉ s.), et d'un tabouret de style Louis XIV.

GAFFIOT Danielle

Antiquaire parisienne. Don en 1971 d'un devant d'autel brodé du XVIIIᵉ s.

GAILHABAUD Jules
Lille 1810 - ap. 1878

Voyageur et historien de l'art, fondateur de la *Revue Archéologique*, directeur du Service des Antiquités parisiennes fondé pour lui par la Ville de Paris à laquelle il avait donné sa bibliothèque (estampes, publications d'archéologie et d'histoire de l'art). Don d'un fragment d'encadrement de porte en bronze, provenant d'Italie méridionale (1874).

GAILLARD Claude Ferdinand
Paris 1834 - Paris 1887

Peintre et graveur, élève de L. Cogniet, il obtint en 1856 le grand Prix de Rome pour la gravure. En 1878 puis en 1884 il fit don de trois de ses dessins.

GALBRUN Charles Louis
1863 - Paris 1925

Secrétaire des musées nationaux. Don en 1894 puis en 1897 d'un dessin de Leys et d'un autre de David d'Angers.

GALICHON Émile Louis
Paris 1829 - Cannes 1875

Critique d'art et éditeur de la *Gazette des Beaux-Arts*, il donna au Louvre en 1860, un dessin de S. Bourdon.

GALICHON Louis Marie
† Paris 1893

Frère d'Émile Galichon*, commerçant et amateur il légua au Musée trois dessins, dont une composition de Léonard de Vinci et une de Rembrandt ainsi qu'une esquisse de terre cuite due à Jean Bologne, *Ferdinand Iᵉʳ, grand duc de Toscane, relevant la ville de Pise*.

GALICHON Roger Étienne
Paris 1856 - Trouville 1918

Fils d'Émile Galichon*, Roger Galichon était membre de la Société des Amis du Louvre. Il légua au Louvre trente-neuf dessins et aquarelles, provenant de la collection de son père, parmi lesquels des feuilles de David, Ingres*, Delacroix, H. Monnier et Prud'hon. Il légua en outre un tableau de Jacopo de Barbari, *La Vierge à la fontaine*, ainsi qu'une somme de 600.000 F. destinée à l'achat d'œuvres, dont les arrérages permirent l'acquisition en 1924 d'un tableau de Baldung Grien (alors attribué à Beham), *Le chevalier, la jeune fille et la mort*.

GALLET Auguste Frédéric
Arpajon 1825 - Versailles 1898

Chanoine titulaire de Versailles en 1881. Don en 1882 d'un dessin de Liotard.

GALLIFFET Alexandre Justin Marie, marquis de
Aix-en-Provence 1790 - Paris 1854

Père du général de Galliffet (1830-1909). Officier, il quitte l'armée en 1830 et se consacre à la gestion de son patrimoine, qui comprenait, entre autres, des carrières de marbre au Tholonet, près d'Aix. En 1830, il fait hommage au roi de deux colonnes en marbre de cette carrière. En remerciement le roi lui fit offrir une porcelaine.

GAMBART Étienne
1814 - 1902

Marchand associé à Goupil, installé à Londres 21 Pall Mall, il vendait entre autres les œuvres d'A. Scheffer, de Bouguereau, de R. Bonheur et d'E. Dubufe. Il légua au Luxembourg un tableau où l'on voyait R. Bonheur, peinte par Dubufe, aux côtés d'un veau que l'artiste avait peint elle-même (dépôt à Versailles).

J. Maas, *Gambart, Prince of Victorian Art World*, Londres, 1975.

GANAY Hubert marquis de
Courances (Essonne) 1888 - Paris 1974

Il hérita de la célèbre collection de sa tante la comtesse de Béhague*, qu'il augmenta. Membre du Conseil artistique de la Réunion des musées nationaux, il fit plusieurs dons : en 1939, en souvenir de Mme de Béhague, la tenture dite du "siège de Vienne" (Iran ou Inde, déb. du XVIIᵉ s.) ; en 1950, également en souvenir d'elle, une statue de nymphe grecque, figure d'acrotère du temple d'Apollon Epicourios à Bassai-Phigalie, temple construit par Ictinos, architecte du Parthénon ; en 1966, treize dessins de J. M. Sert, préparatoires au décor du salon de musique de l'hôtel de la princesse Edmond de Polignac* ; en 1970, un autel domestique sicilien du VIᵉ s. av. J.-C. Il offrit aussi une collection d'instruments de musique au Musée des Arts décoratifs (1939) et un dessin de G. de Saint-Aubin au Musée Carnavalet (1974). Une partie de la collection de Mme de Béhague fut vendue à Monaco le 5 décembre 1987. Les cinq fils de M. de Ganay, Jean-Louis, marquis de Ganay, les comtes Charles, André, Michel et Paul de Ganay, ont offert au Louvre en 1988, en souvenir de leur père, deux objets majeurs, une statuette de roi égyptien en argent d'époque ramesside et un bas-relief en stéatite représentant l'*Etimasie* (art byzantin, Xᵉ s.), ainsi qu'un bronze gallo-romain, Le *Faune de Jouey*, au Musée des Antiquités nationales de St-Germain-en-Laye.

GANDERAX Étienne Pierre Marie
Paris 1857 - Paris 1944

Ministre plénipotentiaire. Legs d'une œuvre du sculpteur A. J. Dalou, *Bébé endormi* (Orsay).

GANGNAT Philippe

Ingénieur civil des mines, fils de Maurice Gangnat (1856-1924). Ce dernier fut un des rares intimes de Renoir* à la fin de sa vie et posséda plus de cent cinquante toiles de Renoir, peintes à quelques exceptions près entre 1905 et 1919. En mémoire de son père, Philippe Gangnat offrit au Louvre en 1925, la célèbre *Gabrielle à la rose* (Orsay).

Cat. de vente, Paris, Hôtel Drouot, *Collection Maurice Gangnat*, 24-25 juin 1925.

GANSL Elmer

Don en 1981 au Département des Antiquités orientales d'une collection de sept poids en bronze.

GANZ J. Paul
Zurich 1872 - Oberhofen-bei-Thun 1954

Conservateur au Musée de Bâle et professeur à l'Université de la même ville, P. Ganz fut l'auteur de nombreux ouvrages sur l'art suisse et en particulier sur les dessins de Holbein le jeune dont il rédigea le corpus en huit volumes. Il donna en 1921 une feuille de Daniel Lang de Shaffhouse, *Les armes de Henri II*.

GARDEL Jean-Baptiste
Limoges 1818 - Limoges 1874

Élève d'Ingres* et de Drölling, il entra à l'École

des Beaux-Arts en 1843. Il exposa des paysages au Salon, de 1836 à 1857, et fut le portraitiste attitré de la Société limousine. Don en 1868, d'un dessin de H. Regnault, *Portrait de Gardel*.

GARDINER sir Alan
Eltham 1879 - Oxford 1963

Égyptologue britannique, philologue élève de Maspéro* à Paris puis d'Erman* à Berlin ; participe à la fondation du *Journal of Egyptian Archaeology*, auteur d'un ouvrage de référence : *La grammaire égyptienne*. Don de neuf fragments de papyrus funéraires du Moyen Empire en 1935.

R. O. Faulkner, *Journal of Agyptian Archaeology* 35 (1949) pp. 1-12. C. Picard, *Revue Archéologique*, 1964, pp. 53-56.

GARIBALDI Charles

Marchand établi à Marseille, spécialiste de Monticelli, expert auprès des Tribunaux à Marseille, il donna en 1950 le *Portrait de Madame Tessier* par Monticelli (Orsay).

GARNIER Mme Charles, née Louise Barie
Paris ? - Paris 1922

Épouse de l'architecte de l'Opéra de Paris. Légua le buste de celui-ci, en bronze exécuté par Carpeaux, et de son portrait peint par Baudry (immédiatement déposé au Musée de Versailles). Elle légua aussi son portrait, également peint par Baudry. Le Musée de Versailles ayant déposé au Musée d'Orsay le portrait de l'architecte, les deux époux s'y trouvent aujourd'hui réunis.

GARNIER Étienne

Donation sous réserve d'usufruit, en 1988, d'un tableau de J. B. Oudry illustrant une fable de La Fontaine : *Le petit poisson et le pêcheur* (1739).

GARNIER Mlle Marie Cécile
Paris 1840 - Paris 1894

Arrière-petite-fille du pastelliste J. Boze (1745-1826), petite-fille d'Ursule Boze (1775-1850) et petite-nièce de Fanny et de Victoire Boze*, toutes trois également artistes. A sa mort entrèrent au Louvre deux portraits de famille qu'elle léguait, l'un selon la volonté de sa mère, Mme Garnier née Cécile Lejean (portrait, peint par J. A. Laurent, de *Madame Lejean, née Ursule Boze, avec ses filles Eulalie et Cécile*), l'autre selon la volonté de sa tante Victoire (portrait par son mari de *Madame Joseph Boze*).

GARNIER Maurice

Don en 1949 au Département des Antiquités grecques et romaines de sept terres cuites votives et architecturales provenant de Tarente.

GARNIER Paul Casimir
Paris 1834 - Paris 1916

Ingénieur civil, dirigeant une fabrique d'instruments de précision et d'horlogerie, fournisseur de la Marine et des Chemins-de-fer français. Lié au groupe des collectionneurs parisiens des dernières décennies du XIXᵉ s., il avait réuni une collection de montres et d'horloges, complétée par des bronzes des XVIᵉ et XVIIᵉ s. et des ivoires gothiques. L'essentiel des pièces d'horlogerie fut légué au Louvre (1916) avec quelques plaquettes de bronze de la Renaissance, une plaque d'argent ciselé (France, fin XIVᵉ s., *Vierge à l'Enfant au donateur*) et la célèbre statuette d'ivoire de *Vierge d'Annonciation* (Paris, milieu XIIIᵉ s.)

G. Migeon, "La collection Paul Garnier", *Les Arts*, 1906, n° 551, pp. 2-11, et n° 52, pp. 13-24.

GATTE Mme François, née Maria Maddalena Bianchina Clarice Ninci
Portoferraio (Livourne) 1797 - ap. 1855

D'une famille distinguée de l'île d'Elbe, apparentée à Giuseppe Ninci, auteur de la *Storia dell'isola dell'Elba* (Porteferraio, 1815), elle faillit épouser le général Drouot, gouverneur de l'île d'Elbe à l'époque du séjour de Napoléon, mais se maria à Porteferraio, le 28 octobre 1814, avec François Gatte (1789-1832), pharmacien en chef de l'Empereur. Celui-ci signa leur contrat de mariage et fit plus tard un legs à Gatte. Sa veuve donna au Musée des Souverains en 1853 la cocarde que portait Napoléon lors des adieux de Fontainebleau et de son arrivée à l'île d'Elbe (déposée au Musée de l'Armée).

F. Beaucour, "Les Picards autour de Napoléon à l'île d'Elbe en 1814-1815", *Bulletin de la Société des Antiquaires de Picardie*, t. LV (1973-74), pp. 130-148. R. Christophe, *Napoléon, empereur de l'île d'Elbe*, Paris, 1959, pp. 116-117,214.

GATTEAUX Jacques Édouard
Paris 1788 - Paris 1881

Graveur et sculpteur, membre de l'Institut, fils du graveur en médailles Nicolas-Marie Gatteaux. Prix de Rome (1809), se lie avec Ingres* à la Villa Médicis et entreprend d'agrandir la collection de son père. Son cabinet, composé de livres, dessins, estampes, tableaux, bronzes, terres cuites et médailles fut en partie détruit par les flammes pendant la Commune. Dès 1864 il fit don au Louvre de deux dessins (Le Pérugin et Mantegna), puis de trois dessins en 1869 (dont une feuille de Lagneau) ; à nouveau en 1873 il offrit un choix de dessins de différentes écoles. Son legs, extrêmement important, comprenait un tableau de Memling (*Vierge à l'Enfant entourée de saintes*) un ensemble de cent-cinquante-cinq dessins (Michel-Ange, Dürer, Primatice, Ingres), une tête antique de femme voilée provenant de Chypre et un petit bronze antique ; un nombre important de sculptures (la *Cléopâtre* alors attribuée à Poussin, Chaudet, Moitte, Cortot et Houdon - notamment le *Buste de Buffon* et *La frileuse*), y compris des œuvres de lui-même et un bronze de son père

R.E. Galichon
Bibl. nat., Paris

Mme Ch. Garnier
P. Baudry, Orsay

P.C. Garnier

J. Ed. Gatteaux
P. Flandrin, Versailles

P. Gaudin

Ch. de Gaulle

Nicolas-Marie Gatteaux; des bronzes de la Renaissance (*Faune jouant de la double flûte, Ganymède, Hercule* d'après un modèle de l'Antico, *L'architecture* d'après Jean de Bologne, attribuée à Antonio Susini, *Laocoon*) et plusieurs émaux peints de la même période (*L'Ascension*, attribuée à Jean I Pénicaud, *La Crucifixion*, attribuée à Jean II Pénicaud, *Figures féminines*, attribuées à Pierre Pénicaud).

G. Duplesssis, "Le Cabinet de M. Gatteaux", *Gazette des Beaux-Arts*, t. II, 1870, pp. 338-354.

GAUBE-BERTIN Mme Janine

Nièce de l'actrice Rachel Boyer (1864-1935), de la Comédie-Française - qui, entre autres œuvres philanthropiques, fonda en 1921 le cours public et gratuit d'histoire de l'art qui porte son nom à l'École du Louvre - Mme Gaube-Bertin a manifesté son attachement au "Cours Rachel-Boyer" en offrant à plusieurs reprises, en fin d'année scolaire, un voyage ou un prix aux meilleurs élèves. En 1972, elle a donné le portrait de *Rachel Boyer en Diane*, peint en 1886 par Maurice Boutet de Monvel (don ratifié en 1974).

GAUBERT galerie Jean-Claude

Installée à Paris au début des années 1970, elle était spécialisée dans l'art Modern Style et organisa quelques expositions, notamment *Idéalistes et symbolistes* (1973) et *Carlos Schwabe* (1974). Don en 1974 d'une peinture de Mazek, *La prophétesse Libuse* (Orsay), et d'un dessin de Khnopff.

GAUBERT Pierre

Marchand de peintures et dessins, il a fait bénéficier les musées nationaux (Mouilleron-en-Pareds, etc...) et les musées de province de nombreux dons. Don au Louvre en 1979 d'un dessin d'A. Hesse.

GAUCHEZ Léon
voir **LEROI Paul**

GAUCKLER Mlle Anna

Don en 1913 d'objets de la nécropole de Gourga (Tunisie) en souvenir de son frère P. Gauckler*.

GAUCKLER Paul
Colmar 1866 - Rome 1911

Fut chargé d'une mission pour l'organisation des musées d'Algérie (1890) et fut ensuite nommé inspecteur, chef du Service des Antiquités et des Arts de la Régence de Tunis (1892). Conservateur du Musée du Bardo à Tunis. Don (1900-1901) de céramiques carthaginoises.

GAUD Michel

Médecin et collectionneur de dessins anciens dont une partie fut mise en vente à Monaco en juin 1987, le Dr. Michel Gaud a donné au Cabinet des Dessins en 1984 deux œuvres d'artistes italiens, Tanzio da Varallo et Il Visacci.

GAUDIN Paul
1858 - Versailles 1921

Ingénieur qui construisit des lignes de chemin de fer en Turquie et au Proche-Orient (ligne de Smyrne à Cassaba et prolongement). Dons (de 1899 à 1901) de petits objets en bronze de Syrie, de Cappadoce, de vases de pierre (1920) d'un lot très important de figurines en terre cuite d'Asie Mineure, et du produit de ses fouilles à Yortan.

GAULLE Charles de
Lille 1890 - Colombey-les-Deux-Églises 1970

Président de la République française de 1959 à 1969. Dons de 1962 à 1965 d'objets qui lui avaient été offerts par des chefs d'États étrangers, au cours de voyages officiels : en 1962, un casque corinthien en bronze ; en 1963, une épée du type de celles du Louristan et un collier en or filigrané (Iran, XIIᵉ s.), offerts par le Shah d'Iran ; en 1964, des objets archéologiques provenant des sites de Dhiban et Amman, donnés par le roi Hussein de Jordanie ; une monnaie de Vespasien et une médaille commémorative du Xᵉ anniversaire de l'État d'Israël, remis par Levi Eshkol, président du Conseil d'Israël ; en 1965, trois vases égyptiens en albâtre datant de l'Ancien Empire.

GAULTIER Madame

Don en 1954, sous le titre de l'*Automne* par le sculpteur Cavelier, d'une œuvre du sculpteur Halou, la *Vendange*, modèle au quart pour l'un des groupes de couronnement du Pavillon des États au Louvre (Musée d'Orsay).

GAUTIER Mme Georges, née Mathilde Aline Desbrochers
Paris 1866 - Château de l'Andelle, Forges-les-Eaux (Seine-Maritime) 1918

Fille d'A. Desbrochers (1841-1902), peintre paysagiste, Mme Gautier légua, sous réserve d'usufruit en faveur de son mari, des œuvres de Corot* (ami de son grand-père paternel qui était homme d'affaires et peintre amateur) et de Chintreuil et J. Desbrosses* (maîtres de son père). Dès 1919, M. Gautier prit la généreuse décision (qui devint effective en 1922) de renoncer à tout droit sur les Corot : deux peintures (*Adolphe Desbrochers enfant tenant une orange*, 1845 ; *Mère Marie Héloïse des Dix-Vertus*, supérieure du couvent de l'Annonciade de Boulogne-sur-Mer, 1852) et deux dessins (portraits d'Adolphe Desbrochers père, 1831, et de sa femme, 1838). En 1926, il abandonna pareillement son usufruit sur huit tableaux de Chintreuil et neuf de Desbrosses. (Actuellement, ne reste au Louvre de cet ensemble que *La prairie à Igny* de Chintreuil ; les autres peintures ont été déposées, pour la plupart dès 1926 avec l'accord de M. Gautier, dans divers musées, notamment ceux de Reims, Arras, Amiens, Rouen et à la mairie de Septeuil, localité où Chintreuil habita et mourut).

GAUTIER de CLAUBRY

Ancien membre de l'École française d'Athènes. Don en 1859 d'un torse de faune en bronze trouvé à Apollonie d'Épire (Grèce).

GAUTTIER du LYS d'ARC Édouard
St-Malo 1799 - en mer au large de Barcelone 1843

Diplomate, en poste dans différentes villes du Proche-Orient, il fut l'un des premiers fondateurs de la Société de Géographie. Don en 1850 d'une stèle arabe qu'il avait promise au Louvre, par l'intermédiaire de son beau-frère, M. Jullienne.

GAVARD les héritiers

Don à la Chalcographie en 1897 par Mme veuve Gavard et ses enfants, Mlle Élise Gavard et l'abbé Gavard, chanoine honoraire à Amiens, des deux-mille-quatre-cent-soixante-dix-huit planches ayant servi à illustrer les deux éditions des *Galeries historiques de Versailles*, ouvrage édité par Jacques Dominique Charles Gavard et décrivant les œuvres d'art composant le Musée d'Histoire nationale installé à Versailles par Louis-Philippe en 1837. Ces gravures sur acier ont été exécutées à l'aide du diagraphe inventé par Gavard.

GAY Mme Victor, née Céline Catherine Mangue-Rouchaud

Veuve de l'architecte Victor Gay (Paris 1820 - La Barde, Dordogne, 1887), élève d'A. Lenoir et de Labrouste, collaborateur de Lassus et de Viollet-le-Duc, nommé en 1848 architecte diocésain de la cathédrale de Bourges, auteur du *Glossaire archéologique du Moyen-Âge et de la Renaissance* (Paris 1883-1909). Mme V. Gay détint pendant plus de vingt ans la collection entière de son mari, composé d'objets d'art du Moyen-Âge (ivoires, orfèvrerie, émaux, céramiques, pièces de fouilles,...). C'est seulement sur l'intervention de G. Migeon*, qu'elle consentit (en 1907-1909) à vendre en bloc la collection Victor Gay. Autour de Migeon, un groupe d'Amis du Louvre (MM. A. André*, Bruneau*, Fenaille*, Maciet*, Peytel*, Th. Reinach*, Edmond de Rothschild*,) se constitua en société pour acheter l'ensemble de la collection, dont une partie fut donnée aux musées nationaux, et l'autre vendue (23-26 mars 1909). Avec l'excédent de la vente, offert au Louvre par les sociétaires, purent encore être acquis la plaque d'ivoire ottonienne de la *Multiplication des pains* et le *Jeune berger*, bronze de Riccio. Mme V. Gay décida alors, en souvenir de son mari, d'offrir un panneau peint d'après D. Bouts.

G. Migeon, "La collection Victor Gay aux musées nationaux", *Gazette des Beaux-Arts*, mai 1909, pp. 408-432.

GAY Walter
Hingham (Massachussetts)1856 - Bréau (Seine-et-Marne) 1937

Peintre et collectionneur américain, Walter Gay quitta en 1876 Boston pour Paris où il entra dans l'atelier de L. Bonnat*. Il fit la connaissance de Manet, Mary Cassatt* et Degas ainsi que d'E. Moreau-Nélaton*. Peu après son arrivée à Paris il commença à acheter des dessins. Dès 1905 il offrit un tableau au Louvre qu'il fit suivre en 1913 par un autre, de Rousseau, *La mare dans la plaine*, et par cinq dessins français du XIXᵉ s. La donation que la veuve de W. Gay effectua, le 6 janvier 1938 peu après la mort de son mari, comportait une magnifique collection de dessins, ainsi que des miniatures, quatre médaillons en terre cuite de D. Chassel et un peu plus d'une trentaine de peintures. Parmi les tableaux des écoles hollandaise, italienne et française, on retiendra un beau Corneille de Lyon ainsi qu'un rare paysage de Watteau. Son intérêt pour le XVIIIᵉ s. français se manifeste par la présence de dessins de Gabriel de Saint-Aubin, de Boucher, et de l'*Étude pour l'automne* de Watteau. On remarquera enfin l'intérêt de W. Gay, pour les Primitifs et surtout pour l'Ecole hollandaise. Sa collection fut célèbre pour ses Rembrandt car il avait su choisir de très belles œuvres telles que l'*Arbre au pied d'une digue*. La donation Walter Gay constitue dans le seul domaine des dessins des écoles du Nord, l'apport le plus important du XXᵉ s. après la donation L. Bonnat.

L. Hautecœur, "Les dessins de la collection W. Gay", *l'Illustration*, décembre, 1927.

GAYRARD Mme
voir PATON Mme Pierre Jules

GÉDÉON

Don en 1886 au Département des Antiquités grecques et romaines, de deux briques byzantines avec inscription provenant des murailles de Constantinople.

GEFFROY Gustave
Paris 1855 - Paris 1926

Critique, romancier, président de l'Académie Goncourt désigné par Edmond de Goncourt lui-même, directeur de la Manufacture des Gobelins depuis 1908, Gustave Geffroy est de notre temps plus connu pour ses écrits enthousiastes sur C. Monet et Cézanne et le portrait que celui-ci a laissé de lui (donné sous réserve d'usufruit aux musées nationaux, Orsay) que par ses romans. Parmi ses amis peintres il faut aussi compter E. Carrière dont Gustave Geffroy légua trois œuvres (dont son portrait). Il laissa aussi une œuvre de F. Cordey (1854-1911), un ami de Renoir*, dont il appréciait vivement le talent (Orsay).

GENDRON Gabrielle Juliette Eugénie
Vendôme 1824 - Jouy (Eure-et-Loir) 1899

Arrière-petite-fille de J. Ducreux, premier peintre de Marie-Antoinette. Legs d'un portrait peint en miniature de son arrière-grand-mère Ducreux, par Augustin, et d'une loupe en nacre et argent ayant appartenu à Greuze.

W. Gay
H. Royer, Louvre

G. Geffroy
E. Carrière, Orsay

Abbé de Genouillac

Baron H.A. Gérard

L. Gérôme
J.B. Carpeaux, Musée du Petit Palais, Paris

GENOUILLAC abbé Henri du Verdier de
Rouen 1881 - Villennes-sur-Seine (Yvelines)
1940

Archéologue et sumérologue. Il laissa au Département des Antiquités orientales sa bibliothèque orientaliste et légua une partie de sa collection personnelle au Musée des Antiquités de la Seine-Maritime, à Rouen. Don au Musée du Louvre de l'ensemble de sa collection d'objets et tablettes de Kish (Mésopotamie) en 1925.

Syria XXII (1941), pp. 299-300.

GENTZ Ismael
Berlin 1862 - Berlin 1914

Portraitiste et peintre de genre il donna en 1892 au Musée du Luxembourg un dessin du peintre orientaliste W. Gentz (1822-1890) son père, dont il fut l'élève.

GEORGE Albert

Don en 1935 de fragments de statuettes et de momies animales égytiennes.

GEORGE V
Londres 1865 - Sandringham 1936

Roi d'Angleterre depuis 1910, le roi George V fit à Paris une visite officielle au printemps 1914, témoignage de l'entente cordiale qui unissait la France et l'Angleterre. Au cours de sa réception à l'Élysée, il remit au président de la République, Raymond Poincaré, cinq médaillons de bronze, provenant du décor de la place des Victoires à Paris, exécutés par Martin Desjardins, Jean Arnoul et Pierre Le Nègre, qui se trouvaient jusqu'alors dans les collections royales anglaises. Ces médaillons furent donnés au Louvre.

GEORGES-PICOT François Marie Denis
Paris 1870 - 1951

Diplomate. Don d'une inscription d'Assurbanipal sur pierre en 1921.

GERARD Albert
Blincourt (Oise) 1838 - Nanteuil-le-Haudoin (Oise) 1900

Legs au Musée du Louvre de six céramiques françaises dont une très importante paire d'aiguières de Nevers de la fin du XVIIᵉ s. et deux plaques de Rouen représentant, l'une *Mars et Vénus*, et l'autre *Junon et Éole* (v. 1740). Il offrit en outre, au Musée de Sèvres, une exceptionnelle figurine polychrome en porcelaine de Vincennes, *La petite fille à la cage*.

GÉRARD Henri Alexandre, baron
Orléans 1818 - Paris 1903

Neveu du peintre F. Gérard dont il reprit le titre de baron héréditaire accordé par décret impérial en 1870, il épousa en 1846 Pauline Schnapper († 1885) dont ils eurent un fils le baron Maurice Henri François Gérard († 1924). Attaché à la direction des musées de 1840 à 1849, il fut ensuite député du Calvados de 1882 à 1902. En 1851 il fit don au Louvre de vingt dessins et croquis de son oncle, choisis par F. Reiset, conservateur du Cabinet des Dessins. Il publia plusieurs ouvrages sur le peintre, notamment l'*Oeuvre du baron François Gérard* en 3 volumes de 1852-57 ainsi que sa correspondance en 1867.

GÉRARD Robert

Ancien administrateur de diverses sociétés (Président de la Société générale des eaux, etc...). Collectionneur, auteur de nombreux ouvrages, membre du Comité artistique de la Réunion des musées nationaux, président de la Société des amis du Musée Guimet, vice-président de la Société des amis du Musée Carnavalet. Il fit d'importants dons au Musée Guimet, à la Société asiatique, au Musée de l'Homme, au Musée des Arts et Traditions populaires, au Musée Carnavalet et au Musée d'Orsay. En 1970, il donnait un tableau de Puvis de Chavannes au Musée du Louvre : *Jeunes filles au bord de la mer* (Orsay), tableau qui lui venait de son grand-père, le collectionneur Émile Boivin.

GERHARDT GREEN de SAINT-MARSAULT M. et Mme
voir **PETIT les enfants de Georges**

GÉRÔME Jean Léon
Vesoul 1824 - Paris 1904

Peintre et sculpteur. Il s'intéressa à la sculpture et légua au Musée du Louvre le buste de marbre teinté de *Sarah Bernhardt* (maintenant au Musée d'Orsay après avoir été déposé au Musée du Château de Lunéville de 1924 à 1981).

GERSPACH Edmond-Zacharie
Thann (Haut-Rhin) 1833 - Florence 1906

Directeur de la Manufacture nationale de Mosaïque décorative de Sèvres (1883) puis, en 1885, directeur de la Manufacture nationale des Gobelins. Esprit curieux, il écrivit plusieurs ouvrages dont un sur la mosaïque (1881), un sur la verrerie (1885) et un sur les tissus coptes (1890). Legs d'un fragment de mosaïque provenant de Torcello.

GERVILLE-RÉACHE Mme Gaston, née Joan V. Millner
Wolverhampton (Middlands, G. B) ? - Boston 1983

Après avoir été journaliste à Londres elle s'établit à Boston à partir de 1964, acquit la citoyenneté américaine, et fut "editor" du "Christian Science Monitor", journal de l'église de la "Christian Science" dont elle était adepte. S'intéressant à la tante de son mari, la cantatrice française Jeanne Gerville-Réache (1882-1915) elle légua au Louvre un portrait de ladite chanteuse peint vers 1910 à New York par le portraitiste Irving R. Wiles, qu'elle avait acquis dans le commerce new-yorkais vers 1980. Ce legs étant destiné au "Département de la peinture américaine" du Louvre, le tableau, après inscription sur l'inventaire des Peintures en 1984, fut affecté au Musée national de la Coopération franco-américaine de Blérancourt.

J.P. Getty

R. Ghirshman

J. Gigoux
J. Dalou, Musée des Beaux-Arts, Besançon

GESSARD Carle
Paris 1850 - Paris 1925

Don en 1893 de fragments de poterie de Sousse (Tunisie) par le Dr. Gessard..

GETTY J. Paul
Minneapolis (Minnesota) 1892 - Sutton Place (Surrey) 1976

Après des études à Berkeley et Oxford, il collabora avec son père, l'industriel pétrolier George F. Getty, et lui succéda à sa mort, en 1930, comme président directeur général de la George F. Getty, Inc., qui deviendra en 1956 la Getty Oil Company. Ses succès financiers lui valurent d'être considéré comme l'"homme le plus riche du monde". Après avoir vécu à Malibu (Californie), il se fixa en 1957 en Angleterre, à Sutton Place. Il collectionna dans trois domaines - peintures, antiquités grecques et romaines, objets d'art français du XVIIIᵉ s. -, créant à Malibu, pour abriter sa collection, un musée installé d'abord dans sa propre maison puis dans un édifice neuf, réplique d'une villa romaine, ouvert en 1974. Il a raconté dans plusieurs publications sa vie d'homme d'affaires (*How to Be Rich*, 1965 ; *How to Be a Successful Executive*, 1971) et de collectionneur (*Collector's Choice*, 1947 ; *The Joys of Collecting*, 1965). Ses dons au Louvre reflètent son goût pour l'art antique et l'art du XVIIIᵉ s. : haut de stèle thébaine en calcaire, orné d'une figure de guerrier (1958) ; tabatière en or et diamants offerte par Louis XV en 1727 à Louis Le Fort, syndic de Genève (1962).

GETTY Musée Paul
Malibu (États-Unis)

Don en 1980 de six fragments de vases complétant un dinos, un psykter et un cratère du Louvre.

GHIRSHMAN Roman
Kharkov 1895 - Budapest 1979

Jeune officier russe émigré en 1917, il se convertit à l'archéologie après ses études à Paris. Chef de la Délégation archéologique française en Iran, (1946-1967) il fouille à Suse, Bichâpour, Tépé Giyan et Tépé Sialk, et publie régulièrement le résultat de ses travaux à partir de 1935. Il est membre de l'Académie des Inscriptions et Belles-Lettres en 1956. On lui doit deux ouvrages de la collection "Univers des Formes", *Parthes et Sassanides*, Paris 1962, et *Perse*, Paris, 1963. Dons d'objets iraniens de 1954 à 1974.
Syria LVIII (1981), pp. 212-214.

GHIRSHMAN Mme Tania
Constantinople 1909 - Clichy 1984

Épouse de R. Ghirsman*. Dons de colliers iraniens en 1979.

GIACOMELLI Mlle Anne
Coudes (Puy-de-Dôme) 1889 - Suresnes 1975

Nièce (?) du peintre Hector Giacomelli (1822-1904). Legs (entré en 1976) d'une étude peinte de Raffet et de quatre dessins et aquarelles de Bigaud, Giacomelli et de son ami H. Monnier.

GIBELIN Esprit Antoine
Aix-en-Provence 1739 - Aix-en-Provence 1813

Peintre d'histoire, graveur et écrivain. Premier prix à l'Académie de Parme, il est chargé à son retour à Paris en 1771 de peindre des fresques à l'École militaire ainsi que dans l'église des Capucins de la Chaussée d'Antin. Don v. 1800 d'un beau portrait - peut être Mithridate VI Eupator -, dit l'*Inopos*, fragment de statue rapporté de Délos.

GIGNOUS Mme Albéric

En 1936, elle donna une peinture d'après Gericault, *Lions couchés*, alors estimée du peintre. Ce tableau aurait été donné à son grand-père, le contre-amiral Tavenet, par le peintre A. de Dreux, ami de Gericault.

GIGOUX Jean François
Besançon 1806 - Paris 1894

Peintre et lithographe obtint un grand succès au Salon de 1835, il collectionna avec originalité gravures, dessins et peintures. Malgré plusieurs ventes, la presque totalité de sa collection vint enrichir considérablement le Musée des Beaux-Arts de Besançon en 1896, en plus du legs au Louvre de *L'enfant à la grappe* de David d'Angers (marbre), d'un dessin de Rubens et d'une peinture. Il avait par ailleurs donné en 1887 et 1891 deux de ses œuvres.

GILLET Charles
Lyon 1879 - Lausanne 1972

Industriel. Appartenant à une importante famille de "soyeux" lyonnais, il fit carrière dans l'industrie textile ; il s'occupa plus particulièrement des problèmes de teinture et d'impression. En 1924, il fit don de deux céramiques islamiques et, en 1952, d'une herminette (style du Louristan) au Département des Antiquités orientales. Il participa à deux reprises à un don collectif, en 1921 et 1929 : il s'agissait de céramiques islamiques parmi lesquelles il faut citer la *Coupe à l'Âne* (Iran, type Amol, XIIIᵉ s.). Ses enfants donnèrent en 1973 une petite statuette de kouros archaïque en bronze.

GILLET Henri

Docteur en médecine. Dons en 1891 du buste du peintre F. Dumont (1751-1831) par C. Dejoux (marbre, déposé au Musée d'Arbois) et en 1902 de douze miniatures de Dumont, avec quatres autres par Vestier. En 1892, don de la réduction en plâtre teinté par Houdon de son *Voltaire assis*.

GILLOT Charles-Firmin
Paris 1853 - Paris 1903
GILLOT Mme Charles, née Jeanne-Marie Blanche
Puteaux 1861 - Paris 1941

Fils d'un graveur lithographe, il succède à son père à l'âge de dix-neuf ans et s'attache à perfectionner les divers procédés de gravure en couleur alors en usage (plusieurs récompenses et diplômes d'honneur aux expositions universelles). Pionnier de la photogravure (1876), il met au point vers 1880 un procédé de photogravure chimique au zinc "gillotage". Passionné de photogravures japonaises, il devient collectionneur d'estampes et d'objets d'art japonais ; sa curiosité l'entraîne aussi vers

P. Girard
H. Girard, Bibl. de l'Institut,
Paris

Mme Ch. Giron
Ch. Giron, coll. part.

Mme A. Godard

---

l'art antique et médiéval. Ami intime de G. Migeon*, il fit de nombreux dons, entre 1893 et 1902, d'objets japonais et, en 1903, d'un peigne d'os mérovingien. Après sa mort, sa collection fut dispersée aux enchères publiques à Paris (8-13 février 1904). Mme Gillot préleva alors une série d'objets orientaux qu'elle offrit au Louvre en souvenir de son mari.

GILLY Mme Michel, née Marie Euphrasie d'Anxion
1854 - Paris 1937

Legs, transmis par sa sœur, d'une superbe statue égyptienne en calcaire, jadis peinte et dorée, représentant le prince Iahmès, premier souverain du Nouvel Empire sous le nom d'Ahmosis.

GINAIN Léon
Paris 1825 - Paris 1898

Architecte, premier Grand Prix de Rome en architecture (1852). Il travailla avec Lefuel, puis fut nommé en 1861 architecte de la Ville de Paris. Son frère Louis-Eugène était peintre. En 1890, il fit don au Louvre de deux dessins de H. Lebas et C. Percier.

GIRALDON Paul Adolphe
Marseille 1855 - Paris 1933

Peintre, graveur et décorateur. Intéressé par les différentes techniques de livre illustré auxquelles il se consacra, il fut nommé professeur d'arts décoratifs à Glasgow. En 1930, don au Louvre de deux dessins de L. O. Merson.

GIRARD Joseph
voir **DUMONT Charles Émile Étienne**

GIRARD Louis Bonaventure
† Paris 1808

Trésorier de France, neveu du sculpteur E. Bouchardon. A la mort de l'artiste, la majeure partie du fonds de ses dessins était passée à l'une de ses sœurs, Marie-Thérèse, épouse de François Girard. Ils furent ensuite légués à leur fils, Louis Bonaventure Girard, qui, à

son tour, les laissa, avec un tableau de Backhuyzen qui venait aussi de l'artiste, à son cousin Edme Voillemier, fils d'une autre sœur de Bouchardon, Nicole Catherine. Son intention avait pourtant été de léguer tableau et dessins (huit cent trente-deux études regroupées en sept albums) à l'Empereur. Voillemier fut convaincu par les notaires et sur les instances du ministre, Crété, d'exécuter les volontés de son parent, et les dessins furent déposés au musée. Jusqu'en 1819, Voillemier, se ravisant, tenta en pure perte de se faire restituer l'ensemble, et ses héritiers reprirent les démarches en 1832. L'affaire devait être tranchée dans le sens d'un maintien au Louvre du fonds Bouchardon et du Bakhuyzen, *Le port d'Amsterdam.*

M. A. Roserot, "Edme Bouchardon, dessinateur", *Réunion des Sociétés des Beaux-Arts des départements*, t. XIX, pp. 890 et suivantes.

GIRARD Paul
Paris 1852 - Paris 1922

Ancien membre de l'École d'Athènes, professeur d'université, membre de l'Institut. Il fut l'un des fondateurs de l'Association Guillaume Budé et fouilla à L'Héraion de Samos. Don en 1887 d'un lot d'anses d'amphores en terre cuite avec estampilles.

GIRARDIN Mme Aimé, née Julie Français
Plombières-les-Bains 1823 - Plombières-les-Bains 1899
GIRARDIN Aimé
Plombières-les-Bains 1837 - Plombières-les-Bains 1906

La sœur du peintre L. Français et son mari, boulanger, donnèrent en 1898, en souvenir de leur frère et beau-frère décédé en 1897, un portrait peint de Monsieur Français par son fils et le portrait de l'artiste par Carolus-Duran (maintenant au Musée d'Orsay). Ils firent également une donation au Musée Louis Français de Plombières-les-Bains.

GIRAUDEAU Théophile
Niort 1819 - Paris 1892

Legs d'une très importante collection de cinquante-six faïences, essentiellement françaises.

Parmi celles-ci se distinguent un grand plat de St-Jean-du-Désert signé par F. Viry, une jatte en faïence de Rouen aux armes de Charles-François II de Montmorency-Luxembourg, gouverneur de Normandie, et un important surtout de table, en faïence de Moustiers, aux armes du maréchal de Richelieu.

GIRETTE Louis Armand
Alexandrie 1855 - Paris 1942

Polytechnicien, officier de carrière, puis industriel, il était le filleul de Mme Charles Garnier dont il entoura la vieillesse après la disparition de Charles Garnier et de son fils. Il en fut l'héritier et l'exécuteur testamentaire et donna au Musée du Louvre en 1929 le *Portrait de Madame Charles Garnier* par P. Baudry (Orsay).

GIRODIE André
Bordeaux 1874 - Paris 1946

Conservateur des musées nationaux, auteur d'articles et d'ouvrages, et notamment sur *Martin Schongauer et l'art du Haut-Rhin* (Paris, 1911). Il fut chargé de la constitution du Musée de Blérancourt. Collectionneur de dessins, il donna en 1935, sous réserve d'usufruit un dessin de J. Tissot, *Portrait de femme debout.*

GIRON Mme Charles
Genève 1867 - ?

Épouse du peintre suisse Ch. Giron (Genève 1850 - Genthod près de Genève 1914) qui fut l'élève de Cabanel à Paris. Don en 1922 d'une œuvre de son mari, le *Portrait du Père Hyacinthe Loyson* (Orsay).

GIROUST Monsieur

Un très grand tableau de Restout, *La dédicace du temple de Salomon*, est entré au Louvre en 1853, comme "don de M. Giroust, député". Le *Dictionnaire des parlementaires* (1889) ne fait mention d'aucun Giroust en activité à cette date, mais consacre une notice à François Adrien Louis Édouard Girou de Buzareingues, né à Buzareingues (Aveyron) en 1805, docteur en médecine, député de l'Aveyron de 1852 à 1870, collectionneur de tableaux et lui-même peintre et sculpteur. S'agirait-il de notre donateur ?

GISCARD d'ESTAING Mme Valéry, née Anne-Aymone de Brantes

Épouse de Valéry Giscard d'Estaing, Président de la République de 1974 à 1981. Don en 1978 d'une miniature sur ivoire (?) à la Section islamique.

GISMONDI galerie

Don en 1988 d'un dessin attribué à J. H. Fragonard, *Scène de sacrifice*.

GLADONA Monsieur

Don en 1939 d'un dessin de La Fage.

GOBIN Maurice
Caudebec-en-Caux (Seine-Maritime) 1883 - Paris 1962

Expert en estampes et collectionneur, M. Gobin s'intéressa particulièrement à Gericault dont il réunit nombre de peintures et dessins publiés par ses soins en 1959 (*Gericault dans la collection d'un amateur*, s. d.). En 1946, il donna un tableau de cet artiste s'inspirant d'une composition de G. Stubbs, *Cheval attaqué par un lion*, et qui aurait appartenu à Delacroix.

GODARD André
Chaumont 1881 - Paris 1965

Architecte, directeur général des services archéologiques en Iran de 1928 à 1960. Don en 1930 d'une céramique de Persépolis.

GODARD Mme André, née Yedda Reuilly
Paris 1889 - Paris 1977

Épouse de l'archéologue, A. Godard*, elle gratifia le Musée du Louvre de dons : la Section islamique en 1966 d'un carreau trouvé à Rashidiya (Iran, déb. XIVᵉ s.), le Département des Antiquités orientales de divers bronzes et céramiques iraniennes en 1973, 1974. Son legs (soixante-quinze pièces) vint enrichir en 1977 la collection de céramiques et de miniatures islamiques d'objets importants, comme les deux coupes en céramique datées 1215 et 1216-17 (Iran, Kachan), la croix de céramique à décor de wak-wak datée 1258, l' *Etoile* datée 1291 à décor de têtes de personnages, l'aiguière bleue à haut col (Iran, XIIᵉ-XIIIᵉ s.), le portrait du souverain iranien Karim Khan Zand décédé en 1779 (Iran 1854-55), une représentation de *Mirza Taqi Khan Amir Nizam discutant avec Aziz Khan Sardâr* (milieu du XIXᵉ s.) ainsi que deux pages d'un livre de fables (?) mamelouk du XIVᵉ s., auxquels viennent s'ajouter un certain nombre d'objets de l'Iran ancien.

GODARD-DESMARETS Armand
Paris 1788/89 - Paris 1873

Par testament de 1872, il légua six tableaux, entrés en 1873 : cinq paysages de C. Huysmans et le *Taureau* de Brascassat (déposé en 1938 à Saintes).

GODEFROY Mme, née Adelina Poznanska

Don en 1974 de son portrait au pastel à l'âge de huit ans par L. Breslau (Orsay).

GODILLOT Alexis
St-Ouen 1847 - Paris 1929

Fils de l'industriel qui a donné son nom au type de chaussure sans tige qu'il créa pour l'Armée française, Alexis Godillot était ingénieur des Arts et Manufactures. Il légua le portrait de sa femme, Pauline-Alexandrine Renard, par Bastien-Lepage (déposé au Musée de Montmédy) et plusieurs œuvres, à choisir dans sa collection par son ami R. Kœchlin* ou par P. Vitry*, sous réserve d'usufruit en faveur de sa femme (legs accepté en 1930, entré au Louvre en 1938) : deux dessins ; parmi les peintures, *Les français en Italie* de N. A. Taunay, 1804, et l'*Autoportrait* de J. L. Forain, 1906 (aujourd'hui au Musée d'Orsay) ; pour le Département des Objets d'Art un magnifique ensemble de tapisseries de Beauvais de la célèbre série des *Grotesques à fond jaune* d'après Bérain et Monnoyer vers 1730.

GODRON Gérard

Égyptologue, pensionnaire à l'I. F. A. O, puis chercheur au C. N. R. S. et professeur à l'Université de Montpellier. Donne en 1957 un relief d'époque amarnienne.

GŒKOOP de JONGH Mme A. E. H., née Johanna de Jongh
1877 - 1946

Professeur d'histoire de l'art à l'Université d'Utrecht. En 1926 elle fit don du portrait de *Madame Odilon Redon* par Redon* (passé au Louvre en 1929 et maintenant exposé au Musée d'Orsay) qu'elle avait acquis à Haarlem du marchand Debois, un ami de Redon.

GŒTSCHY Mme Paul, née Sophie Elvire Besançon

Don en 1927 au Département des Antiquités orientales et au Département des Antiquités grecques et romaines d'une collection d'objets variés (céramiques, bronzes, ivoires, verres...) provenant de la région de Sousse (Tunisie), qui avaient été rapportés d'Afrique du Nord par son époux le général Paul Gœtschy (Toul 1848 - Nice 1921), qui y avait fait la plus grande partie de sa carrière.

GOGUEL Montézuma Alban
St-Dié (Vosges) 1842 - 1903

Entrepreneur de travaux publics. Don d'une stèle avec inscription provenant de Tunisie 1881.

R. Goguel, *Les Goguel et leurs alliés*, éd. Christian, 1984.

GOLDBER Mlle Julie
Paris 1826 - Paris 1893

Legs d'un *Portrait de femme* par G. Ricard ainsi que d'un bronze attribué à Nicolini et destiné au Musée de Cluny. On suppose que le modèle du portrait était la donatrice elle-même, bien que l'acte ne le précise pas (dépôt en 1933 au Musée Calvet à Avignon).

GOLDSCHMIT Léopold Benedict Hayum
Francfort-sur-le-Main 1830 - Paris 1904

Fils du financier et philanthrope, établi à Paris, Salomon H. Goldschmidt († 1898). Sa famille était alliée à celle des Bischoffsheim, banquiers d'origine allemande, établis en Belgique, en Grande-Bretagne et en France, et lui-même avait épousé à Bruxelles (1855) Régine Bischoffsheim (1834-1905), belle-sœur du baron Maurice de Hirsch. On lui doit un article sur "les impôts et droits de douane en Judée sous les Romains" (*Revue des Études juives*, XXXIV, 1897), mais il fut avant tout un très grand collectionneur de meubles et objets d'art des XVIIᵉ et XVIIIᵉ s., ainsi que de peintures, accumulés dans son hôtel du 19 de la rue Rembrandt. Divers dons au Département des Antiquités grecques et romaines (1892), au Département des Objets d'Art (1900 et 1901), notamment d'un chandelier à décor épigraphique (Égypte, XIVᵉ s., actuellement à la Section islamique) et au Musée du Luxembourg (en 1902) : l'*Autoportrait* de Vollon transféré au Louvre en 1929, maintenant au Musée d'Orsay).

GOLDSCHMIDT Mme Paul
voir **DREYFUS Mme Gustave**

GOLDSCHMIDT Salomon

Don en 1921, en souvenir de son fils, mort pour la France durant la guerre de 1914-1918, du buste en marbre du Prince impérial exécuté par J. B. Carpeaux (dépôt au Musée national du Château de Compiègne en 1936).

GOLDSCHMIDT Mme Simon, née Thérèse Bloch
Paris 1856 - Paris 1929

Don en 1924, en souvenir de son mari Simon Goldschmidt (1853-1924), antiquaire rue Laffitte, d'une plaquette allemande en plomb du XVIᵉ s.

GOLDSCHMIDT-ROTHSCHILD
Mme Rodolphe de,
née Marie-Anne Friedlander-Fuld
Berlin 1892 - Paris 1973

D'une famille de banquiers d'Amsterdam, Mme de Goldschmidt-Rothschild passa sa jeunesse à Berlin et devint française entre les deux guerres mondiales. Passionnée de peinture toute sa vie, elle manifesta un goût résolument moderne en achetant, dès avant 1914 l'*Arlésienne* de Van Gogh contre l'avis de son père ; cette acquisition devait être suivie de celle d'autres œuvres de Manet, Monet, Cézanne, Toulouse-Lautrec, Henri Rousseau, etc... Apprenant en août 1944, aux États-Unis, la nouvelle de la libération de Paris, elle fit aussitôt don aux musées de France de l'*Arlésienne* ; (tableau entré avec l'extinction de l'usufruit en 1973 maintenant au Musée d'Orsay).

GOLSCHMANN Wladimir
1893 - 1972

Musicien d'origine russe, chef d'orchestre du Groupe des Six, collectionneur assidu. Don en 1972 par Mme Golschmann en souvenir de son mari de sa collection de bronzes iraniens (actuellement en dépôt au Musée Guimet).

"La donation W. Golschmann. I : Les antiquités du Proche et du Moyen-Orient", *La Revue du Louvre* 23 (1973), pp. 46-52.

GOMPERTZ Mme André-Samson,
née Lion

Don en 1919, en souvenir de son mari décédé pendant la guerre de 1914-1918, d'une coupe en céramique blanche (Iran, XVIIe s.) (dépôt au Musée de Sèvres).

GONDOIN Charles Jacques
Paris 1874 - Meudon 1893

Fils de l'architecte J. Gondoin, il fut lui-même architecte du Sénat. Lègue deux toiles de son grand-père Ch. N. Perrin : son *Autoportrait* et le portrait de son beau-père, le décorateur Pierre Hyacinthe Deleuse (dépôt en 1913 à Versailles).

GONSE Louis
Paris 1846 - Paris 1921

Rédacteur de la *Gazette des Beaux-Arts*, de 1875 à 1894, il publia de nombreuses études sur l'art gothique, les musées de province, Manet, Fromentin, et surtout sur l'art japonais à la connaissance duquel son nom reste lié. Membre du Conseil supérieur des Beaux-Arts, vice président de la Commission des monuments historiques et du Conseil des musées nationaux il ne cessa de s'occuper de l'enrichissement du Louvre, en faisant de nombreuses démarches pour l'acquisition de la *Grande odalisque* d'Ingres et du *Portait de famille* de Degas, et en secondant de ses activités et de ses dons d'objets japonais (en 1893, 1894, 1919, aujourd'hui au Musée Guimet)

G. Migeon*, qui cherchait à introduire l'art du Japon dans les collections nationales. Il donna aussi au même Département un médaillon de B. Franklin par Nini (1894).

R. Kœchlin et G. Migeon "Louis Gonse" dans cat. vente de la *Collection Louis Gonse*, Paris, Hôtel Drouot, 5-11 mai 1924.

GONTAUT-BIRON Guillaume de,
marquis de Biron
1859 - 1939

Grand collectionneur et esthète, expert en antiquités à Paris, cousin et ami de Boni de Castellane, il habitait la France et la Suisse. Don en 1928 d'un masque de momie égyptien, d'époque romaine, provenant d'Antinoë.

GONTIER Jules Alphonse
Paris 1853 - Paris 1918

Architecte, membre de la Société des Artistes, il légua (legs entré en 1929) une aquarelle de J. F. Bremond (1807-1868), une peinture de l'école d'Ingres, *Le Voyageur*, un buste en terre cuite l'*Enfant boudeur* de Carpeaux (Orsay) et un médaillon en bronze de *Pascal* (Orsay) par Ch. J. M. Degeorge (Musée d'Orsay).

GONZALES Paul
Marseille 1856 - ?

Collectionneur, il s'intéressa aussi bien aux céramiques européennes et orientales, aux objets islamiques de métal incrusté - il possédait trois pièces ornées du blason du sultan mamelouk Qaït-Bay -, aux manuscrits persans qu'aux dessins et gravures français du XVIIe au XIXe s. (Chardin, Millet, Troyon, Puvis de Chavannes, Bracquemond, etc...). Don en 1906 d'un carreau de céramique islamique.

É. Perrier, *Les bibliophiles et les collectionneurs provençaux anciens et modernes*, Marseille, 1897.

GONZALEZ Roberta
Paris 1909 - Monthyon (Seine-et-Marne) 1976

Peintre. Fille du sculpteur espagnol Julio Gonzalez et d'une mère française, nièce de Joan Gonzalez, peintre et sculpteur qui vécut à Paris. Elle donna en 1969 vingt-deux dessins de son oncle au Cabinet des Dessins et fit également bénéficier le Musée national d'Art moderne de Paris, d'une donation de deux-cents sculptures et dessins de son père.

Cat. exp. *Peintures et dessins inédits de Joan, Julio et Roberta Gonzalez*, Paris, Galerie de France, 1965.

GOSSE Nicolas Louis François
Paris 1787 - Soncourt-sur-Marne 1878

Peintre. En 1854 il fit don au Louvre d'une *Tête d'homme* au pastel de Robert Nanteuil.

GOSSET

Don en 1867 d'une page de papyrus reprenant le début du récit de la bataille de Kadesh.

GOTTERAU Monsieur

Administrateur de la Société d'Escombéra Bleyberg à Paris. Don au Département des Antiquités grecques et romaines en 1906 et 1907 d'objets variés en plomb.

GOTTRAUX Ch.

Don en 1934, de six dessins et d'une peinture d'A.Ch. Chavard, élève d'Ingres*.

GOUDCHAUX Mme Jean-Charles, née Florence Fuerst

Don en 1966 au Département des Antiquités égyptiennes d'un ostracon romain daté de 296 ap. J.-C.

GOÛIN Mme Félix, née Simone Dietz
Paris 1881 - Paris 1969
TINAYRE Mme Claude, née Lucienne Dietz
Paris 1890 - St-Maur-des-Fossés (Val-de-Marne) 1976

Don en souvenir de leur mère, Mme Dietz*, en 1945, d'un dessin d'A. Renan, *Jeune femme nue*.

GOUJON Pierre Étienne Henri
1875 - Méhoncourt (Ardennes) 1914

Avant de partir pour la guerre où il allait périr, parmi les premiers, P. Goujon, député de l'Ain, chargea son épouse*, de léguer au Louvre, en souvenir de son père, le Dr. Étienne Goujon (1840-1907), sénateur, *La Ravaudeuse* de Ribot et deux aquarelles de Barye. En son nom il ajouta *La Toilette* de Toulouse-Lautrec, la *Guingette* de Van Gogh et deux dessins de Barye. P. Goujon, avait beaucoup fait, de son vivant, au sein des "Amis du Luxembourg", pour ouvrir le musée aux tendances les plus modernes du post-impressionnisme, lui, qui enfant, fut peint par Renoir* en 1885.

GOUJON Mme Pierre, née Julie Reinach
1884 - Paris 1971

En souvenir de son père J. Reinach*, qui l'avait jadis chargée d'exécuter ses dernières volontés, sa fille, Julie Reinach, légua au Louvre le *Héron* de Sisley (maintenant déposé au Musée de Montpellier en pendant de la *Nature morte* de même motif par Bazille) et un dessin de David pour *Le Sacre de Napoléon* ; veuve de P. Goujon*, elle dirigeait de nombreuses œuvres sociales dont la *Ligue nationale contre le taudis*.

GOULD Fondation Florence J.

Florence Lacaze, née à San Francisco (1895), épousa en 1923 à Paris Frank Jay Gould. Membre de l'Institut, fondatrice de plusieurs prix, amateur et mécène, amie de nombreux peintres et écrivains elle forma une importante collection vendue en 1985. L'année précédente,

Baronne Gourgaud
Matisse, MNAM

J. de Gourmont

la fondation, créée à la suite de son décès en 1983, offrit en souvenir de Florence J. Gould deux dessins de Boucher et un de Fragonard.

H. Sorensen, "Florence Gould", *Connaissance des Arts*, mai 1984.

GOUPIL Jules Albert
Paris 1840 - Paris 1884

Beau-frère du peintre J. L. Gérôme*. Don (1882) d'une *Vierge à l'Enfant* en marbre, sculpture italienne du XIVᵉ s., puis legs du buste en marbre de *Saint Jean Baptiste* attribué à Donatello.

GOURGAUD baronne, née Eva Gebhard
1886 - 1959

Américaine de New York, elle épousa en 1917 le baron Napoléon Gourgaud (1881-1944), arrière-petit-fils du général Gourgaud, compagnon de Napoléon à Sainte-Hélène. Ils divorcèrent mais la baronne eut l'autorisation de garder son nom. En 1926, le baron Gourgaud acquit la maison de Napoléon à l'île d'Aix et en fit un musée ouvert en 1928. Peu après, en 1933, le baron, grand voyageur en Afrique et grand chasseur, créa aussi à l'île d'Aix un Musée africain. Ces deux musées sont devenus musées nationaux en 1959. Dans leur hôtel de la rue de Lille et dans leur château de La Grange (Essonne), le baron et la baronne Gourgaud rassemblèrent une collection considérable dont une partie fut léguée aux musées nationaux par la baronne. Ceci valut : au Département des Peintures, treize tableaux de Cézanne (*Baigneurs*), Corot (*Haydée*), Daumier (*Don Quichotte et la mule morte*), Delacroix, Ingres, Monet, Renoir, Riesener, Seurat, Van Gogh et du douanier Rousseau (certains maintenant au Musée d'Orsay) ; au Cabinet des Dessins, treize dessins dont six pastels de Degas ; au Département des Objets d'Art, l'extraordinaire mobilier du Boudoir turc du comte d'Artois au Temple, dû à Jacob, et de nombreux autres sièges. Bénéficièrent aussi de ce legs le Musée national d'Art moderne (quatorze tableaux) et le Musée national du Château de Malmaison (nombreux meubles).

A. de Broglie, "Pluie de chefs-d'œuvre sur les musées français. Don du baron et de la baronne Gourgaud", *Connaissance des Arts*, n° 190, déc. 1967, pp. 84-89.

GOURMONT Joseph, dit Jean de
Le Mesnil-Villeman 1877 - Paris 1928
GOURMONT Mme de,
née Suzanne Baltazar
Rochefort 1890 - Pontorson 1841

Journaliste, romancier, rédacteur au *Mercure de France*, J. de Gourmont a laissé des écrits romanesques (*la Toison d'or*, 1908 ; *Zigorri*, 1921 ; *l'Art d'aimer*, 1925), des essais sur Jean Moréas et Henri de Régnier, ainsi que deux ouvrages concernant son frère le romancier et essayiste Rémy de Gourmont. Il fit don, avec son épouse, en 1927, d'un groupe d'œuvres de Clésinger. L'une d'elles, le *Combat de taureaux romains*, se trouve maintenant au Musée d'Orsay ; les autres ont été déposées dans plusieurs musées de province (Avignon, 1936 ; Châlons-sur-Marne, 1932 ; Compiègne, 1928 et 1957 ; Versailles, 1953).

GOURNAY de

Don en 1897 d'un reliquaire en pierre découvert dans la province de Constantine.

GOUSON L.

Don en 1898 d'un fragment de pilier portant l'ordre du jour de l'empereur Hadrien aux troupes d'Afrique, trouvé à Lambèse (Algérie).

GOUVERT Paul Georges
Paris 1880 - Paris 1959

Élève de l'école Bernard Palissy, restaurateur, puis antiquaire, donne en 1925, la double arcade de marbre, avec ses trois chapiteaux historiés, provenant du cloître démantelé de St-Genis-des-Fontaines (Pyrénées-Orientales). Ces éléments ont été déposés en 1985 à la Direction du Patrimoine, pour assurer la remise en place *in situ*. En 1936, P. Gouvert offre encore une statuette en terre cuite de *Saint Jacques le Majeur*, esquisse de Camillo Rusconi pour la statue de St-Jean-de-Latran, à Rome.

P. Guth, "Les souvenirs d'un marchand de sculptures, Paul Gouvert", *Connaissance des Arts*, n° 21, nov. 1953, pp. 20-23 et n° 22, déc. 1953, pp. 41.45.

GOUVET

Ingénieur des Travaux publics en Algérie de 1850 à 1862, puis à la Régence de Tunisie. Don de deux stèles puniques et d'une inscription phénicienne au Département des Antiquités orientales en 1874 et 1875.

GRADIS-KŒCHLIN Mme Gaston,
née Antoinette Kœchlin-Schwartz

Don en 1973, du *Portrait de R. Kœchlin** au pastel exécuté par son ami Moreau-Nélaton* (Orsay).

GRAFSTEIN James

Antiquaire établi à New York, spécialisé dans le mobilier provincial français, J. Grafstein fit ses études d'histoire de l'Art à Paris où il fut notamment un élève de P. Verlet à l'École du Louvre. Il offrit en 1984 trois vases en porcelaine de la manufacture de Nast, d'époque Empire et, en 1988, un cabaret à rébus de la manufacture du comte de Provence.

GRAMEDO Charles Yvan Tristan, comte de
Paris 1873 - St-mandé 1943

Legs du portrait de sa grand-mère, Mme Manuel, attribué à Winterhalter, entré en 1944 (Compiègne).

GRAMONT d'ASTER , comtesse de
voir **MONTESQUIOU-FEZENSAC Blaise de**

GRAND Albert
† 1876

Peintre, expert et restaurateur qui travailla en particulier à la restauration des décors peints de l'Arsenal, il a donné en 1863 un relief en terre cuite émaillée représentant *Saint Georges*, attribué alors à la "bottega" des Della Robbia et reconnu depuis comme l'une des anciennes productions des ateliers de Nevers, et un tableau de J. André, dit Frère André, *Portrait de l'artiste peignant Notre-Dame du Rosaire* (dépôt à Versailles en 1920).

M.L.E. Grandidier
Bibl. nat., Paris

F.M. Granet
Autoportrait, Versailles

J.B. Greene
A. Devéria, Louvre

R. Grog

GRANDAY-PRESTEL Mme
voir **PRESTEL Mme André**

GRANDIDIER Marie Louis Ernest
Paris 1833 - Paris 1912

Après des missions scientifiques en Amérique du Nord et en Amérique du Sud, de 1857 à 1859, d'où il rapporta des collections d'histoire naturelle pour le Museum et la Sorbonne, E. Grandidier fut auditeur au Conseil d'État de 1860 à 1870. Il fit ensuite un voyage en Chine où il se passionna pour la porcelaine et son histoire et réunit plus de trois mille pièces anciennes, Song, Ming, Tsing, etc. Il donna au Musée du Louvre en 1894 sa collection d'objets chinois et japonais (aujourd'hui au Musée Guimet) dont il fut le conservateur sa vie durant, et compléta ce don en 1896, 1902, 1907, 1909. On lui doit également plusieurs dons au Département des Antiquités égyptiennes (1901), au Département des Objets d'Art (1897, 1902, 1904, 1906, 1912), au Département des Sculptures (1886, 1986), notamment un très rare *Buste de femme* en bronze, Italie, fin XVIᵉ s., au Département des Peintures et au Cabinet des Dessins (1904).

GRANDJEAN Serge

Conservateur en chef honoraire des musées nationaux, il fit don en 1978 d'un dessin de E. M. G. Dubufe *Portrait de Mlle Claire de Locle*, future Mme Charles Grandjean. En 1985 il offrit une plaque d'insculptation des poinçons d'orfèvrerie utilisés en France de 1781 à 1789 (provenant de l'ancienne collection L. V. Puiforcat). Chargé de mission au Louvre en 1940, M. Serge Grandjean a passé toute sa carrière au Département des Objets d'Art jusqu'à sa retraite en 1984. Spécialiste du Premier Empire, il a publié le *Catalogue des tabatières du Musée du Louvre* en 1981. Donateur également au Musée d'Orsay.

GRANET François Marius
Aix-en-Provence 1775 - Aix-en-Provence 1847

Peintre, il séjourna dix-sept ans en Italie (1802-1819). En 1826, il fut nommé conservateur des Peintures du Louvre, puis en 1830 il s'occupa de diriger les Galeries historiques de Versailles. Par son testament il légua au Louvre deux cents aquarelles choisies après sa mort dans ses portefeuilles. A sa ville natale, il laissa tout son œuvre peint et dessiné, et une somme d'argent.

GRANET Jean Achille Honoré
Arles 1880 - La Ville-aux-Bois (Aisne) 1917

Frère d'un ancien ministre qui avait été préfet de la Lozère et de la Vienne et député d'Arles. Antiquaire à Paris, 10 rue Cambacérès, il légua par testament (1915) sa collection dont le Louvre retint deux bronzes de la Renaissance (entrés au Louvre en 1919).

GRANGE Mme Claude

Épouse du sculpteur Grange, élève de Bartholdi. Don en 1974 d'une étude pour le *Lion de Belfort* de Bartholdi (Orsay).

GRANGERET de la GRANGE Jean Baptiste André
Paris 1790 - Paris 1859

Conservateur de bibliothèque. Après avoir étudié l'arabe et le persan avec Silvestre de Sacy, il adhéra en 1822 à la Société asiatique, puis fut nommé en 1824 à la Bibliothèque de l'Arsenal. Il entra ensuite à l'Imprimerie royale comme correcteur de la typograhie orientale. Il est l'auteur de plusieurs ouvrages sur l'Orient et la poésie. Don en 1846 d'un pastel de J. B. Perronneau.

GRANIER Madame
voir **RIDDER André de**

GRANOFF Katia

Fondatrice de la galerie qui porte son nom, quai Conti, Katia Granoff, née russe, est de nationalité française depuis 1937. Elle a donné plusieurs tableaux en 1939, 1948 et, en 1963, le *Portrait de Camille sur son lit de mort*, par Monet (Orsay).

GRASSET Édouard
1802 - Corfou 1865

Consul en poste successivement à Port-Louis, La Canée, Alep, Ancône et Corfou. Don en 1858 de trois marbres trouvés à Apollonie d'Épire.

GRAVES Lord Bishop Charles
1812 - 1889

Consacré évêque de Limerick (Irlande) en 1866. Don de papyrus coptes en 1883.

GREBAUT Eugène
1846 - Paris 1915

Directeur de la mission archéologique du Caire puis du service des Antiquités d'Égypte de 1886 à 1892 avant d'entrer à la Sorbonne ; auteur d'importantes publications de textes. Don en 1886 d'un fragment de naos en calcaire peint (époque de Thoutmosis Iᵉʳ).

G. Maspéro, *L'Égyptologie*, 1915.

GREENE John B.
1832/33 - 1856

Archéologue et photographe américain, membre de la Société française de photographie et de la Société asiatique. D'un premier voyage en Égypte, il rapporta un nombre important de photographies, certaines publiées par Blanquart-Evrard dans *le Nil* en 1854 ; il y retournera et sera autorisé à fouiller à Deir-el-Bahari et Médinet-Habou, campagne publiée en 1855 sous le titre *Fouilles exécutées à Thèbes*. Le Département des Antiquités égyptiennes possède les négatifs originaux de ses voyages en Égypte (déposés au Musée d'Orsay). Don en 1855 d'un fragment de toile au nom d'un prince Ramsès.

GRÉGOIRE Mlle Alice Abba Marie Erneste
Aix-la-Chapelle 1834 - Paris 1904

Sculpteur, elle exposa au Salon à partir de 1861. Légue au Louvre (1904) une œuvre en marbre de Deseine, *Buste de jeune fille représentée en flore*, en souvenir de son maître Amédée Durand, neveu de ce dernier.

GRELLET François, frère Athanase Martyr
Vienne (Isère) 1838 - ?

Artiste peintre et graveur, élève de son frère Alexandre Grellet et de Barrias. Don (1897) de la *Victoire* en marbre de Jacquet.

GRIMBERGHE comte Edmond de
Bruxelles 1865 - Paris 1920

Artiste peintre travaillant à Paris, exposa aussi à Munich. Don en 1890 d'un papyrus démotique.

GRIMELUND Johannes Martin
Christiana (aujourd'hui Oslo) 1842 - Garches 1917

Grimelund fit toute sa carrière à Paris. En 1893, il donna au Musée du Luxembourg une de ses œuvres, *Paysage de Norvège* (Orsay).

GRINBERG Léon
Kiev 1900 - Paris 1981

Fils d'un orfèvre installé dans la principale rue de Kiev, il vint s'établir à Paris au lendemain de la Révolution. Avec son oncle Zolonitisky, originaire de Kiev lui aussi, il tenait une boutique dénommée "A la Vieille Russie", 18 rue du Faubourg Saint-Honoré. En 1940, ils émigrèrent à New York et ouvrirent une galerie d'objets russes sur la 5e avenue. Après la Libération, L. Grinberg se rétablit seul, comme antiquaire en chambre, 14 cours Albert-Ier. Il donna en 1956 un icône russe du XVIe s. représentant saint Syméon stylite.

GRIOLET Ernest

Citoyen suisse. Don en 1865 de deux trépieds romains et d'un disque de bronze.

GROG René J.
Zurich 1896 - Vineuil-St-Firmin (Oise) 1981
GROG Mme René, née Marie-Louise Carven de Tommaso

Industriel de nationalité suisse, président directeur général de la société Grog et Cie qui fusionna avec Agfa-Gevaert, puis vice-président en France d'Agfa-Gevaert, il rassembla en une trentaine d'années une des plus importantes collections de meubles et d'objets français du XVIIIe s. (beaucoup provenant de l'étranger) jamais constituée. Il épousa en 1972 Mme Carven, fondatrice en 1946 de la célèbre maison de couture du rond-point des Champs-Elysées. R. Grog offrit au Louvre sous réserve d'usufruit en 1970 trois meubles très importants, une commode et une paire d'encoignures néo-classiques de Joseph. En 1973, Mme Grog et lui donnèrent sous réserve d'usufruit l'ensemble de la collection, en demandant qu'elle reste groupée pendant trente ans. R. Grog fut reçu membre associé étranger à Académie des Beaux-Arts en 1977. Il était aussi membre du Conseil artistique de la Réunion des musées nationaux et vice-président des Amis du château de Chantilly, château que Mme Grog anime actuellement. Signalons parmi les chefs-d'œuvre de la collection Grog : la tenture de quatre tapisseries à décor de fleurs et d'enfants sur fond bleu (Paris, v. 1700) ; trois paires de meubles à hauteur d'appui et deux paires de guéridons en marqueterie Boulle ; deux commodes en laque Louis XV ; un secrétaire en armoire en marqueterie de R. V. L. C. ; un bureau en laque et un secrétaire en armoire de Joseph ; six meubles de Carlin dont quatre tables à plaques de porcelaine de Sèvres, l'une provenant de la duchesse d'Angoulême ; cinquante-huit sièges, estampillés par les meilleurs menuisiers (Gourdin, Jacob, Lelarge, Nadal, Séné), dont le mobilier des Quatre Parties du monde, estampillé par Carpentier et couvert en tapisserie des Gobelins ; un lustre et six bras de lumière vraisemblablement dûs à Boulle ; un cartel de Cressent ; un baromètre-thermomètre en porcelaine de Sèvres. La donation Grog comprend aussi douze tableaux, dont le principal est la grande *Vierge en majesté* du Maître des Feuillages en broderie, et une importante collection de porcelaines de Chine (une célèbre série d'oiseaux notamment), inventoriée au Musée Guimet.

"La Donation Grog-Carven au Musée du Louvre", *La Revue du Louvre*, 1974, n° 2, "I. Mobilier et objets d'art" par P. Verlet, p. 120 ; "II. Peintures" par J. Foucart, p. 133.

GROMAIRE François

Fils du peintre et graveur M. Gromaire (1892-1971) et auteur du catalogue de l'*Oeuvre gravé* de son père (Paris et Lausanne, 1976). A donné à la Chalcographie en 1976, *Le Moulin à Café*, planche à l'eau-forte sur zinc, complétant l'acquisition faite en 1958, de *L'estaminet*.

GROS Mme Jean-Marie, née Alice Célestine Raimbault
Le Mans 1869 - Paris 1950

Une peinture attribuée à Watteau, *Les enfants de Bacchus*, léguée par elle au Louvre, y est entré en 1950.

GROSMOLLARD Fleury

Neveu et héritier du peintre Séon, dont il donna en 1919 au Musée du Luxembourg la *Lamentation d'Orphée*, transférée en 1973 au Musée du Louvre (Orsay).

GROSS Mme, née Stéphanie Lindenbaum

Amateur d'art, d'origine hongroise, née à Budapest. Don d'un dessin de Tiepolo en 1976.

GROSVALLET Édouard
Paris 1892 - Paris 1984

Marchand de cadres anciens installé à Paris depuis 1927, fournisseur du Louvre depuis 1938. Don de cadres anciens (1942, 1978) et legs de deux cadres italiens de la Renaissance (1984). Il donna également en 1976 un trumeau de glace en bois sculpté et doré du XVIIIe s. et légua une table en chêne sculpté de la fin du règne de Louis XIV.

GROULT
voir BORDEAUX-GROULT Pierre

GROULT Camille
Paris 1837 - Paris 1908

Héritier d'une riche famille de minotiers dont il diversifia l'activité dans le commerce de produits exotiques, il était, dans le monde des amateurs parisiens de la fin du XIXe s. et des premières années du XXe s., l'une des figures les plus considérables et les plus originales. Son activité de collectionneur débuta dès la succession de son père ; il s'intéressa d'abord, au cours des années 1860 et en même temps que les frères Goncourt avec lesquels il était lié, à l'art français du XVIIIe s. Il constitua en quelques années une importante collection de tableaux, dessins et pastels français du XVIIIe s. qu'il délaissa, vers 1890, et presque exclusivement, au profit de tableaux de l'école anglaise du XVIIIe s., alors relativement méconnus en France et qu'il achetait par l'intermédiaire de marchands londoniens. Ce goût pour la peinture anglaise le porta tout naturellement à être l'un des instigateurs du groupe des "Amis de Bagatelle"*. Un désaccord avec les autorités municipales l'amena à retirer en 1905 les tableaux qu'il avait prêtés, ce qui provoqua la fermeture de ce musée. Possesseur à Vitry-sur-Seine, à proximité de son usine, d'un château où il avait établi un pensionnat pour jeunes orphelines, il avait rassemblé ses œuvres d'art à côté de sa collection d'insectes rares et d'oiseaux exotiques, dans son hôtel particulier de l'avenue Malakoff qu'il n'ouvrait aux visiteurs qu'avec parcimonie. Membre de la Société des Amis du Louvre, C. Groult était un amateur passionné et parfois fantasque qui passait pour avoir peint lui-même plusieurs des "Turner" de sa collection, dont la *Vue du Pont Neuf* qu'il donna au Louvre en 1905, peu après la fermeture du Musée de Bagatelle et en même temps qu'un *Portrait d'homme* de Lawrence. Outre des tableaux, dessins et pastels de Boucher, Nattier, La Tour, Romney, Hoppner, Reynolds ou Lawrence, sa collection comportait d'importants tableaux de Watteau (dont le *Portrait de gentilhomme* et la *Diane au bain* aujourd'hui au Louvre), de Fragonard (dont *La balançoire* et *Le colin-maillard* aujourd'hui à Washington ; *Le Don Quichotte* aujourd'hui à Chicago) et Goya (*Le portrait de Bartolomeo Iriarte* aujourd'hui à Strasbourg et *La marquise de Santa Cruz* maintenant au Louvre).

A. Dalligny, "Camille Groult", *Le Journal des Arts*, trentième année, n° 4, 15 janv. 1908, p. 1. A. Flament, "La collection Groult", *L'Illustration*, 18 janv. 1908, pp. 49-56.

GROULT Jean
Paris 1868 - Paris 1951

Fils et héritier du grand collectionneur C. Groult*, il légua un tableau de Lawrence, *Portrait de Charles-William Bell* ainsi qu'un *Projet d'aménagement de la Grande Galerie du Louvre* par Hubert Robert (1952).

GROUVELLE Victor Charles Ernest
Paris 1810 - Paris 1893

Collectionneur parisien. Legs d'une miniature représentant sa mère, due à Fontallard (1811), d'un tableau de Ménageot (*Allégorie à la naissance du Dauphin, en 1781*), d'une statuette du *Christ* en ivoire du XVII° s. et d'une paire de ciseaux du XVIII° s.

GUELHARD Mme voir SÉVERINE

GUENIN François Étienne Marie Gabriel
Béziers 1859 - ap. 1922

Commandant supérieur du cercle de Tébessa de 1904 à 1912. Don en 1909 d'un lot d'objets portant des inscriptions chrétiennes et en 1910 d'un sceau en pierre et d'un lot d'objets portant des inscriptions antiques découverts à Tébessa (province de Constantine).

GUERARD Jean

Fils du graveur Henri-Charles Guérard et de Éva Gonzales il donna en 1927 un tableau de sa mère : *La loge* (Orsay).

GUÉRAULT François Ambroise Julien dit Francis
Châteaugiron (Ille-et-Vilaine) 1874 - Vitré (Ille-et-Vilaine) 1930

Antiquaire à Paris, il devint président de la Chambre syndicale de la Curiosité et des Beaux-Arts et conservateur du Musée de Vitré. Il eut parallèlement une carrière d'homme politique de gauche, étant élu conseiller général (1922) puis député (1928) d'Ille-et-Vilaine. Il légua au Louvre une célèbre table en vernis Martin de B. V. R. B. , ornée d'une plaque de Sèvres. Sa collection fut vendue

après sa mort en 1935 au bénéfice des œuvres philanthropiques qu'il soutenait ou qu'il avait créées.

GUÉRIN Daniel

Horticulteur, Daniel Guérin donna en 1952, en souvenir de son père, l'*Autoportrait* de Renoir* que l'artiste avait donné, en 1880 au valet de chambre de Paul Berard qui l'hébergeait dans sa résidence de Wargemont. L'usufruit fut abandonné en 1974.

GUÉRIN Edmond Paul Georges
Paris 1846 - Paris 1936

Ami de G. Migeon*, Edmond Guérin fit plusieurs dons d'objets islamiques, en son nom ou anonymement, en 1898, 1906 et 1908, et offrit au Département des Objets d'Art une aiguière en bronze donnée par le peintre Révoil à David (1933).

GUÉRIN Mme Edmond, née Thérèse Bréton
Châtillon (Hauts-de-Seine) 1854 - Paris 1939

Offrit en 1936 avec son fils Marcel*, en souvenir de son mari Edmond Guérin*, le buste en plâtre patiné de *L'acteur Préville dans le rôle de Figaro*, par L. de Montigny.

GUÉRIN Louis Marcel
Plessis-Piquet (Seine) 1873 - Paris 1948

Critique d'art. Fils d'Edmond Guérin* et père de l'homme de lettres Daniel Guérin. Fit de nombreux dons au Louvre : au Département des Antiquités orientales (1928, 1932), au Département des Objets d'Art (1918, 1922, 1929, 1939), notamment un bel ensemble de dix-huit plaquettes en bronze de la Renaissance et plusieurs objets islamiques, au Cabinet des Dessins (1932), et au Département des Sculptures (1936, cf. Mme Edmond Guérin). Beaucoup d'autres musées, à Paris et en province bénéficièrent également de ses libéralités.

GUÉRIN élèves de Pierre-Narcisse

Pierre Narcisse Guérin (Paris 1774 - Rome 1833) eut pour élèves dans l'atelier qu'il dirigea à partir de 1810, Gericault, L. Cogniet, Delacroix, A. et H. Scheffer, peintres de la génération romantique qui lui restèrent très attachés, et firent don au Louvre en 1837 de trois dessins à thème mythologique de leur maître.

GUERLAIN Jacques
1874-1963

Président de la parfumerie Guerlain, membre du conseil général de la Banque de France. Pour respecter ses vœux et en souvenir de lui, ses enfants, Jean-Jacques Guerlain, président du Syndicat national de la Parfumerie française, Marcel-Jacques Guerlain, la comtesse

Antoine de Clermont, née Hélène Guerlain (1913-1988), et Claude-Jacques Guerlain ont donné en 1965 une paire d'aiguières en bronze doré (v. 1700).

GUEULLETTE Gaston

Frère du critique et érudit Charles Gueullette. Don d'une miniature (1892).

GUGGENHEIM

Don en 1886, d'une broderie italienne du XV° s., déposée au Musée des Arts décoratifs.

GUIGUES Paul Émile
Mont-le-Krey (Liban) 1899 - Embrun 1981

Pharmacien à Beyrouth. Archéologue amateur qui effectua des fouilles dans le Liban méridional. Don d'une flèche portant une inscription en phénicien ancien en 1936.

GUILBERT-MARTIN

Don en 1893, au Département des Antiquités grecques et romaines d'un carré de mosaïque antique provenant des ruines de Ninive.

GUILLAUME-REY Emmanuel, dit baron Rey
Chaumont 1837 - Chartres 1916

Membre de la Société nationale des Antiquaires de France (1862), topographe, dessinateur et photographe. Dons de 1860 à 1865, d'une importante collection d'objets syriens, chypriotes et palestiniens, dont une statuette en argent de *Déméter*, des disques en bronze trouvés à Saïda, un ornement de cuirasse en bronze d'Albanie.

A. Caubet "Aux origines de la collection chypriote du Louvre : le fonds Guillaume Rey", *Report of the Department of Antiquities Cyprus*, 1984, pp. 221-229.

GUILLAUMET Mme Gustave, née Cécile Neinlist
Andlau (Bas-Rhin) 1844 - Paris 1929

Après la mort du peintre orientaliste G. Guillaumet (Paris 1840 - Paris 1887), sa veuve fit don, en 1888, d'une œuvre exemplaire de son mari : *Le Sahara* ou *Le désert* (Orsay). Elle exprima le désir que la libéralité qu'elle consentait soit désignée comme "Don de la famille de Gustave Guillaumet", pour que soient associés à son geste son fils Édouard (Paris 1866 - Paris 1905), sa belle-mère Mme Guillaumet née Gruson et ses beaux-frères, Arthur, Léon, Charles-Gabriel et Émile. Mme Guillaumet donna en outre quatre-vingt dessins et aquarelles de son mari, qui entrèrent au Musée du Luxembourg en 1899 et furent transférées au Louvre en 1930.

GUILLAUMET Mlle Yvonne
Paris 1879 - Paris 1965

Fille de Léon Guillaumet, frère cadet du peintre G. Guillaumet, elle donna au Louvre plusieurs œuvres de son oncle : d'abord, en 1950, une peinture (*Intérieur à Bou-Saâda* ; Orsay), puis, quelques années plus tard, quinze dessins et aquarelles (études de figures, paysages et objets d'Afrique du Nord).

GUILLEMARDET Louis-Philippe
Autun 1790 - Paris 1865

Secrétaire-général du Ministère des Finances, il a légué en 1865 le portrait de son père, Ferdinand Guillemardet, ambassadeur de France en Espagne de 1798 à 1800, peint par Goya, et celui de Mariana Waldstein, 9e marquise de Santa-Cruz, d'après Goya, ainsi qu'un important plat en faïence de Nevers (v. 1675 - 1690) représentant l'*Enlèvement d'Europe* d'après une gravure de Chauveau.

GUILLON Adolphe
Paris 1829 - Vézelay 1896

Peintre de paysages, et graveur français, il fit plusieurs legs à la ville de Sens et à la ville de Vézelay où il mourut. Il légua également au Louvre un de ses dessins, entré en 1899.

GUILLOT Henri

Collectionneur parisien. Il donna deux objets provenant de l'Aube : une statuette en terre cuite émaillée du XVe s. (1889) et un moule à pâtisserie en bois (1890).

GUIONEAU J.

Don en 1947 d'un collier de perles égyptien.

GUIRAUD Louis
Paris 1878 - Neuilly-sur-Seine 1955
GUIRAUD Lucien
Paris 1886 - Paris 1954

Fils d'Émile-Silvain Guiraud (1852-1936), ancien doreur sur bois originaire de Saint-Chinian (Hérault) et de Caroline-Christine Hermann (1859-1924), Louis Guiraud dirigea avec son frère Lucien une célèbre galerie d'antiquités, 1 quai Voltaire et 5 rue de Téhéran à Paris. C'est en souvenir de leurs parents qu'ils offrirent tous deux en 1936, au Département des Sculptures, le buste original en plâtre du *Président de Nicolaÿ* par Houdon, et au Département des Objets d'Art deux *médaillons* en marqueterie représentant Louis XVI et Marie-Antoinette. Louis Guiraud offrit également au Département des Objets d'Art en 1949, sous réserve d'usufruit, le grand bronze de *L'Enlèvement de Déjanire par le centaure Nessus*, provenant des collections de Louis XIV et attribué aujourd'hui à Pietro Tacca (entré au Louvre en 1956).

GUIRAUD Mme Lucien, née Marcel Marie Louise Dubernard
Lyon 1893 - Paris 1956

Elle épousa en secondes noces en 1935, Lucien Guiraud* et légua au Département des Peintures le fameux *Tigre couché* de Barye peint pour Alexandre Dumas (1956).

GUITTON Gaston Victor Édouard Gustave
La-Roche-sur-Yon 1825 - Paris 1891

Sculpteur. Don en 1872 au Département des Antiquités grecques et romaines d'un *Torse de jeune homme* provenant du château de Neuilly.

GULBENKIAN Calouste Sarkis
Scutari-Istanbul (Turquie) 1869 - Lisbonne 1955

Issu d'une famille de riches négociants arméniens, Calouste Gulbenkian fut l'un des pionniers de l'industrie pétrolière au Moyen-Orient et dans le Golfe persique. Les intérêts qu'il toucha dans les transactions internationales lui valurent le surnom célèbre de "Monsieur 5 %". Sujet britannique depuis 1902, il s'installa au Portugal en 1942 et créa en 1953 à Lisbonne une Fondation à but charitable, artistique et scientifique. Sa participation, en 1921, à un don collectif permit d'acquérir deux céramiques à décor lustré (Mésopotamie, IXe-Xe s.) et une aiguière en cuivre (Iran, Khorassan, XIIe s.). Il donna en 1935 au Département des Objets d'Art, un petit groupe en bronze doré représentant *Marsyas et une Ménade*, Padoue fin XVe s., acheté sur le conseil de G. Migeon* pour l'empêcher de sortir de France, et une *Panthère* en bronze, Italie, XVIIIe s.

M. T. Gomes Ferreira "Calouste Sarkis Gulbenkian", cat. *Calouste Gulbenkian Museum*, Lisbonne, 1982, pp. 5-14.

GUNZBURG baron Alain François de

Administrateur de sociétés, président de l'Association de soutien et de diffusion d'art (ASDA), organisatrice du prix Minda de Gunzburg, son épouse (née Bronfman). C'est en son souvenir qu'il donne au Cabinet des Dessins un important dessin de Burne-Jones en 1986.

GUNZBURG baronne Salomon David de, née Henriette Goldschmidt
Paris 1859 - Paris 1927

La baronne de Gunzburg légua au Musée du Louvre trois portraits. Le sien par G. Ricard, alors qu'elle était enfant, celui de sa mère, Mme Goldschmidt, par Winterhalter et celui de son fils Alexis, un pastel réalisé par l'artiste suédois H. F. Salmson (Orsay).

J. Guerlain

C.S. Gulbenkian

Baronne S.D. de Gunzburg
G. Ricard, Orsay

GUTEKUNST Otto
Stuttgart v. 1865 - ?

Fils de H. G. Gutekunst, marchand d'estampes à Stuttgart dès 1864, Otto Gutekunst vécut à Londres où il s'associa au marchand E. F. J. Desprez, puis à Colnaghi en 1894. Il fonda ensuite sa propre maison de commerce associé à son frère Richard Gutekunst (né à Suttgart en 1866) jusqu'en 1893. Otto Gutekunst offrit en 1920 un dessin de J. Jacquemart, *La chambre d'Henri Regnault après sa mort*.

GUY-LŒ Mme Maurice Guyot
voir **NOUFFLARD Geneviève**

GUYON Casimir Jean Félix
St-Denis-de-la-Réunion 1831 - Paris 1920

Chirurgien des hôpitaux, professeur agrégé, il fut membre (1878) et président (1901) de l'Académie de Médecine et membre de l'Institut en 1892. Il légua le *Pygmalion et Galathée* en marbre de Falconet, (entré au Louvre en 1930).

HACHE Mlle Marguerite
Vierzon 1863 - Néris-les-Bains 1945

Don en 1926, d'une statuette d'ivoire de *Vierge de calvaire* (Paris, dernier tiers du XIIIᵉ s.).

HACKIN Joseph
Grand Duché du Luxembourg 1886 - en mer au large du Cap Finistère 1941

Conservateur des musées nationaux, puis directeur du Musée Guimet. Il rédigea plusieurs ouvrages consacrés à l'art tibétain et aux collections bouddhiques du Musée Guimet. Il participa à la "Croisière jaune" Citroën* en 1931-1932. Il travailla plus spécialement sur le site de Bâmiyan en Afghanistan. En 1935, don de plusieurs objets de métal afghans et d'une céramique.

J. Auboyer, "Joseph Hackin (1886-1941), *Artibus Asiae*, 1946, vol.9, fasc. 4.

HAHN Joseph
La Galerie Hahn, rue de Berri, à Paris, a été fondée en 1964 et s'est spécialisée dans le domaine de la peinture ancienne ; elle organise parfois des expositions sur un thème : citons *La Peinture narrative en France 1500-1800* (1972), *Leurs esquisses* (1975), *Jacques Gamelin* (1979). J. Hahn et son épouse ont donné plusieurs œuvres, tableaux, dessins ou documents, à des musées français (Béziers, Pézenas, Brest, Lille). Ils ont offert au Louvre en 1973 un *Choc de cavalerie* de Gamelin, artiste qui leur est particulièrement cher, et en 1980 une esquisse de Meynier pour un plafond du musée.

HAIGAZA-HABECHIAN

Don en 1911 d'un cippe en forme de colonnette avec inscription grecque, en marbre, provenant de Cappadoce.

HALÉVY Mme Daniel
voir **BRÉTON Geneviève**

HALÉVY Mme Élie, née Florence Nouflard

Belle-fille de Ludovic Halévy, elle aidera considérablement son mari, professeur et auteur de nombreux ouvrages de philosophie, dans la rédaction de son ouvrage principal *"l'Histoire du Peuple anglais au XIXᵉ s."* en six volumes. On lui doit une traduction : *La vocation théâtrale de Wilhelm Meister* de Gœthe (1924). Elle donna en 1959, sous réserve d'usufruit, un dessin de Degas, entré au Louvre en 1964.

HALGAN
Donges (Loire-Atlantique) 1771 - Paris 1852

Amiral. Dons au Département des Antiquités grecques et romaines d'un *Lion* en marbre trouvé entre Athènes et le Cap Sounion, 1824, et en 1826 au Département des Antiquités égyptiennes de la stèle en calcaire au nom de *Padiime Nipet*.

HALIL EDHEM dit Halil Bey
Istanbul 1861 - Istanbul 1938

Conservateur du Musée archéologique d'Istanbul de 1910 à 1931. Don en 1924 du moulage en plâtre d'un bas-relief byzantin, *La Vierge de Gul hané*, découvert à Constantinople au cours des fouilles exécutées par l'armée française.

HALLEZ CLAPAREDE
Philippe-Raymond, comte
Paris 1846 - 1917

Légua au Louvre en 1917 quatre dessins de Kucharski, Gérard, Ingres, Isabey, ainsi que deux portraits peints, l'un de la baronne Hallez-Claparède, par Édouard Dubufe (déposé à Compiègne), l'autre de Mme Barbier, née Walbonne, arrière-grand-mère du donateur, par le baron Gérard.

HALLSBOROUGH galerie

Cette galerie londonienne de peinture ancienne a offert au Louvre en 1970 deux petites *Natures mortes de coquillages* d'A. Coorte.

HALPHEN Mme Fernand,
née Alice Kœnigswarter
Putot-en-Auge (Calvados) 1879 - Paris 1963

Veuve du musicien Halphen (1871-1917), Grand prix de Rome, Mme Halphen, écrivain sous le pseudonyme d'Orion, a constitué après 1920 une collection de peintures comprenant surtout des œuvres des impressionnistes et des peintres de la génération suivante. Également musicienne, Mme Halphen s'est appliquée à aider des musiciens tout en se consacrant à des œuvres, comme la Fondation Fernand Halphen dans l'Île Saint-Louis. En 1952 elle

fit don sous réserve d'usufruit de la toile célèbre de Van Gogh d'après Millet *La méridienne*, entrée dans les collections publiques en 1963 (Orsay).

HALVŒRSEN M.

Citoyen norvégien. Don d'un tableau d'Ingres*, étude pour *Jésus donnant les clefs à saint Pierre* (1929).

HAMARD abbé

Don en 1884, au Département des Antiquités grecques et romaines, d'un bloc inscrit d'époque mérovingienne trouvé à Hermès (Oise).

HAMBAR E.

Don d'un petit fragment d'architecture, provenant des environs de Smyrne en 1898.

HAMEL Mme, née Isabelle Rouart

Fille de Louis Rouart et Christine Lerolle, peintre, petite fille d'H. Rouart* et d'H. Lerolle, peintre (plafonds de l'Hôtel de Ville de Paris et du Théâtre des Champs Élysées). Elle-même amateur éclairé, membre actif de nombreuses Sociétés d'Histoire de l'art, sociétaire des Amis du Louvre, membre du Conseil d'Administration de la Société des Amis du Musée Delacroix. Don en 1967 d'un dessin de Delacroix.

HAMMER Armand

Fondateur et président de l'*OccidentaL Petroleum Corporation*, administrateur de multiples sociétés et fondations humanitaires, collectionneur et mécène. Sa collection de peintures et de dessins fut exposée à Paris en 1977, les tableaux au Musée Jacquemart-André, les dessins au Cabinet des Dessins du Louvre. Le Dr. Hammer est célèbre pour son rôle de médiateur dans les relations commerciales entre l'U. R. S. S. et les États-Unis. Il donne en 1977, au Musée du Louvre un dessin de Van Gogh.

HANES Mme Alfred, née Lamblin

Don en 1933 d'une lampe étrusque à six becs en bronze, en souvenir de son père le docteur Paul Lamblin.

HANNEZO Cyr Gustave
voir **CHOPPARD Urbain Louis**

HARARI et JOHNS galerie

Venant de la maison de vente Sotheby, Derek Johns fonda avec son confrère Harari à Londres en 1980 une galerie spécialisée dans la peinture ancienne. Il donna au Louvre en

J. Hackin
A.E. Iacovleff, Musée Guimet, Paris

J.B. Harlé
J.B. Harlé, coll. part.

H. Harpignies
Ed. Dubufe, Versailles

1984 un *Portrait de gentilhomme* peint par l'allemand W. Heimbach.

HARAUCOURT Mme Edmond

Don en 1948, d'un tableau de Rops : *Le Val du Colombier à Namur* (Orsay).

HARCOURT François Charles Jean Marie, duc d'

On lui doit la donation en 1970 sous réserve d'usufruit du portrait par Fragonard de son ancêtre Anne François d'Harcourt, duc de Beuvron (1727-1797).

HARCOURT Raoul d'
Oran 1879 - ap. 1969

Ethnologue, il publia de nombreux travaux sur le Pérou, certains en collaboration avec sa femme, Marguerite Béclard (1884-1964), compositeur de musique et exploratrice. C'est en exécution des volontés de celle-ci qu'il fit don en 1964 d'un portrait de sa grand-mère, Berthe Juliette Dubois (1797-1849), peint par Boilly. Le modèle, alors âgé d'une dizaine d'années, était la fille d'Antoine Dubois (1756-1837), chirurgien de Napoléon Iᵉʳ et ami du peintre. R. d'Harcourt donna également des sculptures et un tableau au Musée national d'Art moderne, la même année.

HARLÉ Daniel

Peintre-graveur, élève d'A. Lhote, il fit de nombreuses expositions et dressa le catalogue des *Cours de dessin gravés et lithographiés du XIXᵉ siècle*. conservés au Cabinet des Estampes de la Bibliothèque nationale. Don au Département des Peintures de trois études de son arrière-grand-père J. B. Harlé*, en 1984.

HARLÉ Jean Baptiste
St-Quentin 1809 - Dieppedalle 1876

Peintre romantique, philologue, égyptologue amateur et collectionneur d'antiquités, il mettait à la disposition des spécialistes son importante bibliothèque. Don en 1870 d'une stèle au nom du roi Iahmès (XVIIIᵉ dynastie).

HARLINGUE A.

Don, au Département des Antiquités grecques et romaines, d'un double *Hermès* en marbre représentant des philosophes, en 1894.

HARO

Don au Département des Antiquités grecques et romaines d'une *Tête de satyre* en marbre en 1898.

HARPIGNIES Henri
Valenciennes 1819 - St-Privé (Yonne) 1916

Le peintre fit don au Musée du Luxembourg en 1887 de deux œuvres : une *Vue du Colisée* et un *Paysage, vue prise de Beaulieu*, déposé à Cannes en 1935 et au Département des Antiquités grecques et romaines d'une lampe en bronze vernissé émaillé, en 1893. A sa mort il légua son portrait par E. Dubufe (déposé au Musée de Versailles).

HARTMANN Mme Frédéric, née Aimée Sanson-Davilliers
Paris 1826 - Munster 1907

Fille d'un homme d'affaires parisien, elle épousa en 1847 un industriel vosgien qui dirigeait des manufactures de coton. A ces côtés elle fit œuvre de bienfaisance en tentant d'améliorer la vie des ouvriers de la manufacture et celle de leurs familles. Les époux Hartmann étaient aussi des mécènes qui soutinrent notamment les peintres de Barbizon, Rousseau et Millet. En 1868, Frédéric Hartmann commanda à Rousseau une série de tableaux représentant les *Quatre saisons*, que le peintre laissa inachevée à sa mort. Millet qui fut alors invité à terminer le travail entrepris pu donner au commanditaire trois des quatre œuvres demandées en 1873, sans jamais pouvoir finir la dernière : l'*Hiver*. A la mort de F. Hartmann (1880), on procéda à la vente des œuvres parmi lesquelles se trouvaient *Le printemps* de Millet. La veuve de l'industriel racheta cette toile et en fit don au Louvre en 1887 (Orsay).

R. Schmitt, "Jacques Félix Frédéric Hartmann, grand notable libéral d'Alsace, 1822-1880", *Annuaire de la Société d'Histoire du val et de la vallée de Munster*, 1968.

HARTOG Arthur
Oss (Pays-Bas) 1889 - New York 1896

Homme d'affaires néerlandais (il fut l'un des dirigeants d'*Unilever*), amateur de tableaux anciens (lui appartint le *Portrait de femme* de Th. de Keyser, aujourd'hui à Berlin-Dahlem, pendant du *Portrait d'homme* légué au Louvre par R. Kann* en 1905), il s'intéressa à la France notamment par le biais du Conseil du Collège néerlandais à la Cité universitaire de Paris, fut membre de la Société des Amis du Louvre ; donne en 1933 un tableau de L. Doomer, *Le Pont-Neuf à Angers*.

HARTWIG P.

Don en 1910 au Département des Antiquités grecques et romaines d'un fragment de coupe à figures rouges en terre cuite.

HATON de la GOUPILLIÈRE Julien Napoléon
Bourges 1833 - Pau 1927

Membre de L'Institut, il était un des plus éminents mathématiciens et physiciens de son temps et fut directeur de l'École des Mines. Il donna en 1927 un tableau représentant son grand-père le général Jean-Martin Petit, pendant le Combat d'Olot en Catalogne, peint par J. Ch. Langlois (déposé à Versailles).

HAUCKE César Mange de
Paris 1900 - 1965

Collectionneur parisien, il fit ses études en Angleterre, et sa carrière de marchand en Amérique ; auteur célèbre d'un livre sur Seurat (1962), il donna sa collection de dessins français au British Museum qui les exposa en 1968. En 1965 il avait donné au Louvre quatre dessins de Tiepolo, Delacroix et Renoir*.

HAUGUET Mme Jacques Albert
voir COUTAN collection

H. Havard
Bibl. nat., Paris

Ch. Hayem
J.E. Delaunay, Louvre

Mme E. Hébert
E. Hébert, Musée Hébert, Paris

HAUSER Lionel

Banquier, il a donné en 1921 un tableau de L. Velázquez et, en 1931, un *Christ en croix* de Ribot.

HAUSSOULIER Bernard
Paris 1853 - 1926

Directeur de l'École française d'Athènes. Don en 1923 d'une inscription lydienne en marbre, de figurines de terre cuite et de vases de style archaïque.

HAUTPOUL Alphonse Napoléon, comte d'
1806/07 - Paris 1889

Fils du général Jean-Joseph d'Hautpoul qui se distingua à Austerlitz et à Eylau, où il fut mortellement blessé (1807). Époux de la fille du maréchal Berthier, Caroline, princesse de Wagram, il légua un tableau de l'atelier de L. Giordano, entré au Louvre en 1890 comme étant de l'école de S. Vouet.

HAVARD Henry
Charolles (Saône-et-Loire) 1838 - Paris 1921

Inspecteur des Beaux-Arts et historien d'art, H. Havard s'intéressa à l'art hollandais, aux manufactures nationales et à l'ameublement. Dans chacun de ces domaines nous lui devons des œuvres importantes : *L'Art des artistes hollandais* (1879-1881), *Les Manufactures nationales* (1889, en collaboration avec M. Vachon) et le capital *Dictionnaire de l'ameublement et de la décoration depuis le XIIIe s. jusqu'à nos jours* (1887-1889). Il fit trois dons au Musée du Louvre : en 1885, une statuette de *Sainte Barbe* en terre de pipe, en 1909, deux assiettes de Delft et, en 1917, une plaque en faïence de la manufacture napolitaine de M. Giustiniani (1876), représentant *L'Aurore* du Guide.

HAVEMEYER Mrs Henry Osborne, née Louisine Waldron Elder
New York 1855 - New York 1929

Épouse d'un magnat de l'industrie sucrière aux Etats-Unis (1847-1907) en 1883 ; ensemble ils constituèrent une extraordinaire collection d'œuvres d'art anciennes et modernes, européennes, orientales et extrême-orientales, dont la plus grande partie (presque deux mille pièces) fut léguée au Metropolitan Museum de New York, par Mme Havemeyer en souvenir de son mari. Louisine Havemeyer, amie de longue date de Mary Cassatt*, fut en Amérique parmi les premières à apprécier les œuvres de Courbet, Manet et des impressionnistes (elle acheta son premier Degas et son premier Monet en 1875). Son attachement pour la France - elle contribua pendant la première guerre mondiale à des associations d'aide aux soldats blessés - pour l'art français aussi, lui valurent la Légion d'Honneur en 1922. En 1927, elle offrit au Louvre le portrait de *Clemenceau* par Manet (Orsay).

L. Havemeyer, *Sixteen to Sixty : Memoirs of a collector*, New York, 1961. F. Weitzenhoffer, *The Havemeyers. Impressionism comes to America*, New York, 1986.

HAVILAND
voir **BURTY-HAVILAND Paul**

HAWKINS Jacqueline

Fille du peintre symboliste, L. W. Hawkins. Don en 1973, d'un tableau de son père *Le sphinx et la chimère*.

HAYAUX du TILLY Louis Paul Henri
Paris 1851 - Paris 1942

Agent de change. Dons à la Section islamique en 1910 d'un fragment de frise à décor d'inscription hébraïque (Égypte, XIIe s.), en 1920, en souvenir de F. Jeuniette, d'un fragment de vase à décor lustré (Égypte, XIIe s.) et en 1936 au Département des Sculptures du bas-relief en pierre ayant décoré la façade orientale du château d'Écouen.

HAYEM Charles
Paris 1839 - Paris 1902

Ch. Hayem, un négociant parisien que Claude Monet, en 1884, appelle le "marchand de rubans" (le père de Charles Hayem dirigeait une fabrique de chemises et de cols-cravates rue du Sentier, la "Maison du Phénix") consacra une fortune qu'il jugeait modeste à collectionner des œuvres d'art. Il eut des Monet, des Pissarro, au début des années 1880, mais il demeure surtout célèbre pour l'extraordinaire ensemble de G. Moreau qu'il avait rassemblé : en 1879 il possède six œuvres de l'artiste ; en 1893 il envisage d'acquérir son cinquantième Moreau... Il semble avoir fait connaissance de l'artiste vers 1873, date à laquelle il possède déjà *Le Calvaire* que, dès mai 1898, un mois après la mort de G. Moreau, il offrit au Musée du Luxembourg avec quatre aquarelles dont l'*Apparition*, œuvre capitale. En janvier 1899 était également exposé le reste de la donation Hayem comprenant des dessins, émaux, médailles par Gustave Moreau (point fort de la collection) Bastien-Lepage, E. Lévy, H. Lévy, Fantin-Latour*, de Nittis, Ribot, Cazin, Raffaelli, Garnier, Grandhomme, H. Cros, Ponscarme, Gilbert, K. Greenaway, ainsi qu'un portrait du donateur de 1865 par E. Delaunay*. La femme de Ch. Hayem, Amélie, faisait de la sculpture. Il est le frère du célèbre médecin, le professeur Georges Hayem (1841-1933) et d'Armand Hayem (1845-1890) proudhonien et ami de Barbey d'Aurevilly.

R. Bouyer, "Le don Hayem au Musée du Luxembourg" *Gazette des Beaux-Arts*, 1900, 2, pp. 593-598.

HAZARD Nicolas Auguste
Paris 1834 - Orrouy (Oise) 1913
HAZARD Mme Nicolas Auguste, née Julie Pauline Hazard
Autheuil (Valois) 1853 - Orrouy (Oise) 1919

Avec le comte Doria*, les frères Henri* et Alexis Rouart, dont il était l'ami, N. A. Hazard fut l'un des plus fervents amateurs de A. F. Cals (1810-1880) qui a peint les portraits de son mécène (1869) et de plusieurs membres de sa famille. Il donna avec son épouse en 1894 quatre œuvres représentatives de ce petit maître apprécié de Corot et de Diaz. N. A. Hazard possédait une collection (dispersée après la mort de son épouse) de plusieurs centaines de pièces avec quelques œuvres anciennes mais surtout un très bel ensemble de peintures et dessins du XIXe s. de Corot, Courbet et Daumier aux impressionnistes.

A. Alexandre, *A. F. Cals*, Paris, 1900. Cat. vente, Paris, Galerie Georges-Petit, 1-3 déc. 1919, et Hôtel Drouot, 10-11 et 29-30 déc. 1919.

F. Heilbuth
G. Ricard, Louvre

J. Helft

Y. Helft
P. Picasso, coll. part.

HÉBERT Mme Ernest,
née Gabrielle d'Uckermann
Dresde 1854 - Paris 1934

Fille du baron d'Uckermann, famille originaire de Saxe, elle rencontre son mari le peintre
E. Hébert (1817-1908) à l'exposition de Munich en 1879. Épouse attentive et discrète, elle
fit après la mort de son mari une importante
donation au Louvre de dix peintures (Musée
Hébert) et quatre cent dix-sept dessins (1924-
1925). Son héritier René Patris d'Uckermann
fonda le Musée Hébert en 1978.

HEBERT Robert Alfred
Le Petit-Quevilly 1897 - Bois-Guillaume
(Seine-Maritime) 1983

Gendre du paysagiste J. Delattre (1858-1912)
il donna en 1933, au nom de son épouse et de
son beau-frère, un paysage de Delattre, *Les
côtes de Biessard et la Seine en amont de Petit-
Couronne par un soir d'automne* (déposé en 1955
au Ministère des Finances).

HEBRARD
voir **DEGAS** héritiers d'Edgar

HECHT Ernest

A offert en 1934 un buste d'Henri Hecht par
Chapu et celui de Marc-Maurice Hecht, son
grand-père, œuvre de Saint-Marceaux* (maintenant au Musée de Châlons-sur-Marne). Ernest Hecht était le fils de Myrtil Hecht († 1898)
et le neveu d'Henri Hecht († 1891) et d'Albert
Hecht. Cette famille de grands négociants parisiens compta plusieurs collectionneurs inté-
ressés à la fois par l'art ancien et les courants
les plus modernes de l'art contemporain (cf.
aussi Trenel-Pontremoli).

A. Distel, "Albert Hecht, collectionneur (1842-
1889)", *Bulletin de la Société de l'Histoire de l'Art
Français*, 1981 [1983], pp. 267-279.

HECHT Robert

Don, au Département des Antiquités grecques
et romaines, en 1960 d'une bague en or paléochrétienne.

HEILBUTH Ferdinand
Hambourg 1826 - Paris 1889

Legs au Musée du Luxembourg qui ne possédait pas encore d'œuvres de lui, d'un de ses
tableaux, *Rêverie*, et au Musée du Louvre, de
son portrait, peint par G. Ricard (Orsay).

HEIM François

Grand antiquaire parisien, il donne, en 1971,
une statuette de terre cuite, *Vierge à l'Enfant*,
par J. Sarrazin, deux tableaux de J. Barbault,
Prêtre de la loi et *Sultane grecque*, et un portrait
d'homme à l'antique du pseudo Félix Chrétien, peintre de Haarlem actif à Auxerre
v. 1535-1550.

HEIM François Joseph
Belfort 1787 - Paris 1865

Peintre. Don d'un de ses dessins, en 1858.

HEIM Mme François-Joseph

Don en 1866 de cinquante-huit dessins de son
mari le peintre F. J. Heim* qu'elle avait épousé
en 1813.

HEIN Mme Rickel

Don en 1947 d'un masque de sarcophage égyptien en terre cuite au Département des Antiquités égyptiennes, et en 1954 d'un fragment
de statuette isiaque en basalte trouvé dans le
Puy-de-Dôme au Département des Antiquités
grecques et romaines. Don en 1962, au Cabinet
des Dessins, avec son amie Mme Desormière*,
d'un dessin de Steinlen et en 1970 de documents sur Steinlen dont deux ouvrages illustrés
de croquis de l'artiste.

HEINE Georges Isaac
Paris 1861 - Château de Richelieu (Indre-et-
Loire) 1928

Régent de la Banque de France. Legs de dix-
sept miniatures par Saint, Dumont, etc ; de
soixante-et-onze petites pièces d'orfèvrerie, de
nombreuses pièces de porcelaine d'origines diverses, dont l'ensemble de Meissen composé

en grande partie de statuettes et de figurines
est un des noyaux importants de la modeste
collection du Louvre. Legs également de deux
tableaux par Mme Vigée-Lebrun et Boilly.
Legs au profit du Musée des Arts Décoratifs
et divers autres legs à des œuvres de bienfaisance.

HELFT Jacques
Paris 1891 - Paris 1980

Antiquaire et expert, fils de Léon Helft*. Il
travailla d'abord avec lui puis, associé à son
frère Yvon, s'installa dans un hôtel particulier,
4 rue de Ponthieu. Il quitta la France en 1940,
poursuivant son activité à New York de 1940
à 1947, puis à Buenos Aires de 1947 à 1956,
date à laquelle il revint à Paris. Expert près
les douanes françaises (depuis 1926), membre
de la Chambre syndicale des experts professionnels, président du Syndicat national des
antiquaires, conseiller du Commerce extérieur
de la France, il fut aussi un chercheur en
matière d'orfèvrerie, faisant progresser la
connaissance des poinçons anciens grâce à ses
publications, *Le Poinçon des provinces françaises*
(1968) et *Nouveaux poinçons* (ouvrage posthume, 1980). Il donna en 1933, avec son frère
Yvon (Paris 1890 - Memphis (Tennessee)
1941), une paire de flambeaux en argent du
service Orloff, puis en 1970, deux pièces en
argent doré du nécessaire de la princesse
Georges-Guillaume de Hesse-Darmstadt
(Strasbourg, 1749-1751).

J. Helft, *Vive la Chine! Mémoires d'un antiquaire*,
Monaco, 1955.

HELFT Léon
Nantes 1850 - Paris 1932

Antiquaire parisien, établi *A la Vieille Bretagne*,
34, rue La Fayette. Il donna en 1903 deux
fragments de fresques romaines de Boscoreale.

HELFT Yvon
voir **HELFT Jacques**

HELLER Mme

Don d'un dessin de Salvator Rosa en 1950.

HELLER Hermine

Fille d'Hermann Heller (1866-1947), peintre et sculpteur autrichien. Docteur de l'Université de Vienne, elle étudia le chant et l'art dramatique, et partagea son temps entre le métier d'acteur et celui de producteur de films et d'essais, spécialement pour la télévision autrichienne. Elle organisa diverses expositions pour son père et publia en 1985 *Hermann Heller critical catalogue/Biography*. Don en 1979 d'un dessin de son père.

HENNEGUY Mlle Suzanne
voir **FAURÉ-FREMIET Mme Emmanuel**

HENNER Mme Jules,
née Philippine Dujardin
Mulhouse 1858 - Bruyères-le-Châtel 1946

Nièce du peintre J. J. Henner. Elle fonda en 1926, le Musée Henner qu'elle continua à enrichir toute sa vie et auquel elle légua une importante somme d'argent pour en assurer l'entretien. Don au Musée du Louvre en 1925 de cinquante dessins de l'artiste.

HENRAUX Albert SANCHOLLE
Paris 1891 - Chantilly 1953

Grand amateur et bibliophile, président du Conseil artistique des Musées nationaux, président de la Société des Amis du Louvre, président de la commission de Récupération artistique, il termina sa carrière comme conservateur au Musée Condé à Chantilly. Don en 1928 d'une aquarelle de Bonington, en 1954 de deux dessins de Millet et legs d'un ensemble de miniatures des XIIIᵉ-XVIIIᵉ s., la plupart iraniennes, dont deux sont attribuées à Rija Abbassi, peintre renommé de la cour de Shah Abbâs (déb. XVIIᵉ s.).

HENRAUX Mme Albert SANCHOLLE,
née Marie Delaroche-Vernet

Descendante des peintres P. Delaroche, Horace, Carle et Joseph Vernet, chef des Services de la Réunion des musées nationaux, conseillère de la Société des Amis du Louvre de 1967 à 1976. Dons en 1967, au Département des Antiquités orientales sous réserve d'usufruit, d'une statuette en bronze, la même année, au Cabinet des Dessins, de deux dessins de C. Vernet et en 1971 de près de sept cents dessins de P. Delaroche, enfin en 1982 don de neuf dessins du même artiste.

HENRAUX Lucien SANCHOLLE
† 1926

Grand amateur, frère d'Albert Sancholle Henraux*, membre du Conseil des Amis du Louvre. En 1921, dans le cadre d'un don collectif avec M. et Mme Homberg*, Gulbenkian*, R. Pottier* et Ch. Gillet*, il offrit une céramique islamique (Iran, XIIIᵉ s.).

HENRIOD Mme Maurice,
née Marthe Bracquemond

Mme Henriod était organiste et compositeur de musique. Elle était la petite-fille de Félix et Marthe Bracquemond*, Son père, Pierre Bracquemond, était également peintre. Elle donna en 1966 un *Paysage* dessiné par F. Bracquemond et *Les parapluies* de M. Bracquemond.

HENRY Arsène
voir **du BUIT Jean**

HENRY Charles
Bollwiller 1859 - Versailles 1926

Ch. Henry, bien connu pour les rapports qu'il entretenait avec les néo-impressionnistes, était aussi lié à la famille Cros. Il publia, avec H. Cros (1840-1907), en 1884, un traité sur *L'encaustique et les autres procédés de peinture chez les anciens*. Un *Portrait de femme* d'H. Cros, fut donné anonymement en 1938 à la mémoire de Ch. Henry.

HENRY Mme Louis Adolphe née Élisabeth dite Hortense Guébin
St-Quentin (Aisne) 1817 - Courbevoie 1893

Originaire d'une famille de ferblantiers et de militaires et veuve d'un antiquaire spécialisé dans les armes. Legs d'une armure française fleurdelysée de la fin de la Renaissance.

HERBELIN Mme, née Jeanne Mathilde Habert
Brunoy 1820 - Paris 1904

Considérée comme la meilleure miniaturiste française du XIXᵉ s. Don d'une miniature en 1853 (de sa main ?).

HERBETTE Mme Maurice,
née Louise Trézel
Paris 1885 - Paris 1973

Veuve de Maurice Herbette, ambassadeur de France à Bruxelles, elle était la fille d'Alphonse Trézel, avocat au Conseil d'Etat, collectionneur de tableaux, dessins et objets d'art du XVIIIᵉ s. En 1939, elle donna, sous réserve d'usufruit, trois peintures (entrées au Louvre en 1974) : un rare tableau de G. de Saint-Aubin, *Laban cherchant ses idoles*, un *Portrait d'homme* de Heinsius (ces œuvres provenaient de la collection de son père ; elles les avait acquises à sa vente après décès en 1935) et *Mars et Vénus* de l'École française du XVIIIᵉ s. (hérité de son mari).

P. Rosenberg, "La donation Herbette", *La Revue du Louvre et des Musées de France*, 1976, n° 2, pp. 93-98.

HÉRICART de THURY abbé Edmond Elisabeth Armand
Paris 1834 - Beaulieu-sur-Mer (Alpes-Maritimes) 1889

Fils de Louis-Étienne-François Héricart, vicomte de Thury (1776-1854), directeur des travaux du département de la Seine (1813) et membre de l'Académie des Sciences, l'abbé Héricard de Thury fut prêtre à Paris, puis dans le diocèse de Nice. Don au Musée des Souverains (1868), au nom des héritiers du vicomte Louis-Étienne-François Héricart de Thury, d'une petite boucle d'argent mérovingienne dite "de Pépin le Bref", découverte à St-Denis en 1824.

HERON de VILLEFOSSE Antoine Marie Albert
Paris 1845 - Paris 1919

Archiviste-paléographe (1869), archéologue, attaché au Musée du Louvre qu'il contribue à protéger des incendiaires de la Commune. Élu membre de l'Institut (1886) après plusieurs missions de fouilles et de recherches en Europe et en Afrique du Nord, il devient conservateur du Département des Antiquités grecques et romaines et directeur adjoint à l'École pratique des Hautes Études. Auteur de nombreuses publications, touchant notamment l'épigraphie latine. Nombreux dons entre 1871 et 1893 aux départements archéologiques, entre autres une anse décorée d'épisodes de l'histoire de Thésée (1871), des stèles puniques (1873), une stèle d'*Isis allaitant*, de Basse Époque, en calcaire (1890), une plaque de terre cuite décorée d'une *Diane chasseresse* (1893)...

HERSENT Mme Georges,
née Marie-Marthe Luzarche
Azay-le-Ferron (Indre) 1876 - Fédela (Maroc) 1951

Lègue un important groupe en pierre, de Jean-Baptiste Lemoyne, *Vertumne et Pomone,* provenant des jardins de la Folie Saint-James, à Neuilly, qui passa longtemps pour un portrait allégorique de Louis XV et de Madame de Pompadour. Elle légua également à la ville de Tours le château d'Azay-le-Ferron et les collections qu'il contenait.

HERSENT Mme Louis,
née Louise Mauduit
Paris 1784 - Paris 1862

Femme du peintre L. Hersent, peintre elle-même, elle a légué en 1862 le portrait, qu'elle avait peint en 1816, de Mme de Fumel, supérieure générale des Dames de l'Institution de l'Enfant Jésus (orphelinat devenu, en 1802, l'Hôpital des Enfants malades).

HERVÉ Georges
voir **JONES Mme Algernon**

A.M.A. Héron de Villefosse
Bibl. de l'Institut, Paris

Mme L. Hersent
L.A. Desnos, Versailles

L.A. Heuzey
Bibl. de l'Institut, Paris

HESSE Alexandre Jean Baptiste
Paris 1806 - Paris 1879

Fils du peintre, miniaturiste et lithographe H. J. Hesse et peintre lui-même. Membre de l'Institut. Legs de deux miniatures par H. J.Hesse.

HEUGEL Jacques
Paris 1890 - Paris 1979
HEUGEL Mme Jacques,
née Jeanne Lázár Paris 1895 - Paris 1981

Fils de l'éditeur de musique et collectionneur Henri Heugel (1844-1916), lui-même éditeur de musique à partir de 1919 et homme de lettres, J. Heugel donna avec son épouse en 1977, sous réserve d'usufruit, deux tableaux qui passèrent longtemps pour des originaux de Rubens, le *Triomphe de l'Eucharistie sur le paganisme* et le *Triomphe de l'Eucharistie sur l'hérésie* (entrés au Louvre en 1981). Ces œuvres provenaient de la vaste et remarquable collection que son père, membre du Conseil des Amis du Louvre, avait réunie dès 1886, collection constituée d'abord d'Impressionnistes, puis de Primitifs (Gentile da Fabriano, Sittow, ce dernier acquis par le Louvre en 1966), d'Allemands et de Hollandais (Dürer, aujourd'hui à Berlin-Dahlem, Cuyp, Steen), de Français du XVIIIᵉ s. (Watteau acheté par Toledo) ainsi que des sculptures de la Renaissance italienne, de bronzes (Jean de Bologne, récemment entré au Louvre), d'émaux limousins, de faïences, etc...

HEULARD-D'ARCY Mlle Anna
Clamecy 1840 - Corvol-l'Orgueilleux (Nièvre) 1930

Legs de quatre tableaux et d'une gouache.

HEUZEY Jacques

Fils de L. Heuzey*. Don en 1973 d'une tablette économique d'Ur III au Département des Antiquités orientales.

HEUZEY Léon Alexandre
Rouen 1831 - Paris 1922

Élève à l'École française d'Athènes, professeur d'histoire de l'art et d'archéologie à l'École des Beaux-Arts, membre de l'Institut, il fut le premier conservateur du Département des Antiquités orientales, créé en 1881. Don en 1911 de deux pièces d'étoffe copte (à la Section copte) et entre 1914 et 1919 de deux petites sculptures en calcaire de Chypre, de petits objets et figurines orientaux, d'un lot de terres cuites et d'une brique à décor architectural d'Acarnanie (Grèce du Nord).

HEYMAN Mme Abraham dit Alfred, née Alice Babette Schloss
Paris 1864 - Paris 1925

Collectionneur, auteur d'articles et d'ouvrages. Legs de lorgnettes et d'un dessin de Boilly au Musée du Louvre. Autres legs au Musée Carnavalet, au Musée Guimet, au Musée du Conservatoire de Musique, au Musée de l'Opéra, au Musée des Arts décoratifs, au Musée de Cluny, et au Musée de la Malmaison.

HIBRY Mme

Don en 1953 d'une étiquette babylonienne.

HILL James N. B.
† Boston 1976

Petit-fils de James J. -Hill, constructeur de voies ferrées vivant dans la région de Minneapolis à la fin du XIXᵉ s. et grand collectionneur de tableaux de l'École de Barbizon, il hérita d'une partie de ses collections. Il donna certaines de ces peintures en 1962 (dont *Le pré des Graves à Villerville* de Daubigny), accompagnées de lettres autographes de peintres impressionnistes, et en légua trois autres, qui entrèrent au Louvre en 1978 : Corot, *Jeune fille grecque à la fontaine* ; Millet, *Laitière à Gréville* ; Boudin, *Le port du Havre* (ces deux dernières maintenant au Musée d'Orsay).

"The collection of James J. Hill", *The Minneapolis Institute of Arts Bulletin*, XLVII, n° 2, avr.-juin 1958, pp. 15-27.

HINDAMIAN Yervant dit Édouard
Istambul 1877 - Paris 1958

Antiquaire. En 1938, don à la Section islamique d'un félin en bronze (serre-pierre ? , Iran, Khorassan, XIIᵉ-XIIIᵉ s.) qui proviendrait peut-être de la succession du fils Demotte, qui eut lieu la même année.

HINDLEY SMITH J.

Vivait à Seaford (Sussex). Don en 1927 d'un *Portrait de Adolphe Monticelli* par J. Monge, qui passait alors pour représenter C. Monet.

HINSTIN Gustave
† av. 1897

Ancien membre de l'École d'Athènes. Don en 1876 de deux statuettes en marbre provenant de Paros.

HIRN Gustave Adolphe
Logelbach (Haut-Rhin) 1815 - Logelbach 1890

Industriel, physicien, mathématicien et astronome, connu par ses travaux sur la composition chimique des anneaux de Saturne et par sa théorie mécanique de la chaleur, il était correspondant de l'Institut de France et associé des Académies de Sciences de Belgique, de Suède, de Saint-Petersbourg, d'Espagne... Fils cadet du peintre J. G. Hirn, il donna en 1889 un tableau de ce dernier, *Fleurs posées sur les ruines d'un autel antique*, qui lui avait valu une médaille au Salon de 1812 (déposé en 1934 au Sénat).

E. Schwörer, *Notice biographique avec document concernant la vie, la famille, les travaux de M. Hirn*, Colmar, 1892.

HIRSH Henriette

D'origine hollandaise, elle donne en 1976 un dessin de Maillol provenant de la collection de sa sœur Mme Sarah Jourdan.

H. His de la Salle
A. Devéria

L.S. Holfeld

O. Homberg

A. Huc de Monfreid
D. de Monfreid, Orsay

HIS de BUTENVAL Charles Adrien, comte
Navarre-lès-Evreux 1809 - Bagnères-de-Bigorre 1883

Diplomate, sénateur (1865). Fils de Jean His (1782-1854), député de l'Orne sous la Restauration et le règne de Louis-Philippe*. Legs de fragments de bas-reliefs provenant des fouilles de Botta à Khorsabad, de figurines de bronze (provenant de la collection de son demi-frère His de La Salle*) et d'un *Masque de méduse* en bronze (déposé au Département des Objets d'art).

HIS de la SALLE Aimé Charles dit Horace
Paris 1795 - Paris 1878

Issu d'une famille d'aristocratie cultivée (son père était homme de lettres et sa mère musicienne), ce jeune officier légitimiste, ami de Gericault, interrompt sa carrière militaire pour s'adonner exclusivement à sa vraie passion : collectionner. En relations étroites avec le cercle restreint des grands amateurs parisiens, Lacaze*, Reiset*, Thibaudeau, il s'intéresse d'abord aux antiques (bronzes, médailles) et à l'estampe, puis au dessin, qui bientôt l'occupe seul, au point de l'amener à vendre aux enchères ses gravures, dont la réunion est fameuse (1856). Sa collection vaut d'abord par l'école française, des primitifs aux contemporains, mais comprend aussi d'éclatants feuillets de la Renaissance italienne et d'œuvres nordiques célèbres. La générosité du donateur n'est pas moins notoire. Dès 1866, il donne au Louvre dix études de Poussin pour la série des *Sept sacrements*. Peu avant sa mort, il récidive avec un don de trois cents dessins, qui constitue la meilleure part de sa collection : Poussin, Gericault, Delacroix, Raphaël, Vinci, Corrège, Rubens et Rembrandt. Ce don s'accompagne d'autres libéralités, très importantes, à l'École des Beaux-Arts, à la Bibliothèque nationale et aux musées de province (Dijon, Lyon, Alençon). D'autre part, His de la Salle a donné au Louvre quelques sculptures de première grandeur : une *Nativité* anonyme, une *Madone* de Mino da Fiesole et des plaques de bronze de la Renaissance italienne (1862 et 1876 ; en dépôt au Département des Objets d'Art), deux bas-reliefs, *Les Trois Grâces* et une *Femme accoudée sur un vase* (1872, Dé-

partement des Antiquités grecques et romaines).

Vte. Both de Tauzia, *Notice de la collection His de la Salle*, Paris, 1881. Ch. Ephrussi, *Les dessins de la collection His de la Salle*, Paris, 1883. Cat. exp., *Dessins de la collection His de la Salle*, Dijon, 1974

HITTORFF Charles
Paris 1826 - Versailles 1898

Fils de l'architecte d'origine allemande J. Hittorff, il lègue trois dessins d'architecture.

HOCHON Jeanne
Paris 1873 - Paris 1953

Petite-fille de l'architecte du Palais du Louvre, Hector Lefuel. Legs d'un portrait d'Hébert représentant Louise Hochon, sa mère.

HODGKINS Edwin
Angleterre 1860 - ?
HODGKINS Ethel

Edwin Hodgkins, antiquaire, et sa sœur, Ethel, héritiers de E. M. Hodgkins*, donnèrent au Musée du Louvre (1932) en souvenir de leur père un buste en marbre de *Louis XIV* par Coysevox.

HODGKINS Edwin Marriott

Marchand et collectionneur britannique de porcelaines de Sèvres installé 138 New Bond Street à New York. Ne retenant que les pièces exceptionnelles, il en réunit un ensemble très important qui fut dispersé en vente à plusieurs reprises (1908, 1914, 1927, 1937). La plus grande partie de cette collection fut achetée par Henry Walters et se trouve maintenant à la Walters Art Gallery de Baltimore. E. M. Hodgkins qui habitait à Paris offrit au Louvre six dessins de l'école anglaise.

Catalogue of an Important Collection of Old Sèvres Porcelain, Louis XV and Louis XVI Period, belonging to E. M. Hodgkins, Paris, [s. l.], [s. d.]. Cat. exp., *Special Exhibition of Sèvres Porcelaine on view at the galleries of E. M. Hodgkins, 158B, New Bond St., London, W.*, Londres, 1908

HOFFMANN Jean Henri
Hambourg 1823 - Paris 1897

Collectionneur avisé, éditeur du *Numismate* de 1862 à 1864. Le Louvre fit l'acquisition d'une partie de ses collections égyptiennes en 1886 et 1895. Don d'une statuette féminine d'époque ptolémaïque entrée au Louvre en 1909. En 1908 sa veuve offrit en souvenir de son mari une loutrophore attique en terre cuite.

HOLFELD Jacques

Don d'un dessin de Jacob de Witt en 1969.

HOLFELD Louise Sophie
Auxerre 1882 - Mantes-la-Jolie 1967

Dame de compagnie et héritière de Louise Clément-Carpeaux (1872-1961), fille du sculpteur J. B. Carpeaux. Don en 1964, d'une esquisse en terre crue pour la fontaine de l'Observatoire et d'un petit buste en terre cuite, de Carpeaux ; legs de vingt-sept œuvres de Carpeaux, dont de nombreuses esquisses en terre cuite, ainsi que du portrait peint par Carpeaux de son ami Ernest Blagny (Musée d'Orsay).

HOMBERG Jacques

Don en 1953 d'un plat de céramique à décor lustré d'oiseau fleuronné (Iran, Rayy, Xᵉ s.) en souvenir de son père Joseph Homberg.

HOMBERG Octave
Paris 1844 - Paris 1907
HOMBERG Mme Octave, née Marie-Anne Kolb
St-Quentin 1855 - Paris 1925

Ancien inspecteur général des Finances, censeur de la Banque de France, Octave Homberg avait constitué, conseillé par G. Migeon* une collection d'œuvres en majorité médiévales, de très belle qualité. Il fit don en 1906, avec d'autres collectionneurs, d'une petite *Vierge* de bronze (XIIIᵉ s.). Après sa mort, en 1907, sa veuve offrit en mémoire de lui, une sélection d'œuvres médiévales destinées au Musée des Arts décoratifs et au Louvre, pour le Département des Objets d'art (France, XIIIᵉ s., vitrail de la *Légende de saint Nicaise et sainte Eutropie* ;

Limoges, XIII⁰ s., *Chef-reliquaire* d'une sainte), le Département des Sculptures (France, XII⁰ s., relief *Vierge de Visitation* ; Auvergne, milieu XII⁰ s., *Chapiteau avec l'Annonciation et la Visitation*) et la Section islamique (Syrie, XIII⁰ s., gobelet de verre émaillé ; Iran, XVII⁰ s., bouteille de céramique).

G. Migeon, "La collection de M. Octave Homberg", *Les Arts*, 1904, n° 36, pp. 32-48.

HOMEISI Jasim

Homme d'affaires koweïtien. Don en 1980 d'une aiguière du Khorassan, XI⁰-XII⁰ s., en cuivre.

HOMOLLE Mlle Délie
Paris 1888 - Rueil-Malmaison 1973

Elle était la cadette des quatre enfants de Théophile Homolle (1848-1925), membre de l'Institut, directeur des musées nationaux de 1904 à 1911, administrateur de la Bibliothèque nationale de 1911 à 1924, et la sœur de Geneviève Homolle (1882-1963), attachée au Musée du Luxembourg puis au Musée national d'Art moderne. En 1972, elle donna au Louvre le portrait de son père, peint par Bonnat* en 1911 (Orsay).

HOMSY Khalil

Marchand d'antiquités à Beyrouth. Don d'une tablette cunéiforme (Syrie) en 1985.

HONORÉ Maurice

Ingénieur. Don au Département des Antiquités orientales en 1959 d'une tablette d'Ur III.

HOPE lady, née Mélanie Mathilde Rapp
Paris 1817 - ?

Fille du général Jean Rapp (1771-1821) qui participa à la campagne d'Égypte, plus tard pair de France et grand collectionneur, et d'Albertine Charlotte, baronne de Rothberg-Sandersleben-Coligny ; épouse en 1835 sir Adrien Joseph Hope. Don en 1874 d'un important ensemble d'antiquités égyptiennes (stèles, statues, reliefs...).

HORRACK Philippe Jacques Ferdinand de
Francfort 1820 - 1902

Homme d'affaires (Banque Greene et Cie à Paris, 1843 ; Tiffany et Cie, 1851), archéologue, correspondant et ami de Chabas, publia les *Lamentations d'Isis* et le *Livre des respirations*. Don au Département des Antiquités égyptiennes en 1874 d'un texte funéraire sur toile peinte.

HOSKIER Monsieur

Consul général de Danemark. Don en 1899 d'un torse d'Aphrodite trouvé à Baalbeck en 1838.

HOSSIASON Philippe
Odessa 1898 - Paris 1978

Peintre et graveur d'origine russe, nationalisé français en 1928. Don à la Chalcographie en 1976, à l'occasion de l'exposition de ses toiles au Musée national d'Art moderne, d'une lithographie en trois pierres.

HOTTIER

Don en 1970 au Département des Antiquités orientales d'un tesson de céramique nabatéenne.

HOUETTE Paul
Paris 1835 - Paris 1904

Don en 1897 d'un dessin de l'école de Rubens.

HOURS Mme Jacques, née Madeleine Miedan

Inspecteur général honoraire des musées nationaux. Entrée au Musée du Louvre en 1936, puis chargée de recherches au C. N. R. S. elle dirige le laboratoire du Musée du Louvre de 1949 à 1982. Professeur, auteur de nombreuses publications sur l'application des méthodes scientifiques à l'analyse des œuvres d'art, elle donne au Cabinet des Dessins, en 1964, un dessin de C. F. Nanteuil-Lebœuf.

HOWARD-JOHNSON Mme, née Paulette Helleu

Fille du peintre-graveur P. Helleu. Dons au Cabinet des Dessins en 1967, 1968, 1975, 1981 et 1986, de dessins de Paul Helleu, et d'une correspondance de celui-ci avec Monet ; et au Département des Peintures en 1975 d'une *Marine* de Helleu (Musée d'Orsay).

HUARD Charles Albert
Versailles 1806 - Paris 1866

Legs de trois portraits peints de ses grands-parents paternels par Heinsius et Dubois-Drahonet.

HUARD Mme Charles, née Françoise Wilson
1885 - 1979

Épouse du caricaturiste Ch. Huard. Lègue l'œuvre "inconnue" de Ch. Huard : trente-neuf dessins, se démarquant nettement de son œuvre satirique et gravée. Les œuvres "publiques", principalement des dessins parus dans le journal *Le Rire* ont fait l'objet d'un don au Cabinet des Estampes de la Bibliothèque nationale.

HUARD Émile
Niort 1836 - Paris 1916

Par son testament il autorisait les conservateurs du Louvre à choisir ce qui les intéressait à son domicile. Le Musée Guimet s'enrichit de huit émaux cloisonnés chinois ; trois peintures, un *Chien gardant du gibier* de Desportes, un *Portrait de jeune femme* du XVIII⁰ s. français et un *Portrait de femme* de l'école de Bruges du XVI⁰ s. entrèrent au Louvre, ainsi qu'un pastel de Louis Vigée, *Portrait présumé de Madame d'Estraret*. Le Musée de l'Armée et le Musée des Arts décoratifs profitèrent également des libéralités d'E. Huard.

HUART baron Roger d'
Juilly 1898 - ?

Expert comptable, il se consacra ensuite à l'enseignement des sciences économiques et financières. Avec le don en 1978 d'un dessin de Munkacsy, il fait entrer au Louvre la première œuvre de l'École hongroise. Ce don fut fait en souvenir de son père le baron Ferdinand d'Huart (1858-1919), élève de Cabanel et J. Lefèvre.

HUBAC Louis Antoine Marius
Toulon 1815 - Paris 1865

Sous-commissaire dans la Marine Impériale au Havre et à Marseille puis inspecteur-adjoint de la Marine, fils du sculpteur L. J. Hubac (1776-1830). Don en 1858 d'une œuvre de son père, un bas-relief en marbre, *Hébé et l'aigle de Jupiter*.

HUBERT Monsieur

Don en 1923 d'un tableau du peintre espagnol Daniel Vierge : *Course de taureaux improvisée* (Orsay).

HUBERT Gérard

Inspecteur-général des Musées, chargé du Musée national des châteaux de Malmaison et de Bois-Préau. Don en 1957 d'une statuette étrusque d'homme drapé.

HUC de MONFREID Agnès
† 1968

Fille du peintre D. de Monfreid, (1856-1929), fidèle ami de Gauguin ; don en 1951, sous réserve d'usufruit, de deux œuvres de Gauguin (Orsay) : *La moisson blonde* et le *Portrait de l'artiste*, ainsi qu'un *masque de Tehura* et une idole en bois sculpté ; don, en outre, de la moitié de l'*Idole à la coquille* (Orsay), toujours de Gauguin, l'autre moitié étant acquise la même année d'Henry de Monfreid. Don en 1952 d'un dessin de Gauguin, aux mêmes conditions.

L. Hugot

P. Hugues
Autoportrait

J.H. Hyde
Bibl. de l'Institut, Paris

J.A.D. Ingres
Autoportrait, Louvre

HUET Mlle

Legs, au Département des Antiquités grecques et romaines, en 1899 de plusieurs figurines et vases à figures noires et à figures rouges en terre cuite.

HUET René Paul
Nice 1844 - Neuilly-sur-Seine 1928

Fils du paysagiste P. Huet (1805-1869). Don en 1889 d'une peinture de son père et en 1896 de onze autres toiles ; la même année et l'année suivante, il offrit encore vingt-six dessins et un carnet de croquis de son père. R. P. Huet a fait don à la Chalcographie en 1908 et 1909 de deux planches gravées par lui d'après deux des peintures de son père offertes au Louvre.

HUGENSCHMIDT Arthur
Paris 1862 - Paris 1929

Docteur en médecine, il publia des articles dans la *Revue internationale d'odontologie*. Legs d'une bague en or émaillé passant pour avoir été offerte par Bonaparte à Joséphine (affectée au Musée national du Château de Malmaison).

HUGO Jeanne
voir **NEGREPONTE Mme Michel**

HUGO Léopold, comte
Paris 1829 - Paris 1895

Neveu de Victor Hugo - son père, le comte Abel Hugo (1798-1855), littérateur, était frère du poète -, il s'illustra par ses travaux de géométrie et d'astronomie (il est aussi l'auteur d'une "Théorie hugodécimale", publiée en 1877) et fut aussi peintre à ses heures. Il donna en 1880 au Louvre le portrait de son père peint par sa mère, la comtesse Abel Hugo, née Louise Rose Duvidal de Montferrier (1797-1868), déposé alors à Versailles, ainsi que trois portraits dessinés (Zoé Duvidal, sœur de Julie, par L. Dupré ; Julie Duvidal par Drölling fils ; Boguet par J. Duvidal) et, en 1891, trois reliefs de stèles antiques. En 1880, il fit aussi don de plusieurs œuvres de sa mère au Musée de Picardie à Amiens et légua au Musée Vivenel de Compiègne tableaux et dessins de sa mère et d'artistes en relation avec elle.

HUGOT Jean-Pierre
Paris 1888 - Paris 1976
HUGOT Mlle Louise

J. P. Hugot fit, avec sa sœur, une donation sous réserve d'usufruit, en 1967, de trente importants dessins et pastels des XVIIIᵉ et XIXᵉ s. ainsi que de deux peintures de Tassaert, une *Femme endormie* (Musée du Louvre) et de John Lewis Brown, *Cavalier et cabriolet* (Musée d'Orsay). J. P. Hugot renonça à son usufruit après la mort de sa sœur et les œuvres entrèrent au Louvre en 1974. Il légua également en 1976 dix autres dessins et pastels (Musée d'Orsay), une peinture d'Hubert Robert, *Scène autour du puits* (en dépôt à Agen)

et des œuvres d'artistes du XIXᵉ s. (Musée d'Orsay). Le Musée national d'Art moderne bénéficia également d'un don de J. P. Hugot.

HUGOT Louis
Paris 1847 - Paris 1923

Peintre de genre qui débuta au salon de 1879, il légua sa collection au Musée du Louvre. Celle-ci se composait essentiellement de céramiques : faïences de Rouen, de St-Cloud, de Marseille, d'Alcora, de Nevers, de Delft, de Venise, plus un plat en terre vernissée d'Italie du Nord et une bouteille montée iranienne du XVIIᵉ s. Le legs comprend aussi un diptyque et un coffret en ivoire du Moyen-Âge, un coffret en métal de la même époque, et une tapisserie flamande.

**HUGUES Mme Jean-Baptiste,
née Jeanne Jullien**
Marseille 1860 - St-Étienne-du-Grès 1943

Épouse du sculpteur Hugues (1849-1930). Don, en 1931, de plusieurs œuvres de son mari (Musée d'Orsay).

HUGUES Paul
Paris 1891 - Paris 1972

Peintre, fils du sculpteur J. B. Hugues. Don en 1945, de deux œuvres de son père, la *Source* et le *Paysan* (Musée d'Orsay).

HUMBEL Victor
Strasbourg 1846 - St-Germain-en-Laye 1927

Général, commandant de la 21ᵉ division d'Infanterie à Nantes. Don, conformément au vœu de la miniaturiste Marie Boquentin, de deux miniatures, l'une de F. Millet, l'autre de Mme Boquentin (1908).

HUMPHRIS Cyril

Antiquaire londonien. Don en 1986 d'un miroir orné d'un émail peint représentant Louis XIII vers l'âge de quinze ans.

HUSSENOT de SENONGES René
Paris 1908 - 1968

Don en 1937 d'un médaillon en cire sur ardoise (profil de *Jeune homme*) de J. B. D. Dupuis.

HUSSON Monsieur

Colon à Ain-Amara près de Constantine (Algérie). Don en 1896 d'un bas-relief d'époque romaine représentant une *Dea caelestis*.

HUSSON Pierre Aristide Denis
Arras 1767 - Paris 1843

Archiviste de la Couronne. Épousa en 1812 Jeanne Élisabeth Gabiou, veuve du sculpteur Chaudet. Legs d'une grande miniature d'Augustin, *Portrait du sculpteur Denis Chaudet*.

**HUYSSEN de KATTENDYKE
Mlle Anna Catherine Louise**
La Haye 1830 - Paris 1887

Fille du baron Huyssen van Kattendyke, collectionneur et homme d'État hollandais. Legs en 1888 du *Christ au roseau* d'A. Scheffer (dépôt en 1929 au Musée de Cambrai).

HUZARD Jean Baptiste
Paris 1793 - Paris 1878

Médecin vétérinaire, membre de l'Académie de Médecine, de la Société d'Agriculture, de la Société d'Encouragement et du Conseil de Salubrité. Sa famille fit don, en son nom, en 1879 de son portrait en bas-relief, en ivoire et bois, par le sculpteur G. M. Bonzanigo (déposé au Musée national du château de Versailles).

HYDE James Hazen
New York 1876 - 1959

Fils de Henry Baldwin Hyde, fondateur de l'*Equitable Life Assurance Society of United States*, il fit ses études à Harvard et Princeton, devint vice-président de la société créée par son père et vécut à New York, Paris et Versailles. Il fut le fondateur et le premier président de la Fédération de l'Alliance française aux États-Unis et au Canada et fut membre du conseil d'administration de l'Alliance française à Paris. En 1937, il fut élu membre de l'Académie des Sciences morales. Collectionneur, il légua à la Réunion des musées nationaux une somme d'argent qui permit les quatre acquisitions suivantes : en 1966, l'*Autoportrait* de Gauguin (en partie), (Orsay) ; en 1967, le buste de *Mme Vigée-Lebrun* par Pajou (en partie), pour le Département des Sculptures du Louvre ; en 1969, une armoire chinoise pour le Musée Guimet ; en 1971, une célèbre aiguière en sardoine provenant de la collection de Louis XIV, pour le Département des Objets d'Art du Louvre.

IANITZ Emerico

Écrivain italien, fils d'un père hongrois et d'une mère sicilienne. Il a notamment publié en 1970 *L'Uomo cœrcito*. Il a donné la même année un cabaret en porcelaine de Naples de la fin du XVIIIᵉ s. en souvenir de sa mère, Mme Ianitz de Klopodia, née Rosalia Bondù (1890-1970).

ICARD François

Adjudant, auxiliaire du Service des Antiquités de la Régence de Tunisie, il écrit régulièrement dans le *Bulletin archéologique du Comité des travaux historiques et scientifiques*, entre 1911 et 1945. Il serait le premier à avoir découvert le tophet de Carthage. Don en 1923 d'une urne punique ayant contenu des ossements d'enfants, trouvée dans le sanctuaire de Tanit à Carthage. A ce don était associé M. Jaubert de Benac. Est-ce lui, qui, sous le nom d'"Icard, sergent de tirailleurs à Sousse", avait donné au Département des Antiquités grecques et romaines, en 1905, un fragment de tablette magique en plomb ?

INDJOUDJIAN Agop
Kayseri (Turquie) 1871 - Paris 1951
INDJOUDJIAN Merguedicth
Kayseri 1881 - St-Raphaël 1927

Antiquaires associés dans un commerce de tapis et d'objets orientaux fondé à Kayseri. Les deux frères quittèrent la Turquie avec leur famille en 1901, s'installèrent à Paris, 9 rue Le Peletier puis 26 rue La Fayette (1924), où ils poursuivirent la même activité, sous la raison sociale A. M. Indjoudjian frères, vendant notamment à de nombreux musées français et étrangers. Don en 1927 de tessons de céramique byzantine et ottomane au Louvre et d'une céramique ottomane au Musée des Arts décoratifs de Lyon.

INGRAM Sir Captain Bruce
Grande-Bretagne 1877 - 1963

Directeur, pendant soixante ans, de l'hebdomadaire britannique *Illustrated London News*, il collectionna essentiellement les dessins flamands et hollandais ; en 1957, il en donna plus de sept cents au National Maritime Museum de Greenwich, en particulier des van de Velde, et il légua le reste de sa collection au Fitzwilliam Museum de Cambridge, dont il était depuis 1947 conservateur honoraire. La francophilie de son journal lui valut d'être fait officier de la Légion d'Honneur, et c'est en remerciement de cette distinction qu'il donna au Louvre, en 1951, un tableau de T. Dubreuil.

INGRES Jean Auguste Dominique
Montauban 1780 - Paris 1867

En 1856, le peintre fit don d'un dessin de son maître David, étude préparatoire pour *Les Sabines*. Son œuvre personnelle fut léguée à sa ville natale.

**INJALBERT Mme Jean-Antoine,
née Louise Pin**
Grenoble 1860 - Paris 1935

Épouse du sculpteur Injalbert (1844-1933). Don, en 1933, de quatorze œuvres de son mari (Musée d'Orsay).

IRAN gouvernement de l'

Don v. 1955 d'un vase à bec de Hasanlu et de son trépied.

ISAAC Alphonse
Calais 1858 - Paris 1924

Peintre, collectionneur d'objets et de miniatures orientales. Don en 1894 d'un carreau de revêtement en céramique islamique et legs en 1924 d'une miniature iranienne du XVIIᵉ s. représentant un jeune homme tenant un livre ouvert.

ISABEY Eugène
Paris 1803 - Montévrain (Seine-et-Marne) 1886

Fils de J. B. Isabey (1767-1855), peintre et lithographe, il donna au Louvre en 1852 deux importants tableaux : l' *Autoportrait* (1794) de David, dont son père avait été l'élève, et le *Portrait de Jean-Baptiste Isabey et de sa fille Alexandrine* (1791-1871, plus tard Mme Cicéri), par Gérard (1795). La même année, il donna au Musée des Souverains, installé au Louvre, l'étau de serrurier de Louis XVI, en fer forgé et ciselé (aujourd'hui à Versailles).

ISABEY Mme Eugène, née Marie Emma Morizot
1840 - ap. 1891
**LEVRAT Hippolyte
LEVRAT Mme Hippolyte,
née Marie Isabey**
1833 - ap. 1891

La seconde épouse du peintre E. Isabey*, devenue veuve en 1886, sa belle-fille Mme Hippolyte Levrat, fille unique d'un premier mariage de l'artiste, et le mari de celle-ci, Hippolyte Levrat, agent de change, donnèrent conjointement en 1891 un *Portrait de Jean-Baptiste Isabey*, peint par H. Vernet en 1828.

ISTRIE duc d'
voir **BESSIÈRES Napoléon**

IWILL-CLAVEL Mme Marie-Joseph
voir **RAVAISSON-MOLLIEN Charles**

IZZET Pacha

Gouverneur de Jérusalem. Don en 1866 d'un sarcophage de pierre orné de rosaces, trouvé à Jérusalem (don fait sur la demande de M. de Saulcy*).

JACOBSTHAL Paul
Berlin 1880 - 1957

Professeur à l'Université de Marburg en Allemagne de 1912 à 1935 ; il s'exila à Oxford où il continue d'enseigner de 1937 à 1956. Auteur de nombreuses publications. Don en 1912 d'un petit lécythe grec à figures noires (déposé au Musée d'Aquitaine à Bordeaux en 1959).

JACQUAND Claudius
Lyon 1804 - Paris 1878

Peintre. Don en 1877, d'un dessin de Paulin Guérin.

JACQUEMART Nelie
voir **ANDRÉ Mme Édouard**

JACQUES Monsieur

Don en 1864, d'un dessin de E. Murillo.

P. Jamot
A. Bilis, Louvre

G. Janneau
Bibl. nat., Paris

JACQUESSON de la CHEVREUSE Louis Marie François
Toulouse 1839 - Paris 1903

Peintre et musicien. Il légua sa fortune à la Société des Artistes français et à l'École des Beaux-Arts (Prix de la Fondation Jacquesson de la Chevreuse) et fit bénéficier le Louvre de trois dessins de Michel-Ange, J. Romain et Poussin.

JACQUET Madame

Don en 1974, (sous réserve d'usufruit, abandonnée en 1980), de dix dessins de Frank Boggs.

JACQUETTE Monsieur

Legs en 1964, d'un dessin de F. Heilbuth.

JACQUOT Ernestine

Nièce du peintre Panis (Paris 1827 - Gloton, Bonnières, 1895). Don au Musée du Luxembourg, en 1914 d'une œuvre de son oncle : *L'homme au violon*.

JACQUOT Léo Paul
Archiac (Charente-Maritime) 1877 - Nice 1950

Général commandant des territoires de l'Euphrate en 1933. Don en 1935 d'un vase au Département des Antiquités orientales.

JAFET Ricardo
Sao Paulo 1908 - Cleveland 1968

Président de la Banque du Brésil et du Jockey Club de Rio de Janeiro, il acquit en vente publique à Paris en 1949 un tableau de J. F. de Troy, *Lucrèce se poignardant* (1731) dont il fit don au Louvre pour dépôt au Musée des Beaux-Arts de Strasbourg. Ce musée avait cherché peu auparavant à acquérir ce tableau, dans la mesure où il conservait son pendant (acquis en 1948), que R. Jafet avait justement beaucoup admiré lors d'une visite à Strasbourg.

JALLOT Marcel Édouard

Artiste décorateur. Don en 1922, d'une brique inscrite de Shamshi-Adad Ier au Département des Antiquités orientales.

JAMAIS Eugène
Metz 1831 - Borsettes (Seine-et-Marne) 1911

Général. Don en 1882 d'une statue municipale drapée, d'un *Lion assis*, d'un fragment de pilastre en marbre, d'éléments de bas-relief, de lampes romaines et de quelques fragments de mosaïques et d'enduits peints trouvés en Tunisie où il commandait la subdivision de Gabès.

JAMOT Paul
Paris 1863 - Villerville (Calvados) 1939

Normalien et agrégé des lettres (1887), il fut membre de l'École française d'Athènes, dirigea en Grèce plusieurs campagnes de fouilles (1887-1890), puis entra au Louvre où il devint en 1902 conservateur adjoint au Département des Antiquités grecques et romaines. Durant la Première Guerre Mondiale, il assura la garde des plus précieux tableaux du Louvre évacués à Toulouse, et en 1919 poursuivit sa carrière au Département des Peintures, dont il fut nommé conservateur en 1934. Érudit sensible et éclectique, il a laissé de nombreux écrits sur la peinture (art qu'il pratiquait lui-même) : des ouvrages généraux, des monographies sur Ravier, Degas, Dunoyer de Segonzac, les Le Nain, Manet, Rubens, Georges de La Tour, et d'importants articles, notamment sur Poussin et les Le Nain, dont il a analysé l'œuvre en s'efforçant de déterminer la part respective des trois frères. On lui doit aussi un grand nombre d'expositions. Paul Jamot réunit une collection personnelle que très tôt, il destina aux musées. De 1919 à 1939, il offrit au Louvre quatre peintures - dont un fragment de retable siennois du Maître de l'Observance, *Saint Antoine abbé*, et un Lépine (Musée d'Orsay) - trois dessins, une plaque byzantine en stéatite, et, à la Société des Amis de Delacroix, l'*Autoportrait du peintre dit "en Hamlet"* qui fut ultérieurement acquis par le Louvre. A son décès, conformément à ses dispositions testamentaires, la majeure partie de sa collection fut partagée entre le Musée de Reims (ville dont sa famille était originaire) et le Louvre qui reçut (pour lui-même et pour le Musée national d'Art moderne) plus de soixante-dix œuvres d'art. Parmi elles figurent quarante-huit tableaux, dont un panneau français du XVe s. (*La messe de saint Grégoire*), un Le Nain (*Le retour du baptême*), trois Corot (*Bretonnes à la fontaine, Jeune fille à la robe rose, La promenade du Poussin*) et des œuvres de Gauguin (*Fenaison en Bretagne*), Bonnard et M. Denis, maintenant au Musée d'Orsay. S'y ajoutent un pastel de Redon (*Sacré Cœur*), vingt-quatre dessins - dont un Seurat (*La nourrice*), quatre Degas et deux aquarelles de Ravier -, deux sculptures et une statuette antique de Tanagra.

M. Roques, *Discours à l'occasion de la mort de M. Paul Jamot*, Académie des Inscriptions et Belles-Lettres, séance du 22 décembre 1939. Cat. exp., *Donation Paul Jamot*, Paris, Musée de l'Orangerie, 1941 (préface de Maurice Denis).

JANIELLO

Don en 1891 au Département des Antiquités grecques et romaines d'une statuette de silène assis sur un bouc, en bronze.

JANNEAU Guillaume
St-Nazaire 1887 - Paris 1981

Inspecteur des Monuments historiques de 1909 à 1923 ; administrateur du Mobilier national de 1926 à 1944, il obtint le rattachement des manufactures de Beauvais, des Gobelins et de Sèvres au Mobilier national en 1940. Il enseigna à l'École du Louvre et au Conservatoire national des Arts et Métiers. Écrivain d'art - il fut rédacteur artistique au journal *Le Temps* au début de sa carrière - il publia de nombreux ouvrages consacrés aux arts décoratifs, aux styles et à l'histoire du meuble français. Don de deux dessins de Barye en 1966.

JANSSEN Mademoiselle

Legs, en 1924, de trois œuvres de Henner : *Le portrait de l'astronome Janssen*, son père, *Solitude* et *Mélodie du soir*, deux tableaux déposés la même année au Musée Henner.

Mme H. Jarre
P.P. Prud'hon, Louvre

J. Jauvin d'Attainville
P. Delaroche, Louvre

Mme Ch. Jeantaud
E. Degas, Orsay

JANZÉ Charles Alfred, baron de
Paris 1822 - Paris 1892

Homme politique. Don en 1851 d'une ins-cription grecque, en 1852 d'une statuette fé-minine en terre cuite, en 1853 d'un vase apu-lien, en 1859 d'une statuette de sirène en terre cuite.

JANZÉ Jean Isidore Hippolyte, vicomte de
1790 - Paris 1865

Fils de Louis-Henry Janzé (1752-1840), baron d'Empire puis comte de Janzé, Hippolyte de Janzé, capitaine de cavalerie, fut aussi collec-tionneur et membre de la Commission consul-tative des musées impériaux. Don au Musée du Louvre (1860) du médaillon autoportrait de Jean Fouquet provenant du cadre du dip-tyque de Melun (Département des Objets d'art) et legs au Cabinet des Médailles de la Bibliothèque nationale. Le reste de ses collec-tions furent dispersées aux enchères publiques à Paris (16 avril 1866).

J. Babelon, *Choix de bronzes et de terre cuites des collections de Janzé et Oppermann*, Paris et Bruxelles, 1929.

JARRE Mme H. , née Hébert

En 1846, un mois après la mort de son mari H. Jarre, commerçant qui avait été élève du peintre Vincent, elle donna le portrait que Prud'hon avait peint d'elle en 1821, à la de-mande de son mari (Salon de 1822). C'est pour se conformer aux intentions de ce dernier, mort intestat, qu'elle réalisa ce don. Mme Jarre ne put, comme on l'a écrit, épouser en secondes noces le chanteur Elleviou (1769-1842), car les dates s'y opposent.

JAUBERT de BENAC M.
voir **ICARD François**

JAUCOURT Frédéric François Pierre Levisse de Montigny, marquis de
Paris 1876 - Buenos Aires 1969

Petit-fils du ministre de Louis XVIII, indus-triel établi à Manchester, grand voyageur et collectionneur. Don en 1939 des *Massacres du*

Triumvirat d'Antoine Caron, grâce à l'entre-mise de G. Lebel*, et en 1952 de deux pan-neaux de sarcophages égyptiens.

JAUVIN d'ATTAINVILLE Jules
Paris 1803 - Arcachon 1875

Il possédait de nombreux tableaux, dessins et objets et légua au Louvre certains d'entre eux. Parmi les œuvres qui entrèrent ainsi en 1875 figurent sept peintures - dont le *Portrait de Madame Jauvin d'Attainville* par Hébert (dé-posé en 1978 au Musée Hébert), l'esquisse du *Portrait de la princesse de Beauvau-Craon* éga-lement par Hébert, une nature morte de Gessa et deux de Philippe Rousseau (Musée d'Orsay) - ainsi que cinq dessins de Delaroche (dont le portrait du donateur) et six aquarelles de Lami. En outre, le Département des Antiquités égyp-tiennes reçut trois figurines de Basse Époque en terre émaillée, et le Département des Anti-quités grecques et romaines de petits vases peints (œnochoés, pélikès à figures rouges, ary-balles) et des intailles. A l'École des Beaux-Arts, le legs du même donateur permit de fonder le "Prix Jauvin d'Attainville" qui, de 1877 à 1968, fut attribué annuellement à l'issue de deux concours, l'un de peinture historique (grandes décorations), l'autre de paysage his-torique.

JAY Mlle Pauline
Paris 1863 - Harcourt 1947
JAY Mlle Élisa Julie
Paris 1864 - Harcourt 1943

Pauline Jay, institutrice, légua en 1947, en son nom et celui de sa sœur Élisa, le portrait de leur mère, épouse d'Adolphe Jay, par N. Diaz (déposé en 1953 à Compiègne).

JEANBERNAT Clara
Lille 1844 - Paris 1926

Legs de son portrait peint par G. Ricard (Or-say).

JEANIN Adolphe Aristide Eugène Paul, baron
Alençon 1860 - Limoges 1944

Descendant du peintre David, dont la fille Pauline avait épousé le général baron Jeanin, il légua une réplique d'atelier (entrée en 1945) de la célèbre *Mort de Marat* de David (1793, Musées royaux des Beaux-Arts, Bruxelles).

JEANIN-DITTE Madame

Arrière-petite-fille du miniaturiste P. A. Hall (Boras 1739 - Liège 1793) et petite-fille de la miniaturiste Adélaïde Victorine Hall, plus tard Mme Suleau, puis marquise de Fourilles (Paris 1752 - Paris 1840). Don d'une miniature, *Portrait de P. A. Hall* (1932).

JEANNERAT Pierre
Paris 1902 - Londres 1983

C'est deux ans après la mort de P. Jeannerat (français établi à londres qui réunit une petite collection de peintures et d'aquarelles an-glaises), que le Louvre reçut les trois œuvres de l'École anglaise qu'il avait léguées, un ta-bleau de sir E. Landseer et deux aquarelles, respectivement de D. Cox (*Paysage*) et de Tur-ner (*La chapelle Saint-Paul à Westminster Ab-bey*).

JEANTAUD Mme Charles, née Berthe Marie Bachoux
Paris 1851 - Paris 1929

Don en 1929 d'un triple portrait par Degas, intitulé *Jeantaud, Linet, Lainé*. Son mari, Charles Jeantaud (1840-1906), un ingénieur constructeur, pionnier de l'automobile, était un ami de Degas qui a peint deux portraits de Mme Jeantaud (Musée d'Orsay, et Musée de Karlsruhe) ; représentée aussi en 1875 par Henner (tableau légué par le modèle au Musée du Petit-Palais).

JEUNIETTE Jules Marie
Saumur 1850 - Saumur 1925

Donne, en 1919, un ensemble de céramiques orientales, un fragment de tapis à décor d'ani-maux fantastiques (Inde, XVIIe-XVIIIe s.), une

Vierge à l'Enfant, peinture florentine du XV⁰ s. et une suite de sculptures médiévales (France, Pays-Bas, Italie), parmi lesquelles figure un très précieux *Ange* en bois du XIII⁰ s. Ces dons furent faits en souvenir de son frère Fernand-Edmond (Saumur 1854 - Paris 1918), fondé de pouvoir d'agent de change et collectionneur.

JITTA Joséphus

Après des études en Allemagne, il travaille aux Indes néerlandaises pour le compte de la Société royale de navigation marchande. Il rentre aux Pays-Bas pour raison de santé, et devient négociant d'art à Amsterdam jusqu'en 1932 où il est nommé directeur de la Compagnie française d'assurances générales sur la vie. En 1935, il fait un important don au Musée du Louvre : deux albums de dessins de S. Vouet comprenant cent quatre-vingt-trois pièces exécutées pendant son séjour à Rome.

JOACHIN Jules
Gaillac-Toulza 1871 - Paris 1953

Retraité des Postes. Don en 1946, d'un dessin d'A. Bida, *Portrait de Victor Blandinières*.

JOBERT Paul
Tlemcen (Algérie) 1863 - ? 1942

L'artiste donna en 1899 au Louvre (Musée de la Marine) le tableau qu'il venait d'exposer au Salon des Artistes français : *Brume dans l'Atlantique* (déposé en 1960 au Mobilier national).

JOHNSON miss Harriel

Originaire de New York. Don en 1936 d'une bonbonnière.

JOLIET Gaston
Dijon 1842 - 1901

Fils d'Antoine Gaspard Joliet, collectionneur et maire de la Ville de Dijon, il devint, après de longues études de droit, préfet et gouverneur des colonies. Il légua, en 1901 au Musée du Louvre, un tableau du peintre dijonais F. Trutat : *Femme nue couchée*, qui fut déposé au Musée de Dijon (dont son frère, Albert Joliet avait été longtemps conservateur) en 1948.

JOLLIVET Pierre Jules
Paris 1794 - Paris 1871

Artiste peintre. Don en 1852 d'un petit *Buste de Sérapis* en serpentine noire au Département des Antiquités grecques et romaines.

JOLLOIS Madame

Don en 1875 d'un camée antique trouvé sur les bords du Rhin.

JONES Mme, née Ponty

Don de pièces chypriotes : statuette masculine drapée en calcaire et d'une stèle de terre cuite (1899).

JONES Mme Algernon,
née Isaline Hedelhofer
Paris 1834 - Paris 1917
GABRIELLI Mme Antoine, née Amélie Hedelhofer
Paris 1835/36 - Paris 1917

Nièces d'A. Kaempfen*, elles moururent à huit mois d'intervalle, laissant au Dr. Georges Hervé le soin de remettre au Louvre, en leur nom, le portrait de leur oncle peint par Landelle en 1891. Le Dr. Hervé, vieil ami d'A. Kaempfen, s'acquitta de la mission qui lui avait été confiée dès octobre 1917. Mme Jones remit au Louvre en 1899, en son nom seul, deux statuettes chypriotes.

JONES Charles

Don en 1893 d'une statuette féminine en terre cuite de Tanagra.

JONQUIERES Germaine de

Don en 1932 d'un dessin à la sanguine de La Fresnaye.

JOUBIN André
Laval 1868 - ? (Gironde) 1944

Membre de l'École française d'Athènes (1889), il séjourna longtemps à Constantinople où il fit, au Musée, des classements et des publications. A son retour en France, il enseigna l'archéologie classique à Montpellier, et fut conservateur du Musée Fabre de 1915 à 1918. Nommé directeur de la Bibliothèque d'Art et d'Archéologie (Fondation Jacques Doucet) en 1918, il assura ces fonctions jusqu'à son départ à la retraite en 1937. Parallèlement, il consacra une grande partie de son temps à ses travaux sur Delacroix dont il publia le *Journal* puis la *Correspondance*. Membre fondateur de la Société des Amis d'Eugène Delacroix, créée en 1929 à l'instigation de M. Denis et P. Signac, il en fut l'archiviste. Après avoir donné, en 1896, une statue féminine provenant de Rhodes (reversée en 1959 au Département des Antiquités grecques et romaines), puis en 1920, une hâche de Qadesh, il offrit en 1921 un dessin de Bouchardon, deux dessins de Bazille et une tête de *Christ* sculptée (France, XV⁰ s.), provenant des environs de Narbonne. Il donnait encore en 1930 (?), un médaillon en plâtre d'Etex, représentant Corot.

JOUGUET Pierre
Bessèges 1869 - Paris 1949

Helléniste et égyptologue. Directeur de l'Institut français d'Archéologie orientale du Caire, président de la Société de Papyrologie. Don en 1900 de plusieurs inscriptions provenant de Ptolemaïs (Égypte), en 1903 de deux statuettes en terre cuite et en 1928 et 1932 d'ostraca et de parchemins coptes.

JOUIN Henry
Angers 1841 - Hermanville (Calvados) 1913

Historien d'art, il fut attaché en 1874 à la publication de l'*Inventaire général des richesses d'art de la France* et devint en 1891 secrétaire de l'École des Beaux-Arts. Il assurait aussi le secrétariat général des sociétés des Beaux-Arts des départements. Don en 1905 au nom de Marcel Ramin, d'une plaque de cercueil en plomb ornée de deux sphinx affrontés provenant de Syrie.

JOULIN Léon

Don en 1917 d'un fragment de vase avec inscription trouvé lors de fouilles effectuées par lui à Vieille Toulouse.

JOURDAIN Mme Henriette

Épouse du peintre R. Jourdain, elle posa pour A. Besnard en 1886. Don de ce portrait en 1921 (Orsay) (Cf. aussi M. G. Baugnies).

JOURNET Jean-Jacques

Amateur d'art parisien, ancien secrétaire général d'une banque. Bibliophile, il a fait partie de la Société de la Reliure originale, fondée en 1946, et en a assuré la présidence. Membre du Conseil d'administration de la Société des Amis du Louvre depuis 1975, il a offert en 1983 une tasse en porcelaine de Meissen. Il a aussi donné au Musée Carnavalet l'enseigne du magasin "Au persan", rue de Richelieu (XIX⁰ s.), au Musée d'Orsay de photographies concernant la famille des chocolatiers Menier* à laquelle il est apparenté.

JOUSLAIN Marie Christophe Jules
St-Jean d'Angély 1838 - ap. 1895

D'abord fonctionnaire colonial puis consul en Asie. Don en 1887 d'une série de bagues et médailles réparties entre le Département des Antiquités égyptiennes et le Musée des Antiquités nationales.

JOUVE Mme Paul Alexandre,
née Jeanne Russel
Paris 1887 - Paris 1948

Fille du peintre australien J. P. Russel (Sydney 1858 - Sydney 1921), elle légua dix-neuf tableaux et quatre dessins de son père, des portraits en buste de ses parents par Rodin et Bates, ainsi que dix-sept lettres de Rodin à son père, pour dépôt au Musée Rodin à Paris (entrés en 1950).

JOUVEN Jean

Retraité de la SNCF, veilleur de nuit intérimaire au Musée du Louvre. Don en 1969, d'un tableau représentant une *Charité* du XIXᵉ s.

JOYANT Édouard

Inspecteur général des Ponts-et-Chaussées. Fils du peintre J. R. Joyant (1805-1854). Don en 1935 d'un dessin de son père représentant une vue de Venise.

JOYAU Amédée
Nantes 1871 - Fontainebleau 1913

Aquarelliste et lithographe, fils de l'architecte Achille Joyau dont il légua le portrait peint par Henner (dépôt en 1929 à Metz).

JUHEL-RENOY Jean Edmond
Paris 1855 - Paris 1894

Médecin à l'hôpital Cochin. Légue au Département des Sculptures (1894) un *Portrait d'homme* en terre cuite de Chinard.

JUIFF Mme, née Élisa Aglaé Angélique Courtier
Paris 1853 - Paris 1929

Don en 1927 d'un dessin d'Hobbema et en 1929 de cinq dessins de l'École flamande.

JULIENNE-MONTINI
M. et Mme Jules

Jules Julienne-Montini, caissier de la Banque de France, était en retraite et domicilié à la Fère en 1889, lorsque sa femme et lui offrirent au Louvre la *Tête de cheval blanc* peinte par Gericault. Ce don fut fait en souvenir de leur fils Paul, décédé, à qui l'œuvre "rappelait un cheval qu'il montait à son régiment". La famille était apparentée à la comtesse Carrelet*, chez laquelle le tableau était déposé à l'époque du don.

JULLIEN Adolphe
Paris 1845 - Paris 1932

Critique musical, dans le *Journal des Débats* notamment, où il défendait les œuvres de Wagner et de Berlioz. Il partageait ses goûts musicaux avec H. Fantin-Latour* qui le représenta dans *Autour du piano*, tableau qu'A. Jullien donna au Louvre, sous réserve d'usufruit en 1915 (levée en 1919), avec son portrait, également peint par Fantin (Orsay). A. Jullien publia en 1909 une biographie de Fantin-Latour.

JULLIEN Ernest

Don des fils de Mme E. Jullien, transmis par l'un d'eux, Ernest Jullien, d'une miniature de D. Saint représentant le portrait de leur mère *Madame Jullien, née Marie Amélie Beauvalet* (1912).

JULLIEN Ernest

Don en 1893 au Département des Antiquités grecques et romaines d'un groupe érotique en marbre.

JULLIEN René

Violoncelliste et compositeur. Don en 1924 d'un dessin de C. A. Andrieux *Un copiste au Louvre*.

KAEMPFEN Albert
Versailles 1826 - Paris 1907

Directeur des musées nationaux de 1887 à 1903. Don en 1904 d'un tableau alors considéré comme une œuvre de Rembrandt et maintenant attribué à Van Ostade, *Ermite lisant*.

KAGANOVITCH Max
Bezdichev (près de Kiev) 1891 - Neuilly 1978
KAGANOVITCH Rosy
1900 - Berne 1961

D'origine ukrainienne, Max Kaganovitch avait quitté la Russie vers 1920. Il passa quelques temps à Berlin, puis arriva en France probablement en 1924. Il adopta alors Paris pour y vivre définitivement et s'y marier en 1927. Cet ancien sculpteur contribua à faire connaître les artistes suisses en France et organisa de nombreuses expositions dans la capitale, tout particulièrement dans la galerie *Le Portique* (99, boulevard Raspail) où il s'était installé en 1934. Dès 1938, il y présentait certaines des œuvres qui firent partie de sa collection personnelle car il avait voulu être un véritable collectionneur autant qu'un marchand de tableaux. En 1973, grâce à la générosité de Max Kaganovitch quatre dessins et une vingtaine de peintures entraient au Louvre et au Musée du Jeu de Paume où, conformément à la volonté exprimée par ce grand donateur, une salle était consacrée à la "donation Max et Rosy Kaganovitch" (il y avait associé la mémoire de son épouse). Maintenant au Louvre et au Musée d'Orsay l'ensemble ainsi constitué réunit des œuvres de Corot, Daumier, Courbet, plusieurs peintures exécutées par les maîtres impressionnistes et post-impressionnistes (Boudin, Monet, Sisley, Pissarro, Renoir, Cézanne, Van Gogh, Gauguin, Seurat) et des œuvres plus modernes signées par Bonnard, et même par Derain et Vlaminck.

R. Cogniat, "M. Max Kaganovitch : "La peinture que j'ai achetée à Paris", *Connaissance des Arts*, n° 211, sept. 1969, pp. 44-51.

KAHN-SRIBER Monsieur et Madame Marcel

M. Marcel Kahn-Sriber, administrateur de sociétés et son épouse ont donné sous réserve d'usufruit en 1976 une *Tête de jeune fille* peinte par Ingres*.

Mme R. Jourdain
A. Besnard, Orsay

A. Jullien
H. Fantin-Latour, Orsay

M. Kaganovitch

KAHN-SRIBER Robert
Paris 1900 - 1988
KAHN-SRIBER Mme Robert

M. Robert Kahn-Sriber, administrateur de sociétés et son épouse ont donné aux musées nationaux en 1975, sous réserve d'usufruit en souvenir de M. et Mme Fernand Moch un grand *Nu* de Renoir* et *La nuit étoilée* de Van Gogh ainsi qu'un dessin de Manet pour l'*Olympia*, qui comptent parmi les plus belles pièces d'une collection dispersée en 1975 et dont une partie provenait de la collection Moch.

Cat. de vente "A distinguished French collection of Impressionist and Modern paintings and Drawings", Londres Sotheby's, 1 juill.1975. H. Adhémar, "La donation Kahn-Sriber" *La revue du Louvre*, n° 2, 1976, pp. 99-104.

KAHN-WOLF André
San Francisco 1880 - Paris ? 1982

Grand collectionneur américain. Don au Département des Peintures en 1954 d'un *Paysage* par V. Vignon (Orsay) et nombreux autres dons aux départements des Antiquités égyptiennes, des Antiquités grecques et romaines et des Antiquités orientales, d'une dizaine d'objets divers (entrés en 1983).

KALEBDJIAN Hagob et Garbis

Antiquaires au Caire et à Paris. Don en 1913 à la Section islamique et en 1930 d'une statuette d'Osiris en terre cuite au Département des Antiquités égyptiennes.

KANN Alphonse
Paris 1870 - Londres 1948

Proche parent du grand collectionneur Rodolphe Kann, il appartenait à une très ancienne famille juive anoblie de Francfort, dont une branche s'établit à Paris au XIXᵉ s. Très grand connaisseur dans des domaines variés (archéologie, Extrême-Orient, arts décoratifs du XVIIIᵉ s., impressionnisme, peinture du XXᵉ s.), "prince des collectionneurs" (G. Salles), il rassembla et dispersa successivement plusieurs collections. Il était lié avec Georges Salles*, conservateur des Musées de France, Raymond Lantier, Charles de Noailles, conseillait les collectionneurs comme le baron et la baronne Gourgaud*. Pendant la guerre, il s'installa à Londres, laissant dans sa propriété de St-Germain-en-Laye une partie de sa collection, qui fut sauvée et mise à l'abri par G. Salles. A. Kann donna de son vivant des objets au Musée des Antiquités nationales de St-Germain-en-Laye (*Buste de Faustine* en cristal de roche, maintenant déposé au Louvre), au Louvre (en 1935, un très important plat à décor épigraphique, Samarcande, IXᵉ-Xᵉ s.), au Musée Guimet. Après sa mort, par reconnaissance envers G. Salles, ses héritiers et son exécuteur testamentaire, M. Maurice Bokanowski, époux de sa nièce Hélène Kann, permirent aux conservateurs du Louvre de choisir, dans sa collection, les objets qui pouvaient

les intéresser. Les pièces sélectionnées entrèrent au Louvre comme "legs d'Alphonse Kann". Ceci valut notamment : au Département des Antiquités orientales, une *Tête d'homme* mésopotamienne ; au Département des Antiquités égyptiennes, des céramiques du Nouvel Empire et des tissus coptes ; au Département des Antiquités grecques et romaines, deux idoles cycladiques, des objets en verre et en ambre ; à la Section islamique, cinq céramiques ; au Département des Objets d'art, une commode en laque de Carel et une écritoire en marqueterie Boulle. En 1956, M. et Mme Maurice Bokanowski donnèrent trois autres objets provenant de la collection d'Alphonse Kann, dont le centre d'une *Croix* en argent paléo-chrétienne, décoré d'un *Christ bénissant*, et un fragment d'évangéliaire byzantin en argent du VIᵉ s.

G. Salles, *Le Regard*, Paris, 1939, pp. 59-68. Cat. exp. *L'aventure de Pierre Lœb. La galerie Pierre, Paris, 1924-1964*, Paris, Musée d'Art moderne de la Ville de Paris, Bruxelles, Musée d'Ixelles, 1979, p. 25

KANN Mme Jacques-Édouard, née Marie Warschawsky
Russie v. 1851 - Paris 1928

Épouse du fils de Maurice Kann, neveu de Rodolphe*, collectioneur de miniatures. Mme Édouard Kann et sa sœur Mme Albert Cahen d'Anvers vivaient à Paris dans l'Hôtel du maréchal de Villars que fréquentait Paul Bourget, Guy de Maupassant et L. Bonnat*, qui exécuta le portrait des deux femmes (Bayonne, Musée Bonnat). Mme Édouard Kann donne en 1925, en souvenir de sa sœur quinze dessins de Bonnat accompagnés de textes autographes du peintre s'y rapportant et lègue toujours en souvenir de sa sœur trois peintures de Bonnat dont un *Autoportrait* et l'*Intérieur de la chapelle Sixtine* (Orsay).

KANN Rodolphe Hirsch
Francfort 1844/45 - Paris 1905

Frère de Maurice Kann, dont la collection fut tout aussi illustre que la sienne. Légua un portrait de Th. de Keyser, après avoir fait don successivement de deux portraits français du XVIᵉ s. (1891) et d'un portrait d'après Champaigne (1897). Le reste de sa très belle collection fut acheté par les marchands Gimpel et Duveen*.

W. Bode, *La Galerie de tableaux de M. Rodolphe Kann à Paris*, Vienne, Société des Arts Graphiques, s. d. M. Nicolle, "La collection Rodolphe Kann" *La Revue de l'Art ancien et moderne*, t. XXIII, 1903, p. 187.

KASTLER Monsieur J.

Notaire et suppléant du Juge de Paix du IIᵉ arrondissement. Don en 1895, du portrait de *Jane Essler* (dépôt à Fontenay-le-Comte en 1950).

KAUFMANN Othon
SCHLAGETER François

Collectionneurs strasbourgeois d'origine allemande, Othon Kaufmann et François Schlageter ont réuni depuis la dernière guerre un ensemble de peintures choisi avec autant de savoir que de goût, et dans le but bien précis de combler certaines des lacunes des collections du Louvre auquel ils souhaitaient l'offrir. Ce projet a été réalisé en 1983 par une donation sous réserve d'usufruit. Quarante-deux tableaux français (Vouet, Le Sueur, Boucher, etc.), et italiens (Creti, Guardi, Giaquinto, etc.) du XVIIᵉ et XVIIIᵉ s., ainsi que trois dessins (Fragonard, Greuze et Natoire), font l'objet de cette donation qui compte parmi les enrichissements majeurs du Département des Peintures depuis la guerre et qui a été montrée dans son ensemble au Louvre en 1984. Plus récemment, Messieurs Kaufmann et Schlageter ont donné au Musée de Strasbourg neuf tableaux italiens (Tiepolo, S. Rosa, L. Giordano, etc.)

Cat. exp. *La donation Kaufmann et Schlageter au Département des Peintures*, Musée du Louvre, 1984 (cat. par P. Rosenberg). Cat. exp. *L'amour de l'art, le goût de deux amateurs pour le baroque italien*, Strasbourg, Musée des Beaux-Arts, 1987.

KEIMER Ludwig
Hellenthal (Allemagne) 1893 - Le Caire 1957

Égyptologue de nationalité allemande puis tchécoslovaque, professeur à l'Université du Caire, s'intéressant à la flore et à la faune de l'Égypte pharaonique. Plusieurs dons en 1938, 1939 et 1947 (notamment un collier d'époque amarnienne)

A. Piankoff, *Bulletin de la Société d'Archéologie copte* 14 (1950-7), p. 252.

KELEKIAN Charles-Dikran Khan
Césarée (Turquie) 1868 - New York 1951

Antiquaire à Paris puis à New York, il publia en 1909 un ouvrage intitulé *The Potteries of Persia*. Collectionneur dans de multiples domaines (art copte, art islamique, textiles...), il fit des dons à la Section islamique du Louvre à diverses reprises (1903, 1906, 1907, 1919, 1927) : une *Tête* en stuc (Iran, Rayy, XIIIᵉ s.), six coupes attribuées aux VIIIᵉ-XIIᵉ s. et un arabello (Syrie, Rakka, XIIIᵉ s.) et un don en 1927 de deux bois sculptés coptes au Département des Antiquités égyptiennes.

R. M. Riefstahl, *Catalog of an exhibition of Persian and Indian miniature painting forming the private collection of Dikram Khan Kelekian*, New York, 1934.

KEVORKIAN Anne-Marie

Antiquaire. Dons au Département des Antiquités orientales en 1981 d'un sceau-cylindre et d'une brique fragmentaire de Gudea, en 1986 d'un petit char en terre cuite.

R. Kœchlin

KEVORKIAN Carnig
Aksaray (Turquie) c. 1887 - Paris 1964

Antiquaire. Don d'objets islamiques en 1913 : deux tessons de céramique, deux médaillons en pierre (Iran ? , XIIIᵉ s.) et une anse (?) en bronze en forme de dragon (Iran ou Mésopotamie ou Anatolie, XIIᵉ-XIIIᵉ s.).

KHAWAM Roger

Antiquaire, selon la tradition de sa famille installée au Caire depuis 1860. Il ouvre en 1978 une galerie à Paris. Plusieurs dons de statuettes égyptiennes entre 1956 et 1972.

KHEREDDINE (Khayr al Din Pasha)
1822/23 - 1890

Général tunisien. Don en 1876 de deux stèles à fronton de La Ghorfa (Tunisie) par l'entremise de M. Pricot de Sainte-Marie, consul de France.

KIENER Chantal
voir **FISCHER Jacques**

KINDEL

Don en 1910 au Département des Antiquités grecques et romaines d'une lampe en terre cuite.

KISTEMAECKERS Henry
Floreffec (Belgique) 1872 - Paris 1938

Auteur dramatique. L'une de ses pièces *L'Exilée* fut représentée lors du gala inaugural de la Comédie des Champs-Élysées, le 4 avril 1913. Don en 1928, de son portrait en bronze dû au sculpteur J. P. Aubé.

KLEINBERGER François

Antiquaire et marchand de tableaux parisien, installé 9 rue de l'Échelle. Il dirigea parallèlement une galerie à New York, dont il inaugura en 1927 les nouveaux locaux dans le Gothic Building avec une exposition consacrée aux Primitifs français des collections privées

américaines, réalisée au profit de l'Hôpital français de New York. C'est encore dans cette ville qu'il organisa en 1932 deux importantes ventes de chefs d'œuvre de son fonds. Entre 1891 et 1929, il gratifia le Louvre de six tableaux des écoles française, nordique et anglaise, dont une *Nativité* d'Aertgen van Leyden. C'est chez lui que le musée acquit à titre onéreux en 1908 le *Portrait de vieille femme* de Memling.

KLUMPKE Anna
San Francisco 1856 - San Francisco 1942

Peintre et amie de Rosa Bonheur (1822-1899) dont elle est la légataire universelle. Elle donne en 1901, seize peintures et trente-trois dessins (déposés à Fontainebleau en 1923) de l'artiste représentant des animaux et des paysages et cinq dessins de R. Bonheur restés au Louvre. Elle est l'auteur de *Rosa Bonheur, sa vie, son œuvre* (Paris, 1900), et organise en 1933 une exposition *Rosa Bonheur* au Musée de San Francisco. Elle est enterrée à Paris, au cimetière du Père-Lachaise, auprès de Rosa Bonheur.

D. Digne, *Rosa Bonheur ou l'insolence, histoire d'une vie*, Paris 1980.

KNOEDLER M.

Don en 1903 du *Cimetière de Saint-Privat* d'A. de Neuville (1835-1885) (Orsay).

KŒCHLIN Raymond
Mulhouse 1860 - Paris 1931
KŒCHLIN Mme Raymond, née Hélène Bouwens van der Boijen
† 1893

Issu d'une vieille famille protestante alsacienne, élève de l'École des Sciences politiques, rédacteur de politique étrangère au *Journal des débats*, R. Kœchlin fut l'un des fondateurs de la Société des Amis du Louvre et président du Conseil artistique des Musées. Ami de G. Migeon*, Marquet de Vasselot*, Moreau-Nélaton*, il fut un remarquable médiéviste, auteur de l'étude fondamentale sur les *Ivoires gothiques français* (Paris, 1924, 3 vol.). On lui doit aussi des ouvrages sur la sculpture troyenne de la Renaissance et les estampes

japonaises. Sa collection, commencée en 1895, reflétait son éclectisme et comprenait aussi bien des pièce médiévales que musulmanes, japonaises, chinoises ou que des tableaux impressionnistes. Elle fut léguée, en 1932, au nom de M. et Mme R. Kœchlin, aux musées Guimet et des Arts décoratifs à Paris, de Gray (Haute-Saône), de Troyes, de Strasbourg, des Tissus de Lyon. Au Louvre sa donation et son legs enrichirent tous les départements : des Antiquités orientales (en 1932, bronze du Louristan) ; des Antiquités égyptiennes (figurines d'*Hathor*, de *Sekmet*, flacon en forme de grenade) ; des Antiquités grecques et romaines (en 1932, skyphos émaillé ; *Lévrier* de bronze alexandrin) ; à la Section islamique (don de quatre pièces en 1903 et 1922 ; en 1932, legs très important d'armes de miniatures dont Bagdad, XIIIᵉ s., *La fabrication du plomb*, et Saytch Mohammed, fin XVIᵉ s., *Jeune homme au livre et aux narcisses* ; d'objets de métal avec incrustations parmi lesquels : Irak du nord, Iᵉʳ quart du XIIIᵉ s., *Aiguière* signée d'Ibrahim ibn Mawaliya ; de céramiques dont : Iznik, XVIᵉ s., *Plat au paon* ; aux Objets d'Art (France, XIVᵉ s., *Vierge à l'Enfant assise* d'ivoire) ; des Sculptures (en 1932, Bourgogne, XVᵉ s. statue de *Vierge à l'Enfant*), au Cabinet des Dessins (nombreux Degas, Delacroix, Guys, Piot, Raffet), des Peintures (en 1911, Neroccio di Bartolomeo de'Landi, *Vierge et l'Enfant entre saint Jean-Baptiste et saint Antoine* ; en 1932, Delacroix *Études d'orientaux* ; Monet, *Portrait de Mme Monet* ; Renoir, *Portrait de Claude Monet* ; Van Gogh, *Les roulottes*... (Orsay).

P. Alfassa, ''Raymond Kœchlin'', *Notices lues aux assemblées générales de la Société des Amis du Louvre*, 30 avr. 1932. M. Guérin, ''Raymond Kœchlin et sa collection'', *Bulletin des musées*, 1932, pp. 66-68.

KOFFLER Ernest
KOFFLER Mme Ernest, née Marthe Truniger

Collectionneurs et marchands de Lucerne (Suisse) qui ont rassemblé des antiquités d'Égypte et de Mésopotamie, de nombreux objets du Moyen-Âge ainsi que des tableaux, bijoux et armes. Don en 1967 d'une statue de *Pehesouker* (diorite, XVIIIᵉ dynastie), et d'une statue de *Maya* (granit, fin de la XVIIIᵉ dynastie).

KOUCHAKJI Henry ?

Don en 1913 d'un fragment de verre émaillé au joueur de luth (Syrie, 1210-1230) et d'une bouteille en céramique non glacée (déposée au Musée de Sèvres).

KOUSTA

Don en 1877 au Département des Antiquités grecques et romaines de deux vases en verre, de plusieurs terres cuites et d'une fibule en bronze.

KOUTOULAKIS Emmanuel

Marchand d'antiquités, fils de N. Koutoulakis*. Don en 1982 d'un petit cratère géométrique en terre cuite, et en 1985 de deux vases néolithiques de la région de l'Euphrate.

KOUTOULAKIS Nicolas

Antiquaire, neveu d'E. Segredakis* dont il prit la succession à la tête de la Galerie de l'Échelle que ce dernier avait fondée à Paris en 1935. Don en 1948, en souvenir d'E. Segredakis, d'une tête féminine en marbre du IVᵉ s. av. J.-C. et d'une idole cycladique ; plusieurs autres dons entre 1950 et 1959 au Département des Antiquités grecques et romaines, dont une tête de dieu barbu en marbre et une statuette de tireur d'épine en bronze ; don au Département des Antiquités orientales d'une inscription d'Entéména sur albâtre (1971) et de cachets de Bactriane (1978).

KRAEMER Mme Eugène, née Claire Stein
Paris 1865 - Paris 1914

Donne en 1913 une statue de marbre de *Sainte Catherine* par Th. Regnaudin, en souvenir de son mari Alfred Eugène (Oberschaeffolsheim, Bas-Rhin, 1852 - St-Germain-en-Laye 1912) et de son beau-frère, Léon Alphonse (Oberschaeffolsheim 1854 - Paris 1903), antiquaires associés.

KRAEMER Philippe

Antiquaire parisien appartenant à la troisième génération d'une famille d'antiquaires. La maison Kraemer, fondée par son grand-père Lucien Kraemer, émigré d'Alsace à Paris après la guerre de 1870, puis dirigée par son père Raymond Kraemer, se trouvait rue Tronchet avant d'être transférée en 1930, 43 rue de Monceau. Après les bouleversements dûs à la guerre, Raymond Kraemer († 1965) recréa la galerie avec l'aide de son fils Philippe, qui en prit ensuite la tête. Celui-ci, conseiller du Commerce extérieur de la France, membre du Comité directeur des P. M. E., a de nombreuses activités philanthropiques en France et en Israël et est membre du conseil d'administration du Musée d'Art juif en cours de création à Paris, à l'hôtel de Saint-Aignan. Il a donné en 1985 une pendule en bronze doré signée par Saint-Germain. Il est aussi donateur

des musées nationaux de Versailles (comme ses parents), Fontainebleau et Sèvres. Il est maintenant assisté par ses fils, MM. Olivier et Laurent Kraemer.

Remise des insignes d'officier de la Légion d'Honneur à Monsieur Philippe Kraemer..., s. l. n. d. [1988].

KRAFFT Chrétien Pierre Guillaume Hugues
Paris 1853 - Reims 1935

Hommes de lettres et voyageur, Hugues Krafft occupe des fonctions officielles au sein du monde artistique à la fin du XIXᵉ s. En 1877, il hérite de son père, de l'atelier de J. R. Brascassat (1804-1867), composé d'études peintes, de dessins, de gravures et de lithographies. En 1886, H. Krafft en donne une grande partie à la Bibliothèque nationale, à l'École nationale supérieure des Beaux-Arts, à de nombreux musées de province et étrangers. Le Louvre reçoit deux dessins. Fondateur et donateur du Musée du Vieux-Reims, H. Krafft est également président de la Société des Amis du Vieux-Reims.

KRAG Carl Andreas
Fredericia (Danemark) 1820 - Fredericia 1886

Le colonel Krag donne au Louvre en juin 1880 l'album de cent quatre-vingt-un dessins de F. Perrier par l'intermédiaire de Christian Höst (1847-1900) libraire à Copenhague, marié à une française, Marie Puistienne (1853-1932), ce qui explique son rôle dans la donation. Christian Höst écrit à M. Ravaisson que si le colonel Krag donne au Louvre cette collection "au lieu de la donner à notre musée, c'est qu'il désire témoigner sa sympathie aux Français à qui nous devons toutes les jouissances uniques de votre magnifique musée".

KREMER

Marchand de tableaux à Paris, 3 rue Halévy. En 1892, don de deux tableaux, *Portrait dit d'un modèle de Greuze* par J. A. Pajou et *Portrait d'homme* par Gros.

KUEHLEN major

Don en juin 1863 d'un dessin représentant *Saint-Paul* attribué à Gaudenzio Ferrari qu'il dédicace à F. Reiset* : *Al cavaliere Federigo Reiset per la colezione di disegni antichi nel Louvre, essendo il quadro originale del Gaudenzio nel Palazzo Imperiale Roma palazetto Borghese.*

KUGEL Jacques
Minsk (Biélorussie) 1912 - Neuilly-sur-Seine 1985

Antiquaire parisien. Il appartenait à la quatrième génération d'une famille d'antiquaires. Son père, déjà spécialiste d'orfèvrerie, établi à Minsk puis à Petrograd, émigra en Europe occidentale avec sa famille à la suite de la révolution russe. Engagé volontaire pendant

la guerre, il fut démobilisé pour raisons de santé, gagna la zone libre, puis le Portugal, où il ouvrit un magasin d'antiquités à Lisbonne. De là, il créa un bureau à Paris où il retourna définitivement en 1955. Il s'établit successivement rue Amélie, 7 rue de la Paix, et enfin, en 1971, 279 rue Saint-Honoré. Ses vastes connaissances lui permettaient de se consacrer au mobilier et aux objets, tant français qu'étrangers, du XVIᵉ au XIXᵉ s., mais il était particulièrement intéressé par l'orfèvrerie, à laquelle il consacra, dans ses galeries, deux remarquables expositions : l'une, rue Amélie, sur l'orfèvrerie de l'impératrice Joséphine ; l'autre, rue de la Paix, en 1964, sur *Le Siècle d'or de l'orfèvrerie de Strasbourg*, manifestation organisée au profit de la collection d'orfèvrerie des musées de Strasbourg, marquée par un catalogue auquel contribua H. Haug. Donateur du Musée de Jérusalem, J. Kugel offrit en 1982 une œuvre majeure de l'orfèvrerie française du XVIIIᵉ s., la paire de chandeliers de Pierre Germain aux armes du comte d'Artois. Sa galerie est maintenant dirigée par ses fils, MM. Nicolas et Alexis Kugel.

KUNSTLER Charles
Bordeaux 1887 - Paris 1977

Homme de lettres, il est l'auteur de nombreux ouvrages et articles consacrés à l'époque des Lumières et aux artistes de la fin du XIXᵉ s. Président du Syndicat de la Presse artistique, il est élu en 1954 à l'Académie des Beaux-Arts dont il est le président en 1973. Il lègue un dessin de Pissarro entré au Louvre en 1978.

LAAGE Paul

Donne en 1868 d'un dessin de Delacroix l'*Éducation d'Achille* et en 1888 d'un dessin de Gericault, *Cavalier arabe*.

LA BAUME-PLUVINEL Mlle de

Don au Département des Antiquités grecques et romaines en 1948 d'une *Tête d'homme* en marbre, de style sévère.

LA BERGE famille de Charles de

La famille du peintre Ch. de La Berge (Paris 1807 - Paris 1842) donna en 1853, un tableau de l'artiste, *Soleil couchant à Virieu-le-Grand*.

LABEYRIE Émile
Nantes 1877 - Versailles 1966

Président de la Cour des Comptes, Gouverneur de la Banque de France en 1936, puis Gouverneur honoraire, membre du Conseil des musées nationaux. Maire de Versailles de 1945 à 1947. Donateur du Musée Lambinet. Il donne en 1962, dix-neuf dessins, huit des écoles italiennes du XVIᵉ au XVIIIᵉ s. et onze de l'École française du XVIIᵉ au XIXᵉ s. (dont Ciceri, Dupré, Ribot, Cross, Bourdelle).

J. Kugel

Ch. Kunstler
Bibl. de l'Institut, Paris

Comte A. de Laborde
Bibl. de l'Institut, Paris

Marquis L.E. de Laborde
J.B. Carpeaux, Arch. nat., Paris

LABITTE Gustave
Paris 1853 - Paris 1933

Collectionneur parisien. Don en 1921 d'une statuette d'*Ange* en bois (France, XVᵉ s.), d'un pion de tric-trac en ivoire roman, d'un coffret Renaissance en cuivre doré et d'un groupe en poterie d'Avon, *Le Christ et la Samaritaine*.

LA BLANCHETAI Madame de

Collectionneur parisienne. Don en 1982 d'un ensemble de dix dessins du XVIIIᵉ s.

LABORDE Alexandre, comte de
Paris 1853 - Paris 1944

Petit-fils de l'archéologue Alexandre de Laborde (1774-1842), fils de Léon de Laborde*. Saint-cyrien, il fait une carrière militaire qui débute en 1873 et s'interrompt en 1911, pour reprendre de 1914 à 1918. Collectionneur de gravures et de livres, il entre en 1895 à la Société des Bibliophiles français. On lui doit notamment la réédition du *De Civitate Dei contras paganos* de saint Augustin et la *Bible Moralisée* réalisée de 1911 à 1927 avec le concours de la Société française de reproductions des manuscrits fondée en 1911 par La Borde lui-même. Il entre en 1917 à l'Académie des Inscriptions et Belles Lettres. Il donne en 1918, un ensemble important de dessins d'un grand intérêt archéologique comprenant deux albums et sept dessins de ou attribués à Cassas et un dessin de Foucherot, représentant des vues de Grèce et du Moyen-Orient, et lègue un fragment de stèle funéraire attique archaïque en marbre au Département des Antiquités grecques et romaines.

E. Tonnelat, *Notice sur la vie et les travaux du comte de Laborde*, Paris 1947.

LABORDE Léon Emmanuel Simon Joseph, comte puis marquis de
Paris 1807 - Beauregard (Eure) 1869

Fils de l'archéologue et comte d'empire Alexandre Louis Joseph de Laborde (1773-1842), il entreprend un long voyage (1826-1828) en Italie, Grèce, Turquie, Palestine, Asie Mineure, Égypte, Arabie, d'où il ramène une importante collection d'antiques et des notes de voyage qu'il publie en 1830. A son retour, il est nommé secrétaire d'ambassade à Rome auprès de Chateaubriand (1829) puis à Londres auprès de Talleyrand (1830), à Cassel (1831) puis auprès de la duchesse de Mecklembourg-Schwerin (1837). Après son mariage (1839) il se tourne un temps vers la politique et devient député de Seine-et-Oise (1840). Membre de l'Institut (1842), il effectue en 1844 un second voyage en Grèce puis succède en 1847, au comte de Clarac comme conservateur du Musées des Antiques du Louvre. Mis en disponibilité après la révolution de 1848, il est réintégré en 1849 comme conservateur au Département des Sculptures et Objets d'Art du Moyen-Âge, de la Renaissance et des Temps modernes. Démissionnaire en 1854, il devint garde général des Archives de l'Empire (1857), entreprend la publication systématique des fonds des Archives de France et crée le Musée des Archives de France (1867). Il est nommé sénateur en 1868. Don (1852) d'un bas-relief de la Renaissance.

Centenaire du Musée de l'Histoire de France, 1867-1967, Paris, Archives nationales, 1967, pp. 22-34

LA BRIÈRE Mme Léo Leroy de, née Alice Champollion-Figeac
Paris 1847 - 1919 (inhumée à Vif-sur-Isère qui ne semble pas être le lieu de son décès)

Don à la Chalcographie en 1903, de neuf planches par R. Pfnor (1825-1909) et de trois planches anonymes destinées à illustrer l'ouvrage de Jacques-Joseph Champollion-Figeac (1778-1867) dont la donatrice était la petite-fille : *Monographie du palais de Fontainebleau* (Paris, A. Morel, 1863-1865, 2 vol.).

LABROUCHE Joseph Léopold Pierre
Bayonne 1875 - Bayonne 1957

Peintre et graveur, conservateur du Musée Bonnat en 1931 à Bayonne. Dons en 1931 à la Chalcographie d'une aquatinte en couleurs, *Vue de Florence*, d'après la peinture de Corot conservée au Louvre.

LACAN Gustave
Paris 1842 - Paris 1925
LACAN Mme Gustave, née Jeanne-Marie Thimonnier de Saint-Louis
Paris 1859 - Paris 1954

Avocat à la Cour d'Appel de Paris, secrétaire général de la Compagnie des Chemins-de-fer du Nord, G. Lacan épousa Françoise-Eugénie Levaigneur* († 1903), puis J. M. Thimmonnier de Saint-Louis. Il avait hérité de son père, le bâtonnier Jean-Baptiste-Adolphe Lacan (1810-1880), du barreau de Paris, des objets qu'il légua au Louvre : deux sculptures (*Sainte Parenté*, groupe en bois peint et doré, Souabe, fin du XVᵉ s., *Jeune fille à la colombe*, statuette de J. Ch. Marin) et une cassolette Louis XVI en ivoire et bronze doré. Il souhaita que ces objets entrent au Louvre comme dons de sa femme et de lui-même.

LACAU Louis Alexandre
Nevers 1845 - ap. 1906

Diplomate. Don en 1880 d'un ossuaire juif (Palestine) et d'une colonnette torse (Jaffa).

LA CAZE baronne

Don d'une masse d'armes de Warka (Irak) en 1927.

LA CAZE Louis
Paris 1798 - Paris 1869

Second des quatre fils d'un agent de change parisien de qui il recevait une rente de 8. 000 F., il fit des études de médecine, de droit et de lettres, et obtint son doctorat de médecine en 1831. Son intérêt pour l'art paraît avoir été précoce, et il aurait fréquenté les ateliers de Guérin, de Girodet et de Gericault, pratiquant la peinture et collectionnant dès ses jeunes années, les peintures des fêtes galantes, alors discréditées. Il exerça la médecine jusqu'en 1852, en refusant tout paiement de ses patients dans la gêne. Il quitta l'hôtel familial de la rue Neuve-des-Mathurins à la mort de sa mère en 1851 et s'installa dans un petit hôtel au 18 de la rue du Cherche-Midi. Il ne collectionnait que les tableaux, qu'il recherchait à l'Hôtel des Ventes et jusque chez les plus

L. La Caze
L.E. Barrias, Orsay

petits brocanteurs, se donnant pour règle de les acheter bon marché, ne voulant pas entamer la fortune familiale. Ses choix étaient éclectiques, mais privilégiaient presque toujours le "beau métier" d'une exécution en pleine-pâte. Il ne revendait pas ses tableaux, les nettoyait et les restaurait lui-même, les copiait parfois. La Caze montrait sa collection sans se faire prier, recevant tous les dimanches les amateurs et les curieux. C'est au cours d'une de ses visites, au moment où il commentait les *Trois Grâces* de Regnault, qu'il aurait été frappé d'une apoplexie qui aurait entraîné sa mort deux jours plus tard. Dans son testament du 24 juillet 1865 le docteur La Caze léguait une importante somme à l'Académie de Médecine et à l'Académie des Sciences (sous forme de rentes annuelles respectivement de 15.000 et 5.000 F.) destinée à fonder des prix encourageant la recherche en physiologie et en chimie et le combat contre la fièvre typhoïde et la phtisie. Il léguait toute sa collection au Louvre, souhaitant, mais n'exigeant pas, qu'une salle lui fût consacrée (les tableaux seront montrés pendant une quarantaine d'années dans l'ancienne Salle des Séances de Louis XVIII qui prit le nom de Salle La Caze ; c'est l'actuelle Salle des Bronzes antiques) et demandant que les conservateurs répartissent dans des musées de province les œuvres qu'ils ne désiraient pas pour le Louvre. F. Reiset*, alors conservateur des Peintures et ami de vieille date de La Caze, procéda au choix, gardant pour le Louvre deux cent soixante-douze tableaux sur les cinq cent quatre-vingt-deux que comportait sa collection. La collection La Caze constitue, de loin pour le nombre et la qualité, la donation la plus importante qu'ait reçu le Louvre dans le domaine de la peinture. Parmi les œuvres françaises, elle comprend quelques toiles majeures du XVIIᵉ s., comme les *Échevins* et le *Président de Mesme* de Ph. de Champaigne, la *Polymnie* de S. Vouet, le *Repas de paysans* de Le Nain, le *Démocrite* d'A. Coypel, un portrait de Mignard, *Mademoiselle de Blois*, considéré alors comme de Netscher, trois portraits de Rigaud et six de Largillière, dont le célèbre *Portrait de famille*. Le XVIIIᵉ s. français, dont La Caze, en même temps que les frères Marcille, et avant même les Goncourt, avait été un des fervents "redécouvreurs", comportait une série de chefs-d'œuvre, le plus souvent de petit ou moyen format, qui comptèrent rapidement

parmi les plus populaires du musée et constituent encore aujourd'hui dans ce domaine, sa plus grande richesse : de Watteau, dont le musée ne possédait que le *Pèlerinage à Cythère*, huit tableaux dont *L'Indifférent*, *La Finette*, le *Jugement de Pâris*, *Jupiter et Antiope* et l'illustre *Gilles* ; de Chardin un ensemble de treize œuvres dont dix de ses plus belles natures mortes ; de Fragonard, neuf toiles dont les quatre mieux connues des *Figures de fantaisies*, les *Baigneuses* et deux paysages d'Italie. Il faut encore mentionner Boucher (quatre tableaux), Callet, Casanova, Ch. A. Coypel, Greuze (quatre peintures), Lancret, Lemoyne (*Hercule et Omphale*, toile maîtresse du peintre), Nattier, Pater, Delaporte, Raoux, Robert, Tocqué, J. F. de Troy. La collection va jusqu'à des tableaux de David (*Mazzei*), Gérard (*L'Impératrice Marie-Louise*) et Regnault (*Les Trois Grâces*). L'école flamande est illustrée par sept Rubens de la plus haute qualité, dont quatre esquisses pour le plafond de l'église des Jésuites d'Anvers, l'esquisse du *Philipœmen*, le *Paysage du Palatin*, par un *Buste de vieillard* du jeune Van Dyck, plusieurs Snyders, des tableaux de Jacques d'Arthois, Jan Brueghel, Craesbeck, Van Mol, une série de dix-neuf Teniers. La *Bethsabée* de Rembrandt, l'œuvre majeure de la collection, domine l'ensemble hollandais ; mais il faut rappeler, de Frans Hals, la *Bohémienne* et le *Portrait de femme âgée*, et des peintures de Terborch (la *Leçon de lecture*), Dou, Dujardin, Fyt, Van Goyen, Helt dit Stockade, Hondecœter, Kalf, Brekelenkam (le *Bénédicité*) Adrian et Isaac van Ostade (respectivement huit et deux tableautins sur bois), Ravesteyn, Steen (le *Repas de famille*), Van de Velde, Vois, Werff, Wouwerman. L'ensemble italien comprend un groupe de toiles de L. Giordano (dont quatre *Philosophes*) et de son atelier, le *Frappement du rocher* de Valerio Castello, *Vénus et Adonis* de Romanelli, et pour le Settecento des œuvres de Pannini, Fontebasso, S. Ricci. On doit noter parmi les quelques tableaux espagnols le *Saint Thomas de Villeneuve* aujourd'hui attribué à Cerezo, et une toile irremplaçable, le *Pied-bot* de Ribera. Parmi les tableaux déposés dans les musées de province, citons au moins *Saint Paul et saint Antoine* de Vignon (Epinal), une esquisse de jeunesse de Boucher, *Mucius Scaevola* (Saint-Omer) et *Mlle Clairon en Médée* de C. Van Loo (Pau), le *Saint Jérôme* de Lanfranco (Marseille) et l'*Autoportrait* de Ghislandi (Pau), le

Saint Jude Thaddée de Van Dyck (Metz) et les *Têtes de vieillards* de Jordaens (Libourne).

F. Reiset, *Notice des tableaux légués au Musée impérial du Louvre par M. Louis La Caze*, Paris, 1870. P. Ratouis de Limay, "Trois collectionneurs du XIXᵉ s. His de La Salle. Le Docteur La Caze. Les Marcille", *Le dessin*, juin-juill. 1938, pp. 71-83. S. Béguin et C. Constans, "Le docteur La Caze et sa collection", *L'Oeil*, avr.1969, pp. 2-9. S. Béguin et C. Constans "Expositions. Musée du Louvre. Hommage à Louis La Caze (1798-1869", *La Revue du Louvre et des Musées de France*, 1969, n° 2, pp. 115-132

LACAZE-SERRE Dominique
voir **TOURNADRE Jean**

LA CHARLONIE Paul Marguerite de
Paris 1844 - Laon 1921

Ingénieur des Arts et Manufactures (1867), hérite de son père une manufacture et une exploitation agricole à Urcel (Aisne), mais se consacre surtout à sa passion pour la civilisation grecque et son influence. Plusieurs voyages lui permettent de compléter ses connaissances acquises à l'École du Louvre, et de constituer une importante collection dans le but de créer un musée de l'hellénisme. Ce musée devait présenter, aux côtés d'originaux de provenance diverses, des moulages et des photographies d'œuvres uniques ou complémentaires. Devant l'impossibilité de garder à sa collection son unité s'il la léguait au Louvre, il maintient dans son testament des clauses d'exposition qui reculèrent jusqu'en 1937 l'entrée de celle-ci au Musée de Laon, qui en avait accepté le legs. Cependant il donne en 1903 au Louvre une terre cuite représentant un éphèbe debout avec un coq et lègue quatre marbres (fragment de relief orné d'une frise de cavaliers, tête barbue provenant d'une stèle, lécythes funéraires) entrés en 1931 au Département des Antiquités grecques et romaines, ainsi qu'une tête de *Christ* (Ile-de-France, fin XVᵉ s.) et une figure d'applique en albâtre (Angleterre, XVᵉ s.) représentant peut-être saint Vincent.

LA COSTE DU VIVIER Marie Adolphe Fernand, baron de
Metz 1832/33 - Paris 1906

Ancien maître des requêtes au Conseil d'Etat. Legs en 1905 du *Portrait de Paracelse* d'après Metsys (entré en 1907).

LA COULONCHE Mlle Louise de

Don en souvenir de son père et de son grand-père, M. A. Daveluy, premier directeur de l'École française d'Athènes, d'une tête de cavalier appartenant à la frise nord du Parthénon (1916).

LACROIX Alfred
1863 - 1948
LACROIX Mme Alfred, née Catherine Fouqué
1865 - 1944

Conformément au souhait de son épouse (fille aînée de Ferdinand Fouqué* et de Marie Lecœur) et à des dispositions prises dès 1942, M. Lacroix légua en 1948 le portrait de son aïeule *Madame Joseph Le Cœur* (1802-1874) peint par Renoir* en 1866 (Orsay). Ce legs perpétuait le souvenir de l'accueil amical fait par la famille Le Cœur au jeune Renoir.

D. Cooper, "Renoir, Lise and the Le Cœur Family", *Burlington Magazine*, mai-sept.-oct. 1959, pp. 163-171, 322-329.

LACROIX Louis

Don en 1933 d'un portrait de Seurat dessiné par E. Laurent.

LADRIÈRE Guy

Collectionneur, antiquaire et expert. Le Louvre lui doit d'importantes donations dans le domaine médiéval, sculptures (en 1983 : Île de France, 2ᵉ quart du XIIᵉ s., *La Femme de l'Apocalypse* ; en 1986, Dauphiné, 2ᵉ moitié du XIVᵉ s., *Tête d'homme barbu* ; en 1987, Île de France, 2ᵉ moitié du XIVᵉ s., *Tête d'homme coiffée d'un bonnet ;* en 1988, Provence, fin XIIᵉ s., chapiteau double du cloître de Saint-Ruf de Valence) et d'objets d'art notamment trois ivoires en 1983, Meuse ou Nord de la France, v. 1230-1240, *Vierge à l'Enfant* ; en 1984, Paris, v. 1320-1330, *Christ en croix* ; en 1987, Angleterre, fin XIIIᵉ s. *Tête de Christ*. M. Ladrière est également donateur du Musée des Thermes et de l'Hôtel de Cluny.

LAFFONT Mme

Don en 1975 d'un tableau d'A. Colin, copie de la *Bataille* de Salvator Rosa du Louvre.

LAFONTAINE Claude

Don en 1903 du volet avec les *Trois Marie en pleurs* de C. de Coter, provenant d'un retable de Saint-Omer dont le panneau central avait été acquis par le Louvre en 1889.

LAFOREST Mme Marcel, née Jeanne Fayot
Paris 1896 - Montmorency 1985

Veuve d'un petit-fils du peintre L. Benouville. Don en 1972 d'un tableau religieux de l'artiste, ainsi que de trois dessins préparatoires pour cette composition.

LAGRENÉE Frédéric Fortuné
Paris 1803 - Paris 1853

Juge au tribunal civil de 1ʳᵉ instance du département de la Seine. Collectionneur de monnaies et de médailles. Don, en 1853, d'une petite plaque d'émail peint.

LA GUILLERMIE Frédéric Auguste
Paris 1841 - Paris 1934

Peintre et graveur. Don en 1907, d'un de ses dessins, un *Portrait de M. de Ronchaud*.

LA HAYE Mme de, née Nahman

Fille de Maurice Nahman, un des plus célèbres marchands d'antiquités en Égypte entre les deux guerres, qui avait réuni une superbe collection. Don en 1958 d'une statue d'homme agenouillé de la fin de la XVIIIᵉ dynastie.

LAIGUE Louis Albert Marie Paul
1844 - ap. 1905

Diplomate, il est successivement en poste à Livourne, Florence, Saint Sébastien, Cadix. Consul général en 1889, il part pour Quito, puis Rotterdam et Trieste. Il est nommé ministre plénipotentiaire honoraire en 1905. Don en 1897 de deux miroirs en bronze étrusques.

LAIR

Restaurateur d'objets d'art au Louvre sous Napoléon III. Don en 1868 d'un manuscrit hiératique et de deux coffrets en bois au Département des Antiquités égyptiennes.

LAIR comte Charles
Saumur 1841 - Angers 1919

Chartiste, avocat, le comte Lair fut un grand voyageur, en Europe et dans le Proche-Orient. Collectionneur, bienfaiteur de la Ville et du Musée de Saumur auquel il légua l'essentiel de ses collections, donateur au musée des Tissus de Lyon, il a légué au Louvre quatre objets dont un ivoire roman (Italie du Sud, fin XIᵉ s., *Saint Paul et saint Barthélémy*) et une lampe de mosquée, en verre émaillée au nom du sultan Barkouk (Syrie ou Égypte, XIVᵉ s.).

E. Perrein, *"La vie du comte Lair. Le collectionneur"*, Saumur, 1923.

LALANNE Chrétien
Paris 1811 - Paris 1892

Ingénieur. Don en 1855 au Département des Antiquités grecques et romaines, d'un poids en plomb trouvé à Kustendjé.

LALANNE Mme Maxime, née Marie-Gabrielle Carrère
1849 - ?

Femme du peintre M. Lalanne (1827-1886), elle offre en 1887 un *Paysage* dessiné par son mari, élève de Gigoux et l'un des animateurs de la Société des Aquafortistes.

LALIRE Émile

Frère du peintre A. Lalire, dit Lalyre (1850-1933), dont il donne en 1934 un portrait dessiné de la *Mère de l'artiste*.

LALLEMAND Henri
1818/19 - Paris 1892

Legs d'un tableau de Corot, *Souvenir de Castel-Gandolfo*.

LALO Pierre
Puteaux 1866 - ?

Rédacteur au journal "Le Temps", homme de lettres. Don en 1913 d'une *Tête de lion* en plâtre de Barye.

LAMARCHE Mme Pierre, née Denyse Jacomet

Donation en 1969 sous réserve d'usufruit de deux paysages avec animaux de Desportes, en souvenir de son mari, président directeur général de sociétés.

LA MARTINIERE Monsieur de

Chef de Cabinet du gouverneur général de l'Algérie. Don en 1894 d'une pâte de verre montée en bague trouvée au Maroc, de trois petites stèles en marbre et d'une urne funéraire en plomb trouvées à Volubilis.

LAMAZOU abbé

Domicilié à Malte. Don en 1860 au Département des Antiquités grecques et romaines d'une petite olla en terre blanche.

LAMBERT Auguste, dit Augustin

Antiquaire, spécialisé dans la Haute-Époque. Don en 1929 d'une statue de bois représentant le Christ trônant, œuvre française du début du XIVᵉ s.

LAMBERT-LASSUS Mme Jean Baptiste Joseph Henry, née Marie Henriette Lassus
Paris 1836 - Paris ?

Fille de l'architecte Lassus, elle épouse Jean-Baptiste Lambert, qui prend par la suite le nom de Lambert-Lassus, amateur versaillais. Ami de Delacroix, de Gounod, Lambert-Lassus publie dans les *Nouvelles archives de l'Art français*, "une correspondance de Mr. Lassus avec Mr. Ingres" (1873-II, pp. 444-456). Elle donne en 1900, le dessin de son père, représentant la *Châsse de Sainte Radegonde* (1852).

J. M. Leniaud, *Jean-Baptiste Lassus (1807-1857) ou le Temps retrouvé des cathédrales*, Paris, 1980.

LAMBIOTTE Mme Jean
voir **DAVID-WEILL David et Pierre**

LAMI Robert
Paris 1889 - Dinard 1983

Descendant d'une famille d'artistes (son grand-père Alphonse, élève de Pujol et de Duret, avait épousé Alexandrine-Marie Bidauld, petite-fille du peintre J. X. Bidauld, et séjourné en Égypte en 1852-1853 où il avait pris part aux côtés de Mariette* aux fouilles du Serapeum de Memphis). Passionné par l'étude des algues maritimes, il devint sous-directeur du Muséum d'Histoire naturelle à Paris puis directeur du Laboratoire maritime de Dinard. Don en 1965 d'une superbe tête égyptienne de Basse Époque en schiste vert.

LAMICQ Pierre

Amateur d'art, principalement de la peinture française du XIXᵉ, il est vice-président de la Société des Amis du Musée pyrénéen de Lourdes et président de l'Association des Amis du Livre pyrénéen ; donne en 1985, une *Vue dessinée du Palais du Louvre* représentant le Ministère des Finances en construction.

LAMOUROUX Madame
La Croix-sur-Meuse 1830 - Paris 1909

Don en 1902 d'une tabatière par la légataire de M. de Bieberstein Casimirisky, secrétaire interprète pour les langues orientales vivantes au Ministère des Affaires Étrangères, qui l'avait reçue en présent de la reine Victoria.

LAMOUROUX M. G.

Don en 1903 d'un fragment de décoration du second style provenant de la Salle des instruments de musique de la villa de Fannius Synistor à Boscoreale.

LANDAIS Hubert

Archiviste-paléographe, diplômé de la Section supérieure de l'École du Louvre. Chargé de mission au Musée du Louvre (1946), assistant (1947), conservateur (1948), adjoint au Directeur des Musées de France (1962-1964), conser-

vateur en chef (1964-1967), inspecteur (1968-1977), directeur des Musées de France (1977-1987). Président de l'ICOM (1977-1983), il est l'auteur de livres et d'articles sur les bronzes de la Renaissance, l'émaillerie, les techniques. Il donne à l'occasion de sa retraite, son portrait dessiné par A. Arikha*.

LANDAU Nicolas
Varsovie 1887 - Paris 1979

Antiquaire 3 rue de Duras, il jouit, par ses connaissances éclectiques, sa culture (il parlait une demi-douzaine de langues et était un remarquable pianiste), son esprit (que reflètent ses *Aphorismes* publiés après sa mort par ses amis en 1985) et son affabilité, d'un prestige qui le fit surnommer le "prince des antiquaires". Il fit de nombreux dons aux différents départements : au Département des Antiquités orientales, un umbo cruciforme (Louristan ?) (1977) ; au Département des Antiquités grecques et romaines, une statuette d'*Athéna* en marbre de la fin de l'époque hellénistique (1958), un bassin en plomb (1963), une tête virile provenant d'Égypte (1965) ; à la Section islamique, un plateau syrien du XIIIᵉ s. en cuivre incrusté d'argent (1958), une coupe iranienne du XIVᵉ s. (1976), quatre objets en stéatite mésopotamiens ou iraniens et un encrier en bronze incrusté d'argent du Khorassan, datant du XIIIᵉ s. (1977) ; au Département des Sculptures, *La Comédie*, statuette en plâtre de Vassé. Il fut particulièrement généreux envers le Département des Objets d'Art à qui il donna des bronzes importants (notamment *Le Chasseur d'oiseaux* d'après Jean Bologne, provenant des collections de la Couronne, 1957 ; un trépied à dauphins vénitien du XVIᵉ s., 1966 ; deux statuettes d'enfant du XVIIIᵉ s., de l'ancienne collection Randon de Boisset, 1967), une rare ceinture en émail en résille sur verre (1966), une nombreuse collection d'objets en nielle italiens (1969) et une très belle figure d'applique en cuivre doré limousine représentant un centurion (1976).

LANDAU Mme Nicolas,
née Marcelle Stiskin

Elle-même antiquaire (66 boulevard Raspail) avant d'épouser Nicolas Landau*, Mme Landau collabora étroitement avec son mari. Après le décès de celui-ci, elle poursuivit sa politique généreuse, en donnant en 1979 la collection d'instruments scientifiques qu'ils avaient rassemblés, l'une des plus importantes jamais constituée. Elle comprend cent soixante-six objets dont certains très connus, comme le cadran solaire aux armes de la Grande Mademoiselle et le graphomètre de Bonnier de La Mosson (Paris, 1727), et porte le Louvre au premier rang de cette spécialité. Mme Landau a par la suite accru ce don en y joignant d'autres instruments. En 1980, 1982 et 1986, elle a en outre complété la collection de nielles offerte par son mari. On lui doit également une bague mérovingienne (1985), un pendentif en stéatite byzantin (1983), un

médaillon en cuivre français du XIVᵉ s. représentant l'*Annonciation* (1986), un baiser de paix espagnol en jais (1986), un cristal de roche gravé italien de la Renaissance (1985), une pendule provenant vraisemblablement du comte de Provence (1984). Mme Landau a aussi donné des objets égyptiens (palette à fard en schiste, 1980 ; vase en pierre monté en or, 1981), et islamiques (coffret en ivoire des XIᵉ-XIIIᵉ s. et nécessaire d'orfèvre iranien du début du XIXᵉs, 1981).

LANDOWSKI Mme Paul,
née Amélie-Louise Cruppi
Paris 1884 - Paris 1970

Épouse du sculpteur P. Landowski (1875-1961), elle était aussi l'arrière-petite-fille de l'avocat et homme d'État Adolphe Crémieux (1796-1880). C'est le portrait de ce dernier peint en 1878 par Lecomte du Nouy, lequel venait d'épouser l'une des deux petites-filles du modèle, qu'elle donna au Louvre en 1968 (Orsay).

LANDRY Pierre

L'un des meilleurs joueurs de tennis de France dans l'entre-deux-guerres, M. Landry, expert en tableaux, est surtout connu pour avoir été l'un des artisans de la redécouverte de la peinture de Georges de La Tour. Il offrit successivement au Louvre en 1949 un tableau de Chalette, *Portrait du poète Caulet*, déposé en 1960 au Musée des Augustins à Toulouse, en 1970 un dessin de Vivant Denon, *Paysage d'Égypte* et en 1972 une *Présentation de la Vierge au temple* de N. Dipre, provenant de la prédelle d'un retable.

LANG sir Robert Hamilton
1836 - 1913

Banquier et consul de Grande-Bretagne à Larnaca. En 1874 dons de sculptures de pierre et de figurines de terre cuite.

A. Caubet, "La collection R. Hamilton Lang au Musée du Louvre : Antiquités de Pyla", *Report Department of Antiquities Cyprus*, 1976, pp. 168-177.

LANGLOIS Amédée Jérôme
Paris 1819 - Paris 1902

Successivement officier de marine puis journaliste politique, membre de l'Internationale ouvrière et ami de Proudhon (il sera son exécuteur testamentaire en 1865), déporté en 1849, grâcié par l'Empire auquel il sera opposant, colonel de la Garde nationale de Paris en 1870, il se rallia à l'amendement Wallon et fut député de 1876 à 1885 ; il acheva sa carrière comme percepteur. En 1878, il donna pour le Louvre - en refusant qu'il fût envoyé à Versailles - le *Portrait de Jacques-Louis David* (Salon de 1831) peint en 1825 à Bruxelles par son élève J. M. Langlois (1779-1838), père du donateur. Exposé la même année aux *Portraits nationaux*, le tableau entra au Louvre en 1879.

N. Landau

E. Lansyer
Carolus-Duran, Orsay

LANGLOIS Georges Zacharie
† Paris 1854

Ingénieur civil. Legs d'une miniature de F. Dumont, *La comtesse de Fourcroy*, transmis par Ernest Dumas, directeur de la Monnaie de Rouen.

LANINI-STRÖLIN Mme Alfred, née Jacqueline Lanini

Épouse d'A. Strölin (St-Cloud 1912 - Neuilly 1974), grand collectionneur et marchand de dessins anciens et d'estampes (rue Laffitte). Il s'intéressait également à la peinture siennoise et possédait les deux tableaux de Guido da Siena achetés par le Louvre en 1968. Donation sous réserve d'usufruit en 1976 d'un panneau de Niccolò di Buonaccorso.

LANQUETIN Mme, née Jeanne Vauthier
Besançon 1834 - Paris 1927

Veuve, en premières noces, du peintre de marines E. Vernier (1829-1887), elle légua au Musée du Luxembourg le portrait de son premier mari, peint par l'ami de celui-ci J. P. Laurens, et le sien, exécuté par J. J. Henner. Les deux portraits furent transférés du Luxembourg au Louvre en 1929 (Orsay).

LANSSADE Monsieur

Don en 1972 d'un dessin de Marcel Proust représentant *Réjane* d'après le portrait d'Édouard Manet.

LANSYER Emmanuel
Boin (Vendée) 1835 - Paris 1893

Après des études d'architecture avec Dauvergne et avec Viollet-le-Duc, il étudia la peinture avec Lamothe, Glaize, Courbet et Harpignies. Il légua sa maison avec tout ce qu'elle contenait à la ville de Loches qui en fit un musée en 1902. Don au Louvre de son portrait par Carolus-Duran (Orsay), d'un tableau de J. Dupré et de trois de ses œuvres.

LANTE Louis-Marie
Paris 1789 - Fontainebleau 1871

Peintre de paysages, élève de Vaudoyer, il expose au Salon de 1824 à 1838. On lui doit plusieurs suites de gravures consacrées aux femmes célèbres et aux costumes de divers pays. Il légua au Louvre ses armes anciennes, ses tableaux et "une armoire renfermant des antiquités, y compris lesd. antiquités". Si les armes furent rejetées par Héron de Villefosse*, les tableaux et les dessins, ainsi que les objets d'art (trois cruches en grès allemand, deux étains et un plat de faïence italienne) intégrèrent les collections nationales.

LAPARRA Mme William, née Fanny-Céline Bertrand
Paris 1889 - ?

Petite-fille de Joseph-Louis-François Bertrand (1822-1900), mathématicien, fille de Marcel-Alexandre Bertrand (1847-1907), ingénieur en chef des Mines et professeur de géologie à l'École des Mines, élu à l'Académie des Sciences, en 1896, au fauteuil de Pasteur, Fanny Bertrand est la seconde épouse de William Laparra (1873-1920) dont elle donne en 1922 un portrait et en 1930, quinze dessins de figures et de paysages.

LA PEYRE Mme Jean de
voir PICHOT Geneviève

LAPORTE Madame

Legs d'une miniature d'Augustin (1854).

LAPSLEY Gaillard Thomas
New York 1871 - New York 1949

Sans abandonner la nationalité américaine, G. Lapsley passa la plus grande partie de sa vie en Grande-Bretagne où il fut "Fellow" de Trinity College à Cambridge, de 1904 à sa mort. Après des études de droit et d'histoire à Harvard, il fit une brillante carrière d'enseignant en histoire constitutionnelle dans diverses universités américaines puis à Cambridge. Il fréquenta les cercles des écrivains Henry James et Edith Wharton dont il fut l'exécuteur testamentaire. Il donna en 1939 un portrait par Allan Ramsay, *David Wemyss Lord Elcho*.

"M. G. T. Lapsley - A sympathetic tutor", *The Times*, 23 août 1949.

LARBY Vincent

Demeurait à Stockholm. Don d'un tableau de l'école française du XVIIIᵉ s. (1937).

LARCADE Édouard
Bordeaux 1871 - Paris 1945
LARCADE Mme Édouard, née Alice Magnien
LARCADE Jean

Antiquaire à Paris, 102 rue du Bac, Ed. Larcade était spécialisé dans la sculpture et les objets d'art. Il se retira à St-Germain-en-Laye dont il devint conseiller municipal. Il fit de nombreux dons : au Département des Antiquités orientales, une anse de vase syrienne en bronze, en forme de félin (1933) ; au Département des Antiquités grecques et romaines, un bas-relief en os à personnages bachiques (1933) ; au Département des Sculptures, une porte en bois à panneaux flamboyants du XVᵉ s. (1936) ; au Département des Peintures, une *Vue du château de Versailles* de Van der Meulen (1919) et une *Pieta* allemande du milieu du XVᵉ s. (1929). Il fut le plus généreux envers le Département des Objets d'Art qui reçut une ceinture allemande du XVIᵉ s. (1905) et une faïence égyptienne des IXᵉ-Xᵉ s. (1925) ; puis en 1935, Ed. Larcade participa financièrement à l'acquisition des chenets de F. Th. Germain. Enfin il légua la célèbre tenture dit de la *Noble pastorale*, formée par trois tapisseries "mille fleurs", sous réserve d'usufruit pour sa femme, qui y renonça en 1950, en accord avec ses enfants, Jean et Huguette (Mme Blériot). En 1949, M. Jean Larcade a donné une superbe série de douze médaillons en émail de Limoges provenant du décor d'un coffret (XIIIᵉ s.). Une salle du Département des Objets d'Art porte le nom de Larcade.

P. Verlet, "Les Tapisseries de la donation Larcade", *La Revue des Arts*, 1951, pp. 24-30.

LARDIN de MUSSET Mme Paul,
née Thérèse Victorine de Gouas
Paris 1853 - Paris 1929

Belle-fille de Mme Lardin de Musset, sœur d'Alfred de Musset, elle est l'épouse du préfet Paul Lardin de Musset. Elle remet au Louvre en 1929, sur la recommandation de sa belle-mère (décédée en 1909) le portrait au pastel d'Alfred de Musset par Ch. Landelle qui n'avait pu entrer au Louvre avant le délai nécessaire pour l'exposition au Louvre d'une œuvre de Charles Landelle (décédé en 1908).

LARNAGE baron de

Don en 1902 d'une tête d'Hermès, d'une statuette d'homme drapé, d'une tête de lion en bronze et de quelques terres-cuites trouvées à Sinope.

LAROCHE Jacques
Gand (Belgique) 1904 - Beaulieu-sur-Mer 1976

Industriel, fils du collectionneur Jean Laroche (1866-1935) - lui-même très lié avec de nombreux artistes, notamment Vuillard -. Don sous réserve d'usufruit en 1947 de six peintures toutes de premier ordre, (Van Gogh : *Portrait de l'artiste*, Cézanne : *Portrait de l'artiste*, Monet : l'*Hôtel des Roches noires*, Corot : *Zingara*, Toulouse-Lautrec : *Henry Samary*, Vuillard : *Intérieur de la Chapelle de Versailles*) et un grand dessin de Renoir*, *Étude pour les Grandes baigneuses*. Toutes ces œuvres (sauf le Cézanne et le Renoir entrés dès 1969 par abandon d'usufruit) prirent place dans les collections nationales en 1976 et sont maintenant (sauf Corot) conservées au Musée d'Orsay.

LA ROCHEJACQUELEIN
Henri du Vergier, marquis de
Château de Citran (Gironde) 1805 - Le Pecq (Yvelines) 1867

Neveu du héros vendéen Henri de La Rochejacquelein, il était fils de Louis, marquis de La Rochejacquelein, un des chefs de la résistance vendéenne en 1815, tué en 1815, et de Victoire de Donissan de Citran, veuve du marquis de Lescure, généralissime des armées vendéennes sous la Révolution. Il fut créé marquis pair héréditaire en 1818. Député légitimiste du Morbihan (1842-1849), conseiller général de la Vendée, il se rallia à l'Empire et devint sénateur en 1852. Il donna au Musée des Souverains une cocarde portée par Napoléon à son retour de l'île d'Elbe.

LA ROUX de

Don au Musée des Souverains en 1859 d'une paire de gants au chiffre de Charles X.

LAROY Mme
voir **THORENS Mme**

LARREY baron Jean Dominique
Baudéon 1766 - Lyon 1842

Créateur des ambulances volantes lorsqu'il servait dans l'armée du Rhin en 1792, il suivit Bonaparte dans toutes ses campagnes et fut chirurgien en chef de la Grande Armée. Honoré par toute l'Europe, il entra à l'Académie de Médecine devint chirurgien inspecteur au conseil supérieur de santé après la Révolution de juillet ; c'est en revenant d'une inspection des hôpitaux d'Algérie qu'il mourut d'une pneumonie. Il fit don d'une momie égyptienne en 1816.

LARREY Léon

Propriétaire à St-Donat près de Sétif. Don en 1896 d'une inscription chrétienne trouvée à Constantine (Algérie).

L'ART revue
1875 - 1907

Fondée en 1875 comme "Revue hebdomadaire illustrée", cette publication devint bi-mensuelle à partir de 1884 puis mensuelle. Se donnant comme objectif de "réagir sans violence, mais avec une inflexible ténacité contre le parti-pris d'indifférence théorique qui tend à dominer parmi nos artistes" et "d'étudier toutes les manifestations artistiques de l'humanité, dans le passé et dans le présent, en s'attachant de préférence à ce qui paraîtra le plus propre à nous relever de cet affaissement intellectuel qui est le mal à l'heure présente" [Préambule du fascicule de 1874], les rédacteurs de cette revue donnèrent, pendant plus de trente années, une chronique détaillée et parfois humoristique, des évènements artistiques contemporains, tout en publiant des études d'histoire de l'art de haut niveau. Rendant compte des arts plastiques, mais aussi de l'architecture, des arts décoratifs, du théâtre ou de la musique, cette revue organisa également des expositions temporaires et effectua un certain nombre d'acquisitions de peintures anciennes, pour les donner au Louvre. Parmi les dix tableaux offerts entre 1881 et 1884 (dont six furent achetés lors de la vente parisienne John W. Wilson de 1881) figurèrent notamment des œuvres de Dirck Hals, Beechey, Arellano, ainsi que d'autres tableaux de l'école anglaise. En 1881 fut également donné un dessin de Jacquemart.

LA RUE comte Isidore de
Rennes 1795 - Paris 1872

Après une longue et brillante carrière militaire, commencée au début de la Restauration, il devint inspecteur général de la gendarmerie (1845) et sénateur (1860). Il donna au Musée des Souverains une canne du duc de Reichstadt qui lui avait été léguée par le maréchal Marmont, duc de Raguse (La Rue avait été nommé aide de camp du maréchal en 1815 puis en 1823) et qui est déposée au Musée de l'Armée.

LA RUPELLE comtesse de,
née Marthe Richard
St-Brice-sous-Forêt (Val d'Oise) 1869 - Paris 1950

Elle était fille d'Édouard Richard (1841-1879), avocat à la Cour d'appel. Amateur d'art fortunée et cultivée, peintre amateur, elle était liée avec les grands musiciens (Massenet, Saint-Saens) et écrivains contemporains (Coppée, Sully-Prudhomme, Loti, Barrès). Elle épousa à 50 ans, en 1919, Louis-Simon-Laurent Boucher, comte de La Rupelle. Elle légua un pendentif en or émaillé de la fin du XVIIIᵉ s., orné de trois miniatures, provenant de sa famille.

LASSUS Mme Jean Baptiste Antoine,
née Élisabeth-Alexandrine Ambroise

Veuve de Charles-Marie Bonneuil, elle épouse en 1834, l'architecte Lassus (1807-1857) élève de Vaudoyer et de Labrouste. Elle donne, l'année de la mort de son mari, trois dessins de Lassus : *Un apôtre de la Sainte-Chapelle*, une *Figure de femme*, et un modèle de *Lutrin du XIIᵉ s.* d'après Villard de Honnecourt.

J. M. Leniaud, *Jean-Baptiste Lassus (1807-1857) ou le Temps retrouvé des cathédrales*, Paris, 1980, (nota p. 9).

LASTEYRIE DU SAILLANT
Ferdinand, comte de
Paris 1810 - Paris 1879

Archéologue et homme politique français, auteur d'une *Histoire de la peinture sur verre* et d'une *Histoire de l'Orfèvrerie*. Don d'une miniature de Laurent (1862).

LA TRÉMOILLE Louis, duc de
Paris 1838 - Paris 1911
LA TRÉMOILLE duchesse de,
née Marguerite Duchâtel
Paris 1840 - Serrant 1913

Louis de La Trémoille consacra sa vie à étudier l'histoire de sa famille et fut membre de l'Académie des Inscriptions et Belles Lettres. Il donna, en 1891, aux Archives nationales cent treize registres et liasses provenant de l'ancienne Justice du duché de Thouars et à la Bibliothèque nationale un fonds important qui porte son nom. Quant à son épouse, elle fit dès 1878 bénéficier de sa générosité le Musée du Louvre en renonçant à l'usufruit du legs de sa mère la comtesse Duchâtel*. En 1898 le duc et la duchesse de La Trémoille donnèrent au Louvre un tableau de D. Bouts la *Chute des réprouvés* (déposé en 1957 au Musée des Beaux-Arts de Lille) et une *Sainte Famille*, France XVIIᵉ s., destiné à Versailles ; ces deux tableaux provenaient de la collection Duchâtel. En 1900 ils offrirent encore, pour le Cabinet des Dessins, un carton de P. Baudry pour la décoration du foyer de l'Opéra de Paris.

P. Fournier, *Notice sur la vie et les travaux de M. le duc de La Trémoille*, Paris, 1915.

LA TURBIE

Don en 1822, au Département des Antiquités égyptiennes, de la statue-cube en diorite d'Ouahibre, datant de l'époque saïte.

LAUGÉE Mlle Clotilde
Paris 1861 - Paris 1922

Fille du peintre D. Laugée (1823-1896), elle donna en 1907 un tableau de son père *La Ménagère* (dit aussi *Intérieur*). Placé initialement au Musée du Luxembourg, il fut déposé en 1959 au Mobilier national.

LAUGIER Mme, née Mathieu

Nièce de François Arago (1786-1853) dont elle donne en 1884 le buste par David d'Angers, daté de 1839.

LAURANS Louis Barthélemy Paul
Valence 1855 - Paris 1926

Industriel. Légua un petit bronze antique représentant un *Dauphin*, deux céramiques orientales dont une coupe de type "Minaï" (Iran, XIIIe s.) et deux peintures : *Les Noces de Thétis et Pélée*, élément de cassone (Italie du Nord, fin XVe s.), et une *Vue du Nil* d'E. Fromentin (aujourd'hui au Musée d'Orsay).

LAURANS Martial Jules André
Valence 1857 - Paris 1930

Industriel, frère de P. Laurans*. Don, au nom de son frère, d'une plaquette en bronze italienne de la Renaissance (1927).

LAURENT Mme Ernest, née Marguerite Virginie Fossier

Femme du peintre E. Laurent (1859-1929), ami de Seurat, elle donne deux dessins de son mari en 1929, et deux autres en 1930.

LAURIERE Jules de

Ami de Héron de Villefosse* qui était alors attaché au Département des Antiques du Louvre il l'accompagna dans une mission dont celui-ci avait été chargé par l'Instruction publique, en 1873, pour relever des inscriptions antiques récemment découvertes en Afrique du Nord. Don en 1878 d'un fragment de stèle à fronton trouvé à Carthage (déposée au Département des Antiquités grecques et romaines).

LAUTRÉ Mme Paul, née Louise Monique Joséphine Caffieri
† Calais 1898

Legs d'un émail monté en broche de Favre, *Portrait du sculpteur J. J. Caffieri* (entré en 1901 et non localisé aujourd'hui).

LAVALLÉE Monique Hélène Marie Juliette Martin-Lavallée dit

Fille de Pierre Lavallée (Paris 1872 - Villars-Fontaine 1946), conservateur de la Bibliothèque et du Musée de l'École des Beaux-Arts. A sa retraite, il est nommé chargé de mission au Cabinet des Dessins. Monique Lavallée est l'élève de M. Denis et de J. Bertrand, diplômée de l'École du Louvre avec une thèse sur les "graveurs du Guide et de son école" (1943), elle est chargée de mission au Cabinet des Dessins de 1942 à 1953. Elle se consacre ensuite à la gravure. Elle donne en 1976 deux dessins d'Allori, un de Natoire et un de Pajou en souvenir de son père.

LAVEISSIÈRE M. et Mme Lucien
voir LENTÉ Jacques

LAVERGNE Bernard
Nîmes 1884 - Paris 1975

Professeur d'économie politique à la Faculté de Paris, Directeur de la *Revue des Études coopératives* et de l'*Année politique et économique* dans laquelle il combattit vigoureusement les accords de Munich. Il épouse en 1909, Madeleine Mellon (1885-1965), fille de M. et Mme Paul Mellon, propriétaires du château de Villotran, voisin de la propriété de Mary Cassatt*, Mesnil Théribus. B. Lavergne donne en 1968, sous réserve d'usufruit en sa faveur et en celle de sa fille, Mme Édouard Loup, qui renonce à cet usufruit en 1988, le portrait au pastel de sa femme par Mary Cassatt que l'artiste avait elle-même offert à la mère du modèle, Mme Paul Mellon (1855-1946).

LAVERGNE George-Claudius
Paris 1846 - ?

Il travaille ainsi que son frère Noël († 1905) dans l'atelier de son père le peintre et verrier Claudius Lavergne (1815-1887), puis devient son concurrent en ouvrant un atelier de vitraux et de verreries. Il publia une bibliographie de son père *Claudius Lavergne, peintre d'Histoire et peintre verrier* (Paris, 1910) dont il donne en 1909 un *Autoportrait* dessiné de son père, exécuté v. 1840.

Cat. exp. *Portraitistes lyonnais 1800-1914*, Lyon, Musée des Beaux-Arts, 1986.

LAVERNE Mme, née Eugénie Cavelier
Paris 1817 - Versailles 1897

Sœur du sculpteur P. J. Cavelier dont elle donna, en 1894, une œuvre représentant Napoléon (depuis 1971 au Musée national du Château de Versailles).

LAWSON

Don en 1883 de terres-cuites trouvées à Smyrne (Turquie).

Baron J.D. Larrey
A.L. Girodet, Louvre

B. Lavergne

LAX Mlle Adolphine
St-Étienne 1844 - Paris 1933

Legs d'un tableau d'après J. Steen, et d'un tableau de Delattre (dépôt en 1955 au Ministère des Finances).

LAY Mme Léon, née Geneviève Sophie Françoise Bertin
1839 - 1917

Fille d'Armand Bertin. Legs de deux dessins d'Ingres, les portraits de ses parents : *Louis-François Bertin l'aîné*, fondateur du Journal des Débats, et *Madame Louis-François Bertin*.

LAZARD Mme André, née Georgette Berthier
Paris 1885 - Neuilly-sur-Seine 1971

Seconde épouse d'Élie Léonce André Lazard. Lègue en souvenir de son mari, un pastel de Perronneau représentant le graveur G. Huquier.

LAZARD M. et Mme Christian

Vivaient à Paris. Don d'un tableau d'A. Magnasco (1927).

LE BARBIER

Don en 1862 d'un lingot en plomb avec inscription latine au Département des Antiquités grecques et romaines.

LEBAUDY Mme Pierre, née Marie-Marguerite Luzarche d'Azay
Pau 1871 - Paris 1962

Veuve de l'industriel sucrier P. Lebaudy, ancien membre du Conseil d'administration du *Journal des débats*. Elle légua quatre bas-reliefs à motifs de candélabres, trois tableaux dont la *Tireuse de Cartes* de L. de Leyde, un plafond peint, trois tapisseries du début du XVIe s. et un très bel ensemble de boiseries provenant de l'hôtel de Luynes, qui avait été remonté dans l'hôtel Lebaudy à Paris, 57 rue François Ier. Ces boiseries ornent maintenant une salle du Département des Objets d'art, baptisée salle Lebaudy.

LEBÉE Edmond
voir **BERSIER et LEBÉE**

LEBEGUE
† av. 1897

Ancien membre de l'École d'Athènes. Don en 1875 de deux terres cuites trouvées à Tanagra.

LEBEL Gustave
Paris 1870 - Paris 1945

Ancien élève de l'École des chartes, historien d'art, attaché à la Bibliothèque Mazarine, il fit d'importantes découvertes concernant l'art français du XVIe au XVIIe s. et joua en particulier un rôle primordial dans la redécouverte du peintre A. Caron. Son gendre, J. Ehrmann*, reprit et continua après sa mort ses recherches sur cet artiste. En 1938, G. Lebel donna un tableau essentiel de Caron, *Auguste et la Sibylle de Tibur* et, l'année suivante, il fit don d'une *Scène rustique* d'Allotte.

P. Ratouis de Limay, *Bulletin de la Société de l'Histoire de l'Art français*, 1945-1946, p. 138.

LEBEY Mme Georges, née Marie Chassang
v. 1858 - Paris 1944

Amateur parisien. Elle légua à l'État l'ensemble de ses biens, faisant au Louvre un legs particulier constitué par trois tapisseries flamandes du XVIIIe s., un bureau Louis XV de Migeon et un cartel en bronze doré Louis XV de Saint-Germain.

LE BLANT Edmond Frédéric
Paris 1818 - Paris 1897

Juriste devenu archéologue. Membre de l'Institut, directeur de l'École française de Rome de 1883 à 1888, il est l'auteur de recueils importants comme celui des *Inscriptions chrétiennes de la Gaule antérieures au VIIIe s.*, 1856-1892, ou celui des *Sarcophages chrétiens de la Gaule*, 1886. Don en 1893 de plusieurs inscriptions funéraires chrétiennes de Rome et de Gaule en marbre et en terre cuite provenant de sa collection personnelle, d'un fragment de colonnette trouvée à Rome et d'un fragment de sarcophage d'Arles.

LEBON André
Dieppe 1858 - Paris 1938

Député, Ministre du Commerce et de l'Industrie en 1895, Ministre des Colonies de 1896 à 1898. Lègue un bas-relief en marbre par G. Crauk représentant Maurice Lebon (Orsay).

LEBON Pierre
Paris 1890 - Bidart (Pyrénées-Atlantiques) 1967

Banquier. Legs du *Christ et la femme adultère* de J. Harrich.

LEBRUN Madame

Don en 1873 de deux fragments de tissus de lin trouvés par Fauvel au cap Zoster en Attique. Legs au Château de Versailles en 1884 d'un tableau d'A. Scheffer : *Portrait de M. Lebrun* de l'Académie française.

LECARME Mme Jean Baptiste
voir **VAUTHIER André**

LE CHANOINE du MANOIR de JUAYE Mme Raimond Thibaut, née Marie Françoise Ernestine Valentine d'Arthenay
Bayeux 1862 - Bayeux 1936

Elle a légué au Louvre le portrait, exécuté en 1792 par A. Romany, de son parent Charles Antoine d'Arthenay (1747-1812), député du baillage de Saint-Lô aux États Généraux, et le portrait, peint par Vincent en 1796, de Mme Boyer-Fonfrède, sœur de Jean François Ducos et veuve de Jean Baptiste Boyer-Fonfrède, députés à la Convention. La première de ces œuvres, entrées en 1937, est conservée à Versailles.

LECHAT Henri
Auvillers-les-Forges (Ardennes) 1862 - Lyon 1925

Architecte français. Ancien membre de l'École française d'Athènes, il s'intéressa tout particulièrement aux vestiges qui venaient d'être exhumés sur l'Acropole. Il proposa avec l'architecte Defrasse une restauration d'Epidaure en 1895. Enseignant brillant aux Universités de Montpellier (1889), puis de Lyon (1898), il donna tous ses soins au Musée des moulages antiques de cette dernière ville dont il publia le catalogue. Auteur de plusieurs livres portant plus spécialement sur la sculpture grecque. Don en 1908 d'une pyxide en bronze trouvée en Cyzique et d'un lot d'objets céramiques. (Cf. Delorière Charles Alfred).

LE CHATELIER Georges
Paris 1857 - Chambellay (Maine-et-Loire) 1935
LE CHATELIER Mme Georges

Petit-neveu par sa mère du sculpteur L. P. Deseine (1749-1822), G. Le Chatelier fit une biographie toute à la gloire de son grand-oncle (1906). Son enthousiasme le poussa à racheter beaucoup d'œuvres du sculpteur, dont plusieurs maquettes en plâtre pour le tombeau du cardinal de Belloy à Notre-Dame de Paris qu'il légua au Louvre (1923). Il laissait également un tableau de Corot*, *Campagne de Rome*, offert par l'artiste, lors de son premier séjour en Italie, au grand-père du donateur, le peintre P. Barbot (1798-1878), et neuf dessins de ce dernier. Son épouse remettait au Louvre, en 1934, une statuette féminine en marbre trouvée à Athènes.

LECLANCHÉ Mme Maurice, née Marie-Madeleine Petit-Courtois
Paris 1862 - Paris 1924

Donna en 1922 le portrait de sa belle-mère Eugénie Leclanché peint par Diaz, en souvenir de son mari, l'industriel Maurice Leclanché, frère de l'inventeur de la pile qui porte son nom (le tableau fut déposé en 1953 à Compiègne). Petit-neveu par alliance du peintre Jeanron, Maurice Leclanché (Parmain-sur-Oise 1847 - Paris 1921) qui avait été élevé dans le cercle des peintres de l'Isle-Adam, fut collectionneur comme plusieurs membres de sa famille et sa collection fut dispersée à l'Hôtel Drouot à Paris le 6 novembre 1924.

LE CLERC Mme Lucien,
née Tarbé de Vaux-Clairs

Don en 1922, du portrait de son époux, le colonel Le Clerc, peint par l'ami de celui-ci, J. J. Henner.

LECLERCQ Paul
1872 - 1957

Romancier, un des fondateurs de la *Revue blanche*, ami de Toulouse-Lautrec qui le portraitura. Don de ce portrait en 1920 (Orsay).

LE CLÈRE Achille René François
Paris 1785 - Paris 1853

Architecte. Ami et élève de Ch. Percier*. Élu à l'Académie des Beaux-Arts en 1831, il est Inspecteur général des Bâtiments Civils de 1838 à 1853. On lui doit la restauration des châteaux de Mareuil, Villebois et des chapelles du couvent du Sacré-Cœur. Il lègue deux dessins de Percier qui lui avaient été légués par Percier lui-même en 1838, l'un d'après les *huit bas-reliefs d'Andrea Riccio qui ornaient le monument de Girolamo della Torre* (Louvre), l'autre, *Une vue intérieure d'un monument consacré aux Arts*, entrés en 1854.

LE CŒUR Mme Charles,
née Marie Charpentier
Paris 1834 - Paris 1922

En 1924, les héritiers de Mme Charles Le Cœur - Marie Le Cœur (Mme Jules Le Grand), les enfants de Joseph Le Cœur, Marthe Le Cœur (Mme Paul Dupuy), François Le Cœur et Madeleine Le Cœur (Mme Jules Coulet) - remettaient aux musées nationaux le portrait peint par Renoir* en 1869 de leur grand-mère *Madame Théodore Charpentier* et légué par leur mère Mme Charles Le Cœur. Celle-ci, fille de l'architecte Théodore Charpentier (1797-1867), avait épousé en 1856 un jeune architecte, élève de Labrouste, Charles Le Cœur (1830-1906), dont le portrait par Renoir est par ailleurs entré dans les collections nationales (donation E. Mollard*). Il fut très lié, ainsi que son frère Jules Le Cœur (1832-1882) architecte et peintre, avec Renoir qui a peint des portraits de la plupart des membres de la famille Le Cœur entre 1866 et 1874.

D. Cooper, "Renoir, Lise and the Le Cœur Family", *Burlington Magazine*, mai et sept.-oct. 1959, pp. 163-171 et 322-329.

LECOMTE Eugène

Don en 1868 d'un tableau d'A. Solario : *Tête de Saint Jean-Baptiste.*

LECOMTE Raymond

En souvenir de son père E. Lecomte*, don en 1906 d'une statue de *Vénus pudique* en marbre appartenant à l'ancienne collection Tissot, trouvée à la Marsa (Carthage) dans les fouilles effectuées par Charles Tissot.

LEDERER Erich, baron
† Genève 1985

Fils de l'industriel autrichien Gustave Lederer, qui fut l'un des principaux mécènes et collectionneurs de G. Klimt, Erich Lederer avait hérité de la collection de son père qui fut en grande partie détruite en 1945, dans les derniers jour de la guerre, au château d'Immendorf, à Vienne. Sa grand-mère, Charlotte Pulitzer, sa mère Serena Lederer et sa sœur, Elisabeth Bachofen von Echt, furent toutes trois peintes par Klimt, tandis que lui-même l'était par E. Schiele qui lui donnait des cours de dessin. Il avait acquis en 1927 à la vente du professeur Gilbert (1858-1927), médecin et collectionneur, une plaquette en bronze de la Renaissance italienne, convoitée par le Louvre à qui il l'offrit le lendemain de la vente.

LEDOULX Charles Fortuné Louis
Alexandre Xavier
Tunis 1844 - Jérusalem 1898

Diplomate à Jérusalem où il est nommé ministre plénipotentiaire en 1898. Don en 1880 de la partie inférieure d'une statue d'*Aphrodite* en marbre découverte à Tripoli.

LEECH Miss C. E.

Résidait à la fin du XIXᵉ s. à Brighton. Don en 1883, de deux caricatures de son frère, le dessinateur J. Leech (1817-1863), remarqué dans sa jeunesse par le sculpteur Flaxman puis collaborateur au *Punch*.

LEFEBVRE Georges et Mme, née Thérèse
Rouabah

G. Lefebvre représente la quatrième génération d'une dynastie d'antiquaires fondée il y a plus de cent-vingt ans. L'actuelle maison Lefebvre et fils, plus particulièrement spécialisée dans la céramique, est installée rue du Bac. Avant de reprendre la maison paternelle, G. Lefebvre reçut une formation de restaurateur de céramique. Il est également expert près la Cour d'Appel. Il offrit avec sa femme en 1983 un important buste en porcelaine de Sèvres, *La Grande prêtresse*, d'après Boizot.

LEFEBVRE Mme Jean Charles
voir **D'ALLEMAGNE Henry René**

LEFEBVRE de VIEFVILLE
Mlle Louise Suzanne
Paris 1877 - Paris 1961

La famille Lefebvre de Viefville possédait dans la première moitié du XXᵉ s. le château de Groussay (Yvelines). Don en 1952, de deux dessins de G. Doré et legs d'une huile d'E. Devéria et de huit dessins de l'école française (attr. à Fragonard, Ingres*, Cochin, Charlet, de Dreux, Chéret).

E.F. Le Blant
Bibl. de l'Institut, Paris

P. Leclercq
H. de Toulouse-Lautrec, Orsay

E. Lederer
E. Schiele

A. Lefranc
Bibl. de l'Institut, Paris

A. Legros
Autoportrait, Louvre

**LEFERME Mme Paul,
née Hélène David-d'Angers**
Paris 1836 - Paris 1926

Fille du célèbre sculpteur, donne en 1900 plusieurs œuvres de son père dont un buste en marbre de *Béranger* et un dessin. Elle donne aussi, entre autres, une médaille de Cellini, *François Ier*, un tableau de l'école de David, plusieurs dessins dont un portrait de David d'Angers par Ingres★, et en 1903 d'autres œuvres déposées dans les musées de Province.

LEFEVRE-PONTALIS Eugène
Paris 1862 - Vieux-Moulin (Oise) 1923

Archéologue français. Ancien élève de l'École des chartes (1881-1885), bibliothécaire du Comité des travaux historiques et scientifiques jusqu'en 1892. Il devient en 1900 Directeur de la Société française d'archéologie. Professeur d'archéologie à l'École des chartes, membre du Comité des travaux historiques. Il a collaboré à la bibliographie des travaux historiques et archéologiques des Sociétés savantes de la France et a publié de nombreuses monographies d'églises. Legs en 1924 d'une série de bronzes étrusques, de sept pièces de céramique et d'un dessin attribué à Fragonard.

LEFRANC Abel
Erlincourt-Ste-Marguerite (Oise) 1863 - Paris (?) 1952

Médiéviste réputé, professeur au Collège de France et membre de l'Institut. Son legs, un fragment d'arcature, (France XVIᵉ s.) que lui avait offert la marquise Arconati Visconti★, fut remis au Louvre par son fils Pierre Lefranc.

Bibliothèque de l'École des chartes 112 (1954) pp. 316-320.

LEFRANC Mlle Marie Alice
Verneuil-sur-Avre 1858/59 - Paris 1929

Descendante par sa mère de la famille des peintres Garneray, elle légua le portrait de Louis-Ambroise Garneray enfant (Paris 1783 - Paris 1857), avec son chat, peint par J. F. Garneray (Paris 1755 - Paris 1837), père du modèle, lequel sera peintre lui-aussi (entré en 1930, le tableau fut alors envoyé à Versailles) ;

elle légua aussi une commode au Musée Carnavalet à Paris.

LEFUEL Mme, née Hortense Guillaume
1857 - 1949

Fille du sculpteur Eugène Guillaume. Don en 1921 et en 1922 d'œuvres de son père (Musée d'Orsay). Ses petits enfants, Mme Robert Cointreau et M. Olivier Lefuel, ont fait d'autres dons d'œuvres de leur arrière-grand-père en 1986 (Orsay).

LEFUEL Louis Henri
Versailles 1846 - Paris 1904

Fils de l'architecte H. M. Lefuel (1810-1881). Substitut du procureur de la République près le Tribunal de première instance de la Seine, puis conseiller à la Cour d'Appel de Paris, il épouse Hortense Guillaume★. Il donne en 1900, trois dessins de son père représentant le *Palais du prétoire à Lucques*, la *Maison dite de Bramante à Rome* et le *Siège pontifical de saint Laurent hors les murs à Rome*.

LEGER Monsieur J.

Tailleur de pierre à St-Marcel dans l'Indre. Don au Département des Antiquités grecques et romaines en 1885 d'un fragment de figurine en stuc représentant un bouc, trouvé sur les bords de l'Indre.

LE GORREC Yves Marie
St-Brieuc 1803 - Pontrieux (Côtes-du-Nord) 1863

Maire de Pontrieux et président du conseil d'arrondissement. Don en 1862 d'une copie de Guido Reni, *Judith et Holopherne* (déposée en 1872 au Musée d'Arras, détruite en 1915).

LEGRAND Madame
Versailles 1875-1963

Elle institua pour légataire universel les sœurs de la Croix à Paris, léguant au Louvre deux vases et deux pièces de surtout de Thomire en bronze doré et dix-huit porcelaines de Paris du XIXᵉ s.

LEGROS Alphonse
Dijon 1837 - Watford (Grande-Bretagne) 1911

Peintre et graveur français établi en Angleterre. Il donne en 1896 six œuvres de sa main : cinq dessins et une peinture *Le Christ mort* (Orsay).

LE GUAY Élisa
Paris ? 1814 - ?

Fille du peintre-miniaturiste E. Ch. Le Guay (1762-1846) ; elle-même miniaturiste. Don d'une miniature de son père le représentant ainsi que sa première femme, Marie Sophie Giguet, morte en 1801 (1883).

LE GUELTEL Édouard Charles
† Paris 1952

Libraire établi à Paris rue de Seine. Don en 1937 d'un dessin de Waldeck-Rousseau, *Un port protégé par des jetées*.

LE GUERNIC Jean Yves
Hendaye 1940 - St-Denis 1982

Enseignant. En 1983, legs d'une importante collection au Musée national des Arts et Traditions populaires et de deux kilims anatoliens à la Section islamique.

LE GUILLOU Jeanne Marie dite Jenny
Pleyben 1801 - Paris 1869

Gouvernante pendant vingt-huit ans et modèle de Delacroix qui la peint en 1840 (Louvre), elle lègue au Louvre, à condition que l'Empire soit déchu, trois œuvres du peintre que ce dernier lui a léguées ; deux peintures l'*Autoportrait au gilet vert écossais* (1837), et le *Portrait de la fille de Jenny, Lucile-Virginie* (née en 1931 et morte sans doute vers 1840) et le portrait dessiné de *Chopin en Dante* remis à Jenny Le Guillou par Delacroix avec prière de le donner après elle au Musée du Louvre (note au verso du dessin datée du 27 juillet 1857).

H. Toussaint, "A propos de Delacroix ; Le legs Le Guillou au Musée de Delacroix", *La Revue du Louvre*, 1982, nᵒ 3, pp. 181-187.

J. Le Guillou
E. Delacroix, Louvre

Mme E.A. Lemarinier
C. Corot, Louvre

**LEHMANN Mme Albert,
née Caroline Cornélie Kulp**
Francfort-sur-le-Main 1849 - Paris 1926

Don en 1925, par Mme Albert Lehmann et ses enfants, d'un tableau de Boilly, *L'averse, ou Payez-passez,* en souvenir d'Albert Lehmann († 1922) amateur dont les collections (objets d'arts, tableaux et dessins français du XVIIIᵉ s. et nordiques) furent dispersées au cours de quatre ventes en juin 1925. C'est au nom du même qu'en 1926 sa fille, Mme Robert Schuhmann (née Alice Marie Lehmann) donna au Département des Antiquités orientales un cachet scaraboïde égyptisant.

LEHOTELLERIE Juba de

Don en 1881 au Département des Antiquités grecques et romaines d'une ampoule de Saint-Ménas en terre cuite.

LEHOUX Pierre François
Paris 1803 - Paris 1892

Peintre, élève d'H. Vernet, il se consacre essentiellement à la peinture orientaliste ; il fait partie de l'expédition de Champollion en Égypte. Il est aussi l'élève et l'ami de Gericault. Il donne en 1879 un portrait dessiné d'*Asker Khan* attribué à Girodet et en 1882 deux dessins, *La revue passée par le roi Louis XVIII* ainsi que la célèbre *Main de Gericault,* à l'aquarelle, qu'il annote lui-même. En 1890, il donne, sans doute par l'intermédiaire de son fils le peintre P. P. Lehoux (1844-1896) trois études anatomiques peintes de Gericault (l'une au Louvre ; les deux autres sont déposées respectivement au Musée Ingres de Montauban en 1955, et au Musée des Beaux-Arts de Rouen en 1972) et une *Tête de turc,* au pastel et à la sanguine de Girodet, achetée à la vente de Girodet par M. de Musigny et acquise à la vente de ce dernier le 8 mars 1845, par Lehoux.

P. Grunchec, "L'Inventaire posthume de Théodore Gericault (1791-1824), *Bulletin de la Société de l'Histoire de l'art français*, 1976, Paris, 1978, pp. 395-420.

LEJEUNE Jacques
Paris 1925 - Paris 1987

Antiquaire spécialisé dans le mobilier du XIXᵉ s., successeur de Comoglio, rue Jacob. Don en 1983, d'un trépied en biscuit de Sèvres ayant fait partie du surtout de Napoléon Iᵉʳ, livré aux Tuileries en 1810. J. Lejeune fut également donateur au Musée de Versailles.

LEJEUNE Ozély
Rochechouart (Haute-Vienne) 1840 - 1909

Régisseur comptable des Ponts et Chaussées à Guelma en Algérie. Don en 1896 de deux inscriptions funéraires chrétiennes mentionnant d'une part les reliques des trois jeunes hébreux des martyrs de la Massa Candida et d'autre part les reliques de saint Pierre, de saint Martin et de saint Félix.

LEMAIRE Charles

Décorateur et antiquaire, offre, en souvenir de sa femme, en 1952, un *Christ* médiéval en bois, et un fragment d'arcature, en marbre, datant du XIVᵉ s. et provenant vraisemblablement d'un tombeau de Saint-Denis.

LEMAIRE Suzanne

Don en 1975 de vingt et un objets à la Section islamique (céramiques déposées au Musée Guimet, armes et textiles).

LEMAÎTRE Jules
Vennecy (Loiret) 1853 - Tavers (Loiret) 1914

Parmi tous les écrivains et hommes politiques qui fréquentèrent le brillant salon de Mme de Loynes, J. Lemaître occupa une place à part en raison de la tendre amitié qui l'unit étroitement et fidèlement à la maîtresse de maison. A la mort de Mme de Loynes (1837-1908), il hérita du célèbre portrait d'elle peint par A. Duval en 1862 et "conformément au vœu de Mme de Loynes" précise-t-il dans son testament, le légua au Louvre, où il entra en 1914 (déposé au Musée d'Orsay).

LEMAN Monsieur

Père d'H. Leman*, antiquaire à Paris (12 rue de Seine), spécialisé en archéologie. Don en 1897 de sept inscriptions funéraires latines.

LEMAN Henri
1872 - Paris 1950 ?

Fils de l'antiquaire parisien Leman*, antiquaire lui-même, 12 rue de Seine puis 37 rue Laffitte, collectionneur et expert près le tribunal civil en objets d'art antiques, du Moyen-Âge et de la Renaissance, rédigea les catalogues de la plupart des grandes ventes publiques de sa spécialité dont il assura la direction, de 1909 à 1936. Don en 1920 au Département des Objets d'art d'une spatule en os sculpté du Moyen-Âge et divers dons au Musée de Cluny et de Sèvres. Sa collection fut dispersée en vente publique à Paris en 1951 (15 mars).

LEMAND Mme Pierre, née Raymonde Wasserman

Don en 1951 d'un paysage peint de Cornelis van de Schalckle en remerciement des restitutions faites à sa famille par le Service de Récupération des Oeuvres d'Art.

**LEMARINIER Mme Ernest Adolphe,
née Marie-Anna (dite Blanche) Charmois**
Paris 1846 - Paris 1926

Petite-nièce de Corot*, elle avait une collection de tableaux dont une partie fut dispersée à la galerie Georges-Petit le 13 juin 1926. Son fils Georges Lemarinier réserva cependant pour le Louvre deux portraits par Corot, *Blanche Charmois enfant,* sa mère et *Louise-Claire Sennegon,* sa grand-mère.

LE MASLE Robert
Amiens 1901 - La-Queue-en-Brie 1970

Docteur en médecine, il était lié avec de nombreuses personnalités artistiques et littéraires de son temps ; Cocteau, Jouhandeau, les frères Ravel, M. Laurencin, S. Valandon, etc. Par testament il laissait au Louvre tout un ensemble d'œuvres, entrées en 1972 : dix-huit sculptures, principalement des médaillons en

Mme L. Lemoine

Ph. Lenoir
H. Vernet, Louvre

Mme Ph. Lenoir
H. Vernet, Louvre

---

bronze de David d'Angers, six tableaux du XIXe s., douze dessins et un album de croquis d'Asselineau, deux miniatures, une *Tête de femme* en terre cuite, hellénistique, trouvée à Smyrne, ainsi que des autographes et une bibliothèque.

LEMBESSIS

Antiquaire parisien. Dons nombreux et variés au Département des Antiquités grecques et romaines entre 1904 et 1935, surtout de céramiques et de bronzes.

LEMERCIER Mlle Constance Virginie Népomucène
1811/12 - Barbeville (Calvados) 1875

Elle légua au Louvre (où il entra en 1881) un portrait, peint en 1840 par H. Scheffer, de son père, l'écrivain Népomucène Lemercier (1771-1840), filleul de Mme de Lamballe, républicain convaincu, auteur de multiples pièces de théâtre et poèmes qui lui valurent en son temps une grande célébrité.

LEMIERRE André

Interne des Hôpitaux. Don en 1900 d'une inscription grecque, fragment des comptes des hiéropes de Délos pour l'année 181 av. J. -C.

LEMOINE Mme Alexandre Henri, née Alice Mosler
Paris 1862 - Rançon, commune de St-Wandrille-Rançon (Seine-Maritime) 1940.

Legs du portrait peint de sa mère, *Claire Raçon*, par N. Diaz (entré en 1945 ; déposé en 1960 au Mobilier national).

LEMOINE Mme Louis, née Marie-Rose-Augusta Barrault
Paris 1857 - Dammarie-les-Lys (Seine-et-Marne) 1934

Louis Lemoine (1853-1915), ingénieur des Arts et Manufactures, était directeur des Établissements Lemoine à Ivry, spécialisés dans l'industrie automobile, président du Conseil d'administration des anciens établissements Pan-

hard et Levassor, vice-président de l'Automobile Club de France et de la Chambre de Commerce de Paris. Sa veuve fit de nombreux legs à des institutions charitables (sa propriété de Dammarie-les-Lys échut à une communauté religieuse) et légua au Louvre deux fauteuils de style Louis XV couverts en tapisserie d'Aubusson représentant les *Fables* de La Fontaine (déposés au Musée de Château-Thierry).

"Obsèques de M. Lemoine", *Bulletin de la Chambre de Commerce de Paris*, 11 sept. 1915, pp. 929-939.

LEMOISNE Paul André
Paris 1875 - Neuilly-sur-Seine 1964
LEMOISNE Mme Paul André, née Suzanne Gavarni

Élève de l'École des chartes, P. A. Lemoisne entre en 1901 au Cabinet des Estampes de la Bibliothèque nationale puis devient conservateur en chef. Il publie de nombreux livres sur l'estampe japonaise, Degas et Rembrandt ; établit les bases de l'Inventaire du fonds français des gravures ; président du Comité national de la Gravure française créé en 1937, il est membre de l'Académie des Beaux-Arts. Il avait épousé en 1905 la petite-fille de Gavarni, artiste dont il publia la vie et l'œuvre (Paris 1924-1928). Ils donnent ensemble, en 1963, trente-cinq dessins de Gavarni, et deux portraits dessinés par le même artiste.

LE MONNIER Mme Albert Eugène, née Rosa Ellen Augusta Whaley
Rochefort (Belgique) 1864 - Paris 1943

Legs d'un *Portrait d'homme* peint par Raeburn.

LEMONNIER Henry
St-Prix 1842 - Paris 1936

Historien d'art, petit-fils du peintre A. G. Lemonnier (1743-1824), fils d'Hippolyte Lemonnier ; Lavisse le nomme son suppléant à la chaire d'Histoire moderne de la Sorbonne. Il est le créateur du cours d'Histoire de l'art. Il consacre ses dernières années au Château de Chantilly dont il est le conservateur. On lui doit la publication des *Procès-Verbaux de l'Académie d'Architecture* (Paris 1911-1924, 8 vol.) publié sous les auspices de la Société de l'His-

toire de l'art français. Il donne en 1907 deux album de croquis, exécutés par son grand-père.

P. A. Lemoisne, "Henry Lemonnier. Critique d'art, historien (1842-1936)" *Académie des Beaux-Arts, Bulletin*, 23, Paris, 1936, pp. 62-66.

LEMONNIER Paul

Don en 1894 de deux volets de triptyque représentant *Adam* et *Éve* par J. van Clève.

LE NAIN Louis
Estinnes-au-Val (Hainaut) 1851 - Uccle (Bruxelles) 1936

Graveur belge. Don à la Chalcographie en 1900, 1901, 1902 et 1926, de dix-huit planches gravées dont quatre compositions originales.

LENOIR héritiers d'Alexandre

André Lenoir (1880-1939) et ses sœurs sont les héritiers d'Alexandre Lenoir (1761-1839) dont le nom est lié sous la Révolution française à la création du dépôt des Petits-Augustins qui devient en 1796 le Musée des Monuments français, dans lequel il rassemble tous les éléments des monuments destinés à être détruits. Son arrière-petit-fils, André, donne en 1921 avec ses sœurs (dont l'identité n'a pu être établie) un ensemble important d'œuvres provenant de la collection d'Alexandre Lenoir, destinées à divers musées. En 1921 le *Portrait d'Alexandre Lenoir devant le tombeau de François Ier reconstitué au Musées des Monuments français* par P. M. Delafontaine (déposé au Musée de Versailles), le buste de terre cuite d'*Alexandre Lenoir* par C. Michallon et cinq albums de dessins, sont attribués au Louvre. Par ailleurs, André Lenoir vend en 1921 au Louvre plusieurs pièces de cette même collection, dont des peintures et dessins de David, et en 1938, un grand ensemble de dessins et monuments à la Bibliothèque nationale.

Ch. Lenormant
F.J. Heim, Louvre

F. Lenormant
Bibl. de l'Institut, Paris

LENOIR Philippe Balthazard Marin
Paris 1785 - Paris 1867
LENOIR Mme Philippe,
née Marie-Aspasie Jousseran
Paris 1792 - Paris 1874

Collectionneurs parisiens avisés il léguèrent trois cent quatre-vingt-un objets dont deux cent-quatre tabatières. Le reste de leur collection fit l'objet d'une vente à l'Hôtel Drouot, du 28 au 30 mai 1874.

Musée national du Louvre, don de M. et Mme Philippe Lenoir, Paris, 1874. S. Grandjean, *Catalogue des tabatières, boîtes et étuis des XVIIIᵉ et XIXᵉ s. du Musée du Louvre*, Paris, 1981, p. 17.

LENORMANT Charles
Paris 1802 - Athènes 1859

Égyptologue et numismate, ami de Champollion* avec lequel il partit en Égypte en 1828, professeur au Collège de France et membre de l'Institut en 1839. Don d'une *Tête de lion* égyptienne en 1845.

LENORMANT François
Paris 1837 - Paris 1883

Archéologue et historien français, bibliothécaire à l'Institut dont il est élu membre en 1881 après un passage à la Bibliothèque nationale, fondateur de la *Gazette archéologique*. Ses nombreux voyages en Italie, en Grèce, en Syrie et dans le Levant lui permirent de rapporter d'importantes trouvailles, dont la plus grande partie fut offerte au Louvre : un lot de bijoux, terres cuites, marbres et bronzes provenant de Mégare, Éleusis, Corinthe et Athènes (1860), une *Tête* trouvée à Théra, une *Koré* et un *Zeus* provenant d'Éleusis (1872), un lot de terres cuites et de vases provenant de Tarente (1881-1882) ; don en 1860 au Département des Antiquités orientales de petits monuments funéraires et d'inscriptions provenant de Syrie.

LENTÉ Jacques
Paris 1890 - Paris 1967

Industriel français. La donation qu'il fit en 1947, en souvenir de ses oncle et tante, M. et Mme Lucien Laveissière, advint à la suite d'un legs stipulé par cette dernière, née Agathe Delahalle (1870-1946), dans son testament du 28 novembre 1946. Ce legs n'avait pu être accepté par les musées nationaux car il supposait la création d'un musée dans l'immeuble qu'elle habitait avec son mari, Lucien Laveissière (1860-1939), au 68 de la rue Pergolèse. L'ensemble retenu par les conservateurs comprend quatorze tableaux, dont une majorité de portraits français du XVIIIᵉ s., par Grimou, Nonotte, Labille-Guiard (*Portrait de Madame Élisabeth*, déposé à Versailles en 1948), Desangle et Mlle Ledoux. Les autres sont notamment, un important Hubert Robert, *La démolition des maisons du Pont Notre-Dame en 1786*, un Corot*, *La muse rustique*, et un Millet, *Le retour du troupeau* (Musée d'Orsay). Enfin quatre tableaux de l'école anglaise renforçaient un secteur notoirement sous-représenté au Louvre. La même donation a enrichi le Département des Sculptures du plâtre et du marbre du *Buste de Choiseul-Praslin* (1780 et Salon de 1781) par Houdon, et du marbre de la *Baigneuse* (1808) de Marin ; le Cabinet des Dessins d'un pastel attribué à La Tour ; le Département des Objets d'Art d'une pendule, de céramiques, et de plusieurs meubles, principalement d'époque Louis XV : bureau plat estampillé I. D. F. ; secrétaire en pente de B. V. R. B. ; quatre chaises de Nogaret de Lyon.

M. Dureteste, "La donation Laveissière au Département des Peintures : I. Peintures françaises.", L. Bouthet "II. Peintures anglaises.", *Musées de France*, août-sept. 1948, pp. 161-168. P. Pradel, "La baigneuse de Marin", *Musées de France*, juin 1948, pp. 112-114.

LEPAGE Claude Paschal Charles Dié
Paris 1791 - Paris 1881

Architecte, élève de Percier*, il est admis à l'École des Beaux-Arts en 1809, en 1ʳᵉ classe en 1819. Il lègue un pastel de Morel représentant son arrière-grand-oncle et parrain, Dié Gendrier, ingénieur des Ponts et Chaussées de la généralité à La Rochelle (1737), inspecteur général en 1754.

LEPAILLEUR Mlle Anne Pauline
Paris 1827/28 - Paris 1907

Petite-fille du graveur H. Gérard, beau-frère de J. H. Fragonard, et petite-nièce de M. Gérard, elle légua des portraits de famille peints par cette dernière (H. Gérard et son épouse, M. A. Gérard, sœur de M. Gérard et épouse de J. H. Fragonard, E. Fragonard enfant), une copie d'après Greuze par M. Gérard et une version du *Serment d'Amour* de J. H. Fragonard (l'ensemble fut déposé en 1926 au Musée de Grasse).

LEPELTIER Robert

Fils du peintre et restaurateur Léon Lepeltier, lui-même peintre et restaurateur travaillant pour les musées nationaux. Fondateur du Musée de l'Isle-Adam. Don de vingt-deux dessins, pour la plupart d'artistes du XIXᵉ s. (1966, 1969 et 1971) et de neuf dessins de son père (1979).

LE PETIT Alfred
Fallencourt 1876 - La Frette 1953

Peintre et illustrateur, fils du peintre A. Le Petit (1841-1909). Don en 1933, de quinze dessins de son père, représentant essentiellement des grenouilles et des crapauds.

LEPINE Monsieur

Don en 1928 du portrait de son père peint par Stanislas Lépine, son grand-père.

LEPRIEUR Paul
Paris 1860 - Paris 1918

Historien d'art, il commença sa carrière dans les musées en 1891, fut successivement attaché au Musée du Luxembourg en 1892, au Département des Sculptures du Louvre en 1896 et devint conservateur adjoint au Département des Peintures en 1898. Legs de quelques peintures et objets au Louvre, au Musée de Cluny et au Musée Guimet ; le comité du 23 octobre 1919 retint de ce legs un panneau attribué au Maître de la Madeleine Mansi, deux aquarelles de Delacroix et un dessin de l'école de Rembrandt.

J.L. Leroux

A. Leroy
P. Leroy, Louvre

LEQUESNE Eugène-Louis
Paris 1815 - Paris 1887

Avocat, puis sculpteur, il termine plusieurs commandes de Pradier (*Chemin de Croix* de Sainte-Clotilde, *Victoires* du tombeau de Napoléon Ier). Il donne en 1852 un croquis de son maître.

Cat. exp. *Nouvelles acquisitions du Département des sculptures*, Paris, Musée du Louvre, 1984, pp. 98-99.

LEQUIME Mlle Antoinette
Ixelles (Belgique) 1889 - Paris 1974

De nationalité belge, elle a légué au Louvre deux aquarelles de Harpignies et cinq peintures : deux portraits de Ch. Crauk, un paysage par L. Ménard, *La cuisinière hollandaise* de V. Ravet et un portrait d'homme de Navez. Ces tableaux, entrés au Louvre en 1975, ont été alors déposés au Mobilier national.

LEREUIL Marie Louis Maurice
Chaumont (Haute-Marne) 1864 - Paris 1945

Commandant en retraite. Il offrit en 1940 au Département des Objets d'Art une des plus belles tapisseries françaises de la première moitié du XVIe s., conservée dans sa famille : une pièce de la tenture de *Saint Mammès* tissée pour la cathédrale de Langres, à Paris, en 1544, d'après Jean Cousin le Père.

LERICHE Abel Émile
Rouen 1857 - Paris 1941

Employé de commerce marié à Adèle Thiers, lègue deux dessins de G. Gobaut entrés au Louvre en 1944.

LEROI Paul pseudonyme de GAUCHEZ Léon Auguste François Michel
Bruxelles 1825 - Paris 1907

Fondateur, secrétaire de rédaction puis directeur de *L'Art**. Don en 1882 de six dessins de J. B. J. Augustin (1759-1832), en 1890 de trois objets achetés à la vente Piot et, en 1891, d'un médaillon de marbre du XVe s.

LE ROUX Alexandre dit LEROUX de VILLIERS
Paris 1864 - Paris 1938

Legs en 1938 de quatre peintures : deux *Scènes de carnaval* de G. D. Tiepolo et les allégories de *L'eau* et du *Feu* d'après Brueghel de Velours.

LE ROUX Charles
1846 - 1910
LE ROUX Joseph
Nantes 1857 - Grois (Vendée) 1949

Fils du peintre paysagiste Ch. M. G. Le Roux (Nantes 1814 - Nantes 1895), ils s'associèrent en 1900 avec leur mère pour proposer aux musées nationaux de choisir un tableau dans l'atelier de leur père et permirent ainsi l'entrée au Musée du Luxembourg, en 1902, de deux peintures, *La Loire à Nantes* et *Les cerisiers*. En 1909, les deux frères offrirent une troisième œuvre, *Prairies de Corsept*. En 1939, Joseph Le Roux, qui était une notabilité politique en Loire-Atlantique et faisait partie de la commission du Musée des Beaux-Arts de Nantes, donna une quatrième toile de son père, *Coucher de soleil*. (La première œuvre a été déposée en 1948 au Mobilier national, les trois autres sont maintenant au Musée d'Orsay).

LEROUX François
voir **COLLINET Mme Paul**

LEROUX Jean Léonce
Paris 1811 - Paris 1895

Commis principal au Ministère de la Marine. Legs de quarante-quatre objets au Département des Objets d'Art.

LE ROUX Nicolas Charles Louis
† St-Germain-en-Laye 1935

Inspecteur des Ponts-et-Chaussées, directeur honoraire des Chemins-de-Fer de l'État ; legs d'une étiquette de jarre égyptienne (Époque saïte).

LEROY Albert
1856 - ?

Avocat à la Cour d'Appel de Paris, il donna au Musée du Luxembourg en 1895 un tableau de Lecomte du Nouy : *Les gardes-côtes gaulois*, de la part de l'artiste (Orsay).

LEROY Alfred

Historien d'art, il publie plusieurs livres sur la peinture française et l'art antique. Fils du peintre P. Leroy (1860-1942), il donne en 1974, huit dessins et trois peintures de son père.

LEROY Antoine Charles
Chauny (Aisne) 1863 - Paris 1945

Ingénieur des Arts et Manufactures, il dirigea la maison Leroy, spécialisée dans la construction d'appareils de chauffage, 30 rue Berthollet à Paris. Cette maison, successeur de L. d'Anthonay, possédait la plus importante collection de plaques de cheminées connue à l'époque. Deux plaques de cette collection furent offertes au Louvre, en 1903, choisies par le conservateur du Département des Objets d'art.

LE ROY Arthur

Citoyen belge, il fit don en 1926 d'un tableau de De Dreux acquis à Paris à la vente après décès de son frère Ernest Le Roy, antiquaire à Bruxelles.

Mme L.J. Leroy
L.J. Leroy, Louvre

F. de Lesseps
L. Bonnat, Louvre

J.A. Letronne
Bibl. de l'Institut, Paris

LEROY Léon Julien
Versailles 1857 - Versailles 1926

Amateur et antiquaire versaillais. Lègue un dessin attribué à P. M. Alix, représentant le *Général Berthier* d'après le portrait peint par Gros (déposé à Versailles).

LEROY Mme Louis Joseph,
née Edmée-Joséphine Spronck
Paris 1822 - Paris 1907

Épouse de L. J. Leroy (1812-1885), peintre, pastelliste, graveur et journaliste (c'est lui qui employa le terme d'impressionnisme à propos des œuvres de Monet et ses amis, exposées en 1874). Don de dix planches gravées par son mari, en 1886, puis sept en 1890 à la Chalcographie. Lègue un dessin de Gavarni, *Les deux Pierrots (Une loge)*.

LE ROY Martin

Petit-fils de J. F. Le Roy, peintre, miniaturiste, graveur et lithographe (Paris 1768 - Paris 1829). Don de trois miniatures de J. F. Le Roy (1916).

LESSEPS comtesse Charles de, née Conte
de la Maisonfort

Épouse du fils aîné de F. de Lesseps*, consul de France à Alexandrie. Don en 1909 d'un fragment d'oushebti de Chapenoupet.

LESSEPS Ferdinand de
Versailles 1805 - La Chênaie 1894

Diplomate, créateur de la Compagnie Universelle du Canal Maritime de Suez. Don en 1884, d'un buste le représentant dû au sculpteur A. Oliva (dépôt au Musée de la Marine).

LETRONNE Jean Antoine
Paris 1787 - Paris 1848

Membre de l'Institut, professeur au Collège de France, spécialiste d'épigraphie ; il s'intéressa aux travaux de Champollion* alors qu'il dirigeait en 1840 les Archives nationales, et donna en 1842 une stèle égyptienne en bois peint.

LEULLIER Alexandrine
Paris 1798 - Neuilly-sur-Seine 1866

Propriétaire du château de La Planchette à Neuilly, elle lègue trois dessins de Girodet, *Un Turc debout* et deux *Portrait de femme*.

LEVAIGNEUR Mme Louis Félix,
née Amélie Théodorine Grondard
Paris 1824 - Paris 1912

Fille de Claude-Charles Grondard et de Marguerite-Eugénie Vavin, elle était la filleule de Théodore Dablin*, dont elle fut la légataire universelle. Elle épousa en 1844 un commissaire-priseur et en eut une fille, femme de G. Lacan*. Elle donna en 1871, pour remercier Barbet de Jouy* d'avoir sauvé le musée, une coupe en agate chinoise du XVIIIe s.

LEVAR L. de

Don en 1852 d'un muffle de lion en terre cuite provenant d'une corniche, trouvé à Sparte.

LEVÉE Jules
Paris 1877 - 1963

Don en 1923 en souvenir de sa femme, née Jeanne-Gabrielle Larcher, décédée l'année précédente, de deux très importants vases montés, en porcelaine de la manufacture parisienne du comte d'Artois, signés de l'émailleur Coteau.

LEVILLAIN Ferdinand
Passy 1837 - Paris 1905

Sculpteur et graveur en médailles, élève de Jouffroy. Il est médaillé d'argent à l'Exposition universelle de 1889. Don en 1900 d'un skyphos trouvé en Campanie.

LEVRAT M. et Mme Hippolyte
voir **ISABEY Mme Eugène**

LÉVY Mme Émile,
née Céline Joséphine Bidard

Veuve du peintre Émile Lévy (Paris 1826 - Paris 1890), elle donna au Musée du Luxembourg, peu après la mort de son époux, un *Portrait de jeune homme*, par l'artiste représentant peut-être leur fils, déposé au Sénat en 1926.

LEVY Étienne
Paris 1901 - Paris 1982

Antiquaire parisien. Il était fils d'un industriel d'origine alsacienne qui était lié avec l'antiquaire Benjamin Kraemer, établi 178 rue du Faubourg-Saint-Honoré. Après la mort de celui-ci, É. Lévy s'installa à sa place en 1927. Il se spécialisa dans l'époque Louis XIV et le XVIIIe s., s'intéressant particulièrement au mobilier en acajou, aux meubles à transformations et aux instruments scientifiques. Très actif au sein de sa corporation, il fut longtemps président de la commission d'arbitrage du syndicat des antiquaires. Il donna en 1965 un nécessaire à cacheter en écaille piquée du XVIIIe s. Sa galerie est maintenant dirigée par son fils, M. Claude Lévy.

LÉVY Pierre

Industriel à Troyes, alsacien d'origine, collectionneur, écrivain et artiste, membre du Conseil artistique de la Réunion des musées nationaux depuis 1969, Pierre Lévy fit bénéficier de sa générosité le Louvre à plusieurs reprises : en 1958, il aida la Société des Amis du Louvre à acheter le trésor d'argenterie de Graincourt-lès-Havrincourt (Pas-de-Calais), des ateliers de la Gaule du nord-est (fin IIe et déb. IIIe s. ap. J. -C.) ; en 1969, il offrit la somme nécessaire à l'achat du grand tableau de Millet, l'*Immaculée Conception*, dite *Notre-Dame de Lorette*, préempté en vente publique à la demande de Pierre Granville, pour être déposé au Musée des Beaux-Arts de Dijon ; enfin, en 1978, il donna un dessin de sa main représentant une vue de l'exposition des collections de Louis XIV qui venait de se tenir à l'Orangerie. En outre, Pierre Lévy et son épouse Denise Lévy firent don à l'État de leur très importante collection (environ deux mille œuvres dont trois cent trente-huit peintures,

L. Lhermitte
G. David-Nillet, Orsay

A.P. de Longpérier
F.J. Heim, Louvre

mille deux cent soixante-dix-sept dessins, cent quatre sculptures... , avec les noms de Daumier, Degas, Seurat, Bonnard, Vallotton, Delaunay, La Fresnaye, Soutine... , ainsi que des objets d'art africain et océanien), pour être placée à Troyes. Présentée en 1982 dans l'ancien évêché reconverti en musée, cette donation illustre le choix très souvent précurseur (tableaux Fauves) d'un collectionneur et mécène, ami des artistes dont il acquit les œuvres, qui chercha à constituer des fonds d'étude (La Fresnaye, Derain, Marinot, également troyen, Kars...). P. Lévy raconta lui-même l'histoire de sa collection (*Des artistes et un collectionneur*, 1976).

Cat. exp. *A la découverte de la collection Pierre Lévy*, Troyes, Hôtel de Ville, 1976; *Donation Pierre Lévy*, Troyes, Hôtel de Ville, 1977; *Donation Pierre Lévy*, Paris, Orangerie des Tuileries, 1978. Cat. *Musée d'Art moderne. Donation Pierre et Denise Lévy*, 2 vol., I. *Peintures*, II. *Sculptures, objets d'art, art africain*, Troyes, 1982.

LÉVY Sam S.

Don en 1907 d'un alabastre et de deux bouteilles en terre cuite trouvés dans une nécropole byzantine à l'emplacement des substructions de l'hôpital de Salonique.

LEWAL André

Don en 1886 de briques byzantines en terre cuite portant des inscriptions grecques.

**LEYENDECKER Mme Mathias,
née Virginie Hortense Adèle Didier**

Veuve du peintre allemand établi à Paris, M. Leyendecker (Dernau 1822 - Paris 1871). Donne en 1874 une nature morte peinte par ce dernier, *Caille et alouettes* (placé initialement au Musée du Luxembourg et maintenant au Musée d'Orsay).

LEYGONIE M. et Mme Pierre

Don en 1978 d'un *Portrait d'homme* attribué à P. Mignard (catalogué comme École française du XVIIᵉ s.).

LEYNAUD Monseigneur Augustin Fernand
Ollières-sur-Eyrieux (Ardèche) 1865 - Alger 1953

Il vécut une partie de sa jeunesse en Algérie et y termina ses études. Ordonné prêtre en 1888, il fut nommé secrétaire particulier du cardinal Lavigerie en 1889, puis secrétaire général de l'évêché de Carthage en 1891. Nommé curé de Sousse en 1901, il devint un archéologue passionné et dirigea les fouilles dans les catacombes de Sousse-Hadrumète. Enfin, nommé évêque d'Alger en 1917, il y résida 35 ans. Don en 1912 de stèles puniques, lampes et vases provenant de ses fouilles.

LHERMITTE Léon
Mont-St-Père 1844 - Paris 1924

Le peintre légua au Musée du Louvre une peinture d'A. Dehodencq : *La danse des nègres à Tanger* qui entra en 1926 dans les collections nationales.

LHOMME Louis Charles Émile Marie
Besançon 1853 - Nice 1940

Inspecteur général des Finances, demeurant à Paris. Legs d'une table à jeu de style Louis XV qui aurait appartenu à Balzac, ainsi que d'une collection de serrurerie au Musée de Cluny.

LIBAN République libanaise

Dons en 1927 et 1930 d'objets provenant de Byblos.

LIEBLEIN Jean Daniel Carolus
Christiana (Norvège) 1827 - Eidswold (Norvège) 1911

Professeur d'égyptologie à l'université de Christiana (1876); don de fragments de papyrus démotiques en 1889.

LILLE Ville de

Par délibération du conseil municipal du 5 novembre 1860, la Ville de Lille donna deux tableaux de peintres régionaux qui n'étaient

pas représentés dans les collections du Louvre. Il s'agit de : Wamps, *Le triomphe d'Esther* (redéposé en 1872 au Musée de Lille) et Vuez, *Saint Bonaventure devant le Concile* (déposé en 1872 au Musée de Rennes).

LINANT de BELLEFONDS Maurice

Descendant du géographe et explorateur du même nom qui explora le Soudan et prit une part importante au projet du Canal de Suez, et fut ministre des Travaux publics en Égypte en 1869. Donne en 1952 un lot de dessins et relevés d'une grande importance exécutés par son aïeul entre 1818 et 1827.

**LINCOLN Mme Roland,
née Alice N. Towne**
† Jamaïca-Plains (Massachussets) 1927

Américaine, qui séjourna peut-être à Paris. Légua au Louvre (Orsay) un tableau (*Paysanne* ou *La marguerite*), de l'américain W. M. Hunt qui servit d'intermédiaire entre J. F. Millet et sa clientèle des États-Unis, de Boston notamment. Dans son testament, Alice Lincoln justifie son don parce que "W. M. Hunt a tiré beaucoup de son inspiration de l'art français et parce que c'était le désir de l'empereur Napoléon III que le tableau fût acheté pour le palais de Saint-Cloud".

LINDEN Gilbert Adrien
Metz 1826 - Neuilly-sur-Seine 1904

Publiciste, auteur de livres pour enfants, lègue au Louvre (où il entre en 1904) un tableau de Cl. Vignon, *La mort de Sénèque* en précisant dans son testament : "Ce peintre n'est pas représenté au Louvre".

LION Adolphe

Donne en 1947, un dessin de F. V. Sabatier, *Vue de la cour du Nouveau Louvre de Napoléon III*.

LION Mme Andrée

Don en 1957 d'une statuette funéraire égyptienne en faïence.

Louis-Philippe Ier
F.X. Winterhalter, Versailles

Comtesse Lovatelli
E. Laurent, Orsay

F. Lugt

LISLE Mme René
voir **CLERC Antonin**

LITOUX Marie-Thérèse
St-Cloud 1892 - Paris 1954

Fonctionnaire au Ministère de l'Éducation nationale, elle légua en 1954 deux chandeliers et un brûle-parfum à la Section islamique (mis en dépôt au Musée de Niort), trois dessins dont deux de Desfriches, au Cabinet des Dessins, ainsi que deux bronzes au Musée Guimet.

LOCHARD Madame

Don en 1927 de trois dessins d'E. F. Ricois, représentant des paysages.

LOCKROY Mme, née Alice Lehaene
Paris 1847 - Paris 1928

Elle épouse en 1865, Charles-Abel Hugo (1826-1871), fils de Victor Hugo, dont elle a deux enfants Georges (1868-1925), père de Jean Hugo (1894-1984), et Jeanne (Mme Michel Negreponte*). Alice Hugo se remarie avec Édouard Simon dit Lockroy († 1913). Legs, avec usufruit en faveur de sa fille, d'un dessin de Victor Hugo, *Une ville allemande*.

LŒBL Allen

Neveu du colonel Friedsam*, il était, semble-t-il, le représentant du marchand français F. Kleinberger* à Paris. Cette galerie de tableaux anciens, installée 9 rue de l'Échelle portait d'ailleurs, après la seconde guerre les noms de A. Lœbl et E. Garin Succ^{rs}. En 1929, A. Lœbl fit don au Louvre d'un tableau rhénan du XVe s. et d'une très belle icône grecque du XVIe s.

LŒW Ossip

Professeur de musique. Don, en 1892, d'une tabatière.

LOISEAU Ivan
† Paris 1981

Il épouse Lucie Carrière (1889-1959), fille du peintre E. Carrière dont il lègue neuf dessins entrés au Louvre en 1984 ainsi qu'un fonds important d'œuvres du peintre au Département des Estampes de la Bibliothèque nationale.

LONG Charles Edward

Citoyen britannique. Il donna au Musée des Souverains en 1860 une carabine passant pour provenir du Premier Consul (déposée au Musée de l'Armée).

LONGPERIER Adrien Prevost de
Paris 1816 - Paris 1882

Numismate et archéologue français. Attaché en 1835 au Cabinet des Médailles de la Bibliothèque du Roi, membre de la Société des Antiquaires de France en 1837, il est conservateur adjoint du Musée égyptien du Louvre en 1847 puis conservateur en 1848 du Musée assyrien, du Musée mexicain et de la sculpture antique. Élu en 1854 membre de l'Académie des Inscriptions et Belles Lettres. Auteur de plusieurs ouvrages dont : *Notice des bronzes antiques du Musée du Louvre*, *Mémoires sur la numismatique des rois sassanides et des arsacides*, *Le Musée Napoléon III*... Don en 1850 de plusieurs *Tête* de terre cuite ayant servi d'antéfixes, de quatre *Pieds humains* et en 1860 d'un petit buste en bronze au Département des Antiquités grecques et romaines.

LONSADA Julien

Don en 1929 de trois portraits dessinés exécutés, par J. Amigoni, lors du séjour de l'artiste en Angleterre, entre 1729 et 1735.

LOREY Eustache de

Conseiller pour les Arts du Haut-Commissariat français en Syrie, directeur de l'Institut français de Damas (1926), fouilla près de Tyr puis s'intéressa aux monuments islamiques de Damas. Don en 1928 de tablettes cappado-ciennes, de vases syriens et de terres cuites au Département des Antiquités orientales.
Revue Archéologique XIV (1921), pp. 405-406.

LORNE Marcel

Don en 1923, en souvenir de son père le Dr. Lorne, d'une tête en marbre de *Diadumène* trouvée sur les terres de l'ancienne abbaye de Vauluisant v. 1863-1865 près de Villeneuve-l'Archevêque (Yonne).

LOUIS L.

Don en 1957 d'un scarabée égyptien (Nouvel Empire) en stéatite.

LOUIS PHILIPPE
Paris 1773 - Claremont (Surrey) 1850

Duc de Valois (1773-1785), de Chartres (1785-1793), puis d'Orléans (1793-1830), roi des Français (1830-1848). Il donna pendant son règne quelques cadeaux qu'il avait reçus dont un vase en porcelaine, une paire de monuments en fonte incrustée d'argent offerts par le roi de Prusse, Frédéric-Guillaume IV, et une mosaïque représentant le *Triomphe de Neptune*.

LOVATELLI comtesse

Don en 1900 de son portrait peint par Laurent (Orsay).

LUCAS Mme Roger, née Jeanne Duviard

Visiteuse médicale pendant quarante ans. Don en 1984, d'un dessin de Louise Hervieu, *Le nœud noir*, acheté à Alençon par son mari à l'artiste elle-même.

LUGT Frederik Johannes dit Frits
Amsterdam 1884 - Paris 1970

Collectionneur et historien d'art néerlandais. Il entre en 1901 dans la maison de vente Frederik Muller et Cie d'Amsterdam à laquelle il s'associe de 1911 à 1915. En 1910, il épouse Jacoba Klever qui sera jusqu'à sa mort en 1969, sa fidèle compagne. Il se consacre

Duc de Luynes
Bibl. nat., Paris

R. Luzarche d'Azay

ensuite à ses collections regroupées, après la seconde guerre mondiale d'abord à La Haye et depuis 1953 à Paris, sous le nom de Fondation Custodia (créée à Bâle en 1947). En 1954, Frits Lugt et son épouse fondent l'Institut néerlandais dont il devient le président dès son inauguration en 1957. Il y organise de nombreuses expositions consacrées essentiellement à l'art ancien. La Fondation Custodia comprend plus de 7.000 dessins, 30.000 estampes, une collection de plus de 30.000 autographes et de 250 peintures. Frits Lugt prend également part à la création à la Haye du Rijksbureau voor Kunsthistorische Documentatie, formé à la mort de C. Hofstede de Groot (1930), où il dépose sa très riche bibliothèque d'art. En 1955, il est co-fondateur de l'Istituto Universitario Olandese di Storia dell'Arte à Florence. Chargé de mission au Cabinet des Dessins du Musée du Louvre de 1922 à 1970, il publie l'*Inventaire général des dessins des Écoles du Nord*. On lui doit aussi toujours dans le cadre de l'Inventaire général des Dessins des Écoles du Nord, le catalogue des dessins de l'École nationale supérieure des Beaux-Arts (1950), des dessins de la Bibliothèque nationale (1963, avec la collaboration de J. Vallery-Radot) et de ceux de la collection Dutuit aux Musée des Beaux-Arts de la Ville de Paris (1927). Il est en outre l'auteur de l'inventaire des *Marques de collections de dessins et d'estampes* (Amsterdam, 1921 et 1956 pour le Supplément) et de quatre volumes consacrés au *Répertoire des catalogues de ventes publiques* de 1600 à 1625 (La Haye, 1938, 1953, 1964 et Paris, 1987). Frits Lugt donne trois dessins au Louvre, *La Roue de la Fortune* de l'École française du XVIIe s. en 1927, *Un gentilhomme* de Saint-Igny en 1928 et une *Vue du château d'Anet* par Caron en 1955.

M. F. Hennus, "Frits Lugt. Kunstvorser-Kunstkeurder-Kunstgaarder", *Maanblad voor Beeldende Kunsten*, 1950, vol. XXVI, pp. 76-140. J. G. van Gelder, "In Memoriam Frits Lugt", cat. exp. *Dessins flamands du XVIIe s.*, Londres, Victoria Albert Museum-Paris, Institut Néerlandais-Berne, Kunstmuseum-Bruxelles, Bibliothèque Royale Albert Ier, 1972, pp. IX-XV. *Treasures from the collection of Frits Lugt at the Institut Néerlandais*, Paris, Apollo, 1976, vol. CIV, n° 176-177.

LUNG Frédéric
St-Dié 1863 - Alger 1942
**LUNG Mme Frédéric,
née Julie Gugliemetti**
Blida (Alger) 1880 - Alger 1957

Propriétaire viticole à Bellefontaine (Ménerville-Alger), il s'attacha à réunir une importante collection d'œuvres d'artistes de la fin du XIXe s. et du début du XXe s. Son épouse légua aux musées nationaux un ensemble de soixante-huit peintures et dessins réparti aujourd'hui entre le Musée d'Orsay qui possède *Aréaréa* de Gauguin et *Argenteuil* de Monet, le Cabinet des Dessins qui conserve trois dessins de Delacroix et de Fromentin, et le Musée national d'Art moderne.

J. Alazard, "La collection de Frédéric Lung" *Études publiées par le Musée national des Beaux-Arts d'Alger*, 1951, n° 6. G. Bazin, J. Bouchot-Saupique, "La donation Lung au Musée du Louvre", *La Revue du Louvre*, 1951, n° 3, pp. 143-147.

**LUSTROU Mme Hippolyte,
née Clémentine Clarisse Jeanne Forney**
Paris 1857 - Paris 1939

Legs par Mme veuve H. Lustrou d'un portrait (entré en 1946) par Prud'hon de son grand-père, Jacques Rodolphe Forney (1782 - ?), oncle du philanthrope Aimé Pierre Samuel Forney (1819-1879), fondateur de la bibliothèque d'art et d'industrie qui porte son nom à Paris.

LUTÈCE fondation

La Fondation Lutèce, dont le siège est à New York, a pour objectif de favoriser le mécénat américain envers la France dans le domaine artistique ; elle permet aux donateurs de fonds ou d'œuvres d'art de bénéficier de dispositions fiscales favorables. Le *Bonaparte franchissant les Alpes* de Delaroche et le *Portrait dit de Baretti* de Subleyras sont entrés au Louvre, l'un en 1982, comme don de M. et Mme Birkhauser, l'autre en 1981, comme don de la Fondation B. et A. Meyer*, par l'intermédiaire de la Fondation Lutèce.

LUTZ Georges
Alzey (Allemagne) 1835 - Nogent-sur-Marne 1901

Fils de cordonnier Georges Lutz, naturalisé français en 1871, bâtit une fortune grâce à la fabrication d'outils pour tanneurs et corroyeurs. Dès le début des années 1880 il se fait connaître comme collectionneur de peintures et de sculptures ; en 1889, à l'occasion de l'exposition universelle, puis en 1900, il prête de nombreuses œuvres de sa collection. Ses artistes préférés sont Courbet (il participe à l'achat de *La remise des chevreuils*, 1890), Tassaert, Barye, Meissonier, Corot, Français, Boudin, etc... En 1901 il donne une œuvre du sculpteur Cabet, *La sortie de bain* (Orsay). A sa mort, il lègue au Louvre deux peintures de Servin et de Jongkind.

**LUYNES Honoré Théodoric
Paul d'ALBERT, duc de**
Paris 1802 - Rome 1867

Scientifique et tout à la fois dessinateur, numismate, archéologue, chimiste, minéralogiste de marque, photographe et épigraphiste, il connaissait l'hébreu et l'arabe. Il donna au Cabinet de Médailles de la Bibliothèque nationale son importante collection d'objets et d'inscriptions. Le Louvre lui doit le don en 1842-1843 de dix dessins (Bertaux et anonyme),et ceux en 1856, au Département des Antiquités orientales, du sarcophage d'Eshmunazar, roi de Sidon, et de la stèle de Shihân (Transjordanie), de plusieurs céramiques antiques, dont un cratère attique attribué au peintre de Komaris (Ve s av. J. -C.), et un papyrus égyptien reprenant le texte d'un *Livre des morts* au nom de Nestanebettaouy (1860).

LUZARCHE d'AZAY Roger
Dieppe 1872 - Paris 1962

Les frères Luzarche, Antoine, maître de forges, et Victor, collectionneur, bibliophile et maire de Tours, acquirent en 1862 le château d'Azay-le-Ferron (Indre). D'Alfred Luzarche d'Azay, fils d'Antoine, naquirent Marie-Marguerite (Mme Pierre Lebaudy*), Marthe (Mme Georges Hersent, † 1951), qui légua le château à la Ville de Tours, et Roger. Celui-ci donna en 1953 au Département des Antiquités grecques et romaines une œnochoé, et fit don de boîtes de Fabergé au Musée des Arts décoratifs. Il légua le *Portrait de Mme de Sombreval* par Nattier, six fauteuils Louis XV en bois polychrome de Lelarge, une paire de chaises de Boulard provenant du salon des Jeux de Louis XVI à Fontainebleau, ainsi qu'une somme d'argent, au Département des Objets d'art. Celle-ci permit notamment l'acquisition d'une verseuse de Biennais aux armes de Napoléon, roi d'Italie (1966), et, en partie, du peigne liturgique en ivoire de la collection Salavin (1973), de la paire d'armoires de Cressent (1974) et du surtout du duc de Bourbon dû à Roëttiers (1976).

LYON Victor
Paris 1878 - Genève 1963
LYON Mme Victor, née Hélène Lœb
Paris 1883 - Genève 1946

En 1961, en son nom et en souvenir de sa femme décédée quinze ans plus tôt, Victor Lyon (homme d'affaire parisien) fit don, sous réserve d'usufruit, d'un important ensemble de soixante-cinq tableaux et trois pastels ; le décès en 1977 de son fils, Édouard Lyon, auquel l'usufruit avait été étendu, fit entrer la collection au Louvre où elle est présentée selon le désir du donateur, en deux salles qui lui sont réservées. Cet ensemble fut constitué entre les deux guerres surtout par des achats en vente publique souvent à la Galerie Petit que dirigeait alors A. Schœller*. Très éclectique, le choix de l'amateur portait à la fois sur la peinture ancienne (on remarque notamment deux *Vues de Venise* par Canaletto et deux scènes religieuses dues à G. D. Tiepolo, ainsi qu'une série de tableaux hollandais du XVIIe s.) et sur les impressionnistes et leurs prédécesseurs : Jongkind, Boudin, Cézanne, Sisley, Pissarro, Toulouse-Lautrec, voisinent avec le magnifique Monet *Environs de Honfleur, neige*, *La lecture* de Renoir*, et un pastel de Degas, *La sortie du bain*.

I. Compin, A. Distel "La donation Hélène et Victor Lyon" *Revue du Louvre*, 1978, 5-6, pp. 380-406.

MAALOUF

Don en 1939 d'une copie dessinée d'un bas-relief romain de l'École française du XVIIIe s.

MACHARD Jules

Fils de Jules-Louis Machard (1839-1900), peintre d'histoire et portraitiste, il donna en 1934 deux dessins de son père, *Figure de génie ailé* et *Femme nue debout*.

MACHARD Pierre

Don en 1903 d'une *Tête de femme* romaine trouvée à Sousse (Tunisie).

MACIET Charles Jules
Paris 1846 - Paris 1911

Collectionneur et mécène, originaire d'une famille aisée de l'Aisne, il passa quelques mois chez Durand-Ruel en 1869, puis il découvrit en 1880 au Palais de l'Industrie le musée de l'Union centrale des Arts décoratifs, auquel il ne cessa ensuite de faire des dons et de se consacrer, devenant successsivement membre du Conseil d'administration et président de la commission d'achat. Parallèlement, il multiplia ses dons à d'autres musées provinciaux et parisiens : c'est ainsi que le Louvre dût à sa générosité, entre 1888 et 1912, plusieurs tableaux, dont le *Retable de saint Georges*, provenant de la Chartreuse de Champmol (déposé en 1968 au Musée de Dijon), un Van Clève, un P. Codde, un Nicolò dell'Abate, de nombreux dessins (dont le *Portrait de Mme Jarre* de Prud'hon, un *Portrait de jeune fille* de Gavarni et la *Sortie de la forêt de Fontainebleau* de Rousseau), des ivoires médiévaux (1894), des bronzes italiens de la Renaissance (1895, 1902), et surtout en 1903 un ensemble fondamental de bronzes du Moyen-Âge, avec en premier lieu le *Prophète* de la châsse de St-Germain-des-Prés, deux dalles funéraires du Moyen-Âge, des statuettes et fragments lapidaires antiques, dont une magnifique *Tête féminine* en marbre (1893) et deux bas-reliefs assyriens. Membre fondateur de la Société des Amis du Louvre, il en prit la présidence à partir de 1910 ; il joua aussi un rôle important dans l'achat en bloc de la collection Victor Gay (cf. Mme Victor Gay*) puis dans l'acquisition de la plaque d'ivoire ottonienne de *La multiplication des pains*, et du *Jeune berger*, bronze de Riccio. Le nom de Jules Maciet est resté attaché à la bibliothèque du Musée des Arts décoratifs qu'il enrichit de sa photothèque personnelle, classée dans plus de quarante-mille albums.

R. Kœchlin, "Jules Maciet", *Bulletin des Musées de France* (1912). Dr Aman-Jean, *Bulletin de la Société historique et archéologique de Château-Thierry*, 1966.

MAC KAY

En 1968 don de deux vases en terre cuite anatoliens.

MACLER Frédéric
1869 - 1938

Professeur d'arménien à l'École des Langues orientales (1911). Fondateur de la *Revue des Etudes Arméniennes*. Don d'objets provenant de Palestine en mars 1912 : cruche du type dit "bilbil" (fouilles de Lakish), petit barillet chypriote, et lampes de Naplouse et de Nebi Samouil.

MACQUART-BARBIER Mlle Lucie
Paris 1879 - Treize-Vents (Vendée) 1970

Fille adoptive du libraire et collectionneur de livres Rahir. Elle légua en 1970 cinquante-six dessins de l'École française des XVIIIe et XIXe s. et des peintures d'artistes de la même époque (réparties entre le Louvre et Orsay).

V. Lyon
M. Baschet, Louvre

Mme V. Lyon
J.J. Henner, Louvre

J. Maciet
P. Mathey, Musée des Arts décoratifs, Paris

M. Ch. Mader–Trelat
L. Bonnat, Musée de Creil

Mahmud II
H.G. Schlesinger, Versailles

A. Maignan

Baronne J. Mallet

MADER-TRELAT Marie Charlotte

Don de son portrait peint par L. Bonnat* en 1948 (dépôt à Creil en 1949).

MADRAZO Frederic de
Paris 1879 - ?

Don en 1912 du *Portrait de N. Dauzats* par son grand-père le peintre Madrazo, (dépôt au Musée du Versailles en 1922).

MADSEN Karl
voir **AMATEURS DANOIS**

MAGGIAR André
Paris 1886 - Paris 1972

Industriel en Indochine. Legs en 1973, sous réserve d'usufruit au profit de son épouse, d'une lampe de mosquée en verre émaillé (Égypte ou Syrie, Iᵉ moitié du XIVᵉ s.), d'un coffret en bois incrusté d'ivoire (XVIIIᵉ-XIXᵉ s.) à la Section islamique, d'un ensemble de vases, lampes et statuettes au Département des Antiquités grecques et romaines.

MAGGIAR Georges

Antiquaire. Don en 1972 d'objets variés : une petite *Tête féminine* diadémée en marbre, un scarabée égyptien en calcaire et un lot de terre cuite (lampes, statuettes, vases).

MAGIMEL Guy Théodore
Paris 1799 - Paris 1862

Inspecteur général des Finances puis Directeur du Mouvement général des Fonds. Don d'un buste en marbre attribué à Moitte représentant *Jean-Louis Aubert, littérateur*, en 1851.

MAGNIER Victor

Ancien officier des armées napoléoniennes, qui prit part à la campagne de 1815 où il fut blessé. Il donna au Musée des Souverains une cocarde portée par Napoléon à l'île d'Elbe (déposée au Musée napoléonien de Fontainebleau).

MAHMUD II
1784 - Istanbul 1839

Sultan ottoman (1808-1839). Don en 1838 d'un chapiteau dorique, de trois métopes, de morceaux sculptés de la frise du temple d'Assos. Ce don fut accordé sur les instances de Raoul Rochette, membre de l'Institut, chargé en 1824 du cours d'architecture antique à la Bibliothèque royale, puis d'une mission archéologique en Grèce, il avait obtenu l'appui du ministre Rashid Pacha dans sa demande auprès du sultan. De même, c'est sur la sollicitation pressante de l'architecte Charles Texier que fut offert la même année, par le sultan, le très fameux vase en marbre dit vase de Pergame.

MAHON sir Denis

Historien d'art anglais, collectionneur et grand spécialiste du XVIIᵉ s. italien. Don en 1969 d'un dessin de l'École française du XVIIᵉ s., en association avec H. M. Calmann*.

MAIGNAN Albert
Beaumont-sur-Sarthe (Sarthe) 1845 - St-Prix (Val-d'Oise) 1908

Peintre d'histoire attiré par les sujets inspirés du Moyen-Âge, Maignan fut aussi collectionneur avisé d'objets antiques et médiévaux. Il légua au Louvre diverses œuvres d'art qui y entrèrent en 1909. Le Département des Antiquités grecques et romaines reçut quatre grandes fibules béotiennes gravées, le Cabinet des Dessins une feuille d'Hubert Robert, *Ruines égyptiennes*, et le Département des Peintures le portrait que L. E. Larivière avait fait de sa sœur Eugénie Paméla. L'artiste et le modèle (qui étaient oncle et tante de Mme A. Maignan*) moururent l'un et l'autre alors qu'ils n'avaient guère dépassé l'âge de vingt ans et A. Maignan souhaita l'entrée du portrait au Louvre pour rendre hommage au jeune artiste prématurément disparu.

MAIGNAN Mme Albert,
née Louise Larivière

Fille du peintre Ph. Larivière et épouse du peintre A. Maignan*, elle donna, à la mort de son mari une peinture de celui-ci, *Le portail*
central de Saint-Marc de Venise*, au Musée du Luxembourg (transféré au Louvre en 1929 ; Orsay).

MAIGRET Mme Marie Louise Jeanne Hortense
Paris 1865 - Paris 1944

Elle a légué au Louvre (où ils entrèrent en 1945) trois portraits de famille, peints par M. Drölling. Les deux premiers sont ceux de ses arrière-grands-parents paternels, M. et Mme Louis Charles Maigret ; le troisième représente Louis Jacques Maigret alors enfant, fils des précédents et grand-père de la donatrice.

MAILLART André
Paris 1886 - ?

Graveur en taille douce et illustrateur. Don à la Chalcographie en 1931 d'une planche à l'eau-forte d'après l'*Heraklès archer* de Bourdelle.

MAILLOT Mme Théodore Pierre Nicolas, née Anna Charlotte Félicie Duban
† Paris 1898

Fille de l'architecte F. L. J. Duban (Paris 1797 - Bordeaux 1870). Legs d'une miniature de D. Monvoisin, *Portrait de Duban*, d'un tableau de Bodinier au Musée d'Angers et divers autres legs.

MAIRON
voir **CONSIDÉRANT Victor**

MALAPER François Ernest
St-Martin-de-Ré 1836 - Bordeaux 1923

Colonel au 27ᵉ Chasseurs à pied, campagne de Tunisie (1881-1884). Don en 1884 de fragments de mosaïque trouvés à Sousse (Tunisie).

MALECOT Achille Étienne
Dollot (Yonne) 1852 - Paris 1894

Médecin, installé rue Daunou à Paris, le Dr. Malécot légua au Musée du Louvre quatre tableaux de grande importance dont le *Déjeuner* de Boucher et le *Portrait de la comtesse Tessin* par Nattier. Il légua encore une importante collection d'objets d'art composée essentiellement de céramiques : deux faïences de Rouen, quatre de Nevers, une paire de cassolettes montées, en porcelaine de Chine, et seize plats d'Iznik, maintenant déposés au Musée national de la Renaissance à Écouen. Le legs comprend, en outre, un feuillet de diptyque en ivoire, deux vidrecomes en ivoire, deux sculptures en bronze, un coffret en émail peint, et une paire de bras de lumière, d'époque Louis XV.

MALEROI de

Don en 1858 d'une mosaïque trouvée près de Rome sur la Via Nomentana.

MALIS Zenon

Probablement marchand d'antiquités de Larnaca. Don en 1897 de trois ex-votos avec inscriptions, sur plaque calcaire, de Chypre.

MALLET baron Alphonse
1819 - 1906

Régent de la Banque de France, égyptologue amateur (élève d'E. de Rougé*), il découvrit dans les réserves du Musée de Turin le fameux *Papyrus judiciaire*. Don en 1903 d'un papyrus hiératique acheté à la vente Anasti en 1857.

MALLET baronne Jacques née Jacqueline de Maupeou
Versailles 1895 - 1980

Crée la Fondation pour le Traitement et la Formation professionnelle des jeunes infirmes, qui à son décès, prend son nom. Directrice de l'Aide médico-sociale de la Croix-Rouge française. Don en 1951 de trois stèles égyptiennes provenant de la collection d'Alphonse Mallet*.

MALLON Père Alexis
La Chapelle-Bertine (Haute-Loire) 1875 - Bethléem 1934

Entre dans l'ordre des Jésuites en 1895. Égyptologue, archéologue. Don en 1932, d'un berceau de triplés en terre cuite (Syrie).

MALLON Paul
1884 - Paris 1960 ?

Antiquaire parisien, spécialiste des arts d'Extrême-Orient et surtout d'art byzantin, collectionneur lui-même, fournisseur de nombreux collectionneurs et musées américains (Cleveland, Kansas City, Toledo...) et très lié à la famille Bliss de Washington, fondatrice du musée de Dumbarton Oaks. Malgré sa faillite suivie d'une vente publique (Paris, 29-30 janv. 1925), il reprit ses activités en France et aux États-Unis où il résida, semble-t-il, quelque temps. Divers dons au Musée de Cluny et au

Département des Objets d'Art, de 1914 à 1936, d'objets d'Extrême-Orient (aujourd'hui au Musée Guimet) et de fragments de céramiques byzantines.

MALPIÈCE

Attaché à la restauration des sculptures du Louvre. Il donna au Musée des Souverains un passe-partout dont Napoléon se servait à Fontainebleau (déposé au Musée de l'Armée).

MANGEANT E.

Petit-fils du sculpteur A. Etex (1808-1888). Don de deux esquisses en plâtre de son grand-père dont un *Caïn et ses enfants* fait d'après un moule à pièces (1932).

MANGIAVACCHI Monsieur

Don en 1893 de vingt-quatre fragments de briques, carreaux de terre cuite décorés byzantins, découverts à Bou-Ficha (Enfida) et envoyés par le Service des Antiquités et des Arts de la Régence de Tunis.

MANGUEZ

Don, au Département des Antiquités grecques et romaines, en 1882 d'un *Masque de Méduse* en marbre blanc qui ornait une urne funéraire.

MANNHEIM Charles Léon
Paris 1833 - Paris 1910

Expert en objets d'art. Il offrit en 1887 une figurine d'applique en os au Département des Antiquités grecques et romaines et en 1893 un petit buste en bronze qui représente le sculpteur allemand P. Vischer l'ancien (v. 1460-1529) et qui passait pour avoir été fait par l'artiste lui-même.

MANOLAKOS

Don, au Département des Antiquités grecques et romaines, en 1897 d'un collier en pâte de verre trouvé dans un tombeau des environs de Thèbes.

MANTZ Paul
Bordeaux 1821 - Paris 1895

Littérateur et historien d'art, il mena parallèlement à partir de 1847 une carrière d'administrateur et de critique d'art, écrivant dans diverses revues, dont *L'Artiste* et après 1859, la *Gazette des Beaux-Arts* ; il contribua de nombreuses notices à l'*Histoire des Peintres* dirigée par Charles Blanc. Il était Directeur général honoraire des Beaux-Arts lorsqu'il donna en 1892 les *Mendiants* de P. Breughel l'Ancien.

MARBEAU Mme Édmond
voir CLERC Antonin

MARCEL Henry Camille
Paris 1854 - Paris 1926

Maître de requêtes, ministre plénipotentiaire puis conseiller d'État, il devint de 1903 à 1905 directeur des Beaux-Arts, puis administrateur général de la Bibliothèque nationale et en 1913 directeur des musées nationaux. En tant qu'historien de l'art, il publia de nombreux ouvrages sur Daumier, Millet, L. de Montigny... C'est sous le pseudonyme de Marc Henriel qu'il écrivit un recueil de poèmes "Les Étapes". Sa veuve fit don en souvenir de son mari (1926) au Musée du Louvre d'une statue en plâtre représentant *La Saint-Huberty dans le rôle de Didon* par L. de Montigny et de deux pastels par J. Boze et V. Fayard (déposés à Versailles).

Henri Marcel (1854-1926) Discours prononcé sur la tombe d'Henry Marcel par son neveu P. R. Marcel, Argenteuil, 1931, Imp. Coulouma.

MARCHAND Mme Charles-Joseph, née Marie-Marguerite Broquet

Première berceuse du roi de Rome, Mme Marchand, simple et illettrée, était très attachée au prince, qui l'appelait Chanchan, le suivit en 1814 à Vienne et, dernière Française tolérée auprès de lui, y resta jusqu'au 24 février 1816, date à laquelle elle fut contrainte de rentrer en France. Sa fille Henriette fut fille de garde-robe du petit Roi. Son fils Louis (1791-1876), entré au service de Napoléon comme garçon d'appartement en 1811, nommé premier valet de chambre en 1814, accompagna l'Empereur à l'île d'Elbe et à Sainte-Hélène, fut l'un de ses exécuteurs testamentaires, devint comte de l'Empire en 1868 et écrivit des *Mémoires*. Mme Marchand donna au Musée des Souverains en 1856 un buste en plâtre du roi de Rome (Ruxthiel, 1813) et des souvenirs provenant de Napoléon, de Marie-Louise et du roi de Rome.

MARCHAND Mme Louis, née Françoise Benard
Metz 1838 - Gagny (La-Seine-St-Denis) 1897

Legs d'une très importante tulipière de Delft (v. 1725), un déjeuner en porcelaine de Vincennes orné d'enfants peints d'après Boucher (1753) et une figure d'Avon représentant un joueur de vielle (déb. du XVIIᵉ s.).

MARCHAND Pierre
Arbois (Jura) 1841 - ap. 1907

Conservateur des Eaux-et-Forêts à Besançon puis directeur de l'École des Barres (Loiret, où il prend sa retraite en 1907). Don en 1893 d'un modèle en plâtre pour le fronton de l'église de la Madeleine, représentant l'*Assomption de sainte Madeleine*, exécuté pour le concours de 1829, attribué autrefois à Rude.

MARCHANT Antoine Philibert
Maubeuge 1823 - 1901

Ancien chef d'escadron au 2ᵉ Spahis, commandant supérieur du cercle de Daya (1873), fixé
en Tunisie antérieurement au protectorat français, il avait réuni une assez belle collection
d'antiquités qu'il offrit au Louvre en 1888
(entrée en 1891). Elle comprenait deux cent-
vingts objets divers et trente-quatre stèles puniques.

MARCOPOLI Henri

Appartenait à une famille de consuls italiens
résidant à Alep. Don de pièces hittites en 1926.

**MARCOTTE GENLIS Jean Baptiste
Joseph**
Doullens 1781 - Mézières 1867

Appartenant à la grande famille Marcotte rendue célèbre par les portraits qu'Ingres* fit de
ses membres (notamment son frère Charles
Marcotte d'Argenteuil - peinture à la National
Gallery de Washington - et sa belle-sœur,
Mme Marie Marcotte de Sainte-Marie, dont
le portrait peint a été acquis par le Louvre,
avec le concours de D. David-Weill*, tandis
que le dessin était acheté en 1987), Jean-Baptiste Marcotte Genlis, percepteur de son état,
était aussi collectionneur. Très lié à Ingres (qui
le dessina deux fois, en 1830 et 1852) et à
Hippolyte Flandrin (qui fit en 1863 son portrait), Marcotte Genlis joua un rôle de mécène
auprès du sculpteur ingresque Charles Simart.
Sa collection (constituée en grande partie
d'œuvres du milieu ingresque) fut vendue à
Paris les 17-18 février 1868. Son legs au Louvre
comprend une statuette en marbre de Simart,
Vénus soulevant sa draperie et trois tableaux,
deux répétitions réduites de la *Vénus anadyo-
mène* et de la *Source* d'Ingres ainsi que la *Jeune
Grecque* (1863) d'Hippolyte Flandrin.

J. Foucart, cat. exp. *Hippolyte, Auguste et Paul Flandrin*, Paris, Lyon, 1984, p. 201.

MARCOU Paul Frantz Julien
Paris 1860 - Paris 1932

Diplômé de l'École du Louvre, il publia, en
collaboration avec Courajod*, le catalogue raisonné du musée de Sculpture comparée du
Trocadéro, qui avait fait l'objet de sa thèse,
et participa à la préparation des expositions
rétrospectives de l'Art français de 1889 et de
1900. Secrétaire, puis archiviste de la Commission des monuments historiques, nommé ensuite inspecteur général des Monuments historiques, poste créé en sa faveur, il fut le
fondateur du service des Objets mobiliers. En
1916, il fit don d'un *Masque de femme* provenant d'un tombeau, œuvre de marbre de la
fin du XIVᵉ s. (Cf. aussi Jean Trouvelot).

J. Verrier, dans *Le Journal des Débats*, 23 fév. 1932.
M. Aubert, dans le *Congrès archéologique de France*,
XCVᵉ session, Aix-en-Provence, 1932 (Paris, 1933),
p. 421.

MARCUS Paul et Claude-Gérard

Après des études de médecine, Paul Marcus
s'intéressa d'abord à la sculpture gothique, puis
ouvrit en 1937 une galerie spécialisée dans la
peinture ancienne et comptant dans sa clientèle
de nombreux musées français et étrangers. Son
fils, Claude-Gérard Marcus, historien d'art,
député, maire du Xᵉ arrondissement, a longtemps participé aux activités de la galerie qui
édita toute une série d'articles rédigés par lui
sur des peintres peu connus des XVIIᵉ et
XVIIIᵉ s. En 1976, ils ont donné ensemble un
tableau de Danloux, *La Pitié* (fragment d'une
composition plus vaste) ; en 1978, Paul Marcus
donna une peinture attribuée à Bouhot représentant les combles du Musée du Louvre.

MARETTE de LAGARENNE Georges
Vienne 1884 - Helsinki 1932

Diplomate, en poste au Caire en 1913. Don
d'une momie de faucon en 1929.

**MARGOTTET Mme Lucien, née Paule
Rascle**
Lapte (Haute-Loire) 1898 - Paris 1976

Belle-fille d'Hippolyte Margottet, elle a donné
deux portraits de famille, peints par son beau-
père, représentant, l'un, la mère de l'artiste
(don en 1951), l'autre la femme de celui-ci
avec l'aîné de leurs enfants (*La robe rose* ;
donation, acceptée en 1969, entrée en 1970
après abandon d'usufruit). Les deux tableaux
sont maintenant au Musée d'Orsay.

MARGUILLIER Auguste
Brienne-le-Vieille 1862 - ?

Historien d'art, il assura le secrétariat de rédaction de la *Gazette des Beaux-Arts*, puis des
Monuments et Mémoires publiés par l'Académie
des Inscriptions et Belles Lettres. Don au Louvre en 1951 d'un dessin de Chassériau.

MARIAUD de SERRES Jean Philippe

Marchand d'antiquités. Dons de cachets et
cylindres de 1977 à 1980 au Département des
Antiquités orientales.

MARIE André Désiré Paul
Honfleur 1897 - Rouen 1974

Avocat au barreau de Rouen à partir de 1921,
il mène de front une carrière politique et
littéraire. Maire de Barentin il fera partie de
nombreux gouvernements entre 1947 et 1953.
Créateur du "Musée dans la rue" en 1950 (la
ville de Barentin est devenu grâce à lui, un
véritable musée de sculptures en plein air),
membre de la Société des Gens de Lettres et
de la Société des Poètes français, André Marie,
également amateur et collectionneur, fait don
au Louvre d'un dessin de l'École française du
XIXᵉ s. et d'un autre de Ch. de Wailly, en
1956.

MARIE Jacques

Géologue, directeur chez Total Exploration.
Don d'une statuette égyptienne de concubine
en 1981.

MARIE Pierre
Paris 1853 - Cannes 1940
MARIE Mme Pierre

Le Dr. Marie, neurologue, professeur de la
Faculté de Médecine de Paris, et Mme Pierre
Marie donnèrent, en 1929, six tableaux, dont
un M. Stomer (*Isaac bénissant Jacob*) et deux
peintures espagnoles déposées au Musée de
Castres. Le Cabinet des Dessins reçut *La mort
de Caton* par Guérin et une miniature de
Delaroche, le Département des Objets d'Art
deux montres du XVIIIᵉs, trois majoliques et
trois broderies et le Département des Antiquités grecques et romaines une bague en or
et un parchemin peint.

**MARIE-ANTOINETTE dit Roch, Mlle
Félicité**
Paris 1850/51 - Paris 1899

Par testament de 1899, elle exprima le vœu
que toutes ses œuvres d'art soient vendues aux
enchères, à l'exception de vingt-quatre œuvres
de F. Heilbuth qu'elle léguait à l'État pour
être distribuées dans divers musées. Onze
peintures et trois aquarelles furent inscrites
sur les inventaires du Louvre et sont actuellement réparties entre le Musée d'Orsay (trois
peintures) et plusieurs musées de province où
elles furent envoyées dès 1902 (Autun, St-Lô,
Belfort, Reims, Melun, Bordeaux, Rennes,
Chateauroux, Chateaudun).

MARIETTE Auguste
Boulogne-sur-Mer 1821 - Boulaq (Égypte)
1881

Une des plus grandes figures de l'égyptologie
française, découvre en 1850 le Serapeum de
Memphis. Outre sa prodigieuse activité de
fouilleur, il crée le Services des Antiquités du
Caire ainsi que le Musée de Boulaq, ancêtre
du Musée du Caire. En plus des œuvres très
importantes assignées au Louvre comme partage de fouilles (le *Scribe accroupi*, les stèles
du Serapeum ou les bijoux du prince Khae-
mouaset), il donna entre 1855 et 1858 une série
de papyrus grecs provenant de Saqqara, une
Statuette de Ptah, un miroir du roi Amosis.

Ridley, *Abr Nahrain* XXII (1984), pp. 118-158.

MARIN Madame Louis

Don en 1962 de trois miniatures (Iran,
XVIIᵉ s.) dont un portrait de *Jeune homme*
(Iran, Iʳᵉ moitié du XVIIᵉ s.), dessin sur par-
chemin.

P.F.J. Marcou

A. Mariette
A. Jacquemard, Louvre

Mme A. Marquet
A. Marquet, coll. part.

MARISTES d'ANTOURA Frères (Liban)

Don d'une statuette de dieu en bronze de Safita en 1903-1904.

MARJOLIN Mme René, née Cornélia Scheffer
Paris 1830 - Paris 1899

Fille unique du peintre A. Scheffer, elle épousa en 1845 le chirurgien René Marjolin, fils de Nicolas Marjolin, médecin de la famille d'Orléans. Elle légua au Musée du Louvre la célèbre toile *Paolo et Francesca de Rimini aux Enfers* ainsi que sept portraits peints (entrés en 1900), au Musée de Versailles neuf autres portraits, au Musée de Dordrecht, ville natale de son père, une centaine de tableaux, plus de trois cents dessins et de nombreuses gravures et photographies, et au Musée de Rouen une collection de dessins d'autres maîtres.

MARMIER Marie Anastase Gaston
Sarlat (Dordogne) 1846 - Paris 1905

Capitaine, envoyé en mission comme adjoint au chef d'escadron de la commission de délimitation des frontières de la Bulgarie en 1878. Don au Département des Antiquités orientales, en 1884, de sculptures grossières trouvées dans la région de Rumkale (Turquie).

MARMONTEL Antonin
Paris 1850 - Paris 1907

Pianiste et professeur au Conservatoire de Paris, lègue au Louvre quatre tableaux hérités de son père Antoine Marmontel (1816-1898), également pianiste : les portraits de *Chopin* par Delacroix, de *Glück* par E. Aubry (alors attribué à Greuze), de *Stephen Heller* par G. Ricard (Musée d'Orsay) et le portrait de son ancêtre *Jean-François Marmontel* par Roslin. Il lègue aussi au Conservatoire deux portraits de son père, l'un peint par L. Bonnat* et l'autre sculpté par Barrias.

MAROQUE Madame Marie STEINER Monsieur

Don en 1884, au Département des Antiquités égyptiennes, d'une stèle bilingue (hiéroglyphique et démotique) d'époque ptolémaïque, et de deux sarcophages renfermant chacun une momie, dont une au nom de Neshor. Mme Maroque avait offert en son nom seul en 1882 une statuette en terre cuite de femme au Département des Antiquités grecques et romaines.

MARQUET Mme Pierre Léopold Albert, née Marcelle Francine Martinet
† Paris 1982

En 1949, en exécution des volontés de son mari, le peintre Marquet (1875-1947), elle faisait don au Louvre et au Musée national d'Art moderne d'œuvres (peintures et dessins) de Renoir*, Redon, Seurat, Matisse, Guys, Rodin, Marquet, etc, ainsi que d'un masque funéraire égyptien donné par Matisse à Marquet. En 1959, Mme Marquet exprimait le désir que la plupart de ces œuvres soient déposées à Bordeaux, ville natale de son mari, et en 1967, souhaitant recréer le cadre dans lequel il avait vécu, elle obtenait la restitution des pièces, qui regagnèrent les musées après son décès. Elle fit également des dons, de son propre chef, au Musée national d'Art moderne en 1949, 1954, 1955 et 1959 (tableaux et dessins de Marquet).

MARQUET de VASSELOT Jean Joseph
Paris 1871 - Paris 1946

Neveu du sculpteur Anatole Marquet de Vasselot, J. J.Marquet de Vasselot est entré à la conservation du Musée du Louvre en 1902 ; il fut conservateur des musées des Thermes et de l'hôtel de Cluny, de Pau et du Département des Objets d'art du Louvre et se consacra plus particulièrement à l'étude des œuvres médiévales (*Catalogue sommaire de l'orfèvrerie, de l'émaillerie et des gemmes. Musée du Louvre*, Paris, 1914 ; *Les émaux limousins de la fin du XVᵉ et du XVIᵉ s.*, Paris 1921 ; *Les crosses limousines du XIIIᵉ s.*, Paris, 1941 ; *La sculpture à Troyes et dans la Champagne méridionale du XVIᵉ s.*, Paris, 1900, en collaboration avec R. Kœchlin*). Il dirigea, à partir de 1906, la publication du catalogue de la collection de

M. Martin Le Roy* dont il épousa la fille, et favorisa le don au Louvre, en 1914, de certaines pièces de cette collection. Le Département des Peintures lui doit deux œuvres de Tissot et Durandeau. Son nom est associé à la donation faite par sa veuve, Mme J. J.Marquet de Vasselot*.

J. J. Marquet de Vasselot, *Les gémellions limousins du XIIIᵉ s.*, Paris, 1952, (préface par Bl. de Montesquiou-Fezensac et P. Verlet) ; R. Carnot, "Le sculpteur Anatole Marquet de Vasselot", *Bulletin de la Société de l'Histoire de l'Art Français*, 1981 (1983), pp. 247-266.

MARQUET de VASSELOT Mme Jean Joseph, née Jeanne Marie Martin Le Roy
Paris 1884 - Paris 1956

Fille du collectionneur V. Martin Le Roy*, épouse de J. J.Marquet de Vasselot*, elle a offert au Louvre en 1956 (donation Martin Le Roy - J. J.Marquet de Vasselot) une croix de chasuble brodée (Bohême, fin XIVᵉ s.), la tapisserie de la *Mort de l'éléphant* (Flandre, v. 1540), et un bassin signé Ibn Zeyn (Syrie - Égypte, fin XIIIᵉ s.).

P. Verlet, "Département des Objets d'Art. Nouvelles acquisitions (legs Mme Marquet de Vasselot)", *La Revue des Arts*, 1957, pp. 125-126.

MARQUIS Jeanne Edmée
Château de Lillemanière, St-Quentin-sur-le-Homme (Manche) 1865 - Combs-la-Ville (Seine-et-Marne) 1928

Fille de François-Philibert Marquis, négociant, elle appartenait à une famille de collectionneurs de meubles et d'objets du XVIIIᵉ s. (cf. ventes après décès M. Marquis, Hôtel Drouot, 10-18 fév. 1890, et Mlle Marquis, Hôtel Drouot, 17 fév. 1913). Elle légua une belle pendule Louis XVI de Robin en marbre et bronze, décorée de deux sphinges, sous réserve d'usufruit en faveur de son frère Georges Marquis qui y renonça aussitôt.

MARRAUD Blaise Gaspard Georges
Agen 1839 - Agen 1908

Conseiller à la Cour d'Appel d'Agen. Don en 1900 d'une assiette en céramique du XVᵉ s. provenant de l'Agenais.

G. Marteau

E. Martell
E. Peyronnet, Cognac

MARSHALL-SPINK C.

Marchand d'art à Londres, oncle du fondateur de la galerie londonienne Marshall-Spink (qui fonctionna de 1960 à 1985), il donna au Louvre un *Portrait de Philippe III le Hardi, duc de Bourgogne* (copie du XVIe ou du XVIIe s. d'après un original de la fin du XIVe s.) qui, en raison de son sujet, fut déposé au Musée des Beaux-Arts de Dijon.

MARSY Charles, comte de
Doullens 1843 - Compiègne 1900

Directeur de la Société française d'Archéologie, secrétaire général de la Société historique de Compiègne, il fit plusieurs dons à la ville de Compiègne et légua au Louvre un gémellion (XIIIe s.) et un groupe de bois de la *Mise au tombeau* (XVIe s.).

MARTEAU Georges
Chizé 1852 - Paris 1916

Ingénieur des Arts et Manufactures, il fut l'un des très grands collectionneurs de miniatures orientales des années 1900. Il préfaça et commenta la publication des miniatures "persanes" exposées au Musée des Arts décoratifs en 1912 en collaboration avec Henri Vever. Son legs d'œuvres islamiques se compose de quatre-vingt-trois miniatures et calligraphies, principalement safavides et mogholes (certaines sont déposées au Musée Guimet), ainsi que d'armes et de métaux. Citons, parmi les miniatures les plus célèbres : les trois pages provenant d'un Shah-nameh (Tabriz, milieu du XIVe s.) autrefois propriété de l'antiquaire Demotte*, les *Scènes de la vie rustique* de Faqîr al-Dâ'î Muhammadî, l'*Adolescent au gobelet d'or* de Rizâ-î Abb-âssî (Iran, déb. du XVIIe s.), quatre petits portraits de jeunes gens et jeunes filles de Mohammed Ali (Iran, milieu du XVIIe s.) ; parmi les émaux incrustés, un élément de chandelier au nom de Timur (Iran, fin du XIVe s.), un plateau au nom d'un sultan rassoulide du Yémen de la 2e moitié du XIIIe s. Le Département des Antiquités égyptiennes reçut vingt-sept cartons de tissus coptes.

MARTEL

Don en 1894 d'un *Buste de romain* en marbre blanc trouvé à Carthage en 1853 (ancienne collection Saint-Quentin) et d'une petite *Tête d'Hercule* en marbre jaune trouvée en Italie.

MARTEL Eugène
Revest-du-Bion (Alpes-de-Haute-Provence) 1869 - Bollène (Vaucluse) 1947

Don en 1899 au Musée du Luxembourg d'une de ses peintures : *Le jour de la Couturière*, transférée au Louvre en 1941 (Orsay).

MARTEL Paul
Paris 1869 - ap. 1940

Fils d'architecte et architecte lui-même, il donna en 1938 trois tableaux du XIXe s. : un portrait attribué à A. Duval (déposé en 1963 à Compiègne) et deux paysages de Lœwe et d'Argence (Musée d'Orsay).

MARTELL Édouard
Cognac (Charente) 1834 - Paris 1920

Sénateur de la Charente, négociant en eaux-de-vie de Cognac (il était propriétaire de la maison J. et F Martell créée par sa famille en 1715), philanthrope à qui la Ville de Cognac doit beaucoup, il était aussi amateur d'art et avait réuni, tant dans son hôtel parisien, 6 rue de Lisbonne, que dans son château de Chanteloup (à Cherves, près de Cognac) une collection de livres, meubles, tapisseries, émaux et tableaux. Il légua (sous réserve d'usufruit en faveur de sa femme, née Caroline Estelle Elisabeth Mallet) des meubles Louis XV au Musée des Arts décoratifs et, au Louvre, trois importants tableaux, : *L'homme à la cuirasse* de Corot* (dépôt au Musée d'Orsay), *Le passeur* du même artiste, et *Le pays de la soif* de Fromentin, tableaux qui entrèrent au musée en 1928 après le décès de Mme Martell. Au musée de sa ville natale E. Martell avait, dès 1896, donné une peinture de John Lewis Brown (*Etude de cheval*).

MARTIN Monsieur

Don en 1907 d'une tête romaine, en marbre, trouvée à Sfax.

MARTIN Alexandre Victor
Carentan (Manche) 1785 - 1851

Diplomate au service de Talleyrand, il est nommé à l'étranger et voyage de 1819 à 1832 au Levant, au Mexique - il y restera dix ans - et au Hanovre. Il prend sa retraite en 1842. Ami des écrivains et des artistes (Ingres*, dont il lègue un *Autoportrait* dessiné). D'autre part il donna au roi Louis-Philippe* pour le musée, en 1843, trois dessins de Cochin qui faisaient partie de la collection de M. Delange, son beau-père, sous-chef à l'Administration centrale des Douanes.

MARTIN Henri

Don par le Dr. Henri Martin de deux médaillons : en terre cuite de *Thoré* par David d'Angers ; en bronze de *Théophile Gautier* par J. Duseigneur ainsi que d'un portrait peint de l'historien Henri Martin par A. Scheffer (déposé à Versailles) (1934).

MARTIN René

En 1895, il donna au Louvre à titre de document une icône russe du XIXe siècle.

MARTIN Mme René

Fille de l'artiste lyrique Simon-Max et veuve du chimiste verrier, maître mosaïste. Don en 1974, à l'occasion de l'achat par le musée du médaillier de Diehl, Brandely et Fremiet, du relief en plâtre *Entrée triomphale de Mérovée à Châlons-sur-Marne* dû au sculpteur Fremiet (Musée d'Orsay).

MARTIN-LAVALLÉE Monique
voir **LAVALLÉE**

MARTIN LE ROY Victor
Paris 1842 - Paris 1918

Conseiller référendaire à la Cour des Comptes, il avait réuni la plus importante collection médiévale de la fin du XIXᵉ s. en France. Sur les conseils de son gendre J. J. Marquet de Vasselot* conservateur au Département des Objets d'Art, il a donné (1914) au Louvre quatorze des pièces d'orfèvrerie émaillée qu'il avait rassemblées (Meuse, XIIᵉ s., plaque avec un centaure et un homme combattant un dragon ; Westphalie, XIIᵉ s., autel portatif émaillé ; Meuse, fin XIIᵉ s. et Byzance, Xᵉ s., reliquaire de la *Vraie Croix* ; Limoges, XIIᵉ et XIIIᵉ s., châsse de saint Martial, châsse vermiculée, colombe eucharistique, crosse à palmette-fleur) et deux sculptures (dont Provence 3ᵉ quart XIIᵉ s., colonnette et chapiteau de marbre provenant du cloître de Notre-Dame-des-Doms à Avignon).

G. Migeon, "La collection de M. Martin Le Roy", *Les Arts*, 1902, n° 10, pp. 2-34. J. J. Marquet de Vasselot, R. Kœchlin, G. Migeon..., *La collection Martin Le Roy*, Paris, 1906-1909, 5 vol. P. Vitry et G. Duthuit, "La collection Martin Le Roy", *Bulletin des Musées de France*, 1929, pp. 217-232. R. Kœchlin, "Monsieur Victor Martin Le Roy", *Notices lues aux assemblées générales de la Société des Amis du Louvre*, 24 mars 1930.

MARTIN-SABON Mme

Donne en 1926 un dessin de Prud'hon qu'elle tenait d'un de ses cousins à qui il avait été offert par M. Boursain, commissaire général de la Marine. Ce dernier avait rendu service à Prud'hon qui l'avait remercié par ce dessin.

MARTINETTI Angelo

Don, au Département des Antiquités grecques et romaines, en 1895 d'un fragment de massue en bronze.

MARTINEZ M.

En 1953 le Dr. M. Martinez a donné au Louvre une peinture du portoricain Oller, ami de Cézanne et de Pissarro, ainsi que deux œuvres du cubain Aguiar dont l'une, datée 1875, est dédicacée à Martinez, ascendant présumé du donateur.

MARTY-LAVEAUX Charles
Paris 1823 - Paris 1899

Littérateur français, fils de l'acteur J. B. Laveaux, et petit-fils de l'auteur du *Dictionnaire raisonné des Difficultés de la Langue française*, on lui doit une nouvelle édition du Dictionnaire de son grand-père. Don en 1892, d'un pastel représentant son grand-père maternel M. Laveaux.

MASPÉRO François

Ecrivain et éditeur, petit-fils de l'égyptologue G. Maspéro*, fils du sinologue Henri Maspéro (1883-1945), professeur au Collège de France. Don en 1953 et en 1973 de vases égyptiens, dont une coupe en forme de bateau d'époque Nagada.

MASPÉRO Gaston
Paris 1846 - Paris 1916

Grand nom de l'égyptologie, professeur à l'École des Hautes Études, puis au Collège de France. Il succède à Mariette* comme directeur du Musée de Boulaq et du Service des Antiquités et découvre la "cachette des momies royales" de Deir el Bahari. Membre de l'Institut en 1883, il fonde les *Annales du Service des Antiquités d'Égypte* et procède à de nombreuses publications, dont l'*Histoire ancienne des peuples de l'Orient* plusieurs fois rééditée. Il fit plusieurs dons au Département des Antiquités orientales en 1883 et 1890, en souvenir de Luigi Vassali, conservateur du Musée de Boulaq.

M. Croisset, "Un grand égyptologue français : Gaston Maspéro", *Revue des Deux-Mondes*, 15 août 1916.

MASPÉRO Mme Gaston, née Louise Constant de Rebecque d'Estournelles
† Paris 1953

Une des fondatrices de la Société française d'Égyptologie. Don en souvenir de son époux, de ses fils Jean et Henri et ses petits-fils, d'antiquités égyptiennes et islamiques entre 1922 et 1949.

MASPÉRO Mme, née Marianne Rusen

Antiquaire. Don en 1985 d'un vase en os d'époque thinite au Département des Antiquités égyptiennes.

MASSEÏDA Mademoiselle
Afrique v. 1890 ? - Paris 1929

Soudanaise (?) d'origine Bambara, elle avait, petite fille, été amenée de Saint-Louis du Sénégal à Paris par un couple d'explorateurs qui l'éleva avec ses propres enfants. Devenue danseuse et modèle, elle rencontra Steinlen qui, veuf, s'attacha à elle et en fit sa compagne. A sa mort (1923) Steinlen laissa son œuvre en partie à sa fille Colette (Mme Desormière*), en partie à Masseïda qui continua à habiter l'atelier de la rue Caulaincourt jusqu'à son

V. Martin Le Roy

G. Maspéro

A.S. Massieu de Clerval
Bibl. nat., Paris

Mme E. Masson
J. Jacquemart, Louvre

J. Mathey
P. Mathey, Orsay

Princesse Mathilde
Ed. Dubufe, Versailles

propre décès. Les œuvres de Steinlen dépendant de la succession de Mlle Masseïda firent l'objet de quatre ventes à l'Hôtel Drouot (17 juin 1930, 28 novembre 1930, 20 mai 1931, 23 avril 1932). Elle avait légué au Louvre deux tableaux de Steinlen, dont le *Portrait du peintre* qui, inscrit par erreur dans le catalogue de la première vente, en fut retiré et entra au musée en 1930 (Musée d'Orsay).

MASSENET Mme Pierre, née Marthe Harris

Nièce par alliance du peintre Georges Leroux (1877-1957), veuve de Pierre Massenet, Conseiller d'État, petit-neveu du compositeur Jules Massenet, elle a fait don, en 1974, de nombreuses œuvres de G. Leroux. Tableaux, dessins, gouaches, carnets ont, selon son désir, été répartis dans divers musées, le Louvre recevant pour sa part une toile : *Dans la Grande Galerie du Musée du Louvre.*

MASSIEU de CLERVAL Auguste Samuel
St-Quentin 1785 - Paris 1847

Amiral. Don en 1850 de la stèle funéraire de Myrtia et de Kephysia, et d'une stèle de cavalier, toutes deux trouvées près du Pirée, de la stèle du *Gladiateur Strobilos* trouvée en Carie et d'un fragment de mosaïque de Carthage d'époque romaine.

MASSON Émile
Paris 1832 - Nice 1912
MASSON Mme Émile, née Marie-Thérèse-Françoise Jacquemart
Paris 1844 - Paris 1912

Émile Masson fut capitaine de frégate et gouverneur au Gabon. Il épousa la fille du peintre et collectionneur Albert Jacquemart (1808-1875), historien de la céramique, sœur du graveur Jules Jacquemart (1837-1880). Les Masson étaient liés avec L. Gonse* qui inspira leurs dernières volontés et fut le légataire universel de Mme Masson. Respectant un souhait de son mari, celle-ci donna au Louvre, après sa mort, une statuette en marbre de Falconet, *Flore*. Elle mourut peu après, faisant des legs au Musée Adrien-Dubouché, en souvenir des recherches de son père, à la Bibliothèque nationale, au Musée de Cluny et au Louvre, qui reçut ainsi des dessins de J. Jacquemart, dont le portrait de Mme Masson, et une petite table à écrire Louis XV.

P. Vitry, "Le legs de Madame Émile Masson aux Musées nationaux", *Les Musées de France*, 1912, n° 4, pp. 62-63

MASSON Étienne
Roanne 1860 - Melay (Saône-et-loire) 1945

Greffier-en-chef au Tribunal de commerce de Versailles. Collectionneur, il voyagea en Orient pour le compte de la Chambre de commerce de Lyon en vue de l'Exposition coloniale de 1894. Il fit don, en 1899, d'un panneau de bois sculpté égyptien d'époque ottomane et d'un fragment de céramique à décor de lustre métallique.

MATHEY E.

Sergent-major au 35e régiment d'infanterie, 54e compagnie à l'Armée d'Orient. Don en 1916 d'une lamelle d'or provenant d'un bandeau funéraire découverte près de Salonique.

MATHEY Jacques
1883-1973

Expert honoraire près du Tribunal de grande instance et de la Cour d'Appel de Paris. Fils du peintre Paul Mathey dont il donna le *Portrait de Pierre Mathey* en 1966.

MATHIEU-MEUSNIER Roland, Roland-Mathieu Meusnier dit
Paris 1824 - Paris 1896

Sculpteur, il exécuta un grand nombre de bustes et de médaillons et travailla pour le décor du Jardin des Tuileries, du nouveau Louvre, de l'Opéra et de l'Hôtel de Ville. Il donna en 1865 un petit médaillon en bronze du XVIIe s. représentant la reddition d'une ville.

MATHILDE princesse
Trieste 1820 - Paris 1904

Fille de Jérôme Bonaparte, ex-roi de Westphalie, et de Catherine de Wurtemberg, elle faillit s'unir à son cousin germain Louis-Napoléon, le futur Napoléon III, mais épousa en 1841 le richissime Anatole Demidoff, prince de San Donato (1813-1870), dont elle se sépara de corps et de biens en 1845. Après l'élection de Louis-Napoléon à la présidence de la République en 1848, elle tint sa cour à l'Élysée. Elle sut ensuite, toute sa vie, accueillir chez elle, à Paris (rue de Courcelles, puis, après la chute du second Empire, rue de Berri) et dans son château de St-Gratien (Val-d'Oise), des personnalités marquantes du monde littéraire et artistique. Liée avec Nieuwerkerke*, peintre amateur (elle exposa au Salon), elle donna en 1865 une aquarelle de sa main et un pastel de L. Doucet et en 1899 le portrait de sa mère par Gros (déposé à Versailles). Elle légua son buste en marbre par Carpeaux (Musée d'Orsay), onze tableaux, dont certains déposés hors du Louvre (portrait de M. Delaval par Danloux, son portrait par Dubufe, celui du Prince impérial par J. Lefebvre, celui du prince Napoléon par H. Flandrin, la *Vue intérieure de la maison pompéienne du prince Napoléon, avenue Montaigne*, par G. Boulanger), et le portrait en émail du baron Larrey (1890), dû à son ami Claudius Popelin (Musée d'Orsay).

MATOSSIAN Jacques
Alexandrie 1894 - Paris 1963

Collectionneur, grand amateur de céramiques, il fit don à la Section islamique, en 1949, de trente-deux pièces provenant, en grande majorité, de la région de Nichapour (Iran) et datant du IXᵉ-Xᵉ s. Il finança les fouilles de Gurgan.

MATTEI Annibal

Vice-consul de France à Sfax de 1860 à 1881. Don au Département des Antiquités grecques et romaines en 1875 d'une brique ornée d'un bas-relief et d'une figurine de femme en terre cuite.

MAUGIN Mme Henri-Louis-César, née Delphine Redron
Paris 1855 - Paris 1930

Veuve d'un docteur en médecine qu'elle avait épousé en 1873 et qui mourut en 1909, elle légua des œuvres provenant de la succession de son père Pierre-Paul Redron († 1893) : dix-huit peintures dont un *Sacrifice à l'Amour* de l'école de Vien et des tableaux du XIXᵉ s. (Chaplin, Ziem, Dupré, Harpignies, Henner), cinq miniatures, deux dessins et un secrétaire en armoire Louis XVI de Roger Vandercruse Delacroix.

MAUGNY Joseph Marie Clément de Nicod de Neuvecelle, comte de
Saint-Petersbourg (Léningrad) 1873 - Château de Maugny, Draillant (Haute-Savoie) 1944
MAUGNY Mme Joseph Marie Clément de Nicod de Neuvecelle, née Marguerite, dite Rita, Jeannette Émilie, comtesse de
Kauffung, (Silésie polonaise) 1882 - Château de Maugny 1937

Don en 1932, sous réserve d'usufruit jusqu'au décès du survivant, du *Portrait du comte Christophe Urbanowski* peint par Anton Graff (entré en 1946).

MAUNIER
1840 - 1875

Agent consulaire à Louxor où il aida Mariette* pour les fouilles de Thèbes et permit l'entrée de plusieurs œuvres au Louvre. Don d'une statue en 1875.

MAURICE-BOKANOWSKI Michel
MAURICE-BOKANOWSKI Mme Michel, née Hélène Kann
voir KANN Alphonse

MAUSS Édouard Christophe Charles
Rouen 1829 - ?

Architecte du Ministère des Affaires étrangères, il travailla à Jérusalem (où il restaura la coupole du Saint Sépulcre) et à Alexandrie puis sur les bords de la Mer Morte pour le compte du duc de Luynes*. Il avait accompagné Saulcy* lors de son second voyage en Orient. Don au Département des Antiquités orientales en 1911 d'objets trouvés lors de ses travaux à Jérusalem.

Revue Archéologique.1882-2, pp. 1 *sq* et 195 *sq*.

MAVROCORDATO Mathieu
Odessa (Russie) 1848 - Paris 1935

De nationalité russe, réfugié en France, il fit donation sous réserve d'usufruit, en 1934, de deux tableaux anglais (*Lady Musgrave et un enfant*, attribué à Hoppner ; *Un officier anglais*, alors attribué à Lawrence) et d'une aquarelle de G. Moreau (*Cléopâtre*) ; ces œuvres entrèrent au Louvre en 1936.

MAXON John Moore
Salt Lake City (Utah) 1916 - Chicago 1977

Historien d'art, directeur du Musée de Houston jusqu'en 1952 où il créa le premier programme d'histoire de l'Art, il fut de 1952 à 1959 directeur de Rhode-Island School of Design de Providence puis conservateur de l'Art Institute de Chicago jusqu'à sa mort. Don au Louvre en 1973 d'un dessin de Le Sueur : *La Naissance de l'Amour*.

MAY Ernest
Strasbourg 1845 - Paris 1925

Banquier, il commença à collectionner dès le début des années soixante-dix de la peinture ancienne mais aussi des impressionnistes. Il acheta directement à Degas, Monet, Pissarro, Sisley, mais aussi chez leur marchand Durand-Ruel des toiles dont plusieurs figurèrent à la vente qu'il fit chez Georges Petit le 4 juin 1890. Il n'en cessa pas moins d'acheter des œuvres anciennes (le XVIIᵉ s. français particulièrement) et modernes, de Corot* et Delacroix à Vuillard. Membre du Conseil des Amis du Louvre, il fit don, au Louvre, dès 1912, au Louvre d'une esquisse de Pigalle pour le mausolée du maréchal de Saxe ; plusieurs dons de peintures, de dessins (Besnard, 1919, et Bracquemond, 1923) et de sculptures en 1919, 1920 (Danloux, Pynas, Besnard, Bracquemond, Julien) précédèrent la plus importante donation, en 1923, sous réserve d'usufruit, d'un ensemble de treize peintures où l'on remarquait surtout *A la bourse* de Degas, le "triptyque May" regroupant trois paysages contemporains de Monet, Pissarro et Sisley, maintenant au Musée d'Orsay et de six sculptures (Mercié, Carpeaux, Chapu, Lenoir, Coysevox et Saly).

L. Benoist "Quelques nouveautés au Louvre", *Le Figaro artistique*, 25 mars 1926. M. Pantazzi dans cat. exp. *Degas*, Paris, Grand Palais, 1988-89.

MAY Étienne
1881 - 1961

C'est en souvenir d'Étienne May, deuxième enfant d'Ernest May*, que sa veuve, née Cros, et ses enfants, Matthieu Georges May, Daniel May, Mme Andrieu, née Colette May, ont offert au Louvre en 1963 le *Marchand d'oranges* d'A. Dehodencq (Orsay).

MAY Jacques Ernest
1885 - 1970

Banquier comme son père Ernest May* dont il était le quatrième enfant, propriétaire de *L'Écho de la Mode*, Jacques Ernest May a continué la tradition familiale en donnant sous réserve d'usufruit en 1928 un portrait de *M. Dubreuil* par O. Tassaert, entré au Louvre en 1931.

MAYER Lionel
Paris 1856 - Paris 1940

Homme de lettres, il légua, par testament de 1937, un portrait peint de Pierre Forget de Fresnes de l'école de François Clouet (entré en 1941).

MAYER Pierre

Magistrat. Don en 1976 au Département des Antiquités égyptiennes d'un tissu copte du VIIᵉ et en 1977 sous réserve d'usufruit d'une paire de bossettes de harnachement en bronze, d'une statuette de bronze et d'une plaquette-figurine d'un guerrier, terre cuite (Mésopotamie, déb. du IIᵉ millénaire).

MAYER Mme René, née Denise Bloch

Veuve de René Mayer, Président du Conseil des Ministres, Mme René Mayer offrit au Louvre en 1981, sous réserve d'usufruit, le portrait de son arrière-arrière-grand-mère, Mme Valérie Schayé, peint par H. G. Schlesinger en 1843.

MAYSTRE Alphonse

Don à Napoléon III d'une *Tête de femme* en marbre du XVIᵉ s. (1862). L'empereur en fit lui-même don au Louvre (1868).

MAZAS B.

Don en 1954 au Département des Antiquités égyptiennes d'un "Osiris informe, qui portait malheur à son propriétaire".

MAZUEL Mme Jean-Pierre, née Mireille Hassan Khalifa

Épouse du docteur J. P. Mazuel qui participa à l'ouvrage de Goyon et Drioton* sur la Grande Pyramide. Don en 1961 d'un fragment de sarcophage égyptien.

Mehemet Ali
A. Couder, Versailles

E. Meissonnier
Autoportrait, Louvre

Mme E. Meissonnier
Bibl. nat., Paris

Cl. Menier

MEAD Mme Roderick Fletcher, née Katherine Jarvis Kerr
Menton 1903 - Washington 1987

Don à la Chalcographie en 1974 de trois planches gravées au burin par son mari, le peintre et graveur américain R. F. Mead (South-Orange, New-Jersey, 1900 - Carlsbad, New Mexico, 1972).

MÈGE Élisabeth
Paris 1881 - Paris 1958

Elle a légué des œuvres provenant de la célèbre collection de son père, Charles Mège, aux Départements des Antiquités égyptiennes (Époque ptolémaïque, relief de calcaire, *Dieu Enfant* ; IV-IIIᵉˢ av. J. -C., calcaire, *Buste de roi* ; 3ᵉ période intermédiaire figurine de métal, homme agenouillé), des Antiquités grecques et romaines (deux objets dont *Panthère bachique appuyée sur un vase de bronze*), des Objets d'Art (seize pièces dont Limoges, fin XIIᵉ s., *Christ en croix* ; Est de la France, v. 1300, statuette d'ivoire de *Vierge à l'Enfant* debout ; Paris, v. 1320, figure de *Bourreau* ; Paris, v. 1320-1330, relief d'ivoire *Arrestation du Christ* ; Paris, v. 1330-1340, diptyque ; Riccio, statuette de bronze, *Satyre assis*), des Sculptures (dix-huit pièces dont Nuremberg, 2ᵉ moitié du XVᵉ s., *Ange volant*, bois polychrome ; atelier de Daniel Mauch, relief de bois représentant *Douze personnages en prière* ; Pays-Bas (?), début XVIᵉ s., *Portement de croix* et *Mise au tombeau* ; Maître du retable de Kefermarkt, fin XVᵉ s., statuette de bois de *Diacre* ; Anvers, XVIᵉ s., *Mise au tombeau* France, XVIIIᵉ s., *Femme drapée*), des Dessins (école italienne, XVIIᵉ s., *Moïse faisant jaillir l'eau du rocher*) et des peintures (quatre tableaux dont Hans Maler, *Portrait de Mathaus Schwartz*)

G. Migeon, "La collection de M. Charles Mège", *Les Arts*, fév. 1909, pp. 1-19. R. Bacou, G. Bazin, M. Beaulieu, J. Charbonneaux, H. Landais, J. Vandier, "La donation Mège au Musée du Louvre", *La Revue du Louvre et des Musées de France*, 1961, pp. 97-116.

MEHEMET ALI
Kavala (Grèce) 1769 - Le Caire 1848

Proclamé vice-roi d'Égypte avec l'appui des mamelouks, il s'attache à la modernisation du pays en faisant appel aux consuls étrangers. Offre au roi Charles X (qui les dépose au Louvre) une trentaine de bijoux égyptiens, dont la *Bague aux chevaux* de Ramsès II, par l'entremise du consul Drovetti*.

MEISSNER Bruno

Fils du grand marchand de dessins et de tableaux M. Kurt Meissner, Bruno Meissner, lui-même marchand de tableaux à Zurich, donna en 1976 un dessin de C. Belle (1722-1806) : une étude de *Jeune homme agenouillé* pour le tableau de la *Profanation de l'hostie* (Paris, église Saint-Merry).

MEISSONIER Charles
Paris 1848 - Paris 1917

Fils du premier mariage du peintre E. Meissonier*, peintre lui-même, il figura au Salon à partir de 1865. Don au Musée du Luxembourg, en 1893, peu après la mort de son père, de plusieurs œuvres de l'artiste (peintures et dessins ; Orsay).

MEISSONIER Ernest
Lyon 1815 - Paris 1891

Legs au Musée du Luxembourg de deux de ses œuvres : *Le concert*, ou *Jeune femme chantant* et l'*Attente*, un tableau dont il n'avait jamais voulu se séparer (déposé au Musée de Compiègne en 1953).

MEISSONIER Mme Ernest, née Élisabeth Bezanson
Poissy 1840 - Poissy 1898

La seconde épouse du peintre E. Meissonier*, reconnaissante à celui-ci de l'avoir épousée alors qu'il était en pleine gloire (il l'épousa dix-huit mois avant de mourir), fit un important legs d'œuvres de l'artiste (tableaux, sculptures et dessins), entré en 1903. Elle aurait voulu que l'État ou la Ville de Paris achetât l'hôtel de son mari, boulevard Malesherbes, afin d'y installer un musée Meissonier, selon les volontés du peintre. Le projet, désapprouvé par les enfants de l'artiste, ne se réalisa jamais, et les œuvres données furent partagées et, pour certaines d'entre elles, déposées dans différents musées : Metz, Compiègne, Versailles. Elle fit aussi don de bronzes d'après Meissonier aux musées de Lyon et de Grenoble.

MELETIOS Révérend Père

Archimandrite, attaché au Patriarche œcuménique de Constantinople. Don en 1886 de deux briques ornées d'un masque comique et d'un masque tragique en terre cuite trouvées à Pompéiopolis en Cilicie.

MELINGUE Théodore Georges Gaston
Paris 1840 - Paris 1914

Peintre de genre et d'histoire, graveur, fils du peintre, sculpteur et artiste dramatique E. M. Mélingue. Legs de huit dessins d'artistes du XIXᵉ s. (Delacroix, Gavarni, Raffet, etc), d'un tableau de Natoire et de cinq miniatures de R. Mussard.

MELLERIO Lucien
Paris 1879 - Paris 1943

Collectionneur. Don, au Département des Antiquités grecques et romaines, en 1910 d'un *Harpocrate* en bronze provenant de Basse Égypte.

MELLON Paul

Fils du diplomate, collectionneur et mécène américain Andrew Mellon (1855-1937) qui fonda la National Gallery of Art de Washington. Collectionneur lui-même, Paul Mellon contribua très largement à l'enrichissement et à l'extension (East Wing construite par I. M. Pei) du musée créé à l'initiative de son père. Il donna en 1956, au Musée du Louvre, deux cires de Degas (Orsay).

MELZOUNOFF baronne de

Don en 1864 d'un vase et d'un plat en terre cuite trouvés à Podolie (Prusse).

MÉNARD Mme René Charles, née Félicité Rialon

Épouse de l'architecte R. Ch. Ménard (1876-1958), qui travailla surtout dans la région de Nantes dont il était originaire, elle légua, en 1969, à la Section islamique un grand chaudron iranien du XIIIᵉ s. en bronze et un bol de la même période.

MÉNARD Mme René, née Jeanne Joséphine Aubert
Paris 1875 - Paris 1968

Veuve du peintre E. R. Ménard (1862-1930), elle légua au Département des Sculptures deux chapiteaux romans provenant de Sainte-Enimie (Lozère), au Département des Objets d'Art trois plaquettes en bronze italiennes de la Renaissance, au Département des Antiquités orientales deux bustes iraniens du XIIIᵉ s. (legs accepté en 1969). Le Musée Guimet, le Musée national d'Art moderne, le Musée de Dieppe bénéficièrent également de sa générosité.

MENAULT Ernest
Angerville-la-Gate (Seine-et-Oise) 1830 - ?

Secrétaire de rédaction au Ministère de l'Intérieur. Rédacteur de la chronique agricole au *Moniteur universel*, il entre au *Journal officiel* en 1877. Nommé inspecteur général de l'Agriculture en 1887. Auteur de nombreux ouvrages notamment *Angerville-la-Gate, village royal* (1860). Don en 1862 de deux petits bronzes trouvés à Angerville-la-Gate lors de fouilles : une *Colombe* et une fibule en forme de paon.

MENGIN Mme Marguerite Lipchutz
Paris 1903 - Paris 1981

Fille du libraire Lipchutz, elle deviendra propriétaire du magasin d'antiquités "La reine Margot", à Paris. Don d'une figurine magique de chien, égyptienne, en cire, en 1972.

MENIER Claude
Paris 1906 - Paris 1973

Appartenant à la célèbre famille des industriels chocolatiers Menier dont l'usine se trouvait à Noisiel (Seine-et-Marne), il était le petit-fils du sénateur Gaston Menier, propriétaire de l'île d'Anticosti et du château de Chenonceaux, et le fils de Georges Menier, amateur d'art qui collectionna notamment les Impressionnistes, et de Mme Georges Menier, née Simone Legrand, qui donna le portrait de son mari par Boutet de Monvel au Musée national d'Art moderne et le portrait de la duchesse de Châteauroux par Nattier au Musée national du Château de Versailles. Grâce à ses connaissances en matière de pierres précieuses, Claude Menier acquis des joyaux historiques insignes.

Il offrit au Louvre la paire de boucles d'oreilles en perles poires de l'impératrice Joséphine et légua la paire de bracelets en rubis de la duchesse d'Angoulême, provenant de la collection des Diamants de la Couronne, ce qui lui vaut de figurer sur la plaque des Grands Donateurs. Il donna aussi au Musée du Petit-Palais le portrait de Mme Gaston Menier par Flameng.

S. Grandjean, "Deux joyaux de l'impératrice Joséphine et de la duchesse d'Angoulême", *La Revue du Louvre*, 1975, n° 1, pp. 51-54.

MENU de MÉNIL Jean
1904 - Houston 1973
MENU de MÉNIL Mme Jean, née Dominique Schlumberger

C'est après leur arrivée aux États-Unis dans les années 1940, et en liaison étroite avec l'Université de Houston, que M. et Mme Menu de Ménil ont commencé à constituer une collection d'œuvres d'art devenue en quelques années l'une des plus importantes d'Amérique, exceptionnelle par sa diversité et l'originalité des choix qu'elle reflète : art antique et primitif, art byzantin, gravures européennes et américaines des XVIᵉ-XXᵉ s., peinture et sculpture de tous les temps (comportant un ensemble unique d'œuvres du XXᵉ s., exceptionnel pour le surréalisme et l'art américain d'après-guerre), art du fer et de l'acier de l'antiquité à Guimard, etc... La ville de Houston, qui a bénéficié tant de fois de la générosité des Ménil, abrite aujourd'hui la fondation du même nom, où est rassemblée cette collection, devenue un musée ouvert en 1987. Mme de Ménil est membre fondateur du Musée national d'Art moderne, centre Georges Pompidou, présidente de la G. Pompidou Art and Culture Foundation, présidente de la Menil Foundation. En 1969, M. et Mme de Ménil ont offert au Louvre une mosaïque avec inscription araméenne de la région d'Edesse (Syrie), et en 1971, une autre mosaïque, paléochrétienne, représentant une basilique avec des tours. Cette année là, leur générosité fit aussi entrer au Louvre une peinture en grisaille de G. Pittoni, le *Tombeau allégorique de l'archévêque Tillotson*. M. et Mme de Ménil sont aussi de très grands donateurs du Musée national d'Art moderne et du Musée d'Orsay.

MERAT Albert
Troyes 1840 - Paris 1909

Bibliothécaire au Sénat, où il avait été engagé sur la recommandation de Victor Hugo, A. Merat avait écrit de nombreux poèmes et publié quelques recueils. Il collectionnait les œuvres d'art, et son goût pour la peinture apparaît à travers ses poèmes. En 1903, il fit don au Louvre d'une *Tête de Christ* par H. Lévy, déposée au musée de Villefranche-sur-Saône en 1930, et d'une maquette de la statue de Poussin par Julien.

M. L. Buchan, *The life and Works of Albert Merat*, thèse, Université d'Aberdeen, 1979.

MERCIER Victor

Dons en 1874 d'une cnémide en bronze et en 1877 d'une statuette d'Aphrodite assise en bronze provenant de Grèce.

MERLOT Pierre

Donna en 1984, à l'occasion de son déménagement vers Atlanta, un *Portrait d'homme avec sa fille*, reconnu depuis comme œuvre d'Arthur Devis.

MERSON Mme Claude Olivier, née Élisabeth Pain

Épouse de C. O. Merson, architecte-décorateur. Don au Louvre, en 1974 et 1975, de vingt dessins du peintre L. O. Merson, grand-père de son mari.

MESNIL de MARIGNY comte Claude du
Autun 1805 - Paris 1885

Légue trois œuvres de Clodion : deux modèles de vases ornés de bas-reliefs et une *Bacchante assise*.

MESNIL du BUISSON Robert Marie Émile Léon du
Bourges 1895 - Caen 1986

Officier de cavalerie (1914-1925), puis archéologue, directeur de missions archéologiques en Syrie et en Égypte (1919-1939), président de la Société nationale des Antiquaires de France (1946-1947), président de la Société d'Ethnographie de Paris, directeur de la mission archéologique française de Palmyre (1965), fondateur et directeur de la *Revue historique de l'armée* (1945-1948). Don d'objets archéologiques provenant de Doura-Europos et de Baghouz (Syrie) en 1929-1933 et 1935.

MESTRALLET Félix Charles

Marchand de tableaux anciens à Paris en même temps qu'artiste peintre, il donna en 1939 un tableau de l'École française du XVIIᵉ s., *Le colporteur*, qui provenait de la collection de l'amateur rouennais Raphaël Garreta ; en raison de son sujet, l'œuvre fut immédiatement déposée au Musée national des Arts et Traditions populaires.

METROPOLITAN MUSEUM
New York

Don d'un fragment d'aile (bois et verre incrusté), d'une déesse ailée égyptienne entrée au Louvre avec la collection Clot Bey*.

MEUNIÉ héritiers de Mme Gustave

En 1935, au décès de Mme Meunié - épouse de Gustave Meunié, petit-fils de l'architecte Pierre-François-Léonard Fontaine - ses héritiers réservèrent pour le Louvre, avant dispersion en vente publique de sa collection de tableaux français, deux peintures d'A. E. Fragonard, études pour des plafonds du Louvre.

MEUNIER

Don au Musée des Souverains d'un *Traité de calcul* qui aurait appartenu à Bonaparte quand il était en garnison à Auxonne (1854).

MEUNIER Madame

Fille du peintre F. J. Heim*, membre de l'Institut et de l'Académie des Beaux-Arts. Don en 1879 de onze portraits de membres de l'Académie, dessinés par son père.

MEURICE héritiers de Paul

En 1907, après la mort de Paul Meurice (Paris 1820 - Paris 1905), littérateur, disciple de Victor Hugo et demi-frère de l'orfèvre François Désiré Froment-Meurice, ses trois filles adoptives - Mme Frédéric Gustave Montargis, Mme Henry Émile Ozenne et Mme Albert Clemenceau - offrirent en son nom le portrait de Mme Granger, peint par Jean Pierre Granger. Artiste et modèle étaient les beaux-parents de Paul Meurice, qui avait épousé Palmyre Granger, elle-même peintre.

MEYER

Don en 1864 de trois dessins de Ch. E. Saint-Marcel.

MEYER André
Paris 1898 - Lausanne 1979
MEYER Mme André, née Bella Lehmann
Paris 1903 - Paris 1980

André Meyer, une des grandes figures de la banque internationale, fut pendant trente-trois ans à la tête de la banque Lazard Frères aux États-Unis. Collectionneur d'objets d'art et de peintures, André Meyer offrit plusieurs œuvres importantes à des musées, notamment au Museum of Modern Art de New York. Trustee du Metropolitan Museum de New York, il finança la nouvelle aile du musée consacrée à l'art européen du XIXᵉ s. et qui porte son nom. La plus grande partie des collections d'A. Meyer fut vendue aux enchères de New York en octobre 1980. Il donna avec sa femme aux musées nationaux deux toiles capitales, aujourd'hui au Musée d'Orsay, la *Salle de danse à Arles* de Van Gogh (1950) et le *Repas* de Gauguin (1954), toutes deux entrées dans les collections en 1975 après abandon de leur usufruit.

MEYER Fondation Bella et André

Créée par les héritiers de B. et A. Meyer*, cette fondation a offert au Louvre en 1981, par l'intermédiaire de la Fondation Lutèce*, le *Portrait dit de Baretti* de Subleyras.

MEYER Marcel
Paris 1876 - Eaubonne 1958

Le Louvre accepta en 1958 (arrêté de 1960) treize sculptures données par Mme André Trèves, sœur de M. Marcel Meyer, ingénieur, à titre de legs verbal de ce dernier. Le legs fut accepté sans condition d'exposition, avec possibilité de dépôt en province. Parmi ces sculptures principalement en bois des XVᵉ et XVIᵉ s., il faut citer un *Saint Jean à Patmos*, un torse d'*Homme de douleur*, et une *Présentation au Temple*.

MEYER de SCHAUENSEE Rodolphe
Rome 1901 - Philadelphie 1984
MEYER de SCHAUENSEE
Mme Rodolphe, née Williamina W. Wentz

Issu, par son père, d'une famille noble bavaroise et petit-fils, par sa mère, d'un banquier de Philadelphie, Rodolphe de Schauensee s'établit aux États-Unis en 1913. Conservateur de la section d'ornithologie de l'Academy of National Sciences pendant cinquante-huit ans, il devint internationalement connu comme explorateur et ornithologue. Il publia notamment en 1984 *The Birds of China*. Mme de Schauensee, née à Philadelphie, fit partie du Board of Governors du Philadelphia Museum of Art de 1947 à 1964, puis devint trustee du même musée. Elle est trustee honoraire depuis 1985. M. et Mme de Schauensee collectionnèrent l'orfèvrerie française du XVIIIᵉ s. et la peinture française du XIXᵉ s. Ils donnèrent en 1961 une cloche en argent de Jacques-Nicolas Röettiers appartenant au célèbre service Orloff (1770-1771).

MEZIERE Joseph

Don à la Chalcographie en 1939, d'une planche gravée par Th. Galle (1571-1633) d'après Bronzino, *Les Hébreux après le passage de la Mer rouge*.

MICHEL André
Montpellier 1853 - Paris 1925

Historien d'art. Journaliste au *Journal des Débats* et à la *Gazette des Beaux-Arts*, conservateur en chef du Département des Sculptures du Moyen-Âge, de la Renaissance et des Temps modernes, professeur au Collège de France. Il mourut sans voir la fin de l'immense entreprise qu'il dirigeait, l'*Histoire de l'Art* commencée en 1903. En 1898, il donna au Musée du Louvre quatre fragments en pierre avec des traces de polychromie de sculptures champenoises du XVIᵉ s. provenant de la collection Grèau : une *Tête de la sibylle Agrippa* attribuée à l'atelier des Juliot, une *Tête de*

moine, une *Tête d'ange* et une *Main d'une sainte Madeleine*.

P. Vitry, "A. Michel (1853-1925)" *Gazette des Beaux-Arts*, 1925, pp. 317-322.

MICHEL Charles
Paris 1871 - Paris 1948 ?

Antiquaire, il donna au Musée du Louvre (1931) le buste en plâtre de *Marianne Schlegel* par Gottfried Schadow, buste qu'il avait acheté à la suite de l'exposition du centenaire des musées allemands de l'Académie des Beaux-Arts de Berlin où l'œuvre était présentée.

MICHEL Charles Ferdinand
Neuilly-sur-Marne 1863 - Paris 1928

Industriel, il légua deux tableux entrés en 1929 : *La main chaude* de Boilly (déposé en 1949 au Musée de Châteauroux) et *La foire à l'entrée d'un village* de Demarne.

MICHEL Édouard
Paris 1873 - Paris 1953
MICHEL Mlle Marguerite
Paris 1869 - Paris 1956

Ingénieur, ancien élève de l'École Centrale, Édouard Michel commença une carrière d'industriel qui fut interrompue par la destruction, pendant la guerre de 1914-1918, de ses deux usines de Menin et d'Halluin. L'essentiel de ses activités se déroula entre le Louvre où il fut chef du service de documentation du Département des Peintures et l'Université Libre de Bruxelles où il enseigna. Spécialiste de l'École flamande, notamment des primitifs, il écrivit de nombreux articles et ouvrages dont le catalogue raisonné des peintures des écoles du Nord, XVᵉ et XVIᵉ s. (Paris, 1953). Il légua au Département des Peintures sa précieuse et considérable documentation nordique qui constitua le noyau de l'actuelle Documentation. Sa sœur, Marguerite Michel, légua une somme d'argent primitivement destinée à l'installation des collections documentaires de son frère. Les deux exécuteurs testamentaires ayant décidé, par un don personnel devant rester anonyme, de tripler la somme initiale aux fins d'acheter un tableau en souvenir d'Édouard Michel, les musées nationaux assurèrent eux-mêmes les frais d'installation de la documentation léguée et, grâce à la participation financière de ces trois donateurs, purent acquérir en 1959 chez Kurt Benedict* une *Nature morte* de Jacob Van Es. Mlle Michel était d'ailleurs si attachée au monde des musées qu'elle fit aussi des legs particuliers à divers gardiens du Louvre.

C. J., "Édouard Michel", *Bulletin des Musées Royaux des Beaux-Arts*, Bruxelles, déc. 1953, p. 180

MICHELI Marie Louise
Paris 1849 - Paris 1903

En 1895, offre une statue de *Saint Nicaise*, en pierre, œuvre du XVᵉ s. provenant peut-être de l'église Saint-Nicaise de Reims. Ce don fut

R. Meyer de Schauensee

G.A.G. Migeon

A. Millet
L. Bonnat, Musée de Lunéville

fait à la mort de son père, et en souvenir de lui. Ce dernier, Charles, dit Carlo (Paris 1809 - Paris 1895), avait été mouleur et sculpteur, mais fut surtout un remarquable collectionneur, l'ensemble prestigieux qu'il avait rassemblé étant, à présent, en majeure partie conservé au Musée Mayer van der Bergh, à Anvers.

J. De Coo "L'ancienne collection Micheli au Musée Mayer van den Bergh", *Gazette des Beaux-Arts*, 6ᵉ per., t. XVI, 1965, pp. 345-370. F. Baron, "La Vierge à l'Enfant dite "de Maisoncelles", au Musée du Louvre...", *Hommage à Hubert Landais, Arts, Objets d'art, collections...* , Paris, 1987, pp. 39-45.

MICHON Mme Eugène, née Adèle Octavie Ernestine Rimbert
Épernon (Eure-et-Loir) 1843 - Chevreuse (Yvelines) 1923

Veuve d'un avocat à la Cour d'appel de Paris qu'elle avait épousé en 1902 et qui mourut à Paris en 1917, elle légua deux tableaux (*Portrait de Louis XIV* de l'école de Le Brun, *Chasse à courre* de Swebach-Desfontaines), six dessins et un pastel de Manet, et deux meubles du XVIIIᵉ s.

MICHONIS Georges
voir **BÉNÉDITE Georges et Léonce**

MIDDLETON David
voir **CUNNINGHAM Robert**

MIGEON Gustave Achille Gaston
Vincennes 1861 - Paris 1930

Descendant de la célèbre dynastie d'ébénistes du même nom, G. Migeon consacra sa vie au Louvre. Il y entra en 1889 comme bibliothécaire et secrétaire de l'École du Louvre. Attaché au Département des Objets d'Art en 1893, il en devint conservateur-adjoint en 1899 puis conservateur en 1902. A sa retraite en 1923 il fut nommé directeur honoraire des musées nationaux et entra alors au Conseil des Musées. Ami du peintre orientaliste E. Dinet, il fut attiré par l'Orient et l'Extrême-Orient et fit entrer au Louvre l'art de la Chine et du Japon (aujourd'hui au Musée Guimet), notam-

ment grâce à des dons qu'il savait admirablement susciter (Camondo*, David-Weill*, Gillot*, Gonse*, Vever), en montrant lui même l'exemple (dons en 1894, 1908, 1909, 1911, 1912 et legs en 1931). Avec le même bonheur il enrichit les collections du Département des Objets d'Art du Louvre par des acquisitions de premier plan : le *Reliquaire de Jaucourt*, les émaux peints du prétendu maître Monvaerni, des bronzes de la Renaissance dont il rédigea le catalogue en 1904, des bronzes dorés français du XVIIIᵉ s., des faïences italiennes. Ses talents de négociateur firent entrer les plus beaux objets de la collection Victor Gay* (ivoires et émaux du Moyen-Âge) et les dons continuèrent d'affluer (Garnier*, Piet-Lataudrie*, Arconati Visconti*), lui même montrant toujours l'exemple (dons en 1895, 1905, 1930 de céramiques françaises et italiennes de la Renaissance et d'un ivoire de la Renaissance). Les collections d'art mulsuman bénéficièrent également de sa générosité (dons de céramiques orientales en 1898, 1906, 1925, 1930, et legs d'un bronze du Khorassan en 1931) et grâce à lui de celle de la baronne Delort de Gléon*. Il légua aussi trois dessins et quelques belles œuvres impressionnistes (aujourd'hui au Musée d'Orsay) parmi lesquelles *Tempêtes, côtes de Belle-Ile*, de Monet.

R. Kœchlin, *Gaston Migeon et le Louvre. Notice lue à l'Assemblée générale annuelle de la Société des Amis du Louvre le 3 mars 1931*, Paris, 1931.

MILBERT Alphonse
Paris 1798 - Paris 1878

Son père était Jacques Gérard Milbert (1766-1840), peintre naturaliste, correspondant du Museum d'Histoire naturelle (pour lequel il effectua, durant une mission de neuf ans aux États-Unis, des recherches dont Cuvier souligna l'importance) et auteur de divers ouvrages, dont un *Itinéraire pittoresque du fleuve Hudson* illustré de dessins pris sur les lieux. Alphonse Milbert, quant à lui, appartint au Ministère de l'Intérieur. Selon son testament de 1874, des autographes de hauts personnages lui avaient été donnés par le marquis de Pastoret, en vue de la rédaction - avec la fille de celui-ci, la marquise de Plessis Bellière - de mémoires qui ne furent pas écrits. Il légua au Louvre le portrait de son père, peint par Rouillard en 1831.

MILHAVET Bernard
Toulouse 1867 - ap. 1925

Capitaine, en Tunisie entre 1897 et 1899. Don en 1898 de fragments de plats chrétiens en terre cuite trouvés dans les fouilles du village de Lecourbe en Algérie.

MILIUS Mlle Marguerite Anna
Paris 1876 - Paris 1936

Elle légua au Louvre (où il entra en 1940) le portrait de son arrière-grand-père, M. Segond (probablement Adrien Segond, officier de marine) peint par Féréol de Bonnemaison en 1812. Le même legs fit entrer au Musée de la Marine un portrait gravé d'Adrien Segond et deux lavis représentant les combats soutenus en 1898 par la *Loire* dont il assurait le commandement.

MILLER Mme Bénigne Emmanuel Clément

Don en 1887, en souvenir de son mari, helléniste français, philologue, membre de l'Institut (Paris 1810 - Nice 1886), de sept marbres : fragment d'une épitaphe, stèle à fronton triangulaire, deux fragments d'inscription grecque, un bas-relief représentant un banquet funéraire et deux éléments de sculpture : un élément de chapiteau et un fragment de draperie.

MILLET Aimé
Paris 1819 - Paris 1891

Sculpteur et peintre, élève de David d'Angers et de Viollet-le-Duc, il débuta au Salon de 1840. Il était le fils du miniaturiste Frédéric Millet, dont il donne en 1887 deux miniatures.

MILLET Mme Aimé, née Marie-Anne Ohmer

Femme du sculpteur A. Millet*. Don au Musée du Luxembourg, en 1891, du portrait de son mari par L. Bonnat* (dépôt à Lunéville en 1924), de deux miniatures de F. Millet représentant ses parents, et d'un fusain au Cabinet des Dessins.

P.E. Miot
E. Lévy, Orsay

A. P. de Mirimonde

MILLIET Mme Gustave
voir **COUTAN collection**

MIOT Paul Émile
Île de la Trinidad (Antilles) 1827 - Paris 1900

Vice-amiral, il fut, de 1894 à sa mort, conservateur du Musée de Marine (alors au Louvre) auquel il légua son portrait peint par E. Lévy en 1887 et un drapeau pris à Sfax durant la conquête de la Tunisie. En 1907, le drapeau seul fut retenu par le Musée de Marine ; le portrait resta au Louvre jusqu'à sa récente affectation à Orsay. En 1881, il avait déjà donné un torse féminin en marbre trouvé à Éphèse.

MIQUEL Pierre

Venu du monde des affaires, il participa à l'animation de la galerie du Pavillon des Arts à Paris dans les années 1960-1970, en y organisant diverses de ses expositions sur le XIXᵉ s. (Diaz, Riesener, Michel), historien d'art et éditeur spécialisé dans l'étude du paysage français du XIXᵉ s. (dix tomes dont Huet, Ziem, Isabey, etc...), il donna en 1974 deux copies peintes d'après les dessins de Poussin du Louvre attribuées à Isabey* et en 1977 un dessin de L. Cabat.

MIR Mme Eugène,
née Marie Henriette Pereire
Paris 1853 - Paris 1927

Fille d'Isaac Pereire* et cousine d'Henry Pereire*, elle légua au Louvre un tableau de Prud'hon, *Zéphir se balançant*, qui provenait de la collection de son père (entré en 1929 ; déposé en 1982 au Musée des Beaux-Arts de Dijon). En même temps, elle léguait au Musée Victor Hugo à Paris un *Portrait de Juliette Drouet* par Bastien-Lepage.

MIRAULT

Don au Musée des Souverains d'un petit canon qui serait un jouet du Dauphin, fils de Louis XVI (déposé au Musée de l'Armée).

MIRIEL Mme Émile Marie,
née Victoire Clémentine Julie Bœlle
Brest 1854 - Paris 1936

Pour respecter le désir de son fils Émile-René Miriel (1873-1931), inspecteur des Finances, qui vécut au Caire où il était président du conseil d'administration du Crédit foncier égyptien, et en sa mémoire Mme veuve Miriel légua au Louvre en 1933, sous réserve d'usufruit, un certain nombre d'objets : au Département des Antiquités égyptiennes neuf statuettes ou vases du Nouvel Empire et de la Basse Époque ; à la Section islamique un bol de Rakka du XIIIᵉ-XIVᵉ s. ; au Département des Antiquités grecques et romaines quatre figurines en marbre ou bronze et une coupe en verre ; au Département des Sculptures deux petits bronzes de Dalou et Bourdelle et une statuette de Desbois en marbre représentant *Salammbô* et au Département des Objets d'Art un petit bronze doré de Thomire représentant une *Nymphe jouant avec un petit faune ailé*.

MIRIMONDE Albert POMME de
Montmorency 1897 - Nogent-sur-Marne 1985

Haut magistrat à la Cour des Comptes, spécialiste d'iconographie musicale et de symbolique (on lui doit plus de cent soixante articles et ouvrages), A. P. de Mirimonde fut à la fois collectionneur, suivant en cela l'exemple de sa mère, alsacienne, née Anne-Marie Reymann (Reichshoffen 1856 - Nogent-sur-Marne 1951), et ami des musées (depuis 1956, il siégeait au Conseil artistique de la Réunion des musées nationaux). De son vivant, il fit de nombreux dons au Musée Baron Martin à Gray (peintures, dessins, autographes...) et, en 1969, donna au Louvre, pour être déposé au Musée des Beaux-Arts de Tours, une *Sainte Cécile* de Pasinelli. Il légua ses biens à la Réunion des musées nationaux : l'ensemble de ses collections, composé principalement de peintures (cinquante-deux tableaux, dont des esquisses du XVIIIᵉ s. et des Nordiques, presque tous achetés à l'Hôtel Drouot entre 1934 et 1951), de dessins, de sculptures, de mobilier, de céramiques antiques, fut réparti, selon ses volontés, après avoir été inscrit sur les inventaires du Louvre, entre les musées de Gray (Berchem, Jacob van Loo, Horemans, Berjon, Hallé, Oudry, Bertuzzi, Cogell...) et de Tours (Patel, Peyron, Restout, Rigaud, Subleyras,

Carle van Loo...), le revenu de son patrimoine servant à l'entretien et l'étude des œuvres léguées. En outre, deux dessins, dont une importante feuille d'Ubaldo Gandolfi, furent transmis au Cabinet des Dessins du Louvre. Ses livres enfin furent partagés entre la Bibliothèque du Louvre (ouvrages d'iconographie) et la Bibliothèque de Besançon et une considérable documentation d'iconographie musicale remise au Département de la Musique de la Bibliothèque nationale.

Cat. exp. *Musée du Louvre. La collection A. P. de Mirimonde (legs aux musées de Gray et de Tours)*, Paris, 1987. E. Foucart-Walter "L'École française dans la collection A. P. de Mirimonde", *L'Estampille*, mars 1988, pp. 32-37.

MISBACH (ou MONGÉ-MISBACH)
Constant
Paris 1806 -Paris 1871

Peintre d'histoire, élève de son père, dessinateur paysagiste. Il possédait de nombreux tableaux dont certains avaient dû appartenir à J. Bonvoisin (1752-1837), peintre d'histoire et l'un des premiers conservateurs du Museum en 1794-1795, dont Misbach père avait été l'élève et l'ami. En 1863, Constant Misbach donna deux études de Bonvoisin, peintes à Rome : *Saint Sébastien* et *Le berger Pâris* (déposées en 1876, la première à Clermont-Ferrand, la seconde à Avranches où elle fut détruite pendant la dernière guerre). En outre, il légua au Louvre seize tableaux du XVIIᵉ au XIXᵉ s., qui entrèrent en 1871 et furent peu après déposés en province, à l'exception de deux d'entre eux : la *Déploration du Christ* de Dirk Bouts et le *Portrait de Jean Bonvoisin* de l'école française du début du XIXᵉ s.

MITCHELL Jan
MITCHELL Mrs Jan

J. Mitchell, collectionneur new yorkais, notamment de dessins et d'estampes (vente Londres, 19 juin 1973), d'art précolombien et d'orfèvrerie grecque et romaine, offrit avec Mrs Mitchell, en 1965, au Département des Antiquités chrétiennes, une somme d'argent destinée à l'achat d'un objet byzantin, grâce à laquelle put être acquise une croix de bronze avec inscription bulgare du XIIᵉ s. (Département des Objets d'Art).

Marquise de Modène
E. Hébert, Orsay

B. Monet-Hoschedé
Cl. Monet, Musée des Beaux-Arts, Rouen

MOATTI Alain

Marchand, il ouvre une première galerie d'objets d'art rue de La Huchette de 1965 à 1967 ; maintenant son magasin est situé rue des Saints-Pères. Don d'un important dessin de J. M. Vien en 1981 (*Allégorie de la Révolution*) et don en 1986 au Département des Objets d'Art d'un bas-relief en ivoire gothique : *Le Christ soutenu par un ange* (France, v. 1400).

MODÈNE Mme Joseph Louis François Gaston de Raimond de Mormoiron, marquise de, née Jeanne Marie Clémentine Thomas de Bojano
Paris 1862 - Paris 1937

Lègue au Louvre son propre portrait, peint en 1897 par Hébert (entré au Louvre en 1939, maintenant au Musée d'Orsay).

MŒYKENS Robert

Membre d'une famille très liée au graveur A. E. Dallemagne, il a fait don à la Chalcographie en 1982 de cinq planches gravées par cet artiste.

MOHASSIB Mohammed Bey
Louxor 1843 - Louxor 1928

Intéressé par la recherche d'antiquités, il servit Mme Duff-Gordon puis ouvrit en 1880 une boutique à Louxor et devint le fournisseur de nombreux musées européens. Don en 1905 d'un fragment de miroir en bronze.

MOHAZEB J.

Don, en 1952, par l'intermédiaire de Jean Nougayrol, de deux pages de *Coran* (Iran, XIVᵉ s.).

MOLINIER Émile
Nantes 1857 - Paris 1906

Chartiste, entré au Louvre en 1879, conservateur au Département des Objets d'Art qu'il quitta en 1902, E. Molinier est l'auteur d'ouvrages de première importance sur les objets d'art médiévaux (*Histoire des Arts appliqués à l'Industrie*, Paris, 1895-1896, I, *Les Ivoires*, IV, *L'Orfèvrerie ; cat. des ivoires du Musée du Louvre*, Paris, 1896), les émaux peints, les bronzes de la Renaissance (*Les plaquettes*, Paris, 1886, 2 vol.). Dons au Département des Antiquités grecques et romaines (en 1895, *Pouce* de bronze d'une statue colossale), aux Objets d'Art (de 1884 à 1894, quatre œuvres italiennes : carreaux héraldiques, médaillon de bronze de Machiavel, coupe de faïence) et d'une estampe japonaise (au Musée Guimet).

MOLLARD Eduardo
voir **ALSOP-MOLLARD Enriqueta**

MÖLLER Tyge

Artiste danois et connaisseur. Il organisa en 1914 une exposition d'art français à Copenhague, qui eut une grande influence sur les pays du Nord. Sa femme, Asta Möller, donna en 1920 des croquis d'animaux par Barye, Delacroix et Gericault, en exécution d'un vœu fait par son mari. Ces dessins avaient figuré à l'exposition de 1914.

MONBRISON Mme Gilles Conquère de, née Simone Jasselmann

Antiquaire à Paris, spécialiste en archéologie grecque, égyptienne et arts primitifs. Dons en 1969 d'une stèle paléochrétienne (Syrie, VIᵉ s.), en 1974 d'une tête d'*Apollon* en terre cuite du IVᵉs av. J. -C., et en 1985 d'une pyxis en terre cuite et d'une petite coupe en marbre d'origine cycladique en souvenir de son fils. Dons de petits objets néolithiques d'Anatolie de 1968 à 1985.

MONDOR Henri
St-Cernin (Cantal) 1885 - Neuilly-sur-Seine 1962

Chirurgien et écrivain, il publia plusieurs traités de médecine et des ouvrages de critique littéraire consacrés en particulier à Mallarmé et Valéry. Don d'un tableau en 1946 : *Le marchand de pains* de Michelin.

MONET Michel
Paris 1878 - Vernon 1966

Le fils du peintre et de la première femme de celui-ci, Camille Doncieux, a donné au Louvre en 1927, peu après la mort de son père, les deux *Femmes à l'ombrelle* de Monet (Orsay).Il a légué l'ensemble de ses collections et la propriété de Giverny à l'Institut.

J. Carlu, *Musée Marmottan, Monet et ses amis*, Paris, 1971.

MONET-HOSCHEDÉ Blanche
Paris 1865 - Nice 1947

Le peintre Claude Monet avait épousé en seconde noces Alice Raingo, veuve du collectionneur Ernest Hoschedé. La fille d'Alice, Blanche Hoschedé devint Mme Jean Monet en épousant le fils d'un premier mariage de Monet. Peintre elle-même, elle a veillé avec affection sur Monet à la fin de sa vie et, après sa mort, continué d'habiter la maison de Giverny que lui avait confié Michel Monet*. Elle avait environ quinze ans lorsque Monet fit son portrait à Vétheuil en 1880, portrait qu'elle légua au musées nationaux ainsi que trois petits paysages de Monet (en dépôt au Musée de Rouen).

MONFREID Georges-Daniel de
Paris 1856 - Corneilla-de-Conflent (Pyrénées-Orientales) 1929

Peintre. Il fut l'ami de Gauguin qu'il connut dès son retour de la Martinique en 1887 par l'intermédiaire du peintre Schuffenecker. Pendant les deux séjours de Gauguin à Tahiti (entre 1891 et 1903), il fut son fidèle correspondant, se chargea de mettre en état les œuvres que Gauguin lui envoyait, et rechercha les amateurs et les marchands. Georges-Daniel de Monfreid donna en 1927 le manuscrit de *Noa-Noa* (Voyage de Tahiti), œuvre d'une importance majeure de Gauguin, dont le texte avait été écrit en collaboration avec Charles Morice. Monfreid illustra de gravures sur bois la première édition de *Noa-Noa* en 1929.

MONGÉ-MISBACH Constant
voir **MISBACH**

Mme A. Mongez
J.L. David, Louvre

Comte B. de Montesquiou-Fezensac

MONGEZ Mme Antoine, née Angélique Levol
Conflans-l'Archevêque (Conflans Ste-Honorine) 1775 - Paris 1855

Peintre d'histoire, élève de David et de Regnault, ayant exposé aux Salons de 1802 à 1827, elle légua le double portrait où elle est représentée aux côtés de son mari, l'archéologue Antoine Mongez (Lyon 1747 - Paris 1835), membre de l'Académie des Inscriptions et Belles Lettres, administrateur des Monnaies, par David, leur ami.

MONRIVAL Mme Auguste, née Anna Aglaé Fanny Tixier
Paris 1828/29 - Paris 1901

Veuve en premières noces du capitaine de vaisseau Charles Marie Philippes de Kerhallet et en secondes noces du lieutenant colonel Auguste Monrival, elle a légué au Louvre le tableau de Boilly *Réunion d'artistes dans l'atelier d'Isabey* (Salon de 1798), sous réserve d'usufruit en faveur de son fils Georges Hippolyte Charles Phillipes de Kerhallet (l'œuvre entra au musée après le décès de celui-ci en 1911). Mme Monrival a demandé que la libéralité qu'elle consentait soit désignée comme "Legs Biesta Monrival", ce qui incite à penser que le tableau lui venait de sa mère, Mme Tixier, née Biesta.

MONTAGNON abbé

Curé de Lambèse (Algérie). Don en 1899 de plusieurs fragments sur pierre du discours d'Hadrien (déposés au Musée archéologique d'Alger, Musée Stéphane Gsell en 1937).

MONTALEMBERT Charles Forbes de Tryon, comte de
Londres 1810 - Paris 1870

Publiciste, homme politique français. Don en 1857 d'une très belle pâte de verre antique en relief à deux couleurs imitant le camée, représentant un buste casqué.

MONTARGIS Mme Frédéric Gustave
voir **MEURICE héritiers de Paul**

MONTAUT Henry de
1825 - 1890

Dessinateur, collaborateur du *Journal pour rire* et de *La vie parisienne*, publia les *Études sur la toilette* et fonda *l'Art et la Mode*. En 1862 au retour d'une mission en Orient, il fit don d'un beau sarcophage de bois peint égyptien de la XXIIᵉ dynastie.

MONTENARD Casimir Charles
Besse (Var) 1808 - Paris 1892

Neveu du sculpteur Pierre François Grégoire Giraud et père du peintre Frédéric Montenard (1848 - 1926), C. Montenard fit don au Musée du Louvre (1891) du monumental *Projet de tombeau* en plâtre et cire pour la femme et les deux enfants de l'artiste.

MONTESQUIOU Robert, comte de
voir **PINARD Henry**

MONTESQUIOU-FEZENSAC Blaise comte de
Paris 1886 - Bourron 1974
MONTESQUIOU-FEZENSAC comtesse Blaise de, née Anne de Vogüé

Blaise de Montesquiou-Fezensac, bibliophile, érudit, collectionneur, membre de la Société des Antiquaires de France, a consacré sa vie aux recherches sur les objets d'art médiévaux, en particulier à l'étude du *Trésor de Saint-Denis* (Paris, 1973-1977, 3 vol.). Le comte et la comtesse de Montesquiou-Fezensac, donateurs de la Bibliothèque nationale, des Archives nationales, du Musée Carnavalet et du Musée des Arts décoratifs, ont offert au Louvre deux objets dont la chapelle d'orfèvrerie aux armes de Louis XIV, donnée, en 1969, en souvenir de la comtesse de Gramont d'Aster.

MONTREUIL Mme, née Coppée

Don en 1922 du portrait (déposé au Musée de Versailles) de son père, le poète François Coppée (1842-1908), peint par J. Valadon.

MONVOISIN Domenica née Festa
Rome 1805 - Paris 1881

Miniaturiste et peintre sur porcelaine, elle fut d'abord élève de son père, le sculpteur Felice Festa. Legs de deux miniatures de sa main (déposées au Musée des Arts décoratifs).

MONVOISIN Pierre Raymond Jacques ou Raymond Auguste Quinsac ou R. P. J.
Bordeaux 1794 - Boulogne-sur-Mer 1870

Portraitiste et peintre d'histoire. Il se rend en 1842 à Valparaiso, après un conflit avec le Directeur général des Musées. Organise une école de peinture au Pérou. De retour en France en 1853, il expose au Salon. Don au Louvre de neuf dessins de P. N. Guérin en 1859.

MONY-COLCHEN Paul, comte de
† 1980
MONY-COLCHEN comtesse de, née Yvonne Chrestien de Tréveneuc
1893 - 1979

Appartenant à une très ancienne famille bretonne, Mme de Mony-Colchen était la fille du comte Robert de Tréveneuc, qui fut maire de Tréveneuc (Côtes-du-Nord), député de Guingamp (1893) puis sénateur (1901-1921). En 1964, en son nom et en celui de son mari, et en souvenir de son unique frère, le vicomte Henri de Tréveneuc, mort pour la France à Roclincourt près d'Arras, le 21 juin 1915, à 21 ans, elle donna un très bel ensemble de deux pots-à-oille et de quatre légumiers en argent aux armes de la famille de Tréveneuc, dûs à l'orfèvre parisien Ange-Jacques Massé (1784-1785).

MONZIE Madame de

Don en 1928 du *Portrait de Madame Osorio*★, sa mère, peint par Henner (déposé aussitôt au Musée Henner) et de son portrait peint par Collin (déposé selon ses vœux, au Musée d'Arras en 1928).

MOORE Morris
1811 - 1885

De parents anglais, emprisonnés en Lorraine pendant les guerres napoléoniennes. Marchand à Londres, célèbre surtout pour la controverse autour de l'attribution à Raphaël de l'*Apollon et Marsyas* (Louvre). Lors de son exposition dans le Salon carré en 1858, M. Moore voulut remercier les français de leur enthousiasme pour le tableau en offrant un dessin de Signorelli ayant appartenu à Vasari et pour lequel Mérimée avait servi d'intermédiaire pour l'envoi du cadre de Londres.

MORANCÉ Albert
Le Mans 1875 - Paris 1951

Editeur, ancien agent commercial et technique de la Réunion des musées nationaux. Don en 1932 à la Chalcographie d'une planche au vernis mou gravé par A. Cousseus, *Vue de Villeneuve-lès-Avignon*, il avait fait acquérir à partir de 1921 dix-huit planches de cet artiste par la Chalcographie.

MORAND Madame

Attachée au Musée du Louvre, 1925. Don au Département des Antiquités orientales d'un *Masque d'homme barbu* en terre cuite.

MORAND Mademoiselle
† Paris 1863

Legs d'une miniature anonyme et de cinq croquis de Tony Johannot et d'une mosaïque.

MORAY Madame

Don au Musée des Souverains en 1852 du col de dentelle porté par Charles X à son sacre (déposé au Musée des Arts décoratifs).

MOREAU Adolphe
Paris 1800 - Paris 1859

Agent de change, il acquiert une importante collection de quelques huit cents toiles du XIXᵉ s.. Il donne en 1855 un tableau de D. Ryckaert.

MOREAU Adolphe
Paris 1827- Paris 1882

Fils d'Adolphe Moreau★ et père d'Étienne Moreau-Nélaton★, conseiller d'État et administrateur, il est l'auteur de deux intéressantes monographies sur Decamps et Delacroix. Il donne en 1862 une toile de L. Sigalon.

MOREAU Mme Adolphe,
née Camille Nélaton
† Paris 1897

Peintre et céramiste, elle donne, en 1883, avec son fils Étienne Moreau-Nélaton★, et en souvenir de son mari, *Le naufrage de Don Juan* de Delacroix.

MOREAU-NÉLATON Étienne
Paris 1859 - Paris 1927

Héritier de la collection de son grand-père, Adolphe Moreau★, il apprend la peinture auprès d'Harpignies, puis dans l'atelier d'A. Maignan★. De 1885 à 1923, il se consacre en professionnel à la peinture, la gravure et la céramique. Après la mort de sa mère et de sa femme dans l'incendie du Bazar de la Charité, il se voue à la recherche, devient un grand historien de l'art du XVIᵉ s. français et publie surtout des ouvrages de référence sur Corot, Manet, Delacroix, Jongkind, Daubigny ou Bonvin. En 1906 et 1907, il donne au Louvre cent toiles et une soixantaine de dessins du XIXᵉ s. qui constituent avec la collection La Caze★ la plus importante donation au Louvre : parmi laquelle quelque trente-cinq tableaux de Corot★ (*Le pont de Narni, La cathédrale de Chartres, L'église de Marissel*), des œuvres capitales de Delacroix (*L'orpheline au cimetière, La nature morte au homard*) et des impressionnistes : *Le déjeuner sur l'herbe* de Manet, *Coquelicots* ou *Zaandam* de Monet, Berthe Morisot (*La chasse aux papillons*), Sisley, Pissarro placés par Moreau-Nélaton au même niveau que Decamps (*Le passage du gué*), Daubigny, Carrière ou Puvis de Chavannes (*Le rêve*). Le Département des Objets d'Art reçoit d'E. Moreau-Nélaton en 1911 un *Baiser de paix* en ivoire, du XVᵉ s.. En 1919, il donne, en mémoire de son fils mort à la guerre, plusieurs œuvres de Corot, Daubigny et M. Denis. Enfin son legs, en 1927, enrichit le Cabinet des Dessins du Louvre de plus de trois mille dessins, dont mille cinq-cents dessins de Delacroix, ainsi que d'une collection d'autographes (Millet, Corot, Delacroix et Jongkind). Il lègue également un *buste de Glück* par Houdon et plusieurs peintures de Manet (*La blonde aux seins nus*), Delacroix ou Corot. Le Musée des Arts décoratifs et la Bibliothèque nationale ont reçu dans le même temps des libéralités importantes.

V. Pomarède, *Étienne Moreau-Nélaton, un collectionneur peintre ou un peintre collectionneur*, Paris, 1988.

M. Moore
A. Stevens, Tate Gallery, Londres

A. Moreau fils
Th. Couture, Louvre

Mme A. Moreau
Bibl. nat., Paris

E. Moreau-Nélaton
P. Paulin, Orsay

Duc de Morny
J.C. Audibran, Bibl. nat., Paris

H. Mottez
V. Mottez, Louvre

MOREAU-NERET Adrien
Paris 1860 - ?

Peintre et aquarelliste, élève de Merson, Galland et Maignan*, il participa à la décoration de la Sorbonne et de plusieurs hôtels. Il fit don à la Section islamique d'un carreau iranien du XIVᵉ s..

MOREAUX Charles Florent Léon
Rocroy 1815 - Paris 1891

Peintre d'histoire et portraitiste, par testament de 1890 il légua six tableaux de l'école flamande (Téniers) et hollandaise du XVIIᵉ s. (Hondecœter, Huysum, Pynacker, Jacob van Ruisdael, Jan Weenix) entrés en 1891, ainsi que des objets d'art au Musée de Cluny.

MOREL-IZAMBARD Viviane

Secrétaire-traductrice (Unesco) de 1951 à 1979. Petite-fille du peintre A. Gumery (1861-1943) et arrière-petite-fille du sculpteur Ch. Gumery, Prix de Rome (1827-1871). Don en 1979, d'œuvres de son arrière-grand-père, une statuette en terre cuite de *Danaé*, et les maquettes des groupes surplombant l'Opéra de Paris, *L'Harmonie* et *La Poésie*, ainsi que le buste d'*Émilie Gumery* par Gautherin. Mme Morel-Izambard a également donné des œuvres au Musée national du château de Compiègne (buste du *Prince Impérial* par Gumery), au Musée de Brest et au Musée de Dieppe, et à Paris, au Musée Carnavalet.

MORELLET

Don en 1883 d'une *Tête de taureau* en marbre gris clair provenant de Cos.

MOREUX Mme Jean-Charles,
née Marie-Henriette-Marthe Jacquelin
Largentière (Ardèche) 1891 - Paris 1984

Docteur en médecine, elle fit don, en 1973, en souvenir de son mari (1889-1956), décorateur, historien d'art et ancien architecte des Bâtiments de France et des Palais nationaux, d'une médaille italienne de la Renaissance, représentant le savant Tommaso da Ravenna.

MORGAN P.

Le buste en marbre de *Napoléon Iᵉʳ*, d'après Canova donné par M. Morgan au Musée du Louvre (1929, décret 1930) appartenait à sa femme. Mme Morgan avait exprimé le désir de faire placer ce buste après sa mort dans un musée français consacré aux souvenirs de Napoléon Iᵉʳ (l'œuvre est actuellement déposée au Musée de Compiègne).

MORHANGE Mme Alphonse

Don en 1938 de la statuette en terre cuite de Robert le Lorrain représentant un *Fleuve* acheté par M. Morhange lors de la vente Sauerbach en 1931.

MORIN Jean Alexis Joseph, dit Morin-Jean
Paris 1877 - 1940

Peintre, graveur et collectionneur. Divers dons : en 1912, en souvenir de son père, Alexis Morin, une statuette féminine grecque, en terre cuite, d'époque archaïque ; en 1921, deux médaillons en bronze d'E. Farochon (1812-1871) représentant les peintres Corot* et Ingres* (Musée d'Orsay) ; en 1920 et 1922, des figurines chypriotes en terre cuite.

MORIZET Mme André,
née Simone Debat-Ponsan
Paris 1886 - Nazelles-Négron (Indre-et-Loire) 1986

Simone Debat-Ponsan, troisième et dernier enfant du peintre Édouard Debat-Ponsan, épousa en secondes noces André Morizet qui fut maire de Boulogne-sur-Seine et sénateur. Elle se retira à Nazelles près d'Amboise. Sa sœur aînée épousa le professeur Robert Debré et fut la mère de Michel Debré, ancien Premier Ministre, et du peintre Olivier Debré. Son frère Jacques Debat-Ponsan, mort en 1942, fut Grand-Prix de Rome d'architecture en 1912. Simone Morizet offrit en 1972 le portrait (Orsay) que son père Édouard Debat-Ponsan peignit de son épouse, née Marguerite Garnier (1856-1933), en 1885.

MORLOT Ernest
voir **FREULER Louise**

MORNY Charles Auguste Louis Joseph duc de
Paris 1811 - Paris 1865

Frère utérin de Napoléon III. Après une courte carrière militaire, M. de Morny se tourna vers l'industrie de la betterave sucrière, et fit ses débuts politiques sous la Monarchie de Juillet. La Révolution de 1848 l'éclipsa mais il mit à profit la Seconde République pour favoriser l'installation du Second Empire sous lequel il fut brièvement ministre de l'Intérieur, puis ambassadeur à Saint-Pétersbourg et président de l'Assemblée. Collectionneur, il était aussi spéculateur et plusieurs ventes de ses tableaux eurent lieu de 1841 à 1865. C'est à la veille de l'une d'entre elles qu'il donna, en 1852, un tableau de J. Massys, *David et Bethsabée*.

Parturier, *Morny collectionneur*, Paris, 1973.

MORTIER comtesse, née Léonie Cordier
Douai 1817 - Paris 1886

Son père, Charles Cordier (1777-1870), ami d'Edme Bochet* et comme lui fonctionnaire de l'Enregistrement, fut inspecteur à Rome, et plus tard directeur des Domaines et du Timbre à Paris. Léonie Cordier épousa en 1836 le comte Hector Mortier (neveu du maréchal), s'en sépara en 1847, et dès lors retourna vivre avec son père. Elle légua au Louvre le superbe portrait de celui-ci qu'Ingres* avait peint à Rome en 1811 (avec, précise-t-elle dans son testament, la collaboration de Granet pour le fond de paysage de Tivoli), ainsi qu'un dessin d'Ingres représentant également Cordier.

H. Toussaint, *Les portraits d'Ingres ; peintures des musées nationaux*, 1985, pp. 49-53.

MORTLAND Walter Guy
Pittsburgh (Pennsylvanie) 1874 - New York 1956

Industriel américain d'origine irlandaise (qui fut à la tête de la "Mortland Chemical Company of Pittsburg" jusque dans les années 1920) résidant souvent à New York, grand ami de la France, passionné d'art et d'archéologie (il était associé du Peabody Museum de Cambridge et participa avec l'Université de Harvard - dont il était diplômé - à des fouilles en Égypte), il donna en 1929 avec son épouse, Mary Cochran Mortland (Bartlett, Tennesee, 1880 - ap. 1956) un *Portrait de Mazarin* de l'atelier de Ph. de Champaigne (envoyé alors à Versailles) ainsi qu'une importante somme destinée à l'aménagement d'une salle de l'École du Louvre.

MOTTEZ Henri
Londres 1858 - 1937

Fils du peintre Victor Mottez (1809-1897) et de sa deuxième femme, Georgina Page (1824-1861), Henri Mottez fut peintre lui-même. En 1900, peu après la mort de son père, il donna le portrait de la première femme de celui-ci, Julie Odevaere (1805-1845), que Victor Mottez avait peint à fresque vers 1837 sur le mur de son atelier à Rome et qui fut détaché et rapporté à Paris sur ordre d'Ingres*, soucieux de préserver l'œuvre d'un élève qu'il admirait (Henri Mottez était le cousin germain du père de René Sagnier*).

MOTTEZ Mme Henri, née Renée Eldèse
Ville-sur-Illon (Vosges) 1867 - ap. 1938

Compositeur et pianiste, élève de Massenet qui (selon René Giard, biographe de Victor Mottez) n'admit jamais d'autre femme dans sa classe de composition au Conservatoire, Renée Eldèse épousa en 1897 Henri Mottez* ; devenue veuve (1937), elle donna en 1938 le portrait de son mari enfant, peint par Victor Mottez.

MOUROUX Mlle

Elle légua en 1926 le portrait au pastel de *Mlle Le Marquis*, dite *Madame de Villemomble*, par J. M. Frédou (1710-1795).

MOUSSALI Ulysse

Peintre, architecte, historien d'art et collectionneur. Pendant la guerre, il fut arrêté à Vichy et déporté au camp de Dachau. C'est au nom de l'Amicale des Anciens de Dachau qu'il a offert, en 1975, le portrait sculpté de Henri Rochefort par A. J. Dalou (Musée d'Orsay).

MOUŸ Charles, comte de
Paris 1834 - Paris 1922

Diplomate et littérateur français. Entré en 1862 au Ministère des Affaires étrangères, il y poursuivra une brillante carrière jusqu'en 1892. Parallèlement il publiera de nombreux portraits historiques et des correspondances de voyages. Don en 1906 de plusieurs fragments de décoration architecturale en terre cuite provenant de l'Acropole d'Athènes et d'une série de statues fragmentaires en marbre trouvées à Rome et à Athènes.

MOWAT Robert Knight
Londres 1823 - Paris 1912

Officier et archéologue français. Il prend part à la campagne de Crimée puis à la guerre franco-prussienne. Blessé à la bataille de Sedan, admis à la retraite en 1877 il se livre alors aux études d'archéologie, d'épigraphie et de numismatique. Membre de la Société de linguistique en 1878 et de la Société des antiquaires de France dont il devient le président en 1890. Don en 1895 d'un fragment d'inscription sur calcaire trouvé en Algérie.

MULLER
voir **POIDEBARD père Antoine**

MÜLLER A. et E.

Fils et fille du graveur H. Ch. Müller (Strasbourg 1784 - Paris 1846), ont fait don en 1887 à la Chalcographie de trois planches gravées par l'artiste.

MÜLLER Charles Louis
Paris 1815 - Paris 1892

Peintre d'histoire, Müller est notamment l'auteur du décor de plusieurs plafonds du Louvre qui lui furent commandés de 1850 à 1869. Il légua au Louvre une peinture de Gros, dont il avait été l'élève : le *Portrait de Jean Gros*, père de l'artiste (1790 ; déposé en 1920 à Versailles), et une de ses propres œuvres : l'esquisse du célèbre *Appel des dernières victimes de la Terreur* (tableau acquis au salon de 1850-51, aujourd'hui à Versailles).

MUNIER-JOLAIN Victor
St-Nicolas-du-Port (Meurthe-et-Moselle) 1854 - Paris 1941

Avocat honoraire à la Cour d'appel de Paris. Il légua une commode du début du XVIIIᵉ s. qui proviendrait du château de La Malgrange (Jarville, Meurthe-et-Moselle).

MURAT François de

Architecte. Don en 1884 d'un fragment de statue d'homme en marbre blanc provenant de Rome.

MUSSET Mme Paul de, née Aimée Irène d'Alton
Paris 1810/11 - Paris 1881

Veuve de Paul de Musset (1804-1880), romancier, frère aîné d'Alfred de Musset ; elle donna au Louvre en 1880 le portrait de son mari peint en 1870 par G. Ricard (Musée d'Orsay) puis légua une miniature de Dumont (entrée en 1883) représentant Mme de Musset mère et sa sœur Mme Solente. Le même legs fit entrer au Musée Carnavalet un médaillon par David d'Angers figurant Alfred de Musset et un tableau de Fortuné Dufau montrant Paul et Alfred enfants ; en outre, la donatrice des-

tinait au Musée du Luxembourg (qui ne semble pas l'avoir reçu) son portrait par Baron.

MUTIAUX Eugène
Paris 1846 - Paris 1925

Après avoir commencé une carrière de magistrat, il démissionna au moment de l'"épuration" des tribunaux par les républicains. Il se consacra, dès lors, à parfaire sa culture historique et artistique. Il fit la connaissance de Marcel Bing qui l'initia à l'art du Japon, fréquenta Ed. Pottier, H. Rivière*, M. Guérin*, G. Migeon*, Marquet de Vasselot*. Sa curiosité le porta aussi bien vers l'art de la Grèce antique, de L'Égypte, l'art gothique, la gravure, la bibliophilie que l'art islamique ; son goût de collectionneur fut des plus éclectiques. Le Louvre, en 1926, bénéficia d'un don de quatre œuvres islamiques, dont la *Coupe aux femmes-croissants* (Syrie, Tell Minis, XIIᵉ s.) et l'*Horloge aux paons* (Égypte, 1354), page tirée d'un exemplaire du *Traité des automates* d'al-Djazari.

R. Kœchlin *Eugène Mutiaux* S. l. n. d. Vente., 14 mars 1952. Paris, Drouot.

MYERS William Joseph
1858 - 1899

Officier britannique, répartit sa collection d'antiquités égyptiennes entre plusieurs musées d'outre-Manche. Don au Louvre d'ostraca démotiques en 1887.

NAAYEM abbé Joseph
1887/88 - ?

Prêtre de religion chaldéenne. Dons en 1926 et 1962 de figurines et plaquettes de terre cuites assyriennes et d'une plaquette mésopotamienne.

NALECHE Étienne Bandy, comte de
Monteil-au-Vicomte 1865 - 1949

Diplomate, il devient en 1896, directeur du *Journal des Débats*. Président de plusieurs associations de bienfaisance, il est de 1921 à 1928, président du Syndicat de la Presse parisienne. Il est élu en 1939, membre libre de l'Académie des Sciences morales et politiques au fauteuil de Gaston Doumergue. Don en 1932 de trois dessins de *Paysage* de Bertin.

NANTEUIL de LA NORVILLE Henry Joseph Marie Jules de
Cherbourg 1876 - Pont-Ste-Maxence (Oise) 1941
NANTEUIL de la NORVILLE Mme Henry de, née Julie-Marie-Louise Dard

Ingénieur du corps des Mines, président de la Société des Forges et Hauts fourneaux de Denain et Anzin, collectionneur de bronzes et d'objets d'art antiques et du Moyen-Âge. Après le décès accidentel de son mari et selon le vœu de ce dernier, Mme de Nanteuil offrit

Napoléon III
Ed. Dubufe, Louvre

Prince Napoléon
H. Flandrin, Orsay

Mme Th. Natanson
P. Bonnard, Orsay

au Musée du Louvre quatre bronzes antiques dont un *Jeune berger coiffé d'un bonnet*, deux statuettes égyptiennes et deux ivoires gothiques.

NAPOLÉON III
Paris 1808 - Chislehurst (Kent) 1873

Fils de Louis Bonaparte, roi de Hollande, et neveu de Napoléon Ier, il fut président de la République (1848-1852) puis empereur des Français (1852-1870). Il fonda, au Louvre, par décret présidentiel du 15 février 1852, le Musée des Souverains, qui rassembla des objets provenant des souverains français de Childéric à Louis-Philippe* et fut supprimé par décret présidentiel du 8 mai 1872. Napoléon III donna à ce Musée de nombreux objets, provenant en particulier de Napoléon Ier. Le Département des Antiquités grecques et romaines lui doit aussi des objets en marbre et bronze donnés en 1862, 1864 et 1866.

NAPOLÉON prince Joseph-Charles-Paul Bonaparte
Trieste 1822 - Rome 1891

Fils de Jérôme Bonaparte et de la princesse Frédérique de Wurtemberg, député, ministre et conseiller de Napoléon III, membre de l'Institut. Mariette* le conseilla dans ses achats qui introduisirent l'Égypte dans une collection prestigieuse et éclectique. Avant la dispersion de celle-ci, quelques pièces très importantes furent offertes au Louvre en 1858 et 1864, notamment la *Stèle des Colliers*, le célèbre *Calendrier d'Éléphantine* et la belle *Stèle d'Isi*.

NARDUS Leonardus, dit Léo
Utrecht 1868 - 1930

Peintre et pastelliste formé à l'Académie d'Amsterdam. Il vécut en 1901 à Bergen (Hollande) et plus tard à Suresnes (Hauts-de-Seine). Plusieurs musées bénéficièrent de ses libéralités, dont les Musées Royaux des Beaux-Arts de Bruxelles et le Louvre, auquel il donna, entre 1907 et 1930, trois tableaux dont l'un est attribué à Morland. Quelques peintures provenant de sa collection ont été vendues à Paris, Hôtel Drouot, le 9 février 1953.

NASSERY Soleyman
Téhéran 1899 - Paris 1967

Antiquaire. Don, en 1950, d'un tambour en bronze (Égypte, 2e moitié du XVe s.).

NATANSON Mme Thaddée, née Reine Vaur
Dijon 1884/85 - Paris 1953

Seconde femme depuis 1914 de Thaddée Natanson (1869-1951) qui avec ses frères Alexandre et Alfred, et quelques amis fondent *la Revue Blanche* à laquelle collaborent les plus grands artistes et littérateurs de la fin du siècle. L'importante collection de Th. Natanson est dispersée à la mort de Reine Natanson qui lègue deux dessins au Louvre et un riche ensemble de peintures (Orsay) et de dessins (les dessins ont été reversés au Louvre en 1977) au Musée national d'Art moderne (Vuillard, Bonnard, Gauguin, Sérusier, Maillol).

NAUDIN Charles Édouard
† Paris 1944

Fils du peintre Jules Naudin (1817-1876), architecte. Il lègue au Louvre douze dessins de son père et plusieurs œuvres au Musée Carnavalet et au Musée des Arts décoratifs.

NAZARE-AGA Youssef
Paris 1870- Paris 1942

Conseiller de la Légation de Perse. Don en 1927 d'une coupe en céramique (Iran, type Amol, XIIe s.), et en 1930 d'un vase de Néhavand (Iran).

NEGER Jean
† ap. 1964

D'origine hongroise, marchand de tableaux à Paris, il a fait don en 1946 d'une peinture de l'école française du XVIIe s. (*Judith et Holopherne* ; déposée en 1961 à Nancy) et en 1964, sur les conseils de R. Longhi, d'une esquisse de Baglione (*Résurrection du Christ*).

NÈGRE Mme André, née Arlette Fumaroli

Chargée de mission au Cabinet des Médailles de la Bibliothèque nationale. Arabisante, spécialiste de la numismatique islamique, elle publia la traduction du *Kitâb duwal al-Islâm* d'al-Dhahabî, ouvrage du XIVe s. Don en 1976 à la Section islamique d'un plateau incrusté d'argent et de cuivre rouge (Khorassan, XIIe-XIIIe s.).

NEGREPONTE Mme Michel, née Jeanne Hugo
Bruxelles 1869 - Paris 1941

Petite-fille de Victor Hugo, elle lui inspira, avec son frère Georges, les vers fameux de *L'art d'être grand-père*, pendant un séjour à Guernesey. Elle épousa en premières noces Léon Daudet, fils d'Alphonse, et en secondes noces Jean Charcot. Elle donna, en 1919, le *Portrait de Victor Hugo* par L. Bonnat*, avec réserve d'usufruit (déposé en 1948 à Versailles).

NEMES Marczell de
Janoshalma 1866 - Budapest 1930

Collectionneur et mécène hongrois ayant fait fortune dans l'exploitation de terrains miniers, il réunit une importante collection de peintures et d'objets d'art. Celle-ci fut dispersée au cours de cinq ventes publiques entre 1911 et 1931. Le Louvre reçut en 1932 le *Portrait d'Anne-Elisabeth Gosset* par Gainsborough ainsi que deux primitifs espagnols déposés en 1957 au Musée de Perpignan.

NEPVEU-DEGAS Jean
St-Nazaire 1911 - Paris 1965
DEVADE Mme Robert, née Arlette Nepveu-Degas
NEPVEU-DEGAS Hélène

Ils sont les enfants d'Odette De Gas († 1932), fille de René De Gas, frère d'Edgar Degas. Ils donnent en 1967, l'étude dessinée pour le *Viol* de Degas. Après des études artistiques, Jean Nepveu-Degas devient bibliothécaire de la Comédie française, puis secrétaire général de la Comédie française. Il est ensuite le directeur des *Cahiers Littéraires* de l'O. R. T. F. Il publie avec une préface de lui-même, *les huit sonnets*

Mme M. Nègreponte
Bibl. nat., Paris

P. Neveux
Bibl. nat., Paris

Mme P. Neveux
Bibl. nat., Paris

d'Edgar Degas (Paris 1946) et de nombreuses critiques littéraires. Arlette Devade est elle-même peintre (du groupe des Peintres de Rouen).

NEUFVILLE Mme Monique de
Houlgate 1906 - Paris 1982

Donne en 1953, en souvenir de sa mère, la baronne de Neufville (fille d'Henry Pereire*), un *Portrait d'homme*, œuvre française du XVIᵉ s., qui portait une attribution traditionnelle à Moroni.

NEUFVILLE Stéphanie de

Don après décès en 1957 à la Section islamique de quatre objets par l'entremise de Georges de Braux : une miniature (Iran, Chiraz, XIVᵉ-XVᵉ s.), une calligraphie du XVIᵉ s., un bol de céramique (Iran, Rayy, XIIᵉ-XIIIᵉ s.) et un bol à décor de dromadaire (Iran, région de Zendjan, Xᵉ-XIIᵉ s.).

NEUVILLE Mme Alphonse de, née Marie Maréchal
Paris 1838 - Paris 1901

Veuve du peintre A. de Neuville. Legs au Musée du Louvre du portrait de son époux par Duez, aussitôt déposé au Musée de Versailles.

NEVEUX Pol
Reims 1865 - Paris 1939

Homme de lettres, membre de l'Académie Goncourt, bibliothécaire à la Mazarine, puis à l'École des Beaux-Arts ; il termina sa carrière comme Inspecteur des Bibliothèques. Il était aussi membre de la Commission supérieure des Monuments historiques et du Conseil supérieur des Beaux-Arts, et siégeait au Conseil artistique des Musées. Il fit don au Louvre en 1927 d'un petit vase en verre moulé (Égypte ?, IXᵉ s.). En 1951, Mme P. Neveux* donna en son nom deux modillons de pierre du XIIIᵉ s., ornés d'une tête d'homme et d'une tête de femme, qui avaient appartenu au décor d'une maison de la rue du Tambour à Reims.

J. Lebrau, "Le souvenir de Pol Neveux", *La Revue des deux mondes*, mars 1970, pp. 621-627.

NEVEUX Mme Pol, née Antoinette Pellet, dit Marcellin-Pellet
Paris 1882 - Paris 1977

Outre le don fait, en 1951, au nom de son mari*, elle offrit, en 1959 (arrêté 1960), une *Tête de femme coiffée d'un touret*, en pierre, du XIIIᵉ s., fragment ayant peut-être appartenu, au décor de la cathédrale de Reims.

NEWBERRY John S.
Detroit 1914 - Paris 1964

Historien d'art et collectionneur américain il fut conservateur au Detroit Institute of Arts. Généreux donateur du Detroit Symphony Orchestra, collectionneur averti, il donne de nombreuses œuvres à différents musées ; le Louvre reçoit trois dessins en 1956 (S. del Piombo, Ingres, Le Prince).

Cat. Exp. *The John S. Newberry Collection, Detroit*, The Detroit Institute of Arts, 1965.

NIARCHOS Stavros Spyros

Né à Athènes, fils d'un minotier, il fit ses études à Athènes, devint docteur en droit et travailla dans l'affaire paternelle. Il devait s'illustrer plus tard comme armateur, créant une flotte marchande spécialisée dans le transport du pétrole. Parallèlement, il a rassemblé une prodigieuse collection de tableaux et de meubles à Paris, à l'hôtel de Chanaleilles, où il s'est installé en 1956. En 1955, alors qu'allait se vendre à Paris la collection de l'orfèvre Louis-Victor Puiforcat, M. Niarchos en acheta les pièces les plus importantes et en fit don sous réserve d'usufruit. Il faut signaler parmi ces objets : le gobelet d'or dit d'Anne d'Autriche, l'aiguière de Lebret (1677-1678), le grand plat aux armes des L'Escaloppier, attribué à N. Besnier (1721-1722), la paire de plateaux de F. Th. Germain aux armes des Bragance, le confiturier de la reine Hortense et les plats à déjeuner au chiffre de Bernadotte, roi de Suède.

P. Verlet, "Stavros Niarchos", dans D. Cooper, *Les Grandes collections privées*, Paris, 1963, pp. 192-203.

NICOLAS Étienne
Arcachon 1870 - Paris 1960

Négociant en vin, il prit en 1922 la direction de l'entreprise familiale et inaugura une brillante carrière de publicité qu'il confia à Draeger. Ainsi le célèbre *Nectar*, créé par Dransy en 1922 en s'inspirant d'un livreur de bouteilles, est devenu l'emblème de la maison. Pour illustrer les catalogues des grands vins il fit appel chaque année à de jeunes artistes de l'École de Paris, jouant à leur endroit le rôle d'un véritable mécène. Deux chefs-d'œuvre de Rembrandt, le *Portrait de Titus* et le *Paysage au château*, cédés par le collectionneur en Allemagne ont été retouvés par la Commission de récupération artistique. Après une série de négociations et l'accord de leur ancien propriétaire, ces deux tableaux sont entrés au Louvre en 1948.

A. Weill, *Nectar comme Nicolas*, Paris, 1986.

NICOLAY Mᵉ Raymond de
voir VASSEUR Mme Jean

NICOLLE abbé Pierre Louis
Agon (Manche) 1826 - ap. 1875

Prêtre du diocèse de St-Lô de, 1850 à 1875, il séjourna à Rome de 1857 à 1863. Pour faire reconnaître les mérites des tableaux qu'il y avait acquis, il écrivit une brochure puis, avec sa sœur Élisa, donna en 1862 au Louvre deux toiles, un *Paysage* de l'École italienne du XVIᵉ s. et une copie de la *Madeleine en prière* du Tintoret, qui furent acceptées "pour ne pas décourager les donateurs" mais, devant les exigences d'exposition de l'abbé Nicolle, le Surintendant des Beaux-Arts proposa de rendre les tableaux en 1864 (ils restèrent en fait au Louvre, et le *Paysage italien* fut déposé en 1970 au Musée de Gray).

NIEL comte Adolphe
Sedan 1879 - Paris 1966

Don, en 1963, du *Portrait du baron de Breteuil (1730-1807)* par J. L. Mosnier (longtemps cru œuvre de F. G. Ménageot). De 1954 à 1966, la comtesse Niel, née V. L. de Gasquet-James († 1962) et son mari firent également de nombreux dons au Musée de Versailles, de meubles et d'objets d'art, notamment les deux torchères de Babel et Foliot pour la Galerie des Glaces (1770).

NIEUWERKERKE Alfred Émilien, comte de
Paris 1811 - Gattajola (Italie) 1892

Pratiquant d'abord la sculpture en amateur, Nieuwerkerke obtient un certain succès avec son "Guillaume le Taciturne", exposé au Salon de 1843, et fondu en bronze pour le roi de Hollande. En 1849, il devient directeur général des musées nationaux, puis surintendant des Beaux-Arts dans la Maison de l'Empereur, poste qu'il conserve jusqu'en 1870, où ses fonctions sont réduites à la direction des musées ; la chute de l'Empire met fin à sa carrière. Nieuwerkerke s'était constitué une collection de médaillons de bronze et de cire, de faïences, d'ivoires et surtout d'armes qu'il vend en bloc à Richard Wallace (1818-1890) lorsque le changement de politique l'oblige à se retirer (1871). Il part en Italie et s'installe à Gattajola (vers Lucques) où il s'entoure d'œuvres d'art de la Renaissance italienne. Il avait donné au Louvre un émail peint en 1851 (déposé à Quimper), une statue de *Cybèle* drapée, trouvée au Pirée, en 1855, une médaille italienne (XVᵉ s.) et un flambeau en 1863.

E. Michel, *Notice sur le comte de Nieuwerkerke, membre de l'Institut, lue dans la séance du 5 novembre 1892*, Paris, Académie des Beaux-Arts, 1892. Henriet, "Le comte de Nieuwerkerke", *Journal des Arts*, 21 et 23, janv. 1893.

NIOLLON Jean
Aix-en-Provence 1879 - Aix-en-Provence 1949

Fils du peintre aixois B. Niollon (1849-1927), il donna au Musée du Luxembourg en 1930 un paysage peint par son père représentant la *Colline Sainte-Victoire* ; en 1932 il ajouta un autre tableau de paysage et deux dessins (une nature morte et une scène pastorale) en exprimant le souhait que l'ensemble soit déposé au Musée d'Aix-en-Provence ; le dépôt au Musée Granet fut effectué en 1933.

NOAILLES comte Anne Jules Emmanuel Grégoire de
Paris 1900 - Paris 1979

A. J. de Noailles était le fils de la célèbre poétesse Anna de Noailles dont, toute sa vie, il cultiva la mémoire. Son mariage avec Hélène de Wendel, en 1925, l'amena à s'intéresser aux affaires de sa belle-famille. A. J. de Noailles fut surtout un grand collectionneur de porcelaine. Il fit plusieurs dons de porcelaine de Vincennes, Sèvres et Meissen au Musée du Louvre en 1954 et 1962. En 1972 il offrit encore en souvenir de Natalie Argyropoulo, tante de sa femme et fidèle amie et admiratrice de sa mère, un plateau "à tiroir" en porcelaine de Sèvres, daté de 1758. A sa mort il légua quatorze pièces de Meissen de grande qualité parmi lesquelles un baril de table, une chope montée en argent décorée de chinoiseries et une tasse du service de Charles VII de Naples,

futur Charles III d'Espagne. A. J. de Noailles fit également des dons et un legs au Musée national de céramique de Sèvres. Il offrit, en outre, des manuscrits de sa mère à la Bibliothèque nationale.

NOAILLES Charles de comte

Don en 1926 d'un dessin de Seurat, *Le Laboureur*.

NOAILLES vicomte Charles de
Paris 1891 - Grasse 1981

Membre du Conseil artistique des musées nationaux ; membre du Conseil de la la Société des Amis du Louvre ; président de la Société des Amateurs de Jardin. Grande figure d'amateur lié, ainsi que son épouse "Marie Laure" au mouvement surréaliste. Il se passionna pour l'avant-garde et accueillit à Hyères Giacometti, Laurens, Lipchitz, Miro, Léger... dans sa villa construite par Mallet-Stevens. En 1970, il donna au Louvre trois peintures de L. Béroud représentant l'appartement du baron Schlichting* et en 1971, sous réserve d'usufruit et en mémoire de la vicomtesse de Noailles, une belle étude dessinée de Prud'hon pour le *Rêve du Bonheur* et une *Marine* de Van de Velde provenant de la collection de Mme de Courval.

NOËL Alexis Nicolas
Clichy-la-Garenne 1792 - Clichy-la-Garenne 1871

Fils du peintre, A. J. Noël (1752-1834), il est l'élève de son père et de David et participe au mouvement de sauvegarde des monuments historiques dont il lithographie de nombreuses vues. Il donne en 1865 l'un de ses dessins, le portrait du peintre A. L. Pagnest (1790-1819) exécuté en 1821.

NŒTZLIN Eduard
Bâle 1848 - Paris 1935

Président du conseil d'administration de la Banque de Paris et des Pays-Bas. Don en 1930, par l'intermédiaire de la la Société des Amis du Louvre, d'un plat aux oiseaux de type Amol (Iran, Xᵉ-XIᵉ s.).

NOLIVOS Louis Félix, vicomte de
Vitry-le-François (Marne) 1805 - ap. 1867

Il réunit une importante collection qui fit l'objet d'une vente à Paris en 1866. Don en 1863 d'un important ensemble de vingt-trois carreaux provenant du Palais Petrucci à Sienne (Sienne, 1509), et en 1867, d'une plaque antique en verre.

NOLLEVAL Mme Jules, née Lucile Minoret
Paris 1841 - Paris 1908

En 1902, à la mort de son mari, conseiller référendaire honoraire à la Cour des Comptes,

elle donna au Louvre les trois tableaux qu'il avait légués à ce musée en cas de prédécès de sa femme : *Le Christ et la femme adultère* d'après Bonifacio de Pitati, une *Vierge à l'Enfant* de Giacomo Francia, et une *Vierge glorieuse* de l'école de Murillo (déposée en 1903 à Compiègne). Elle-même mourut en 1908 laissant pour légataire universelle sa nièce la marquise de Rochambeau*, qui procéda en 1910 à la délivrance du legs verbal fait par sa tante de trois autres tableaux, dont le *Portrait de Mère Angélique Arnauld* par Ph. de Champaigne.

NORBLIN de LA GOURDAINE Sébastien Louis Guillaume dit Sobeck
Varsovie 1796 - Paris 1884

Peintre, élève de Regnault et Blondel, Prix de Rome en 1825, auteur de peintures pour plusieurs églises parisiennes. Don en 1847 au Département des Antiquités égyptiennes.

NORMAND Alfred Robert
Paris 1873 - Paris 1929

Général, directeur du Génie au Ministère de la Guerre en 1928 ; lors de son séjour au Levant en 1919-1920, il créa le Musée d'Adana (Turquie). Don en 1920 d'une statue d'homme de Metellé (Syrie), de piédroits de poterne en forme de sphinx et d'un bas-relief de Zendjirli (Syrie).

Syria X (1929), p. 184.

NORMAND Mme Charles

Don en 1895 en souvenir de son mari, d'une statuette en terre cuite représentant *Le Buffon* assis de Pajou. Graveur, Ch. Normand reçut le Prix de Rome en 1838 et figura au Salon de 1843 à 1861.

NOUFFLARD Geneviève GUY-LŒ Mme Maurice Guyot dit, née Henriette Noufflard

Filles des peintres A. Noufflard (1885-1968) et B. Noufflard (1886-1971), fille de Mme Ebstein-Langweil, directrice d'une célèbre maison d'importation d'objets d'art d'Extrême-Orient. Les Noufflard étaient les amis de toujours d'Henri Rivière* qui mourra chez Henriette Noufflard, docteur en médecine, Geneviève Noufflard, flûtiste, en était la filleule. Elles sont toutes deux les héritières de l'atelier de Rivière. Elles donnent en 1954 un paysage de Buis-les-Barronnies à l'aquarelle. En 1986, elles donnent au Musée d'Orsay un ensemble de photographie de la Tour Eiffel prises par H. Rivière.

Cat.exp. *André Noufflard et Berthe Noufflard. Deux témoins d'une époque, 1910-1970*, Paris, Musée Thiers, 1985.

OBENAUS de FELSÖ-HÁZ
baron Ferdinand
OBENAUS de FELSÖ-HÁZ
baron François

Joseph Obenaus, d'une famille noble hongroise, conseiller de Basse-Autriche, ancien précepteur de l'archiduc François-Charles, frère de Marie-Louise, fut nommé précepteur du duc de Reichstadt en remplacement de Mathias von Collin, qui mourut en 1824. Il fut fait baron en 1827. C'était un homme érudit, mais qui traita assez durement son élève. En 1868, les fils d'Obenaus, Ferdinand, capitaine au service de l'Autriche, et François, donnèrent au Musée des Souverains de nombreux souvenirs du duc de Reichstadt, dont certains offerts à leur père par le prince ou sa mère : objets personnels, dessins, lettres, cahiers, livres, buste du prince (A. Renaud, 1814). L'ensemble se trouve maintenant au Musée de l'Armée et au Musée napoléonien de Fontainebleau.

OCTAVE-FEUILLET Mme Richard
voir CARDOZO Auguste Henri

ODIOT Jean Baptiste Claude
1763 - 1850

Membre de la célèbre dynastie d'orfèvres, il devint maître orfèvre à Paris en 1785. Il fut l'un des principaux fournisseurs d'orfèvrerie de la cour impériale, exécutant notamment la toilette de l'impératrice Joséphine et le berceau du roi de Rome. Il se retira en 1827 au profit de son fils Charles. A ce moment, il donna à l'État une collection de modèles en bronze et un seau à rafraîchir en argent, témoignages de sa fabrication, depuis déposés par le Louvre au Musée des Arts décoratifs. Il offrit en même temps un tableau de H. Vernet, *Défense de la barrière de Clichy en 1814*, montrant Odiot, qui avait participé à ce combat comme officier dans la Garde nationale, auprès du maréchal Moncey.

H. Bouilhet, *L'Orfèvrerie française aux XVIIIe et XIXe siècles.*, t. II, Paris, 1910, pp. 104-123.

OFFENBACH comte
voir CUMONT Franz

O'HANA Jacques

Il possédait une galerie 13 Carlos Place à Londres. Il donne en 1962, un dessin de Sisley représentant un *Paysage*, sur une suggestion de M. René Varin, alors conseiller culturel à l'Ambassade de France à Londres.

OLIVIER Marie Julie
Paris 1862 - Paris 1934

L'horloger parisien Joseph-René Olivier constitua une remarquable collection d'horlogerie qui fut accrue par son fils, Jules-René (1855-1933), également horloger, établi 41 rue de Richelieu. Marie-Julie, leur fille et sœur, qui mourut à cette adresse un an après son frère, légua au Louvre cette collection, soit trois horloges de table, trois cent onze montres ou boîtiers de montre des XVIe-XIXe s., quatorze montres à châtelaine, dix-sept châtelaines isolées, des cadrans, des coqs et des clés de montre. La collection Olivier contribue, avec les collections Garnier* et Côte*, à faire du Louvre le plus riche musée du monde en matière de montres. La collection renferme, entre autre pièces célèbres, une montre en or passant pour provenir de Louis XIII, une série de montres émaillées par les frères Huaud (fin XVIIe s.) et l'exceptionnelle montre en or de Fr. J. de Camus exécutée pour Pajot d'Onsen-Bray (1709).

C. Cardinal, *Catalogue des montres du Musée du Louvre*, t. I, *La collection Olivier*, Paris, 1984.

OPPENHEIM Max Freiherr von
Berlin 1860 - Kronenburg 1946

Diplomate et archéologue allemand en poste en Égypte en 1896, puis en Syrie ; il repère en 1899 le site de Tell Halaf (Syrie du Nord), fouillé de 1911 à 1913, puis en 1929. Don de deux importants reliefs du palais du prince araméen Kapara à Tell Halaf en 1927.

ORDENER Marguerite

Petite-fille du général Ordener (1755-1811), fille du comte Charles-Thomas-Michel Ordener, officier de cavalerie. Don en 1951 d'une montre d'époque Louis-Philippe provenant de sa famille.

ORENGIANI baronne d'Alexandry d'

En 1920 et en 1921, elle donna deux portraits de l'Impératrice Eugénie. L'un peint par E. Dubufe (dépôt à Versailles), l'autre par Winterhalter.

ORLÉANS Ferdinand duc d'
Parlerme 1810 - Neuilly-sur-Seine 1842

Fils aîné de Louis-Philippe* et de la reine Marie-Amélie. Don en 1840 d'un fragment de bas relief trouvé à Philippeville représentant deux scènes des travaux d'Hercule, *Le lion de Némée* et *L'hydre de Lerne*.

ORTIZ George
ORTIZ-PATIÑO Jaime

Fils de deux grands collectionneurs, Jorge Ortiz Linares, ambassadeur de Bolivie à Paris, et Mme Ortiz Linares, née Graziella Patiño, ils ont donné en souvenir de leurs parents en 1982 une très importante commode de Charles Cressent (v. 1730). Ils offrirent en même temps au Musée national du Château de Versailles six fauteuils en bois doré de Heurtaut qui ont rejoint le lit provenant du même ensemble, donné à Versailles en 1964 par leur oncle, le comte Guy du Boisrouvray, en souvenir de sa femme, née Luz Mila Patiño. G. Ortiz avait

Comte de Nieuwerkerke
H. Lehman, Compiègne

J.B. Cl. Odiot
H. Vernet, Louvre

Duc d'Orléans
J.A.D. Ingres, Versailles

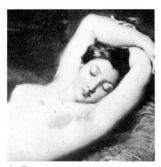
A. Ozy
Th. Chassériau, Musée Calvet, Avignon

G. Palewski

déjà donné, en 1971, au Département des Antiquités égyptiennes, une petite statue-cube de Padikhonsou, d'époque saïte.

ORVILLE Ernest
voir **BRAME Paul**

OSBERT Yolande

Fille des peintres Alphonse Osbert et Marie-Louise Boitelet. Elle participa au catalogue de l'exposition *Alphonse Osbert, peintre symboliste 1857-1939* organisée par le Musée Eugène Boudin de Honfleur en 1977. Elle donne en 1976 seize dessins et pastels d'Osbert dont plusieurs en relation avec la *Source* pour l'établissement thermal de Vichy, l'*Harmonie virginale* et en 1977 une *Vision* sous réserve d'usufruit.

OSMONT Georges
Dieppe 1826 - Paris 1909

Legs d'un dessin de E. Lami, *Réunion dans le Bosquet de la Colonnade à Versailles* (entré au Louvre en 1912).

OSORIO Mme David, née Amélie Mosenthal
Capetown (Afrique du Sud) 1897 - Paris 1927

Mère de Mme de Monzie*. Legs de son propre portrait par Henner (dépôt au Musée Henner en 1928).

OUDINÉ Eugène
voir **VAUTHIER André**

OUDINOT de la FAVERIE
Eugène-Stanislas
Alençon 1827 - Paris 1889

Maître-verrier à la tête d'un important atelier parisien (rue du Regard, 6 rue de la Grande-Chaumière), Oudinot est actif de 1859 à 1889. Lui-même élève de Delacroix, il fait appel à des peintres reconnus pour les cartons : H. Harpignies, L. O. Merson... Ses œuvres dont on recense des exemples en Bourgogne, Bretagne, Ile-de-France, Normandie, Rhône-Alpes, lui valent une médaille d'or à l'Expo-

sition universelle de 1867 et à celle de 1878. Hors concours en 1889, il se distingue notamment par les vitraux du pavillon de la République Argentine. Don en 1878 au Département des Objets d'Art d'un vitrail provenant de Vincennes.

OUDRY L.
† 1875

Il semble avoir dirigé l'usine électro-métallurgique d'Auteuil, et être l'auteur de divers moulages, notamment de ceux des reliefs de la Colonne Trajane. Don en 1863 au Département des Antiquités grecques et romaines d'un gland de fronde portant une inscription, en plomb.

OUVILLE-LA-BIEN-TOURNÉE
municipalité du Calvados

Don en 1902, d'une statue en bois de la *Vierge et l'Enfant*, datant du XIIIᵉ s., trouvée dans le sol de l'église lors de travaux exécutés par l'architecte Ruprich-Robert grâce à qui l'œuvre fut transmise au Louvre.

OZENNE Mme Henry Émile
voir **MEURICE héritiers de Paul**

OZY Mlle Alice, Julie Justine Pilloy, dite
Paris 1820 - Paris 1893

Actrice et courtisane, elle eut une grande réputation de beauté et d'esprit. Elle fut l'amie du duc d'Aumale, de nombreux poètes (Gautier, Banville, Charles Hugo, Dumas fils, About...) et de peintres, tels Couture, Gustave Doré et surtout Théodore Chassériau (1819-1856), qui eut avec elle une liaison passionnée et, en 1850, la prit pour modèle de sa *Baigneuse endormie* (Musée Calvet, Avignon). Bien des années après la mort de Chassériau, elle acquit une toile de lui, de 1839, *Suzanne au bain*, qu'en 1884 elle donna au Louvre. Bien qu'elle eut abandonné le théâtre à trente-cinq ans, elle légua sa fortune à la Société des artistes dramatiques ; elle avait en 1867 dispersé quelques œuvres d'art en vente publique.

L. Loviot, *Alice Ozy*, Paris, 1910. J. L. Vaudoyer, *Alice Ozy ou l'Aspasie moderne*, Paris, 1930.

PACH Walter
New York 1883 - New York 1958

Peintre, graveur et écrivain d'art ; il fut l'un des organisateurs de *L'Armory Show* à New York en 1913. Don à la Chalcographie en 1931 d'une de ses planches, gravée à l'eau-forte.

PACINI Émilien
voir **PATON Mme Pierre Jules**

PAILLARD Étienne
Vitry-le-François 1897 - Dinant 1982
PRACHE Mme Gérard,
née Anne Paillard

Étienne Paillard, négociant en vins, membre de la Société française d'Archéologie, a offert au Louvre, en 1980, associé à sa fille Mme Prache, professeur à l'Université de Paris IV, un *Christ* de bronze du XIIᵉ s.

PAILLE Gustave

Don en 1897 d'un vase en terre noire et d'une plaque de métal décorée de la *Déesse mère*, objets trouvés en Etrurie.

PAJOU Auguste
Paris 1730 - Paris 1809

Sculpteur. Il aurait donné au début du XIXᵉ s. un buste de *Ptolémée Soter Iᵉʳ*, fondateur de la dynastie égyptienne des Lagides, considéré alors comme un portrait de *Démétrius Poliorcète*. Le doute subsiste quant à ce don ; ne s'agirait-il pas plutôt d'une saisie révolutionnaire, Pajou ayant entreposé une partie de sa collection de sculptures avec les Antiques du Roi dans la salle des Cariatides, après qu'il ait été nommé garde des Antiques, avant la Révolution ?

PALEWSKI Gaston
Paris 1901 - Paris 1984

Homme politique éminent dont la carrière se déroula en grande partie aux côtés du général de Gaulle, il fut Président du Conseil Constitutionnel de 1965 à 1974. Amateur d'art (Membre de l'Institut ; membre du Conseil artistique des musées nationaux ; Président du Comité français pour la sauvegarde de Venise), il posséda une collection de tableaux des XVIIᵉ, XVIIIᵉ et XIXᵉ s. En 1950, il donna au Louvre une peinture de Sebron, *Vue extérieure du Louvre*.

PANNIER Paul
Paris 1847 - Cannes 1922

P. Pannier offrit en 1918, en son nom et au nom de son frère Albert (1836-1908) une collection de cinquante-trois pièces de Sèvres constituée essentiellement d'assiettes et de tasses et soucoupes. Ce don se fit par l'intermédiaire de G. Migeon* et de L. Gonse*, maire de la commune de Cormeilles-en-Parisis où Paul Pannier avait une propriété héritée de son frère.

PANSARD Louis Émile
Marmoz (Jura) 1850 - Vanves (?) 1931

Lieutenant-colonel en 1900, commandant supérieur du Cercle de Tébessa. Don en 1902 d'un ornement de bronze composé d'un collier de petits cylindres et de médaillons trouvé dans un tombeau près de Tébessa.

PAPE Mlle Joséphine Louise Brigitte, dite Madeleine PAPE-CARPANTIER
Paris 1853 - ?

La mère de la donatrice Marie Pape-Carpantier, créa une forme nouvelle d'enseignement pour l'école maternelle et fut chargée en 1848 de la direction de l'École normale maternelle ; elle publia plusieurs ouvrages sur l'enseignement primaire et maternel. Sa fille suivit ses traces : elle fut l'auteur de nombreux manuels scolaires auxquels collabora Mathilde Gleyre (Lyon 1842 - Versailles 1917), nièce du peintre des *Illusions perdues*. En 1917 Madeleine Pape-Carpantier donna en souvenir de son amie Mathilde Gleyre l'*Autoportrait* de Gleyre (déposé à Versailles).

PARCQ Mme Georges, née Marguerite Gourlin
La Haÿ-les-Roses 1880 - Le Caire 1976

Épouse d'un architecte établi en Égypte à partir de 1909 qui y construisit de nombreux édifices civils ou publics. A la mort de son mari en France en 1939, Mme Parcq décida de vivre au Caire et légua trente-cinq bijoux romains de très belle qualité au Département des Antiquités égyptiennes, en souvenir de son mari qui les lui avait offerts.

PARDEE Mme Alfred Day

Française, veuve d'un collectionneur américain spécialisé dans les objets napoléoniens, elle demeurait à Cannes. Elle donna en 1969, une assiette en porcelaine de Sèvres du service de l'Empereur représentant *Sans-Souci*, une boîte en argent doré du nécessaire de Napoléon à Waterloo et un *Almanach impérial*.

PARDINEL Charles
Paris 1853 - Paris 1926

Directeur de la maison de couture Jacques Doucet, Ch. Pardinel donna au Louvre en 1910, sous réserve d'usufruit, un *Portrait d'homme* alors attribué à Watteau, qui avait appartenu au peintre Ch. Landelle (1821-1908). Le tableau entra au musée en 1921.

PARDO Benito
Constantinople 1909 - Paris 1986

Arrivé tout enfant en France et naturalisé en 1924, il fit ses études à Paris. Après avoir combattu au front, il fut fait prisonnier et réussit à s'évader après cinq ans de captivité. Il fonda en 1947 la Galerie Pardo, située boulevard Haussmann à Paris, qu'il dirigea d'abord avec son frère Ferdinand, mort en 1954. B. Pardo sut faire de son entreprise une des plus importantes galeries de peinture ancienne de Paris. Elle est depuis sa mort dirigée par ses fils Robert et Richard. B. Pardo offrit au Louvre des tableaux de Blin de Fontenay (1956) et de Dandré-Bardon (1972), et en 1983 un petit *Baptême du Christ* de C. van Haarlem.

PARENT

Don en 1869 de quelques objets dont un Hermès de *Clodius Thallus* provenant de Chio, une tête féminine diadémée et deux rebords de table ornés de scènes bibliques.

PARGUEZ Gaston
Paris 1862 - ?
PARGUEZ Henri
Paris 1869 - ?

Ces deux frères firent don (1912) d'un lot de maquettes de Chinard au Musée du Louvre. Ces cinq œuvres en terre crue (*Projet de monument, Saint Pothin, La Nature...*) furent données à titre de documents et sans condition d'exposition par l'antiquaire (Gaston) et son frère.

PARIS Pierre

Professeur à la faculté des Lettres de Bordeaux. Dons en 1889, 1899 et 1902 d'un *Silène* en terre cuite et de plusieurs objets antiques trouvés en Espagne (mis en dépôt, pour la plupart, au Musée des Antiquités nationales de St-Germain-en-Laye).

Mme G. Parcq

A. Parrot

**PARIZOT Mme Edmond, née
Louise Vergne-La Chassagne**
Maisons-Laffitte 1869 - Beaulieu-sur-Mer 1947

Legs de trois tableaux : deux paysages de
J. Dupré et un portrait de femme de l'école
française du XVIIᵉ s..

PARROT André
1901 - 1980

Archéologue, membre de l'École archéologique française de Jérusalem en 1926, il fouille
sur de nombreux sites du Proche-Orient ; il
dirige notamment les fouilles de Mari à partir
de 1933. Auteur de très nombreuses publications, membre de l'Institut, professeur à la
Faculté de Théologie protestante de Paris,
conservateur en chef du Département des
Antiquités orientales de 1946 à 1967, directeur
du Musée du Louvre de 1968 à 1972. Don en
1972 d'une collection d'objets archéologiques
provenant de divers sites syriens.

Syria LVIII (1981), pp. 1-6 ; *Lettre d'information européenne. Archéologie orientale* 2 (oct.85), pp. 96-101.

PARVILLERS

Administrateur colonial. Don en 1922 au Département des Antiquités grecques et romaines
d'objets trouvés dans les fouilles de la nécropole d'Éléonte (Asie Mineure) : quatre vases
en terre cuite et deux bronzes.

PASGRIMAUD Daniel

Architecte d'intérieur parisien qui fit ses
études à l'École du Louvre où il fut élève de
Pierre Verlet. Il a décoré des intérieurs de
collectionneurs, des galeries d'antiquaires et
participe depuis 1962 à l'aménagement de la
Biennale des Antiquaires. Il collabore aussi
avec les musées, ayant conçu en 1987 la nouvelle vitrine des Diamants de la Couronne,
dans la Galerie d'Apollon, au Musée du Louvre, et le décor de l'exposition *La Table d'un
roi*, au Musée des Arts décoratifs. Collectionneur de meubles et d'objets d'art du XVIIIᵉ s.,
il a donné en 1988 une coupe en jaspe montée
en bronze doré, provenant de la collection
personnelle de Marie-Antoinette.

M. A. Lescourret, "Daniel Pasgrimaud", *Architectural Digest. Les plus belles maisons du monde*, nᵒ 3,
juill-août 1988, pp. 134-136.

PASTEUR Charles
Dieppe 1870 - Paris 1961

Apparenté à Louis Pasteur dont la famille,
originaire du Jura, avait émigré en Suisse et
s'était fixée à Gênes, où elle avait fondé une
banque, Charles Pasteur fut lui-même agent
de change. Il fit donation sous réserve d'usufruit, par l'intermédiaire de la Société des Amis
du Louvre, en 1948, du portrait (entré en 1962)
de son arrière-grand-mère, *Mme Pasteur, née
Madeleine Alexandre (1773-1841)*, peint par
Gros en 1795-1796, lors de son second séjour
à Gênes.

**PASTEUR Mme Charles,
née Henriette-Élisabeth-Marie Poirier**
Belfort 1895 - Neuilly-sur-Seine 1984

Elle institua pour légataire universel les Petits
frères des pauvres, en permettant à la Réunion
des musées nationaux de choisir dans la collection de son mari Ch. Pasteur* les objets
pouvant intéresser les musées. Ceci valut : au
Département des Peintures, quatre tableaux,
affectés au Musée de Laon ; au Département
des Arts graphiques, deux dessins de
F. Watteau de Lille fils et un pastel de Chaplin ; au Département des Sculptures, deux
médaillons en cire de J. B. Nini ; au Département des Objets d'Art, de nombreux objets
des XVIIIᵉ et XIXᵉ s., notamment une paire
de chaises de H. Jacob, des porcelaines de
Meissen, St-Cloud, Sèvres et Paris. Certains
autres objets sélectionnés par le Département
des Objets d'Art furent affectés à des musées
de province (Musée de Laon, Musée Rupert
de Chièvres de Poitiers, Musée Oberkampf de
Jouy-en-Josas, Musée municipal de Lorient).
Le Musée d'Orsay et le Musée national du
Château de Fontainebleau bénéficièrent aussi
de ce legs. Le reste de la collection fut vendue
à l'Hôtel Drouot le 22 octobre 1984.

PATIÑO héritiers d'Antenor

La femme, la fille et la petite-fille du grand
amateur Antenor Patiño (1896-1982) offrirent
au Louvre en 1985, sous réserve d'usufruit en
faveur de Mme Antenor Patiño, née Beatriz
de Rivera, *La courtisane amoureuse* de
P. Subleyras.

PATINOT Mme
voir **BAPST Armand**

**PATON Mme Pierre Jules,
née Émilie Pacini**
Paris 1820/21 - Paris 1887

Fille du compositeur Antonio Pacini (1778-
1866), femme du publiciste Pierre Jules Paton,
elle écrivit quelques romans sous le pseudonyme de Jacques Rozier. Son fils, Émile Samuel, fut économiste ; sa fille Jacqueline (1859-
1955), peintre et sculpteur, épousa le peintre
Léon Comerre. Mme Paton - tant en son nom
qu'au nom de son frère Émilien Pacini (auteur
dramatique qui écrivit les paroles de nombreux opéras), de ses sœurs, Mesdames Bouvet
et Gayrard, et de ses neveux, Messieurs de
Choudens - donna au Louvre en 1879 le *Portrait d'Antonio Pacini*, peint en 1823 par
X. Sigalon, ami du modèle. En outre, par
testament de 1885, elle légua au Louvre, sous
réserve d'usufruit en faveur de sa fille, un
grand portrait d'elle-même peint par Cabanel
(Le tableau n'est pas entré au musée).

PATON W. R.

Don au Louvre en 1904 d'un fragment de
dalle byzantine avec inscription, provenant du
cimetière de Ghérési près de Myndos (Grèce),
et d'un lot de statuettes en terre cuite trouvées
dans l'île de Cos.

Mme P. Paulin

A. Pellerin
Matisse, MNAM, Paris

PATRICOT Jean
Lyon 1865 - Paris 1926

Peintre, Grand Prix de Rome en 1866. Don en 1897 au Musée du Luxembourg, d'un de ses dessins *Fillette lisant*.

PATRIMONIO comte Salvator
Bastia 1836 - Paris 1915

Diplomate, consul général de France à Beyrouth puis à Jérusalem (où lui succède Clermont-Ganneau*). Don en 1879 de deux ossuaires judaïques, en 1881 d'une pelle à sacrifice en bronze provenant du temple de Jerash, en 1902 d'une figurine en terre cuite trouvée à Sidon. En 1891, Mme Patrimonio, née Marie Limperani, donnait au Département des Antiquités grecques et romaines, par l'intermédiaire de E. Mauss*, un lot important de verreries antiques trouvées à Saïda.

PAU général Paul Mary César Gérald
Montélimar 1848 - Paris 1932

Après une longue et très active carrière dans l'armée, il fut chargé de plusieurs missions auprès des Alliés, en Belgique (octobre 1914), en Russie (1915-1916), en Suisse (1917) et enfin en Australie, de juillet 1918 à mars 1919. En 1919, il donna au Louvre une grande table en marqueterie, exécutée à Melbourne, que le gouvernement de l'état de Victoria (Australie) avait offerte à la République française à l'occasion de l'envoi en Australie de la mission française dont faisait partie le général. Cette table a été déposée en 1936 au Muséum d'Histoire naturelle.

PAULIN Mme Paul, née Jeanne Trinquesse
Nanterre 1865 - St-Cloud 1952
PAULIN Pascal

L'épouse et le second fils du sculpteur Paulin (1852-1937) ont donné en 1949 quatres œuvres de l'artiste : les portraits sculptés en plâtre des peintres *Pissarro, Degas, Guillaumin* et *Lebourg* (Musée d'Orsay).

PAULME Mme Paul Émile Marius,
née Léontine Marie Marguerite Barjot
Paris 1869 - Paris 1948

Veuve de l'un des plus fameux experts en dessins, décédé entre les deux guerres mondiales ; legs d'un portrait dessiné de Mme Molé-Reymond, du Théâtre français, par J. A. Lemoine.

PAÿ Joseph

Artiste belge, décorateur, professeur à l'École normale des arts du dessin à Bruxelles. Don en 1901 au Musée du Luxembourg de six dessins par G. Moreau, É. Lévy et P. V. Galland, dont il avait été "l'élève et l'aide".

PAYET Madame

Don en 1935 du *Portrait de Chopin* par Th. Couture (déposé à Versailles la même année).

PEARSON Mme Charles F.,
née Marie Spangenberg

Don (1947), en souvenir de son mari (Valparaiso 1857 - Paris 1933), du *Frappement du rocher* de Ch. Le Brun.

PECHADRE Adhémar
Brives 1862 - Monte-Carlo 1925

Médecin, chef de clinique de l'Hôtel Dieu de Lyon et député d'Épernay de 1904 à 1920. Pendant la guerre de 1914, l'Hôpital du Val-de-Grâce se trouvant submergé par l'affluence des blessés, il fonde l'Hôpital militaire du Grand-Palais. Don en 1912 au Louvre en souvenir de son beau-père, Henri Marot, qui était vice-président de la Société Préhistorique de France, de deux vases italiotes.

PECRUS Jean

Don au Louvre d'une *Marine* de son grand-père, le peintre Charles Pecrus, en 1949.

PELET Auguste
Nîmes 1785 - Nîmes 1865

Antiquaire. Don en 1858 au Département des Antiquités grecques et romaines d'un vase en terre cuite trouvé à Nîmes.

PELET Paul
Vieulle-sur-Seuldre (Charente-Maritime) 1849 - Paris 1927

Géographe, auteur d'un atlas des colonies (publié en 1891 puis en 1902), il légua un paysage par E. A. Imer *Le chêne de la Dauphine* en son nom et en celui de son épouse décédée, Marie Émilie Raveau (entré en 1927 ; déposé en 1931 au Musée des Beaux-Arts de la Rochelle, à la demande d'André Lebon* exécuteur testamentaire du donateur, en raison des origines charentaises de ce dernier).

PELICIER Paul
Châlons-sur-Marne 1838 - Châlons-sur-Marne 1903

Archiviste-paléographe, professeur agrégé d'histoire, devint archiviste du département de la Marne en 1878. Don en 1896 d'un bas-relief antique au Département des Antiquités grecques et romaines.

PELLERIN Auguste
Paris 1852 - Neuilly 1929

Ce grand industriel, qui fut consul général de Norvège à Paris de 1906 à 1929, rassembla dès avant 1900, objets d'art et tableaux. Avec intuition, il sut revendre ses œuvres de Vollon, Henner et même de Corot* pour les remplacer très tôt par des toiles de Manet et des Impressionnistes (Cézanne, Renoir*, Monet, Pissarro, Sisley, Degas et Berthe Morisot) ou encore des artistes "modernes" (Vuillard, Denis, Camoin, Derain, Matisse qui exécuta son portrait selon deux versions en 1916). Auguste Pellerin s'attacha tout particulièrement à Cézanne dont il posséda plus de quatre-vingt-dix peintures ; il aurait été le premier amateur à acheter un *Nu* de Cézanne à Vollard* lors de l'exposition organisée par le marchand dans sa galerie en 1895 du vivant de l'artiste. Dès 1907, l'année suivant la disparition du peintre,

P. Pelliot

R. Peñard

Ch. Percier
M.J. Blondel, Versailles

vingt cinq peintures de la "collection de M. Pellerin" (selon l'intitulé du catalogue) étaient présentées à la rétrospective d'œuvres de Cézanne qui eut lieu au salon d'Automne. Auguste Pellerin légua au Musée du Louvre trois parmi les plus belles natures mortes du maître (aujourd'hui au Musée d'Orsay) : la *Nature morte au panier*, la *Nature morte à la soupière*, la *Nature morte aux oignons*. La collection Pellerin fut alors dispersée entre ses deux enfants, sa fille, Juliette Pellerin, et son fils, Jean-Victor Pellerin★. Au cours des années suivantes, plusieurs œuvres ayant autrefois appartenu à Auguste Pellerin entrèrent dans les musées français et étrangers où elles continuent à évoquer avec éclat le souvenir d'une des plus belles collections particulières jamais constituées : citons le *Portrait du père de Cézanne lisant l'Évènement* (Washington, National Gallery of Art), *Mme Cézanne au fauteuil jaune* (New York, The Metropolitan Museum of Art), les *Baigneuses* (Londres, National Gallery), le portrait d'*Achile Emperaire* (remis au Musée du Louvre en 1964 grâce à un don souhaité anonyme ; Orsay), *La montagne Sainte-Victoire* et le *Portrait de Geffroy* (ces deux tableaux ayant fait en 1969 l'objet d'une donation anonyme sous réserve d'usufruit seront un jour accrochés au Musée d'Orsay), l'*Idylle* ou *Pastorale* (entrée par dation en paiement de droits de succession au Musée d'Orsay en 1982 avec onze œuvres de Cézanne de l'ancienne collection Pellerin dont certaines ont été mises en dépôt au Musée Granet d'Aix-en-Provence, ville natale du peintre).

G. Pascal, "Les Cézanne de la Collection Pellerin", *Beaux-Arts*, 20 nov. 1929, p. 5. R. Rey, "Trois tableaux de Cézanne", *Bulletin des Musées de France*, déc. 1929, nº 12, pp. 272-275. S. Gache-Patin, "Douze œuvres de l'ancienne collection Pellerin", *La Revue du Louvre et des Musées de France*, avr. 1984, nº 2, pp. 128-146.

PELLERIN Jean Victor
Paris 1889 - Paris 1970

Cet écrivain, auteur de pièces de théâtre (*Terrain vague*, 1931) et de recueils de vers (*Pour et contre*, 1967 ; *Sans vergogne*, 1969), était l'un des deux enfants d'A. Pellerin★. Il hérita donc d'une partie de la collection paternelle. En 1956, pour s'associer à la commémoration du cinquantenaire de la mort de Cézanne, M. et

Mme J. V. Pellerin consentirent à la donation au Musée du Louvre de la célèbre *Femme à la cafetière* (Musée d'Orsay).

PELLIOT Paul Eugène
Paris 1878 - Paris 1945

Le futur grand sinologue, alors qu'il n'était que jeune lieutenant - il s'était engagé comme volontaire pour trois ans en 1898... - avait été agent de liaison détaché auprès du général commandant le corps expéditionnaire britannique des Dardanelles en 1915-1916. C'est sans doute à cette occasion qu'il recueillit dans l'île d'Imbros, située près de l'entrée du détroit, une petite tête de sirène en marbre et un lot de terres cuites qu'il offrit au Département des Antiquités grecques et romaines en 1916.

PELOUSE Mme Léon Germain

Don en 1892 au Musée du Luxembourg d'un tableau de son époux mort l'année précédente : *Grandcamp, vu de la plage* (Orsay).

PENARD y FERNÁNDEZ Ricardo dit Richard
Buenos Aires 1882 - Paris 1960
PENARD y FERNÁNDEZ René
1887 - 1972

Argentin issu d'une famille d'origine française, Richard Penard, qui vécut à Buenos Aires et à Paris, 21 rue Cognacq-Jay, fut un collectionneur passionné d'art français du XVIIIᵉ s. Très lié avec Pierre Verlet, il devint membre du conseil d'administration de la Société des Amis du Louvre en 1950 et enrichit les collections nationales de deux objets majeurs : à Versailles, la paire de chenets du Salon de la Paix (1948), et au Louvre, la célèbre encoignure de Mme de Mailly en vernis Martin blanc et bleu (1951). Après sa mort, sa collection fut vendue au Palais Galliera le 7 décembre 1960, le catalogue de la vente étant préfacé par P. Verlet. A cette occasion, René Penard, frère et héritier de Richard, donna en souvenir de lui la table à la Bourgogne de J. F. Oeben. Le Département des Objets d'Art acquit sept objets à cette vente.

PENEL Jules

Soldat en garnison à Sousse (Tunisie). Don au Louvre d'une lampe en terre cuite trouvée en Tunisie en 1885.

PENNELLI

Don au Louvre en 1866 d'un vase corinthien.

PÉRATÉ André
Nancy 1862 - Versailles 1947

Ancien élève de l'École Normale Supérieure, André Pérate séjourna quelques années à l'École française de Rome après son succès à l'agrégation de lettres. C'est là qu'il commença à rédiger son *Précis d'Archéologie chrétienne*, paru en 1892. Sa carrière se déroula - de 1891 à 1932 - au château de Versailles où il retrouva son ami Pierre de Nolhac, ancien camarade de Rome, avec lequel il devait collaborer pendant vingt cinq ans. Devenu le conservateur du musée en 1919, il continua à publier régulièrement sur le château et ses collections ; mais l'Italie tenait toujours une grande part dans ses curiosités (traduction des *Fioretti* et de la *Divine Comédie*). Son œuvre la plus importante demeure sans doute sa contribution sur la peinture italienne à la monumentale *Histoire de l'Art* d'A. Michel★. A la demande de son neveu Pierre Fabre qui se conformait en cela aux volontés orales de son oncle, le Louvre choisit en 1947 trois tableaux du XIIIᵉ et du XVᵉ s. parmi la collection de Primitifs italiens qu'André Pérate avait constituée au cours de ses voyages.

PERCIER Charles
Paris 1764 - Paris 1838

Architecte. Don en juillet 1838, six semaines avant sa mort, d'une aquarelle *Maison à l'antique au bord de la mer*. En son nom, Fontaine donna en 1840 un album de dessins "provenant de l'une des bibliothèques de l'Impératrice de Russie, Catherine II".

I. Pereire
L. Bonnat, Versailles

PERDRIZET Paul
Montbéliard 1870 - Nancy 1938

Archéologue et épigraphiste, professeur à l'Université de Strasbourg, neveu de Th. Perdrizet*. Membre de l'Institut (1934) ; il dirigea d'importantes fouilles à Chypre en 1896. Don en 1900 et en 1925 de divers objets de Syrie et d'Asie Mineure, ainsi que de plusieurs objets égyptiens, dont une stèle d'Isis, en 1931 et 1934 aux Départements archéologiques.

Revue Archéologique 1938-2, pp. 236-238.

PERDRIZET Théophile

Professeur à l'École militaire de Poltava (Russie), il était l'oncle de P. Perdrizet*. Don en 1903 au Département des Antiquités grecques et romaines de bijoux en or trouvés en Russie méridionale

PÈRE Albert
Paris 1850 - Paris 1935

Notaire, il légua un portrait peint de femme et enfant attribué à Danloux (entré en 1936 ; déposé en 1938 au Musée Carnavalet à Paris, selon le vœu du donateur).

PEREIRE André
Paris 1891 - Paris 1987

Fils d'Henry Pereire* et petit-fils d'Émile, il fit, en 1949, une importante donation (sous réserve d'usufruit auquel il renonça en 1974) qui comprenait, outre des dessins (Saint-Aubin, Rembrandt, Dou, Van goyen, etc.), objets d'art (banquette couverte en tapis de Savonnerie, début XVIIIᵉ s. ; paire de pigeons en porcelaine de Meissen, milieu du XVIIIᵉ s.) et objets d'art grec (quatre têtes d'époque hellénistique), huit tableaux des écoles française, italienne et nordique, parmi lesquels l'*Essaim d'amours* de Fragonard, l'*Ecce Homo* de G.B. Tiepolo et la *Vue du golfe de Naples* de Joseph Vernet.

P. Rosenberg, "La donation Pereire", *La Revue du Louvre*, 1975, n° 4, pp. 258-267.

PEREIRE Henry
St-Cloud 1841 - Paris 1932
PEREIRE Mme Henry, née Léontine de Stoppani
Curytipa (Brésil) 1857 - Paris 1943

Fils d'Émile (1800-1875) et neveu d'Isaac Pereire*, Henry Pereire fit donation, sous réserve d'usufruit, avec son épouse, en 1930, des deux célèbres portraits de Rembrandt, *Albert Cuyper* et sa femme, *Cornélia Pronck*. Lors du décès de son mari, Mme Henry Pereire abandonna son droit à l'usufruit, permettant aux tableaux d'entrer au Louvre dès 1933. A ce don s'ajouta, en 1931, celui de douze plaquettes en bronze de la Renaissance (Italie et Allemagne), dont trois de Giovanni Bernardi et trois de Valerio Belli.

PEREIRE Isaac
Bordeaux 1806 - Armainvilliers (Gretz, Seine-et-Marne) 1880

Les frères Pereire, Isaac et Émile, banquiers importants sous le Second Empire, jouèrent un rôle essentiel dans la création des premières lignes de chemin de fer. Grands collectionneurs, ils constituèrent la galerie Pereire qui fut dispersée entre 1868 et 1872. En 1879, un an avant sa mort, Isaac Pereire offrit au Louvre la *Vision de saint François d'Assise* de Luis Tristan.

W. Bürger, "Galerie de MM. Pereire", *Gazette des Beaux-Arts*, t. XVI, 1864, pp. 193-213 et 297-317.

PEREIRE Marie Henriette
voir **MIR Mme Eugène**

PÈRES BLANCS

Missionnaires de Notre-Dame d'Afrique. Congrégation fondée par le cardinal Lavigerie en 1868 dont le but est d'évangéliser les régions équatoriales de l'Afrique. Don en 1893 de deux épitaphes trouvées à Carthage.

PERI Mlle Marguerite Marie
Chalon-sur-Saône 1884 - 1965

Directrice de l'Institut Adeline Désir, elle donna avec l'accord de la Société immobilière de la Cour du Dragon l'ensemble dit "Porte du Dragon" élevé sur le terrain leur appartenant, 50-52 rue de Rennes à Paris, la porte du Dragon ayant été rayée de l'Inventaire supplémentaire des Monuments historiques en 1948, et sa démolition rendue possible en 1954. Seul le motif central, le *Dragon* en pierre sculpté par Paul Ambroise Slodtz, fut accepté par le Musée du Louvre en 1955.

PERIN Alphonse
Paris 1798 - Paris 1874

Peintre, fils du miniaturiste L. L. Périn-Salbreux (Reims 1753 - Reims 1817). Don de dix miniatures exécutées par son père (1853), de six dessins de son ami V. Orsel (1868) et d'un tableau du même artiste, *Le Bien et le Mal*, du Salon de 1833 (1873 ; dépôt en 1885 à Lyon).

PERIOLLAT Charles Auguste Adolphe, vicomte de Ternas
St-Claude (Guadeloupe) 1854 - ?

Don de la sculpture en plâtre de Pradier, *Sapho*, en 1939.

PERNOLET Arthur
Poullaouen (Finistère) 1845 - Paris 1915

Ingénieur des Mines, député, président du Conseil général du Cher, il avait épousé Élise Césarine Paléologue (1852/53-1906), sœur de Maurice, diplomate et écrivain, et de Marie Zoé, Mme Dietz*. Resté veuf et sans enfant, il désigna pour légataires universels ses neveux, à charge pour ceux-ci de remettre divers legs à des œuvres de bienfaisance, et, au Louvre, une somme de 100.000 F. "en reconnaissance - écrit-il - du bien que m'ont fait les choses d'Art". Ce legs fut immédiatement utilisé pour l'achat, en 1915, de la *Famille de paysans* de Le Nain, et du *Portait de Madame Pasca* de L. Bonnat* (1874 ; Musée d'Orsay) et, en 1916, pour l'acquisition d'une sculpture bourguignonne du XVᵉ s. en pierre peinte : *Saint Jacques pèlerin*.

G. Perrot
Bibl. de l'Institut, Paris

A. Personnaz
P. Paulin, Orsay

PERNOT François Alexandre
Wassy (Haute-Marne) 1793 - Wassy 1865

Peintre de paysage. Don en 1851 de deux des *Vues du bord du Rhin*, dessins au sépia, exposés au Salon de 1827 et 1830.

PERRET-CARNOT Maurice
Beaune 1892 - Neuilly-sur-Seine 1977
**PERRET-CARNOT Mme Maurice,
née Claire Paul-Huet**
Châville 1895 - Neuilly-sur-Seine 1969

Peintre, portraitiste et paysagiste, fondateur de l'Académie de Neuilly. Don en 1934 à la Société des Amis d'Eugène Delacroix qui l'a remise au Louvre ultérieurement, d'une *Académie d'homme* peinte par Delacroix et en 1965 avec sa femme de deux pastels et six aquarelles de Paul Huet (1805-1865) grand-père de la donatrice elle-même fille de R. P. Huet*.

PERRIN Patrick G.

Fils de l'antiquaire Jacques Perrin et formé en Angleterre et aux Etats-Unis, il a ouvert en 1987, à Paris, une galerie qu'il entend consacrer aux dessins, en y organisant des expositions et publiant des catalogues. Don en 1988 d'un dessin de J.-M. Nattier, *Triomphe d'Amphitrite,* préparatoire à une peinture conservée au Musée d'Amiens.

PERROT Georges
Villeneuve-St-Georges (Val-de-Marne) 1832 - Paris 1914

Premier titulaire de la chaire d'archéologie à la Sorbonne (1877), membre de l'Institut, il avait été chargé en 1861 d'une mission d'exploration archéologique dans le centre et le nord de l'Asie Mineure, qu'il publia en 1872. Don d'objets recueillis sur le site de Troie (actuellement Hissarlik, Turquie) en 1893, au Département des Antiquités orientales, et en 1904 d'une clé antique décorée d'un buste de femme au Département des Antiquités grecques et romaines.

Archéologia 216 (sept.86), pp. 73-78

PERSONNAZ Antonin
Bayonne 1854 - Bayonne 1936

D'une famille aisée du Sud-Ouest, il vint à Paris de bonne heure et fut introduit dans les milieux artistiques par le peintre L. Bonnat*, comme lui originaire de Bayonne, et par son ami le peintre symboliste Alphonse Osbert. Client assidu de Durand-Ruel, familier des ventes de l'Hôtel Drouot, Personnaz se lia aussi avec Pissarro, Guillaumin, Degas, et, dès 1880, constitua une collection riche en œuvres impressionnistes. Après la première guerre mondiale, retiré à Bayonne, il se consacra au Musée Bonnat, assumant les fonctions de vice-président de la commission du musée. A. Personnaz a légué aux musées nationaux sa collection comprenant cent quarante-deux peintures, pastels, aquarelles et dessins.

Mme Personnaz conserva la jouissance d'une quarantaine de ces œuvres (parmi lesquelles vingt-quatre Guillaumin) qui furent ensuite mises en dépôt au Musée de Bayonne ; les autres, affectées au Louvre y furent présentées dès 1937. La collection qui, selon les vœux du donateur doit rester groupée, occupe maintenant une salle du Musée d'Orsay après avoir été de 1966 à 1987 au Jeu de Paume. Parmi les pièces maîtresses on peut citer *Le pont d'Argenteuil* de Monet, deux Toulouse-Lautrec, *Le lit* et *Jeanne Avril dansant*, plusieurs Pissarro, Sisley et Guillaumin, sans oublier une peinture de Mary Cassatt*, *Femme cousant*. Mais Personnaz s'est aussi intéressé aux objets d'art et à ce legs de peinture il faut ajouter, un ensemble de quarante-trois faïences hispano-mauresques, ainsi qu'une petite châsse limousine (première moitié du XIIIᵉ s.).

PETER Mme René

Donation en 1948, sous réserve d'usufruit (entré au Louvre en 1968) du *Portrait de René Peter enfant*, son mari, dessiné au pastel par A. Stevens.

PETIT Élie

Don au Musée des Souverains en 1852 d'une petite boîte en palissandre qui aurait été tournée par Louis XVI (déposée au Musée des Arts décoratifs).

PETIT les enfants de Georges

Georges Petit (Paris 1856 - Paris 1920) reprit à la mort de son père en 1877, une galerie déjà prospère. Ayant édifié rue de Sèze une galerie luxueuse que Zola appelait les "magasins du Louvre de la Peinture", G. Petit multiplia les expositions de prestige ; il a été considéré à juste titre comme de goût conservateur (il misa sur les grands noms de l'école de 1830, puis fut le marchand de Besnard, Gervex, etc, plus tard de Cottet, Lucien, Simon,...) à l'opposé de l'attitude d'un Paul Durand-Ruel. Il faut pourtant rappeler que c'est chez Georges Petit que Monet ou Renoir* ont souvent montré pour la première fois des œuvres importantes. En souvenir de leur père, ses enfants, Mlle Marianne Petit, Mme Gerhardt Green de Saint-Marsault, née Andrée Petit, et son mari, ont donné au Louvre en 1928 le portrait de *Georges Petit enfant* par G. Ricard (Musée d'Orsay).

**PETIT-COLLOT Mme
voir SOLVAY Mme Pierre**

**PETIT de VILLENEUVE Mme,
née Anne Marthe Eulalie Clairin**
1854 - Paris 1933

Sœur du peintre Georges Clairin. A offert, en 1930, une œuvre de Louis-Ernest Barrias, buste en bronze représentant le peintre *Henri Regnault*, ami de Clairin (Musée d'Orsay).

PETIT de VILLENEUVE Georges

A donné, en 1930, en exécution du souhait de sa mère, Mme Petit de Villeneuve*, un buste en terre cuite de Louis Ernest Barrias représentant Georges Clairin son oncle (Musée d'Orsay).

PETIT-GÉRARD Pierre Marie Rozier
Strasbourg 1852 - Paris 1933

Peintre. Legs de son portrait dessiné en 1877 par Albert Wolfinger, son camarade dans l'atelier de Gérôme.

PETIT HORY Jacques

Érudit, amateur exigeant de dessins et de bronzes, collectionneur et marchand. Don en 1977 de deux dessins, l'un d'A. Lefèvre, *Psyché et l'Amour*, l'autre de P. Ch. Le Mettay, *Élévation de la Croix*.

PETITJEAN

Antiquaire. Don d'une bague égyptienne en or et grenat décorée d'un Osiris canope, en 1967.

PETITJEAN Mlle Jeanne
Paris 1838 - Paris 1916

Peintre, élève de Thénot et de Watelet, elle exposa au Salon de 1863 à 1880, et enseignait encore le dessin en 1906, date à laquelle elle donna le portrait par Rouget de son maître et parrain, le peintre et critique d'art Jean-Pierre Thénot (1803-1857), auteur d'une dizaine de traités et manuels d'art.

PETRIE sir William Matthew Flinders
Charlton 1853 - Jérusalem 1942

Archéologue anglais, il fouilla en Égypte et en Palestine avant de travailler sur le problème des Hyksos entre 1926 et 1938, et participa à la fondation de l'Institute of Archaeology de Londres, où est conservée sa collection de poteries palestiniennes. Don au Département des Antiquités orientales en 1890 de vases et fragments de poteries trouvées dans le site Tell el-Hesi, premier site de Palestine à être l'objet de fouilles réellement scientifiques.

Revue archéologique 1931, II, pp. 319-320.

PEYERIMHOFF de FONTENELLE Mme de, née Claude Depret

Fondatrice du corps des conductrices de la Croix Rouge, elle fit don au Musée du Louvre (1956) en souvenir de son mari (Henry de Peyerimhoff de Fontenelle, né à Colmar en 1871, Président du comité central des houillères de France, directeur de l'agriculture, du commerce et de la colonisation du Gouvernement général de l'Algérie) d'un bas-relief en albâtre anglais du XVᵉ s. représentant *La descente aux limbes*.

PEYROL Mme
† Paris 1886

Legs d'une broche ornée d'une miniature attribuée à J. B. Greuze.

PEYTEL Joanny Benoît
Paris 1844 - Paris 1924
PEYTEL Mme, née Marie-Anne Chaillou

Directeur de la Compagnie de l'Ouest algérien, président du Conseil d'Administration du Crédit algérien, directeur du Crédit foncier, Joanny Peytel fut aussi vice-président de l'Union centrale des Arts décoratifs, et un grand collectionneur. Il fit divers dons au Musée du Louvre, notamment un sarcophage antique provenant de Cherchel (1903), une *Vierge à l'Enfant* en bronze doré du XIIIᵉ s. (1906) ; en 1909 il participa, à l'instigation de Migeon*, à l'acquisition en bloc de la collection Victor Gay (cf. Mme Victor Gay), dont il assura la coordination financière, et à la suite, à l'acquisition de la plaque d'ivoire ottonienne de la *Multiplication des pains*, et du *Jeune berger*, bronze de Riccio. En 1914, J. Peytel et sa femme donnent sous réserve d'usufruit (abandon en 1918), une série d'objets orientaux (céramiques ; bronzes dont un chandelier, Mésopotamie, XIVᵉ s. ; un tapis, Kachan, XVIᵉ s.), de verres et d'objets d'art d'Extrême-Orient. Cette donation fait également entrer au Louvre des œuvres témoignant du goût très divers du collectionneur : peintures de Bastien-Lepage, Huet, Carrière, et surtout *La route vue du chemin de Sèvres* de Sisley (aujourd'hui au Musée d'Orsay). Les départements des Antiquités égyptiennes et des Antiquités grecques et romaines furent également bénéficiaires de cette donation. Une des nièces de Peytel, Madeleine Odile, avait épousé Ch. Boreux*.

PEZARD Maurice
Reims 1876 - Mont-July 1923

De 1909 à 1911, il collabore aux fouilles de Suse avec J. de Morgan en tant qu'archéologue-épigraphiste. Il publie, en 1913, un volume sur les *Antiquités de la Susiane* en collaboration avec E. Pottier*. Il est engagé comme chef de mission à Bendar-Bouchir. Après la guerre de 1914-1918, il élargit son domaine d'étude à l'Orient musulman médiéval et publie, en 1920, la *Céramique archaïque de l'Islam et ses origines*. Il met à jour, en 1921, sur le site syrien de l'antique Kadesh, une stèle de Séti Iᵉʳ commémorant une victoire égyptienne de 1325 av. J.-C.. Peu de temps après sa mort prématurée en 1923, sa mère fit don de céramiques islamiques, dont trois étoiles de revêtement à décor lustré (Iran, XIIIᵉ s.) et un tesson lustré fatimide représentant un animal fabuleux.

Maurice Pezard attaché au Musée national du Louvre, Paris, 1924.

PHARDYS Nicolas

Médecin et maire de Samothrace, il est chargé par le Ministère de l'Instruction publique d'Athènes d'aller constater sur place l'état d'une colonie hellénistique établie jadis à Corgese en Corse, et parlant encore la langue grecque. Don de fragments d'architecture d'un temple de Samothrace en 1892.

PHILADELPHIA Museum of Art

Fondé en 1875, le Philadelphia Museum of Art eut dès l'origine une vocation encyclopédique. Situé tout d'abord à Fairmount Park, dans un des bâtiments de l'exposition commémorant le centenaire de l'Indépendance américaine (1876), le Memorial Hall, le musée s'installa à partir de 1923 dans un édifice d'inspiration grecque qui abrite aujourd'hui la presque totalité de ses collections. S'étendant de la Préhistoire à nos jours, celles-ci placent le Philadelphia Museum of Art parmi les grandes institutions muséographiques américaines. Le musée fit don au Louvre d'un tableau du peintre Th. Eakins *Clara* (Orsay), originaire de Philadelphie mais formé à Paris (1931).

PHILIBERT Jean Étienne
Marseille 1807 - 1878

Diplomate, vice-consul de France et agent de la Compagnie des Messageries maritimes à Jaffa où il était le seul européen, ami de P. E. Botta. Don en 1866 d'un bas-relief sassanide représentant la *Vénus orientale entre deux femmes assises*, acquis près de Damas.

PHILIPPON Monsieur

Don en 1944 d'un dessin de Bartholomé.

PHILIPPON Albert Charles
Paris ? - Paris 1900

Dessinateur et graveur. Don en 1894 de trois de ses dessins, *Vue de port*, *Bateau chaland* et *Chemin en forêt*.

PHILIPPON Edmond Victor René, comte
Saintes 1869 - Paris 1936

Homme de lettres il légua au Musée du Louvre plusieurs tableaux : un *Portrait de Jean-Pierre Vico* par Varnier, des *Fleurs* par Redon, l'*Ascension du Poilu* par Desvallières, un *Soleil couchant* par Jeanes, deux dessins : un grand dessin à la sanguine par Denis, et son portrait, dessiné au pastel par Bourdelle (déposé au Musée Ingres de Montauban). Ce legs s'accompagna de dons faits pour différents musées de province.

PIAT Alfred

Ingénieur, il se trouvait en Égypte lors de l'élargissement du Canal de Suez (1887-91) et rapporta un relief au nom du dieu Atoum, seigneur de Tchouko (actuel site de Tell el-Maskhouta), qu'il donna au Louvre en 1887.

J. Pierpont Morgan

PIATIGORSKY Mme Gregor,
née Jacqueline de Rothschild

Associée en 1949 au don des héritiers du baron Édouard de Rothschild*, son père, Mme Piatigorsky donna en outre, en 1974, le chef-d'œuvre du peintre P. de Hooch, *La buveuse*, et en 1975, trois rares pièces en faïence dite de Saint-Porchaire : un coquemar aux armes des Montmorency-Laval (v. 1530), une aiguière à anse en forme de sirène (milieu du XVIᵉ s.) et une salière (v. 1570).

PIAZZA Henri
† 1929

Éditeur d'art, il édita plusieurs livres assez connus pour leurs illustrations en couleur obtenues par des procédés photomécaniques. En éditant deux livres illustrés par Mucha : *Ilsée* en 1897 et *Le Pater* en 1900, il devint un des tenants de l'Art nouveau. Il était, par ailleurs, le gendre du peintre Chaigneau dont il donna au Musée du Luxembourg le *Troupeau au clair de lune*, en 1908 (Orsay).

Histoire de l'édition française, le livre concurrencé, tome IV, 1900-1950, Paris, 1986.

PICARD Ernest Georges
Paris 1854 - Paris 1932

Nombreux dons aux départements archéologiques, notamment une terre cuite béotienne figurant *Aphrodite* (1908), une œnochoé d'époque archaïque de style palestinien (1915) et un fragment de *Tête de jeune homme trouvé à Athènes* (1922). Legs entré en 1934 d'un pot à kohl au nom d'Aménophis Iᵉʳ, de deux tableaux de l'école italienne et d'antiquités égyptiennes.

PICARD Philippe-Augustin dit Auguste
Avignon 1846 - Paris 1930

Ingénieur puis chef d'exploitation de la Compagnie des Chemins-de-fer de l'Est, ayant vécu principalement à Paris, il donna un *Éphèbe* de terre cuite au Département des Antiquités grecques et romaines (1884). Il était lié à Ch. Piet-Lataudrie* qui lui légua en 1909 un diptyque d'ivoire du XIVᵉ s. qu'il donna à son tour en 1921 au Département des Objets

d'Art, ainsi qu'un *Christ* de bronze français du XIIᵉ s. et un calice siennois du XIVᵉ s.

PICASSO Mme Pablo,
née Jacqueline Roque
Paris 1926 - Mougins 1986
RUIZ-PICASSO Paul
Paris 1921 - Paris 1975

En 1973, à la mort de Pablo Picasso (Malaga 1881 - Mougins 1973), sa veuve en seconde noces et son fils né d'un premier mariage firent don au Louvre de la collection personnelle de l'artiste, en accord avec l'ensemble des héritiers et répondant ainsi au vœu souvent exprimé par lui-même. Cette collection se compose de trente-huit tableaux (dont Corot, Courbet, Cézanne, Renoir*, le Douanier Rousseau, Matisse, Miro, Braque, Balthus...) et de treize dessins et monotypes (notamment Degas). Toutes ces œuvres furent transférées au Musée Picasso qui ouvrit en octobre 1985.

Donation Picasso. La collection personnelle de Picasso, Paris, RMN, 1978.

PICHAT-COPPIER Mme

Don en 1949, du portrait du graveur A. Ch. Coppier (1867-1948) son père, peint par Besnard (Orsay).

PICHON Mme Stephen

Femme de Stephen Pichon (1857-1933) ministre plénipotentiaire, sénateur du Jura (1906-1924) et plusieurs fois ministre des Affaires étrangères entre 1906 et 1920. En 1934 Mme Pichon légua son portrait peint par Renoir* en 1895, (dépôt au Musée de Nice).

PICHOT Geneviève, Mme Jean de La Peyre

"Estimant être dépositaire de collections et de biens familiaux, pour assurer leur pérennité en a fait don à des établissements, institutions et musées". Particulièrement généreuse avec les musées de Poitiers, sa ville natale, et avec l'Institut de France, elle a fait don d'un album de dessins en 1979.

PIERPONT MORGAN John Sr.
Hartford (Connecticut) 1837 - Rome 1913

Fils du financier Junius Spencer Morgan (1813-1890) et à la tête d'une des plus célèbres fortunes de États-Unis, John Pierpont Morgan réunit une gigantesque collection à laquelle il se consacra presque exclusivement à la fin de sa vie. Plus porté vers les objets et les arts décoratifs européens de l'Antiquité au XVIIIᵉ s. que vers la peinture (à l'exception des manuscrits médiévaux), entretenant des commissionnaires dans toute l'Europe, lié aux plus grands marchands du temps (J. et S. Goldschmidt, J. Seligmann*, Durlacher et Löwengard à Paris, les Duveen* et Danniell à Londres, Imbert à Rome...), achetant d'un coup des collections entières (Gréau, Ward, Hœntschel, Le Breton...), il est le type même du grand collectionneur américain et tout puissant (il réussit à faire abolir en 1912 la taxe d'importation d'œuvres d'art anciennes aux États-Unis). Volontiers mécène et philanthrope, il fonda le Morgan Memorial d'Hartford (1893) et participa activement au financement du Metropolitan Museum de New York dont il assura la présidence à partir de 1904. A la suite de l'affaire du buste-reliquaire de St-Martin-de-Soudeilles (Corrèze), aliéné illégalement et remplacé par une copie, il décida d'offrir le buste au Louvre (1911) ainsi que deux émaux byzantins du XIIᵉ s. (médaillon de *Saint Démétrios* et fragment décoratif du *Triptyque de Khakhouli* en Géorgie). A sa mort, son fils John Pierpont Jr. (1867-1943) se sépara de la majeure partie des collections paternelles, surtout par don au profit du Wadsworth Atheneum d'Hartford (1916), du Metropolitan Museum (1917) et en transformant en institution publique la Pierpont Morgan Library de New York (1924).

H. L. Satterlee, *J. Pierpont Morgan : An Intimate Portrait*, New York, 1939. Cat. exp. *J. Pierpont Morgan, collector*, Hartford, Wadsworth Atheneum, 1987.

PIERRET

Secrétaire du comité formé en 1814 pour le rétablissement sur le Pont Neuf de la statue de Henri IV exécutée par Lemot. Don en 1850 d'un tableau de Francken, *Vertumne et Pomone*.

Ch. Piet-Lataudrie
J. Bastien-Lepage, Musée de Niort

Mme R. Pigeaud

E. Piot

PIERRET Mme Charles Joseph,
née Charlotte Aubry
Rambouillet 1817 - Paris 1903

Don de l'*Autoportrait* d'E. Aubry par sa petit-fille en 1864 (non localisé depuis 1925).

PIET LATAUDRIE Charles
Niort 1837 - Paris 1909

Fils d'un avocat et descendant d'une très ancienne famille de Niort, il avait épousé Marie-Augustine Goy, fille d'un collectionneur parisien et vécut principalement à Paris. Avec sa femme il réunit pendant plus d'une quarantaine d'années une collection d'objets d'art du Moyen-Âge, de la Renaissance et de l'Islam. Par testament (1894 et 1905), il légua la majeure partie de ses collections au Musée de Niort (plus de six cents objets) en réservant un choix de chefs-d'œuvre pour la Bibliothèque nationale (dix bronzes et terres cuites antiques), le Musée de Cluny (vingt bronzes et plaquettes de la Renaissance), le Musée des Arts décoratifs (dix émaux peints), le Musée du Sèvres (dix céramiques italiennes et orientales) et le Département des Objets d'Art (vingt-cinq objets). Ce dernier reçut notamment un *Apôtre* en bronze doré (figure d'applique, France, XIIᵉ s.), un fermail orné d'un émail de plique du début du XIVᵉ s.), un vase de Faenza daté de 1548 et treize œuvres majeures des arts de l'Islam (aujourd'hui à la Section islamique) dont trois objets de métal incrusté (aiguière du Khorassan, datée de 1190-1191 ; "chandelier aux canards", Khorassan, fin XIIᵉ-déb.XIIIᵉ s. ; bassin signé el Mawzili, Égypte ou Syrie, 1285-1286), le "panneau aux étoiles" de céramique (Kachan, XIIIᵉ s.) et un plat d'Iznik (fin XVᵉ-déb. XVIᵉ s.). Le Département des Peintures reçut son portrait par Bastien-Lepage (déposé à Niort en 1969). Mme Piet Lataudrie († 1914) s'associa aux libéralités de son mari en léguant à son tour (1909 et 1912) le reste de la collection aux musées de Niort, de Sèvres, de Cluny, du Petit-Palais, de Carnavalet et des Arts décoratifs.

G. Migeon, "La Collection de M. Piet-Lataudrie", *Les Arts*, août 1909 nᵒ 92, pp. 2-32. C. D., "Le legs Piet Lataudrie au Musée du Louvre", *Bulletin des musées de France*, 1909, pp. 24-25. Marmuse, *Catalogue descriptif des objets en fer léguées au musée de Niort par M. Piet Lataudrie*, 1911 (extrait des *Mé-*moires de la Société historique et scientifique des deux Sèvres*, VII, 1911, pp. 363-366). E. Breuillac, *Musée départemental de Niort, Inventaire des objets légués par M. et Mme Piet Lataudrie*, Niort, 1916.

PIGEAUD Mme Raymond,
née Denise Fouqué

Don au Louvre en 1954 d'une cruche cycladique trouvée à Santorin (Mission Fouqué*, 1867).

PILLAUT Mme Julien,
née Augusta Marceline Bodin
Luçay-le-Mâle (Indre) 1879 - Lisieux 1958

Cousine de Mme Escholier*. A légué des peintures et des dessins de Vestier, Delacroix, L. Riesener*, Manet et Berthe Morisot, hérités de son mari J. Pillaut (1875-1947) dont la mère, née Rosalie Riesener se trouvait liée à tous ces artistes. Mme Pillaut légua aussi le château de St-Germain-de-Livet (Calvados) à la ville de Lisieux.

PILLET-WILL Frédéric Alexis Louis,
comte
Paris 1837 - ap. 1909

Administrateur de la Compagnie des Chemins de Fer du Nord, il donna en 1889 deux tableaux de J. N. Robert-Fleury, *Galilée au Saint Office ; Réception de Christophe Colomb.*

PINARD Henry

Ami et exécuteur testamentaire du comte Robert de Montesquiou (1855-1921) qui l'avait chargé de remettre au Musée du Jeu-de-Paume son portrait peint par Boldini, ce qui fut fait en 1922 (Orsay).

PINART Mme Albert, née Suzanne Estelle Courteaux
Soissons 1866 - Nice 1928

Elle a légué, sous réserve d'usufruit en faveur de son mari, deux esquisses peintes du plafond de la grande salle des fêtes de Schönbrunn, esquisses dues à Gregorio Guglielmi mais que la donatrice attribuait à Boucher. Après le décès de M. Pinart (1930) les tableaux furent présentés au Comité en 1931 et définitivement acceptés par décret en 1939.

PINOT Pierre
Chateau-Gontier 1885 - Paris 1944

Conseiller d'État en 1937, il était le neveu de Pierre-Emmanuel Tirard (1827-1893), député et ministre sous la Troisième République, dont il légua les portraits l'un peint par Carolus-Duran en 1885 (entré au Louvre en 1945) et l'autre par le sculpteur Saint-Marceaux*.

PIOT Eugène
Paris 1812 - Paris 1890

Il côtoya des artistes, des poètes et des écrivains comme Gérard de Nerval et Théophile Gautier avec lequel en 1840 il entreprend un voyage en Espagne relaté par Gautier dans *Tras los montes*. En 1842, Eugène Piot créa *Le Cabinet de l'amateur et de l'antiquaire*, "prototype de la revue d'art documentaire et critique" (E.Bonnaffé), qui cessa de paraître dès 1846 et fut repris de 1861 à 1863. Voyageur infatigable et amateur d'art très éclairé, il a parcouru l'Europe, l'Asie Mineure, l'Égypte... et séjourné plusieurs fois en Italie dont il rapporte de nombreuses œuvres d'art. A diverses reprises, ses collections ont été mises en vente et certains objets proposés en vain au Louvre. En 1889, Eugène Piot a fait de l'Académie des Inscriptions et Belles-Lettres sa légataire universelle en lui laissant le libre emploi de ses biens, exceptées plusieurs pièces précieuses qu'il a destinées au Louvre et à la Bibliothèque nationale, notamment le *Saint Christophe* en bois de Francesco di Giorgio Martini, la *Tête de Michel Ange* en bronze attribuée à Daniele da Volterra, le retable en bois sculpté de la *Vie de sainte Anne* et une copie peinte d'après Raphaël, *Tête de sainte Élisabeth*. Il léguait en outre un fragment d'architecture provenant du Parthénon, cinq ampoules à eulogie provenant d'Ephèse et trois panneaux en marqueterie italienne de la Renaissance, autrefois à San Benedetto Novello de Padoue. L'Académie décida de créer une publication annuelle, *Fondation Piot. Monuments et Mémoires*, les célèbres "Monuments Piot" qui rassemblent des études sur l'art antique et l'art médiéval. Enfin, l'Académie des

C. Pissarro
Autoportrait, Orsay

Mme N.L. Planat de La Faye
L. Knaus, Orsay

Beaux-Arts décerne, au nom d'Eugène Piot, un prix pour un tableau ou une sculpture représentant un enfant nu de huit à quinze mois.

L. Courajod, "Eugène Piot et les objets d'art légués au Louvre", *Gazette des Beaux-Arts*, mai 1890; M. Tourneux, *Eugène Piot. Notice lue à l'Assemblée générale annuelle de la Société des Amis du Louvre*, Paris, 1908.

PIRBRIGHT Lady Sarah
† Londres 1914

Épouse du baron Henry Pirbright, elle légua, en souvenir de son mari, un tableau alors attribué à Turner (entré en 1915).

PIRENNE Mlle Jacqueline

Explorateur-archéologue. Don de pièces sud-arabiques : dalle en albâtre inscrite de Qataban et tête sabéenne en albâtre (1962).

PISSARRO Camille
St-Thomas (Virgin Islands) 1830 - Paris 1903

Peintre. Son intention de donner au Musée du Luxembourg sept dessins de Seurat, a été réalisée en 1904 par son fils Lucien Pissarro (1863-1944).

PISSARRO Félix
Beynal-Cazenac (Dordogne) 1917 - Menton 1984

Petit-fils de Camille, fils de Georges Manzana Pissarro (1871-1961). Don en 1972, d'un dessin de son père, *Portrait en buste de Toulouse-Lautrec*.

PISSARRO Paul-Émile
Eragny 1884 - 1972

Le plus jeune fils du peintre Camille Pissarro* qui fut peintre lui-même donna sous réserve d'usufruit en 1930, le *Portrait de l'artiste* par son père; entré en 1947 dans les collections nationales (Musée d'Orsay).

PLANAT de LA FAYE Mme Nicolas Louis, née Frédérique Élisabeth Kerstorf
Munich 1804/05 - Paris 1893

Veuve de Nicolas Louis Planat de La Faye (Paris 1784 - Paris 1864), officier d'ordonnance de Napoléon Ier, dont elle édita les souvenirs (publiés à titre posthume en 1895). Amateur d'art, elle protégea avec son mari plusieurs peintres allemands résidant à Paris. Elle légua son portrait par Ludwig Knaus (Musée d'Orsay) et celui de son époux par Hermann Winterhalter, frère de Franz-Xaver.

PLANKER KLAPS baronne Émile de, née Irène Arnim
Hongrie ? - Vienne 1936

Don en 1926 d'une gouache de l'école hollandaise du XVIIe s. (dépôt au Musée des Arts décoratifs).

PLATT Marcel
† Viarmes 1972

Antiquaire parisien, spécialisé en numismatique et en archéologie, élève du chanoine Drioton*. Don en 1950 d'un scarabée de Touthmosis III.

PLEYSIER Ary
Naardingen 1809 - Amsterdam 1879

Peintre de marine, il entretenait des rapports apparemment amicaux avec la princesse Mathilde* et le comte de Nieuwerkerke*. Don de son tableau du Salon de 1864, *Rencontre de pêcheurs dans le canal anglais, par une forte brise* (d'abord placé au Musée du Luxembourg, puis déposé en 1885 au Musée de Grenoble).

PLINE J.

Don au Louvre en 1860 de fragments de céramique et d'une lampe à inscription, d'époque gallo-romaine, trouvés à Lyon.

PLOTON Mme, née Blanc
† Neuilly-sur-Seine 1934

Legs de trois dessins aquarellés d'Eugène Boudin, ainsi que de trois dessins de Rosa Bonheur destinés au Musée de Fontainebleau.

PLOYER Joseph Edmond
Paris 1841/42 - Paris 1916

Avocat, ancien bâtonnier de l'Ordre du barreau de Paris, il légua (entré en 1917) le *Portrait de l'acteur Wolf, dit Bernard (1778-1850)* peint à Bruxelles non par David - nom sous lequel il figura jusqu'en 1985 - mais par son élève Sophie Rude, (qu'il avait acquis en 1902), un *Portrait de femme* de l'École française du milieu du XVIIIe s. autrefois attribué à La Tour (déposé en 1976 à l'Ambassade de France à Londres par le Mobilier national), et un *Paysage d'Italie* par Bargas, autrefois attribué à J. Both. Le musée de l'Opéra reçut également en legs le *Portrait de Reyer* par Henner.

POIDEBARD père Antoine
Lyon 1878 - Beyrouth 1955
MULLER

Le père Poidebard fut l'un des pionniers de la détection aérienne des ruines antiques du désert de Syrie et des vestiges sous-marins des ports. Il donna, conjointement avec le commandant Muller, une statue de Tell Brak (Haute Mésopotamie), découverte par celui-ci alors que sur sa colonne construisait un pont sur le Tigre, en Syrie, en 1930.

Général de Dumast, "Le Père Poidebard", *Forces aériennes françaises*, mai 1955. "Le Père Poidebard", *Mélanges de l'Université Saint-Joseph*, 1878-1955, t. XXXI, fasc.5, pp. 318-324.

POIRET Mme Edmond

Veuve d'un ancien préposé au Cabinet des Dessins ; don en 1938, en souvenir de son mari, d'un dessin d'A. Roll, *Couple dans un parc*.

POIRSON Auguste Pierre Marie
Paris 1836 - Paris 1896

Artiste peintre. Legs à la ville de Bordeaux de ses collections (trois cent cinquante tableaux dont le *Carré de viande* de Chardin) et d'une somme de 50.000 F. dont le revenu, attribué lors d'un prix décerné tous les deux ans, permettra à un jeune artiste bordelais de se perfectionner à l'étranger ; la ville de Paris reçut dans le même but la somme de 100.000 F. D'autres institutions, dont la bibliothèque Sainte-Geneviève, l'Union centrale des Arts décoratifs et la Société des Artistes français dont il était membre, reçurent d'importants témoignages de son insigne générosité. Le Musée du Louvre reçut 80.000 F. , dont les revenus permirent notamment l'acquisition d'œuvres égyptiennes, chinoises, gothiques, d'un coffret d'ivoire byzantin et surtout d'un *Cerbère* en bronze (Italie, déb. du XVIIᵉ s.) provenant des collections de la Couronne.

POLIGNAC princesse Edmond de, née Winnaretta Singer
Gonkers (E. U.) 1865 - Londres 1943

Fille de l'industriel américain dont le nom est devenu synonyme de machine à coudre, et d'une française, Winnaretta Singer a manifesté très tôt ses goûts pour la musique et la peinture. Peintre elle-même, elle fut aussi un des premiers amateurs de Monet (lui ayant acheté dès 1886 le *Champ de tulipes en Hollande* qu'elle légua au Louvre, avec deux autres œuvres de l'artiste, *Les Dindons* et *La Barque à Giverny*, ainsi qu'un Manet, *La lecture*, deux œuvres de Pannini, et un dessin d'Ingres*) ; lorsqu'en 1889 Monet prit l'initiative d'une souscription publique afin d'offrir à l'État l'*Olympia* de Manet, la princesse Winnie, comme l'appelaient ses amis peintres était parmi les premières à répondre en offrant 2. 000 F. Après avoir été mariée en première noces au prince Louis de Scey-Montbeliard, elle épousa en 1893 le prince Edmond de Polignac. Leur bel hôtel particulier, à l'angle de l'avenue Georges Mandel et de la rue Cortambert (siège actuel de la Fondation Singer-Polignac), fut le théâtre de soirées musicales célèbres où l'on créa des œuvres de Fauré, Ravel, Satie, Manuel de Falla, Stravinski. Mécène dans l'âme, la princesse de Polignac dota la fondation qui porte son nom et qui a pour objet soit de concourir par ses dons à des entreprises intéressant la science, la littérature, les arts, la culture et la philanthropie françaises, soit de décerner des prix importants attribués à l'ensemble d'une œuvre scientifique ou littéraire due à un français (voir aussi Donation anonyme canadienne).

M. de Coosart, "Princesse Edmond de Polignac, Patron and artist", *Apollo*, août 1975, pp. 133-135. Plaquette *Fondation Singer Polignac*, avec préface de Gaston Palewski, Paris, 1985.

POLITIS Nicolas
Corfou 1872 - Cannes 1942

Ministre des Affaires étrangères de Grèce, ambassadeur de Grèce à Paris de 1924 à 1940, il fut président de la Société des Nations en 1933, puis président de l'Institut de Droit international en 1937. Don d'un sarcophage égyptien en 1911.

POLO Roberto
POLO Mme Roberto, née Rosa Suro

Après ses études d'histoire de l'art à la Corcoran School of Art et à l'American University de Washington, puis à la Columbia University de New York, R. Polo se consacra d'abord à la peinture puis s'orienta vers les affaires. Amateur passionné, aidé par de grandes connaissances, il a collectionné à un haut niveau dans des domaines très variés : peinture moderne (Bonnard, Van Dongen), mobilier Art déco, art du XVIIIᵉ s. français (peinture, mobilier, porcelaine de Sèvres), pierres précieuses. Il a d'abord donné en 1986, au nom de sa mère, Mme María Teresa Castro de Polo, le vase de Sèvres offert par Napoléon à sa mère en 1811, lors du baptême du roi de Rome. Puis la générosité de M. et Mme Polo a permis l'entrée au Louvre d'une série d'œuvres majeures : une jatte à punch en porcelaine de Vincennes ; la couronne de l'impératrice Eugénie (1855), seule couronne de souverain français subsistant dans son état d'origine, et un chef-d'œuvre de Fragonard, *L'Adoration des bergers*..

POMME de MIRIMONDE Mlle Daria Adèle
Gand (Belgique) 1840 - Paris 1911

Elle Légua en 1911 trois études dessinées pour les *Funérailles d'Atala* et le *Déluge* (Louvre) par Girodet et une étude pour le *Radeau de la Méduse* (Louvre) par Gericault.

POMMERY Mme Alexandre, née Alexandrine Melin
Annelles 1819 - Reims 1890

Alexandrine Melin, épousa en 1840 Alexandre Pommery qui venait d'acquérir un négoce de vins de Champagne. La mort subite de son mari en 1858, la laissant avec deux enfants, l'obligea à se lancer dans les affaires. La maison Pommery fut la première à commercialiser le "champagne brut" qui eut un succès retentissant ce qui permit à Mme Pommery de s'implanter en Angleterre, en Amérique etc... En 1889, Mme Pommery dut faire face à des "bruits" laissant entendre qu'elle avait des difficultés financières. Elle acheta alors pour 300.000F., les *Glaneuses* de Millet que les Américains menaçaient d'acquérir et en fit immédiatement donation avec usufruit au Louvre. Elle put ainsi faire cesser ces "bruits", rassurer ses fournisseurs et montrer à la fois son goût pour l'art et son patriotisme.

R. Bonnedame, *Notice sur la Maison Vve Pommery Fils et Cie*, Epernay, 1892.

PONCET Roland

Joannes Poncet († 1971), directeur du Comptoir Lyon Alemand, s'associa en 1943 avec Louis-Victor Puiforcat, père de Jean Puiforcat, puis, après la mort de L. V. Puiforcat (1955), devint président directeur général de Puiforcat. Mme J. Poncet (auteur de *Puiforcat ; L'Orfèvrerie française et étrangère*, Paris, 1981),

Princesse Ed. de Polignac

N. Politis

Mme A. Pommery

Mme A. Pontillon
B. Morisot, Louvre

E. Pontremoli
Bibl. de l'Institut, Paris

H. Porgès
J.J. Henner, Orsay

lui succéda. Leur fils, M. Roland Poncet, après avoir fait des études de droit, fut directeur général de Puiforcat de 1969 à 1980, date à laquelle sa mère et lui vendirent la maison. Il est maintenant co-propriétaire de la galerie Suger au Louvre des Antiquaires. Collectionneur d'orfèvrerie, il a donné en 1985, en souvenir de Louis-Victor Puiforcat et de sa belle-sœur Elise Puiforcat, une tabatière en or offerte par le duc de Bordeaux en 1842, puis, en 1986, un service à café en argent de F. D. Froment-Meurice (v. 1840).

PONTILLON Mme Adolphe, née Edma Morisot
Valenciennes 1839 - Paris 1921

Manifestant très tôt des dons pour la peinture, Edma Morisot eut les mêmes maîtres (Corot est le plus célèbre) et les mêmes amis peintres, Fantin-Latour, Degas, Manet etc... que sa sœur Berthe. Son mariage en 1869 avec Adolphe Pontillon, un officier de marine ami de Manet, mit fin à sa carrière comme artiste et on se souvient surtout d'elle comme du modèle de la jeune mère du *Berceau* de Berthe Morisot. Elle légua son portrait au pastel par Berthe Morisot, entré au Louvre en 1929.

PONTREMOLI Emmanuel
Nice 1865 - Paris 1956

Architecte français, prix de Rome en 1890 et membre de l'Académie des Beaux-Arts depuis 1922. Il a publié avec Haussoulier les *Fouilles du sanctuaire d'Appolon à Didymes* (1896-1897) et avec Max Collignon, *Pergame, restauration et description des monuments de l'Acropole* (1900). Don en 1951 d'un bronze provenant de Didymes.

POPE Arthur Upham
1881 - 1969

Fondateur et directeur du *Asia Institute de l'Université Pahlavi de Chiraz* (New York). Don en 1931 d'un pendeloque du Louristan et en 1934 d'une coupe en terre cuite iranienne.

PORGES Mme Hélène
Paris 1864 - Neuilly-sur-Seine 1930

Elle étudia la peinture avec Carolus-Duran et Henner et exposa des portraits au Salon des Artistes français de 1886 à 1891. Durant quelques années, elle fut l'épouse du juriste Albert Wahl, dont elle divorça. Sans avoir à proprement parler un "salon" (encore qu'elle aurait peut-être aimé succéder à Mme de Cavaillet à la mort de celle-ci), elle recevait chez elle nombre de personnalités politiques et littéraires, parmi lesquelles Anatole France, Jules Lemaître, André Hallays et surtout Poincaré, avec qui elle fut tout particulièrement liée. Mme Porgès légua au Louvre son propre portrait peint par Henner (Musée d'Orsay) et une *Vue de Nimègue* par Van Goyen. Elle laissait à la Bibliothèque nationale des lettres et des manuscrits de ses amis écrivains et cinquante lettres de Poincaré.

PORTO comtesse da, née Stéphanie de Nicolay
Paris 1814/15 - Paris 1886

Légua le *Portrait de Madame Visconti* par Gérard (Salon de 1810), entré en 1888. Son mari, Jean-Baptiste Frédéric, comte da Porto, était le petit-fils du modèle.

POSNO Gustave

Joaillier d'origine néerlandaise, il rassembla au Caire une importante collection d'antiquités qui fut vendue à Paris en 1883. Les objets les plus prestigieux, en particulier les bronzes, furent acquis par les musées du Louvre, du Petit-Palais à Paris, de Berlin et Copenhague. Don en 1894 de la partie inférieure d'une statue égyptienne d'homme portant des inscriptions magiques, en 1894.

POTOCKI Félix-Nicolas comte
Tulczyn (Pologne) 1845 - Paris 1921

Descendant d'une illustre famille aristocratique polonaise, le comte Félix-Nicolas Potocki a légué au Louvre deux tableaux, le *Portrait de l'architecte La Tour* - qui fut l'architecte des Potocki à Tulczyn - par G. B. Lampi, et un *Portrait d'homme*, autrefois dit *Portrait du frère*

de Rembrandt, sans doute exécuté au XVIIIᵉ s. d'après un original de Rembrandt. Ces œuvres entrèrent au Louvre en 1922. Son épouse, la comtesse Potocka, décédée en 1931, a légué au Musée Bonnat de Bayonne son propre portrait par L. Bonnat*.

POTTIER Edmond
Sarrebrück 1855 - 1934

Archéologue, conservateur au Département des Antiquités orientales de 1908 à 1925 ; consacra ses recherches à mesurer la part des apports orientaux dans le monde grec. Don en 1888 d'une statuette d'*Isis* en bronze provenant d'Athènes, de plusieurs céramiques grecques en 1904. Don en 1933 d'une œnochoé à figures rouges (Italie méridionale), et en 1935 d'objets chypriotes ; legs de céramiques grecques.

Revue Archéologique, 1934, II, V et XVIII.

POTTIER Mme Edmond, née Madeleine Gorges

Don en 1934 en souvenir de son mari E. Pottier* de statuettes et céramiques de Grèce et d'Asie Mineure, et de son portrait exécuté par A. Besnard alors qu'elle était enfant.

POTTIER Édouard
Strasbourg 1839 - Rochefort 1903

Contre-amiral commandant la division de l'Escadre de la Méditerranée. Détaché en Crète de 1896 à 1899. Don en 1898 d'une inscription grecque provenant de Poros et contenant une suite de décrets de la ville d'Olus.

POTTIER Léon

Ingénieur, directeur des Carrières de l'Ouest. Don au Louvre en 1899 d'un petit *Cerf* en bronze trouvé en Bretagne, à Erquy.

POTTIER René

Don, en 1921, dans le cadre d'un don collectif avec M. et Mme O. Homberg*, Gulbenkian*,

Ed. Pottier
J.C. Chaplain, Louvre

Mme Ed. Pottier
A. Besnard, Orsay

L. Henraux*, et Ch. Gillet*, de céramiques islamiques, d'une coupe à décor de bovidé (Iran, région de Zendjan, XIIᵉ s.).

POUJADE Pierre Eugène
Ile Maurice 1813 - Alexandrie 1885

Diplomate. Don en 1852 d'une *Tête de Méduse* en marbre blanc trouvée à Athènes.

POULLE

Président de la Société archéologique de Constantine (Algérie). Don au Département des Antiquités grecques et romaines d'une inscription en plomb et d'un cylindre de bronze en 1875 et au Département des Antiquités orientales d'une stèle latine et néo-punique en 1889.

POURTALÉS Mme de, née Suzanne Giron

Fille du peintre suisse Ch. Giron (1850-1914). Don en 1973 d'un dessin de son père intitulé par lui *Moucherons*, études d'enfant en diverses positions.

POURTALES-GORGIER
James Alexandre comte de
Neuchâtel (Suisse) 1766 - Paris 1865

Fils d'un riche marchand protestant, anobli par Frédéric-Guillaume III, son hôtel parisien pseudo-florentin construit en 1835, renfermait une fabuleuse collection rassemblée par son frère Albert-Alexandre, diplomate vendue en 1865 (6 février-21 mars). Don en 1853 d'une stèle en calcaire du règne de Ramsès II.

POZZI Monsieur

Conducteur des Ponts-et-Chaussées à Aïn-Beida, province de Constantine. Don en 1890 de deux inscriptions chrétiennes trouvées l'une à Aïn-Fakroum, l'autre à Enchir-Tifa.

POZZI Jean Félix Anne
Paris 1884 - Paris 1967

Fils du professeur S. Pozzi, vice-président de l'Académie de Médecine et sénateur de la Dordogne. Diplomate, il fut délégué français au Congrès archéologique de Syrie à Beyrouth (1926). Sa compétence dans les affaires du Proche-Orient le désigna pour représenter la France à la Commission des Détroits d'Istanbul (1926) et aux deux conférences de Montreux (1936 et 1937) sur les Détroits et sur l'abolition des Capitulations en Égypte. Très lié à la diplomatie anglaise et grecque et aux marchands d'art de Londres, il réussit à obtenir plusieurs dons importants de documents pour les Archives du Ministère des Affaires Étrangères dont il est nommé de service en 1937. Auteur d'articles diplomatiques, archéologiques et historiques dans un grand nombre de revues et de journaux (*Revue des Deux-Mondes*, *Gazette des Beaux-Arts*, *L'Illustration*...). Divers dons au Louvre entre 1934 et 1938 de fragments de céramique coptes, byzantins et perses, ainsi que d'un chapiteau d'applique byzantin en marbre blanc orné d'une croix pattée et de feuillages.

PRACHE Mme Gérard
voir PAILLARD Étienne

PRADIER héritiers de James

Le sculpteur J. Pradier (Genève 1790 - Bougival 1852) laissait de son mariage avec Louise d'Arcet, célébré en 1833 et rompu en 1845, trois enfants, tous mineurs : Charlotte, née en 1834, Jean-Jacques dit John né en 1836 et Thérèse, née en 1839. En leurs noms leur tuteur, le sculpteur E. Lequesne*, fit don de douzes dessins de leur père.

PRAT Louis-Antoine

Écrivain et historien d'art, il est l'auteur de cinq romans et d'un recueil de nouvelles. Collectionneur de dessins français du XVIIᵉ au XXᵉ s., L. A. Prat a publié des articles sur la collection Philippe de Chennevières, sur le dessin français du XVIIᵉ s. (Perrier) et du XIXᵉ s. (Ingres*, Delacroix, Puvis de Chavannes). On lui doit l'*Inventaire des dessins de Chassériau* conservés au Cabinet des Dessins du Louvre (1988). L. A. Prat et son épouse Véronique Prat, responsable de nombreux articles consacrés aux œuvres d'art et aux collectionneurs dans le *Figaro Magazine*, ont donné au Département des Peintures un *Caton d'Utique* attribué à Langetti et *La toilette de saint Jean-Baptiste* de Mallet (donnée sous réserve d'usufruit en 1975, entrée au Louvre en 1986) ; au Cabinet des Dessins des pièces de Carpeaux, Flers, Aubert, la *Conversion de saint François Borgia* de Pietro della Vecchia (1987) et, avec réserve d'usufruit (1977) un *Projet pour la parfumerie Pivert* d'A. Besnard.

PRATT E.

Membre de la Société de l'Histoire de la Pharmacie. Don en 1924 d'une pastille en terre de Lemnos avec inscription et décor estampillé, au Département des Antiquités grecques et romaines.

PREMOREL-HIGGONS Stephen de

Viticulteur. Membre de la Commission des Beaux-Arts alliée en Autriche après la seconde guerre mondiale. Il donne en 1967 deux dessins de Louis de Boullogne le Jeune.

PRESTEL Mme André,
née Solange Granday
Melun 1929 - Paris 1983

Par testament de 1971 elle institua pour légataire universel le Département des Peintures du Musée du Louvre. Ce legs important fut accepté en 1985, et, en 1988, constitua l'apport initial et déterminant qui permit (avec l'aide d'une souscription nationale et d'un crédit exceptionnel du Ministère des Finances) l'acquisition, à l'Association des Oeuvres hospitalières françaises de l'Ordre de Malte, du *Saint Thomas* de Georges de La Tour.

PREVOT Jules

Banquier. Don au Musée du Luxembourg en 1892 de *La femme au loup*, tableau de Weisz (dépôt au Sénat).

Comte G. Primoli
F.S. Bac, Musée du Petit Palais, Paris

P. Prouté

P. Puvis de Chavannes
Autoportrait, Musée du Petit Palais, Paris

PREYER Abraham
† Bruxelles 1927

Principal marchand des artistes de l'École de La Haye dont il diffusait l'œuvre en Hollande, mais aussi aux États-Unis. A partir de 1918, et après avoir abandonné ses galeries de La Haye et d'Amsterdam, il s'installa à Paris. Les œuvres de Bosboom, Israels, Maris, Mauve et Blommers, qu'il a léguées au Musée du Luxembourg aujourd'hui au Musée d'Orsay sont les seules qui représentent, dans les collections françaises l'École de La Haye.

"La donation Preyer au Louvre", *Beaux-Arts*, n° 10, 15 mai 1926. Cat. exp., *L'École de La Haye*, Paris, Grand-Palais, 1983.

PRIMOLI comte Giuseppe
Rome 1851 - Rome 1927

Arrière-petit-fils de Lucien Bonaparte et fondateur du *Museo Napoleonico* de Rome. Don en 1927 d'un portrait au pastel de la princesse Mathilde par E. Giraud.

PRINET M. et Mme R. X.
voir **BERSIER et LEBÉE**

PRINGAULT

Don en 1895 d'une plemochoé attique et d'un vase à relief provenant de Milo.

PRINS Pierre René
Paris 1905 - Paris 1971

Petit-fils du peintre et pastelliste P. E. Prins (1838-1913) ; don en 1966 de six pastels de son grand-père.

PRIVAT Louis Marie
Mèze (Hérault) 1843 - Hyères 1929

Chef de bataillon au 4ᵉ régiment de Tirailleurs algériens à Sousse (Tunisie) de 1885 à 1891 ; lieutenant-colonel au 141ᵉ régiment d'Infanterie à Marseille de 1892 à 1895 ; général de division en 1904. Don au Louvre d'une statue de Bès provenant d'Afrique du Nord en 1891 et de deux plaques de plomb trouvées à Sousse en 1893.

PROICÉE Monsieur

Don en 1938 de six dessins de François Fortuné Antoine Ferogio et d'un *Portrait d'homme* par M. M. Drölling.

PRONY Gaspard Clair François Marie Riche, baron de
Chamelet (Rhône) 1755 - Paris 1839

Ingénieur, mathématicien et physicien. Il donna, ou légua, un portrait au pastel de Jean-Baptiste Perronnet (1708-1794) dont il avait été le collaborateur, en particulier pour la construction du pont de Neuilly.

PROST Bernard
Clairvaux-les-Lacs (Jura) 1849 - Paris 1905

Inspecteur des Archives et Bibliothèques, il écrivit des articles sur l'art et l'histoire de la Franche-Comté ; son ouvrage le plus connu est la monographie du peintre O. Tassaert. Il donna en 1896 un tableau d'un peintre originaire de Saint-Claude : A. Lançon, *Portrait du père de l'artiste* ; la toile, d'abord placée au Musée du Luxembourg, était destinée au Musée de Besançon où elle fut déposée en 1896.

PROST Claude

Conservateur au Musée d'Antioche. Don au Département des Antiquités orientales de fragments de sculptures de plâtre ou de stuc en 1929 et d'un lot de figurines en terre cuite (région de Homs, Syrie) en 1933.

PROST Mlle Jacqueline
Paris 1905 - Paris 1977
PROST Mlle Nicole

Filles du collectionneur et bibliophile Henri Prost (Lons-le-Saunier 1873 - Paris 1941). Don en 1969 et 1973 d'un ensemble de dessins du XVIIIᵉ s., œuvres de F. De Troy, Natoire et Durameau.

PROUST Antonin
voir **RÉUNION d'AMATEURS**

PROUTÉ Hubert et Mme, née Michelle Leclerc

Successeurs de Paul Prouté*, les donateurs ont offert en 1986 un dessin de J. B. Huet et en 1988 à l'occasion du départ de Roseline Bacou, conservateur en chef du Département des Arts graphiques, un dessin de Ch. Parrocel, *Étude d'un cavalier*.

PROUTÉ Paul
Paris 1887 - Paris 1981

Les exceptionnelles qualités de son fondateur ont imposé à Paris dans le commerce des estampes et des dessins, la maison Paul Prouté établie en 1920 à la suite de celle créée par son père. Associé à Hubert Prouté* son fils, il a fait don en 1974, d'un dessin de Gaspar David Friedrich, *Le cimetière sous la lune*, première œuvre de cet artiste entrée au Louvre. En 1976 le père et le fils offrirent une étude de M. J. Blondel, préparatoire au plafond peint dans la rotonde précédant la galerie d'Apollon.

PROVOST Louis
Paris 1898 - St-Denis 1986

Libraire, fondateur de *La Porte étroite*, très lié au milieu littéraire, ami de Gide, Breton et Éluard. Après avoir réuni plusieurs milliers de gravures de Daumier auquel il souhaitait consacrer un ouvrage (à paraître), il fit don de ses collections au Musée de St-Denis, en souvenir de Paul Éluard ; il en avait distrait un dessin donné au Louvre en 1977.

PRUD'HOMME Mme L. de

Don en 1862 de trois petits objets au Département des Antiquités égyptiennes.

PRUVOST Mme, née Rose-Marie Mors

Auteur de plusieurs peintures - dont l'une a été donnée par elle en 1948 - représentant des vues intérieures du Louvre et montrant l'état des salles lors de la réouverture du musée après la dernière guerre.

PSYCHAS

Marchand d'antiquités, rue Lafayette à Paris. Don en 1913 d'un vase composite, provenant de Grèce et en 1922 d'un relief en terre cuite provenant d'Asie Mineure.

PUIS Mme Marie
Paris 1860 - ap. 1921

En 1917, date à laquelle elle habitait Fontainebleau, elle donna au Louvre deux fresques de Véronèse, transposées sur toile et provenant du palais de Camillo Trevisano à Murano. Ces œuvres, qui avaient appartenu au restaurateur Horsin-Déon, lui étaient parvenues par héritages successifs.

PUISAYE marquise de

Don en 1932 du buste en marbre (1863) de son père, conseiller à la Cour des comptes, *Charles Bouland* par François-Ambroise-Germain Gilbert.

PUISOYE Pierrine Marie Louise
Boulogne-sur-mer 1840 - Paris ?

Miniaturiste, peintre sur porcelaine et sur émail. Don d'une boîte ornée d'une miniature de M. G. Capet, *Portrait de Madame Ducreux* (1894).

PUPIL Ferdinand Victor
Paris 1877 - Paris 1968

Ingénieur de l'École centrale, lieutenant colonel honoraire (artillerie), collectionneur d'objets archéologiques. Il aurait été lié avec Salomon Reinach*. Il fut chargé de mission au Laboratoire de Recherche des Musées de France de 1954-1957. Dons en 1922 de deux petits bronzes de la Syrie du Nord, et en 1936 d'un verre phénicien.

PUVIS de CHAVANNES Pierre
Lyon 1824 - Paris 1898

Le peintre a fait d'importants dons de dessins au Musée du Luxembourg. En 1891, il offrit la première pensée, dessinée sur toile, de *Ludus Pro Patria*, la dernière de ses compositions peintes pour décorer l'escalier du Musée de Picardie à Amiens, et exécutée entre 1880 et 1882. En 1893, il offrit une étude à la sanguine pour l'un des groupes du *Repos*, exécuté en 1863 pour le même décor ; ce don fut complété en 1895 par deux autres études pour cette composition, et une étude pour *Charles Martel vainqueur des Sarrasins*, l'un des deux panneaux peints pour l'Hôtel de Ville de Poitiers. Ces dessins sont conservés aujourd'hui au Louvre.

PUVIS de CHAVANNES héritiers

Après le décès du peintre Pierre Puvis de Chavannes*, ses héritiers (les archives des musées nationaux citent Alphonse Puvis de Cha-vannes, exécuteur testamentaire, et M. et Mme André Duhamel) ont fait don au Musée du Luxembourg de deux-cent-deux dessins, reversés au Louvre en 1929. D'autres dons furent offerts à la Ville de Paris "pour le Musée des Beaux-Arts en préparation", le Petit-Palais, ainsi qu'aux musées des villes pour laquelle l'artiste avait peint, ou qui avaient acquis des œuvres : Amiens, Lille, Lyon, Marseille, Poitiers.

QUÉNIOUX Gaston Abel Hyppolite
Sambin (Loir-et-Cher) 1864 - Nice 1951

Professeur de dessin puis inspecteur général de l'enseignement du dessin, auteur de manuels scolaires. Don en 1935 d'une *Vierge allaitant*, peinture de l'école niçoise du XVᵉ s., en souvenir de son ami E. Pottier*.

QUERRY abbé François Aimé
La Chaux (Doubs) 1801 - Reims 1878

Ordonné prêtre en 1825, il fut secrétaire de l'archevêché de Besançon (1829), vicaire général du diocèse de Périgueux (1835) puis de celui de Reims (1841), où il resta définitivement. Devenu vicaire général honoraire, il fut nommé chanoine titulaire de la cathédrale en 1869 et official diocésain en 1876. Il mourut doyen du chapitre. Il donna en 1849 une nappe de dentelle de la fin du XVIᵉ s.

QUEUX de SAINT-HILAIRE Auguste Henri Édouard, marquis de
† 1889

Legs au Louvre de deux tableaux de Slinge-landt, *Saint Jérôme* et *La Madeleine* (entrés en 1892) et de ses instruments, partitions et recueils de musique au Musée instrumental de Conservatoire national de Musique de Paris.

QUINN John
Tiffin (Ohio) 1870 - New York 1924

Avocat et collectionneur. Fils d'immigrés irlandais, John Quinn, avocat new-yorkais prospère, renonça à la politique (mais demeura un défenseur ardent de la cause irlandaise) pour se consacrer à l'art et à la littérature. Entre 1911 et 1924 il constitua une extraordinaire collection de ce qui était alors la frange la plus avancée de l'art à Paris, Londres et New York : il eut plus de cinquante Picasso, autant de Matisse, Derain, Rouault sans parler de nombreuses œuvres de Brancusi, R. Duchamp-Villon et Gautier-Brzeska ; tous ces courants récents étaient présents dans une collection - toutes techniques confondues - de plus de deux mille œuvres dues à cent cinquante-et-un artistes modernes. Cet ensemble comptait en outre des exemples remarquables d'art oriental, de sculpture africaine et d'œuvres de Cézanne, Van Gogh, Gauguin, Henri Rousseau et Seurat. C'est *Le cirque* de ce dernier, cédé par Signac en 1923 avec la promesse d'un retour au Louvre, que le collectionneur américain légua au Musée où il fut exposé dès 1927 (première œuvre du peintre à entrer dans les collections nationales). La collection John Quinn, jamais exposée dans son ensemble, fut dispersée après sa mort en plusieurs ventes publiques à Paris et New York.

A. B. Saarinen, *The Proud Possessors*, New York, 1958. Cat. exp. par J. Zilczer, *The noble buyer John Quinn, Patron of the Avant-Garde*, Washington, Hirshhorn Museum and Sculpture Garden, Smithsonian Institution, 1978.

RABAUD Jacqueline
Paris ? - Paris 1985

Descendante du portraitiste, miniaturiste et lithographe Jean-Baptiste Singry (Nancy 1782 - Paris 1824) ; fille du compositeur-chef d'orchestre à l'Opéra de Paris, Henri Rabaud (1873-1949). Legs de deux miniatures de Singry.

RABENOU

Marchand d'antiquités d'origine iranienne, établi à New York et Paris. Don en 1966 d'objets d'Ardbil (Azerbaïdjan, Iran) et du Louristan.

RABINO de BORGOMALE Monsieur

Importante donation d'objets égyptiens en 1951 : verres d'époque romaine, masques de momies et figurines en faïence.

RABON Léon
Paris 1859 - Fontainebleau 1932

Legs au Cabinet des Dessins de deux paysages de Lantara.

RABOT Mme Victor Marie Joseph, née Charlotte Louise Denise Brierre de Monvault
1819 - Paris 1918

Don d'une gouache de F. H. Drouais (1913).

RABUSSON-CORVISART Edmé Henri Joseph Jean, baron
Paris 1879 - Nice 1965

Gendre du général Charles Pierre René Victor Scipion Corvisart (1857-1938), lequel était petit-neveu du médecin de Napoléon Iᵉʳ et fils du médecin de NapoléonIII, le lieutenant-colonel Rabusson-Corvisart fit en mémoire de son épouse, née Madeleine Nicole-Solange Corvisart (1889-1946), à plusieurs reprises de 1948 à 1953 des dons aux musées nationaux : au Louvre, en 1949, un portrait attribué à J. B. Isabey* représentant Scipion Corvisart, neveu du médecin de Napoléon Iᵉʳ et père du général Corvisart (déposé en 1951 à Malmaison), en 1953, une miniature de D. Saint représentant Mme de Lapeyrière. Les souvenirs qu'il offrit concernant le Iᵉʳ Empire furent envoyés au château de Malmaison, tandis que le château de Compiègne reçut ceux qui avaient trait au Prince impérial - le beau-père du donateur, qui avait été un ami d'enfance du prince, fut un de ses légataires - (objets, lettres, ainsi que le phaéton de NapoléonIII qui fut placé au Musée de la Voiture au Château de Compiègne).

RAFFET Louis
Paris 1879 - Paris 1956

Employé de banque, petit-fils du peintre A. Raffet, dont il donna douze dessins en 1955.

RAMBERT Bertrand AYMÉ dit
Serbannes 1827 - Cusset 1902

Professeur à l'Institution des Sourds-muets de la rue de Courcelles, puis archéologue dans la région de Vichy. Don en 1895 de deux petits bronzes et d'une inscription chrétienne. Legs d'un bracelet d'ivoire (africain ?).

RAMBUTEAU Philibert Marie Édouard Simon Lombard de Buffières, comte de
Albigny (Rhône) 1838 - Ozolles (Saône-et-Loire) 1912

Il fut préfet, comme son aïeul maternel Claude Philibert de Rambuteau. En 1903 il donna une toile de son beau-frère, le peintre lyonnais E. Gauthier (1842-1903) : *Sainte Cécile morte* (placé initialement au Musée du Luxembourg, il fut déposé en 1933 à la Primatiale Saint-Jean à Lyon). Avec son épouse il distribua les rares œuvres de l'artiste aux musées de Lyon et de Roanne.

RAMIN Marcel
voir **JOUIN Henry**

RAMPIN Georges

Legs en 1896 par l'intermédiaire de M. Thierry de la Noue, député de l'Aube, son légataire universel, de la célèbre tête archaïque dite *Tête Rampin*, et d'une tête imberbe surmontée de deux ailes, toutes deux trouvées à Athènes ainsi que d'une *Tête de jeune Pan*.

RAQUINE comtesse

Don, en 1943, du portrait de sa grand-mère, *Lise Aubin de Fougerais*, par Mme Haudebourt-Lescot.

RATTIER Jean Joseph Paul
Paris 1819 - Paris 1890

Industriel. Lègue au Musée du Louvre, sous réserve d'usufruit en faveur de son frère Victor Léon Rattier et sa belle-sœur, un bas-relief en marbre autrefois attribué à Verrocchio, *Scipion*, et un tableau attribué à Quentin Metsys, *La Vierge et l'enfant* (entrés au Musée du Louvre en 1903). Il lègue également une médaille en bronze de Cellini à l'effigie de *François Ier* (au revers, *Mars à cheval renverse la Fortune*), et le portrait de sa femme († 1873) par Jalabert

(entré en 1891, déposé au Mobilier national en 1955).

RATTIER Paul

Architecte, inspecteur principal du Service des Bâtiments civils à Alger. Don en 1856 d'un bas-relief hellénistique trouvé à Cherchel.

RATTON Charles
Mâcon 1895 - Nice 1986

Antiquaire et expert parisien, collectionneur d'objets d'art antiques, médiévaux et africains. Dons au Louvre, de pièces orientales (en 1932 et 1973, plaque de bronze et jeu de terre cuite du Louristan), égyptiennes (en 1965, fragment de coupe au nom d'Aménophis III et statuette d'Aménophis III de schiste émaillé), grecques (en 1945 *lécythe* représentant deux danseurs perses ; en 1959 deux terres cuites) et byzantines (en 1929 et 1932 deux céramiques). Ch. Ratton est également donateur du Musée national des Arts et Traditions populaires.

J. Vandier, "Nouvelles acquisitions. Département des Antiquités égyptiennes", *La Revue du Louvre*, 1966, n° 4-5, p. 237.

RATZERSDORFER Siegfried

Antiquaire d'origine autrichienne, actif à Vienne et Paris (19 rue de la Baume) entre 1905 et 1914. Don au Département des Objets d'Art d'un bronze du XVIIe s. et d'un triptyque d'ivoire d'Italie du sud du XIe s. (1907 et 1909).

RAVAISOU Monsieur

Antiquaire à Aix-en-Provence ? Don au Cabinet des Dessins en 1942 d'un dessin d'Achille Emperaire, ami de Cézanne.

RAVAISSON-MOLLIEN
Charles Lacher
Paris 1848 - Charenton (Val de Marne) 1919
RAVAISSON-MOLLIEN Louis Lacher
Pise (Italie) 1851 - ap. 1920
IWILL-CLAVEL Mme Marie Joseph, née Pauline Lacher Ravaisson-Mollien
St-Germain-en-Laye 1856 - Paris 1910

Tous trois étaient les enfants de Félix Ravaisson-Mollien (1813-1900), écrivain, peintre (élève de Broc) et surtout éminent philosophe et archéologue. Charles, entré au Louvre en 1870 fut, de 1886 à 1910, conservateur-adjoint au Département des Antiquités grecques et romaines (dont son père avait été lui-même conservateur de 1870 à 1886). Louis fut bibliothécaire à la bibliothèque Mazarine. Pauline épousa le peintre paysagiste Clavel, dit Iwill. En 1902 (deux ans après la mort de leur père et avant la dispersion de ses collections à l'Hôtel Drouot les 25 avril et 23 novembre 1903), ils donnèrent le portrait, peint par Rouget en 1811, de *Mesdemoiselles Mollien*, nièces du comte Mollien, ministre du Trésor de Napoléon Ier, grand'tante et grand'mère des donateurs.

RAVEAU Marie Émilie
voir **PELET Paul**

RAVEL Jules Hippolyte
Paris 1826 - Paris 1898

Peintre, élève de L. Gogniet. Membre de la Société des artistes français et de la Société Philanthropique. Legs de deux miniatures, de trois coupes étrusques et d'un médaillon.

RAVIER Mme François Auguste, née Antoinette Dessaigne
Lyon 1832 - Morestel 1907

Épouse du peintre paysagiste Ravier, dont elle donne en 1905 deux aquarelles.

RAVIER famille de François Auguste

Ce sont cinq tableaux du paysagiste lyonnais que la famille de Ravier (Lyon 1814 - Morestel 1895) donna au Musée du Louvre en 1909. Cette même année 1909 avait vu l'acquisition par le Louvre d'autres œuvres de Ravier par des dons : ceux de F. Thiollier* et par un achat réalisé avec le concours du même F. Thiollier et de Claudius Ravier, fils du peintre.

RAYET Olivier
Cairou (Lot) 1848 - Paris 1887

Membre de l'École française d'Athènes, professeur d'épigraphie et d'archéologie grecque à l'École pratique des Hautes Études il a occupé la chaire d'archéologie près la Bibliothèque nationale (1884). Il a dirigé en 1873 des fouilles financées par Gustave de Rothschild*, sur l'emplacement de Milet et dans les ruines du temple de Didymes. Il contribua à faire connaître les terres cuites de Tanagra. On lui doit plusieurs ouvrages. Don en 1873 d'une *Tête* en marbre blanc.

REBORA Léopold
Paris 1843 - Paris 1913

Officier au 127e régiment d'infanterie de 1875 à 1885. Don en 1883 de la mosaïque funéraire de Pélagius, trouvée lors de fouilles pratiquées en 1882 sous l'abside de l'église de Tabarka (Tunisie).

REBOUD Victor Constant
St-Marcellin (Isère) 1821 - St-Marcellin 1889

Médecin-major en garnison à Constantine. Dons en 1873 et en 1875, par l'intermédiaire de Héron de Villefosse*, d'une stèle inscrite et d'objets phéniciens et byzantins au Département des Antiquités orientales.

Les stèles puniques de Constantine, Paris, 1987 (Notes et documents des musées de France 14) p. 17.

V.C. Reboud

A. Redon
O. Redon, Orsay

REBOULEAU Eugène
Paris 1829 - ?

Don en 1901 d'un portrait peint par Elias dit Pickenoy.

REDELSPERGER Mme Jacques, née Louise Belloc
Paris 1821/22 - Paris 1895

Elle était la fille aînée du peintre Jean Hilaire Belloc (issu d'une famille d'armateurs nantais) et de Louise Belloc née Swanton (fille d'un officier irlandais et, par sa mère, cousine germaine de Th. Chassériau, femme de lettres et traductrice de Byron, Dickens et Mrs Beecher-Stowe notamment). Elle-même fit de la peinture (elle exposa au Salon des portraits en miniature de 1845 à 1880) et épousa le financier Jacques Redelsperger. Elle compta parmi ses neveux les écrivains Marie Belloc-Lowndes et Hilaire Belloc et fut la grand-mère de Mme Charles du Bos. En 1892, Mme Redelsperger donna le portrait, peint par son père en 1831, de sa mère et de sa jeune sœur Adélaïde. Elle offrit aussi à la même date (mais il ne fut accepté qu'en 1894) le buste en marbre sculpté par Adolphe Itasse représentant son père (Salon de 1868 ; déposé à Nantes).

P. E. Arthur, "La dynastie des Hilaire Belloc", *Revue du Bas-Poitou*, 1968, pp. 29-56.

REDON Arï
Paris 1889 - Paris 1972
REDON Mme Arï, née Suzanne Augustine Dujardin
Paris 1899 - Garches 1982

"Passionné d'aviation et ayant piloté son propre appareil, s'intéressant à l'automobile et épris de vitesse et de voyage, Arï Redon continua cependant à habiter l'appartement où avait vécu et travaillé son père, Odilon Redon. Dans cet appartement, situé 129 avenue de Wagram, tout était demeuré à la même place depuis la mort de l'artiste en 1916". Ce fonds d'atelier, dont Arï Redon avait déjà distrait un dessin donné en 1957, une *Crucifixion*, a constitué "La donation Arï et Suzanne Redon" établie pour répondre au désir de son mari, par Mme Redon. Ce legs comprend quatre-vingt peintures, onze pastels, cinq fusains et quatre cent quarante-six dessins. Certaines pièces comptent parmi les œuvres les plus importantes et les plus connues d'Odilon Redon. Cette donation a révélé les recherches de l'artiste à divers moments de sa carrière et ses méthodes de travail. Les paysages peints et dessinés que Redon lui-même a qualifié "d'études pour l'auteur", étaient pour beaucoup restés inédits, de même que l'ensemble de plusieurs centaines de dessins que l'artiste appelait "mes gammes". Deux carnets de croquis datés de 1864 et 1865, et un ensemble de copies faites d'après des dessins conservés au Louvre et exposés à partir de 1866, sont d'autres révélations apportées par "La donation Arï et Suzanne Redon".

R. Bacou, *Musée du Louvre. La donation Arï et Suzanne Redon*, Paris, RMN, 1984

RÉGAMEY Félix Élie
Paris 1844 - Juan-les-Pins 1907

Portraitiste et peintre d'histoire. Il était le frère aîné de Frédéric Régamey (1849-1925), dessinateur et graveur (qui fut le père de Raymond*) et de Guillaume Régamey (1837-1875), peintre de sujets militaires, dont il a donné un tableau en 1901, *Cuirassiers au cabaret* (Orsay).

RÉGAMEY Raymond Jean

Protestant converti au catholicisme, devenu religieux dominicain en 1929 sous le nom de Pie Raymond, il fut le directeur de la revue *L'Art Sacré*. Attaché au Département des Peintures du Louvre de 1926 à 1928, membre du Conseil des musées de 1945 à 1970, il a donné en 1928 un *Autoportrait* peint de Lecoq de Boisbaudran, et en 1939 vingt-cinq dessins de son oncle Guillaume Régamey.

REGNAULT Mme Charles, née Jeanne Marguerite Priestley
1863- ?

Fille de William Wellington Priestley et d'Adèle Olympe Chaplin ; épouse en premières noces de James Antoine Michel Walbaum, puis du général Charles Louis Joseph Regnault (1856-1937). Don en 1923 de deux portraits de famille peints par Chaplin (déposés au Musée de Rouen).

REGNAULT Mlle Jeanne Julie
voir BARTET Mme Julia

REGNAULT Victor
Aix-la-Chapelle 1810 - Paris 1878

Chimiste et physicien, professeur au Collège de France, membre de l'Académie des Sciences, V. Regnault fut aussi administrateur de la Manufacture de Sèvres. Après la mort tragique de son fils le peintre H. Regnault, lors de la guerre de 1870, V. Regnault fit don au Musée du Luxembourg de huit de ses œuvres. Cinq furent déposées dans les musées de Calais, Douai, Quimper, Metz et Versailles, les autres restèrent au Musée du Louvre (Orsay). En 1874, 1875 et 1876 il fit don d'un important ensemble de dessins du même artiste.

RÉGNIER Mme François, née Sophie Grévedon

Fille du peintre et lithographe Pierre Louis, dit Henri Grévedon (1776-1860), elle épousa François Régnier, de la Comédie française. Don en 1876 d'un dessin de son père.

REHFOUS Laurent
Genève 1890 - Genève 1970
REHFOUS-COLLART Mme Laurent, née Marcelle-Élisabeth Collart
Genève 1891 - Genève 1959

Fils d'un grand commerçant genevois, docteur-ès-sciences puis assistant à la Faculté des Sciences de Genève, il se tourne vers l'histoire de l'art, abandonne les sciences et ouvre avec son neveu une galerie d'art internationale rue de la Corraterie à Genève. Ses liens privilégiés avec des personnalités et des diplomates français et son attachement pour la France qui lui valent d'être nommé chevalier de la Légion d'honneur, se manifestent, entre autre, par le don (1929) fait avec sa femme, d'une somme d'argent qui permit l'achat de deux céramiques byzantines pour le Département des Objets d'Art.

A.J. Reinach

J. Reinach

S. Reinach

Th. Reinach

REINACH Adolphe Joseph
1887 - Fosé (Ardennes) 1914

Fils de Joseph Reinach*, neveu de Salomon* et Théodore* Reinach, il s'oriente très jeune vers la recherche archéologique lorsque après l'agrégation d'histoire il entre à l'École française d'Athènes, où il participe à de nombreux chantiers de fouilles. Avec le capitaine R. Weill*, il explore la ville de Coptos (Égypte), où il réalise d'importantes trouvailles installées par ses soins au Musée Guimet de Lyon ; il donne en 1911 au Musée du Louvre, avec R. Weill, plusieurs œuvres égyptiennes, provenant de Coptos, dont le socle d'une statue de Nectanebo orné d'un défilé des pays étrangers et un montant de porte orné de bas-reliefs au nom de Touthmosis III. Il donne en 1913 un cippe provenant de Lemnos avec la liste des clérouques athéniens. Jeune directeur de la *Revue épigraphique*, auteur d'un nombre impressionnant d'ouvrages et d'articles, il tombe dans les premiers jours de la guerre, à vingt-sept ans.

S. Reinach, "Adolphe J. Reinach", *Revue archéologique*, 1919.

REINACH Joseph
Paris 1856 - Paris 1921

Homme politique et publiciste, il fut directeur du cabinet particulier de Gambetta (1882), député des Basses-Alpes (1889-1890, 1906-1914) et se fit surtout connaître par ses campagnes de presse en faveur de Dreyfus (1897 à 1908) et ses chroniques militaires, signées "Polybe", publiées durant toute la première guerre mondiale. Comme ses frères cadets, Salomon* et Théodore*, et son fils Adolphe Joseph*, il fut amateur d'art et collectionneur. Dès 1880, à 23 ans, au retour d'un voyage en Orient, il donna au Louvre une série de reliefs palmyréniens. Ultérieurement, il fit au musée un legs comprenant un dessin de Decamps, quatre sculptures (dont un petit bronze de Rodin, *Fugit amor*, Musée d'Orsay) et dix tableaux parmi lesquels, outre le *Portrait de Gambetta* par L. Bonnat* (dépôt à Versailles), figurent des œuvres de première importance : *L'homme à l'armure* de Corot*, le *Portrait de Berlioz* par Courbet (Orsay), *Les peupliers* de Cézanne (Orsay), *Le restaurant de la Sirène* de Van Gogh (Orsay). Son testament attribuait aussi diverses œuvres d'art au Musée Carnavalet, aux musées de Bayonne, Nantes, St-Germain-en-Laye, Strasbourg, à la Bibliothèque de la Chambre des Députés, au Conservatoire de Musique, à la Comédie-Française, et à la Bibliothèque nationale.

REINACH Salomon
St-Germain-en-Laye 1858 - Boulogne-sur-Seine 1932

Archéologue français, normalien, membre de l'École française d'Athènes (1877), il fouille dès cette année près de Smyrne avec E. Pottier* ; de retour en France, il est chargé de diverses missions scientifiques (dont des fouilles en Tunisie) avant d'entrer en 1886 au Musée des Antiquités nationales de St-Ger-

main-en-Laye qu'il dirige à partir de 1902. Membre de l'Institut (1896), auteur de nombreux ouvrages sur les arts et la philologie de l'époque gréco-romaine ainsi que de catalogues du Musée de St-Germain-en-Laye, il laisse une œuvre d'une ampleur exceptionnelle. Don en 1881 de plusieurs marbres provenant d'Asie Mineure, en 1882 d'un lot de bronzes provenant de Chypre, de terres cuites de Smyrne et d'une inscription grecque relative aux Cabires offerte avec Sorlin-Dorigny*, en 1886 de deux lécythes ayant appartenu à Ch. Tissot. Le Département des Antiquités orientales reçoit une *Tête de taureau*, fragment de décor d'un meuble, recueillie par le général Callier lors des fouilles exécutées sur le site de Ninive v. 1830-1834. Legs au Département des Peintures d'un tableau de F. Ravaisson-Mollien.

Revue Archéologique, 5e série t. XXXVI (1932).

REINACH Théodore
St-Germain-en-Laye 1860 - Paris 1928

Docteur en droit, avocat à la Cour d'Appel de Paris (1881-1886), il abandonna le droit pour l'archéologie. Fondateur de la *Revue des études grecques* (1888), docteur-ès-lettres (1890), membre de l'Institut (1909), professeur au Collège de France (1924), il publia de très nombreux ouvrages relatifs à la littérature, l'épigraphie et la numismatique grecques, juives et latines. Divers dons au Musée du Louvre entre 1882 et 1909, au Département des Antiquités grecques et romaines, au Département des Peintures (*Jason* de Gustave Moreau, aujourd'hui au Musée d'Orsay, 1908) ; il participa, sur l'instigation de G. Migeon* à l'acquisition en bloc (1907-1909) de la collection Victor Gay (cf. Mme Victor Gay) et à la suite à l'acquisition de la plaque d'ivoire ottonienne de la *Multiplication des pains* et du *Jeune berger*, bronze de Riccio

REISET Frédéric
Oissel 1815 - Paris 1890

Conservateur au Cabinet des Dessins en 1850 puis également chargé de la conservation des Peintures en 1861, F. Reiset acheva sa carrière en tant que Directeur des musées nationaux de 1874 à 1879. Son nom demeure également lié à la collection de dessins et à celle de peintures italiennes qu'il vendit en 1860 et en 1879 au duc d'Aumale conservées au Musée de Chantilly. A plusieurs reprises il donna au Louvre des dessins de sa collection (Fra Bartolomeo, Le Sueur, Pisanello, Gros) ainsi qu'un vase étrusque en 1850 et deux majoliques en 1852. En 1863 il offrit l'important retable du *Martyre de saint Denis* de Bellechose entré comme anonyme français de la fin du XIVe s.

RENAN Ernest
Tréguier (Côtes-du-Nord) 1823 - Paris 1892

Écrivain, archéologue et épigraphiste, membre de l'Institut en 1856. Titulaire de la chaire de langue et littérature hébraïque, chaldaïque et syriaque au Collège de France, il anime le

F. Reiset
J.A.D. Ingres
Coll. Brinsley Ford, Londres

E. Renan

A. Renoir
Autoportrait, Orsay

Mme R. Retel

Corpus Inscriptionum Semiticarum auquel participe Saulcy*. En 1861, il visite la Syrie et y organise les fouilles, permettant ainsi l'entrée au Louvre de pièces très représentatives de l'art phénicien, puis se rend en palestine, puis en Égypte (1864) et à Constantinople (1865). Don en 1860 d'une inscription grecque de Palestine.

Cat. exp. *Ernest Renan*, Paris, Bibliothèque nationale, 1974.

RENANT de BROISE Madame

Don au Cabinet des Dessins, en 1949, d'un portrait de Louis Amiel.

RENARD Monsieur

Don en 1895, de deux carreaux en terre vernissée. Il habitait à cette date, à Joinville-le-Pont (Val-de-Marne).

RENAULT Mme Gaston

Veuve du peintre Gaston Renault. Don d'un tableau de Larrue (1935).

RENDU Henri
Paris 1870 - Paris 1959

Docteur en médecine ; Don en 1948 de deux peintures d'Auguste et en 1959 d'une *Vénus* de l'école de Cranach et de cinq dessins des écoles françaises et italiennes.

RENOIR Jean
Paris 1894 - Beverly Hills (États-Unis) 1979

Le cinéaste Jean Renoir, second fils du peintre a laissé un livre de souvenirs extrêmement attachant, *Pierre-Auguste Renoir, mon père*, (paru en 1962). Don de la boîte à peindre de Renoir* en 1954.

RENOIR Pierre Auguste
Limoges 1841 - Cagnes-sur-Mer 1919

L'artiste voulait donner le portrait de la jeune actrice *Colonna Romano* au Musée du Luxembourg au printemps 1918, mais selon une note du conservateur Léonce Bénédite*, "M. Renoir

met une certaine coquetterie à ce qu'il y ait un semblant d'acquisition par l'État et il serait heureux qu'on lui proposât un prix purement nominal" en l'occurence 100 F, ce qui fut fait. Le tableau passé au Louvre en 1929 est maintenant au Musée d'Orsay.

RENOIR les fils de Pierre Auguste

Après la mort de Renoir*, ses fils, l'acteur Pierre Renoir (1885-1952), le cinéaste Jean Renoir* et Claude Renoir (1901-1969) firent don, en 1923, des *Baigneuses* de 1918-1919, véritable testament artistique de Renoir.

RETEL Mme René, née Jacqueline Javillier
Tours 1903 - Neuilly-sur-Seine 1988

René Retel (1890-1965), ingénieur civil des Mines, créa la Société J. R. Retel, laboratoire de recherches mécaniques. Mme Retel fut la collaboratrice de son mari et, après sa mort, publia plusieurs recueils de poèmes exaltant leur union. Elle a donné en 1986, en son nom et en celui de son mari, un cabaret en porcelaine de Paris de la manufacture de Nast (v. 1780).

RÉUNION d'AMATEURS

De cette réunion d'amateurs, qui acheta, lors de la vente Secrétan en 1889, la *Remise de chevreuils* de Courbet pour l'offrir au Louvre (Orsay), seul le nom d'Antonin Proust, président du groupe (1832-1905), ami de Manet, ministre des Beaux-Arts en 1881, nous est parvenu. Les quarante autres souscripteurs, qui purent réunir la somme de 80900 F, ont préféré conserver l'anonymat.

REUTLINGER Jane

Don en 1937 de deux dessins de Tassaert et Constable.

REVENAZ Alexis
Paris 1801 - Paris 1861

Don en 1860 d'un tableau de Decamps, *Chevaux de halage*.

REVERDIN Mme Jacques Louis, née Marguerite Baron
Genève 1854 - Prégny-Chambesy (Genève) 1942

Femme du chirurgien Jacques Louis Reverdin, elle était la fille du peintre Henri Baron. En 1936, elle a donné, sous réserve d'usufruit, deux petits tableaux de son père, qui entrèrent au Louvre en 1948 (Musée d'Orsay).

REVILLION

Don au Musée des Souverains en 1861 d'un missel (1673) aux armes de la reine Marie-Thérèse.

REVOIL Henry Antoine
Aix-en-Provence 1822 - Marseille 1900

Fils cadet du peintre troubadour lyonnais P. Révoil (1776-1842) qui avait vendu sa collection d'objets d'art à Charles X pour le Musée Royal en 1828. Architecte, attaché à la Commission des Monuments historiques, il s'occupa à restaurer de nombreux édifices antiques et médiévaux de Provence (Montmajour, Montpellier, Marseille...). Il exécuta d'importantes missions archéologiques à l'étranger, notamment en Roumanie ; on lui doit l'*Architecture romane du Midi de la France* (1874). Don en 1863 d'une stèle égyptienne de la XIIᵉ s. dynastie, en 1864 de plusieurs objets grecs et romains et en 1873 de l'inscription chrétienne d'Antoninus trouvée à Arles.

J. Coli, "Henry Révoil : Le médiévisme dans le Midi", *Provence historique*, t. XXVI, fasc. 104, avr-juin 1976, pp. 255-265.

REWALD John

Historien d'art. Après des études en Allemagne et en France, il fut conservateur au Musée d'Art moderne de New York et professeur à l'Université de Chicago. Il est l'auteur de très nombreux travaux sur la peinture française impressionniste (notamment sur Cézanne) et de deux ouvrages monumentaux, *L'Histoire de l'Impressionnisme* et *L'Histoire du Post-impressionnisme*. Dons en 1949 de quatre dessins de Seurat, en 1953 de deux dessins, de Cézanne et attribué à Monet, et en 1974, sous réserve d'usufruit, d'un *Portrait de Pissarro* par Cézanne.

REY Robert

Legs en 1941 d'une *Tête de singe* en terre cuite et de divers vases trouvés en Crète ; ces derniers ont été déposés en 1932 au Musée d'Hérakleion. Ils appartenaient à l'ancienne collection Tyskiewicz*.

REYMOND Mlle Maurice Gabrielle Hélène Françoise
1789 - St-Mandé 1865

Légua en 1865 le portrait peint par Mme Vigée-Lebrun de sa mère *Mme Molé-Reymond* (1759-1833), fille naturelle de l'acteur Molé, qui vécut, longtemps dit-on, avec le duc de Caraman dont elle aurait eu une fille, la donatrice ; elle légua également le portrait de son grand-père par Sicardi (dépôt à Versailles).

RHEIMS André
Paris 1900 - Paris 1985

Courtier en valeurs mobilières. Legs au Louvre un *Autoportrait* de J. Ducreux, au pastel.

RIAHI Djahanguir

Homme d'affaires iranien, collectionneur de meubles et d'objets français du XVIIIᵉ s. Il a donné en 1988 un mobilier en bois doré comprenant un canapé et cinq fauteuils, dont une partie a été exécutée à Strasbourg, vers 1740, pour l'appartement du Roi au palais Rohan à Strasbourg. Ce mobilier a été déposé au palais Rohan.

RIBELLI Mlle Marie

Don en 1952 de deux statuettes funéraires égyptiennes de Basse Époque.

RIBOT Henri

Don en 1923 de la *Femme nue couchée*, tableau de J. F. Millet (Orsay).

RIBOT Mlle Louise Aimée
Fontenay-aux-Roses ? - ap. 1882

Fille du peintre Th. Ribot (St-Nicolas-d'Attez, Eure, 1823 - Colombes, Hauts-de-Seine, 1891) peintre elle-aussi, mais peu connue, ayant rarement exposé (Salons de 1877, 1879 et 1882), elle donna en 1903 l'*Autoportrait* de son père (placé d'abord au Musée du Luxembourg puis déposé en 1934 à la mairie de Colombes, ville où Ribot s'était établi à partir de 1871).

RICCI Seymour de
1881 - Paris 1942

Homme de lettres et historien d'art, il aurait pris la nationalité britannique en 1910 après avoir été le précepteur des comtes d'Harcourt et du jeune marquis de Hertford. Son immense culture l'amena à aborder dans de nombreux ouvrages, articles, catalogues, des domaines extrêmement variés, allant de l'épigraphie égyptienne au dessin français du XVIIIᵉ s. Les plus grands amateurs des années vingt lui confièrent l'étude de leur collection : L. Rosenberg* pour les miniatures gothiques et persanes, M. L. Schiff et E. M. Hodgkins* pour la porcelaine, J. Pierpont-Morgan*, pour la tapisserie médiévale, G. Dreyfus* pour les bronzes et les plaquettes de la Renaissance. Il est l'auteur du catalogue de l'exposition pionnière organisée en 1913 par la marquise de Ganay sur les objets d'art des collections privées. Après le Musée Cognac-Jay et le Musée Guimet, le Musée du Louvre lui doit une *Description raisonnée des Peintures*, pour les écoles étrangères souvent rééditées. L'énorme documentation qu'il avait accumulée fut léguée au Cabinet des Estampes de la Bibliothèque nationale. Au Louvre, il lègue un album de vingt-cinq dessins de Karl Girardet et dix-sept dessins par Wille, Bouchardon, Guys, Blarenberghe, Mellin, Doyen et le *Portrait d'Anatole France* par Steinlen. Le Département des Peintures reçut un *Portrait de femme* (École française du XVIIᵉ s.), le Département des Antiquités égyptiennes une lame de couteau en silex provenant d'une tombe d'Abydos, le Département des Antiquités grecques et romaines deux inscriptions grecques et deux têtes d'époque hellénistique.

J. Adhémar, "Pour les historiens de l'Art. Avec le legs Seymour de Ricci", *Arts*, 9 mars 1945. J. Porcher, "A la Bibliothèque nationale : le legs Seymour de Ricci", *Bibliothèque de l'École des chartes*, t. 105 (1944), pp. 229-233.

RICH Mme
voir DELORT de GLÉON Mme Alphonse

RICHELIEU duchesse de, née Elinor Douglas Wise
Annapolis (Maryland) 1886 - Paris 1972

Américaine d'origine, elle épousa Armand Chapelle de Jumilhac, dernier duc de Richelieu et de Fronsac (1875 - 1952) qui légua à l'Université de Paris une partie de ses collections et ses domaines de Hautbuisson et de Richelieu. La duchesse, qui collectionna avec beaucoup de discernement meubles et objets français du XVIIIᵉ s., donna sous réserve d'usufruit une série d'œuvres majeures : en 1969, six pièces d'orfèvrerie parisienne (paire de pots-à-oille de Louis Regnard, 1745-1747 ; deux paires de flambeaux, l'une d'Alexis Loir, 1740-1742, et l'autre de J. F. Balzac, 1764-1765) ; en 1970, une table mécanique en marqueterie de Jean-François Oeben, qui fut le meuble le plus cher jamais vendu en vente publique lorsque la duchesse l'acquit en 1958 ; en 1971, deux paires de bras de lumière Louis XV provenant des collections ducales de Parme, attribuées à Caffieri. Elle fit également des dons au Musée national du Château de Versailles.

RICHER Mme Paul, née Marie Amélie Delacour
St-Ouen de Thouberville 1860 - St-Ouen de Thouberville 1939

Don en 1934, avec ses enfants, des œuvres de son mari, médecin et sculpteur : *Tres in una, Paysan, Moissonneur portant une gerbe, Faucheur, Paysan à la houe, Paysan affûtant sa faux, Femme allaitant* et de sculptures de Dalou (Musée d'Orsay), ainsi que d'un ensemble de dessins de Dalou et de son mari.

RICHOMME dit DUMENY Camille
Paris 1854 - Nantua 1920

Acteur réputé du Théâtre de Boulevard, il créa *La Tosca* en 1887 à la Porte Saint Martin. Fils du peintre J. Richomme (1818-1903) et petit-fils du graveur J. Th. Richomme (1785-1849), il donna au Louvre cinq dessins de ce dernier et trois dessins de Heim en 1920.

J. Martin, *Nos Artistes*, 1896.

RICHOMME Mme Camille, née Coraly de Posson
La Haye 1877 - ?

Deuxième femme de l'acteur Richomme dit Dumeny*. Don dans les années 1920 de dix-neuf dessins de J. Richomme (1818-1903) peintre et graveur, son beau-père.

RIDDER André de
St-Germain-en-Laye 1868 - Paris 1921

Membre de l'École française d'Athènes (1890-1894), il prépare les catalogues des bronzes de la Société archéologique d'Athènes (1894) et des bronzes trouvés sur l'Acropole d'Athènes (1895) puis il est nommé maître de conférences à la faculté d'Aix. Il dresse le *catalogue des vases peints de la Bibliothèque nationale* (1901), et le catalogue de la *collection de Clercq* (1904-1911). Il entre comme conservateur adjoint en 1908 au Musée du Louvre dont il publie le *catalogue des bronzes* (1905 et suiv.). A sa mort il laisse inachevé l'*Art en Grèce* qui sera terminé par W. Deonna en 1924. Don en 1898 d'une terre cuite peinte trouvée sur l'Acropole d'Athènes représentant une femme et en 1919 d'une phiale et d'un skyphos en terre cuite provenant des fouilles d'Orchomène en Béotie. Ses héritiers, Jacques Bocquet et Mme Granier donnent en 1964 un bronze figurant Pan, de provenance inconnue.

RIECHERS Jean
Calais 1898 - Calais 1974
RIECHERS Mme, née Yvonne Legendre
Calais 1905 - Neuilly-sur-Seine 1986

Fabricant de dentelles et de tulles à Calais, Jean Riechers réunit une collection de peintures orientée sur le XVIIᵉ s. avec une prédilection pour les natures mortes. Il choisit avec son épouse d'offrir au Louvre deux tableaux par des artistes non représentés encore dans les collections du musée : *Le Calvaire* de David

Teniers le Vieux (en 1972) et une nature morte de J. de Espinosa (en 1973).

RIESENER Léon
Paris 1808 - Paris 1878

Peintre, il était le petit-fils du célèbre ébéniste Jean-Henri Riesener, le fils du peintre Henri François Riesener et (ce dernier étant le demi-frère de Mme Charles Delacroix) le cousin d'Eugène Delacroix avec qui il fut affectueusement lié. Léon Riesener donna en 1850 un portrait peint par son père représentant le cousin de celui-ci, le bronzier Antoine-André Ravrio (Salon de 1812) ; il offrit en outre en 1874, une de ses propres œuvres, *Erigone* (peinte en 1855) qui, d'abord conservée au Luxembourg, fut transférée au Louvre en 1883. Sa petite-fille, Mme Escholier*, et la veuve de son petit-fils, Mme Pillaut*, ont également fait bénéficier le Louvre de leur générosité.

G. Villefond, *Le peintre Léon Riesener*, Paris, 1955.

RIMSKI-KORSAKOV Mme,
née Varvara Mergassov
Varsovie 1833 - Nice 1878

Mme Rimski-Korsakov aurait quitté la cour de Saint-Petersbourg pour celle de Napoléon III à Paris, pour pouvoir vivre avec son amant le comte Alexandrovitch Zwegwintzev. Elle mena une vie brillante dans le Paris impérial où se trouvaient de nombreux aristocrates russes, et exhiba dans les soirées sa grande beauté qui lui valut le surnom de "Vénus Tartare". A la chute de l'Empire elle s'installa à Nice qui commençait à devenir un lieu à la mode. Elle légua le portrait que Winterhalter avait fait d'elle (Orsay).

RINGEL Mme Pierre, née Dousseur

Veuve, elle donna en 1875 le portrait peint par Blondel de M. J. Hurtault (1765-1824), architecte du palais de Fontainebleau, pour réaliser le souhait exprimé à son lit de mort par son père, Dousseur, ancien architecte des Bâtiments de la Liste civile et cousin de Hurtault.

RIVIÈRE Charles
Paris 1842 - Paris ? 1918

Après avoir exercé la profession d'avoué auprès du Tribunal civil de la Seine pendant plus de trente ans, il s'inscrivit au barreau en 1908 et devint avocat auprès de la Cour d'Appel de Paris. Il donna en 1915 divers objets qui furent répartis ainsi : pour le Musée du Louvre, le *Portrait de Mme Lessould* par E. Vigée-Lebrun (déposé en 1969 au Musée des Beaux-Arts d'Orléans) et un dessin de Prud'hon ; pour Maisons-Laffitte, deux bibliothèques Empire ; pour le Musée des Arts décoratifs et celui des Arts et Métiers deux pendules, et des dessins pour les musées de province.

RIVIÈRE Charles François, marquis puis duc de
La Ferté-sur-Cher 1765 - Paris 1828

Aide de camp du comte d'Artois, il joue un rôle important en Vendée auprès de Cadoudal ; ambassadeur de France à Constantinople puis gouverneur du duc de Bordeaux. Pendant son ambassade à Constantinople, il acquiert dans des conditions mouvementées la *Vénus* nouvellement découverte à Milo et la fait venir en France sous la surveillance du peintre Révoil, "dans l'intention d'en faire hommage à sa Majesté et d'enrichir le Musée des Antiques" (1821).

A. Pasquier, *La Vénus de Milo et les Aphrodites du Louvre*, Paris, 1984.

RIVIÈRE Georges-Henri
Paris 1897 - Louveciennes 1985
RIVIÈRE Thérèse
Paris 1897 - Plouguernevel 1970

Thérèse et Georges-Henri Rivière, neveux du graveur H. Rivière*, étaient tous deux passionnés d'art et d'ethnologie. Thérèse travaillait au Musée de l'Homme et au Musée des Arts africains et océaniens. Georges-Henri fut directeur du Musée d'Ethnographie du Trocadéro, puis de 1937 à 1967, concepteur et premier conservateur du Musée national des Arts et Traditions populaires, tout en donnant l'impulsion première à de nombreux musées régionaux et locaux importants. Il fut aussi, de 1948 à 1965, le premier directeur du Conseil international des Musées (I. C. O. M.), et fut associé à la programmation de plusieurs musées étrangers. La mère de Thérèse et Georges-Henri Rivière, Marguerite, avait eu, en 1891, la douloureuse tâche d'annoncer à la mère de Seurat la mort de son fils. Elle connaissait aussi Mme P. Signac qui lui offrit, en 1891, en souvenir de l'artiste, un petit tableau de Seurat, étude pour *Un dimanche à la Grande Jatte*. Ce tableau, légué au Louvre en 1948 par Thérèse et Georges-Henri Rivière en mémoire de leur mère connut une histoire mouvementée. Thérèse Rivière, en effet, fut hospitalisée l'année même de ce don et ne put remettre au Louvre le tableau qui, vendu deux fois, fut l'objet de nombreux procès, avant de retrouver, en 1963, les cimaises du Musée du Jeu de Paume (Musée d'Orsay). Georges-Henri Rivière, donateur généreux du Musée de l'Homme et du Musée national des Arts et traditions populaires, fit don au Louvre, en 1957, d'un petit bronze alexandrin, sans doute un pendentif, figurant un pygmée.

RIVIÈRE Henri Benjamin Jean Pierre
Paris 1864 - Sucy-en-Brie 1951

Peintre et graveur français photographe amateur, il fut l'un des premiers à collectionner les objets d'art extrême-orientaux qui influencèrent profondément sa production. Legs de ses collections d'objets d'art chinois et japonais, de céramiques, de sculptures, de dessins, d'objets d'art grecs et égyptiens, de céramiques orientales, aux musées nationaux. Le Louvre reçut, pour le Département des Antiquités

L. Riesener
E. Delacroix, Louvre

Mme Rimsky-Korsakov
F.X. Winterhalter, Orsay

Duc de Rivière
J. Guérin, coll. part.

H.B. Rivière
Th. Steinlen, Louvre

M. Robert
C. Corot, Louvre

Cl. Roger-Marx
Bibl. nat., Paris

F. Rops
P. Mathey, Versailles

grecques et romaines, un lot d'objets en bronze et une série de vases corinthiens, pour le Département des Antiquités égyptiennes, dix-sept objets funéraires, pour la Section islamique (Iran ou Égypte, X^e-XIVe s.), et pour le Cabinet des Dessins, une enluminure italienne de la fin du XIVe s., deux dessins de Rodin et *Trois danseuses* de Degas.

G. Toudouze, *Henri Rivière*, Paris, 1907. A. Fields, *Henri Rivière*, Paris, 1985.

RIVIÈRE Mme Paul, née Sophie Robillard
Château-Salins 1790 - St-Germain-en-Laye 1870

Le mari de la donatrice, Paul Rivière (1794-1860), officier (il était chef d'escadron d'état major lorsqu'il prit sa retraite en 1848) était le fils de Philibert Rivière (1766-1816), maître des requêtes au Conseil du Roi, qui avait commandé à Ingres* trois portraits, aujourd'hui célèbres, le représentant ainsi que sa femme et sa fille. A la mort de Philibert Rivière, Paul, unique enfant survivant, hérita des trois peintures qui, à son propre décès, devinrent propriété de sa femme ; celle-ci légua au Louvre ces portraits qui, en 1870, prirent place parmi les chefs-d'œuvre du musée.

H. Toussaint, *Les portraits d'Ingres ; peintures des musées nationaux*, Paris, 1985, pp. 18-31.

RIVOT Félix
Paris 1818 - 1891

Ancien chef de bureau au Ministère de Guerre. Legs en 1891 de quatre dessins de Andrea del Sarto, Caldara et du Guerchin.

ROBAUT-DUTILLEUX Mme Alfred
voir ANTONY Pol

ROBERT Anne Jean Gabriel
Lyon 1857 - ap. 1908

Interprète titulaire de 3e classe à la subdivision de Sousse (1883-1888). Don en 1886 de deux briques trouvées à Kasrin, l'antique Cillium, décorées de sujets en relief : sacrifice d'Abraham, griffons, palmier (imitation du revers des monnaies de Carthage).

ROBERT Christian
Mantes 1849 - Mantes 1926
ROBERT Maurice
Mantes 1853 - Mantes 1925

Ils étaient fils de François-Parfait Robert (1814-1875), magistrat et ami de Corot*. En 1926, peu après la mort de Maurice Robert, son frère Christian (qui ne lui survécut que neuf mois) offrit, en leur nom à tous deux, l'ensemble de paysages d'Italie que leur père avait commandé à Corot pour décorer la salle de bain de sa maison de Mantes, ainsi que sept importants tableaux du même artiste : *Maurice Robert, enfant ; Louis Robert, enfant ; Florence, vue prise des jardins Boboli ; La muse*

de Virgile ; Le château de Rosny ; Vue du village de Rosny au printemps, et *Moine Blanc, assis, lisant.*

P. Jamot, "Le don Robert", *Art vivant*, 1926, pp. 801-802 ; "Les Corot du don Robert", *Beaux-Arts*, janv. 1927, pp. 5-6 ; R. Walter, "Documents Corot conservés par la famille Robert", *Archives de l'art français*, XXVIII, 1986, pp. 299-305.

ROBERT François Xavier Pierre Charles
Paris 1858 - ap. 1916

Capitaine d'artillerie à l'État-major de l'Armée. Don en 1894, en souvenir de son père, Charles Robert (Bar-le-Duc 1812 - Paris 1887), intendant général, numismate, membre de l'Institut, de quatre stèles funéraires trouvées à Rome, d'une stèle égyptienne de Basse Époque, et de fragments d'un monument chrétien provenant de Grand.

ROBERT Mme Hubert, née Anne-Gabrielle Soos
Paris ou Italie ? 1745 - Paris 1821

La veuve du peintre Hubert Robert légua au roi Louis XVIII deux tableaux entrés au Louvre en 1822, *La Maison Carrée à Nîmes*, et *L'Arc de triomphe d'Orange*, faisant partie de la commande en 1786 de quatre tableaux sur les plus célèbres monuments antiques de la France et restés dans l'atelier de l'artiste.

ROBERT Louis
Laurière (Haute-Vienne) 1904 - Paris 1985

Directeur d'Études à l'École Pratique des Hautes Études, professeur au Collège de France, membre de l'Institut, ce maître incontesté de l'épigraphie grecque en France, fut l'auteur d'innombrables publications tant en épigraphie proprement dite qu'en géographie historique concernant en particulier l'Asie Mineure. Il dirigea par ailleurs la fouille du sanctuaire d'Apollon à Claros (Turquie). Il fut enfin, de 1938 à 1984, avec sa femme Jeanne Robert, le rédacteur d'un "Bulletin critique d'Epigraphie grecque" dans la *Revue des Études Anciennes*. Don en 1949 de trois lécythes à fond blanc.

ROBERT-FLEURY Mme Tony, née Prévost de Crény

Veuve du peintre T. Robert-Fleury, elle donne au Luxembourg en 1912, le portrait du peintre J. N. Robert-Fleury, son beau-père.

ROBIEN marquise de
voir BRY Michel de

ROBIN Émile

Don en 1872 d'un alabastre en verre, d'un scarabée (déposé à la Bibliothèque nationale en 1949), en 1875 d'un bracelet en bronze et en 1885 d'une *Tête* en terre cuite provenant de Chypre.

ROBINSON Mlle F. Mabel

Legs de trois dessins en 1954 (déposés au Musée de Besançon).

**ROCHAMBEAU marquise de,
née Suzanne Rouxel**
Draveil (Essonne) 1874 - Chitray (Indre) 1947

Épouse de René Jean Donatien Henri Lacroix de Vimeur, marquis de Rochambeau. Elle fut instituée légataire universelle par sa tante Lucile Nolleval*, dont elle délivra en 1910 le legs verbal de trois tableaux, parmi lesquels le *Portrait de Mère Angélique Arnauld* par Ph. de Champaigne.

ROCHARD Charles Antoine Benoît
Antony (Hauts-de-Seine) 1828 - Paris 1895

Fils d'un marchand de bois parisien, il fut d'abord professeur de sciences. Entré à la Belle Jardinière en 1863 comme employé, il devint en 1866 l'un des propriétaires-gérants de cette maison. Philanthrope, il était vice-président de la Caisse des écoles du Ier arrondissement et membre du Conseil de surveillance de l'Assistance publique. Pendant la guerre franco-prussienne, il créa à la Belle Jardinière une ambulance de soixante lits. Il institua pour héritière l'Assistance publique, laissant l'usufruit de ses biens à Mme Morel, dite Scheffers, mais autorisant les musées du Louvre, de Cluny et des Arts décoratifs à choisir dans sa collection les objets qui les intéresseraient, les autres devant être vendus au profit de l'Assistance publique. Ceci valut au Louvre (entrés en 1904) : pour le Département des Objets d'Art, des objets de la Renaissance (tapisseries, meubles, majoliques) et une aiguière en cuivre (Inde, XVIIIe-XIXe s.) ; pour le Département des Sculptures, une *Vierge à l'Enfant* flamande du début du XVIe s. ; pour le Département des Antiquités grecques et romaines, deux vases grecs à figures noires (*Combat de Thésée et du Minotaure* et *Dyonisos*).

ROCHARD Simon Jacques
Paris 1788 - Bruxelles 1872

Peintre, miniaturiste, graveur et collectionneur. Don d'une miniature de sa main (1866).

ROCHE Serge

Marchand de cadres et fournisseur du Musée du Louvre depuis 1942, il organisa en 1931 une importante exposition de cadres à la galerie Georges-Petit (Paris) et publia la même année un recueil de *Cadres français et étrangers du XVe siècle au XVIIIe siècle.*. Don d'un cadre français de style Louis XVI (1942).

ROCHES Léon
Grenoble 1809 - Tain L'Hermitage 1901

Diplomate. Auteur de deux ouvrages, *Dix ans à travers l'Islam 1833-1844*, Paris 1904 et *Trente deux ans à travers l'Islam 1832-1864*, Paris 1885.

Don en 1856 d'un bas-relief en marbre décoré d'une représentation des trois éléments trouvé à Carthage.

RODENBACH Mme Georges

Don en 1899 au Musée du Luxembourg, du portrait au pastel de son mari par Levy-Dhurmer (Orsay).

**RODIS Mme Louis-Conrad,
née Geneviève-Mary-Fanny Lewis**

Donation en 1977 sous réserve d'usufruit, en souvenir de son mari ingénieur et collectionneur d'un coquillage décoré de style achéménide.

RODRIGUES-HENRIQUES Eugène
Paris 1853 - Paris 1928

Avocat à la Cour d'Appel de Paris, ancien membre du Conseil de l'ordre. Donna en 1919 la *Marche de cavaliers polonais* de R. Savery, en 1921 une *Pieta* de l'École allemande du XVe siècle et plusieurs dessins.

ROGER-MARX Claude
1888 - Paris 1977

Fils de Roger Marx (1859-1913) et père de Mme Asselain*, inspecteur des Beaux-Arts. Critique d'art et historien, chroniqueur attitré du *Figaro littéraire* et du *Figaro*, collaborateur de nombreuses revues d'art françaises et étrangères, auteur de romans, de poésies et de pièces de théâtre, fervent admirateur des maîtres du XIXe s., mais aussi défenseur de divers artistes contemporains (notamment Dunoyer de Segonzac). Don en 1974, en mémoire de son père, de son frère et de son fils, morts pour la France, de vingt dessins français du XIXe et du XXe s., parmi lesquels un Corot et trois Delacroix (sans compter les œuvres de Guys, Daumier, Redon, Toulouse-Lautrec et Bonnard).

Cat. exp., *Donation Claude Roger-Marx*, Musée du Louvre, 1980-1981

ROLAND-MARCEL Pierre
Paris 1883 - 1939

Descendant du sculpteur Philippe Laurent Roland (1746-1816), cousin de Gabriel Marcel, il commença sa carrière comme sous-préfet à Pont-l'Évêque puis à Péronne ; chef du Cabinet de l'Instruction publique en 1921, il fut nommé administrateur de la Bibliothèque nationale en 1925 ; puis préfet de Strasbourg en 1930 et conseiller d'État jusqu'à sa mort à la guerre, en 1939. Don au Louvre en 1928, d'un dessin de David d'Angers.

ROLL Mme Alfred, née Henriette Daux
Paris 1864 - Vanves (Hauts-de-Seine) 1953

Peintre et pastelliste. Elle fut élève du peintre Alfred Roll (1846-1919) qui, en 1904, l'épousa

en secondes noces ; elle devint ainsi la belle-mère d'Henry Roll*. Après la mort de son mari, elle donna en 1922 un pastel de celui-ci (*Étude de femme nue*, Musée d'Orsay) et, en 1939, souscrivit au désir exprimé par la Direction des musées nationaux que lui soit attribué le grand tableau de Roll de 1912, *Chevaux affrontés*, que la famille de l'artiste n'avait pas repris à l'issue de la rétrospective Roll au Petit-Palais en 1931. (L'œuvre, d'abord destinée au Musée de la Voiture à Compiègne, longtemps conservée au Louvre, est maintenant au Musée d'Orsay).

ROLL Henry
Paris 1872 - Paris 1942

Fils du peintre Alfred Roll ; il a légué un tableau de celui-ci, *La dame aux coquelicots*, pour lequel avait posé sa mère, née Marie Porcher (†1898), première femme de l'artiste. L'œuvre ne fut effectivement remise au Louvre qu'en 1951 (maintenant au Musée d'Orsay).

**ROLLE Mme Henri Armand,
née Marguerite Thérèse Manceaux**
Paris 1845 - Varengeville-sur-mer 1910

Legs de soixante-deux dessins, aquarelles et miniatures de J. B. Isabey* et d'un portrait de Mme Wey-Isabey par Hébert ; Mme Rolle tenait ces œuvres de Mme Wey, née Henriette Isabey, une des filles de l'artiste.

ROLLER Jean
Paris 1797 - Paris 1866

Facteur de pianos, l'un des fondateurs de la manufacture de pianos Roller et Blanchet, il fut aussi peintre et exposa au Salon, de 1836 à sa mort, de nombreux portraits de personnalités du temps, parmi lesquels ceux de Léon et Fromental Halévy et de Hittorff, ses amis. Il a donné en 1866 une de ses œuvres : un portrait d'homme que la tradition affirme représenter Alexandre Biron, maire de Montmartre.

ROLLIN Claude Camille
1813 - 1883

Antiquaire et numismate, associé à Félix Feuardent à Paris et à Londres. Don d'une amulette égyptienne en pâte de verre, en forme de vache.

ROPS Félicien
Namur 1883 - Essonnes 1898

Le célèbre artiste donna en 1894 son portrait par Paul Mathey, peintre et graveur comme lui. Le tableau fut exposé au Musée du Luxembourg (déposé en 1894 à Versailles).

ROSANIER Léon
Odessa 1886 - Paris 1957

Brocanteur. Legs de trois dessins de Grison, Guillaumet et J. B. Isabey*.

ROSENBERG Léonce
Paris 1877 - Paris 1947

Directeur de galerie. Passionné par les œuvres des peintres cubistes et du Douanier Rousseau, il organisa dans sa galerie de l'*Effort moderne* des expositions de toiles de Picasso, Braque, Léger, etc. Il contribua à faire connaître Picabia et Chirico. Il imprima, dans les années 1930, quarante numéros du *Bulletin de L'Effort moderne* dans lequel des personnalités comme Severini, van Dœsburg, Reverdy et Chirico défendirent leurs théories. Il s'était auparavant intéressé aux miniatures persanes et gothiques. En 1908, il fit don au Louvre d'une coupe de céramique (Iran, XIIᵉ-XIIIᵉ s.) mise en dépôt au Musée de Sèvres.

ROSENBERG Paul
1881 - 1959

Frère de Léonce Rosenberg*, il était le fils d'Alexandre Rosenberg, venu s'installer à Paris en 1872 comme "négociant en objets d'art". Associés dès 1901 à la galerie de leur père, les deux frères s'installèrent au 21 rue de La Boétie en 1910. Se passionnant également pour les arts primitifs et l'archéologie, ils présentaient dans leur galerie des œuvres du XIXᵉ s. et, surtout, celles d'artistes "modernes", alors en marge des institutions, assurant, lors d'expositions prestigieuses, la promotion de Picasso, du Douanier Rousseau, de Braque ou de Matisse. En 1912, Paul Rosenberg offrit au Louvre *La lavandière* de P. Guigou dont il fut le découvreur. Lors d'une vente publique à Paris il acheta un tableau de Heim, *Assemblée du champ de Mai* pour le donner au Louvre (1927). En 1947 il offrit un dessin de Delacroix.

ROSENBERG Pierre

Inspecteur général des Musées, conservateur en chef du Département des Peintures du Musée du Louvre. Don au Cabinet des Dessins en 1976 d'une étude de Morazzone pour l'*Annonciation* de l'église Santa Maria d'Arona (sur le Lac Majeur, à la limite du Piémont et de la Lombardie).

ROSENTHAL Victor
Vladicaucase (Russie) 1880 - Neuilly ? 1945 ?

Négociant. Don en 1928 d'un dessin de Manet acheté à la vente Beurdeley.

ROSSEL William
Bonne (Haute-Savoie) 1878 - Paris 1964

Employé de banque, donne en 1938 deux tableaux du XVIIᵉ s..

ROSSI E.
† ap. 1880

Docteur en médecine, ami d'Arago et de Louis Blanc dont il partageait les convictions, il décida en 1859, "las de lutter avec le régime imposé à la France", d'émigrer avec toute sa famille aux États-Unis où il s'installa définitivement et fit souche. En 1880 il donna au Louvre un tableau qu'il avait laissé à Paris, jugeant que sa place était en France : un portrait de son père (dentiste à Paris) dû à l'ami de celui-ci, le peintre X. Sigalon, qui avait exposé l'œuvre en 1822 à son premier Salon (aux côtés de la *Jeune courtisane*, qui allait aussitôt être acquise pour le Louvre).

ROSSI Jean-Marie
ROSSI Mme Jean-Marie, née Carmen Martínez-Bordiú y Franco

Docteur en droit, J. M. Rossi s'est associé en 1956 avec Maurice Aveline, propriétaire d'une galerie d'antiquités à Paris, 20 rue du Cirque, puis a pris la tête de la maison Aveline. Il est spécialisé dans les meubles et les objets du XVIIIᵉ s. mais fait en même temps figure de précurseur en matière d'art du XIXᵉ s. Actuellement président du groupe "Antiquaires à Paris", il a organisé l'exposition *La Folie d'Artois*, à Bagatelle, en 1988. M. et Mme Rossi ont donné en 1986 un déjeuner chinois réticulé en porcelaine de Sèvres (1840), qui avait été acquis par la reine Marie-Amélie.

ROSSIGNEUX Monsieur

Don en 1893, du *Portrait de Philippe Rousseau*, peintre, par E. Dubufe présenté au Salon de 1876.

ROSTAIN Mme Émile, née Raymonde Chardon Müller de Schongor

Don en 1976 d'une *Vue du Salon Carré du Louvre*, peinte v. 1895 par Müller de Schongor, le père de son père adoptif.

ROTHSCHILD baron Adolphe de
Naples 1823 - Paris 1900
ROTHSCHILD baronne Adolphe de, née Julie de Rothschild
Vienne 1830 - Prégny 1907

Il était fils du baron Carl Mayer de Rothschild (1788-1855), fondateur de la banque Rothschild de Naples et grand collectionneur, d'objets de la Renaissance notamment. Adolphe épousa Julie de Rothschild, fille de son cousin germain Anselme Salomon, chef de la banque Rothschild de Vienne. Il prit après son père la direction de la banque de Naples mais la liquida rapidement. Il s'installa en Suisse, où il fit construire le château de Prégny, près de Genève, et en France, à Paris, rue de Monceau, et au château de La Ferme. Il collectionna avec ténacité, de 1872 à 1892, les objets du Moyen-Âge et de la Renaissance, aidé par Spitzer*. Il légua sa collection d'objets religieux au Musée du Louvre et au Musée de Cluny. La part du Louvre, dont le catalogue établi par Molinier comprend quatre-vingt-neuf numéros, renferme un bas-relief en marbre attribué à Agostino di Duccio, une statue de *Sainte Catherine* en pierre (Cham-

pagne, XVIᵉ s.), des sculptures en buis, deux miniatures de Giulio Clovio et de nombreuses pièces d'orfèvrerie du Moyen-Âge et de la Renaissance, plusieurs capitales, tels le polyptyque de l'abbaye de Floreffe (France du Nord, XIIIᵉ s.), le reliquaire de la *Flagellation* (Venise, XVᵉ s.), le reliquaire aux anges au poinçon de Barcelone (XVᵉ s.), une crosse en cristal de roche et argent doré (XVIᵉ s.), un collier en or émaillé allemand, (fin du XVIᵉ s.). La baronne Adolphe de Rothschild ajouta à ce legs le don de trois objets dont une importante monstrance en argent doré (Venise, XVᵉ s.). Son mari avait légué une somme d'argent pour la présentation de ses œuvres d'art. Par ce moyen, furent acquis un plafond en bois sculpté du XVIᵉ s., une tapisserie flamande du XVᵉ s.(*Multiplication des pains*), ainsi que cinq autres objets dont une Vierge en ivoire gothique. Le baron Adolphe de Rothschild créa d'autre part la Fondation ophtalmologique Adolphe de Rothschild, rue Manin, qui ouvrit en 1905.

E. Molinier, *Musée national du Louvre. Donation de M. le baron Adolphe de Rothschild. Catalogue*, Paris, 1902. R. Kœchlin, *Les donations de la famille de Rothschild*, Paris, 1909, pp. 10-15, (Les donateurs du Louvre).

ROTHSCHILD baron Arthur de
Paris 1851 - Monaco 1903

Fils de Nathaniel, le baron Arthur de Rothschild reste connu comme collectionneur de bagues (léguées au Musée de Cluny) et de tableaux, surtout flamands et néerlandais, qu'il légua au Louvre. *L'oiseau mort* de Greuze, *La ferme* de Hobbema et *La route* de Ruisdael comptent parmi les chefs-d'œuvre de sa collection qui entrèrent au musée en 1904.

ROTHSCHILD Mme Bethsabée de

Associée au don des héritiers du baron Édouard de Rothschild*, son père, Mme de Rothschild donna aussi, sous réserve d'usufruit, en 1974, *La Vierge à l'Enfant pendant la fuite en Égypte*, panneau central d'un petit triptyque de H. Memling dont les volets étaient déjà au Louvre depuis 1851 (abandon de l'usufruit en 1981), et en 1975, un pendentif en or émaillé (France, 3ᵉ quart du XVIᵉ s.) renfermant un camée romain.

ROTHSCHILD baron Edmond James de
Boulogne-sur-Seine (Hauts-de-Seine) 1845 - Boulogne-sur-Seine 1934

Petit-fils de Mayer Amschel Rothschild (1744-1812) fondateur de la dynastie, il était le plus jeune fils du baron Jacob James (1792-1868), créateur à Paris, au début du XIXᵉ s., de la célèbre banque. Après le décès de son père, il fut associé de ses frères, Alphonse et Gustave, puis il devint le chef et le doyen de l'établissement de la rue Laffitte. Edmond de Rothschild faisait partie de la Société des Amis des Sciences, s'appliquant à les aider. En 1921, il dota une fondation d'aide à la recherche scientifique, puis il organisa, en 1927, l'Institut

Baron Ad. de Rothschild

Baron E. J. de Rothschild
R. Godard, Louvre

Baron G. de Rothschild
Grosclaude, coll. part.

biologique physico-chimique, auquel il fit une donation. En 1928, il contribua à la fondation de l'Institut Henri Poincaré. Enfin, la création de la Maison de l'Institut de France à Londres, en 1919, fut une des grandes réalisations d'Edmond qui avait acquis en 1909, pour le Département des Manuscrits de la Bibliothèque nationale, une série de volumes de la collection de sir Thomas Phillipps, don complété en 1922 par une précieuse collection d'autographes. En 1873, Edmond de Rothschild et son frère Gustave* avait fait entreprendre, à leur frais, par l'archéologue Rayet*, des fouilles à Milet, Didymes, Tralles et Magnésie. Ils firent don au Louvre du produit de ses fouilles. En 1895, Edmond offrait au musée le fameux trésor (cent-dix pièces) d'argenterie trouvé à Boscoreale, près de Pompéi, dans les ruines d'une exploitation agricole ensevelie lors de l'éruption du Vésuve, et une œnochoé en bronze du même site, mais n'appartenant pas au trésor. Très érudit, Edmond de Rothschild se montra un amateur d'un goût raffiné, constituant une importante collection de tableaux, sculptures et objets d'art. Le cabinet d'estampes qu'il constitua dès sa jeunesse et qu'il ne cessa d'enrichir jusqu'à l'âge de quatre-vingt-neuf ans, est une réunion des pièces les plus parfaites, tant du point de vue du tirage, que de la conservation, et peut être considéré comme un véritable musée de la gravure. Sa profonde connaissance de l'histoire de la gravure valut d'ailleurs au baron de Rothschild de succéder à Henri Bouchot, en 1906, comme membre libre de l'Académie des Beaux-Arts. En 1907-1909, il participait encore à l'acquisition en bloc de la collection d'objets d'art Victor Gay (cf. Mme V. Gay), de la plaque d'ivoire ottonienne de la *Multiplication des pains* et du *Jeune berger*, bronze de Riccio. En 1912, il donnait au Louvre deux miniatures de Dubson, et en 1920, dix-sept panneaux de moucharabieh provenant du Caire. Le 2 novembre 1934, le grand collectionneur s'éteignait dans son château de Boulogne, suivi de peu, le 22 juin 1935, par son épouse, la baronne Adélaïde. Fidèles au vœu de leur père, ses héritiers, James*, Maurice* et Alexandrine de Rothschild, donnèrent au Louvre leur collection de gravures et de dessins anciens ainsi que les livres illustrés. Le 25 juillet 1936, la célèbre collection, comprenant plus de quarante mille gravures et près de trois mille dessins, était transférée au Louvre.

A. Blum, "Le baron Edmond de Rothschild, amateur (1845-1934)", *Bulletin de l'Académie des Beaux-Arts*, n° 20, juil.-déc. 1934. A. Blum, "Un musée de la Gravure, la collection Edmond de Rothschild", *L'Art et les Artistes*, n° 170, oct.1936. S. Coblentz, *La Collection d'estampes Edmond de Rothschild au Musée du Louvre*, Paris, 1954.

ROTHSCHILD baron Édouard de, héritiers du

Guy de Rothschild* et ses sœurs, Mme Bethsabée de Rothschild* et Mme Gregor Piatigorsky*, héritiers du baron Édouard (1868-1949), fils de Mayer Alphonse de Rothschild*, offrirent au Louvre en 1949, en souvenir de leur père, le magnifique *Portrait de la marquise Doria* de Van Dyck.

ROTHSCHILD baron Élie de ROTHSCHILD baronne Élie de, née Liliane Fould-Springer

Ancien vice-président directeur général de la Banque Rothschild, administrateur de nombreuses sociétés, le baron Élie de Rothschild, fils du baron Robert, maintient la tradition familiale en collectionnant dans un nouveau domaine, la peinture moderne et contemporaine. Il commanda des meubles à Stahly et César. Grâce à lui, le Louvre put acquérir en 1981 l'*Adoration des bergers* de Jordaens. La baronne Élie de Rothschild, elle aussi collectionneuse, a réuni un important ensemble iconographique concernant Marie-Antoinette et a organisé l'exposition *Marie-Antoinette* à Versailles en 1955. Elle est membre du Conseil artistique de la Réunion des musées nationaux. Le baron et la baronne Élie de Rothschild ont donné en 1982 un "vase à médaillons" en porcelaine de Sèvres (v. 1765).

D. Cooper, *Les Grandes collections privées*, Paris, 1963, pp. 168-180.

ROTHSCHILD baron Gustave de
1829 - 1911

En 1873, il a financé, avec son frère Edmond James de Rothschild*, les fouilles des temples de Milet et de Didymes, en assumant les frais de publication. Ils ont fait don cette même année d'éléments d'architecture, d'inscriptions

grecques, de statues, notamment le *Torse de Milet*, fragment d'une statue masculine colossale (déb. du Ve s av. J.-C.), ainsi que de pièces servant aux assemblages d'architecture, pivots, crampons de cuivre, de fer, de plomb trouvés lors de ces travaux.

ROTHSCHILD baron Guy de

Président la banque Rothschild, président de la Compagnie des Chemins de fer du Nord, régent de la Banque de France, Guy de Rothschild fit don au Musée du Louvre (1974) de la statue en marbre de J. B. Pigalle, *Madame de Pompadour en Amitié*. Cette sculpture avait été acquise par son père le baron Édouard Alphonse James de Rothschild en 1904.

ROTHSCHILD Jacqueline de voir PIATIGORSKY Mme Gregor

ROTHSCHILD baron James de
Paris 1878 - 1957

Fils d'Edmond de Rothschild*, le collectionneur d'estampes, et frère de Maurice*, député du Var, il épousa en 1913 Dorothy Pinto. Il finança "l'expédition Rothschild" des fouilles de Aï (Palestine). Don de vingt-cinq céramiques provenant de ces fouilles en 1936, au Département des Antiquités orientales.

ROTHSCHILD baron Maurice de
Boulogne-sur-Seine (Hauts-de-Seine) 1881 - Prégny, Genève, 1957

En 1935, le baron Maurice de Rothschild (fils d'Edmond de Rothschild*) fit don au Musée du Louvre de deux importants cristaux de roche, signés par Valerio Belli (Italie, v. 1500), d'une plaque avec une *Scène d'offrande* et d'un flacon décoré d'intailles et monté en or émaillé, et, en 1937, il offrait la *Leçon de couture*, peinte par M. Denis (déposée en 1980 au Musée du Prieuré à St-Germain-en-Laye).

ROTHSCHILD Max

Marchand d'art à Londres avant la guerre (spécialisé surtout dans les tableaux italiens),

Baron M.A. de Rothschild

Baronne S. de Rothschild

à la tête, avec son frère, de la Sackville Gallery, il donna en 1926 au Louvre un *Portrait de magistrat* (1787), peint par J. L. Laneuville (déposé en 1956 au Mobilier national).

ROTHSCHILD baron Mayer Alphonse de
Paris 1827 - Paris 1905

Aîné des fils du baron James - fondateur de la branche française des Rothschild - le baron Alphonse (frère de la baronne Nathaniel* et d'Edmond de Rothschild*) donna au Louvre en 1873 une statuette de *Pleurant* en albâtre, de l'école bourguignonne du XVᵉ s., et en 1892 un bronze italien du XVIᵉ s. ; en outre, il légua au Département des Peintures le célèbre *Master Hare* de Reynolds.

ROTHSCHILD baronne Nathaniel de, née Charlotte de Rothschild
Paris 1825 - Paris 1899

Aînée des enfants de James de Rothschild, elle était la sœur d'Alphonse* et d'Edmond* et épousa son cousin Nathaniel. Peintre et amie de peintres, grande voyageuse et collectionneuse éclectique, elle légua des objets d'art aux musées de Cluny et des Arts décoratifs et, au Louvre, quatorze peintures de la Renaissance italienne (parmi lesquelles deux panneaux représentant *Sainte Apolline* et *Saint Michel* d'Ercole de' Roberti et la *Vierge à l'Enfant* de Ghirlandajo), ainsi que *La laitière* de Greuze et vingt-deux aquarelles de Jacquemart.

ROTHSCHILD enfants du baron et de la baronne Robert de

Le baron Robert de Rothschild (1880-1946) était fils du baron Gustave*, second fils du baron James, le premier Rothschild français. En 1947, les quatre enfants du baron Robert et de la baronne, née Nelly Beer (Mme Anatole Muhlstein, née Diane de Rothschild, depuis Mme Joseph Benvenuti ; le baron Alain de Rothschild (1910 - 1982) ; Mlle Cécile de Rothschild ; et le baron Élie de Rothschild*), ont donné, en souvenir de leurs parents, une célèbre statuette de *Prophète* (en fait *Nicodème*) en ivoire (XIIIᵉ s.), provenant des collections Gustave et Robert de Rothschild, et le *Portrait de Lady Alston* par Gainsborough.

ROTHSCHILD baronne Salomon de, née Adèle de Rothschild
Francfort-sur-le-Main 1843 - Paris 1922

Elle était la fille du baron Carl de Rothschild (1820-1886), de Naples, qui avait succédé à son oncle, le baron Anselme, à la tête de la banque Rothschild de Francfort, et de sa cousine germaine, Louise de Rothschild, fille de Nathan de Rothschild, de Londres. Elle était nièce du baron Adolphe de Rothschild*. Elle épousa le cousin germain de son père, le baron Salomon (1835-1864), troisième fils du baron James, le premier Rothschild français. Le baron et la baronne rassemblèrent une collection très éclectique provenant de leurs achats,

auxquels fut jointe une partie de la collection du père de la baronne. Celle-ci fit construire un fastueux hôtel, 9-11 rue Berryer. Elle légua à l'État pour le ministère "de l'Instruction publique et des Beaux-Arts", pour être affecté à l'administration des Beaux-Arts, l'hôtel et son contenu, à la charge d'y créer, sous le vocable de "Fondation Salomon de Rothschild", une "maison d'art" où se tiendraient des expositions et autres manifestations. La baronne légua en outre sa bibliothèque à la Bibliothèque nationale et ses collections aux musées du Louvre, de Cluny et des Arts décoratifs. Cette libéralité représenta un considérable enrichissement pour la collection d'objets d'art du Louvre. Elle valut notamment au musée ses plus précieux verres vénitiens, maints autres objets de la Renaissance (céramiques : majoliques, dont une assiette aux armes d'Isabelle d'Este, grès, terres vernissées de Palissy ; émaux peints, dont la série de l'*Énéide* ; cuivres vénitiens ; armes), des objets du XVIIIᵉ s. (porcelaines de Sèvres, dont un vase Le Boiteux et une pendule en forme de lyre ; meubles, dont une table en vernis Martin de B. V. R. B. et un guéridon de Carlin à plaques de porcelaine de Sèvres ; cent-six tabatières ; objets en écaille piquée), des objets musulmans (chandelier égyptien en cuivre incrusté d'or et d'argent, v. 1300 ; écritoire en cuivre incrusté timouride ; armure indienne en acier incrusté, XVIIᵉ-XVIIIᵉ s. ; tapis "polonais", Iran, déb. du XVIIᵉ s.), trente-trois tableaux (*Enfants dans la neige* de Tassaert, *La Sainte Famille* de Scarsellino, *Ange* et *Vierge de l'Annonciation* de Carlo Dolci, *Faust dans son cabinet* d'A. Scheffer), vingt-et-un dessins et aquarelles. La baronne Salomon fut aussi une bienfaitrice pour Francfort, donnant à l'Institut Staedel le portrait de *Gœthe en Italie* par Tischbein. On lui doit encore la fondation à Paris, rue Lamblardie, d'un orphelinat de deux cents enfants.

V. Champier, "L'Habitation moderne. Hôtel de Madame Salomon de Rothschild"... , *Revue des Arts décoratifs*, t. XII (1891-1892), pp. 65-75.

ROUANET Pierre Marie Maurice Léon
Béziers 1863 - Bourron-Marlotte (Seine-et-Marne) 1911

P. Rouanet légua en 1904 la totalité de ses biens à l'Assistance publique, à la Réunion des musées nationaux et à la Bibliothèque nationale tout en laissant l'usufruit à sa femme, née Philomène Sevestre. Celle-ci mourut en 1951. C'est donc à cette date qu'entra au Département des Objets d'Art le bassin lustré du XVIIᵉ s. et une sculpture en bois espagnol du XVIᵉ s. *La Sainte Parenté*.

ROUART Alexis
1839 - Paris 1911

Ingénieur. Frère d'Henri Rouart*, il travailla avec son père, ingénieur lui aussi, à la mise au point de systèmes de réfrigération et de moteurs. Ses collections étaient axées principalement autour de deux pôles : les peintures et lithographies des années 1830 et les estampes japonaises. Il habitait rue de Lisbonne une maison construite par le beau-frère de Degas, Henri Fevre. Don au Louvre en 1898 d'une miniature de l'Inde moghole du XVIIIᵉ s. représentant un derviche (dépôt au Musée Guimet).

ROUART Ernest
Paris 1874 - Paris 1942
ROUART Mme Ernest, née Julie Manet
Paris 1879 - Paris 1969

Ernest Rouart, fils d'Henri Rouart* avait épousé en 1900 la fille de Berthe Morisot et d'Eugène Manet, Julie, mariage amicalement encouragé par l'ami des deux familles, Edgar Degas. Ensemble, M. et Mme Ernest Rouart offrirent au Louvre en 1920 une toile de Berthe Morisot, *L'Hortensia*, puis, en 1930, *La Dame aux éventails (Nina de Callias)* de Manet. Ernest Rouart, lui-même peintre, et qui eut Degas comme maître, donna une peinture de son père, *L'église San Michele près de Venise*, en 1932. Après sa mort, sa veuve et ses enfants firent don en 1943 d'une œuvre célèbre de Corot*, *Tivoli, les jardins de la Villa d'Este*, qui provient de la collection Henri Rouart. Vers 1950-1960, le Cabinet des Dessins recevait une aquarelle de Julie Manet-Rouart donné par "M. Rouart"; s'agissait-il d'un de ses fils ou d'elle-même, "M. Rouart" pouvant vouloir dire "Monsieur Rouart" ou "Manet Rouart"?.

ROUART Henri
Paris 1833 - Paris 1912

Polytechnicien, ingénieur-constructeur, il fut aussi un peintre paysagiste de talent qui exposa avec les impressionnistes. Comme son plus proche ami, Degas, c'était un collectionneur aux intérêts multiples; son domaine préféré était cependant la peinture, de Corot* à Gauguin, domaine dans lequel il apparaît d'ailleurs comme un des premiers amateurs de son temps ainsi qu'en témoignent les catalogues des ventes de sa collection, après sa mort en 1912 et 1913. A côté de tableaux anciens (XVIIIᵉ s. français, école espagnole), Henri Rouart avait plus de quarante Corot, des œuvres importantes de Daumier, Millet, de Puvis de Chavannes*, de Manet, de tous les impressionnistes avec Degas en vedette, etc... rassemblés dans son hôtel de la rue de Lisbonne qu'il ouvrait volontiers aux artistes et amateurs. Henri Rouart donna au Louvre en 1903 une peinture de Cals, *Le Déjeuner à Honfleur*.

ROUART enfants d'Henri

Les enfants d'Henri Rouart, Hélène (Mme Eugène Marin), Alexis-Stanislas, Eugène, Ernest* et Louis manifestèrent leur intérêt pour les collections nationales en participant aux achats faits par le Louvre à la vente de leur père (Paris, Galerie Manzi-Joyant, 9-10-11 décembre 1912) de Corot*, *La Femme en bleu* et Daumier, *Crispin et Scapin*; ils offrirent aussi en 1912 la célèbre aquarelle de Daumier *La Parade foraine*.

ROUBAUD L. A. Jeune
Cerdon (Ain) 1828 - Paris 1906

Sculpteur français, élève d'Hippolyte Flandrin et de Duret, il débuta au Salon de 1861. Don en 1898 au Département des Antiquités grecques et romaines d'une *Tête colossale d'Antonin* en marbre, trouvée au château de Bénévent à Vaugneray (Rhône).

ROUDILLON Jean Marcel

Antiquaire et expert parisien. Spécialisé dans les arts africain, océanien, pré-colombien et celui des hautes époques européennes. Don, en 1953, d'un bas-relief sculpté (Iran, XIIᵉ s.) à la Section islamique; en 1956 d'une tête de bronze, en 1959 de boucles d'oreilles au Département des Antiquités grecques et romaines, en 1972 d'un étui à calames en cuir au Département des Antiquités égyptiennes.

ROUGÉ vicomte Emmanuel de
Paris 1811 - Boisdauphin (Sarthe) 1872

Conservateur du Département des Antiquités égyptiennes du Louvre dont il publia l'inventaire en 1849, il obtint en 1860 la chaire de Champollion* au Collège de France. On le considère comme le fondateur de la philologie égyptienne. Il fut aussi conseiller d'État et maire de Précigné (Sarthe). Don en 1852 d'une faïence du XVIIIᵉ s. au Département des Objets d'Art et de deux objets égyptiens en 1853.

H. Wallon, *Notice historique sur la vie et les travaux de M. le vicomte Emmanuel de Rougé*, Paris, 1978.

ROUGÉ vicomte Jacques de
1842 - 1923

Fils d'Emmanuel de Rougé*, il fit ses études avec son père et l'accompagna en Égypte de 1863 à 1864. Il publia de nombreuses inscriptions et s'intéressa plus particulièrement au site d'Edfou. Don en 1874 de la *Stèle d'Aspalta*.

ROUGET Mme Georges, née Antoinette Anica Bottot
Genève ? 1805 - Paris 1885

La veuve du peintre Rouget et ses enfants donnèrent l'*Abjuration d'Henri IV* au Musée du Louvre (en 1880, d'après le dossier d'archives reconstitué postérieurement). En raison de ses dimensions, le tableau était resté en indivision dans l'atelier de l'artiste après sa succession (déposé à Charleville de 1911 à 1912 puis à Pau depuis 1953).

ROUGEVIN Auguste
Paris 1792 - Paris 1877

Architecte, fondateur par testament du Prix Rougevin, à l'École des Beaux-Arts en mémoire de son fils Augute Joseph Rougevin (1831-1856). Legs de la statue de l'*Amour menaçant* de Falconet (dit aussi *Amour silencieux*) provenant des collections de Mme de Pompadour.

A. Rouart
R. Bonheur, E.N.S.B.A., Paris

H. Rouart
Bibl. nat., Paris

Vicomte E. de Rougé
F.J. Heim, Louvre

Ed. Rousse
Bibl. de l'Institut, Paris

ROUJOUX Prudence Julien Napoléon
baron de
1806 - 1871

Consul de France sous Louis-Philippe*. Don en 1839 d'une inscription grecque, décret de Callias.

ROULET-GAULIS Georgette
Constantinople 1897 - Ferney-Voltaire 1982

Don en 1977 d'un lot de silex (environ quatre-cent-quatre-vingts) provenant de divers sites du Liban.

ROUSSE Edmond
Paris 1817 - Paris 1906

Avocat, membre de l'Académie française. Legs de onze miniatures (Bourgeois, Augustin, Debucourt), et de deux bas-reliefs en cire de Clodion (entrés en 1907).

ROUSSEAU Edme
Paris 1815 - 1858

Miniaturiste. Le Musée Vivenel de Compiègne conserve quelques une de ses plus belles œuvres. Legs au Louvre d'un *Portrait de sa mère* peint en 1849.

ROUSSOS

Don en 1934 d'une coupe grecque peinte à figures rouges.

ROUX de ROCHETTE Jean Baptiste
Gaspar (?)
Lons-le-Saulnier 1762 - Paris (?) 1849

Officier puis fonctionnaire comme ministre à Hambourg (1825) puis à Washington (1829-1830), il donna en 1830 un tableau de G. Mazzola Bedoli, *L'adoration des bergers avec saint Benoit*.

ROY Lucien Robert
1850 - v. 1940

Architecte des Monuments historiques, successivement chargé de plusieurs départements

puis d'églises d'Île-de-France (Étampes, Corbeil) et d'édifices parisiens dont l'Hôtel des Invalides. Don en 1934 d'un petit autel décoré d'une tête de Poséidon et de deux dauphins trouvé entre Sparte et Mistra ; legs d'une petite *Tête de singe* en terre cuite (ancienne collection Tyskiewicz*) entrée en 1944.

ROYALL TYLER

Don en 1930 de trois têtes coptes en calcaire au Département des Antiquités égyptiennes.

RUAIS abbé Antoine

Membre de la commision d'Art sacré du département de Maine-et-Loire depuis 1965 et conservateur des Antiquités et Objets d'Art, membre titulaire de l'Académie d'Angers (1977) et de la Société nationale des Antiquaires de France (1984). Ses recherches portent sur l'histoire de l'orfèvrerie angevine et sur les tapisseries des collections du château d'Angers, dont il a la garde depuis 1978. Le Département des Objets d'Art lui doit le don (1985) d'une cuiller à moëlle en argent parisienne du XVIIIᵉ s.

RUBY Raymond
Paris 1901 - 1987

Industriel et amateur d'art. Don en 1975 de trois dessins de F. Roybet.

RUDIER Eugène
1875 - 1952

Fondeur comme son père Alexis Rudier, et ses oncles François et Victor. Il reprit la marque de son père et travailla pour Rodin de 1902 à 1952. A sa mort, son neveu Georges Rudier a repris la fonderie. Don à deux reprises, en 1938 et en 1949, de sculptures (Musée d'Orsay).

RUE Gédéon

Fils d'un commissaire de marine et frère de la miniaturiste A. Z. L. de Mirbel (Cherbourg 1796 - Paris 1849). Don de cinq miniatures de Mme de Mirbel (1850) dont trois mises en

dépôt au Musée des Arts décoratifs. Don d'une peinture, *Portrait de Madame de Mirbel*, par Gallande de Champmartin au Musée de Versailles (1862).

RUFIN Georges Louis Jean
La Norville (Essonne) 1861 - Paris 1933

Peintre paysagiste, il fut membre de la Société des Artistes français et de la Fondation Taylor et fit partie du Conseil d'administration du Musée des Arts décoratifs et du Musée de l'Armée. Il légua au Département des Objets d'Art la carabine de Barras, signée par le plus célèbre des arquebusiers français de la révolution et de l'Empire, Nicolas-Noël Boutet, de Versailles (legs accepté en 1934). Le Musée de l'Armée et le Musée des Arts décoratifs bénéficièrent également de sa générosité.

[Mercier (Capitaine)], "Georges Rufin", *Bulletin de la Société des Amis du Musée de l'Armée*, nᵒ 4, oct. 1938, p. 55.

RUHLMANN Mme Jacques-Émile,
née Marguerite Jeanne Seabrook
1886 - Paris 1957

Mariée en 1907 au célèbre fabricant de meubles et décorateur, elle contribua à son succès. Après sa mort (1933), elle organisa l'exposition rétrospective de Ruhlmann au Pavillon de Marsan en 1934. Elle légua au Musée des Arts décoratifs une partie des carnets de croquis de son mari et au Louvre une commode de celui-ci, dite "meuble au char", en ébène et ivoire (1922).

Fl. Camard, *Ruhlmann*, Paris, 1983, p. 198.

RUIZ-PICASSO Paul
voir **PICASSO Mme Pablo**

RUIZ PIPO Manuel

Don en 1970 d'un masque de sarcophage de la XXIIᵉ dynastie qui "lui avait porté malheur, c'est la raison pour laquelle il désira s'en défaire".

F. Sabatier
G. Courbet, Musée Fabre, Montpellier

M. Saïd Pacha

RUSSELL Mme James, née Marie-Astasie Gigon
Moulin-la-Marche (Orne) 1830 - Chatou (Yvelines) 1899

Legs d'une assiette et d'une bannette du XVIIIᵉ s. en faïence de Rouen.

RUSTAFJAELL Robert de
† 1943

Citoyen américain, connu pour avoir réuni au cours d'un séjour en Égypte une collection axée sur l'Époque prédynastique d'une importance considérable. Don en 1913 d'un vase en terre cuite peinte.

RUTTEN Marguerite
1898 - 1984

Assyriologue, conservateur au Département des Antiquités orientales. Don de tablettes cunéiformes.

RYAN Mme, née Arlette Warrain
Paris 1892 - 1988
FABRE Mme, née Yvonne Warrain

Arlette Ryan, portraitiste, exposa au Salon des Artistes français. Sa sœur, Mme Fabre, évolua dans le monde musical et chanta dans la chorale Yvonne Gouverné. Don en 1976 de cinq portraits au pastel, quatre représentant Mme Ryan par Helleu et Baschet, le dernier, Mme Fabre par Baschet (Orsay).

RYAUX Georges P.
Yvetot 1894 - Paris 1978

Marchand de tableaux, il donna un tableau de Charles Pœrson (1936), ainsi que des sculptures. Sa collection comprenait des tableaux de toutes écoles et des objets d'art, notamment des céramiques.

Cat. vente, *Succession Georges Ryaux*, Paris, Palais d'Orsay, 24 oct. 1979.

SABATIER François
Montpellier 1818 - Lunel-Viel, Montpellier 1891

Adepte des idées de Fourrier auxquelles il resta toujours fidèle. En 1839, il épousa, en Italie, la chanteuse viennoise Caroline Ungherer, de quinze ans son aînée. Il vécurent à Florence, dans un palais de la via San Niccolò qu'ils firent décorer par divers artistes dont le peintre marseillais D. Papety (1815-1849). Le portefeuille de dessins de Papety que Sabatier légua au Louvre contenait trois-cent-soixante-neuf études, relevés, copies, paysages, réalisés en Grèce, que les deux amis visitèrent longuement en 1834.

SABATIER Mme François Victor
Agen 1823 - Nice 1891

Don en 1891 de cinq aquarelles et d'un dessin (*Vues de Venise et de Vérone*) dues à son mari, architecte à Nice, Fréjus, et Paris (sous-inspecteur pour les travaux du Ministère des Affaires Étrangères, et de la réunion du Louvre et des Tuileries). Un autre don au Musée d'Agen.

SABET Habib
SABET Mme Habib, née Bahereh Khamsi
SABET Hormoz
SABET Iraj

Homme d'affaires iranien, collectionneur de meubles et d'objets français du XVIIIᵉ s., M. Habib Sabet a donné en 1987, en son nom et en celui de sa femme et de ses deux fils, un célèbre vase en argent doré d'Antoine-Sébastien Durand (Paris, 1765-1767).

SACHS Arthur
New York 1880 - New York 1975

Citoyen américain, collectionneur, banquier. Il vécut longtemps à Paris, le Louvre lui doit les dons en 1930, d'un célèbre *Ange* de bois du dernier quart du XIIIᵉ s. ; en 1947, de sept fragments de fresques provenant du logis abbatial de Clermont, près de Laval (Anjou, 2ᵉ moitié du XVᵉ s.) en 1969, de deux pièces de la *tapisserie aux ours*, aux armes de Juvénal des Ursins (XVᵉ s.) ; en 1970, de deux *anges*

céroféraires (France, XVᵉ s.) et de deux panneaux de coffre (XVᵉ s.).

SAGNIER René
Escautpont (Nord) 1887 - Oullins (Rhône) 1979

Ancien officier de marine, directeur général de la Compagnie lyonnaise de Navigation et de Remorquage, R. Sagnier donna en 1946 au Louvre l'*Autoportrait* de V. Mottez, dont il était le petit-neveu : il lui venait de sa grand-mère, Mme François Antoine Sagnier, née Marie Nathalie Julie Mottez (Lille 1825 - Masnières !892), sœur du peintre (et, par conséquent tante d'Henri Mottez*), laquelle l'avait reçu en don de l'artiste v. 1855 (déposé immédiatement au Musée des Beaux-Arts de Lille, ville natale de Mottez).

SAÏD Mohammed dit SAÏD PACHA
1822 - Alexandrie 1863

Vice-roi d'Égypte en 1854, auteur d'importantes réformes dont la suppression de l'esclavage, il fonda le Musée des Antiquités égyptiennes de Boulaq dirigé par Mariette*. Saïd Pacha est surtout célèbre pour avoir autorisé la construction du Canal de Suez par Ferdinand de Lesseps*. Don en 1863 de deux bas-reliefs provenant du sérapeum de Memphis.

SAINSÈRE Mme Olivier, née Marie Henry
Savonnières-devant-Bar 1861 - Paris 1947

C'est en souvenir de son mari, Olivier Sainsère (Bar-le-Duc 1852 - Paris 1923) que Mme Sainsère étroitement associée tout au long de sa vie aux activités artistiques de celui-ci, a donné, en 1923 un *Intérieur* de Bonnard et une *Tête de Christ* issue de l'atelier de Ph. de Champaigne. Fils d'un industriel de Bar-le-Duc, Olivier Sainsère conseiller d'État en 1898, plus tard vice-président du Conseil d'État ; il fut secrétaire général de la Présidence de la République de 1915 à 1918 sous la présidence de son ami, R. Poincaré. Défenseur actif de l'art contemporain (il fut notamment membre du conseil supérieur des Beaux-Arts, président de l'Association des Amis du Luxembourg, vice-président de l'Union centrale des Arts décoratifs, membre du comité

Ch. R. de Saint-Marceaux
P. Mathey, Versailles

Marquise de Saint-Paul
A. Axilette, Louvre.

des Amis du Louvre, etc...). Il fut aussi un collectionneur au goût sûr tant en matière d'objets d'art (Chaplet, Charpentier, Clément-Mère, Daum, Gallé, etc...) qu'en peintures et arts graphiques ; ses préférences allaient à l'impressionnisme et aux peintres des générations suivantes : Lautrec, Gauguin, Redon, les Nabis, les Fauves, et enfin Picasso dont O. Sainsère fut l'un des premiers amateurs ayant acheté de ses œuvres dès avant 1905.

SAINT Auguste
St-Lô (?) - St-Lô 1848

Frère cadet du miniaturiste Daniel Saint (St-Lô 1778 - St-Lô 1847), dont il donne deux miniatures (1848).

SAINT-ALBIN Mme Hortensius Rousselin de Corbeau de, née Céline Le Bouvier-Duhameau
Mayenne 1815/16 - Paris 1874

Son mari fut conseiller à la Cour d'Appel de Paris, député, membre du Conseil général de la Sarthe. Elle-même avait étudié la peinture avec le peintre de fleurs Jacobber, et jusqu'en 1868, présenta fréquemment des tableaux de fleurs au Salon, où elle avait obtenu en 1845 une médaille de 3e classe pour des *Fleurs et fruits* sur porcelaine. En 1867, elle offrit à l'État *Un cactus (speciosissimus)* ; ce tableau, qui venait de figurer au Salon, fut immédiatement inscrit sur l'inventaire du Louvre et - son auteur étant vivant - exposé au Luxembourg.

SAINT-ALBIN Louis-Philippe Rousselin de Corbeau, vicomte de
Paris 1822 - Paris 1879

Fils d'Alexandre, comte de Saint-Albin, journaliste (un des fondateurs du *Constitutionnel*) et historien, qui était lié avec Louis-Philippe*, il fut bibliothécaire de l'impératrice Eugénie qui l'avait connu avant son mariage. C'était un érudit et un collectionneur. Il publia avec Armand Durantin, en 1864, *Domaine de la Couronne. Palais de Saint-Cloud, résidence impériale...* . Il fit de sa sœur, Mme Jubinal, sa légataire universelle, léguant au Louvre *La Charrette* de Le Nain, quatre dessins dont trois de Moreau le Jeune (*L'Ange de la France défend*

Louis XV, La France pleure Louis XV, La Place Louis XV), un coffret en or émaillé allemand et deux couteaux.

Mme Carette, *Souvenirs intimes de la Cour des Tuileries*, t. I, Paris, s. d., pp. 115-118.

SAINT-HILAIRE Christophe de

Propriétaire du terrain rue Saint-Fiacre à Paris sur lequel était édifié le Néorama fondé en 1827 par le peintre Jean-Pierre Alaux (1783-1858), il donna en 1833 après la fermeture du Néorama, les deux immenses toiles, *Intérieur de la basilique Saint-Pierre de Rome* et *Intérieur de l'abbaye de Westminster*, qui y étaient présentées et que le peintre, son débiteur, lui avait cédées après avoir vainement essayé de les faire acheter par l'État.

SAINTIN Jules Émile
Lemé (Aisne) 1829 - Paris 1894

Peintre de portrait, d'histoire et de genre, il légua au Louvre un portrait peint par lui-même en 1864 représentant Achille Leboucher, également peintre, qui avait été son maître (placé initialement au Luxembourg, envoyé par la suite en dépôt et non localisé à ce jour). En même temps il léguait à l'École des Beaux-Arts à Paris une somme de 5000F pour être convertie en une rente destinée à récompenser chaque année par un prix l'élève de la section Peinture ayant remporté le plus de médailles, et à la National Academy of Design de New York, dont il était membre depuis 1859 - Saintin avait vécu en effet une dizaine d'années en Amérique où il s'était spécialisé dans la représentation des Indiens - la totalité des études peintes et dessinées, gravures, livres d'art garnissant son atelier au moment de son décès.

SAINT-MARCEAUX Charles René de Paul de
Reims 1845 - Paris 1915

Sculpteur et collectionneur. Il légua, sous réserve d'usufruit pour sa femme, née Lucie-Frédérica-Marguerite Jourdain, morte à Paris en 1930 : un bas-relief en marbre représentant Alphonse d'Aragon, roi de Naples (Italie, milieu du XVe s.), un *Portrait du cardinal de*

Lorraine (Emilie, XVIe s.), et un très beau régulateur Louis XV provenant de la vente des meubles du château de Sillery (Marne) en 1793. En 1925, Mme de Saint-Marceaux donna au Musée du Luxembourg une série d'œuvres de l'artiste, aujourd'hui au Musée d'Orsay.

SAINT-PAUL marquise de, née Charlotte-Diane Feydeau de Brou
Paris 1848 - Paris 1943

Fille de Charles Eugène, marquis de Brou, elle épousa en 1886 Charles Le Ray de Chaumont, marquis de Saint-Paul, dont elle se sépara de corps en 1886. Elle était l'amie du prince Napoléon, vivant auprès de lui à Paris et à Rome, ville dans laquelle il s'éteignit en 1891. Elle donnait des soirées musicales dans son domicile parisien, 3 rue Nitot (actuelle rue de l'Amiral-d'Estaing), où elle mourut. En 1913, elle offrit sous réserve d'usufruit une chancellerie exécutée à la Manufacture des Gobelins pour son aïeul Paul-Esprit Feydeau de Brou (1683-1767), garde des Sceaux en 1762-1763 ; elle offrit encore en 1941 un portrait dessiné du marquis de Dampierre par J. B. Garand, en 1942 un tableau de Largillierre (déposé en 1976 au Mobilier national), et un portrait de sa mère, la marquise Feydeau de Brou, par L. Bonnat* (Musée d'Orsay).

SAINT-PERIER comte René de
Huisseau-sur-Cosson 1877 - Morigny-Champigny 1950
SAINT-PERIER comtesse René, née Raymonde François
Paris 1890 - Morigny-Champigny 1978

René de Saint-Perier était docteur en médecine mais il consacra sa vie à la préhistoire et à la paléontologie. Il fit de nombreuses fouilles en France et écrivit un ouvrage en 1932 sur *L'art préhistorique*. En 1928 il donna, avec sa femme, trois portraits de famille, par Sargent : *Le vicomte de Saint-Perier* et *La vicomtesse de Saint-Perier* et par Beltran y Masses : *La comtesse de Saint-Perier* (dépôt en 1980 au château de Morigny). L'usufruit fut abandoné en 1978, après la mort de la comtesse qui avait donné en 1972 son château de Morigny à l'Université Paris IV-Sorbonne abritant aujourd'hui la "Fondation René et Raymonde de Saint-Perier", consacrée aux Sciences humaines.

SAINT-SAËNS Camille
Paris 1835 - Alger 1921

Compositeur. Legs en 1912, de son buste en
bronze dû au sculpteur P. Dubois (Musée
d'Orsay).

SAINT-YVES d'Alveydre marquise
† 1895
SAINT-YVES d'Alveydre marquis
† 1909

Donation en 1889 sous réserve d'usufruit du
Portrait de la comtesse de Keller (qui allait
devenir marquise Sainte-Yves d'Alveydre)
peint par Cabanel en 1873. L'usufruit fut abandonné, à la mort du marquis.

SAINVILLE Madame de

Don d'une miniature de F. Millet, *Portrait de
Daguerre* (1896).

**SALLANDROUZE de LAMORNAIX
Mlle Andrée**
Paris 1899 - La-Celle-St-Cloud 1947

Légua deux portraits de son arrière grand-
père Charles-Jean Sallandrouze de Lamornaix
(1808-1887), l'un enfant, avec sa mère,
Mme Jean Sallandrouze de Lamornaix, par
Riesener* et l'autre adulte, par Court (entrés
en 1948 ; déposés au Mobilier national respectivement en 1966 et 1976).

SALLES Georges
Sèvres 1889 - Bad-Wiesse (RFA) 1966

Petit-fils de Gustave Eiffel. Après avoir assumé
la charge de conservateur du Département des
Arts asiatiques, il fut directeur des Musées de
France de 1945 à 1961. A ce titre, il joua un
rôle considérable dans la politique d'enrichissement des musées nationaux, notamment
pour le Musée national d'Art moderne auquel
il fit lui-même de nombreux dons. Lors de la
réinstallation des collections nationales éva-
cuées pendant la seconde guerre mondiale, il
fut l'artisan d'une rénovation muséographique
dans l'ensemble du pays. Il participa aux
fouilles de Balis-Meskeneh en 1929 et à celles
de Shapur en 1938. Il donna, en 1930, à la
Section islamique trois chapiteaux syriens des
VIII\(^e\)-IX\(^e\) s.

A. Chastel "Un grand directeur des Musées de
France, Georges Salles est mort" *Le Monde*, 23 octobre 1966.

SALMON Paul

Conseil immobilier et administrateur de
sociétés, M. Paul Salmon donna en 1975, sous
réserve d'usufruit, une statuette en bronze
représentant *la Fortune*, d'après Jean de
Bologne, provenant des collections de Louis
XIV (abandon de l'usufruit en 1983).

**SALVANDY comtesse Paul de,
née Eugénie Rivet**
Lyon 1836 - Paris 1925

Fille du baron Jean Charles Rivet (1800-1872),
Conseiller d'État, député de la Corrèze, ami
de Bonington et de Delacroix (qui le désigna
pour exécuteur testamentaire), Eugénie Rivet
épousa en 1858 le comte Paul de Salvandy
(1830-1908) député de l'Eure. Elle légua au
Louvre l'esquisse peinte de la *Mort de Sardanapale* que Delacroix avait, avant 1849, donnée
à son père, et - conformément, semble-t-il, aux
volontés exprimées par son mari - le portrait,
peint par Paul Delaroche en 1846, de son beau-
père, le comte Narcisse Achille de Salvandy
(1795-1856), grand-maître de l'Université,
ministre de l'Instruction publique de 1845 à
1848, créateur de l'École française d'Athènes
en 1846.

SALZ Sam
1894 (?) - New York 1981

Sam Salz a été, des deux côtés de l'Atlantique,
un des grands marchands de son temps portant
surtout ses efforts sur les grands maîtres de
l'impressionnisme et des générations suivantes ; parmi ses plus fameux clients on
compte Paul Mellon, Henri Ford II, David
Rockfeller, John D. Rockefeller III et William
S. Paley aussi bien que les grands musées du
monde. En 1951, John Rewald* remit au Louvre pour Sam Salz un album de Cézanne ; en
1959 Sam Salz offrait l'*Asperge* de Manet.

Necrologie *International Herald Tribune*, 25 mars
1981.

SALZMANN Auguste
Ribeauvillé 1824 - Paris 1872

Peintre, il rencontra en 1847 E. Fromentin
avec qui il fit un voyage en Afrique, et, en
1851, partit en mission pour l'Égypte, afin
d'acquérir des antiquités pour le Musée de
Colmar. Il prit goût à l'archéologie, y associant
la photographie, avant de séjourner en Orient,
principalement à Jérusalem et à Rhodes, où il
fouillera de 1857 à 1868. Don en 1863 de
scarabées égyptiens provenant de Camiros
(Rhodes).

SAMBON Monsieur

Fils d'Arthur Sambon*, don en 1951 en souvenir de son père d'un portrait peint sur bois
égypto-romain.

SAMBON Arthur
Portici (Italie) 1867 - Paris 1947

Antiquaire, l'un des plus remarquables de
l'entre-deux-guerres à Paris, collectionneur.
Dons en 1915 au Département des Antiquités
orientales et au Département des Antiquités
grecques et romaines, d'un fragment de statuette en bronze ; en 1926 au Département
des Peintures, d'un tableau ; en 1928, au
Département des Objets d'Art, de deux plaquettes de bronzes italiennes.

Marquise Saint-Yves d'Alveydre
A. Cabanel, Orsay

G. Salles
Bibl. nat., Paris

SAMEDA Abdel Maguid

Guide touristique puis antiquaire, au Caire. Don en 1952, au Département des Antiquités égyptiennes, de la tête d'une statue de Sésostris III.

SAMPAYO Mme de, née Buffault
† 1879

Nièce de Mme Regnault de Saint-Jean d'Angély (1775-1857), elle légua le portrait de sa tante, peint par Gérard, sous réserve d'usufruit en faveur de son fils, Osborne de Sampayo ; ce dernier renonça aussitôt à ses droits sur le tableau, qui entra au Louvre dès 1879. (Le modèle était la mère du maréchal Regnault de Saint-Jean d'Angély, dont le portrait, également peint par Gérard, fut légué en 1917 par la comtesse Davillier*).

SANCY-LEBON Monsieur et Madame

Don en 1930 au Département des Antiquités grecques et romaines d'une statuette d'*Ane galopant* en bronze.

SANDARS Horace
† 1932

Archéologue de nationalité britannique. Dons en 1905, 1906 et 1913 d'objets ibériques dont certains ont été déposés au Musée des Antiquités nationales (St-Germain-en-Laye).

SAPIÉHA Jean Eustache, prince
Gênes 1866 - Neuilly-sur-Seine 1930

Descendant d'une illustre famille lithuanienne. Don en 1929, d'un petit portrait à l'huile de son ancêtre, Casimir Sapiéha, maréchal de la Diète de Pologne, par le peintre tyrolien G. B. Lampi (1751-1830) qui avait représenté plusieurs membres de sa famille. S'y ajoutaient six dessins à la plume et au lavis de G. D. Tiepolo, (trois *Scènes d'amours jouant* et trois compositions inspirées de l'Ancien Testament).

SARASIN Mme Thierry ou Dietrich, née Nina Dearth

Fille d'Henri Golden Dearth (1864-1918) peintre américain, spécialiste de scènes d'intérieur et de la flore sous-marine, et de sa femme née Cornelia van Rensselaer-Vail (1865-1940). Don en 1947 par l'intermédiaire de sa tante Miss Anna Murray Vail d'un groupe wallon du XVᵉ s., la *Descente de Croix*.

SARCHI Paul
Paris 1856 - Paris 1936

Associé d'agent de change, il légua un tableau de Harpignies.

SARRADIN Édouard Louis
Nantes 1869 - ?

Conservateur au Château de Compiègne dès 1918, confirmé dans cette affectation, comme conservateur des musées nationaux, en 1926, il y exercera jusqu'à sa retraite en 1936. Il est l'auteur d'une biograpie de Carpeaux (Paris 1927). Don en 1927, en mémoire de Charles Carpeaux, fils aîné du sculpteur, mort à Saïgon en 1904, à 34 ans, de deux réductions en plâtre de *L'agriculture* et de *La Science*, réalisées pour le Pavillon de Flore par Carpeaux (Orsay).

SARTIAUX Mme Félix

Don en 1949 et en 1965 d'une collection de vases, terres cuites, marbres et fragments d'architecture provenant de Phocée et d'Italie méridionale.

SARTIGES héritiers du comte Étienne Gilbert Eugène de

Ambassadeur à Rome de 1864 à 1868, le comte E. de Sartiges avait rassemblé une collection d'antiques, dont certaines pièces furent données au Louvre par ses héritiers ; ainsi, un vicomte de Sartiges remettait en 1896 quatre petites figurines de terre cuite, dont un *Dyonisos*, trouvées à Athènes, et le comte Louis de Sartiges (fils du collectionneur) en 1912 un petit groupe en albâtre, *Ganymède et l'aigle*, de provenance inconnue, et une base d'albâtre, trouvée en Grèce.

SARTIGES vicomtesse de, née Lee Childe

Don en 1920 de copies des portraits de Washington et de sa femme par J. Sharpless (1751-1811), copies dues à Blanche Lee Childe, et dont les originaux ont été brûlés depuis.

SARZEC Mme Ernest de, née Charlotte Guillet d'Escravayat de la Barrière

Don d'un vase d'albâtre de Tello (Irak) avec dédicace de Narâm-Sîn, trouvée par elle-même au cours des fouilles de 1881 dirigées par son mari alors en poste à Bassora.

SASKI Charles Gaspard Louis
Pierre (Saône-et-Loire) 1850 - Paris 1913

Lieutenant au 7ᵉ régiment de dragons de 1878 à 1884. Don en 1882 de fragments d'un plateau de verre trouvés à Doclaea lors d'une mission scientifique dans le Montenegro.

SAULCY Louis Félicien, dit Félix Caignart de
Lille 1807 - Paris 1880

Polytechnicien, officier d'artillerie (le duc d'Orléans le nomme conservateur du Musée de l'Artillerie), il s'intéresse d'abord à l'Orient à travers la numismatique. Élu membre de l'Institut, il contribue aux premiers déchiffre-ments d'inscriptions cunéiformes et entreprend après 1850 de nombreux voyages en Palestine. Il put ainsi constituer une importante collection d'objets à Chypre, Beyrouth et Jérusalem, où il rencontre Botta : conseiller écouté de NapoléonIII, devenu sénateur, il accomplit un important et fructueux voyage à Jérusalem en 1863-1864, entouré de collaborateurs qualifiés qui surent rapporter une documentation exceptionnelle dont il assura la publication. Il fit don en 1851, au Louvre, de pièces d'un très grand intérêt dont une coupe en argent doré à décor figuré acquise à Chypre, pièce majeure du premier lot d'antiquités chypriotes entré au Louvre, plusieurs reliefs rapportés de Palestine et surtout le sarcophage de la reine Saddan, provenant du Tombeau des Rois à Jérusalem, que son identification permit de dater définitivement. D'autres dons furent aussi remis à son retour en 1864 et 1877 au Département des Antiquités grecques et romaines (caisse à reliques en marbre d'Hebron et porte d'un tombeau de Jérusalem), au Département des. Antiquités égyptiennes en 1852, et à la Section islamique en 1872 (vase à décor géométrique).

Félix de Saulcy (1807-1880) et la Terre Sainte, Paris, 1982, Notes et documents des musées de France, 5.

SAUMAGNE Charles Pierre
Sousse (Tunisie) 1890 - Tunis 1972

Juriste, il tint une place très importante dans la vie administrative et politique de la Tunisie puis devint un grand spécialiste de l'histoire tunisienne au Bas-Empire et fut élu membre de l'Institut. Don en 1910, avec son père fixé en Tunisie après un service militaire, d'une inscription phénicienne de Carthage.

Publications de l'Académie des Sciences d'Outre-mer. Travaux et mémoires. Hommes et destins. t. VII : Magreb-Machrek, Paris, 1986, pp. 429-432.

SAUPHAR Jean
1890 - près de Hunedoara (Roumanie) 1928

Banquier. Fils de Lucien Sauphar et de Jeanne Jourda*, collectionneur d'objets orientaux et extrême-orientaux. Don en 1927 d'une coupe en céramique (Iran, XIIᵉ s.).

SAUPHAR Mme Lucien, née Jeanne Jourda
Paris 1868 - Paris 1949

Épouse du maire du IXᵉ arrondissement. Don en 1924 d'un tesson de verre byzantin.

SAURET Henry Sébastien
Rennes 1853 - Isle (Haute-Vienne) 1935

Général, chef d'état-major du gouvernement militaire de Paris (1908). Alors qu'il était capitaine, il fit don en 1894, au Département des Antiquités grecques et romaines d'une inscription qu'il avait trouvée près de Tunis, qui fut transmise par M. Cagnat, professeur au Collège de France.

L.F. de Saulcy

A. Ch. Sauvageot
L.P. Henriquel-Dupont, Louvre

SAUVAGEOT Alexandre-Charles
Paris 1781 - Paris 1860

"J'ai été ces jours ci voir la magnifique collection de M. Sauvageot, ce qu'elle renferme de trésors est incalculable, on est attendri en pensant à toutes les privations qu'a dû s'imposer ce brave homme pour parvenir à assembler dans l'espace de trente ans de pareilles richesses, n'ayant pour toute fortune que les appointements de premier violon de l'Opéra (lettre de Mme Hanska à sa fille, 22 octobre 1850)". Balzac avoue lui-même avoir largement emprunté à la vie de Sauvageot pour créer le personnage du *Cousin Pons*. D'origine modeste et sans fortune personnelle, Sauvageot mena une double carrière de second violon à l'Opéra (1800-1829) et de commis à la direction des Douanes (1810-1847). Avec Norblin et Lami, ardents collectionneurs, eux aussi musiciens à l'Opéra, il commença à collectionner monnaies et objets d'Extrême-Orient mais son amitié avec Leblond, comme lui fonctionnaire des Douanes, l'orienta vers le Moyen-Âge et surtout la Renaissance. Membre du cercle d'amateurs réuni autour de l'antiquaire Mlle Delaunay chez qui il effectua quelques uns de ses premiers achats, il fréquenta davantage les brocanteurs et ferrailleurs que les grandes ventes et c'est chez eux qu'il dénicha une à une les pièces de collection qu'il entassa dans son petit appartement de la rue Meslay puis rue du Faubourg Poissonnière. Sa devise (*dispersa cœgi*) rend compte de ce laborieux travail. Lié à Sauzay, conservateur au Louvre, estimé du comte de Nieuwerkerke*, il fut adjoint à Mérimée pour dresser le catalogue de la collection Du Sommerard (1843) à l'origine du Musée de Cluny, et fit partie de la Commission chargée d'organiser le Musée des Souverains (1852). Célibataire et sans enfant, il décida de faire don au Louvre de l'ensemble de sa collection en 1856 (indépendante, sa bibliothèque fut dispersée aux enchères publiques à Paris, 3 mai 1860 ; Sauvageot avait également fait deux dons au Cabinet des Médailles de la Bibliothèque nationale en 1837 et 1849). Devenu conservateur honoraire des musées et logé au Louvre, il put jusqu'à sa mort vivre entouré de ses objets. Malgré des inégalités, sa collection, dont le catalogue (1861) comprend mille quatre-cent-vingt-quatre numéros (chiffre comparable à celui de la collection Du Sommerard au Musée de Cluny),

compte une série d'œuvres majeures : soixante-huit tableaux, principalement des portraits des XVIᵉ et XVIIᵉ s., des écoles française (vingt-neuf), flamande et hollandaise (dix-huit), allemande (cinq) espagnole (cinq) et italienne (deux) ; une centaine de sculptures dont surtout les modèles des *Cariatides du pavillon de l'Horloge*, terres cuites attribués à Sarrazin, le *Tabernacle avec deux anges en adoration* de l'atelier des Della Robbia, une *Femme en prière*, bois sculpté flamand polychrome du début du XVIᵉ s., la statuette d'albâtre d'*Ottheinrich, électeur palatin*, *La Paix et la Justice*, terre cuite flamande du XVIIᵉ s.. Cependant la plus grande partie de la collection Sauvageot entra au Département des Objets d'Art où elle constitue un ensemble considérable : étoffes, serrurerie, cires, bois sculptés, vitraux suisses du XVIᵉ s., orfèvrerie (dont un hanap, France, milieu du XIVᵉ s.), bronzes (notamment un aquamanile du XIIᵉ s. et une série de médailles de la Renaissance), étains (dont *Bassin et aiguière* de François Briot), verrerie (cent soixante-dix pièces des XVIᵉ et XVIIᵉ s.), émaux peints de la Renaissance et d'un ensemble de miniatures d'écoles diverses. Mais les deux ensembles les plus remarquables sont constitués par les ivoires (valve de miroir du *Jeu d'échecs, coffret de l'Histoire de Perceval*, Paris, déb. du XIVᵉ s., feuillet de diptyque aux armes de John Grandisson, évêque d'Exeter, Angleterre 3ᵉ quart du XIVᵉ s.) et les céramiques fines (quarante-huit grès allemands, cinq faïences fines de Saint-Porchaire, et quatre-vingt-seize céramiques dites de Palissy qui constituent le noyau central des collections de céramique française de la Renaissance du Louvre).

H. de Balzac, *Lettres à Mme Hanska*, éd. R. Pierrot, t. IV, Paris, 1971, appendice, p. 602. H. de Balzac, *Correspondance*, éd. R. Pierrot, t. V, Paris, 1969, pp. 924-925. A. Sauzay, *Musée impérial du Louvre. Catalogue du musée Sauvageot*, Paris, 1861. L. Legrand, *Charles Sauvageot. Notice lue à l'assemblée générale annuelle de la Société des Amis du Louvre*, Paris, 1904.

SAUVAGET Jean
Niort 1901 - Cambo 1950

Arabisant aux multiples activités dans les domaines linguistique, épigraphique, historique et archéologique. Il consacra la plus grande partie de son œuvre à la Syrie où il

passa de nombreuses années à l'Institut français. Parallèlement à son enseignement à l'École des Langues orientales, à l'École du Louvre, à l'École pratique des Hautes Études et au Collège de France, il publia de nombreux ouvrages et articles concernant, entre autres, la bibliographie de l'Orient musulman, les historiens arabes, les décrets mamelouks, les châteaux omeyyades et les arts mineurs islamiques. Il fit don en 1946 à la Section islamique d'une poupée syrienne du XIIIᵉ-XIVᵉ s. en céramique, d'une grenade éolipile (?) et de deux pages de Coran du Xᵉ-XIᵉ s.

L. Robert "Jean Sauvaget (1901-1950)" *Mémorial Jean Sauvaget*, Damas : Institut français, 1954.

SAUX Mme Jules de

Don en 1877 de deux tableaux de Monsiau : *Aspasie s'entretenant avec les hommes les plus illustres d'Athènes* (déposé en 1983 à Chambéry), du *Portrait de l'artiste*, et d'un dessin du même, le *Portrait de son fils*. Son éventuelle parenté avec Monsiau n'est pas attestée.

SAUZAY A.

Don en 1850 au Département des Antiquités grecques et romaines d'une lampe en terre cuite décorée d'une tête d'éthiopien.

SAY Mme Jean Baptiste Léon, née Geneviève Bertin
Paris 1839 - Paris 1917

Petite-fille de Louis-François Bertin l'aîné, fondateur du *Journal des Débats*. Son mari descendait de l'économiste lyonnais (1767-1832). Elle légua deux importants portraits dessinés par Ingres* de ses grands-parents, *Monsieur Bertin* préparatoire au portrait du Louvre, et *Madame Bertin*, ainsi qu'un *Portrait d'Édouard François Bertin* peint par Greuze. (Cf. Armand Bapst).

SCAMESSON Monsieur

Legs en 1925, d'un portrait dessiné par A. F. Cals.

C.F.A. Schaeffer-Forrer

Ch.H.A. Schefer
C. Doussault, Bibl. de l'Institut, Paris

Baron B. de Schlichting

SCELLIER de GISORS Mme Georges
voir **DUPRÉ Jules**

SCHAB Frédéric G.

Directeur de galerie (New York), spécialiste de dessin. Don d'une *Vue du château d'Anet* par Pierre Auguste Mongin, en 1973.

SCHAEFER Joseph

Critique d'art et collectionneur roumain. Don en 1945 d'un gobelet de terre cuite peinte de style attique archaïque et d'un kyathos étrusque à figures noires en 1947, par l'intermédiaire des Amitiés françaises.

SCHAEFFER-FORRER
Claude François Armand
Strasbourg 1898 - St-Germain-en-Laye 1982

Archéologue, membre de l'Institut, professeur au Collège de France, chef des Missions des fouilles de Ras-Shamra-Ugarit (Syrie) et d'Enkomi-Alasia (Chypre). Legs de tablettes cunéiformes, de sceaux-cylindres et de pièces diverses, ainsi que d'un poids en plomb provenant de Séleucie de Syrie au Département des Antiquités grecques et romaines. Mme Schaeffer (née Odile Forrer) fit également don en 1983 de tablettes cunéiformes et de sceaux-cylindres.

Syria LX (1983), pp. 343-345.

SCHAUB Mme Georges, née Rose Fédel
Paris 1865 - ?

Don en 1952 d'un tableau de l'école française du XIXe s. : le portrait de son grand-père, l'architecte Jacques Fédel, ami de Delacroix.

SCHEFER Charles Henri Auguste
Paris 1820 - Paris 1898

Orientaliste français. Ancien élève de l'École des Langues orientales, il devient drogman à Beyrouth (1843), Jérusalem, Smyrne, Alexandrie, Constantinople (1853). Premier secrétaire interprète à Paris en 1857, il est nommé professeur de persan à l'École supérieure des langues orientales la même année et est promu

en 1867 administrateur de cet établissement qu'il réorganise complètement. Membre de l'Académie des Inscriptions et Belles Lettres à partir de 1878. Auteur de plusieurs ouvrages, il fait don en 1879 de figurines de terre cuite trouvées en Cyrénaïque et en Syrie et de deux vases d'albâtre, en 1885 de deux *Têtes de Bacchus* en marbre blanc provenant de Beyrouth.

SCHEFFER Arnold
Paris 1839 - Venise 1873

Fils d'Henry Scheffer et peintre lui-même, il donna en 1868 un tableau de son père exposé à l'Exposition Universelle de 1855 : *Vision de Charles IX, roi de France* (dépôt en 1876 au Musée d'Amiens).

SCHIFF Mortimer
États-Unis 1877 ? - 1931 ?

Le personnage du nom de Mortimer Schiff qui donne au Louvre un tableau de Biard est-il bien le fils de Jacob Henri Schiff (1847-1920), philantrope et homme d'affaires américain originaire d'Allemagne, qui finança la plupart des sociétés de chemins de fer de la côte Est et joua un rôle essentiel au sein de plusieurs grandes compagnies d'assurances ? Cela n'est pas certain. A la mort de son père, Mortimer Schiff prit la tête de ses affaires et consacra lui aussi une grande part de son temps et de son argent à diverses causes, en particulier aux Boy-Scouts, devenant en 1931 le président de ce mouvement.

SCHILLER Henri

Don en 1980 d'un vase étrusque en forme de lièvre datant du 1er quart du VIe s. av. J.-C.

SCHLAGETER François
voir **KAUFMANN Othon**

SCHLESINGER Mme Émile,
née Marguerite David
Paris 1857 - Paris 1923

Elle possédait une collection de tableaux anciens, pour la plupart nordiques semble-t-il. Legs d'un *Paysage* de Wijnants.

SCHLICHTING Basile, baron de
St-Petersbourg 1857 - Paris 1914

Schlichting, conseiller d'État de l'empereur de Russie, s'installa à Paris au début du siècle, dans un hôtel de la rue Cambon puis dans l'ancien hôtel Guichard, 34 quai de Billy (avenue de New York). Il avait déjà une collection considérable de tabatières lorsqu'il se fixa à Paris, mais c'est à partir de cette époque qu'il rassembla la majeure partie du reste de ses œuvres d'art. En 1906, il aida financièrement le Louvre à acquérir une *Vierge* en bronze doré du XIIe s. Il légua sa collection au Louvre, instituant par ailleurs comme légataire universel la ville de Petrograd. Sa générosité valut : au Département des Peintures, soixante-huit tableaux du XVe au XVIIIe s., témoignant d'un goût très éclectique, dûs à Botticelli (*La Vierge et l'Enfant* dite *Madone des Guidi*), Bellini, Catena, Sodoma, Veronese (*La Belle Nani*), Palma Giovane, Rubens (*Ixion sauvé par Junon*), Massys, Goltzius, Bol, G. B. Tiepolo, Boucher (*L'Odalisque, La Marquise de Pompadour*) ; au Cabinet des Dessins, cent vingt-cinq dessins et surtout miniatures, principalement allemandes, françaises et russes, du XVIIIe s. ; au Département des Sculptures, trois œuvres importantes en particulier, *Jésus portant la croix et saint Jean-Baptiste*, bas-relief en marbre attribué à Rustici, les statues en marbre de *Jeune fleuve*, de Pierino da Vinci, et le *Mercure* de Pajou ; au Département des Objets d'Art, plusieurs meubles d'ébénisterie (la célèbre commode au singe de Cressent, une commode de Dubois, une autre de Leleu, un secrétaire en armoire de Cosson, un cartel-baromètre de Carlin), de très nombreux bronzes d'ameublement (dont une fameuse pendule de Lépine) et cent quatorze tabatières entre lesquelles se détache une rare tabatière en porcelaine de Sèvres (1758-1760) ; à la Section islamique, un voile de tombeau en soie (Turquie, XVIIe s.). La collection Schlichting fut installée dans la galerie nord de l'aile de Flore. Actuellement une salle du Département des Objets d'Art porte le nom de Schlichting.

SCHLOESING E.
voir **BARROIS Jean Pierre Frédéric**

SCHLOSS Mme Adolphe,
née Mathilde Hass
Paris 1858 - Paris 1938

Veuve du grand collectionneur Adolphe Schloss (Furth, Allemagne, 1842/43 - Paris 1910), elle légua la *Vue sur la Seine avec la façade sud de la Grande Galerie du Louvre* de Nooms dit Zeeman (entré en 1939). (Cf. Schloss Lucien).

SCHLOSS Lucien
Paris 1881 - Paris 1962
SCHLOSS Henry
Paris 1882 - Paris 1964
ÉMILE-WEIL Mme Ruben Prosper,
née Juliette Schloss
Paris 1885 - Paris 1976
ÉMILE-WEIL Dr. Ruben Prosper
Rennes 1873 - Paris 1963

Héritiers d'Adolphe Schloss (Furth, Allemagne, 1842/43 - Paris 1910) il donnèrent en 1949 un portrait par Corneille de Lyon provenant de sa collection avant que celle-ci ne soit dispersée en plusieurs ventes publiques à Paris (1949 à 1954) d'un grand retentissement, Adolphe Schloss ayant été l'un des plus fins collectionneurs de peinture nordique dans l'Europe d'avant 1914 (grands noms comme Rubens, Petrus Christus, seul tableau acheté à la vente de 1951 par le Louvre, Lucas de Leyde, Gossaert, Saenredam, Teniers, Brouwer ou petits maîtres rares comme Kick, Janssens, Buesem, Bourse, etc...). Par ce don, les héritiers voulaient remercier le Louvre d'avoir pris le risque d'héberger une partie importante de la collection Schloss pendant la dernière guerre (il y eut pour cela inscription factice de cent trente-cinq tableaux sur l'inventaire du Louvre en 1942), même si en définitive la plupart des tableaux Schloss furent confisqués comme biens juifs et emportés en Allemagne, et que bon nombre d'entre eux ne purent être retrouvés après 1945 ni donc compris dans les ventes précitées. (Cf. Schloss Mathilde).

SCHLOTTMANN Mlle Anna

Don en 1891 en mémoire de son père le professeur Schlottmann d'un fragment de la stèle de Mesha.

R. Dussaud, *Les monuments palestiniens et judaïques, 1912*, p. 17.

SCHLUMBERGER Léon Gustave
Guebwiller 1844 - Paris 1929

Cet éminent historien de l'épopée byzantine et des croisades, membre de l'Académie des Inscriptions et Belles-Lettres, légua à différents départements du Louvre d'importantes collections. Ainsi les départements des Antiquités égyptiennes, des Antiquités grecques et romaines, des Antiquités orientales et des Objets d'Art, reçurent-ils de nombreux objets. La Section islamique s'enrichit de bracelets d'argent (IXe-Xe s.), de pommeaux d'épées (Syrie, XIIe s.), et surtout d'une extrémité de hampe en bronze, en forme d'aigle (Égypte ou Syrie, Xe s.), tandis que le Département des Peintures recevait deux portraits de famille peints par G. Ricard (déposés en 1952 au Musée de Pau). G. Schlumberger légua aussi différentes œuvres au Musée de Strasbourg, dont une salle porte son nom.

Mercure de France, 1er janv. 1932. R. Dussaud, "Discours à l'occasion de la mort de Gustave Schlumberger. 17 mai 1929", *Recueil de l'Institut*, AA 34A, t. 99, n° 7.

SCHMIDT-POLEX Rudolf Heinrich
Francfort-sur-le-Main 1865 - ap. 1926

Peintre allemand, appelé Polex, portraitiste et paysagiste, il étudia à Paris dans les ateliers de Bouguereau. Don d'un sarcophage égyptien, anthropoïde, en bois peint, de Basse Époque, en 1912.

SCHMIT Jean Albert
Paris 1895 - Paris 1975

Créateur et directeur d'entreprise de copies de meubles, il devint marchand de tableaux anciens à partir de 1929. Il réunit une collection de catalogues de vente d'environ trente-cinq milles exemplaires. Il fit plusieurs dons au Louvre. En 1935 il donna un ensemble de cinq cahiers de dessins de Romney (1736-1802), qui complètent les fonds de l'artiste du Fitzwilliam Museum de Cambridge et de la Folger Library de Washington. En 1938, il fit don de trois albums de Paul Gauguin, l'un annoté *Tahiti 1891*, le second contenant des dessins de l'artiste, d'E. Blanchard, de Louis Roy, ainsi que des autographes et des photographies de Gauguin, Schuffenecker, Pissarro et Cézanne. Le troisième contient des photographies de reproduction. De 1934 à 1939, il fit plusieurs autres dons : cinq tableaux, dont le célèbre *Moïse sauvé des eaux* de Nicolò dell'Abate, deux meubles de style et quatre objets exécutés par Gauguin à Tahiti (déposés au Musée d'Orsay).

SCHMITTER Achille Désiré Joseph
Vendôme 1837 - ap. 1883

Fonctionnaire de l'Administration des Douanes en poste à Cherchel (Algérie) de 1869 à 1883. Don en 1876 d'un cadenas en bronze d'époque romaine et en 1882 d'une stèle portant une inscription néo-punique (Département des Antiquités orientales).

SCHNEGG Mme Lucien,
née Marie Eugénie Victorine Peny
Thauron 1870 - Paris 1941

Don de deux œuvres exécutées par son mari le sculpteur Schnegg (1864-1909) : en 1927, un *Buste d'homme* en marbre (Musée du Luxembourg. Musée national d'Art moderne jusqu'en 1977) ; en 1935, le buste de plâtre de *Madame Gaston Schnegg*, belle sœur de l'artiste (Musée du Luxembourg. Musée national d'Art moderne. Reversé au Louvre en 1977). Ces deux œuvres se trouvent maintenant au Musée d'Orsay.

L.G. Schlumberger
H. Gervex, Musée d'Art moderne,
Strasbourg

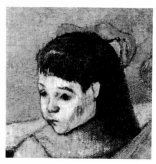

J. Schuffenecker
P. Gauguin, Orsay

Ch. Séchan

SCHOELCHER Victor
Paris 1804 - Houilles 1893

Publiciste et homme politique, il voua toute sa vie à l'abolition de l'esclavage dans les colonies françaises. Adversaire de la politique de Napoléon III, il s'exila volontairement en Angleterre, puis participa à la Commune. Député à l'Assemblée nationale, il devint le défenseur acharné des droits de l'homme, ce qu'il manifeste dans ses nombreux écrits et pamphlets. Il légua en 1893 une miniature de Mme de Mirbel (1796-1849) (dépôt aux Musée des Arts décoratifs).

SCHOËLLER André Charles
Liège 1879 - Brie-Comte-Robert 1955

Expert français, directeur des Galeries Georges-Petit. Don en 1921 de deux dessins par Corot*, et en 1947 d'un groupe en terre cuite d'A. L. Barye *Taureau terrassé par un lion*, provenant de la collection Zoubaloff*.

SCHOLZ Janos

D'origine hongroise, résidant aux États-Unis. Il a allié une carrière de musicien comme violoncelliste soliste et historien d'art. A ce titre, il enseigna à l'Université Columbia et à celle de New York. Grand connaisseur de dessins italiens, il a formé une collection qu'il a donnée à la Pierpont Morgan Library de New York, en 1973. Don au Louvre en 1984 d'un dessin d'A. du Cerceau.

SCHOMMER Pierre
1893 - Paris 1973

Conservateur en chef, directeur adjoint des musées nationaux. Son action pendant la période 1939-1945 fut essentielle : il veilla à l'évacuation des œuvres du Louvre au château de Chambord. Il présida au sauvetage des chefs-d'œuvre du Prado lors de la Guerre d'Espagne. Fils du peintre François Schommer (et petit-fils de J. B. Foucart*), il fit don de six dessins de l'artiste (1951) et d'une étude de Carpeaux (1953). Sa mère ajouta à ce don celui d'une aquarelle de Schommer (1953).

SCHOPIN Monsieur

Don en février 1852 d'un dessin de l'école française du XVIIIᵉ s.

SCHUBERT
voir **COUTAN collection**

SCHUFFENECKER Jeanne
1881 - 1979

Fille du peintre et collectionneur Émile Schuffenecker (1851-1934), qui fut un grand amateur de Gauguin, Van Gogh, Cézanne et Redon. Don en 1963 de neuf dessins de son père.

SCHUHMANN Mme Robert
voir **LEHMANN Mme Albert**

SCHULER Mlle Alsa

Don en 1922 d'un dessin de son père Jules Théophile Schuler (1821-1878), illustrateur d'Erckmann-Chatrian, représentant des *Alsaciens*.

SCHUMANN Jacques
1909 - Luzarches 1987

Avocat honoraire à la Cour de Paris ; grand amateur et collectionneur, membre de la Société des Amis du Louvre puis secrétaire-général-adjoint (1962), il en devint vice-président en 1968. Don à la Section des Antiquités chrétiennes, en 1961, d'un aigle de bronze, et au Département des Antiquités orientales, par l'intermédiaire de la Société des Amis du Louvre, en 1980, d'une coupe phrygienne en bronze.

SCHWAB Mme Paul, dite
SCHWAB-GILDAS, née Gilda Bloch-Allatini
Marseille 1886 - 1973

Artiste peintre, de la Société des gens de lettres. Don en 1965 d'une tabatière et d'une lorgnette. Elle a fait une donation au Musée des Arts décoratifs en souvenir du lieutenant Hubert Schwab tombé en 1944 dans l'armée de De Lattre.

SCHWARZ Adolf

Collectionneur néerlandais, A. Schwarz s'intéressa d'abord aux dessins de Hodler, Klimt, Liebermann, Kollwitz ainsi qu'aux maîtres de l'école de la Haye. Les Allemands s'emparèrent de ces œuvres au cours de la seconde guerre mondiale. A partir de 1952 il reconstitua une seconde collection de dessins qui fut en partie présentée au Rijksmuseum d'Amsterdam en 1968 ; il offrit au Louvre en 1988 un dessin de Goll von Franckenstein.

SCHWEISGUTH D.

Don en 1895 d'un tableau de Besnard, une *Étude de femme morte*, (déposé à Limoux en 1961), d'un tableau de Muenier : *Vue d'Alger* et d'un dessin de Zuber représentant un paysage (Orsay).

SCHWITTER baron Henri de

Don en 1896 d'une inscription grecque métrique relative à la mémoire d'un évêque chrétien, trouvée en Asie mineure près de Smyrne.

SCOTT Réverend

Il donna à Vaucouleurs les éléments d'une bibliothèque consacrée à Jeanne d'Arc, puis,

Ch. Sedelmeyer
G. Ferrier, Musée du Petit Palais, Paris

J.Ch. Seguin

Marquis P. de Ségur
Bibl. de l'Institut, Paris

par gratitude envers la France où sa thèse sur Jeanne d'Arc lui valut le doctorat de l'Université de Nancy, offrit au Louvre en 1952 une *Adoration des Mages* aujourd'hui considéré comme d'après Ortolano.

SÉAILLES Gabriel
Paris 1852 - Barbizon 1922

Agrégé de philosophie, sa thèse de doctorat (1883) était un *Essai sur le génie dans l'art* et on lui doit quelques ouvrages sur différents artistes : Léonard de Vinci, E. Carrière, Watteau. Il fut aussi le biographe du peintre A. Dehodencq dont il donna deux œuvres : un dessin en 1920 et un tableau (*Bohémiens en marche*) en 1922.

SÉCHAN Charles
Paris 1803 - Paris 1874

Après avoir fréquenté l'atelier de Lefèvre, décorateur de la Porte Saint-Martin, puis celui de Cicéri, il s'associa avec Feuchères, Diéterle et Despléchin, et reçut des commandes pour les fêtes publiques de 1848. Il contribua à édifier, comme architecte, pour Dumas, l'éphémère *Théâtre historique* et le château de Monte-Cristo. Il participa à des restaurations à Saint-Eustache, au Panthéon et à la Galerie d'Apollon du Louvre. En 1851, il partit pour la Turquie, engagé par le sultan Abdul-Medjid, et travailla à des décors du palais de Dolma-Baghtché, au Vieux Sérail à Istanbul. C'est en souvenir de lui que son neveu Henri Lahens (Paris 1879 - Paris 1952) offrit au Louvre, en 1912, des céramiques ottomanes et un coffret d'ivoire.

P. Ratouis de Limay, "Une décorateur en Turquie au XIXᵉ s.", *Bulletin de la Société de l'Histoire de l'Art français*, 1937. J. Douin, "Charles Séchan et son atelier de décoration", *Gazette des Beaux-Arts*, 1925.

SEDELMEYER Charles
Vienne 1837 - Paris 1925

Éditeur d'art, marchand de tableaux installé à Paris sous le Second Empire, 6 rue de La Rochefoucauld. Il fut un des plus importants et des plus actifs marchands de peinture ancienne de son temps, surtout entre 1895 et 1914, servant d'intermédiaire aux grands col-

lectionneurs : R. et M. Kann*, J. Pierpont-Morgan*, Wildenstein*, Heugel*, Marczell de Nemes*, ainsi qu'aux musées allemands. Titulaire de la médaille de la reconnaissance française, il fit don de quatre tableaux : en 1893, *Nature morte au vase de Chine* de Kalf ; en 1895, *Portrait d'un homme âgé de trente-et-un ans* de Palamedes ; en 1896, *La toilette au bord de l'eau* de Siberechts ; et en 1898, *Alphonse de Lamartine*, de Phillips.

SEGOURA Maurice

Antiquaire parisien, il se forma auprès du grand antiquaire René Weiler. Etabli d'abord boulevard de Courcelles en 1960, il reprit en 1968 la galerie d'Yvonne de Brémond d'Ars, 20 rue du Faubourg Saint-Honoré. Spécialisé dans le mobilier du XVIIIᵉ s. et la peinture, il fait partie du groupe "Antiquaires à Paris" et a fondé en 1975 la Biennale des Antiquaires de Monte Carlo. En 1983, il a fait paraître un important ouvrage sur l'ébéniste *Weisweiler*. Il donna en 1972 un miroir d'argent augsbourgeois de la fin du XVIIᵉ s., qui permet d'évoquer au Louvre ce que fut le mobilier d'argent de Louis XIV. Il est également donateur du Musée de la Femme de Neuilly et a contribué financièrement à la restauration du Musée Nissim de Camondo.

SEGREDAKIS Emmanuel
Archanès (Province d'Hérakleion, Grèce) 1890 - Archanès 1948

Antiquaire. Don en 1928 d'une coupe italique et en 1932 d'une statuette de grotesque en bronze découverte en Égypte. (Cf. Nicolas Koutoulakis).

SEGUIN Jean Charles
Paris 1857 - Paris 1908

Originaires d'Annonay (Ardèche), alliés aux aéronautes Montgolfier, les frères Marc et Camille Seguin firent fortune grâce aux innovations qu'ils ont apportées en matière de génie civil (chemins de fer, ponts suspendus). Charles Seguin, fils de leur frère Paul et de Thérèse Seguin, fille de Camille, vécut de l'héritage familial, dans son hôtel du 8 rue de Penthièvre, qu'il fit construire (maintenant démoli), et dans

sa propriété de St-Cloud. Il voyageait (il a laissé des albums de photographies et des relations concernant ces voyages) et collectionnait dans des domaines très divers. Il légua 1.000.000 F. au Louvre, prévoyant que la somme serait fournie par les objets de sa collection reconnus dignes du musée et que le reliquat, s'il y en avait, servirait à acquérir d'autres pièces. Il fut choisi dans sa collection : trois objets, dont une pyxide en os, destinés au Département des Antiquités grecques et romaines, une plaque de reliure et une châsse en émail champlevé de Limoges, des émaux peints du XVIᵉ s., des meubles de la Renaissance française, une tapisserie des Gobelins (*Mercure et Argus*), un tapis de la Savonnerie, de nombreux objets du XVIIIᵉ s. (montres, tabatières, porcelaines de Sèvres), deux miniatures et un dessin. Le reliquat du legs Seguin servit à acheter, de 1909 à 1922, des œuvres très importantes, notamment : le *Christ bénissant*, de Bellini, le *Monument à la mémoire de Mme Favart*, groupe en marbre de Caffieri, les douze émaux peints dits de Monvaerni, le *Tapis dit de Mantes* (Iran, fin du XVIᵉ s.), le *Suaire de saint Josse* (Khorassan, Xᵉ s.), des bronzes de la Renaissance et des objets chinois.

SEGUR marquis Pierre (?) de

Don au Louvre en 1934 du *Buste en marbre de la comtesse de Guern*, sa sœur par Antonin Mercié (Orsay).

SEGUR marquis Pierre de
Paris 1853 - Paris 1916

Homme de lettres, membre de l'Académie française. A légué trois portraits de membres de sa famille dessinés l'un par Pideau, les deux autres par Carmontelle (*La marquise* et *La comtesse de Ségur*).

SEGUR-DUPEYRON Pierre de
† 1870

Diplomate, consul de France à Damas en 1846. Don en 1852 de deux têtes palmyréniennes.

SÉGUR-LAMOIGNON Adolphe Louis Marie, vicomte de
Paris 1800 - Mery-sur-Oise 1876

Descendant d'une famille qui a beaucoup donné notamment au Musée de Versailles, le vicomte de Ségur-Lamoignon légua un *Christ bénissant* de Joos van Clève alors attribué à Quentin Metsys et la *Résurrection de Lazare* de Rubens. Son testament nous apprend qu'il était ami de F. Reiset*.

SELIGMAN Germain
1893 - 1978
SELIGMANN Georges

Fils et successeurs de Jacques Seligmann*. Ils ont donné en 1935 deux chapiteaux du XVe s., de style mozarabe, en pierre peinte, provenant de environs de Tolède, actuellement à la Section islamique.

SELIGMANN André
Paris 1898 - Paris 1945

Marchand international de tableaux et de dessins, il a donné au Louvre en 1938 le *Départ de Tobie*, importante peinture de jeunesse de Le Sueur.

SELIGMANN Armand et Jean

Ont donné en souvenir de leur père, Arnold Seligmann*, le buste en terre cuite de *Denis Sébastien le Roy* par Roland, qui avait appartenu à la collection de J. Doucet*.

SELIGMANN Arnold
1860 - 1935

Antiquaire établi à Paris (place Vendôme) et à New York (11e avenue). Connu aussi bien comme spécialiste de l'art médiéval que pour les nombreuses œuvres du XVIIIe s. qui passèrent entre ses mains. Don de deux chapiteaux romans provenant de l'église Notre-Dame de la Couldre à Parthenay représentant le *Sacrifice d'Abraham* et *David et Goliath*.

SELIGMANN Jacob dit Jacques
Francfort-sur-le-Main 1858 - Paris 1923

Formé par l'expert Mannheim, il devint l'un des plus grands antiquaires de Paris. A sa galerie parisienne (rue des Mathurins puis place Vendôme), il en adjoignit une autre à New York au début du siècle. Il eut pour successeurs ses fils Germain Seligmann et M. François-Gérard Seligmann. En 1906, il contribua financièrement, avec d'autres donateurs, à l'acquisition d'une *Vierge* en bronze doré du XIIe s.

SELZ Jean

Écrivain, auteur d'ouvrages d'histoire de la peinture et du dessin au XIXe s., et sur la sculpture. Il fit don en 1973 d'un album de dessins russes datés des années 1894-1912, avec portraits de Troubetskoy, Widhoff, Mary Eristoff, Kosak, Korochanski.

SELZ Jean Pierre

Négociant en objets d'art, à Paris et New York. Don de cinq dessins de J. F. Parrocel, H. Lehman et L. O Merson, entre 1972 et 1977.

SÉNAT HELLENIQUE

Institué par l'Assemblée nationale grecque réunie à Épidaure en janvier 1822, en même temps que le gouvernement présidé par Mavrocordato. Don en 1829 de plusieurs fragments provenant du célèbre Temple de Zeus à Olympie, en remerciement des services rendus par la France à la cause de l'indépendance grecque (corps de volontaires du général Fabvier ; rôle joué par l'escadre du Levant dans la victoire de Navarin). Ces fragments avaient été découverts par la mission archéologique envoyée en Morée en 1821, sous la direction de J. J. Dubois et A. Blouet.

SENN Édouard

Président de la Compagnie Financière d'Investissement et de Participation. Membre de l'Union Interalliée et de l'Association des Amis du Musée d'Art moderne. Donne au Louvre en 1976, en souvenir de son père, Olivier Senn, une étude de Degas pour *Semiramis construisant Babylone*.

SEROUX D'AGINCOURT Jean Baptiste
Beauvais 1730 - Rome 1814

Historien d'art et archéologue français, grand voyageur. Fixé à Rome à partir de 1779, il fit don en 1802 de sept fragments de peintures murales découvertes à Rome en 1740 lors des fouilles du *Conservatorio dei Mendicanti* qui se trouvait derrière la Basilique de Constantin proche du Temple de la Paix. Ces peintures considérées comme des faux sont peut-être des copies de fresques originales perdues.

SÉRULLAZ Maurice Armel

Arrière-petit-neveu du chimiste Georges Simon Sérullaz (1774-1832), neveu du poète Maurice Rollinat, inspecteur général honoraire des Musées (entré au Musée du Louvre en 1932, conservateur puis conservateur en chef du Cabinet des Dessins, de la collection Edmond de Rothschild, de la Chalcographie et du Musée Delacroix), auteur de multiples ouvrages sur Delacroix, la peinture espagnole et l'impressionnisme, ainsi que d'un nombre important de catalogues d'expositions, il a donné en 1959, en souvenir de ses parents, une statue d'enfant romain en marbre.

SETON-KARR H. W.

Archéologue britannique chargé de fouilles préhistoriques au Fayoum en 1904-1905. Don, en 1900, de deux stèles égyptiennes de la première dynastie, provenant des fouilles de Petrie à Abydos.

SEVÈNE Mme Émile Louis, née Laure Eugénie Declerck
Soissons 1834 - Paris 1887

Fille d'un receveur des Finances de Soissons, elle perdit prématurément son mari, chef du personnel aux Messageries impériales, et sa fille unique. Par testament de 1887, elle laissa à son gendre son mobilier et ses tableaux, à l'exception des deux portraits par Prud'hon (l'un peint, l'autre dessiné) de son grand-père maternel, M. Vallet, qu'elle légua au Louvre. En outre, elle instituait ce musée pour légataire universel. Les arrérages de l'important legs Sevène permirent l'acquisition d'une trentaine d'œuvres destinées à tous les départements du Louvre. Parmi les achats les plus remarquables, citons : pour le Département des Antiquités égyptiennes, en 1891 un sarcophage doré au nom de Tacheretpaankh et la statue en bronze de Padiimen (Basse Époque) ; pour le Département des Antiquités orientales, en 1908 un siège votif avec inscription phénicienne (région de Tyr) et en 1911 une statue féminine sumérienne ; pour le Département des Sculptures, en 1894 une petite *Vierge* champenoise (pierre peinte, déb. XVIe s.), en 1902 la *Sainte Marie Madeleine* de Gregor Erhart (tilleul polychrome), en 1905 la *Vierge* provenant de Rouvroy (pierre peinte, Champagne déb. XVIe s.) ; pour le Département des Objets d'Art, en 1934 un éléphant de bronze (Padoue, v. 1500) ; pour le Département des Peintures, en 1893 une *Pietà* de Quentin Metzys, le *Portrait d'un seigneur de Köckeritz* de Cranach et en 1902 un volet de polyptyque double face de Jan Provost (*Emerencie, mère de sainte Anne* ; au revers *Sainte Claire*).

SÉVERINE Mme Guelhard, née Caroline Remy
Paris 1855 - Pierrefonds 1929

Séverine fut la secrétaire et l'amie de Jules Vallès qui l'entraîna dans ses luttes et dans le métier du journalisme. Elle écrivit de très nombreux éditoriaux dans *Le Réveil*, *Gil Blas*, *La France*. De 1885 à 1888 elle dirigea le *Cri du peuple*. Rodin, Renoir firent des portraits d'elle ainsi que Hawkins dont elle légua l'œuvre au Louvre (Orsay).

E. Le Garrec, *Séverine une rebelle*, Paris, Seuil, 1982.

SEYDOUX Mlle Eugénie

Don en 1954 d'une grande peinture de Mattia Preti, *Thomyris faisant plonger la tête de Cyrus dans un vase de sang*.

J. Seligmann

Séverine
L.W. Hawkins, Orsay

H.A. Seyrig

SEYRIG Henri Arnold
Héricourt 1895 - Neuchâtel (Suisse) 1973

Ancien élève de l'École française d'Athènes, directeur des Antiquités de la Syrie et du Liban, il développa la politique de fouilles menée dans ces pays par des savants français et étrangers et réorganisa l'Institut français de Damas dont il fit un centre scientifique. Créateur de l'Institut français de Beyrouth dont il resta directeur jusqu'en 1967, il fut aussi directeur des Musées de France de 1960 à 1962. Nombreux dons entre 1953 et 1971, sceaux-cylindres, plaquette en or, bijoux, statuettes en terre cuite (Département des Antiquités grecques et romaines). Son épouse, (née Hermine de Saussure), fit don en 1980 de deux statuettes en bronze au Département des Antiquités grecques et romaines.

Syria L (1973), p. 259.

SHETTINGTON Joseph
Neuilly 1838 - ?

Ancien chef de bureau au Ministère des Postes. Don en 1910 d'un dessin de Girodet-Trioson, (*Étude de chevelure*) qui aurait été faite par l'artiste dans les tous derniers jours de sa vie pour la mère du donateur, alors son élève.

SHIRLEY Andrew

Citoyen britannique auteur de plusieurs ouvrages sur des peintres anglais, exécuteur testamentaire de P. M. Turner*, c'est pour réaliser un vœu de ce dernier qu'il donna en 1952 un tableau lui ayant appartenu, *Le guillotiné*, d'après Gericault.

SIAU Monsieur

Ingénieur des Ponts et Chaussées. Don en 1860 d'une tête antique dite de Sénèque en marbre blanc trouvée à Auch.

SIBUET Mme, née Marie Annette Collot
Paris 1837 - St-Michel-sur-Orge 1920

Fille de M. Collot, marchand de nouveautés installé rue Notre-Dame de Lorette. Son magasin appelé "A Notre-Dame de Lorette"

était signalé par une enseigne peinte par J. F. Millet en 1851-1852, représentant une *Vierge à l'enfant*. Ce tableau est conservé au Musée des Beaux-Arts de Dijon (collection Granville), tout comme le portrait du marchand peint par Millet que Mme Sibuet légua au Louvre (dépôt à Dijon en 1969).

SIDI Roger

Don en 1982 d'un lot de tessons de céramique à la Section islamique.

SIENKIEWICZ Mme Alexandre, née Geneviève Blanchard
Paris 1878 - Paris 1971

Fille du peintre E. Blanchard (Paris 1844 - Paris 1879), elle donna en 1931 un tableau de ce dernier, *Paolo et Francesca* (dépôt en 1936 à la mairie de Sermaize-les-Bains).

SIGNAC Ginette
Antibes 1913 - Paris 1980

Fille des peintres Jeanne Selmersheim-Desgranges (1877-1958) et Paul Signac (1863-1935), Ginette Signac a manifesté très tôt ses dons pour la peinture et le dessin en faisant, dès l'âge de dix-neuf ans, d'excellents portraits de son père et de son entourage ; elle devait se consacrer par la suite surtout aux paysages. Elle eut toute sa vie à cœur de poursuivre les efforts de son père pour faire mieux connaître en France l'œuvre des néo-impressionnistes et fit de nombreux dons et legs aux musées nationaux d'œuvres importantes de cette école par Cross, Luce, Signac et Van Rysselberghe (1976, 1979). Don au Cabinet des Dessins en 1964 d'une aquarelle de Signac, en 1965 d'une aquarelle de Paul Huet, et en 1977, sous réserve d'usufruit, d'un éventail décoré par M. Luce.

SIGNOL Madame

Don avec son fils en souvenir de son époux, en 1875, d'un groupe en marbre figurant un satyre et une nymphe, réplique d'un original inconnu.

SIMONETTI

Don en 1889, au Département des Antiquités grecques et romaines, d'un torse d'enfant nu.

SIMON TRICHARD Marcel
Rouen 1909 - Villeneuve-lès-Avignon 1978

Antiquaire et restaurateur. Donna en 1936 deux fragments décoratifs complétant l'ensemble de trois scènes avec personnages peintes à fresque (provenant d'une maison de Sorgues, Vaucluse) qu'il venait de vendre au Louvre (le tout fut déposé en 1976 au Petit-Palais à Avignon).

SINETY comte de

Don d'un scarabée égyptien en 1852.

SINGH Hiran

Antiquaire parisien. Don en 1921 d'une momie de faucon égyptienne (Basse Époque).

SINS Gustave
† Paris ap. 1950

Époux de Gabrielle, fille naturelle de Falguière ; ce fut à l'initiative du Dr. Pierre Vernier (Versailles 1888 - Versailles 1980) que Sins fit don au Louvre en 1950 d'un important ensemble de sculptures de Falguière (Musée d'Orsay). La même année il donnait deux peintures de l'artiste ainsi que sa palette. Le tout fut déposé à Toulouse en 1950.

SIRY Mme Adolphe, née Courajod
† 1917

Sœur aînée et pour une part héritière de L. Courajod*, elle donna au Louvre, en souvenir de son frère et avec l'accord des autres héritiers un certain nombre de sculptures françaises et italiennes parmi lesquelles la *Vierge à l'Enfant de Plombières-les-Dijon* (Bourgogne, XVᵉ s.) et une *Madone assise*, en terre cuite, par Benedetto Montagna.

SIVADJAN

Don en 1896 au Département des Antiquités grecques et romaines d'un fragment de boîte en albâtre ornée d'une *Femme assise*, retrouvé lors des fouilles de Minieh en Égypte.

SMIDT van GELDER Pieter
Wormerveer (Pays-Bas) 1878 - Anvers 1956

Collectionneur de tableaux, de livres anciens, d'objets d'art (céramiques orientales et allemandes notamment) et de meubles (surtout français XVIII° s.), ce hollandais fortuné de la famille des papetiers bien connus (la firme "Van Gelder Zonen") s'établit à Anvers en 1937 et offrit à la Ville d'Anvers en 1949 son hôtel particulier avec ses collections, dont il permettait la visite dès 1938, constituant ainsi un musée ouvert en 1950 qui porte son nom (exactement le Musée Ridder Smidt van Gelder à cause du titre de chevalier - Ridder - dont il fut anobli en 1954). Avant même ce geste insigne et selon une volonté très nette de collectionneur-mécène, comme en témoigne l'inscription dédicatoire de sa demeure d'Anvers, il donna nombre de tableaux à divers musées (trente-huit tableaux en 1935 et 1936 à Bruxelles, un tableau de Bylert à Utrecht en 1937, des gravures à Tournai en 1940, une aquarelle à la Rubenshuis à Anvers en 1941). Au Louvre il tint à offrir en 1935 la *Nature morte à l'échiquier* de L. Baugin, chef-d'œuvre qui venait d'être redécouvert et présenté à l'exposition des *Peintres de la réalité* en 1934, et en 1937 un tableau flamand déb. XVII° s., la *Belle verdurière*.

"Ridder Smidt van Gelder", *Antwerpen*, sept.1961, pp. 148-150. D. Tillemans, *Museum Ridder Smidt van Gelder, Catalogus I, Schilderijen tot 1800*, Anvers, 1980, introduction pp. 7-11.

SMITH Eustace

Membre du Parlement britannique. Don en 1883 d'un vase à libations égyptien, en bronze.

SNAPPERS Mme Antoinette
†. Londres 1960

Legs d'une copie de Janssens entrée au Louvre en 1961 (dépôt en 1977 au Mobilier national).

SOCIÉTÉ des AMIS du LUXEMBOURG

La Société des Amis du Luxembourg, fut créée en 1903 par une réunion d'amateurs comme le comte de Camondo*, Pellerin*, Personnaz*... En 1924, elle fut reconnue d'utilité publique et se tranforma en 1947, en même temps que le Musée des artistes vivants dont elle s'occupait, en Société des Amis du Musée d'Art moderne. Ses présidents furent Edmond Delpuech, (de 1903 à 1907), P. A. Chairamy (de 1907 à 1914), Olivier Sainsère (de 1915 à 1922) et Charles Pacquement (de 1922 à 1950). Outre l'aide et le soutien aux artistes et à leur famille, elle permit également l'acquisition d'œuvres d'art. C'est ainsi qu'en 1910, elle

compléta la somme nécessaire à l'achat du *Portrait de Verlaine* par Carrière. Lors de sa vente, la caisse des musées nationaux avait avancé la somme de 17500F qui s'avéra insuffisante puisque le prix du tableau fut poussé jusqu'à 22000F. Les Amis du Luxembourg, aidés par un groupe d'amateurs (parmi lesquels figuraient Kœchlin* et Maciet*) fournirent alors la somme nécessaire et le tableau put entrer au Musée du Luxembourg. En 1919, ils firent don du *Portrait de Mme Georges Charpentier* par Renoir*.

E. Blot, *Histoire d'une collection de tableaux modernes, 50 ans de peintures de 1882 à 1932*, Paris, 1934.

SOCIÉTÉ anonyme des MONNAIES et MÉDAILLES

Don en 1980 d'un fragment appartenant à une pélikè des collections du Département des Antiquités grecques et romaines.

SOCIÉTÉ FRANÇAISE de GRAVURE

Fondée en 1848, la Société française de Gravure dut cesser son activité en 1901. Elle fit alors don à la Chalcographie de cent-deux des planches gravées qu'elle avait publiées et reproduisant des peintures anciennes ou contemporaines.

SOCIÉTÉ FRANÇAISE des FOUILLES ARCHÉOLOGIQUES

Fondée le 14 janvier 1904, reconnue d'utilité publique en 1910, elle semble avoir cessé toute activité en 1942. D'initiative privée, elle siégeait au Musée Guimet et s'était donné pour but d'aider financièrement la recherche archéologique. Elle participa à de nombreuses missions, tant en France qu'à l'étranger. Don d'une partie du produit des fouilles des sites d'Antinoé (une douzaine d'objets d'époque romaine) et de Zaouiyet el Maïetin (quatre-vingts objets, surtout de l'Ancien Empire) en 1910 et 1914.

Cat. exp., *Un siècle de fouilles françaises en Égypte, 1880-1980*, Paris, Palais de Tokyo, 1981, p. 95 et p. 302.

SOCIÉTÉ FRANÇAISE de NUMISMATIQUE

Fondée en 1865 par Ponton d'Amécourt, elle siège actuellement au Cabinet de Médailles de la Bibliothèque nationale. Don en 1881, au Département des Antiquités égyptiennes, d'une stèle représentant un roi Montouhotep de la 11° dynastie.

SOCIÉTÉ NATIONALE des ANTIQUAIRES de FRANCE

Fondée en 1805 sous le nom de "Société celtique". Société d'érudition à large vocation (histoire, littérature, histoire de l'art, archéologie) pour la France, l'Antiquité et le Moyen-

Âge en général, composée de spécialistes. Don en 1885 d'une momie d'ibis égyptienne, et en 1886 d'une *Tête d'Auguste* en marbre trouvée à Marseille (déposée en 1914 au Musée des Antiquités nationales de St-Germain-en-Laye) que E. Perrocel avait donnée à la Société.

SOISSONS Ville de

Don en 1833 au Département des Antiquités grecques et romaines d'une statue en marbre trouvée en 1831 à l'emplacement du "Palais d'Albâtre" de Soissons, (dépôt au Musée municipal de Soissons depuis 1972).

SOKOLOWSKI Jacques

Gérant de la fonderie Valsuani de 1973 à 1978. Don en 1975 de deux œuvres de J. B. Carpeaux, *Homme, genou à terre* et l'*Épine au pied*, et d'une œuvre de Th. Rivière, *Espagnole dansant* (Musée d'Orsay).

SOLDI-COLBERT de BEAULIEU Émile SOLDI dit
Paris 1846 - Rome 1906

Artiste - sculpteur, tailleur de camées, graveur en médailles - et écrivain d'art. Il prit part à la fondation de la Société française des Fouilles archéologiques*. Don, en 1905, au Louvre d'une miniature indienne du XVIII°-XIX° s. : *Scène sur une terrasse* (dépôt au Musée Guimet).

La Chronique des Arts et de la Curiosité, 1906, pp. 94-95.

SOLVAY Mme Pierre, née Marie-Louise Vaillant
PETIT-COLLOT Mme, née Monique Vaillant

En 1964, elles offrirent au Louvre, en souvenir de leur mère Mme Thérèse Vaillant, un tableau acquis vers 1912 par leur père Gustave Vaillant († 1922) *Le départ de Régulus pour Carthage* de Pajou.

SOMBORN Adolphe
Boulay (Moselle) 1848 - Paris 1936

Capitaine de Vaisseau, membre de la Société des Amis du Louvre. Legs d'un tableau de Breenbergh et de dessins de Charles Bour, son beau-père, au Musée de Lunéville.

SOMERVILLE John Southey, lord
Fitzhead Court, près Taunton (Angleterre) 1765 - Vevey (Suisse) 1819

Quinzième lord Somerville, membre du Parlement, agronome avisé, il contribua activement, avec l'appui de George III, à faire progresser l'agriculture de son pays ; il fut notamment l'un des premiers importateurs de moutons mérinos en Grande-Bretagne. Au retour d'un voyage en Italie (hiver 1818) il fit un séjour à Paris (été 1819) durant lequel il offrit à Louis XVIII, pour le Louvre, deux portraits peints, l'un de l'école bolonaise du XVIᵉ s., l'autre par Farinati (alors attribués à Titien et Giorgione) qui furent envoyés d'Angleterre en octobre 1819.

SOMMARIVA comtesse de, née Catherine Émilie Thérèse Seillière
1801 - 1888

Legs de *L'enlèvement de Psyché* par Prud'hon (Salons de 1808 et 1814) et de *L'Aurore et Céphale* par Guérin (Salons de 1810 et 1814). Ces deux tableaux avaient été commandés par le comte Giovanni-Battista Sommariva (1760-1826), dont la galerie de sculptures de Canova et de peintures d'artistes contemporains (David : *Sapho et Phaon*, 1809, Ermitage ; *L'Amour et Psyché*, 1817, Cleveland ; Prud'hon : *Un jeune Zéphyr*, 1814, Dijon ; Girodet : *Pygmalion et Galatée*, 1819, Dampierre) était célèbre à Paris. Cette collection fut vendue (Paris, 18-23 février 1839) après la mort de son fils Luigi, mari de la donatrice (la *Psyché* de Prud'hon, adjugée à Remoissenet fut rachetée par la famille).

SOMMIER Edme
Paris 1873 - Vaux-le-Vicomte 1945

Industriel, propriétaire du château de Vaux-le-Vicomte où il acheva l'œuvre de restauration entreprise par son père Alfred Sommier. Donna en 1923 *un portrait de Casimir Perier* d'après L. Hersent en 1928, sous réserve d'usufruit un buste en bronze de *Charles XII* par Bouchardon et en 1943, toujours sous réserve d'usufruit le *Jeune dessinateur* de Chardin. Ces deux dernières pièces entrèrent au Louvre en 1968, après le décès de Mme Sommier (née Germaine Casimir Perier, 1881-1968).

SORLIN-DORIGNY Albert

Chargé de mission à Istanbul, correspondant de la Société nationale des Antiquaires de France*, il joua un rôle important dans la redécouverte de la civilisation hittite et s'intéressa à la numismatique. Don en 1884 de figurines chypriotes en terre cuite, en 1888 de plusieurs figurines de bronze anatoliennes et d'un bracelet en or d'époque achéménide, de 1883 à 1902 de nombreux bronzes, terres cuites et marbres au Département des Antiquités grecques et romaines et d'un ensemble de carreaux de revêtement de céramique ottomans à la Section islamique. Le Département des Antiquités égyptiennes reçut en 1893 une stèle au nom de Iahmès (Basse Époque) et une au nom d'Hekayt (Moyen Empire), en 1900 deux autres stèles dont une au nom de Behiker (Moyen Empire). (Cf. Salomon Reinach).

Revue numismatique 94, p. 134.

SOUBEIRAN Paul

M. Soubeiran, descendant de la nièce du marchand Pierre-Firmin Martin, a offert au Louvre en 1957 trois portraits par Cals représentant M. et Mme Martin ainsi que leur nièce

et héritière, Léonie-Rose Davy, maintenant déposés au Musée d'Honfleur. Grâce à lui nous est connu le visage du fameux "Père Martin" (1817-1891), un de ces petits marchands parisiens, qui donnèrent leur chance à de grands artistes méconnus du grand public Millet, Boudin, Jongkind, Monet, Renoir, Pissarro, Sisley et enfin le jeune Vincent Van Gogh ; toute une génération de collectionneurs non moins pionniers et novateurs, les Doria, Rouart*, Duret, etc... ont fréquenté la modeste boutique de la rue Mogador dont le souvenir est indissociable de l'histoire de l'impressionnisme.

M. Nonne, "Les marchands de Van Gogh" in cat. exp. *Van Gogh à Paris*, Paris, Musée d'Orsay, 1988.

SOUDAIN Mlle Odette
Paris 1907 - Goussonville (Yvelines) 1979

Elle a légué un rare tableau de Stradanus, *La Vanité, la Modération et la Mort*, entré en 1980. (Peut-être avait-elle recueilli cette peinture dans la succession de son père, décédé prématurément en 1922, et qui lui-même avait hérité en 1914 des "meubles et objets" d'un oncle, Marie-Alexandre Soudain).

SOUFFLOT Pierre-Jules (?)
† 1893

Ancien administrateur des Messageries nationales et des Services Maritimes, petit-neveu de l'architecte Soufflot, il donna en 1880 le portrait de son grand-oncle peint par L. M. Van Loo dans le cadre duquel il avait inséré deux aquarelles en miniature peintes par l'architecte lui-même et représentant deux vues du Panthéon, l'une intérieure, l'autre extérieure.

SOUHART Mme F.

Don en 1929, au Département des Antiquités grecques et romaines, d'un rhyton en forme de tête de bouquetin trouvé à Sidon.

SOURICE Mme

Don d'un dessin de Renié en 1954.

SOUSCRIPTEURS ALSACIENS

Un tableau d'Emmanuel Benner représentant *Saint Jérôme* (déposé en 1922 au Musée de Mulhouse) fut donné en 1897 aux musées nationaux. Probablement organisée par le frère jumeau du peintre, Jean Benner, qui était peintre lui-aussi, la souscription réunissait des donateurs alsaciens, mais on ne possède pas de renseignements sur ces donateurs.

SOUSCRIPTION NATIONALE GEORGES DE LA TOUR

Au mois de mars 1988, le Musée du Louvre, souhaitant acquérir une des dernières œuvres de Georges de La Tour encore en mains privées, ouvrait une souscription nationale. Le

tableau, *Saint Thomas*, exposé pendant un mois dans l'ancien Musée du Jeu de Paume recevait un accueil très favorable et entrait au Louvre en juin 1988. Parmi les milliers de donateurs enthousiastes, peuvent être mentionnés les plus généreux. Au legs initial de Mme Granday-Prestel* au Département des Peintures, se sont ajoutés les dons de diverses sociétés et personnalités : le baron et la baronne Guy de Rothschild* et leurs enfants, les enfants du baron Alain de Rothschild, M. Traboulsi, Mme Geneviève Seydoux, MM. Kraemer*, Pierre Landry*, les Amis du Louvre, les Aéroports de Paris, les groupes Seeri-Sari, Pierre Bergé et la Société Yves Saint-Laurent, les sociétés Carrefour, Cartier S. A., les Chargeurs S. A., la Fondation Edmond de Rothschild*, la Compagnie des Commissaires-priseurs de la Ville de Paris, la Banque de France, la Société française Hœchst, la Compagnie générale d'industrie et de participation, la Banque La Hénin et sa filiale Fimagest, la Société T. r. a. p. i.l., la Banque Nationale de Paris, le Printemps S. A., la Société des Amis du Château de Pau.

SOUSTIEL Jean

Fils de Joseph Soustiel*, il reprit l'entreprise familiale en 1983. Il organisa plusieurs expositions de miniatures indiennes et d'art ottoman et publia, en 1985, la *Céramique islamique, le guide du connaisseur*, ouvrage fondamental sur la question. Il fit de nombreux dons à la Section islamique, en 1976, 1977, 1980, 1983, 1984, 1985 et 1987 parmi lesquels il faut signaler un petit albarello (Turquie, Iznik, fin XVᵉ-déb.XVIᵉ s.), une coupe en céramique (Iran oriental, Xᵉ s. ?), un carreau de revêtement (Syrie, Alep, daté 1699), une page de miniature *La Vache* signée d'Abu-l-Hassan Ghaffari (Iran, XIXᵉ s. ?) et le portrait de la *Bégum sombre* (Inde du Nord, déb. XIXᵉ s.). Il offrit également un dessin de Barbault en 1976.

SOUSTIEL Joseph

D'une lignée de marchands d'antiquités installés à Istanbul et à Salonique, il ouvrit un des premiers magasins spécialisés en arts islamiques en 1926 à Paris. Il fit don à la Section islamique, en 1972, d'un tesson de céramique et de petits ivoires ; en 1973, d'une coupe en céramique à décor lustré (Iran, fin XIIᵉ s.).

SOUTTER Mme André, née Isabelle Dicker
† 1982

De nationalité suisse, elle légua une soupière anglaise en métal argenté provenant de la famille de son mari, qui aurait servi à Napoléon sur le *Bellérophon* (affectée au Musée national du Château de Malmaison).

SPEELMAN galerie Edward

Vers 1934, Edward Speelman ouvrit à Londres une galerie spécialisée dans la peinture hollandaise ancienne. Son fils, Anthony, qui lui succèda en 1972, poursuit l'activité de la galerie dans la même orientation (il vendit au Louvre Saenredam et Bosschaert). En 1984, il donna au nom de la galerie deux portraits d'homme et de femme d'Aert de Gelder et, avec la galerie Harari et Johns*, un tableau de Heimbach représentant un gentilhomme sur fond de paysage italien.

SPENCE

Don en 1864 au Département des Antiquités grecques et romaines, d'une petite statuette en bronze d'*Apollon* trouvée à Fiesole.

SPENCER-CHURCHILL
Lord Ivor-Charles
1898 - 1956

Deuxième fils du neuvième duc de Marlborough et de Consuelo Vanderbilt. Don en 1936 de deux aquarelles de P. Cézanne dont l'une fut mise en dépôt au Musée Granet à Aix-en-Provence.

SPEVILLE Monsieur de

Médecin. Don en 1923, du portrait sculpté de sa belle-mère *Madame de Fontréal* par J. B. Carpeaux.

SPIEGELTHAL Monsieur

Consul à Smyrne. Don en 1934 d'un moule fragmentaire en terre cuite au Département des Antiquités grecques et romaines.

SPIRE Mme Gaston, née Irma Lévy
Reguisheim (Haut-Rhin) 1869 - Paris 1942

Veuve de Gaston Spire, elle donna en 1947 un *Paysage* dans le genre de Carel Dujardin (déposé en 1947 au Musée de Maubeuge) et le portrait de sa belle-mère par L. Bonnat* (en 1960 au Mobilier national).

SPIRIDON Mme Joseph,
née Marie-Octavie Dangu
Bonlier (Oise) 1867 - Paris 1964

Elle épousa en secondes noces le célèbre collectionneur Joseph Spiridon (1845-1930) ; celui-ci avait hérité de son père, Georges Spiridon, établi à Rome, plusieurs tableaux provenant de la collection du cardinal Fesch. Né lui-même à Rome, il séjourna longtemps en Italie où il se procura un grand nombre de Primitifs italiens. D'autres tableaux achetés en France aux ventes Beurnonville (1876), Dollfus (1892) par exemple... Sa collection, installée à Paris dans son hôtel de la rue Ballu, fut dispersée le 31 mai 1929 à Berlin, en raison des taxes qui frappaient les ventes d'œuvres d'art en France. Le catalogue établi par O. Fischel montre une écrasante majorité de tableaux italiens des XIVᵉ et XVᵉ s. (soixante-neuf sur soixante-dix-neuf numéros) auxquels s'intéressèrent particulièrement les musées américains. Mme Spiridon donna en 1944 au Louvre un triptyque catalan du XVᵉ s. déposé au Musée Hyacinthe-Rigaud de Perpignan et une icône russe du XIXᵉ s.

Die Sammlung Joseph Spiridon Paris, Berlin, 31 mai 1929, Paul Cassirer - Hugo Helbing (cat. par O. Fischel).

SPITZER Frédéric
Vienne 1815 - Paris 1890

Marchand d'art et de curiosités, puis collectionneur, installé en 1852 à Paris où il entreprit de constituer un "Musée des Arts industriels" principalement orienté vers le Moyen-Âge et la Renaissance. Cette collection fit l'objet d'une publication en six volumes (dont deux parus avant la mort de Spitzer) et fut dispersé en vente publique en 1893. Il a donné au Louvre en 1878 un relief décoratif en marbre d'Antonio Lombardo provenant de Ferrare dont il n'avait pas eu l'usage dans une composition factice exécutée à l'aide des vingt-huit autres reliefs (aujourd'hui au Musée de l'Ermitage à Léningrad).

SPITZER Mme Frédéric, née Maria Feist
Francfort 1859 - Paris 1910

En 1891, avant la vente de la collection de son mari F. Spitzer*, Mme Spitzer, sur les conseils d'E. Bonnaffé*, offrit au Louvre, le bras-reliquaire rehaussé d'émaux translucides de saint Louis de Toulouse, chef-d'œuvre des orfèvres des rois angevins de Naples (av. 1338).

E. Bonnaffé, "Frédéric Spitzer. Notes et Souvenirs", *L'art*, 1893, pp. 174-175.

STARRIER STEARNS Monsieur Ch.

Cet américain fit don au Louvre, en 1930, d'une trentaine de tissus égyptiens coptes (deux sont déposés au Musée Lamartine de Mâcon).

STEIN Adolphe

Marchand de tableaux, établi à Paris et à Londres, il a donné au Louvre deux tableaux dont, en 1973, *Junon confiant Iô à Argus* de J. van Noordt, ainsi que deux dessins de Th. Schelfhout et de P. Roselli en 1987 et 1988.

STEIN Charles
Bruxelles 1840 - Paris 1899

Fils du marchand d'antiquités d'origine bruxelloise Loëb Stein installé à Paris sous le Second Empire, antiquaire lui-même il avait épousé Laure Jacob, elle-même fille d'antiquaire. Très lié à Ch. Davillier*, fit avec ce dernier plusieurs voyages en Italie et en Espagne, et collectionna des objets du Moyen-Âge. Divers dons au Musée du Louvre entre 1880 et 1895, au Département des Sculptures et au Département des Objets d'Art, notamment un coffret de mariage en bois peint attribué à Giovanni di Paolo (1880) et une pièce d'échiquier romane (1892). La plus grand partie de ses collections fut dispersée en vente publique à Paris en 1886 (10-14 mai) et 1899 (8-10 juin).

STEIN Guy

Don au Musée du Louvre en 1938 d'un tableau de Dufeu : *Marine*.

STEIN Jacques
Paris 1871 - Paris 1949

Fils de l'antiquaire Charles Stein*, participe, sur l'instigation de Migeon*, à l'achat (1907-1909) en bloc de la collection Victor Gay (cf. Mme Victor Gay) dont une partie est donnée aux musées nationaux et l'autre vendue (23-26 mars 1909). Avec l'excédent de la vente offert au Louvre par les sociétaires, purent encore être acquis la plaque d'ivoire ottonienne de la *Multiplication des pains* et le *Jeune berger*, bronze de Riccio. En 1902, J. Stein avait donné en souvenir de sa sœur Marguerite (v. 1877 - Dancé, Loire, 1902), un grand coffre sculpté du XVIᵉ s. provenant du château d'Azay-le-Rideau. Une autre de ses sœurs, Claire, épousa en 1890 l'antiquaire Eugène-Alfred Kraemer.

STEINER Monsieur
voir MAROQUE Madame

STEINHEIL Louis Charles Auguste
Strasbourg 1814 - Paris 1885

Peintre, élève de Ducaisne et de David d'Angers, il travailla en 1855, en collaboration avec Viollet-le-Duc et Lassus, à la restauration des verrières de la cathédrale de Strasbourg et de la Sainte-Chapelle à Paris. Don au Louvre en 1857 d'une page de manuscrit de l'école italienne.

STEINITZ Bernard Baruch
STEINITZ Mme Bernard,
née Simone Morel

Antiquaire, spécialisé dans le mobilier et les objets français du XVIIIᵉ s., membre du groupe "Antiquaires à Paris", B. Steinitz a été établi rue Rossini, rue Drouot et rue des Francs-Bourgeois, avant d'ouvrir une galerie 4 rue Drouot et une succursale à New York. Passionné par les problèmes de restauration, il a contribué à la restauration du château de Raray (Oise). M. et Mme Steinitz ont donné des œuvres majeures : en 1983, une pendule en bronze néo-classique de Jean-Louis Prieur (v. 1775) ; en 1987, une série de dix émaux peints en grisaille de M. D. Pape (v. 1550).

STERLING Charles

Historien d'art, il fut conservateur au Département des Peintures du Louvre et professeur à New York University. Il s'est principalement consacré à l'étude du XVIIᵉ s. français (exposition des *Peintres de la réalité*, 1934, qui révéla

Mme E. Stern
E.A. Carolus-Duran,
Musée du Petit Palais, Paris

Mme E. Straus
J.E. Delaunay, Orsay

Georges de La Tour) et surtout des Primitifs français (ouvrages de synthèse et nombreux articles sur Fouquet, Quarton, Jean Hey, Perréal, Beaumetz, Lieferinxe, Dipre et sur les écoles de Provence, Bourgogne, Auvergne, Savoie au XIVᵉ et XVᵉ s.), dont il a fondé la science ; il a dernièrement entrepris de recenser l'ensemble de la peinture française des XIVᵉ et XVᵉ s. dans un corpus en cours de publication. En 1952, il a organisé l'exposition de *La Nature morte,* à l'occasion de laquelle il a donné une nature morte de fruits de F. Garnier. Il a également donné, en 1979, sous réserve d'usufruit, sa bibliothèque et sa documentation photographique au Département des Peintures du Louvre.

STERN Mme Edgar, née Marguerite Louise Delphine Fould
Marnes-la-Coquette 1866 - Paris 1956

En 1947, la veuve du collectionneur Edgar Stern (1854-1937) a donné, avec l'accord de Maurice Stern et de la comtesse Bertrand d'Aramon, ses enfants, le buste en marbre de *Sophie Arnould* par Houdon en souvenir de son mari et en reconnaissance des efforts de la Commission de Récupération artistique qui lui avait permis de rentrer en possession d'une "partie appréciable de la collection... emportée toute entière par l'ennemi".

STERN Gérard
STERN Philippe

M. Gérard Stern, docteur en médecine, et M. Philippe Stern, ingénieur, sont fils du banquier Maurice Stern († 1962) et de Mme Stern, née Alice Goldschmidt, nièce de Carle Dreyfus*. Ils ont donné en 1983 trois importantes pièces en porcelaine de Sèvres provenant de la collection de leur grand-père Edgar Stern : une paire de "vases à queue de poissons" (v. 1765) et une cuvette Courteille (v. 1765).

STERN Mme Louis, née Marie Minerbi dite Ernesta de Hierschel
Trieste 1854 - Roquebrune-Cap-Martin 1926

Veuve du collectionneur Louis Stern, elle légua un tableau alors attribué à Reynolds, une faïence hispano-mauresque, une bouche

de fontaine (Espagne XIIᵉ-XIIIᵉ s.), un objet égyptien : une *Tête de femme* en calcaire, modèle de sculpture de l'époque ptolémaïque et surtout un relief tourangeau de la fin du XVᵉ s. représentant un *Ange portant le suaire du Christ,* provenant de Rouziers (cette pièce venait rejoindre trois autres panneaux de la même série, exécutée peut-être à l'origine pour Saint-Saturnin de Tours). Elle destina en outre d'autres œuvres d'art aux musées de Cluny et d'Azay-le-Rideau.

STEURS VAN DEN BROECK Jules
Anvers 1872 - 1952

Célèbre collectionneur belge, il fonda en 1905 une entreprise de construction, la S. A. Vooruitzicht, dont il assuma la présidence jusqu'à sa mort. Il rassembla trois collections dont la dernière fut dispersée à sa mort. Donne en 1931 une peinture de l'École française du XVIIᵉ s. et en 1951 un dessin attribué à Michel Ange.

STIER Monsieur

Antiquaire. Don au Département des Antiquités égyptiennes de dons entre 1887 et 1891 de papyrus, stèles, etc., et au Département des Antiquités grecques et romaines d'un lot de lampes, poids, appliques et statuettes en 1887.

STIRBEY prince Georges
Valachie 1827 - Paris 1898

Fils de Demetrius Bibesco ancien Hospodar de Valachie, hérita du titre de son oncle le prince Barbou Stirbey. Etabli en France en 1860, il épousa en 1895 la veuve de Gustave Fould, dont la fille Consuelo fonda le Musée de Courbevoie. Il donna en 1882 des œuvres de J. B. Carpeaux au Musée de Valenciennes et à l'École des Beaux-Arts ainsi que cent-soixante-treize dessins de l'artiste au Musée du Louvre.

STOLTZ Marguerite
Paris 1886 - 1943

Peintre, elle exposa à la Société des Femmes Peintres et enseigna le dessin et la décoration

de 1908 à 1926. Diplômée de l'École du Louvre elle fut chargée de mission à la Bibliothèque de la conservation du Musée du Louvre. Don de deux dessins de G. Regamey en 1939, et de deux *Paysage* et un *Portrait* de Louis François en 1940.

STOPPELAËRE Alexandre

Égyptologue belge, spécialiste des peintures thébaines. Don en 1947 d'un ostracon figuré d'époque ramesside.

STORA Maurice
Paris 1879 - Paris 1950

Antiquaire parisien. Don en 1905, d'une assiette de majolique ; en 1906, d'un carreau provenant de Perse ; en 1928, d'un disque de bronze ajouré (Perse, XIIIᵉ.).

STRAUS Mme Émile Straus, née Geneviève Halévy
1849 - 1926

Fille de Fromental Halévy, elle légua au Louvre son portrait par E. Delaunay en en réservant l'usufruit à son époux, l'avocat Émile Straus ; le tableau entra dans les collections en 1929 (maintenant au Musée d'Orsay). Cette œuvre fut peinte en 1878 et le modèle y porte le deuil de son premier mari le musicien Georges Bizet, décédé en 1875. Elle épousa Émile Straus en 1886 et tous deux servirent de modèles à Marcel Proust qui fréquenta le célèbre salon de Mme Straus.

G. Painter, *Marcel Proust, a biography,* rééd., 1983 (ed. française, Paris 1966).

STRAUS Mme Jesse Isidor, née Irma S. Nathan
1876 - 1970

Veuve de Jesse I. Straus (1872-1936), qui fut ambassadeur des États-Unis à Paris de 1933 à 1936, elle légua, en mémoire de son mari, l'impériale en tapisserie des Gobelins appartenant au lit de la célèbre Chambre rose (ou chambre de la duchesse de Bourbon) du Palais Bourbon, aménagée par le prince de Condé v. 1770.

STRAUSS Mme André

Don en 1939, en souvenir de son mari, fils du collectionneur Jules Strauss*, d'un buste en bronze de *Louis XIV enfant*, traditionnellement considéré comme une œuvre de Jacques Sarrazin, et actuellement attribué à Jean Varin.

STRAUSS Jules
Francfort 1861 - Paris 1943

Amateur assidu, il collectionna mobilier, objets d'art et tableaux anciens et modernes, notamment impressionnistes. Sa première collection de soixante-et-onze peintures impressionnistes, particulièrement complète et riche en œuvres de Sisley - dont l'abondance valut au collectionneur le surnom de *M. Sisley* - fut dispersée lors d'une vente à Paris en 1902 (Drouot, 3 mai). La seconde, de quatre-vingt-cinq tableaux, constituée d'œuvres des mêmes artistes impressionnistes mais selon un choix plus étendu, fut vendue à son tour en 1932 (Galerie G. Petit, 15 déc.). Son mobilier, enfin, fut dispersé lors de deux ventes posthumes, en 1949 (Galerie Charpentier, 27 mai) et 1961 (Palais Galliera, 7 mars ; préface de J. Dupont). Jules Strauss fit don entre 1921 et 1928 de quatre peintures notamment de Lajoue (*Paysage avec architecture*), Raffet (*Épisode de la retraite de Russie*) et Colson, ainsi que d'un dessin et d'une sculpture de Pompe, *Saint Sébastien*. Initiateur de la politique d'encadrement des tableaux du Louvre, il rechercha dès 1900 des cadres anciens destinés à remplacer les cadres Empire uniformes. Il donna une soixantaine de cadres qui mettent aujourd'hui encore en valeur les plus célèbres chefs-d'œuvre de toutes écoles du musée.

Bulletin de l'Art Ancien et Moderne, 26 avr.1902, pp. 132-133.

STREEP Jon Nicholas

Collectionneur et marchand de tableaux, il vivait à New York, où il mourut assassiné. Il donna en 1972, un tableau de Hupin, *Nature morte au tapis*.

STREITZ Robert
Namur 1901 - Valbonne (Alpes-Maritimes) 1984
STREITZ Mme Robert,
née Sarah Levi de Benzion
Le Caire 1907 - Valbonne 1980

Architecte belge, Robert Streitz s'installa en Égypte avec son épouse jusqu'à sa retraite. Don en 1952 de quarante-deux ostraca figurés de Deir-el-Medineh provenant de la collection renommée de Levi de Benzion, propriétaire d'un célèbre magasin du Caire.

STRONG SHATTUCK Mrs Mary

Legs d'un tableau de F. H. Drouais, *Le comte de Nogent, enfant*, envoyé des États-Unis au Louvre en 1935.

STÜCKELBERG Gertrude

Fille d'Ernest Stückelberg (1831-1903), peintre suisse de portraits et d'histoire. Don de trois dessins de son père en 1931.

SULZBACH Maurice Sigismond
Francfort-sur-le-Main 1853 - Paris 1922

Banquier, collectionneur, fait, en 1919, une importante donation, sous réserve d'usufruit, qui comprenait deux tableaux dont une *Mort de la Vierge* aujourd'hui attribué à un peintre italien du XIVᵉ s. travaillant à Avignon (déposé au Musée du Petit-Palais, à Avignon), trois sculptures françaises du Moyen-Âge, parmi lesquelles figurait une statuette d'applique, du XIVᵉ s., en marbre, ayant appartenu au tombeau d'Elzéar de Sabran, à Apt, et deux œuvres iraniennes : un gobelet de céramique du XIIᵉ-XIIIᵉ s., et une enluminure des environs de 1600.

SUMPT Lucile
Paris 1882 - Eaubonne 1971

Don en 1950 d'une statuette d'ivoire de *Vierge à l'Enfant* (France, fin XIIIᵉ s.), en son nom et en souvenir de M. A. Bossy*.

SURMONT Jean
Lille 1895 - Paris 1978

Médecin. Don en 1977 d'un dessin de F. Luppe : le portrait du peintre Pesne.

SURSOCK Charles
Alexandrie 1873 - Paris 1927

Collectionneur-marchand libanais. Don d'objets syriens : céramiques et figurines de 1912 à 1919 au nom de Jean-Jacques Sursock*.

SURSOCK Jean-Jacques

Don en juin 1914 d'un édicule en terre cuite et d'une *Figurine de femme nue* de même matière (Syrie).

SURTEL Paul
Reuilly (Indre) 1893 - Carpentras 1985

Peintre de paysage, fils spirituel du peintre F. Maillaud et de l'écrivain spiritualiste Raymond Christoflour, des fragments de sa correspondance ont été publiés par le poète belge Albert Lecoq. Don en 1950, d'une sanguine de Michel Angelo Anselmi.

"Paul Surtel", *Rencontres*, nº 123, nov. 1982, 2ᵉ éd.

SUSSY comte Honoré Collin de
Paris 1806 - Paris 1853

Petit-fils du ministre de l'Agriculture et du Commerce de Napoléon Iᵉʳ, directeur du Musée des Monnaies, il a légué un portrait de son grand-père le *Comte de Sussy* par Gérard destiné au Musée de Versailles ainsi qu'un

buste de *Napoléon*, d'après Chaudet. Le baron Perignon (1800-1855), exécuteur testamentaire fit ajouter sur le buste une fausse signature de Canova.

SUZON Monsieur

Don à une date indéterminée d'un dessin de l'École française du XVIIᵉ s.

SWALVE (?) Édouard

Docteur en droit, grand voyageur, il rapporta d'un long séjour en Asie centrale des carreaux de céramique du XIVᵉ s., qui proviendraient du tombeau de Tamerlan. Il en offrit au Musée du Cinquantenaire de Bruxelles et à la Section islamique du Louvre en 1911.

TABBAGH Georges
Alep (Syrie) entre 1867 et 1870 - Paris 1957

Antiquaire, il fit don, en 1909, d'un pichet de céramique (Syrie, Rakka v. 1200) et, en 1926, de deux miniatures iraniennes du XVIIIᵉ s. illustrant des épisodes du *Shah-nameh*.

TAILLANDIER M. et Mme Jacques

Don en 1971 d'un portrait, par M. Lévy, de *Guerbois* le propriétaire du fameux café, 11 Grande Rue des Batignolles (avenue de Clichy), fréquenté par les impressionnistes à la fin des années 1860 (Musée d'Orsay).

J. Rewald, *The History of Impressionism*, rééd, Londres, 1980, p. 197 et 236 note 1.

TALLEYRAND-PÉRIGORD
Paul-Louis-Marie-Archambaud-Boson
voir VALENÇAY duc de

TAMENAGA galerie

En 1980, la galerie Tamenaga de Tokyo a fait don au Louvre de trois tableaux : deux G. Cades, *Achille jouant de la lyre* et *Cornélie, mère des Gracques*, et *Les saintes femmes au tombeau*, panneau double face encore récemment attribué à Ridolfo Ghirlandajo, qui vient d'être rendu à Giovanni Capassini.

TAMISIER Mme Pierre-Alfred Carrier, marquise de, née Élisabeth Françoise Charlotte Delorme
Paris 1812 - Paris ?

Fille de Charles Arnould Delorme (1765-1853) propriétaire,avocat, entrepreneur agronome, mais également architecte et créateur du passage Delorme à Paris, lié à la construcion des rues de Rivoli et de Courcelles. Elle donne en 1885 le portrait dessiné de son père, par Ingres*.

H. Naef, "A propos de deux portrait d'Ingres au Cabinet des Dessins du Louvre", *Revue du Louvre*, 1966, pp. 211-216.

TAMVACO Jean Louis

Collectionneur d'œuvres ayant rapport avec l'Opéra, il donna en 1984 un petit modèle en bronze de la statue de *Rossini* faite par Etex pour le foyer de l'Opéra de la rue Le Pelletier, statue disparue dans l'incendie qui le ravagea.

TANKERVILLE-CHAMBER-LAYNE James
† 1909

Major du South Staffordshire Regiment, commandeur du district de Kyrenia à Chypre (1899). Don de terres cuites chypriotes en 1899.

TANO famille

Antiquaire d'origine grecque et de citoyenneté française installé à Larnaca (Chypre) et surtout au Caire. Don par Nicolas Tano († 1924), en 1887, de pièces d'étoffe égyptienne provenant des tombes d'Akhmin, et en 1889 d'un sarcophage égyptien. Don par Marius Tano, en 1896, au Département des Antiquités orientales, d'une série d'objets, dont des bas-reliefs et des cippes de pierre, et en 1903 de six inscriptions grecques.

TAPPONNIER

Lieutenant au 93ᵉ bataillon de tirailleurs sénégalais, 3ᵉ compagnie. Don en 1918 de neuf débris de poteries et d'une fusaïole de pierre trouvés à l'est de Salonique.

TAUZIA Pierre-Paul Both dit Léon, vicomte de
Bordeaux 1823 - Paris 1888

De vieille famille protestante, Both de Tauzia fut successivement conservateur-adjoint des Peintures (1871), conservateur du Cabinet des Dessins (1881), des Peintures et Dessins (1886). Il contribua à l'organisation des musées nationaux de Compiègne et de Fontainebleau et rédigea le catalogue de la donation His de La Salle* et plusieurs catalogues du Cabinet des Dessins. Don en 1876 d'un *Portrait dessiné du docteur La Caze** par Th. A. A. Pils.

TCHACOS Frederica

Antiquaire à Paris de 1968 à 1978. Don d'une figurine en bois au Département des Antiquités égyptiennes (1973).

TEISSIER Mademoiselle Geneviève

Documentaliste au Musée du Louvre. Don en 1983 d'un sceau-cylindre assyrien illustrant une fable.

TEMPELAËRE MM.

Don en 1910 du *Portrait de paÿsan* par Mettling au Musée du Luxembourg et plusieurs dessins de J. Ch. Cazin et de G. Regamey en 1932 et 1933.

TERREIL Clair Auguste
Paris 1828 - Paris 1899

Aide-naturaliste puis chef des travaux chimiques au Muséum d'Histoire naturelle, il fit don en 1884 au Département des Objets d'Art d'un petit médaillon en cire du début du XIXᵉ s.

TERRIER Monsieur

Lieutenant. Officier de renseignements à Abou-Kemal, Syrie (1923). Don en 1924 au Département des Antiquités égyptiennes de quatre tablettes et d'un sceau-cylindre en hématite.

T. G. C. E. (anonymes parisiens)

Ces anonymes parisiens furent à l'origine d'un don assez étrange, fait en 1892, d'un tableau de Detaille : *La charge du 4ᵉ hussards, 1807*, échangé peu après par la *Sortie de la garnison de Huningue, 1815*, déposé au Sénat en 1925.

THALMANN Mme Richard
née Lucie Emma Heilbronn
Paris 1875 - Paris 1947

Mme Thalmann, veuve d'un banquier dont la collection avait été saisie par les Allemands pendant la dernière guerre, en retrouva une partie à la Libération grâce à l'action de la Commission de récupération artistique. Pour témoigner sa reconnaissance, elle offrit en 1945 une commode Louis XV en laque estampillée par J. Dubois.

THANNHAUSER Justin K.
Munich 1892 - Berne 1976

Fils d'un marchand de tableaux, il organise de nombreuses expositions dont la première en 1911 consacrée au *Blaue Reiter*. Il se lie avec Kokoschka, Klee, Kandinsky, Picasso et quitte Munich en 1933, se fixe à Paris où sa galerie et sa collection sont dispersées durant la seconde guerre mondiale. Il se réfugie à New York en 1941, ouvre une nouvelle galerie et reconstitue une collection qu'il donne en grande partie au Musée Guggenheim de New York. Il donne au Louvre en 1939 une feuille d'études de Degas et en 1954, un dessin de Renoir.*

Cat. exp., *The Guggenheim Museum : Justin K. Tannhauser Collection*, New York, Guggenheim museum, 1978.

Mme R. Thalmann

A. Thiers
L. Bonnat, Orsay

Mme A. Thiers

G.T. Thiéry
Ch. Devergnes, Orsay

THEDENAT Maria Eugénie
Poitiers 1851 - Paris 1920

Legs d'une *Tête de femme voilée* fragment probable d'une *Vierge de Pitié*, exécutée dans le centre de la France à la fin du XVᵉ s.. Elle avait reçu cette sculpture de l'abbé Thedenat, son frère, membre de l'Institut.

THEDENAT-DUVENT Pierre Paul
1756 - 1822

Ancien consul de France à Alexandrie, se passionna pour l'histoire de l'Égypte ancienne et moderne et rassembla deux importantes collections d'antiquités égyptiennes qui furent vendues à Paris en 1822. Son fils fit présent à Louis XVIII (qui le déposa au Louvre) en 1823 du sarcophage en pierre de l'intendant Iniouya, œuvre de grande qualité et une des plus anciennes donations d'œuvre égyptienne entrées au Louvre.

THÉVENIN Jean Charles
Rome 1819 - Rome 1869

Graveur, il exposa au Salon, de 1843 à 1868, des sujets religieux et d'histoire. Il était le fils de Ch. Thévenin (1764-1838), peintre d'histoire, portraitiste et graveur ; en 1843, il donna un grand tableau inachevé de son père, *Le retour de Marie Stuart en Écosse*, qu'il destinait au Musée de Versailles mais qui resta au Louvre.

THEVENIN DE VERNEUIL Céleste

Don de deux miniatures de Troivaux (1862-1863).

THIEBAULT-SISSON

Rédacteur au journal *Le Temps* au début du siècle il y occupa notamment les fonctions de critique d'art. Anti-dreyfusard, il se battit en duel avec un dreyfusard, autre rédacteur du journal. Sa collection de sculptures et d'objets divers du Moyen-Âge et de tableaux du XIXᵉ s. fut dispersée au cours de deux ventes, en 1907, où certaines sculptures furent achetées par le Louvre. Il donna deux tableaux dont un *Portrait* anonyme de Louis-Philippe d'Orléans aujourd'hui à Versailles (1902 et 1908).

Vente, Tableaux Modernes, aquarelles, pastels, dessins, Paris, Hôtel Drouot, 23 nov. 1907 ; Vente, Sculptures du Moyen-Âge et de la Renaissance, bois, pierres, marbres, objets variés, Paris, Hôtel Drouot, 30 nov. 1907.

THIEBAUT Georges

Descendant de l'une des plus illustres familles de fondeurs français. La maison Thiebaut, fondée en 1787 par Charles Cyprien Thiebaut († 1830) et qui fut connue sous diverses dénominations (Thiebaut et fils, Thiebaut frères...) exécuta un nombre considérable de monuments publics dus aux plus grands sculpteurs du XIXᵉ s. En 1862 la veuve de Charles Antoine Floreal Thiebaut avait acquis les modèles et les droits d'édition des médaillons de David d'Angers jusque-là détenus par la firme Eck et Durand. C'est un de ces médaillons, celui de l'actrice Marguerite-Joséphine Weimer, dite *Mademoiselle George*, qui manquait aux collections du Louvre, que Monsieur Georges Thiebaut a offert en 1976, avant la dispersion en vente publique des exemplaires qui étaient demeurés dans l'actif de la firme disparue.

THIÉNON Louis Désiré
Paris 1812 - Paris 1881

Peintre et lithographe, il est l'élève de son père, Cl. Thiénon (1722-1846) et d'E. Isabey*. Il donne en 1876 un dessin de Jean-Baptiste Isabey représentant sa mère et Isabey jouant avec un petit chien.

THIERS Adolphe
Marseille 1797 - St-Germain-en-Laye 1877
THIERS Mme Adolphe, née Élise Dosne
Paris 1818 - Paris 1880

Thiers, qui avait débuté dans les lettres en publiant une brochure concernant le Salon de 1822 et qui s'était formé par des voyages en Italie, s'intéressait à tous les aspects de l'art et rassembla, dans son hôtel de la place Saint-Georges, une collection préconçue qui devait représenter "un abrégé des arts de l'univers" (Ch. Blanc). Mme Thiers, qui par ailleurs créa la Fondation Thiers, légua au Louvre cette collection, pour se conformer aux vœux de son mari, en imposant qu'elle reste groupée définitivement dans une salle du Musée, légua aussi sa propre collection de porcelaines et laissa l'usufruit de l'ensemble à sa sœur, Félicie Dosne*. En 1881, celle-ci renonça à cet usufruit et donna en outre une collection de tabatières et d'émaux. La collection Thiers comprend des objets antiques (égyptiens et grecs), des objets de la Renaissance de toutes natures, des tableaux (portrait de Thiers par Bonnat*), des dessins (une soixantaine de pièces d'artistes du XIXᵉ s.), des sculptures, des objets extrême-orientaux (peintures, bronzes, émaux, pierres dures, laques, porcelaines). Elle a été décriée, mais comporte des aspects positifs. Parmi les objets importants : deux têtes de mulet romaines, en bronze, *La Déposition de croix* en terre cuite autrefois attribuée à Michel-Ange, *L'Autruche* en bronze de Jean Bologne, provenant des collections de la Couronne. La collection de porcelaines de Mme Thiers (Sèvres, Paris, Meissen, etc.), très représentative, renferme l'un des chefs-d'œuvre du Département des Objets d'Art, la *Naïade* en porcelaine de Vincennes.

Ch. Blanc, Collection d'objets d'art de M. Thiers léguée au Musée du Louvre, Paris, 1884. L. Réau, M. Thiers, critique d'art et collectionneur, Paris, s. d. [1921].

THIÉRY George Thomy
Île Maurice 1823 - Paris 1902

Riche propriétaire de plantations de canne à sucre à l'Île Maurice, anglais de naissance mais resté fidèle à la France (l'ancienne colonie était devenue britannique depuis 1815), il vint s'établir à Paris en 1876. De 1880 à 1895, il constitua une collection de tableaux français de l'École de Barbizon d'une qualité exceptionnelle et de bronzes de Barye, s'entourant pour ses achats d'experts tels que Maurice Mallet pour les peintures et le statuaire Eugène Guillaume pour les sculptures. Il légua au Louvre l'ensemble de sa collection (entrée en 1902) qui fut une véritable révélation pour les amateurs, car rares étaient ceux qui avaient pu avoir accès à la demeure de Thomy Thiéry à Paris 4 rue du général Foy. Outre cent cinquante bronzes de Barye, un mobilier de salon recouvert de tapisserie de Beauvais, elle comptait cent vingt-et-un tableaux parmi lesquels douze Corot* (dont le *Chemin de Sèvres* ; la *Route de Sin-le-Noble*), douze Dupré, artiste jusqu'alors absent du Louvre (les *Landes* ; l'*Abreuvoir et le grand chêne* ; *Soleil couchant sur un marais* ; dix Th. Rousseau (le *Printemps* ; *Groupe de chênes à Apremont*), treize Daubigny (la *Vanne d'Optevoz*), onze Troyon (*Vue prise des hauteurs de Suresnes*), six Millet (les *Botteleurs de foin* ; le *Vanneur*, petite réplique du tableau détruit du Salon de 1848) ainsi que dix-sept Decamps (le *Rémouleur* ; les *Sonneurs* ; le *Singe peintre*) et onze Delacroix (*Lion dévorant un lapin* ; l'*Enlèvement de Rébecca* ; *Médée furieuse*). Cette collection demeure, avec les donations faites quelques années plus tard par A. Chauchard* et E. Moreau-Nélaton*, un des éléments essentiels du fonds du musée pour l'École de 1830.

G. Lafenestre, "La collection Thomy-Thiéry", *Gazette des Beaux-Arts*, t. XXVII, 1902, pp. 177-184, 289-298. "Le legs Thomy Thiéry au Louvre", *Chronique des Arts*, supplément à la *Gazette des Beaux-Arts*, n° 2, 11 janv. 1902, pp. 11-12, n° 6, 8 fév. 1902 p. 43. J. Guiffrey, *La collection Thomy Thiéry au Musée du Louvre. Catalogue descriptif et historique.*, Paris, 1903.

THIOLLIER Claude Emma
St-Étienne v. 1872 - 1973

Élève du lyonnais Borel et de J. P. Laurens. Elle se préoccupa comme son père, F. Thiollier*, de faire connaître l'œuvre du peintre Ravier dont elle donna une œuvre, en 1966 : *Paysage aux environs de Crémieu*.

THIOLLIER Félix
St-Étienne 1842 - St-Étienne 1914

Conservateur du Musée de Saint-Étienne, il s'attacha à mieux faire connaître sa région : le Forez, pour laquelle il réalisa un véritable inventaire. Grand amateur de Ravier, dont il offrit au Louvre de 1894 à 1905, des dessins et des tableaux : *Chemin autour de Crémieu, L'étang de Levaz*, et permit au Louvre d'acquérir : *Les rochers de la Thuile* et *Le chemin creux*. (Cf. Ravier famille de François Auguste).

F. Thiollier, *Croquis, dessins, aquarelles de A. Ravier* s. d. Cat. exp. *Autour de Félix Thiollier, dessinateurs lyonnais et forésiens du XIXᵉ s.*, 1980, St-Étienne, musée d'art et d'industrie.

THOMAS Albert
1847 - 1907

Architecte, il participa aux fouilles exécutées par O. Rayet* et financées par Gustave et Edmond James de Rothschild* à Milet et dans les ruines du temple d'Apollon à Didymes en 1873 ; il conduisit des fouilles au temple de Minerve à Priène. Don en 1886 de nombreux fragments d'architecture provenant des temples de Priène et Didymes ainsi que du temple de Minerve à Héraclée de Latmos.

Cat. exp. *Paris-Rome-Athènes. Le voyage en Grèce des architectes français aux XIXᵉ et XXᵉ s.*, Paris, 1982, p. 240.

THOMAS Mme Ambroise, née Jeanne Marie Elvire Remaury
Réalmont (Tarn) 1827 - Paris 1910

Par son testament de 1898, la veuve du compositeur Ambroise Thomas dota de rente l'Académie des Beaux-Arts et le Conservatoire de Musique ; par un autre testament, en 1905, elle légua au Musée du Louvre trois œuvres du peintre H. Flandrin, le portrait peint d'Ambroise Thomas (déposé en 1951 au Musée Ingres à Montauban), son portrait dessiné, ainsi qu'un autre dessin représentant les frères Flandrin. Le peintre et le musicien avaient tous deux remporté le prix de Rome en 1832, et s'étaient liés d'amitié lors de leur séjour à la Villa Médicis.

J. Foucart, Cat. exp., *Hippolyte, Auguste et Paul Flandrin*, Paris-Lyon, 1984, pp. 166-167.

THOMAS Gabriel
Passy-les-Paris 1854 - Meudon-Bellevue 1932

Cousin de B. Morisot et de P. Valéry, il crée la Société Immobilière du Théâtre des Champs-Élysées dont il prendra par la suite la présidence, avec l'appui d'Isaac de Camondo. En 1910, il réalise le Théâtre des Champs-Élysées construit par A. Perret et décoré par Bourdelle. Son nom est également lié au Musée Grévin où il intervient à la demande d'Arthur Meyer et d'Alfred Grévin, et dont il est le directeur artistique en 1897, puis le Président. Il est également le fondateur de la Compagnie des Bateaux-Mouches et ami de Gustave Eiffel, il sera le Président de la Compagnie de la Tour Eiffel. Grand amateur, notamment de Bourdelle, M. Denis et E. Vuillard et bibliophile averti, il avait formé une collection concernant Lamartine. Il donne en 1921, sous réserve d'usufruit le portrait dessiné de Lamartine par Chassériau.

THOMAS les enfants de Gabriel

Les cinq enfants de Gabriel Thomas*, Charles (1888-1986), Jeanine (ép. Olivier 1889-1983), Maxime (1893-1968), Juliette (ép. Vivet 1894-1974), Charlotte (ép.Coutot) offrirent au Lou-vre en 1945, un tableau de B. Morisot *Les enfants de Gabriel Thomas* en souvenir de leurs parents. Ce tableau représente Charles et Jeanine (Orsay).

THOMSON

Don en 1904 d'une miniature de l'école anglaise, peut-être par E. W. Thomson (1770-1847) père (?) du donateur, *Autoportrait* peint en 1807.

THOMPSON Mrs Henry-Yates
† 1946

Le nom de Henry-Yates Thompson (1838-1928) est lié à l'une des grandes collections de livres anciens dispersée en trois ventes (1919-1921), et qui, abritée à Portland Square à Londres, comprenait de rarissimes manuscrits enluminés. Ami de la France, Thompson procéda à la reconstitution intégrale des *Antiquités judaïques* de Joseph - enluminées par Fouquet - de la Bibliothèque nationale, qui n'en possédait que le premier tome. Le second se trouvait à la Bibliothèque royale de Windsor, incomplet. Thompson put acquérir les feuillets manquants et les offrit à Édouard VII, tout en sollicitant leur retour à la France, qui fut consenti par le Roi en 1906. Selon les volontés formulées par son mari, Mrs H. Y. Thompson légua en 1946 deux feuillets de Fouquet, *La fuite de Pompée* et *Le passage du Rubicon*. Ces œuvres furent remises par leur nièce, Lady Chancellor, par l'intermédiaire de leur neveu le maréchal de l'Air W. Eliott.

THOREN Mme Othon Karl Casimir de, née Marie Sophie Renodeyn
Gand 1839 - Puteaux 1929
THOREN Maurice de

La veuve et le fils du peintre d'origine viennoise, Otto von Thoren (Vienne 1828 - Paris 1889) donnèrent au Musée du Luxembourg, en 1890, un *Intérieur d'étable* qui aurait été exposé par l'artiste au Salon de 1880 (localisation actuelle du tableau inconnue). Le musée possède trois tableaux de cet artiste, qui n'est pourtant arrivé à Paris que vers 1868 ; une de ces toiles, le portrait de l'empereur d'Autriche François-Joseph, fut donné par le modèle à Napoléon III.

THORENS Mme, née Lilla Dollfus
1854 - 1928
DOLLFUS Adrien
1858 - 1921
LAROY Mme de, née Laure Dollfus
1859 - v. 1935

C'est en souvenir de leur père Jean Dollfus (Mulhouse 1823 - Paris 1911), dont les collections éclectiques, rassemblées de 1846 à 1911, au cours de voyages ou de ventes publiques furent dispersées "pour cause d'indivision", en quatre grandes ventes publiques à l'Hôtel Drouot (du 2 mars au 21 avril 1912, et diverses ventes en avril-mai) que les enfants de Jean

Dollfus donnèrent au Louvre, par l'entremise d'Adrien (en 1912), *La Nativité* de l'école de Colmar, et *La Flore* de Carpeaux : le bois sculpté symbolisait les premiers goûts du collectionneur pour les primitifs, en rappelant ses origines alsaciennes, celles d'une famille protestante mulhousienne dont les lettres de bourgeoisie remontaient au XVe s., et d'industriels de cotonnades et toiles imprimées qui avaient été parmi les premiers représentants du patronat libéral ; quant au modèle en terre cuite (pour le bas-relief de pierre du pavillon de Flore), pièce maîtresse ornant naguère le panneau du fond de la galerie, il rappelait l'hôtel du 35 rue Pierre Charron, où Jean Dollfus s'était installé en 1877. En juin 1912, la famille complétait encore de 50.000 F. le rachat par le Louvre (qui y consacrait 121.600 F.) d'un grand triptyque du Maître de la "Sainte-Parenté" (École de Cologne), qui lui avait échappé lors de la vente ; le Louvre s'y était enrichi déjà de *La femme à la perle* et du *Monte Pincio* de Corot*, des *Barberi* de Gericault, et de dessins donnés par la Société des Amis du Louvre.

A. Alexandre, "La Collection de M. Jean Dollfus", *Les Arts*, 1904, janv., n° 25, pp. 6-16 et fév., n° 26, pp. 3-12. S. Rocheblave, "Un grand collectionneur alsacien Jean Dollfus (1823 à 1911)", Strasbourg, Revue Alsacienne illustrée, 1912.

THORNE RIDER comte

Citoyen américain (Los Angeles), il offre en 1936, par l'intermédiaire de Pascal Bonetti, délégué général du Comité des Amitiés françaises, un dessin de l'École italienne de la fin du XVIe s.

THUÉLIN abbé Louis
St-Hilaire (Allier) 1886 - Paris 1946

Fils unique d'une famille d'employés, Louis Thuélin fut ordonné prêtre en 1909 et exerça à Paris les fonctions de rédacteur en chef, de directeur et d'éditeur de deux journaux catholiques de l'époque, *Le Soleil et l'Univers*. Après la première guerre mondiale, il entreprit de constituer à peu de frais une collection de peintures et de dessins anciens, essentiellement religieux et en particulier, italiens, de la Renaissance au XVIIe s. Bon connaisseur, d'une grande érudition, il était en rapport avec quelques uns des grands historiens d'art de l'époque (Longhi, Bredius, Van Marle, Hourticq). Membre de la Société des Amis du Louvre, ami de P. Jamot* et de Henri Verne, il donna au Louvre deux tableaux, *Le repos de la Sainte Famille* de L. de La Hyre et *La tentation du Christ* de F. Verdier (1933).

THUISY Eugène Marie Joseph de Goujon, marquis de
Compiègne 1836 - Bangy 1913

Conseiller général de l'Oise, secrétaire d'ambassade. Legs de quatre boîtes au Département des Objets d'Art. Autres legs à la ville de Compiègne, pour le Musée Vivenel et au Musée Carnavalet.

THUREAU-DANGIN François
Paris 1872 - Paris 1944

Assyriologue, membre de l'Institut, conservateur au Département des Antiquités orientales de 1925 à 1928. Don d'une tablette gravée d'un hymne bilingue à Ishtar en 1936 ; il avait déjà offert un bronze égyptien en 1927. Legs à titre de don anonyme d'une somme d'argent destinée à l'acquisition de documents cunéiformes. A l'occasion du décès de sa mère, Mme Paul Thureau-Dangin*, il avait offert au Musée du château de Versailles le portrait de son grand-père maternel L. P. Henriquel-Dupont peint par Callande de Champmartin.

Revue d'Assyriologie 39 (1942-44), pp. 1-3.

THUREAU-DANGIN Mme Paul,
née Anne-Louise Henriquel-Dupont
Paris 1853 - Paris 1928

Fille du graveur et ami d'Ingres* Louis Pierre Henriquel-Dupont (1797-1892), épouse de l'historien Paul Thureau-Dangin, Secrétaire perpétuel de l'Académie française, elle donna en 1905 le *Portrait de Jean Dorien* dessiné par R. Nanteuil.

THYL Monsieur

Colonel. Peut-être s'agit-il en fait de Ladislas-Paul-Marie Thyl, qui était en 1914 chef d'escadron de gendarmerie de la Compagnie de Tunisie à Tunis. Don en 1920 d'un autel votif avec dédicace à la Mère des dieux provenant d'Announah, ancienne Thibilis (Numidie).

THYSSEN Édouard Henri Marie
Amsterdam 1856 - Paris 1932

Médecin honoraire de la légation des Pays-Bas à Paris, auteur de plusieurs ouvrages de thérapeutique. Don de tessons grecs et coptes en 1889.

TIGRANE Pacha
† 1904

Égyptien d'origine arménienne, il fut ministre des Affaires Étrangères du Khédive Tewfik et membre du Comité d'archéologie du Caire. Beau-fils du célèbre Nubar Pacha, il visita l'Angleterre en 1855. Grand collectionneur d'antiquités égyptiennes, il fit don en 1890 au Département des Antiquités orientales d'une palette à fard, dite *La palette au taureau* (v. - 3150) qui fut transmise au Département des Antiquités égyptiennes en 1912.

Monuments... E. Piot 25 (1912) p. 209 *sq* .

TILLOY Mme Eugène, née Louise Wachet
Paris 1860 - Ste-Menehould 1939

Legs d'une miniature (1939).

TIMBAL Louis Charles
Paris 1821 - Paris 1880

Élève de Drölling, exposa au Salon de 1848 à 1869. (*La Muse et le Poète* au Musée d'Orsay, décorations murales à l'église Saint-Sulpice et à la chapelle de la Sorbonne). Il renonce à la peinture pour la critique d'art. Sa culture classique l'empêchera de mesurer la portée des recherches de ses contemporains mais favorisera sa quête avisée d'amateur d'art. Sa première collection, commencée vers 1850, est axée sur le quattrocento italien. Il la cède à G. Dreyfus en 1871, effrayé par les émeutes de la Commune. Le *Buste* en marbre de *Dietisalvi Neroni* par Mino da Fiesole donné au Louvre en 1919 par Mme Dreyfus* faisait partie du lot. Sa deuxième collection réunie de 1873 à 1880 est aussi ouverte à l'art français du Moyen-Âge (*Vierge d'Olivet* achetée par le Musée du Louvre en 1875). A sa mort le Musée de Cluny reçoit dix-huit objets dont un reliquaire de la Sainte-Chapelle et la statue d'un *Ange pisan*. Sa veuve donne au Musée du Louvre en 1881, le retable de Vicence (XVe s. italien), un pilastre orné d'arabesques (XVIe s. italien), une tête de marbre antique et de Raphaël le célèbre dessin préparatoire à la *Belle Jardinière*. Un crédit extraordinaire (loi du 24 mai 1882) permit au Musée du Louvre d'acquérir la meilleure part de la collection avant sa dispersion en vente publique. Ce que la famille garda fut cédé depuis (panneau de Fra Angelico au Musée de Cambridge, statue d'une *Vierge assise* du XVe s. français au Musée de Cleveland).

TINAYRE Lucienne
voir GOÛIN Madame

TISSIER Mme, née Buron

Don en 1926 d'un dessin d'A. Devéria, le *Palikare assis au milieu d'un bois*.

TISSIER Monsieur

Don en 1958 au Département des Antiquités grecques et romaines, par le Dr. Tissier d'une pointe de lance en fer trouvée à Bourges (déposée au Musée de Bourges).

TONNEL Mme Auguste,
née Louise Amélie Faivre
Paris 1854 - Paris 1927

La veuve de Paul Auguste Tonnel (1839-1911) légua en 1927, pour le Musée du Louvre ou celui du Luxembourg, le *Portrait d'Auguste Maquet* par L. Boulanger, selon la volonté de son mari. Auguste Tonnel, qui était officier d'Académie, était un des héritiers du romancier Auguste Maquet, avec son cousin Lucien Roiffé et Hector Léon Maquet.

F. Thureau-Dangin
Bibl. de l'Institut, Paris

L.Ch. Timbal
L.P. Henriquel-Dupont, coll. part.

Comtesse A. de Toulouse-Lautrec
H. de Toulouse Lautrec,
Musée des Beaux-Arts, São Paulo

TOULET Mme
voir **FOYATIER famille**

TOULOUSE Monsieur

Caissier de la banque Serpiéri à Athènes. Don en 1900 d'un fragment de pithos provenant de Siphnos.

TOULOUSE-LAUTREC comtesse de,
née Adèle Tapié de Celeyran
Narbonne 1841 - Toulouse 1930

A la mort de l'artiste en 1901, elle rassembla toutes les œuvres de son fils, et avec l'aide du meilleur ami de celui-ci, Maurice Joyant, elle voulut, par des dons dans différents musées, faire connaître l'art du grand peintre. Le plus important de ces dons fut destiné à la ville natale du peintre, Albi où l'on a pu créer un musée spécialement voué à son œuvre. Elle fit également don au Musée du Luxembourg d'une peinture : la *Femme au boa noir*, en 1902 (Musée d'Orsay).

TOURNADRE Jean
LACAZE-SERRE Dominique

Jean Tournadre, marchand de cadre (126 boulevard Haussmann) installé à Paris depuis 1956, et successeur d'E. Grosvallet* a donné en 1986 deux cadres anciens. Avec Mme Lacaze-Serre, ils donnaient en 1979, l'esquisse en cire du *Génie des Arts* (Orsay) d'A. Mercié, haut-relief commandé au sculpteur pour remplacer le *Napoléon III à cheval* de Barye au-dessus des guichets du Carrousel au Louvre et mis en place en 1878.

TOURNIERE Mme Albert de,
née Clémentine Jouassain
St-Léonard (Haute-Vienne) 1929 - Paris 1902

Après des études au Conservatoire dans la classe de Samson, elle débuta à l'Odéon en 1850 dans *Hamlet*. L'année suivante, Rachel la fit entrer à la Comédie Française où elle se distingua très rapidement dans les rôles de servantes-maîtresses et de duègnes du répertoire classique et moderne. Après un bref passage à la Gaîté, elle revint à la Comédie Française comme pensionnaire et fut nommée

sociétaire en 1863. Elle donna au Louvre, en 1895, des céramiques ottomanes - dont certaines furent déposées au Musée des Arts décoratifs - ainsi qu'une aquarelle de G. Doré par l'intermédiaire de G. Migeon*.

TOUZET Monsieur

Lié au commerce de l'art, il donna en 1974, quatre *Paysage* à la mine de plomb, de Caruelle d'Aligny.

TOUZET Paul Louis
Vatan (Indre) 1898 - Paris 1981

Publiciste, il fit don au Département des Objets d'Art (en 1932 et 1938) de quatre plaquettes ovales du XVIᵉ s., d'après le célèbre *Plat de la Tempérance* de l'orfèvre Briot.

TRABAUD Albert Michel Antoine
Lorient 1872 - 1933/34

Officier de marine, gouverneur de l'île de Rouad (1917-1918), détaché au ministère des Affaires étrangères en 1920, gouverneur de l'État du Grand Liban jusqu'en 1923. Don d'une inscription bilingue gréco-phénicienne en 1921.

Forget, "Un marin gouverneur de l'île de Rouad", *En patrouille à la mer*, Paris, 1929.

TRABAUD Pierre
Marseille 1821 - 1904

Membre de l'Académie de Marseille. Don en 1879, d'un buste acéphale de *Couros* chypriote de style ionien. En 1890 a donné au Musée Borély de Marseille une partie de ses collections.

TRAMPITCH

Collectionneur. Don en 1949 d'un fragment d'amphore attique à figures noires.

TREMBLAY Madame

Elle offrit en 1894 une table en mosaïque de marbres florentine du XIXᵉ s. En 1913, elle fit aussi don d'un cabinet en ébène au château de Maisons-Laffitte.

TREMONT baron de

Legs de trois miniatures dont une de Barrois (1854).

TRENEL-PONTREMOLI
Madame Jean

Fille de l'architecte E. Pontremoli* et de son épouse Suzanne Hecht (1876-1956), Mme Trenel-Pontremoli a offert au Louvre sous réserve d'usufruit en 1957, selon la volonté de sa mère, trois portraits au pastel par Manet de *Suzanne Hecht enfant* (Orsay), exécutés en 1883, ainsi qu'une série de terres cuites provenant de Pergame. Le père de Suzanne Hecht, Albert Hecht (1842-1889), ami de Manet, de Degas fut avec son frère Henri, en même temps qu'un amateur d'art ancien et japonais, un des premiers collectionneurs de peinture impressionniste. Sa collection est d'ailleurs bien connue grâce au carnet de comptes où il consignait ses achats d'œuvres d'art, offert par Mme Trenel-Pontremoli au Musée d'Orsay en 1981. Mme Trenel-Pontremoli a fait don d'une partie de la collection de ses grands-parents et parents à la Fondation pour la recherche médicale.

A. Distel "Albert Hecht, collectionneur", (1842-1889) *Bulletin de la Société de l'Histoire de l'Art français* (1981) 1983, pp. 267-279.

TREVES Mme André
voir **MEYER Marcel**

TRIANTAPHYLLOS

Dons en 1897 d'un fragment de stèle funéraire, en 1898 d'une *Tête de femme* en pierre peinte, de deux ornements en spirale, en or, trouvés à Athènes et de deux *Tête* en marbre découvertes à Hérakleion et en 1901 de fragments de garniture en bronze découverts à Salonique.

TRIHIDEZ abbé Théodore Auguste
Reims 1841 - Paris 1919

Aumônier de Marine en 1875 et aumônier d'hospice en Tunisie en 1881. Don en 1884 d'objets provenant de Tunisie : figurine du dieu Bès, terre cuite, stèles funéraires puniques.

TRIPIER LE FRANC Justin
1815/16 - Marseille 1883
TRIPIER LE FRANC Mme Justin, née Marie Eugénie Le Brun
Paris 1805 - av. 1872

Homme de lettres, J. Tripier Le Franc hérita de sa femme, nièce de Mme Vigée Le Brun, un portrait peint par cette dernière de *Stanislas Auguste Poniatowski*, qu'il légua en son nom et celui de son épouse en 1883 (déposé à Versailles en 1921). Peintre de portraits, Mme Tripier Le franc avait donné en 1843 en souvenir de sa tante, trois portraits peints par cette dernière, celui de Mme Vigée Le Brun et sa fille, celui du peintre Hubert Robert et celui du compositeur Paisiello (ce dernier déposé à Versailles en 1921.

TRONCHAY marquis du

Neveu du sculpteur Lemoyne, dit Lemoyne-Saint-Paul (1784-1873), il était établi à Alger. Don d'un *Buste de Nicolas Poussin*, (aujourd'hui au Musée des Andelys) réplique autographe du buste exécuté par son oncle à Rome pour le monument érigé au peintre sur l'initiative de Chateaubriand.

TROPEY-BAILLY Pierre Antoine
Paris 1846 - Paris 1919

Architecte, il est l'élève de Debret, Duban, Vaudremer et d'A. N. Bailly (1810-1892), dont il est le gendre ; on lui doit notamment la construction d'écoles. Il donne en 1893, en souvenir de son beau-père, un dessin de F. J. Duban (1797-1871), l'*Intérieur de la Sainte Chapelle*.

TROUBNIKOFF Paul

Ingénieur en informatique ; don en 1970 avec sa tante Olga van Daehn née Troubnikoff, styliste, d'une amulette de Bastet en faïence égyptienne.

TROUBNIKOV Alexandre
Saint-Petersbourg (Léningrad) 1883 - Paris 1966

Ancien Directeur des collections impériales d'objets d'art de l'Ermitage. Il se réfugie à Paris, devient brocanteur et publie sous le nom d'André Trofimov, plusieurs ouvrages, dont *Du Musée Impérial au Marché aux Puces*, (Paris 1936). Il donne en 1921 un tableau de Bélange, en 1926 un dessin de Viry, *La capitulation de l'armée anglaise à Guadeloupe* et en 1938 une lettre de J. Vernet concernant la série des *Ports de France*.

TROUVELOT Jean
Soissons 1897 - Paris 1985
TROUVELOT Mme Jean, née Valentine Marcou
Paris 1907 - Paris 1981

Valentine Trouvelot était la fille de Paul-

Frantz Marcou* dont une partie de la collection lui revint. Épouse de Jean Trouvelot, architecte en chef des Monuments historiques, puis inspecteur général des Monuments historiques, ils donnent par l'entremise de M. J. Dupont*, deux cent cinq dessins de toutes écoles et époques (italienne XVIᵉ-XVIIIᵉs, dont T. Zuccaro, *Etude pour la Donation de Charlemagne*, et F. Solimena, *Scène de supplice* ; française, surtout XVIIIᵉ s., et nordique, XVIᵉ-XVIIIᵉ s., parmi lesquels une trentaine de dessins d'architecture français et italiens du XVIIIᵉ s.) et quatre gravures de la collection P. F. Marcou, exposés au Cabinet des Dessins du Musée du Louvre au printemps 1981. A ce don, s'ajoute un ensemble de dessins de Charles Garnier et ses amis destiné au Musée d'Orsay (Section architecture).

R. Bacou et collaborateurs, "La donation Paul-Frantz Marcou - Jean et Valentine Trouvelot au Cabinet des Dessins", *Revue du Louvre*, juin 1981, nᵒ 3, pp. 179-194. "Éloge de Jean Trouvelot, Inspecteur général des Monuments historiques 1897-1985, *Cahiers de l'Académie Anquetin* t. XLI, 1985, pp. 23-32.

TROYON Mme, née Jeanne Prach ou Pracht
1778/79 - Paris 1872

Mère du peintre C. Troyon, elle donna à la mort de son fils en 1865 le tableau de celui-ci *Le retour à la Ferme*, du Salon de 1859.

TRUINET Charles dit Nuitter
Paris 1828 - Paris 1899

Auteur dramatique, il fut longtemps archiviste de l'Opéra de Paris. Don de dix miniatures de Muneret et de deux tableaux de Mauzaisse (1892).

TUDOR-HART Mme Catherine
New York 1888 - Québec 1972

Legs d'une œuvre de son mari le sculpteur canadien Percyval Tudor-Hart (1873-1954), *Marjorie*, (Musée d'Orsay).

TUNIS Régence de

Le Service des Antiquités et des Arts de la Régence de Tunis donne en 1889 des stèles votives du sanctuaire de Saturne à Thignica (Aïn Tounga, Tunisie).

TURCKHEIM baron et baronne Pierre de

Don en 1965 de deux anses d'hydrie en bronze décorées d'une protomé de sirène qui se trouvait autrefois dans la collections Jameson.

TURNER Percy Moore
? 1877 - Londres 1950

Citoyen britannique, il exerça, dès 1897 le commerce d'art à Paris et à Londres où il ouvrit une galerie de tableaux anciens et modernes, "The Grafton Gallery" qui devint

par la suite "The Independant Gallery". C'est ainsi qu'il vendit plusieurs peintures à des musées anglais ainsi qu'à Samuel Courtauld qui bénéficia de ses conseils pour constituer sa collection de tableaux impressionnistes et post-impressionnistes, achetant notamment par son entremise *Un bar aux Folies-Bergères* de Manet et *La loge* de Renoir*. Il organisa plusieurs expositions-ventes dans sa galerie, consacrées notamment à Jean Marchand, Dunoyer de Segonzac et Sisley (toutes trois en 1927) et fut l'auteur de petites monographies sur Van Dyck et Millet, et de deux ouvrages intitulés *Stories of French Artists* (en collaboration avec C. H. Baker) et *The Appreciation of Painting* (1922). Ami des conservateurs successifs du Département des Peintures du Louvre, Jules Guiffrey, P. Jamot* et René Huyghe, il avait joué un rôle important pour les introduire chez les collectionneurs britanniques lors de la préparation de l'Exposition d'art français de Burlington House à Londres, en 1931. Outre plusieurs dons à des musées anglais, il offrit au Musée de Dijon une statuette de pleurant provenant du tombeau de Jean sans Peur. Mais il réserva ses libéralités majeures au Louvre, donnant un important tableau de Georges de La Tour que la National Gallery de Londres s'était vue proposer à l'achat en 1938, *Saint Joseph charpentier*, un tableau anonyme de l'école française du XVIᵉ s., *Portrait d'un flûtiste borgne* et une *Scène de bataille dans un paysage*, alors attribuée à Gericault (1948). Il légua en outre une *Vue de Salisbury* de Constable et un *Apothicaire à la seringue* alors attribué à Velázquez.

"Allocution de Georges Salles à l'occasion de la donation faite par Percy Moore Turner au Musée du Louvre, le 17 juin 1948", *Bulletin de la Société Poussin*, 3 mai 1950, pp. 4-8.

TURPIN de CRISSE Lancelot-Théodore, comte de
Paris 1782 - Paris 1859

Peintre. Il fut chambellan de l'impératrice Joséphine après son divorce et lui était très attaché. Ayant rassemblé une collection de peintures, d'antiquités et d'objets d'art, il la légua à la Ville d'Angers. Mais il fit aussi des legs au Louvre : certaines de ses œuvres (*Le Palais ducal et la Piazzetta à Venise*, peinture ; cent quarante-cinq dessins), et une boîte à parfums en or ornée d'une miniature représentant Joséphine à la manière d'un camée, peinte par Louis-Bertin Parant.

A. Recouvreur, *Ville d'Angers. Musée Turpin de Crissé (Hôtel de Pincé). Catalogue-guide*, Angers, 1933

TURQUOIS Mademoiselle
voir **DULAC Madame**

TÜRR Istvan
Baja (Hongrie) 1825 - Budapest 1908

Général hongrois tour à tour au service de l'Autriche, du Piémont, du Duché de Bade, de la Grande-Bretagne, de la Turquie, et enfin de l'Italie, où il participe activement aux côtés

Comte L. Th. Turpin de Crissé
F.J. Heim, Louvre

---

de Garibaldi, à l'indépendance et à l'unifica-tion du royaume. Rentré en Hongrie en 1867, il s'emploie officieusement à l'alliance entre France, Autriche et Italie. Il obtient en 1886, sous le patronage de F. de Lesseps*, la conces-sion du percement du Canal de Corinthe, dont les travaux, suspendus par la faillite de la Société internationale du Canal maritime de Corinthe en 1889, sont repris par une société grecque et menés à bien en 1893. Il fit don en 1883 d'un lécythe archaïque trouvé au Vieux Corinthe lors de ces travaux.

TYSKIEWICZ comte Michel
1828 - Rome 1897/98

Archéologue et grand collectionneur polonais, il rapporta d'un voyage en Égypte effectué vers 1860 près de deux-cents objets, en majorité des statuettes de divinités en bronze de Basse Époque qu'il donna au Louvre en 1862. Après ce don d'une exceptionnelle qualité, cet ache-teur avisé, passionné par l'Antiquité, s'installa à Rome où il rassembla d'importants ensembles de monnaies et médailles romaines, puis des camées et des pierres gravées, enfin des pièces d'orfèvrerie grecques : ces collec-tions sont maintenant dispersées entre Londres, Paris, Berlin et Copenhague. Le don au Louvre par Edmond de Rothschild* du trésor de Boscoreale le poussa à compléter cet exceptionnel ensemble d'orfèvrerie antique par la remise d'un miroir à manche d'argent, prélevé dès la découverte par les frères Canessa, antiquaires napolitains.

W. Fröhner, *La collection Tyszkiewicz*, Munich, 1892.

UAP (Union des Assurances de Paris)

Cette société fut créée en 1968 grâce à la fusion de trois compagnies d'assurances, l'Union, l'Urbaine et la Séquanaise. Elle donna au Département des Objets d'Art une somme d'argent grâce à laquelle fut acheté en 1986 un très important vase en porcelaine de Sèvres (v. 1770), du type dit "vase Lézard".

UCHARD André
voir **VAUTHIER André**

UNGER Friedrich
Vienne (Autriche) 1891 - ?

Don en 1939 de deux natures mortes hollan-daises et d'une esquisse de Trevisani.

UNION des SECTEURS ÉLECTRIQUES PARISIENS Comité de l'

Cette entreprise donna le plafond provenant d'un hôtel ayant appartenu à la marquise de Montespan (situé 52 rue de Sévigné), en 1908, au moment de la démolition de l'immeuble. Ce plafond, attribué à Ch. Huet, représente des *Singes musiciens* (déposé au Musée des Arts décoratifs).

URBAIN Mme François
voir **BELLY Mme Léon**

UZAN Joseph

Marchand d'antiquités, à Paris, galerie Samar-cande rue des Saints-Pères. Don en 1985 de fragments de briques en terre cuite inscrites, de Suse, et de pointes de flèches de Bactriane (bronze).

UZANNE Jules

Don en 1888 (habitait à Boulogne-sur-Seine à cette date) d'un tableau d'après Poussin, *La Cène*.

VAILLANT Mme Thérèse
voir **SOLVAY Mme Pierre**

VALADON Jules
Paris 1826 - Paris 1900

Le peintre fit successivement, en 1893, puis en 1895, don de deux de ses œuvres au Musée du Luxembourg : un *Portrait de jeune femme*, et une *Nature morte* déposée immédiatement au Musée de Calais.

VALENÇAY Napoléon-Louis de Talleyrand-Périgord, duc de
Paris 1811 - Paris 1898

Petit-neveu de Talleyrand, fils de la duchesse de Dino (Dorothée de Biron, princesse de Courlande et de Sagan), il fut duc de Valençay, puis duc de Sagan (Silésie prussienne) et enfin, à la mort de son père (1872), duc de Talleyrand. Pair de France (1845) et conseiller général de l'Indre, il était aussi membre de la Chambre des Seigneurs de Prusse. Il fit partie du jury de l'Exposition universelle de 1867. Il donna en 1892 une plaque de bronze trouvée à Béné-vent (Talleyrand avait été créé prince de Béné-vent en 1806), qui est un décret de patronage datant de 257.

B. de Castellane, *Mémoires*, éd. E. de Waresquiel, Paris, 1986, p. 26

VALENÇAY Paul-Louis-Marie Archambaud-Boson de Talleyrand-Périgord, duc de
Paris 1867 - Valençay (Indre) 1952

Petit-fils de Napoléon-Louis* et second fils du prince de Sagan, il fut d'abord titré comte de Périgord avant de devenir duc de Valençay puis de Talleyrand. Il était administrateur de sociétés. En 1939, il mit le château de Valençay à la disposition de la direction des Musées de France afin d'y abriter les œuvres du Louvre. C'est là que séjournèrent pendant la guerre les chefs-d'œuvre de la sculpture du Louvre (*Vénus de Milo*, *Victoire de Samothrace*, *Esclaves* de Michel-Ange) et les objets d'art les plus prestigieux (diamants de la Couronne, sceptre de Charles V). En 1930, le duc avait donné un calice en argent et lapis de Valadier (Rome, fin du XVIIIᵉ s.), qui a appartenu à Talleyrand et provient de Valençay.

R. Valland, *Le Front de l'art. Défense des collections françaises, 1939-1945*, Paris, 1961, pp. 13-14, 193-195. L. Mazauric, *Ma vie de châteaux*, Paris, 1967, pp. 54-55, 75-76

VALLÉ Henri-Louis
Paris 1808 - Paris 1870

Fils d'un commissaire-priseur parisien, il étu-dia la peinture chez P. Delaroche et exposa des paysages au Salon en 1839, 1842 et 1844. En souvenir de deux grands-oncles prêtres, il

Mme Valtesse de La Bigne
H. Gervex, Orsay

W. Vaughan
Ch.A.A. Gumery, Louvre

désigna comme héritier l'infirmerie Marie-Thérèse, léguant au Louvre un tableau de l'école française du XVIIᵉ s. autrefois attribué à Georges de La Tour, *Le reniement de saint Pierre*, et une paire de candélabres Louis XVI en marbre et bronze doré qui proviendraient de Philippe-Égalité.

VALLERY-RADOT Louis Pasteur
Paris 1886 - Paris 1970

Petit-fils par sa mère de Louis Pasteur. Professeur de clinique médicale. Grand résistant, il fut député (1951), et membre du Conseil constitutionnel, membre de l'Institut (1944). Auteur de nombreux ouvrages de médecine, d'études sur Pasteur, et d'essais variés. Don en 1953 d'un pastel par Pasteur, le *Portrait de M. Blondeau*, déposé à l'Institut Pasteur.

VALORI marquis Charles de, prince Rustichelli
Paris ? 1820 - Paris 1883

Polytechnicien, membre du Conseil général de Loire-Atlantique, auteur de brochures à caractère politique, amateur d'art, il forma une bonne collection de dessins, qui fut dispersée en 1907 et 1908, à Paris. Dons en 1875 et 1876 de deux dessins par P. Puget et J. Cousin. Il avait déjà donné, en 1860, une pierre gravée antique (cornaline), représentant *Commode en Hercule* (déposée au Cabinet de Médailles de la Bibliothèque nationale).

VALTESSE de la BIGNE Mme, née Émile Louise de la Bigne
Paris 1861 - Ville d'Avray 1910

Cette "princesse du demi-monde", se fit construire un hôtel, 98 boulevard Malesherbes, en face de l'atelier du peintre Detaille, dont la chambre et le lit (conservé au Musée des Arts décoratifs) ont servi de modèle à Zola lorsqu'il décrivit la demeure de *Nana* à son apogée. Elle tenait un salon et son amour pour les peintres lui valut pour surnom l'"Union des Artistes". Elle posa pour Jacquet, Manet et Gervex. C'est en 1906 qu'elle fit don de son portrait par Gervex au Luxembourg (Musée d'Orsay).

J. J. Lévèque, "Trois intérieurs du début de la Troisième République", *Gazette des Beaux-Arts*, mars 1976.

VAN BREE Mme Mathieu Ignace

Veuve du peintre Mathieu Ignace van Bree (Anvers 1773 - Anvers 1839). Don en 1844 de cent dix-huit dessins de son mari pour le tableau de l'*Entrée de Bonaparte à Versailles* (Château de Versailles) : portraits de la famille impériale, et de personnalités notoires (Talleyrand, Caulaincourt, Duroc). En remerciement, elle reçut une porcelaine de Sèvres d'une valeur de 1. 000 F.

VAN BUUREN David
Gouda 1886 - Bruxelles 1955

Banquier et amateur d'art établi à Bruxelles où il fit construire en 1928 une maison dont il conçut lui-même les plans et l'aménagement, pour abriter ses collections (essentiellement constituées de peintures belges de l'avant-guerre) et qui est aujourd'hui musée. Avec son épouse Alice Van Buuren, il fit don de plusieurs tableaux au Musée des Beaux-Arts de Bruxelles. En 1938, il donna, au Louvre un *Portrait de Descartes* (déposé alors au Musée de Tours).

Ph. Cruysmans, "Le Musée van Buuren", *L'Oeil*, sept.1981, pp. 50-55.

VANDEUL
voir CAROILLON de VANDEUL

VAN OUWENHUYSEN Constant
Anvers (Belgique) 1825/26 - Paris 1888

D'origine belge, domicilié à Paris, il possédait quelques tableaux qu'il légua à ses parents et amis, en réservant toutefois pour le Louvre (qui en prit possession en 1888) une toile de N. Diaz : *N'entrez pas* (Salon de 1859), et, pour le musée de sa ville natale, une peinture ainsi désignée dans son testament : "mon tableau de Braekeleer représentant ma famille fuyant la ville d'Anvers lors du bombardement de 1832".

VANTOURA André
Paris 1908 - Paris 1986

Commerçant en bois, peintre amateur, auteur et éditeur d'un ouvrage sur le dessin de Prud'hon à Daumier (1966), collectionneur. Donne en 1975 les quatre projets dessinés, en forme de bas-reliefs de P. N. Bergeret (1782-1823) destinés à la décoration du Palais Bourbon, sur le thème de la guerre d'Allemagne parmi lesquels la *Prise de la flotte suédoise* complète le dessin donné par Mme Cabanel* en 1970.

VARICHON Mme Claude Jean Étienne, née Émilie Julienne Raspail
Paris 1888 - Paris 1982

A donné en 1978 un tableau attribué à E. Aubry, les *Adieux de Coriolan* (entré en 1983 et déposé au Musée de Cholet).

VARIN Gustave Bey
1831 - 1857

Diplomate français, en poste à Rio de Janeiro puis à Constantinople, fit don d'un petit papyrus démotique en 1852.

VASSE de SAINT-OUEN Antoine Louis
Paris 1782 - Verneuil (Eure) 1857

Diplomate, don en 1880 d'une figurine en terre cuite trouvée à Larnaca (Chypre).

VASSEUR Mme Jean
NICOLAY Mᶜ Raymond de

C'est grâce à une libéralité de Mme Jean Vasseur et de Mᶜ de Nicolay que put être acquise par le Louvre en 1987 une toile de Navez, *Les saintes femmes*.

VAUDOYER Alfred
1846 - 1917

Élève de Léon Vaudoyer (architecte de la cathédrale de Marseille) et descendant d'une famille célèbre d'artistes. En 1880, il épousa Geneviève Bréton*. Don en 1903 des projets dûs à Antoine Laurent Thomas Vaudoyer, pour l'hôtel de Salm.

VAUGHAN William
1842 - 1917

L'amateur anglais acheta au peintre français J. Tissot, installé à Londres, trois tableaux : *Le Bal*, *La rêveuse* et *La sœur aînée* qu'il décida de léguer au Louvre où elles entrèrent en 1919 (Orsay). Le tableau : *La sœur aînée*, fut déposé en 1928 au Musée de Cambrai.

VAUTHIER André
Paris 1819 - Paris 1899
OUDINÉ Eugène André Antoine (fils)
Paris 1840 - Paris 1917
LECARME Mme Jean-Baptiste,
née Marie-Julie Uchard
Paris 1847 - Paris 1905
UCHARD André Louis Gustave
Paris 1851 - ?

André Vauthier, petit-fils du graveur en médaille André Galle (1761-1844) et médailleur lui-même, donna en 1893, en accord avec les autres membres de la famille, le *Portrait d'André Galle* par Gros (déposé à Versailles). Eugène Oudiné, l'architecte, fils du médailleur du même nom, était doublement apparenté aux Vauthier puisque sa mère dont on connaît le portrait par H. Flandrin, était née Antoinette Jeanne Vauthier, et son épouse Clémence Berthe Vauthier.

VAUTIER Max
Paris 1825 - ap. 1893

Membre de la Société nationale des Architectes français. Don en 1893 d'un panneau peint de l'école espagnole du XVᶜ s.

VEDER Eugène Louis
St-Germain-en-Laye 1876 - Paris 1946 (?)

Graveur et illustrateur. Don à la Chalcographie en 1930 de cinquante planches gravées à l'eau-forte et à imprimer en couleurs, ayant servi à illustrer le receuil *Vues de Paris en 1926*, publié par A. Morancé*.

VEIL-PICARD M. et Mme Arthur

Don en 1970 d'un tableau de A. Chintreuil : *Allée de pommiers en fleurs*.

VEIL-PICARD héritiers d'Arthur

Arthur Veil-Picard († Paris 1944) fut un collectionneur passionné et exigeant de peintures, dessins et objets d'art. En 1946, ses enfants, Mme Jeannette Veil-Picard*, Mme Chaubah et M. Arthur Veil-Picard*, ont fait don en souvenir de leur père du buste de *Madame Adelaïde* de J. A. Houdon.

VEIL-PICARD Mme Jeannette

La fille d'Arthur Veil-Picard († 1944) donna en 1956 un lustre émaillé allemand du XVIIIᶜ s., provenant de la collection de sir Richard Wallace, qu'A. Veil-Picard considérait comme le plus bel objet de sa collection. Elle aida également par sa générosité à l'acquisition du tableau de Manet : *M. et Mme Auguste Manet, parents de l'artiste*, en 1977 (Orsay).

VELIN Maurice

Don en 1886, au Département des Antiquités égyptiennes, d'un ostracon démotique et grec d'époque ptolémaïque.

VENDRYES Pierre et Georges

Don, en 1982, en mémoire de leur père Joseph Vendryes (1875-1960), ancien doyen de la Faculté des Lettres de Paris de 1937 à 1946, d'un chapiteau du XIᶜ s., découvert à l'emplacement de l'abbatiale de Flavigny (Côte-d'Or).

VENOGE Mathilde de
† 1945

Don du portrait dessiné de son premier mari Gaston Jolivet par H. Regnault (1843-1871).

VENTURA

Général étranger. Don en 1838 du portrait de *Randjiit Sing Baadour (1780-1839), roi de Lahore*, peint par A. de Dreux.

VERCOUTTER Jean

Égyptologue, il a renouvelé l'intérêt porté sur les forteresses égyptiennes construites au Soudan et fouillé plusieurs sites dans le cadre de la Prospection archéologique de la Vallée du Nil, entreprise sous l'égide de l'UNESCO à la suite de la construction du barrage d'Assouan. Professeur à l'Université de Lille en 1961, directeur de l'Institut français d'Archéologie orientale du Caire en 1977. Dons de fragments de poteries en 1967 et 1968.

VERDIER Paul

Don en 1965 d'une paire de boucles d'oreilles égyptiennes, d'époque ptolémaïque, en or.

VERDIÈRE Eugène
† Paris 1903

Négociant en "nouveautés tissées, châles et robes", amateur de livres, dessins, gravures et tableaux. Don d'un projet dessiné de Percier en 1891.

VERGNIAUD Mme Louis Pierre,
née Hélène Adèle Mourier
† Neuilly-sur-Seine 1970

Legs d'un *Portrait d'enfant* d'E. Carrière (Orsay).

VERITE Pierre

Don en 1951 d'un couvercle de lampe romaine.

VERNAUD Roger

Don en 1938 de deux dessins français des XVIᶜ et XVIIᶜ s.

VERNES Maurice
Nauroy (Aisne) 1845 - Paris 1923

Professeur à L'École pratique des Hautes Études. Don en 1911 d'un fragment de vase sculpté trouvé à Jérusalem, en 1870.

VÉRON-BELLECOURT
Mme Alexandre
† ap. 1852

Épouse du peintre Véron-Bellecourt (1773-av. 1840), élève de David et de Spaendonck, qui se partagea entre la peinture d'histoire et celle de fleurs. En mémoire de son mari, elle offrit au Louvre en 1851 le grand tableau qu'il avait exposé au Salon de 1806 : *Allégorie. Clio montre aux nations les faits mémorables de Napoléon gravés sur le bronze* (tableau accepté en 1852, mais non inscrit sur les inventaires à cette époque).

VERSIGNY Nicolas Félix
Gray (Haute-Saône) 1822 - v. 1892
VERSIGNY Albert Armand
Gray 1823 - Gray 1884

En 1864, les frères Versigny, tous deux militaires (l'un Nicolas était capitaine aux Dragons de l'Impératrice l'autre, Albert était chef d'es-

G. Viau
E. Vuillard, Orsay

Comte H. de Viel-Castel

cadron à l'état-major de la 7ᵉ division militaire, puis lieutenant-colonel), donnèrent le portrait de leur mère Marie Marguerite Lagnier, âgée de dix ans, peint vers 1796 en Franche-Comté par Prud'hon. Ils expliquent leur geste par les risques encourus, à cause de leurs fréquents déménagements, par ce tableau, fort admiré notamment par M. Marcille, le grand amateur de Prud'hon, et qu'ils se refusent à vendre "à aucun prix".

VERSINI Mme, née Camille Forichon

Élève puis collaboratrice du peintre L. Anquetin de 1915 à 1932, présidente-fondatrice depuis 1964 de l'Académie Anquetin qui a pour vocation l'étude de la technique picturale des XVIᵉ et XVIIᵉ s. Elle fit don avec la belle-fille de L. Anquetin, Mme Duferon, de trente-trois dessins de ce peintre, en 1948

VESTIER Phidias
Fresnes (Val-de-Marne) 1796 - Nice 1874

Architecte et inspecteur des Monuments historiques pour l'Indre-et-Loire, il était le petit-fils du peintre A. Vestier, dont il a légué plusieurs œuvres aux musées. Ainsi entrèrent en 1875 : au Louvre, le *Portrait de Mme Vestier, femme de l'artiste*, "ayant à ses pieds un enfant qui pince l'oreille d'un chien" (Salon de 1787), et au Musée de Tours trois autres effigies, dont celle de *Jean Theurel, doyen des Vétérans au régiment de Touraine*.

VEYRASSAT Madame

La femme du peintre animalier J. Veyrassat (1829-1893) donna en 1894, peu après la mort de son mari un tableau de celui-ci au Musée du Luxembourg : *Intérieur d'écurie* (dépôt en 1920 à la Chambre des Députés).

VIAU Monsieur

Don en 1920 de silex, balles de fronde, pesons, et fragments de vases de Jéricho.

VIAU Georges
Nancy 1855 - Paris 1939

En 1930 le Dr. Viau donna au Louvre trois œuvres de Champmartin, Puvis de Chavannes* et Cals (les deux dernières maintenant au Musée d'Orsay). Dentiste de profession - Vuillard l'a représenté en 1914 dans son cabinet (Musée d'Orsay) - Georges Viau est resté célèbre pour son flair de collectionneur ; ses goûts audacieux pour son époque lui firent acquérir Renoir*, Cézanne et les impressionnistes dès la fin du siècle dernier. Ses collections sont surtout connues à travers les ventes qui furent faites de son vivant et après sa mort (en 1907, 1909, 1930, 1943).

VIBERT

Don à la Chalcographie en 1898 de trois planches, deux gravées par V. J. Vibert (Paris 1799 - Lyon 1860), grand-oncle du donateur, la troisième gravée par B. J. Chevron (Lyon 1824 - Villefranche-sur-Saône 1875) et A. Lehmann (Lyon 1822 - Hyères 1872) d'après une copie de *La Vierge à l'œillet* de Raphaël, dessinée par V. J. Vibert.

VICKERY Alfred Henry
† Arsonval 1868

Legs d'un pastel de John Russel, *Portrait d'enfant*.

VIDAL Mme Jean-Paul

Don en 1979 d'un dessin de H. Focillon *Vue de Tolède*.

VIEFVILLE
voir **LEFEBVRE de VIEFVILLE Mlle Louise**

VIEILLARD Roger et Mme (Anita de Caro)

Artistes contemporains - Roger Vieillard est graveur, son épouse, d'origine romaine, peintre -, ils ont donné en 1979 sous réserve d'usufruit un tableau d'A. Desgoffe, *Joueurs de palet*, en souvenir du premier possesseur de l'œuvre, le peintre A. Magimel (1799-1877), arrière-grand-père de Roger Vieillard, qui était un disciple d'Ingres* - il édita en 1851 le premier recueil de reproductions de l'œuvre du maître - et ami de Desgoffe. R. Vieillard et A. de Caro effectuèrent en 1978 une importante donation de leurs œuvres au Musée départemental de l'Oise à Beauvais.

VIEL-CASTEL Horace de Salviac, comte de
Paris 1802 - Paris 1864

Il appartenait à une très ancienne famille du Quercy. Ses parents ayant été nommés chambellan et dame du palais de l'impératrice Joséphine en 1810, après son divorce, il connut à Malmaison le futur Napoléon III et fut toute sa vie bonapartiste. Érudit, journaliste, romancier, poète, il fit paraître en particulier des ouvrages d'histoire de l'art (telle sa première publication, *Collection des costumes, armes et meubles pour servir à l'histoire de France...*, 4 vol., Paris, 1827-1835), des livres d'histoire (*Marie-Antoinette et la Révolution française*, Paris, 1859) et des romans (*Le Faubourg Saint-Germain*, Paris, 1837-1838, 6 vol. ; *La Noblesse de province*, Paris, 1839-1842, 6 vol.). Il rédigea, pour ses enfants, des *Mémoires* très discutés, mais fondamentaux pour l'étude du Second Empire. Il n'occupa pas d'emploi, avant de devenir, tardivement, grâce à Nieuwerkerke* auquel il était apparenté, secrétaire général de la direction des musées (1851), puis conservateur du Musée des Souverains lors de sa création au Louvre par le Prince-Président (1852), et plus tard, en même temps, conservateur des Objets d'art du Moyen-Âge et de la Renaissance du Louvre (1855). Il fut révoqué pour des raisons obscures en 1863. Collectionneur, Viel-Castel offrit au Musée des Souverains des objets passant pour provenir de Louis XIV et donna aussi un plateau en faïence de Rouen (1852), une amulette égyptienne en faïence (1853), des enluminures françaises et étrangères du Moyen-Âge et de la Renaissance (1854) et des objets chinois.

Comte H. de Viel-Castel, *Mémoires... sur le règne de Napoléon III, 1851-1864*, éd. L. Léouzon Le Duc, Paris, 1883-1884, 6 vol.

L.A. Villebœuf
M. Cassatt, Orsay

F. Villot
*E. Delacroix, Fitzwilliam Museum,
Cambridge*

VIENNE ville de (Isère)

Don en 1888 d'un important ensemble de carreaux médiévaux.

VIENNOT William
Chaumont 1859 - ?

Conservateur-adjoint à la Bibliothèque nationale. Don en 1924 d'une miniature attribuée à Georges Engleart (représentant un grand oncle irlandais). Le Musée de Cluny bénéficia également d'un don.

VIERGE Mme Daniel Urrabieta Ortiz y Vierge, dit, née Marie Boucher
1859 - 1936

Épouse du dessinateur et illustrateur D. Vierge (1851-1904), dont elle donne cinq dessins en 1906.

VIGNIER Charles
Genève 1863 - Paris 1934

Antiquaire, spécialisé dans le commerce des objets d'Extrême et Proche-Orient et connu pour son importante collection de céramiques, il fit don à la Section islamique d'une bordure d'escalier provenant de Hamadan (Iran), fin XIIe-déb.XIIIe s., en 1914 et, en 1921, 1923 et 1924, de quatre céramiques dont l'une est une coupe à décor de lustre polychrome à dominante rouge (Mésopotamie, VIIIe-IXe s.). Il travailla en étroite collaboration avec son frère Émile qui effectuait des fouilles en Iran. Quelques-unes des pièces trouvées par E. Vignier sont publiées par Pézard* dans son ouvrage la *Céramique archaïque de l'Islam et ses origines*. Il fit également un don au Département des Antiquités orientales en 1930, une hache en bronze trouvée à Nehavend.

VIGNON Louis Valery
Paris 1859 - St-Jean-Cap-Ferrat 1932

Maître des requêtes honoraire au Conseil d'État, apparenté à Noémie Cadiot, dite Claude Vignon, femme de lettres et sculpteur, élève de Pradier. Legs au Louvre d'une esquisse en terre cuite *Diane et Endymion* par Pradier, offerte par l'artiste lui-même à sa mère Marie Sophie Ardouin, qui aurait été elle aussi l'élève du sculpteur.

VILLARD François

Ancien membre de l'École française de Rome, il fouille à Megara Hyblaea. Conservateur en chef du Département des Antiquités grecques et romaines du Musée du Louvre de 1976 à 1983. Professeur à l'Université de Paris X-Nanterre. Auteur de nombreux ouvrages et articles. Don en 1947 de quatre céramiques de style géométrique, en 1948 d'un vase ionien, en 1951 d'un vase plastique et en 1952 d'un lydion.

VILLEBOEUF Louise Aurore

Céramiste. Don en 1978 de son portrait enfant, pastel de Mary Cassatt* (Orsay).

VILLEDON Monsieur

Vice-consul à Sousse (Tunisie). Don en 1874 d'un skyphos en terre cuite rouge, provenant d'Hadrumète en Tunisie, de tessères et d'un pied de ciste, et en 1875 d'un masque peint en terre cuite trouvé à Carthage.

VILLEMANT Pierre Évariste
Lille 1884 ? - Londres 1951

Don d'une terre cuite de Deseine en 1934, d'une peinture de l'école florentine en 1938 et, en 1950, d'un tableau lombard ainsi que d'un *Ecce Homo* de l'atelier de Moralès déposé la même année au Musée de Castres.

VILLERS Maximilien
† Paris 1839

Architecte spécialisé dans l'aménagement des jardins, il légua un tableau que sa première femme, Marie Denise (dite Nisa) Lemoine (1772-1821), peintre de l'entourage de David, avait exposé au Salon de 1802 (une *Étude de femme d'après nature*, souvent considérée à tort comme un portrait de Mme Soustras, amie de l'artiste). Le Louvre accepta l'œuvre dès 1839 mais n'en prit possession qu'au décès de la seconde Mme Villers en 1875.

VILLIERS du TERRAGE François de

Fils du baron René-Édouard de Villiers du Terrage (1780-1856), géomètre, membre de la Commission des Sciences et des Arts qui accompagna Bonaparte en Égypte ; René-Édouard prit une part active à la découverte des tombeaux d'Aménophis III et Séthi II dans la Vallée des Rois, et contribua à la publication de la *Description de l'Égypte*. Don d'une tête de sarcophage et de deux statuettes au nom d'AménophisIII par son fils en 1873 et 1906.

R. E. de Villiers du Terrage, *Journal*, Paris, 1899.

VILLON Gaston Duchamp dit Jacques
Damville (Eure) 1875 - Puteaux 1963

Peintre et graveur. Don à la Chalcographie en 1934 de deux aquatintes en couleurs, d'après A. Marc, *Funérailles du maréchal Foch*, et d'après Picasso, *Maternité*.

VILLOT Marie Joseph Frédéric
Liège 1809 - Paris 1875

Historien d'art, peintre et graveur français. Il fut conservateur du Département des Peintures de 1848 à 1861, et rédigea le premier catalogue sérieusement documenté du musée en trois volumes, paru entre 1849 et 1855. Il dressa aussi l'inventaire complet des tableaux des collections nationales exposés au Louvre, en réserve ou déposés, soit quelques dix-mille numéros. Il était ami intime de Delacroix le conseillant pour le choix des sujets de ses œuvres qu'il copiait et gravait. Don en 1854 de neuf fragments de marbres grecs.

VILMORIN Mme Philippe Levêque de, née Mélanie de Gaufridy de Dortan

Descendante du comte de Forbin*, épouse de Philippe de Vilmorin, producteur grainier, mère de la femme de lettres Louise de Vilmorin, elle donna en 1935 un *Portrait de jeune garçon* par Navez. Navez l'offrit à Ingres* qui le céda à Forbin ; celui-ci le légua à sa fille Mme de Marcellus qui, à sa mort, le laissa au comte de Dortan, père de la donatrice.

E. Vinet
P. Flandrin, E.N.S.B.A., Paris

P. Vitry
A. Bilis, Louvre

Baron J.R. Vitta
J. Chéret, Musée des Beaux-Arts, Nice

VINCE Charles Aimé
La Lande 1814 - Paris 1889

Legs d'un tableau de F. Bonvin *L'Ave Maria*
au Musée du Luxembourg (Musée d'Orsay).

VINCENT Charles Alexis
Besançon 1829 - Nice 1910

Colonel au 4ᵉ régiment de Tirailleurs algériens
à Sousse (Tunisie) en 1885-1889. Don au
Département des Antiquités grecques et
romaines, en 1889, d'une œnochoé.

VINCHON Mme Auguste

Donne en 1856, après le décès de son mari le
peintre A. Vinchon (1789-1855), deux dessins
de celui-ci.

VINCHON Mme René

Belle-fille du peintre A. Vinchon (1789-1855),
dont elle donne en 1912 deux dessins et un
album. Le Musée national du Château de
Versailles bénéficia d'un don équivalent.

VINET Ernest
Paris 1804 - Paris 1878

D'abord magistrat, il devint attaché au cabinet
des Médailles de la Bibliothèque nationale
puis, en 1862, conservateur de la Bibliothèque
de l'École des Beaux-Arts. Auteur de nombreux ouvrages de bibliographie et d'archéologie, il fut aussi critique d'art, collaborant
notamment au *Journal des Débats* et à la *Revue
des deux-Mondes*. E. Vinet fut très lié avec les
peintres Paul et Hippolyte Flandrin. De cette
amitié demeurent maints témoignages, notamment une correspondance (Bibliothèque nationale, Manuscrits), le portrait de Vinet exécuté
en 1841 par P. Flandrin (École des Beaux-
Arts) et celui de Mme Vinet, mère peint en
1840 par H. Flandrin, que Vinet légua au
Louvre, où il entra en 1880.

J. Foucart, O. Jouvenet, cat. exp. *Hippolyte, Auguste
et Paul Flandrin*, Paris-Lyon, 1984, pp. 170-172 et
284.

VIOLLET LE DUC Mme Adolphe Alexandre Étienne, née Louise Stéphanie Girard
† 1894

Veuve d'A. Viollet Le Duc (1817-1878),
peintre, frère de l'architecte Eugène Emmanuel (1814-1879) et fils d'Emmanuel (1781-
1857), conservateur des résidences royales. Elle
était elle-même la fille d'A. F. Girard (1787-
1870), et la petite-fille de R. Girard (né v. 1751),
graveurs. Legs d'un tableau de son mari, *Paysage de la vallée de la Bièvre*, au Musée du
Luxembourg (non localisé).

VIREY Philippe
1853-1920

Ancien élève de l'École du Louvre, membre
de la mission archéologique française du Caire
puis professeur d'Égyptologie à l'Institut
catholique de Paris. Il donna en 1886 un palim-
pseste sur parchemin ; sa veuve légua dix-huit
objets en 1945 au Département des Antiquités
égyptiennes.

VIROLLEAUD Charles
Barbezieux 1879 - 1968

Assyriologue, ancien élève de l'École des
Langues orientales, fondateur de la revue
Babyloniaca qui fusionna en 1940 avec la *Revue
des Études sémitiques*. Après plusieurs missions
de fouilles à partir de 1909, il est nommé à la
mission archéologique du Haut-Commissariat
français en Syrie qu'il dirige de 1920 à 1929 ;
il crée les musées de Beyrouth et joue un rôle
déterminant dans les fouilles entreprises à Ras
Shamra (Ugarit) et dans le déchiffrement des
tablettes qui en proviennent. Il est élu membre
de l'Institut en 1941. Don de céramique hittite,
de tablettes cunéiformes, de sceaux-cylindres
et de cachets de 1920 à 1930 ; en 1945,
Mme Virolleaud offrit un *Taureau* en bronze
provenant de Syrie du Nord.

Syria 46 (1969), pp. 390-391.

VISME Mme Armand de, née Alice Marguerite de Wegmann
Paris 1863 - Paris 1950

Elle publia sous le pseudonyme de Vega .des
poèmes, des biographies, et édita avec son
mari, l'historien A. de Visme, le *Carnet de
route, 1914-1916*, de Jacques-François de
Visme (1927). Legs en faveur du Cabinet des
Dessins, comprenant des œuvres de Devéria,
Prud'hon, Delacroix et Redouté. Elle légua
également une commode Louis XV de Jean-
Baptiste Saunier.

VITALI comtesse
voir CHOLET Guy de

VITRY Bernard
FAURE Mme, née Louise Vitry

Enfants de Paul Vitry* (M. Bernard Vitry a
été lui-même architecte en chef, successivement d'Indre-et-Loire, du Maine-et-Loire, de
la cathédrale de Reims et de la Seine) et inspecteur général des Monuments historiques.
Don en souvenir de leur père, en 1976, d'un
dessin d'Auguste Préault (dit Antoine Augustin).

VITRY Paul
Paris 1872 - Paris 1941

Conservateur en chef du Département des
Sculptures et historien d'Art dont les
recherches, en particulier sur la Renaissance
française, ont fait autorité. A donné en 1940,
au moment où il quittait son poste, une *Tête
de saint Pierre* qu'il avait acquise d'un habitant
de Gaillon et qu'il avait identifiée comme un
vestige d'une des statues d' *Apôtres* en terre
cuite exécutées pour la chapelle du château
par Antoine Juste en 1508-1509.

VITTA baron Joseph Raphaël
Lyon 1860 - Le Breuil (Allier) 1942

Fils aîné d'un banquier établi à Lyon depuis
1846, jouissant d'une fortune considérable, il
constitua une remarquable collection d'œuvres
d'Ingres*, Delacroix, Chéret et Manet. Critique, bibliophile, passionné de musique,

membre actif de la Société des Amis de Delacroix fondée par M. Denis en 1929, il lui donna en 1934 un important ensemble de peintures, dessins et gravures de Delacroix. Responsable de l'appartement et de l'atelier de Delacroix, il y organisa diverses expositions. En 1921, puis en 1924 et en 1925, il fit don au Louvre de huit dessins de Delacroix, ainsi que de l'esquisse peinte de la *Bataille de Taillebourg*, d'un portrait dessiné et d'une étude peinte d'Ingres pour l'*Apothéose d'Homère*.

VOGÜÉ Charles Jean Melchior marquis de
Paris 1829 - 1916

Diplomate et archéologue, membre de l'Institut en 1868, élu à l'Académie française en 1902. Ambassadeur de France à Constantinople (1871) puis à Vienne (1873). Chargé d'une mission officielle sous le patronage d'Ernest Renan*, auquel il succéda à la tête du *Corpus Inscriptionum Semiticarum*, il explora la Syrie et visita Chypre, entreprenant ce voyage en compagnie de Duthoi et de Waddington*. Don de plusieurs stèles et inscriptions phéniciennes en 1866, d'une *Tête d'homme* en pierre et de deux stèles égyptiennes au nom d'Isi et du groupe de *Kanefer et Neferiret* (Ancien Empire) donné en 1880.

Charay, *Le marquis de Vogüé, archéologue et historien*, Paris, 1968. *Bulletin de correspondance hellénique* 95 (1971) pp. 307-310. A. Caubet-O. Masson "A propos d'Antiquités chypriotes entrées au Musée du Louvre de 1863 à 1866", *Report of the Department of antiquities cyprus*, 1980, pp. 136-151.

VOGÜÉ Robert comte de, et les héritiers

Don en souvenir de leur père Melchior de Vogüé* d'une inscription phénicienne trouvée à Larnaca (Chypre) et de plusieurs autres inscriptions orientales, et surtout d'une *Tête d'Athéna casquée* en marbre trouvée à Égine (don effectué en 1917).

VOILLEMIER Edme
voir GIRARD Louis Bonaventure

VOLLARD Ambroise
La Réunion 1866 - Versailles 1939

Marchand de tableaux, éditeur d'estampes et de livres de luxe, écrivain, il organisa dans sa galerie de la rue Laffitte en 1895 la première exposition particulière de Cézanne et, plus tard, celles consacrées à Picasso et Matisse. Il fut aussi parmi les premiers à discerner l'avenir commercial de Van Gogh, de Gauguin, tout en s'assurant les œuvres d'impressionnistes déjà célèbres comme Renoir* avec qui il fut particulièrement lié. Il faudrait encore évoquer ses rapports avec Bonnard, avec Chagall, avec Rouault aussi (malgré le procès retentissant qui en résulta). En 1927 Ambroise Vollard offrit au Musée du Luxembourg (le tableau passa au Louvre en 1929, maintenant au Musée d'Orsay) *La Belle Angèle* de Gauguin, qu'il avait acquis en 1917 à la vente Degas. Vollard avait prêté à R. Rey, pour une conférence au

Louvre le tableau de Gauguin, et au lieu de le reprendre proposa de le donner, ce qui fut accepté. Quelques pièces importantes de sa collection - dont son portrait par Cézanne - furent léguées à la Ville de Paris et se trouvent au Musée du Petit-Palais ; les sœurs d'Ambroise Vollard firent également un don au Musée de Saint-Denis de la Réunion.

A. Vollard, *Souvenirs d'un marchand de tableaux*, Paris, rééd., 1984. U. E. Johnson *Ambroise Vollard, éditeur*, New York, The Museum of Modern Art, 1977.

VOSSEUR Victor Paul
Sartrouville (Yvelines) 1831 - St-Servan-sur-Mer (Ille-et-Vilaine) 1911

Général, chef de mission militaire en Grèce de 1884 à 1888. Don en 1885, au Département des Antiquités grecques et romaines, d'un chapiteau double ionique, trouvé à Clazomènes (Ionie).

VUHRER Mademoiselle

Don en 1913 d'un vase en forme de calice à pied et à anses du type bucchero étrusque.

VUYK Mme, née Jadwiga Rosenblatt
Lodz (Pologne) 1886 - ap. 1950

Hollandaise, elle fut assistante à l'Université d'Utrecht, puis vécut à Paris de 1930 à 1940 où elle pratiqua le commerce d'art, avant de retourner en Hollande. Elle a donné quatre tableaux : une esquisse de Bon Boullongne (*Mort de saint Ambroise*) et un paysage de Merwart (Musée d'Orsay) en 1938 ; une esquisse de Blondel pour un plafond de Louvre (*Dispute de Minerve et de Neptune*) en 1939 ; une *Scène biblique* d'après Assereto en 1940 (accepté en 1945). Le Département des Peintures lui doit aussi deux cadres espagnols du XVIe s. offerts en 1936 et le Cabinet des Dessins une feuille de Caracciolo donnée la même année.

WADDINGTON William Henri
1826 - 1894

Archéologue, épigraphiste, numismate et collectionneur, membre de l'Institut, deux fois ministre de l'Instruction publique et des Beaux-Arts en 1873 et 1876. En compagnie du marquis Melchior de Vogüé*, il entreprit plusieurs voyages en Orient à partir de 1861, où il copia de nombreuses inscriptions. Il joua un grand rôle dans l'acquisition par le Louvre des pièces découvertes par Sarzec à Tello. Don de plusieurs inscriptions phéniciennes et chypriotes en 1851, d'une série de six bas-reliefs en marbre provenant de Cyzique (Asie Mineure) en 1854, et de stèles funéraires grecques.

Recueil de l'Institut t. 64, n° 33 (1909).

Marquis Ch.M. de Vogüé
P.A.J. Dagnan-Bouveret

•A. Vollard
P. Bonnard, Orsay

W.H. Waddington
Bibl. de l'Institut, Paris

Ch.-S. Wakefield Mori
S. Valadon, Musée de Menton

P.M.R. Waldeck-Rousseau
J. Bastien-Lepage, Musée du Petit Palais, Paris

WAKEFIELD MORI Charles-Stuartson
Londres 1867 - Monaco 1959

Tout d'abord antiquaire à New York et à Paris, il s'installa par la suite sur la Riviera tout en gardant la nationalité anglaise et se consacra à partir de 1935 à l'organisation du Musée national des Beaux-Arts de Monaco dont il devient en 1944 le conservateur ; il fut nommé en 1955 conservateur du Palais princier de la Principauté. Il avait constitué avec son épouse, Adrienne Colasson, une importante collection de peintures anciennes (Primitifs italiens) et modernes (Dufy, Suzanne Valadon dont le portrait qu'elle fit de lui en 1922, Soutine, Derain, Vlaminck, Camoin...) qu'il légua à la Ville de Menton et qui constitue le noyau du musée du Palais Carnolès. Il donna en 1931 au Louvre un panneau représentant *Saint Savin*, qui provient d'un polyptyque d'Andrea di Bartolo (déposé en 1976 au Petit-Palais d'Avignon).

WAILLE Victor

Professeur à l'École supérieure des Lettres d'Alger. Don en 1890 d'une *Tête de Vénus* diadémée, en 1896 d'un buste mutilé de *Ptolémée, roi de Maurétanie*, et en 1898 d'un bouchon d'amphore en terre cuite, tous trois provenant de Cherchel.

WALDECK-ROUSSEAU Pierre Marie René
Nantes 1846 - Corbeil 1904

Président du Conseil de 1899 à 1902. Don au Musée du Luxembourg d'un tableau de Gervex *Une séance du jury de peinture* (Orsay).

Gervex, *Souvenirs*, Paris, 1892.

WALFERDIN François Hippolyte
Langres 1795 - Paris 1880

Physicien de formation, ami d'Arago, responsable du forage du puits artésien de Grenelle, inventeur d'un certain nombre d'instruments de mesure, Walferdin fit carrière dans l'Administration de Douanes avant de siéger en 1848 à l'Assemblée constituante et de se ranger, sous l'Empire, dans les rangs de l'opposition. Mais il fut aussi l'éditeur des œuvres complètes de Diderot et un grand amateur de l'art du XVIIIe s. français ; il donna en 1849 la *Leçon de musique* de Fragonard, artiste dont il possédait une admirable série de peintures et de dessins ; il légua en 1880 trois bustes, parmi les plus célèbres, de Houdon : *Diderot, Franklin* et *Washington*.

WALLIS Henry
Londres 1830 - 1916

Peintre et historien d'art. Formé à Londres, puis à Paris dans l'atelier de Gleyre, il fut très influencé par les Pré-Raphaélites. Certaines de ses œuvres sont conservées à Londres, au Victoria and Albert Museum et à la National Portrait Gallery. Il effectua quelques voyages au Proche-Orient et, à la fin de sa vie, se passionna pour la céramique orientale et italienne, publiant de nombreux articles et ouvrages. Don, en 1910, d'un fond de plat en céramique (Égypte, XIIIe s.).

WALLON famille d'Henri Alexandre

La famille d'Henri Alexandre Wallon (1812-1904) donna au Louvre en 1905, le portrait du célèbre historien, secrétaire perpétuel de l'Académie des Inscriptions et Belles Lettres, par Bastien-Lepage. Ce portrait fut déposé au Musée de Versailles en 1929. Le seul membre de la famille Wallon dont le nom nous soit parvenu est celui du fils d'Alexandre, Paul (Paris 1845 - Paris 1817) qui était architecte.

WARNECK

Don en 1894 de deux bas-reliefs étrusques en os ornés de génies aîlés, trouvés près de Viterbe.

WARREN sir Charles
1840 - 1927

Général, il dirigea entre 1864 et 1867 les premières explorations archéologiques de Jérusalem, pour le compte du Palestine Exploration Fund fondé en 1865. En 1873, il donna au Louvre des petits fragments récupérés après la destruction de la *Stèle de Mesha*.

K. Kenyon, *Jerusalem, Excavating 3000 years of History*, London, 1967.

WARREN E. P.

Citoyen américain, membre du conseil des trustees du Musée de Boston ; il avait acquis à titre de spécimen deux pièces (une aiguière et une coupe) du trésor de Boscoreale. A l'annonce des deux dons successifs d'Edmond de Rothschild* au Musée du Louvre, il choisit alors de compléter le trésor par le don des deux pièces dont il disposait en 1895.

WATTEAU André

Historien de l'Art, expert auprès de la Compagnie Nationale des Experts spécialisés. Il donne en 1971 un ensemble de cent cinquante dessins d'Achille et Louis de Bénouville partagés entre le Musée du Louvre, le Musée du Petit-Palais à Paris et le Musée des Beaux-Arts de Lille.

WATTS George Frederic
Londres 1817 - Londres 1904

Peintre et sculpteur anglais. Portraitiste et surtout peintre d'histoire, il consacra la fin de sa vie à de vastes compositions allégoriques et symbolistes qui lui valurent une extrême notoriété. En 1893, à la suite d'une visite de Léonce Bénédite* (qui effectuait un voyage à Londres pour faire choix d'œuvres d'artistes anglais contemporains destinées à enrichir la section étrangère du Musée du Luxembourg), Watts

G.F. Watts
Autoportrait, Watts Gallery, Compton

L.L. Weill

R. Weill

reçut, de la direction des Beaux-Arts, la commande d'une grande version de *L'Amour et la Vie* (sujet qu'il traita à plusieurs reprises avec variantes). L'artiste se déclara trop honoré par cette demande pour accepter que son tableau lui soit payé et l'offrit à l'État français. L'œuvre, d'abord placée au Musée du Luxembourg, fut ensuite transférée au Louvre, sur l'inventaire duquel elle avait été inscrite dès son arrivée à Paris en 1894 (Musée d'Orsay).

WAUTERS Émile-Charles
Bruxelles 1846 - Paris 1933

Peintre d'histoire et portraitiste mondain, il avait légué une partie de ses collections au Louvre par son testament de 1931. Seules certaines œuvres furent retenues, parmi lesquelles des peintures de Meléndez (*Nature morte aux figues*), d'Oudry et de Magnasco, un dessin d'Holbein, un médaillon en cire représentant Albert Rubens (aujourd'hui au Musée d'Écouen), des bois flamands du XVᵉ s. (*Vierge à l'Enfant* de Jean Nude) et des terres cuites des XVIIᵉ s. (Faidherbe, Quellyn) et XVIIIᵉ s. (Legros, Dardel, Cardon).

WEBER Alfred
Blacy (Marne) 1858/59 - Paris 1916

Docteur en médecine ; legs d'un panneau d'après le Maître de la Madeleine Mansi.

WEILL Léon Louis
Paris 1909 - Paris 1980

Industriel et amateur d'art, il est avocat à la Cour de Paris, puis président de diverses sociétés. Trésorier-adjoint de la la Société des Amis du Louvre, il en est le trésorier de 1975 à 1980. Il donne un dessin de P. Bœl en 1978, à l'occasion de l'exposition *Les collections de Louis XIV* (Paris, Orangerie, 1977-1978).

WEILL Mme Léon-Louis,
née Claude Henry-Kapferer

Fille d'Henry Kapferer, aéronaute français, elle épouse en 1938, Léon-Louis Weill*. Elle donne, en 1981, en souvenir de son mari deux dessins (l'un attribué à Primatice et l'autre de C. Pissarro).

WEILL Raymond
1874 - Paris 1950

Polytechnicien, il quitta l'armée en 1902 pour se consacrer à l'archéologie. Il suit les cours de Maspéro* au Collège de France ; en 1905 il accompagne Flinders Petrie pour une exploration dans le Sinaï. Après plusieurs campagnes de fouilles (à Coptos avec Adolphe Reinach*, au Kom el-Ahmar, à Dara), il devient président de la Société française d'Égyptologie et directeur de la *Revue d'Égyptologie*. Grâce à Raymond Weill, le Département des Antiquités égyptiennes s'est enrichi d'une grande variété d'objets donnés entre 1911 et 1948, et son legs de 1951, effectué sous réserve d'usufruit au profit de Mme Weill, annonce un accroissement futur des collections égyptiennes et orientales d'environ mille six cents objets.

WEISS O.

Don en 1916 d'une goutte provenant d'un temple d'Éleusis.

WEISWEILLER Arthur
Ville-d'Avray (Hauts-de-Seine) 1877 - Cannes 1941

Banquier qui hérita de ses parents (Charles Weisweiller et Berthe Fould), une importante collection. Il contribua financièrement à l'acquisition de la paire de chenets de F. Th. Germain en 1935.

WELLINGTON lieutenant-colonel
Gérard Wellesley, 7ᵉ duc de
Angleterre 1885 - Angleterre 1972

Il est l'héritier d'Arthur Wellesley (1769-1852), Iᵉʳ duc de Wellington, général en chef pendant les guerres napoléoniennes et homme d'état.

Le 7ᵉ duc de Wellington servit dans la diplomatie et dans l'armée. Trustee à la National Gallery de Londres (1950-1957), Chancelier de l'Université de Southampton (1951-1962), auteur de plusieurs livres sur le premier duc de Wellington. En 1947, il offre à la Nation anglaise Aspley House, ouverte en 1952 sous le nom de Wellington museum. Il donne au Louvre en 1951, sept dessins anonymes de l'École française du XVIIᵉ s., six concernant des projets pour le Palais du Louvre, un pour un autel de Notre-Dame de Paris.

C. H. Gibbs-Smith and H. V. T. Percival, *The Wellington museum, Aspley House*, Londres, 1964.

WELLS François Emma
Paris 1846 - Paris 1922

Malgré le manque d'éléments d'information, il semble bien que le donateur soit François Wells, marchand de curiosités, installé 22 rue Drouot à la date du don. Il donna en 1884 un tableau alors considéré comme l'*Autoportrait* de Jean-Honoré Fragonard dans sa vieillesse (dépôt en 1950 au Musée Fragonard à Grasse). Il avait acquis ce tableau à la vente Walferdin* quatre ans plus tôt.

WEMYSS The Reverent Honorable Earl of

Don en 1952 d'un tableau de l'École de Fontainebleau représentant *Diane et Actéon* dont l'intérêt avait été remarqué dans sa maison de campagne de Gosport en Écosse par Sir E. Waterhouse et signalé au Louvre par Anthony Blunt.

WENGRAF Alexander

Marchand de tableaux à la troisième génération - le grand-père, prénommé lui-aussi Alexander, fonda l'affaire à Vienne à la fin du XIXᵉ s. -, Alexander Wengraf, installé à Londres, travailla d'abord chez Colnaghi comme collaborateur puis comme directeur (1974-1979) et ouvrit en 1980 sa propre galerie spécialisée dans le commerce des tableaux et des bronzes anciens. Il donna avec son épouse Pat en 1986 une esquisse peinte de Th. van Thulden relative à la vie de saint François de Paule.

G. Wildenstein
Bibl. nat., Paris

WERTHEIMER Otto
Forêt-noire 1878 - Paris 1972
WERTHEIMER Mme Otto,
née Anne Grunwald
Erfurt 1898 - Paris 1981

Bibliophile et marchand, O. Wertheimer collectionna des dessins, dont un ensemble important de Boucher et de Winterhalter, des meubles du XVIIIᵉ s. et des sculptures médiévales. L'ensemble de sa collection fut vendu le 21, 22 avril et le 26, 27 avril 1982 à l'Hôtel Drouot à Paris. Conservateur au Kaiser-Friedrich Museum à Berlin après la première guerre mondiale, il quitta l'Allemagne au moment du nazisme et s'installa définitivement en France après 1945. En 1969, M. et Mme Wertheimer donnèrent au Louvre la *Nature morte avec une chouette et un ibis* de Porpora. Mme Wertheimer offrit en 1977 un dessin de Hans Bol (1534-1593) *La construction de l'Arche de Noé.*

WEY Mme
voir **ROLLE Mme Henri Armand**

WEY Mme Francis
† 1892 ?

Legs de deux portraits du peintre suisse J. M. Wyrsch, *François-Antoine Wey* (1751-1815) et *Mathilde Wey, née Gamel* (1762-1839), son épouse, ancêtres de la donatrice.

WHITE Frederic Anthony

Vivait à Londres en 1920 et s'était rendu à Paris en 1855 puis en 1860. Don d'un *Autoportrait* de Ducreux (1920) par l'intermédiaire du National Art Collection Fund.

WICKES Forsyth
New York 1876 - Newport (Rhode-Island) 1965

F. Wickes était un homme de loi qui, en tant que conseiller de la Royal Dutch Petroleum, fut amené à passer une grande partie de sa vie en Europe. C'est à l'occasion de ses voyages qu'il se mit à collectionner les arts décoratifs français du XVIIIᵉ s. Il fut guidé dans cette voie par François Boucher, conservateur du Musée Carnavalet. F. Wickes était très lié également avec P. Verlet et M. René Huyghe. Ce grand ami de la France acheta, en 1920, le château de Courmoulin près de Gaillon. En 1925, il s'installa rue Weber à Paris. En 1945 F. Wickes revint s'établir aux États-Unis où il continua à enrichir ses collections qu'il légua au Museum of Fine Arts de Boston. Il avait auparavant offert en 1962 au Département des Objets d'Art un important vase d'ornement en porcelaine de Sèvres, à fond vert (*Vase à anses carrées*). F. Wickes est aussi un donateur du Musée national de Blérancourt.

WIENER Philippe Alexandre
St-Josse ten Noode (Bruxelles) 1852 - Paris 1929
WIENER Gaston Léopold Philippe
Bruxelles 1885 - Bruxelles 1957
WIENER Henry Philippe
Bruxelles 1887 - ?

Philippe Wiener, de nationalité belge, rassembla dans son appartement parisien, 24 place Malesherbes, un important ensemble de meubles, peintures et sculptures français du XVIIIᵉ s. A sa mort, sa collection fut achetée par Germain Seligman★. Mais ses deux fils, Gaston, représentant d'agent de change à Londres, et Henry, attaché de banque à Paris, tous deux également Belges, donnèrent en souvenir de lui et des visites qu'il faisait au Louvre, un fauteuil de bureau Louis XV qui était un des plus beaux sièges de sa collection. Un autre fut donné au même moment par M. et Mme George Blumenthal★.

Catalogue de la collection Philippe Wiener, Paris, Jacques Seligmann et Fils, 1929. C. Dreyfus, "Deux fauteuils de l'époque de Louis XV", *Bulletin des Musées de France*, juill. 1929, pp. 148-151.

WILDENSTEIN Daniel

Fils et successeur de Georges Wildenstein★ à la tête de son entreprise de commerce d'art et comme directeur de la *Gazette des Beaux-Arts* depuis 1963. Auteur de nombreux catalogues et monographies d'artistes, créateur de la Fondation Wildenstein, membre de l'Académie des Beaux-Arts depuis 1971, il est l'un des grands donateurs du Musée Marmottan, à Paris, auquel il a donné une importante collection de miniatures et enluminures des XIᵉ-XVIᵉ s., rassemblée par son père qui avait conçu le dessein d'en faire don à l'Institut de France. Don en 1976 d'une statuette en terre cuite d'*Apollon* par F. Vinache.

WILDENSTEIN Georges
Paris 1892 - Paris 1963

Grand antiquaire parisien, installé 57 rue de la Boétie, établi également à Londres, New York et Buenos Aires, il s'est consacré particulièrement à l'art français du XVIIIᵉ s. et à l'Impressionnisme, publiant de nombreuses études (articles et catalogues) : Fragonard, Aved, Lancret, La Tour, Gauguin, Monet, etc. En 1929, il a succédé comme directeur de la *Gazette des Beaux-Arts* à Théodore Reinach★. Il a été élu peu de temps avant sa mort à l'Académie des Beaux-Arts. Dons : l'*Affliction*, marbre de Stouf (1920) ; *Énée et Anchise*, petit groupe de bronze du XVIIᵉ s. (1921) ; le *Jeune dessinateur* de W. Vaillant (1926) ; un dessin de Deruet (1934) ; *Le Concert* peint par Tournier (1938) ; un fragment du *Déjeuner sur l'herbe* de Monet (1957, Orsay).

Duchesse de Windsor

Baron J.J. de Witte
Bibl. de l'Institut, Paris

WILSON John W.
Bruxelles ? - ap. 1881

Né à Bruxelles mais de nationalité anglaise, John Wilson habita pendant plus de trente ans en Hollande où il constitua une très importante collection de tableaux de maîtres anciens des Pays-Bas. Celle-ci comportait également des œuvres des écoles anglaise et française. Léguant à la Ville de Bruxelles l'essentiel de sa collection, il fit don au Louvre, en 1873, d'un tableau de Constable, *Baie de Weymouth*, ainsi que l'*Arc-en-ciel* qui passait alors pour revenir aussi au peintre anglais.

Ch. Tardieu, "Les grandes collections étrangères. II. M. John Wilson", *Gazette des Beaux-Arts*, 1873, t. II, pp. 215-222, 319-336, 390, 1874, I, pp. 40-51.

WINDSOR duchesse de, née Bessie Wallis Warfield
Blue Ridge Summit (Pennsylvanie) 1896 - Paris 1986

Le roi Edouard VIII abdiqua pour l'épouser (1937) et prit désormais le titre de duc de Windsor. Ils résidèrent ensuite essentiellement en France, sauf pendant la période où le prince fut gouverneur des îles Bahamas (1940-1945). La duchesse se plut à décorer ses demeures françaises : à partir de 1952, le moulin de la Tuilerie, à Gif-sur-Yvette, que les Windsor achetèrent, et à partir de 1953, la maison mise à leur disposition par la Ville de Paris, route du Champ d'Entraînement, dans le bois de Boulogne. Le duc mourut en 1972. En 1973, la duchesse donna sous réserve d'usufruit trois tableaux de Stubbs, Boudin et Fantin-Latour (les deux derniers à Orsay) et deux importantes tabatières parisiennes en or du XVIIIe s., de Th. P. Breton et J. Ducrollay. Elle fut aussi une donatrice du Musée national du Château de Versailles. La vente de ses bijoux à Genève, les 2 et 3 avril 1987, au profit de l'Institut Pasteur, passionna ses admirateurs.

J. Culme et N. Rayner, *The Jewels of the Duchesse of Windsor*, Londres, 1987.

WINSLOW JONES

En 1869, don au Département des Antiquités égyptiennes d'un sceptre ouas en bois.

WINTER-DESCHAMPS Mme, née Claude Révoil

Descendante directe du peintre P. Révoil, elle donne en 1986 un dessin de P. Révoil, *Portrait des parents de l'artiste*.

WINTER Charles-Jacques
Munster (Haut-Rhin) 1885 - Paris 1966

Tapissier parisien, établi 54 rue de Bourgogne. Il travailla pour le Louvre et forma de nombreux tapissiers, notamment Louis Le Dily, qui fut chef de l'atelier de tapisserie du Louvre. Il donna en 1948 une soierie Louis XVI à décor de fleurs polychromes.

WITTE Jean Joseph Antoine Marie, baron de
Anvers 1808 - Paris 1889

Érudit belge. Membre de l'Institut. Dons de deux amphores panathénaïques miniatures de 1881, d'une trentaine de fragments de vases, de deux fusaïoles, provenant des fouilles Schliemann à Mycènes en 1885. La baronne de Witte, donna en 1889 en souvenir et par fidélité à son époux défunt, onze vases et une brique, "objets que M. le baron de Witte désirait léguer au Musée".

WOLF Émile E.

Collectionneur américain, il donne en 1986 un dessin, *Pêcheurs retirant leurs filets* d'après un original de Giulio Romano, déjà au Louvre.

WOLF Théodore Bernard
Eaubonne 1860 - Paris 1949

Artiste peintre. Legs par l'intermédiaire de sa sœur Mme William Marçais d'un portrait au pastel du chanoine Claude-Charles Deschamps par La Tour.

WORMS Monsieur

Le Dr. Worms a donné en avril 1894 une terre-cuite du XVIIIe s., ultérieurement identifiée comme le petit modèle de la *Mort de*

Caton d'Utique morceau d'agrément de Ph. Roland, à l'Académie, en 1782, qui avait fait partie de la collection Jules Boilly.

WORMSER Olivier
Jouy-en-Josas (Yvelines) 1913 - Paris 1985

Ambassadeur de France, gouverneur honoraire de la Banque de France et membre de l'Institut (Académie des Sciences morales et politiques). En 1977, il offrit au Musée du Louvre, en souvenir de sa mère, Mme André Wormser, née Olga Boris, une *Vierge* en terre vernissée d'Avon (déb. du XVIIe s.). O. Wormser fut également donateur du Musée Carnavalet.

WOZMESCENSKI Alexandre

Don en 1956 d'une pièce de monnaie islamique en argent du XIIe s.

WYSE
voir **BONAPARTE-WYSE**

XACOUSTIS

Don en 1876 de deux idoles plates en terre cuite provenant de Tanagra et en 1894 d'une anse en bronze ornée de boucs découverte à Corinthe.

YEATMAN Mme Léon
voir **CLERC Antonin**

YOUGOSLAVIE prince Paul de
St-Petersbourg 1893 - Paris 1976

Neveu du roi Pierre Ier de Serbie, fils du prince Arsène de Serbie et d'Aurore Demidoff, il épousa en 1923 la princesse Olga de Grèce. Après l'assassinat de son cousin germain, le roi Alexandre Ier de Yougoslavie, en 1934, il assuma la régence au nom du jeune roi Pierre II jusqu'en 1941. Il résida ensuite en France. Grand connaisseur, il donna en 1955, sous réserve d'usufruit, trois seaux en verre en porcelaine de Sèvres du service dit de Buffon, provenant du comte d'Artois (1780-1781).

M. Zillhardt
L. Breslau, Orsay

Mme E. Zola
Ed. Manet, Orsay

YOUNGER George W.
Angleterre ? av. 1860 ? - ap. 1920

Le Louvre doit à ce londonien une initiative émouvante : il offrit en 1920 un grand tableau néo-classique de Louis Lafitte représentant un guerrier mourant, en souhaitant que la Nation française apprécie ce geste comme le don spontané d'un Anglais en mémoire des victimes françaises et anglaises de la première guerre mondiale. Le tableau (qui figure dans la vente après décès de Lafitte en 1828 sous le titre *Un guerrier mourant* et n'est probablement autre que le *Gladiateur mourant* du Salon de 1795) appartenait depuis environ quarante ans au donateur ; de ce dernier nous ne savons rien de plus, sinon qu'il a lui-même précisé qu'il ne devait pas être confondu avec son homonyme et contemporain, le politicien Sir George Younger (1851-1929).

YVON Rolland Maurice
Paris 1857 - Paris 1911

Fils du peintre A. Yvon (1817-1893). Architecte, il est inspecteur de la Ville de Paris et du Ministère des Colonies, puis inspecteur en chef-adjoint. Lègue sept dessins de son père.

E. Heiser, *Peintre de batailles et portraitiste, Adolphe Yvon (1817-1893) et les siens*, Sarreguemines, 1974.

ZAFIROPOULO enfants de Polybe

Ils donnèrent, selon la volonté de leur père, un *Autoportrait* de G. Ricard en 1952 et un dessin de Boilly en 1956.

ZAGIELL prince

Don en 1862, au Département des Antiquités égyptiennes, d'un papyrus d'époque romaine.

ZAGOROVSKY Wladimir
ZAGOROVSKY Mme Wladimir,
née Marguerite Roche
Marseille 1897 - Paris 1979

Wladimir Zagorovsky, ingénieur, et sa femme comptent parmi les plus fervents admirateurs de L. Levy-Dhurmer (1865-1953), dont ils rassemblent une importante collection de peintures, de pastels et de dessins ainsi que les archives. Ils font en 1972 une généreuse donation d'œuvres du peintre, destinée à être partagée entre les musées de Paris (Louvre, six pastels - aujourd'hui au Musée d'Orsay et cinq albums de dessins - Petit-Palais, huit numéros) et de province (Beauvais, Brest, Gray, Pontoise, Saint-Étienne). A cette occasion fut organisée au Grand-Palais, l'exposition *Autour de Levy-Dhurmer. Visionnaires et intimistes en 1900* (1973).

G. Lacambre, "Lucien Levy-Dhurmer", *La Revue du Louvre*, 1973, n° 1, pp. 27-34 ; J. Foucart et J. Lacambre, "Autour de Levy-Dhurmer", *ibid.*, pp. 63-66.

ZIEM Mme Félix, née Ursule Treilles

Veuve de F. Ziem (Beaune 1821 - Paris 1911), peintre et aquarelliste orientaliste. Don, en 1936, d'une *Marine* à l'aquarelle de son mari.

ZIESENISS Charles-Otto

Historien d'origine américaine. Il fit ses études d'histoire de l'art à Paris et fut, à partir de 1954, chargé de mission à titre étranger au Musée national du Château de Versailles. Très intéressé par l'époque napoléonienne, il a publié *Le Congrès de Vienne et l'Europe des princes* et *Napoléon et la cour impériale* (1980). On lui doit aussi *Les Aquarelles de Barye. Étude critique et catalogue raisonné* (1954) et de nombreux articles. Collectionneur de porcelaines de Sèvres, il a donné en 1985 et 1986 deux assiettes en porcelaine de Sèvres (1768 et v. 1760). Il a également fait, depuis 1956, de nombreux dons aux musées nationaux de Malmaison (*Portrait du prince Eugène*) par Appiani, en 1981), de Sèvres et de Versailles.

ZILLHARDT Madeleine
St-Quentin 1863 - Neuilly-sur-Seine 1950

Sœur du peintre, Jenny Zillhardt, elle est artiste-décoratrice. Amie du peintre L. C. Breslau (1856-1929), elle en est la légataire universelle. Elle fait une importante donation d'œuvres de L. C. Breslau (quarante-trois numéros au Musée des Beaux-Arts de Dijon et donne au Louvre en 1929 le *Portrait d'Henry Davison* et le portrait au pastel d'*Anatole France* (dépôt au Musée de Versailles). Elle publie à Paris en 1932, *Louise-Catherine Breslau et ses amis* dans lequel sont insérés quelques textes inédits de L. C. Breslau, notamment des "Souvenirs sur Anatole France" (pp. 215-225). Paul Brame (1898-1971) donne en exécution des volontés de Madeleine Zillhardt un album de dessins et un dessin de L. Breslau (1954).

ZOLA Mme Émile, née Alexandrine Melay
1839 - 1925

Épouse d'Émile Zola dont elle était la compagne depuis 1865, elle fit don en 1918 sous réserve d'usufruit de trois œuvres de Manet, son portrait au pastel, celui d'*Émile Zola* son mari (Orsay), et une aquarelle représentant le *Christ aux Anges*.

ZOUBALOFF Jacques-Michel de
Tiflis (Tbilissi, U. R. S. S.) 1876 - Neuilly-sur-Seine 1941

Industriel, administrateur de sociétés, hommes de lettres, il se fit remarquer dans sa ville natale comme philanthrope, par la construction de toute une série de bâtiments publics, devenant ainsi citoyen d'honneur de Tiflis. Il fut aussi le fondateur et collaborateur de nombreux journaux et revues. Arrivé en France au tout début de notre siècle, il se consacra à l'étude des Beaux-Arts, tout en créant des œuvres musicales, et en pratiquant la peinture.

Naturalisé français en 1922, il était membre du Conseil de la Société des Amis du Louvre, membre du Conseil de l'Union centrale des Arts décoratifs et membre de la Société des auteurs et compositeurs de Musique. Durement touché par la crise dans les années trente, il aurait fini ses jours dans la misère si l'administration des Musées ne lui était venue en aide (à partir de 1938). Jacques de Zoubaloff a été l'un des grands donateurs des musées nationaux, faisant bénéficier de sa générosité le Louvre, le Luxembourg, ainsi que les Arts décoratifs, le Petit-Palais, le Musée Galliéra, les musées de l'Armée et de la Légion d'Honneur, les musées de Grasse, de Nantes et la ville de Reims. Il participa encore à de nombreuses acquisitions de l'État. Entre 1912 et 1932 le Louvre reçut notamment, pour le Département des Peintures, *L'Amour et Psyché* de Picot, la *Vénus marine* de Chassériau, l'*Intérieur de la cathédrale de Sens* de Corot, pour le Cabinet des Dessins, des aquarelles et dessins de Barye, Corot, Daumier, Regnault, ainsi que des albums de Barye, David, Gericault et Ziem, pour le Département des Objets d'Art et pour le Département des Sculptures, un ensemble de soixante-dix bronzes et plâtres de Barye, d'une importance et d'une qualité exceptionnelles, dont les modèles originaux des groupes des *Chasses* du surtout de table du duc d'Orléans, les figures du décor du Louvre commandées par Lefuel, *Charles VI dans la forêt du Mans*, de même que l'esquisse en plâtre, par Rude, de *La Marseillaise* pour le groupe du *Départ* de l'Arc-de-Triomphe de l'Étoile, et deux œuvres de Dalou, dont une *Bacchanale* en bronze.

ZUBER Henri
Rischeim 1844 - Paris 1909

Peintre, issu de l'illustre famille de manufacturiers de papier peint, installé à Rixheim, Henri Zuber est essentiellement paysagiste. Il donne en 1890 une *Place Saint Sulpice* (non localisé)dont on trouve trace dans le catalogue de la Société des Aquarellistes français entre 1879 et 1896.

Y. Zuber *Le paysagiste Zuber. L'Aquarelle réelle. Un maître de l'aquarelle. Le centenaire d'un alsacien*, 1945.

ZUBER famille d'Henri

Le tableau : *Les premiers sillons ; Haute Alsace*, ou *Le laboureur* d'Henri Zuber* fut offert par la famille en 1931, pour qu'il soit exposé, en alternance, avec celui acquis par l'État à l'artiste en 1885 et déposé en 1960 au Mobilier national.

ZUBER Paul Alfred
Niedermorschwiller 1865 - Rueil-Malmaison 1952

Cousin germain du peintre Henri Zuber*. Il travaille dans l'industrie textile puis à la Banque de Mulhouse. Il donne en 1937 une aquarelle d'Henri Zuber représentant les *Étangs de Chaville*.

Crédits photographiques :

Réunion des musées nationaux
(D. Arnaudet, M. Bellot, M. Coursaget, C. Jean, J. Schormans),
sauf pour les photographies des pages suivantes :

Bibliothèque nationale :
138, 152, 154, 158, 160, 169, 175, 176, 180, 183, 205, 206, 213,
216, 222, 228, 236, 268, 270, 277, 281, 306, 311, 315, 344.

Bulloz :
137, 142, 162, 176, 188, 198, 199, 206, 209, 216, 217, 278, 296,
313, 321, 327, 333, 339, 342.

Giraudon :
138, 179, 186, 260, 265, 311.

Roger-Viollet :
133, 163, 191, 201, 214, 217, 262, 284, 292, 295, 302, 310, 330,
345.

et les institutions citées.

Cet ouvrage a été achevé d'imprimer le 20 mars 1989
sur les presses de l'Imprimerie Moderne du Lion S.N. à Paris
d'après les maquettes de Bruno Pfäffli

Le texte a été composé par Annie Desvachez
L'Union Linotypiste à Paris,
les illustrations gravées par France Photogravure à Lyon,
le papier provient des papeteries Job

Conception graphique de la couverture : Grapus

Dépôt légal mars 1989
ISBN 2-7118-2254-0
EC 20 2254